S0-BIE-631

L'IDÉE DU BONHEUR
DANS LA LITTÉRATURE
ET LA PENSÉE FRANÇAISES
AU XVIIIe SIÈCLE

ROBERT MAUZI

Professeur à la Faculté des Lettres
et Sciences humaines de Lyon

L'IDÉE DU BONHEUR

DANS LA LITTÉRATURE ET LA PENSÉE FRANÇAISES

AU XVIIIe SIÈCLE

Quatrième édition

LIBRAIRIE ARMAND COLIN

103, Boulevard Saint-Michel, Paris (5e)

1969

Cet ouvrage, publié avec le concours de la Caisse Nationale des Lettres, a paru d'abord en 1960 chez le même éditeur.

A Monsieur René PINTARD.

Je tiens à remercier d'abord tous ceux qui furent mes maîtres. Trois d'entre eux m'ont laissé un grand souvenir : M. Henri Lemaitre, M. l'Inspecteur général Jean Boudout, et surtout M. l'Inspecteur général Jean Prigent, dont l'enseignement à l'Ecole Normale Supérieure m'aida à comprendre que le plaisir littéraire n'est pas l'ennemi de l'histoire des idées.

Je dois aussi beaucoup à l'exemple de nos dix-huitièmistes : en premier lieu à M. Jean Fabre, Professeur à la Sorbonne, dont la générosité intellectuelle fut pour moi le meilleur des stimulants, et aussi à ceux dont les livres m'ont servi de modèle, notamment à MM. Pierre Burgelin, René Pomeau, Professeur à la Sorbonne, et Jean Starobinski.

De nombreux amis m'ont aidé à relire le manuscrit et à corriger les épreuves. Quatre d'entre eux, deux littéraires, Jean Ehrard et Jacques Morel, un philosophe, Michel Foucault, un historien, Guy Palmade, tous plus compétents que moi sur bien des points, m'ont suggéré des retouches et des enrichissements de première importance : qu'ils en soient affectueusement remerciés.

Il me reste à expliquer pourquoi ce livre appartient à M. René Pintard, Professeur à la Sorbonne. J'y vois au moins trois raisons. C'est à lui que revient l'idée même de cet ouvrage : la joie que j'ai eue à l'écrire, l'acharnement aussi qu'il me fallut, étaient virtuellement contenus dans cet instant déjà lointain, où il proposa à mon entière disponibilité un sujet de thèse qui aussitôt m'éblouit et me fixa. Je n'oublie pas non plus qu'en des périodes noires où je désespérais des livres, il voulut bien ne pas désespérer de moi. Enfin il s'est penché sur les états successifs de mon texte, en a relevé toutes les défaillances, m'a prévenu contre les facilités et m'a fermement imposé les aménagements nécessaires. La formule n'est donc pas vaine, si je dis que, sans lui, ce livre n'existerait pas.

R. M.

INTRODUCTION

I. Méthode. — II. Sources philosophiques et précédents littéraires. — III. Les maladies de l'âme. — IV. Frivolité et libertinage. — V. Styles de vie heureuse. — VI. Structure et analyse de l'ouvrage.

I. — MÉTHODE.

L'idée du bonheur appartient à la fois à la réflexion, à l'expérience et au rêve. On peut la rechercher au sein d'un système de morale, dans la trame d'une vie, à travers une fiction ou dans le simple déroulement de la pensée errante. Il faudrait pour la saisir se faire historien des idées, historien des âmes, et pratiquer cette analyse existentielle qui reconnaît dans le choix d'une sensation ou l'obsession d'une image l'attitude d'une conscience devant le monde.

Cette polyvalence ou cette incertitude devait-elle être considérée comme un risque, comme un motif de découragement ? Fallait-il tout tenter pour éviter la confusion, décider de s'en tenir à l'une de ces méthodes ? Ou valait-il mieux tirer parti de ces ambiguïtés en tâchant d'y trouver un principe d'explication ?

On a commencé par lire, dans la production de XVIIIe siècle, une cinquantaine d'ouvrages, généralement assez courts, qui ont pour titre *Essai sur le bonheur* ou *Traité du bonheur*. Le résultat fut pitoyable : des lieux communs d'inspiration épicurienne ou stoïcienne, des vestiges plus ou moins honteux de pensée métaphysique et de morale chrétienne, des slogans bourgeois dont les arrière-pensées étaient aveuglantes. Rien de sincère, rien de neuf, rien de chaleureux, rien où l'on sente l'âme. Toujours la même prédication prudente : « N'allez pas compromettre, par d'intempestifs écarts, l'ordre social, qui est sacré ! » On découvrait avec effroi combien le conformisme a tôt fait d'amortir une révolution intellectuelle. Un seul de ces traités reste émouvant par ce qu'il contient de révélation de soi, par ce qu'il laisse deviner de souffrance maîtrisée et convertie : les *Réflexions sur le bonheur* de Mme du Châtelet. Celui-là n'était pas destiné à être lu par tout le monde. Et il fallut que son auteur mourût pour que le monde s'en emparât. Quant aux chapitres des grandes œuvres philosophiques où l'on parle du bonheur, ils ne diffèrent pas sensiblement des traités et sont plus décevants encore, s'il est possible.

De toute évidence, il n'y avait pas là matière à un vrai travail. Pour se purifier de tant de sécheresse et de tant d'hypocrisie, on se mit à lire des écrits intimes, mémoires et correspondances. Sans aucun doute, cela rendait un autre son. Mais il aurait fallu consacrer une étude à chacune de ces âmes, explorer longuement chacune de ces histoires. Après quoi, l'on aurait pu tenter de donner des « portraits », comme s'y risquèrent en d'autres temps les Goncourt, à propos de « la femme au XVIIIe siècle ». Mais, à supposer que l'on y ait réussi, ce n'eût pas été un livre sur le siècle, et c'est cela qu'on devait faire.

Il restait à parcourir le champ de la littérature d'imagination. La littérature romanesque, qui est copieuse et n'ennuie pas, reste l'une des meilleures sources pour la connaissance des âmes, en nous révélant de quoi elles rêvaient, ce qu'elles auraient voulu être, ce qui les gênait dans les idées reçues, et avec quelle violence un peu morbide elles s'acharnaient sur certaines : l'idée de vertu en sut quelque chose ! Mais il eût été paradoxal de chercher l'image d'un temps qui reste essentiellement marqué par la « philosophie » dans le genre littéraire le plus grevé de conventions et traité, à quelques exceptions près, par des auteurs de faible talent. Pourtant certains grands romans sont d'une extraordinaire richesse. Quand on connaît *Cleveland* et *La Nouvelle Héloïse,* il reste peu à découvrir sur le XVIIIe siècle ! Et l'on s'est convaincu que Prévost est l'une des plus lucides parmi les consciences d'alors, la seule conscience tragique, avec Rousseau, d'une époque où les euphories artificielles savaient admirablement endormir ou masquer le malaise des âmes.

La possibilité d'écrire ce livre n'apparut qu'au moment où l'on eut l'idée, non seulement de ne pas choisir, mais de chercher des ressemblances, des enchaînements, des relations de toutes sortes entre les thèmes de la pensée philosophique, les aventures vécues et les jeux de l'imagination. En pratiquant des coupes multiples à travers ces trois plans parallèles, bien des choses s'éclairèrent et c'est alors que l'on sut que cet ouvrage pouvait avoir un sens.

Rien n'est plus décevant en effet, en ce qui concerne le XVIIIe siècle, que le parti pris des historiens de considérer séparément ce qui relève de la « philosophie » ou des « lumières » et ce qu'on abandonne, non sans ironie, à la « sensibilité ». Les ouvrages estimables de Mornet se répartissent en deux groupes, et l'on sent que leur auteur s'est bien gardé de brouiller les cartes : d'un côté, ceux qui étudient sinon les « idées » — Mornet, probe et modeste, n'avait pas cette ambition — du moins les manifestations extérieures qui les accompagnent ; de l'autre, ceux qui s'attachent sinon à la connaissance des âmes (là encore, ce serait trop dire) du moins à l'évocation des modes et des thèmes qui prouvent que ces âmes étaient « sensibles ». La même critique vaut pour des œuvres plus brillantes. Celles de Paul Hazard, à cet égard, font illusion. La fascination que l'on subit à leur lecture vient des prestiges que leur auteur — un virtuose — a tirés de ses propres ressources, non des secrets recueillis au fond des consciences du XVIIIe siècle, lesquelles n'y sont jamais vraiment interrogées.

Le meilleur livre sur la philosophie des lumières n'est d'ailleurs pas celui de Paul Hazard, mais un livre qui n'a pas été traduit en français, que tous les étudiants français ignorent, mais que tous les étrangers qui étudient notre littérature connaissent : *Die Philosophie der Aufklärung*, ou en version anglaise *The Philosophy of the Enlightenment*, du philosophe allemand Ernst Cassirer. Il s'agit de l'un de ces quelques grands livres qui comptent dans le domaine de l'histoire des idées. Or on est stupéfait, en même temps que par l'intelligence de Cassirer et son aptitude quelquefois imprudente à la synthèse, par son manque de curiosité humaine. Il semble que les idées soient maîtresses absolues d'un royaume où nul n'habite, il semble que de Leibniz à Kant (il ne déplaît pas à l'auteur que le point de départ et le point d'aboutissement de la « Philosophie des lumières » aient été germaniques), la pensée se déroule selon une nécessité autonome, qu'elle ne concerne jamais des hommes, c'est-à-dire des êtres qui ont à résoudre des problèmes relatifs à leur *existence* et qui font partie d'une *société.*

Il convient cependant d'être juste : ce qui n'a pas été tenté pour l'ensemble de la pensée du siècle a été en partie réussi pour deux grands écrivains. M. Pomeau a écrit une excellente *Religion de Voltaire* où, sans aucune prétention méthodologique, sans ces naïvetés que déploient généralement les gourmands de psychanalyse, les variations d'une pensée sont constamment confrontées avec les vicissitudes d'une existence et les angoisses d'un tempérament. Plus récemment, M. Starobinski a donné un *Jean-Jacques Rousseau* au sous-titre symbolique : *La transparence et l'obstacle.* La nouvelle critique devrait revendiquer ce livre comme le modèle du genre. Mais peut-être contient-il plus que ce qu'elle-même promet. L'ouvrage de Starobinski n'aurait jamais existé sans la thèse de M. Burgelin sur *La Philosophie de l'existence de Jean-Jacques Rousseau,* où l'homme Rousseau n'est peut-être pas toujours assez présent, mais qui n'en est pas moins le premier et jusqu'à présent le seul exposé véritable de la pensée du philosophe.

Ces remarques critiques tendaient à préciser la méthode que l'on a voulu suivre. A propos d'une époque (le XVIIIe siècle), d'un certain champ d'exploration à la fois large et limité (l'ensemble de la littérature, d'idées, d'imagination ou de témoignage), d'un certain thème, qui sans doute n'a pas été choisi au hasard (le bonheur), on a cherché les divers points de rencontre entre le *systématique* et *l'existentiel* et, à partir de là, tenté d'expliquer et de décrire un certain état *historique* de la conscience humaine.

Cela impliquait l'oubli des divisions et des « courants » traditionnels : « Philosophie des lumières », « âmes sensibles ». Mais l'on n'a pas eu grand mal à se défaire de catégories qui s'écroulent d'elles-mêmes. Bien des manuels laissent encore entendre que le XVIIIe siècle se divise en deux moitiés, que la première s'ouvrit avec ravissement aux rayons de la pensée « philosophique », que la seconde appartint aux âmes sensibles, qui s'y vautrèrent en pleurant jusqu'à ce qu'un fin pressentiment du Romantisme les ait aidées à cristalliser leur trouble anarchique autour des ruines et des tombeaux. D'abord cette chronologie est absurde. La pensée philosophique n'atteint son point ultime — non le plus riche sans doute, mais le dernier — qu'avec les systèmes matérialistes de d'Holbach et d'Helvetius, lesquels écrivirent dans la seconde moitié du siècle. En revanche, les grands romans de Prévost, où tous les thèmes du « préromantisme » existent déjà, ont été publiés entre 1730 et 1740. Ensuite, la « Philosophie des lumières » n'est pas faite seulement de lumières. Que de clairs-obscurs et d'ombres épaisses, d'où la lumière n'émerge qu'en de pathétiques combats : survivance de la pensée magique, déguisements nouveaux d'une métaphysique déjà bien vieille ! Le XVIIIe siècle n'est pas un âge de révolte, mais un âge de transition entre la pensée théologique et la pensée positive, entre une philosophie de l'absolu et une philosophie de l'histoire. Le XVIIIe siècle n'a pas supprimé le surnaturel : il l'a *rationalisé*, ce qui est bien différent, plus naïf sans doute, moins prestigieux pour nos intelligences positives, mais, du point de vue de l'homme, tellement plus intéressant ! Le XVIIIe siècle n'a pas été irréligieux. Rien ne l'obsède plus au contraire que les problèmes religieux : ce pauvre Voltaire, M. Pomeau l'a rappelé, devait se mettre au lit, chaque année, le jour anniversaire de la Saint-Barthélemy ! Quant aux mystiques illuministes en quoi l'époque s'achève, elles ne sont pas la négation, mais la conséquence de la « philosophie ». Il existe ainsi tout un envers du siècle des lumières, qu'on se propose d'étudier un jour, et qui retient une aussi large part de l'âme de ce temps que le rationalisme des Philosophes. Le XVIIIe siècle a le goût de l'étrange et du merveilleux. Il aime les mystères et les monstres, rêve de créations démiurgiques. L'homme de cette époque, selon le mot de Karl Barth [1], est un homme *absolutiste*, c'est-à-dire que tout désormais dépend de lui, qu'il est à lui-

1. Cf. Karl BARTH, *Images du XVIIIe siècle*, Neuchâtel, Paris, 1949.

même sa seule justification, qu'il se sent le maître de toutes choses, et impose sa forme à l'univers. Dans cette reconstruction du monde, tout est mis en œuvre simultanément : la raison, la sensibilité, l'imagination, les sens aussi. Il y a dans certaines exaltations sentimentales, dans certaines formes extrêmes du libertinage, le même appétit d'absolu que dans la raison souveraine de la Philosophie. Chacun se sert simplement des moyens qui lui sont donnés.

Sous ce désordre et cette fièvre, de sourdes angoisses. Certaines sont fort nobles : quelle justification donner à l'existence ? Par quelle magie ou quelle ivresse remplacer les dieux absents ? D'autres sont plus mesquines, un peu ridicules : comment sauver l'ordre bourgeois ? Alors qu'on rit volontiers des pâmoisons et des délires, on est indulgent pour l'extraordinaire conformisme de ce temps. Ou plutôt l'on croit que la Philosophie s'oppose au conformisme, qu'elle n'a pas mis longtemps à le balayer. La vérité est que le conformisme se loge à l'intérieur même de la Philosophie. Le XVIIIe siècle se meut entre deux pôles, l'un bourgeois, l'autre héroïque (que ce soit l'héroïsme de la raison, de l'imagination ou des sens). Il semble que le grand problème soit de conquérir à n'importe quel prix un absolu (d'où l'héroïsme), puis de l'installer, de le conserver sous sa forme la plus solide et la plus rassurante, de le changer en un *ordre* dont on ne s'évadera plus : d'où la dégradation bourgeoise. On voit qu'il n'est pas possible de concevoir plus étonnant mélange de témérité et de prudence, de lucidité et d'illusion. Mais pour admettre cela, il faut consentir à déchirer quelques mauvaises images : l'une surtout qui loge en deux camps plantés face à face Philosophes et bien-pensants ; et toutes celles qui illustrent la légende de deux générations d'âmes — les unes trop sèches, les autres trop tendres — dont la seconde prend, excédée et délivrée, la relève de la première.

L'étude du *bonheur* éclaire à la fois les ambiguïtés et l'unité du siècle. D'abord le bonheur se situe de lui-même aux confins du systématique et de l'existentiel, et cela n'est pas vrai seulement pour le XVIIIe siècle. Ensuite il constitue l'une des idées-forces qui animent toute l'époque et se répandent dans toutes les directions. On tâchera de montrer comment des thèmes philosophiques contradictoires s'expliquent par des besoins complémentaires, relevant eux-mêmes d'une inquiétude profonde, d'une façon défectueuse d'assumer l'existence. Ou bien l'on verra qu'un thème « littéraire » s'éclaire d'une signification sociale, que celle-ci interfère à son tour avec une exigence de l'âme. Partout l'on reconnaîtra, par delà une dualité que l'on refuse dans la souffrance, la mauvaise foi ou l'euphorie, la poursuite et le rêve d'une impossible unité.

L'innovation du XVIIIe siècle est d'enrichir ou d'aggraver la confusion traditionnelle depuis l'Antiquité, entre la morale et la théorie du bonheur, d'un troisième terme : l'ordre social. Bonheur, morale et société désormais ne font qu'un. Telle est du moins la profession de foi la plus courante. Mais il y entre beaucoup de mensonge ou d'illusion. En fait la question du bonheur individuel et celle du bonheur collectif ne coïncident jamais [1] : le premier dépend d'un *choix personnel* ; le second est le résultat nécessaire d'un *ordre politique*. Ou plutôt il existe deux styles de bonheur qui ne concernent pas les mêmes hommes. L'ordre politique ne fait peser son influence que sur le bonheur du *peuple*, sur le bonheur de ceux qui ne pensent pas, dont la condition sociale est *toute* la condition. Mais le bonheur de ceux qui pensent relève d'un ordre bien différent : celui-là demeure dans la ligne d'une *sagesse*, et la sagesse est d'essence individuelle. Seul le bonheur du bourgeois [2] semble ambigu. Le bourgeois possède et construit sa sagesse tout en s'éprouvant solidaire d'un ordre plus vaste, dont il entend bien profiter. Pour lui, et pour lui seul, le problème du bonheur est à la fois moral et social.

Si l'on réserve le cas du bourgeois — qui fera l'objet d'un chapitre — on peut disjoindre sans trop d'abus bonheur individuel et bonheur collectif. Il était tentant d'embrasser les deux. Mais ce livre eût été rendu démesuré. On s'en est donc tenu au premier, sans négliger ses implications sociales, en particulier la *sociabilité* comme source du bonheur individuel. C'est sans trop de regret, il faut en convenir, que l'on a consenti à limiter le sujet. Un ouvrage qui aurait prétendu traiter ensemble les deux questions eût manqué d'unité. Les problèmes qui se posent dans les deux cas, les méthodes permettant de les résoudre, sont par trop dissemblables. Il existe d'ailleurs de nombreux travaux sur les idées politiques, sociales et économiques du XVIIIe siècle, quand tout restait à faire à propos du bonheur individuel. Enfin il n'est pas impossible que cette étude ait un jour une suite.

II. — Sources philosophiques et précédents littéraires.

La recherche du bonheur, au XVIIIe siècle, n'est évidemment pas un thème neuf [3]. Sans doute le bonheur va-t-il servir de justification

1. Elles ne coïncident vraiment, du moins avec tout le sérieux philosophique voulu, que dans une œuvre capitale, mais unique : *Le Contrat social.*

2. On entend par « bourgeois » non tous ceux qui pensent les problèmes de la classe montante — tous les Philosophes à ce compte sont des bourgeois — mais ceux qui participent directement au circuit économique et vivent d'un *bénéfice*. Au sens le plus précis du terme, le bourgeois du XVIIIe siècle est essentiellement le « négociant ». (Cf. chapitre VIII : *Le bonheur bourgeois*).

3. Ce qui est neuf surtout, c'est, comme on le montrera, la valeur quasi obsessionnelle que prend alors ce thème. L'affaiblissement des contraintes morales et religieuses est l'explication communément proposée. Cependant il en existe peut-être une autre, que l'on se bornera à suggérer, mais qui devrait faire l'objet, pour un historien, d'une étude précise : n'y a-t-il pas un rapport entre la *réflexion morale* et l'*existence matérielle*, entre le *thème philosophique*

en des domaines interdits jusque-là à la conscience individuelle : religion ou politique. Il était assez rare au XVIIe siècle qu'on nimbât sa vie de piété à seule fin de jouir de sa bonne conscience, impensable que la gloire du Roi ne suffît pas à couvrir les entreprises guerrières. Le salut de l'âme, la grandeur de la nation confondue avec le prestige du monarque, écrasaient bien des aspirations de la nature. On possédait officiellement deux vies, dont l'une appartenait à Dieu, l'autre au Roi. Le bonheur, la part réservée à soi-même, gardait toujours quelque chose de clandestin. La pudeur du moins interdisait qu'on en parlât. Et l'on tâchait d'être heureux de manière empirique, sans considérer que ce fût un problème. Ou s'il existait un problème du bonheur, il semblait inférieur en dignité à bien d'autres, ainsi qu'à la simple curiosité des moralistes, qui considéraient un peu comme une fin en soi la connaissance de l'homme.

Cependant la rupture avec un passé récent coïncide avec un retour à une tradition plus ancienne. On n'a pas encore assez étudié tout ce que le XVIIIe siècle doit à l'Antiquité. Pourtant cette étude serait capitale. La grande idée, qui commande l'âge des « lumières », selon laquelle le problème moral ne se distingue pas du problème du bonheur, est une idée antique. Les Philosophes n'ont fait que l'élargir en l'appliquant aussi à la politique. Le christianisme l'avait obscurcie pendant des siècles, le *salut* interceptant le *bonheur*. Mais chaque fois que le christianisme est remis en question, elle surgit. Elle s'était déjà manifestée au XVIe siècle sous la forme de l'*Humanisme*. Elle prend sa grande revanche avec l'esprit philosophique, jusqu'à ce que la doctrine kantienne en prononce l'élimination quasi définitive. L'impératif catégorique porte un coup mortel à la tradition de l'humanisme antique, en substituant une morale du devoir à la morale du bonheur.

Trois références antiques reviennent sans cesse dans les traités du XVIIIe siècle, « philosophiques » ou bien-pensants : Platon, Épicure, les Stoïciens. Le bonheur « platonicien » ne signifie pas beaucoup plus, très souvent, que bonheur *intellectuel*. On appauvrit ridiculement l'éthique du grand philosophe. Pourtant ne peut-on reconnaître dans l'idéal du siècle comme un reflet de l'équilibre platonicien entre le plaisir et la science ?

Épicure est le centre et l'enjeu d'une vive querelle. Les Philosophes l'invoquent au nom d'une morale du plaisir épuré. Les bien-pensants le maudissent comme l'inspirateur des « pourceaux » qui se réclament de lui. Ces pourceaux, répondent les Philosophes, n'ont fait qu'usurper son patronage. En réalité la volupté prônée par Épicure s'accordait

du bonheur et la *vitalité économique* du XVIIIe siècle ? (Sur les réalités économiques et sociales, on peut consulter : G. Lefebvre, *La Révolution Française*, Halphen et Sagnac, XIII ; et surtout E. Labrousse, *Origines et aspects économiques et sociaux de la Révolution Française*, Paris, Les Cours de Sorbonne, deux fascicules).

à merveille avec la vertu et ne voulait qu'entretenir, selon une douce prudence, la paix de l'âme. Le débat ne pouvait pas finir, car la vraie question n'était pas franchement posée. Les Philosophes avaient raison de défendre en Épicure l'apôtre des jouissances tranquilles. Mais les bien-pensants avaient raison aussi de s'en prendre à ses disciples contemporains, qui se servaient d'Épicure pour faire prévaloir, contre la morale chrétienne, un naturalisme moderne. Ce n'est d'ailleurs pas tant à propos du *plaisir* que s'exerce l'influence d'Épicure, qu'à propos d'une valeur beaucoup plus importante, à la fois sentimentale et morale : le *repos*. Tel est le sens profond de la doctrine épicurienne : préserver à tout prix le repos de la conscience, en n'accordant à la nature que le minimum de ce qu'elle réclame et en méprisant tout le reste, d'où l'inquiétude viendrait à coup sûr. L'âme d'Épicure n'est nullement tendue vers la jouissance : elle semble gâtée au contraire par un dégoût de la vie, par une triste hantise des limites de l'homme, par un fonds d'amertume et de crainte. Le bonheur épicurien est un bonheur négatif, qui consiste à privilégier, par rapport au plaisir toujours instable, cette absence de trouble qui laisse la conscience comme une mer étale et lui apporte l'extinction de l'angoisse dans l'évanouissement du désir. Or cette idée du *repos* est l'un des pôles de la conception du bonheur au XVIIIe siècle. On peut la considérer comme épicurienne. Mais à condition de ne plus y voir un alibi pour refuser les biens de ce monde. L'idéal du repos recouvre moins désormais un désenchantement qu'il ne sert de conjuration magique contre les risques d'un amour désordonné de la vie. Il peut aussi bien appartenir aux « optimistes » qu'aux « pessimistes ». S'il guérit le « mal de vivre », il laisse disponible pour d'autres modes du bonheur plus intenses : il permet de les attendre et fournit un refuge en cas de péril. C'est ce correctif essentiel que le XVIIIe siècle ajoute à l'épicurisme antique.

En même temps que la querelle de l'épicurisme divise le siècle, un grand rêve stoïcien le traverse : Montesquieu, Diderot, Rousseau s'enflamment pour le stoïcisme, jurent qu'ils y auraient puisé de bon cœur toute l'inspiration de leur vie. Peut-être cet enthousiasme n'est-il qu'une compensation idéale à certaines facilités, à certaines complaisances, qu'on ne pouvait pas se reprocher autrement, puisque la morale courante ne les condamnait pas. Mais on peut aussi penser que les Philosophes ont saisi le sens profond du stoïcisme, qui est une possession totale du monde par l'esprit de l'homme. Derrière la *volonté* du Sage s'affirme la souveraineté d'une *raison* qui informe toutes choses. Le stoïcien fut le plus bel exemple de cet « homme absolutiste » qu'est aussi l'homme du XVIIIe siècle, quoique d'une autre manière. L'admiration vouée au stoïcisme par un âge qu'on veut frivole n'est ni une absurdité ni une hypocrisie : elle révèle au contraire la conscience d'une secrète affinité. Le Philosophe et le Stoïcien ont dans le fond la même attitude devant le monde, le même besoin de s'en emparer. Mais l'un veut le posséder en l'épuisant ; l'autre se contentait de le dominer de très haut, fût-ce en le niant.

Vilipendée par les Philosophes, déformée par les chrétiens eux-mêmes qui la dégradent en hédonisme vertueux, la morale chrétienne ne cesse pas d'alimenter la pensée du siècle. De nombreux thèmes de l'éthique nouvelle sont des idées chrétiennes à peine transposées : la philanthropie, la bienfaisance universelle copient l'ancienne charité. L'état de nature rappelle cette grâce plénière où baignait le premier homme avant le péché. A la fin du *Système de la nature* du matérialiste d'Holbach, la Nature, qui s'adresse à l'homme pour lui révéler sa nouvelle table des valeurs, dit comme le Christ, quoique avec plus de brusquerie : « Fais du bien à celui qui t'outrage ! » On aurait tort de croire que la morale naturelle, ayant mis le christianisme en poudre, bâtisse sur champ de ruines. Si le bonheur devient l'âme de toute vie individuelle et de toute œuvre collective, il n'entraîne pas la débâcle de certains interdits moraux que des siècles de tradition chrétienne avaient solennellement consacrés.

Les philosophes du XVIIe siècle prêtent aussi quelque chose aux spéculations sur la vie heureuse. Sans doute n'y retrouve-t-on pas la souveraine allure de la générosité cartésienne, forme sublime du contentement de soi. Ce dernier prend maintenant une forme un peu pharisienne ; il devient une volupté de la bonne conscience. Le bien moral se savoure avec une gourmandise suspecte, et à la tension ou à la sérénité du héros succède l'amollissement de l'homme de bien. Cependant lorsque l'auteur de la *Théorie des sentiments agréables* fait consister la moitié du bonheur dans la « conscience de sa perfection », il n'est pas douteux qu'il se souvient du *généreux* selon Descartes. La théorie cartésienne des passions procure aussi leurs fondements à certaines doctrines physiologiques du bonheur. L'idée qu'on peut guérir le corps par l'âme et l'âme par le corps ne se comprend pas sans une survivance du dualisme cartésien. La « médecine de l'esprit », telle qu'on l'entend au XVIIIe siècle, demeure dans la ligne du traité des *Passions de l'âme*, et cela au moment même où la philosophie sensualiste tente de prouver l'unité de l'homme.

Si le grand Arnauld avait connu les Philosophes — et les chrétiens ! — du XVIIIe siècle, il n'eût pas hésité à démasquer en Malebranche le vrai coupable. En 1685, à propos du *Traité de la nature et de la grâce*, il reprochait à son adversaire d'avoir désigné le plaisir comme fin légitime de l'âme, qui poursuit le même élan des biens terrestres aux biens éternels. « L'esprit a toujours du mouvement pour aller plus loin » : c'est-à-dire de la nature à la grâce, celle-ci ne faisant que prolonger et parachever la première. Tous les traités du bonheur d'inspiration chrétienne retracent, en l'habillant quelquefois d'une fiction romanesque, l'itinéraire de l'âme tel que Malebranche l'avait imaginé. L'âme s'attache quelque temps aux valeurs mondaines et aux biens périssables, elle trébuche d'expérience en expérience, mesure successivement la vanité de toutes, sent le dégoût et l'ennui qui l'attaquent, rêve d'un plaisir sans malaise et sans réveil, pour s'élever enfin par une lente ascension de l'illusion à la vérité, des jouissances frelatées au « vrai bonheur ». Mais tout au long de ce parcours, elle demeure habitée d'un même désir, animée du même mouvement. A aucun moment, ni le plaisir ni le bonheur n'exigent de conversion brutale, de renoncement abrupt. De l'incomplétude à la félicité, des prestiges du monde à l'illumination finale, de l'inquiétude naturelle au repos surnaturel, il n'y a pas de brusque passage d'un ordre à un autre, mais une élévation continue. Il se peut même que la notion du *mouvement de l'âme* — cette idée capitale qui fait pendant à l'idéal épicurien du repos — soit en partie venue aux moralistes du XVIIIe siècle de Malebranche. On présente souvent l'apologie des passions comme épicurienne. Il y a là un évident contre-sens. L'épicurisme enseigne au contraire à maintenir l'âme en équilibre, à l'abri des passions. La psychologie dynamique de Malebranche pouvait bien mieux justifier le mouvement comme principe de la vie intérieure.

Le philosophe anglais Shaftesbury apporta beaucoup à la pensée morale du XVIIIe siècle. D'abord un *idéalisme esthétique*, qui affirme l'unité du monde et pose une équivalence entre le vrai, le beau et le bien. Contre le scepticisme des épicuriens et l'hédonisme vulgaire, Shaftesbury imagine l'homme invinciblement dirigé vers un absolu où, sous l'enveloppe de quelque « grâce » ou de quelque « venus », luit la vérité éternelle du beau moral. Ensuite un *naturalisme anti-ascétique*, qui refuse la morosité et la violence du christianisme, réconcilie l'homme avec « le bel ordre du monde », et lui enseigne les vertus de la « raillerie » et de « l'enjouement ». Enfin une *doctrine de la sociabilité*, qui définit le bonheur comme une prédominance des « affections sociales » sur les « affections privées » : toutes les chances de l'essor individuel sont contenues non dans la conscience séparée, mais dans un système de relations. Le mouvement de l'âme se trouve donc triplement justifié : par une sorte d'ascension platonicienne vers le bien absolu ; par la nature, qui accueille l'homme et l'enveloppe de ses prestiges ; par la société, qui récompense d'une grâce intérieure les élans de l'individu. La préface de la traduction française des œuvres de Shaftesbury, en 1769, déclare : « Sa philosophie est douce et modérée, également éloignée du rigorisme des Stoïciens et de la mollesse des Épicuriens outrés : elle est telle qu'il faut dans la société civile pour faire le bonheur des hommes. »

Pour Malebranche, le mouvement conquérant de l'âme était une impulsion venue de Dieu. Pour Shaftesbury, un enthousiasme où l'homme se rassemble et s'accomplit. Locke en donne une interprétation purement humaine et presque tragique. Le ressort de l'âme est l'*inquiétude*. C'est son instabilité fondamentale qui est la source de son activité, de ses exigences, de ses métamorphoses. Telle est la vraie signification de l' « intérêt », principe de la morale naturelle. On défigure volontiers cette morale par un nom affreux : l'utilitarisme. Mais l'intérêt exprime bien autre chose que la recherche positive, voire cynique, de l'utile. Il désigne un principe plus profond, plus secrètement rivé à l'être : il est le palliatif naturel de l'angoisse originelle, l'instinct de conservation, si l'on veut. C'est cette tendance indifférente, source de toutes les autres, que Rousseau nommera *amour de soi*, pour l'opposer à l'*amour-propre*. Il convient donc de donner au mot « intérêt » une valeur *existentielle* et non *morale*. L'intérêt marque le point d'insertion de l'homme dans le monde, la soudure entre la conscience et l'existence. Lorsque celle-ci est défectueuse, on est exposé à l'ennui ou à l'inquiétude, qui sont les deux formes morbides de la présence au monde. L'intérêt corrige spontanément cette double hérésie vitale, d'où procèdent toutes les maladies de l'âme. Systématisé par la « philosophie », ou simplement la sagesse, c'est lui qui sera la clé de voûte du bonheur.

Telles sont les grandes sources idéologiques de la conception du bonheur au XVIIIe siècle. On n'a pas prétendu recenser ses emprunts, mais suggérer la richesse disparate d'une pensée dont on exagère souvent l'originalité ou la cohérence. Elle est en réalité, plus qu'on ne le croit, un étrange amalgame, un syncrétisme où se mêlent et s'accordent tant bien que mal des thèmes incompatibles. On tâchera de montrer par la suite où se trouve la véritable unité d'une époque dont le plus grand mérite n'est peut-être pas d'avoir eu, comme elle l'a cru elle-même, la tête « philosophique ».

La littérature du XVIIe siècle offrait quelques précieux ou nobles témoignages sur le bonheur. Mais nulle part ils ne prenaient de forme systématique [1]. Il y avait alors des âmes euphoriques, comme celle de Mme de Sévigné, de qui Mme de La Fayette nous dit que la « joie » était le mode habituel de son être. Dans un livre remarquable, Paul Bénichou a évoqué certaines « morales du grand siècle ». Il n'y a pas à revenir sur une certaine conception « glorieuse » de la vie, qui sera

1. Sauf, peut-être, chez certains *libertins*. Théophile de Viau, par exemple, possède une théorie du bonheur très élaborée, fondée sur la culture et l'expansion du *moi*, de la *nature individuelle*. On se reportera à la thèse d'Antoine ADAM, *Théophile de Viau et la libre pensée française en 1620*, Paris, 1935, pp. 213 et suiv.

décidément étrangère au XVIIIe siècle, laissant seulement flotter quelque nostalgie dans des âmes d'exception, comme Vauvenargues et quelquefois Diderot. A cet héroïsme de tradition stoïcienne, fondé sur une reconstruction idéale de la nature, s'oppose un autre héroïsme, qui tient en un refus complet de cette nature. Celui-là — l'héroïsme du « pari » — concerne moins encore le XVIIIe siècle, dont l'esprit est le contraire même de l'esprit de pari, et qui rêve de résorber dans l'unité d'un homme mythique les exigences contradictoires de l'homme réel.

Si les deux pôles des morales du XVIIe siècle s'effondrent ensemble, l'idéal moyen de l' « honnête homme » ne s'abolit pas et se fortifie au contraire. M. Bénichou a bien défini, à propos de Molière, cet idéal qui concilie une souple acceptation des normes sociales et un épanouissement mesuré des tendances naturelles. L'honnête homme est celui qui réalise un juste équilibre entre la nature et la société. Or la même définition vaut pour l'homme des Philosophes (à cela près que nature et société, souvent, ne se distinguent plus). On dira plus tard ce qui sépare l'honnête homme, fruit unique d'une sagesse et d'une culture, de l'homme du XVIIIe siècle, construction méthodique et universelle dont les principes sont fournis par une *science*.

Ce que M. Bénichou ne laisse pas entendre, c'est l'idée qu'avaient du bonheur ceux qu'il est convenu d'appeler les *pessimistes*. On range d'ordinaire dans ce groupe confus les moralistes jansénistes, des mondains sans religion comme La Rochefoucauld, et le poète de l'homme divisé, Racine. On ne sait trop comment Racine concevait le bonheur : peut-être était-ce d'abord la réussite sociale, comme l'a dit Raymond Picard. Mais cette réponse ne supprime pas d'autres questions insolubles. On peut deviner davantage à propos de La Rochefoucauld. Pourquoi veut-on qu'il n'ait eu à propos de l'homme que des idées d'atrabilaire ? La Rochefoucauld se borne à penser qu'on ne construit sur la nature ni le bonheur ni la vertu. Tout ce qui est *naturel*, tout ce qui jaillit de l'homme sans contrôle et sans apprêt, n'est que faux-semblant et mensonge. Mais on a loisir de rêver d'une morale qui recomposerait, envers et contre la nature, un homme « vrai ». Il y a un idéalisme de La Rochefoucauld, qui l'incline à imaginer une humanité restreinte et parfaite, un cercle choisi de nobles âmes, qui auraient su inventer leur bonheur et leur gloire sans du tout se compromettre avec cette part d'eux-mêmes, imposture ou mauvaise foi, qu'ils abandonnent à l'instinct disqualifié. Morale difficile et aristocratique, si l'on veut, mais non pas désespérée. Le pessimisme du XVIIe siècle, bien loin de mettre en système le désespoir, n'est rien d'autre qu'un refus de consentir à la nature. Mais il existe d'autres morales que la morale naturelle, d'autres bonheurs que celui de l'instinct et de la passion.

Un type de bonheur, vécu ou rêvé, apparaît dans les lettres des mondains du XVIIe siècle : le repos, idéal d'Épicure. Le bonheur est une plénitude de l'âme, qui demeure en deçà des passions, et où règne une raison transparente, mais non point ascétique, gouvernant les jouissances naturelles qui n'impliquent aucun risque de division et rejetant fermement toutes les autres. Tel est peut-être le vrai sens de *La Princesse de Clèves*. Mme de Clèves n'est ni une Phèdre, ni une héroïne cornélienne, ni un incompréhensible mélange des deux. Ce n'est pas sa « gloire » seule qui l'inspire, encore qu'elle ne puisse envisager (cela va simplement de soi) de manquer à son rang, à sa vertu. C'est le repos qu'elle veut à tout prix, c'est après cela qu'elle soupire. Il ne s'agit pas d'une ambition médiocre. Le repos, pour une telle âme, n'est pas une facilité. Il veut une conquête douloureuse et représente un authentique idéal moral. Lorsque Mme de Clèves, veuve, repousse M. de Nemours, on pourrait presque dire *contre sa gloire*, c'est afin que les souffrances d'amour, qu'elle craint, qu'elle prévoit, ne rendent pas son repos impossible. Et lorsqu'elle se confine dans la retraite dévote, ce n'est pas Dieu qu'elle choisit — elle n'a pas une âme religieuse — mais bien le repos définitif.

Si l'on néglige les libertins tapageurs, qui n'ont guère pris le temps de penser leur bonheur, on pourra juger assez faible l'écart entre les mondains bien-pensants et les libertins raisonnables. La sagesse de Saint-Evremond est déjà presque celle des Philosophes, à ceci près qu'il ne lui cherche aucune justification « philosophique », si ce n'est celle, traditionnelle, de l'épicurisme. Pour lui le bonheur est chose personnelle, qui n'a rien de commun avec l'ordre du monde et s'embarrasse peu de l'intérêt général. Résultat d'un travail pratiqué sur soi-même, il s'atteint à force de discernement, de goût et de mesure. L'homme heureux est ce virtuose qui, au lieu de vivre simplement sa vie, la crée comme l'artiste l'œuvre d'art. Le but de l'ascèse voluptueuse à laquelle cet égotiste avant la lettre soumet son existence est d'abolir tout effort, toute tension de l'âme, tout combat entre un principe raisonnable et les impulsions de la nature. Aussi Saint-Evremond commence-t-il par oublier la morale pure. Les deux pôles de sa vie sont l'agréable et le désagréable, le plaisir et la douleur. Le bonheur repose sur le choix que chacun fait de ses plaisirs. Et selon qu'on est un monstre ou un voluptueux délicat, on apparaîtra comme le plus détestable ou le plus séduisant des hommes.

Saint-Évremond est sans cesse à la recherche des équilibres. Entre le recueillement et la contemplation du monde. Entre la culture et la vie de société. Entre la prévision du plaisir et la surprise du plaisir. Entre la consommation et le simple affleurement. Entre le rêve et la réalité. La conscience pénètre la vie sensible, l'approfondit, l'organise, lui ajoute ressources et résonances, l'enferme dans un *ordre* qui préserve du vertige et du dégoût. Telle est la « volupté spirituelle du bon Épicure » : « le sentiment délicat d'une joie pure, qui vient du repos de la conscience et de la tranquillité de l'esprit [1]. »

La sagesse de Saint-Evremond n'est pas une sagesse fermée. Elle n'exclut pas l'amitié, la première des vertus selon Épicure, pur élan de l'âme qui déchire le fin réseau des calculs et des prudences, provoquant un éclatement de la sérénité voluptueuse. Elle n'est pas davantage une sagesse immobile. Elle sait se couler dans le temps, prendre les teintes grises d'une vie au crépuscule, consentir s'il le faut à la caducité, pour s'achever en une admirable philosophie de la vieillesse. Le libertin pense à finir ses jours dans un couvent sans religion : la douceur, l'innocence émanées de ce rêve l'enchantent. Mais il n'est pas pressé d'aller s'ensevelir en son abbaye de Thélème. Il prendra bien son temps : le monde lui fait encore signe. Aussi va-t-il s'attarder quelque peu à passer la frontière, demeurant dans la délicieuse équivoque qui lui permet de savourer par avance les joies de la retraite tout en guignant d'un œil prompt les derniers plaisirs de la terre [2].

Par son amour et sa science des plaisirs, par son goût de la société et de l'action, par son ouverture à toutes choses, et en même temps par ce rêve indéfiniment modulé du repos intérieur, ce technicien du bonheur est déjà un homme du XVIIIe siècle. Comme bientôt les Philosophes et plus d'un moraliste chrétien de l'âge des lumières, il ne veut retenir du christianisme qu'un art de vivre, une doctrine d'amour et d'universelle effusion. Disjointe de la foi, la raison s'allie à la nature, tandis que la vertu, débarrassée du masque affreux qu'avaient collé sur elle les doctrines du renoncement antiphysique ou de l'exaltation orgueilleuse, conclut spontanément un pacte avec la volupté.

Que lui manque-t-il pour être Philosophe ? De *déduire* sa sagesse d'une connaissance systématique de l'homme, au lieu de la concevoir comme un libre choix, comme le fruit de l'intuition et de l'expérience intime. Sa *méthode* seule n'est pas « philosophique ». Il est étrange que les Philosophes n'aient pas envié Saint-Evremond d'avoir saisi le même bonheur à moins de frais. Il est vrai que tous les soins de Saint-Evremond se limitaient à lui-même, qu'il n'avait pas l'humanité à prendre en charge et qu'il ignorait la mauvaise conscience.

III. — Les maladies de l'âme.

Toutes les consciences du XVIIIe siècle ne sont pas des consciences heureuses. Deux catégories d'âmes semblent exclues du bonheur. Les unes de façon presque irrémédiable : celles qui cultivent et savourent

1. Saint-Évremond, *Sur les plaisirs*, *Œuvres mêlées*, 1865, t. I, p. 36.
2. Cf. *ibid.*, pp. 187-191.

cela même qui les trouble ou les détruit. Encore trouvent-elles dans leur désenchantement d'étranges, mais de fortes compensations. La condition des autres est le plus souvent provisoire, et l'on peut, à l'exception des cas extrêmes, espérer les ramener : ce sont les âmes un moment égarées dans le libertinage. Quant aux libertins dont le libertinage n'est pas la suite d'une faiblesse, mais l'application d'une doctrine, ceux-là ont aussi leurs compensations.

On découvre au XVIIIe siècle ce que Maupertuis appelle le « mal de vivre ». On s'aperçoit, à la suite de Locke, que l'existence n'est pas une plénitude, mais une *inquiétude* : « Nous existons, a écrit Diderot, d'une existence pauvre, contentieuse, inquiète [1]. » Les symptômes du mal de vivre sont divers : spleen, mélancolie, vapeurs. Tous se rapportent à la conscience d'un manque, d'une insécurité à l'intérieur de l'être. Le néant s'annonce à l'âme par une double expérience : les marécages de l'ennui, et les menaces explicites ou confuses venant du monde. Pascal avait déjà dit que l'homme ne se divertit que pour oublier la vérité de sa condition. Mais parce que cette condition gardait malgré tout un *sens*, on ne pouvait la confondre avec l'*existence pure*. Telle est au contraire la grande rencontre de la conscience moderne. Bien des âmes du XVIIIe siècle l'ont faite et en ont souffert.

L'ennui coule de l'assouvissement comme de sa source naturelle. Pococurante s'ennuie de ses plaisirs, Julie de Wolmar de son bonheur. Une image, toujours la même, rend compte de l'ennui : celle du « vide » intérieur, que l'on qualifie presque invariablement d' « affreux ». Cette psychologie métaphorique est révélatrice. Si les âmes ennuyées redoutent tant le vide, c'est qu'on prend la conscience pour un *espace*, qu'il faut meubler, orner, remplir, non pour ce qu'elle est véritablement, c'est-à-dire une *durée*.

Lorsque l'ennui s'aigrit ou se fige, il devient « mélancolie » et « vapeurs ». Dans la seconde moitié du siècle, toute une littérature médicale traite de ces maladies. La mélancolie est « la sensation douloureuse, mais affaiblie, d'une profonde douleur ». Elle est à l'affût de toutes les occasions, de tous les spectacles, qui lui rappellent et nourrissent cette douleur : « des infortunés qui gémissent, un antre affreux, le vol des oiseaux sinistres, des cyprès, des tombeaux ». Elle consiste à faire converger toutes les forces de l'âme sur un seul objet et à s'abîmer dans cette contemplation, aussi profonde que circonscrite. Les vapeurs n'ont pas la richesse de la mélancolie. Elles n'impliquent aucune élaboration psychique, se définissent au contraire par une léthargie de toutes les aptitudes de l'âme [2]. Tous

1. *Œuvres complètes*, éd. Assézat-Tourneux, t. XIV, p. 297.
2. Cf. GUÉRINEAU DE SAINT-PÉRAVI, *Épître sur la consomption* (1761), *Avertissement du libraire*.

ceux qui décrivent les mélancolies et les vapeurs les considèrent sans doute comme des maladies éternelles, mais surtout comme le signe à la fois ridicule et tragique de leur époque [1].

La plus forte tentation du mélancolique consiste à s'inventer un *destin*. Une série non fortuite, quasi infinie, de malheurs fournit la meilleure justification des accablements et des angoisses de l'âme malade. Au lieu de vainement célébrer un spleen sans cause, la conscience morbide préfère expliquer ses souffrances par un arrêt du ciel. La mélancolie prend ainsi une valeur surnaturelle. Elle signifie qu'une puissance obscure investit une âme d'élection et la torture avec autant de froide décision que d'amicale ferveur. En outre le mélancolique ne pourra pas être accusé de complaisance envers lui-même, si toutes les circonstances de sa vie *prouvent* qu'il est, non un vague hypocondriaque, mais le persécuté des dieux. Le malheur cesse d'être un état d'âme pour devenir une *histoire*. Il apparaît à la fois *objectif* et *mythique*. Les personnages des romans revendiquent ainsi une *vocation du malheur*, associée le plus souvent à une vocation de l'amour. « Il n'y avait rien de décidé en moi que l'amour et la douleur », dit la Comtesse de Savoie de Mme de Fontaines [2]. A quoi fait écho M. de la Bédoyère dans *Les Époux malheureux* de Baculard : « Il n'y avait que la tendresse qui pût être dans mon âme au-dessus de la douleur [3]. » Cleveland demeure la plus accomplie de ces âmes subjectivement mélancoliques et objectivement malheureuses. Tout le récit de ses aventures n'est qu'un immense chant de la douleur, sybillin pour le vulgaire tant le destin du héros semble éloigné de l'ordre commun : « Non seulement il ne se trouve personne qui ait senti des maux tels que les miens, mais à peine se trouve-t-il quelqu'un qui les puisse comprendre [4]. »

Vers la fin du siècle se constitue une *mythologie du malheur*. L'alchimie de l'amour-propre, selon Baculard d'Arnaud, transforme le malheur en une sorte de gloire. L'adhésion enthousiaste du malheureux à sa propre souffrance n'est pas irraisonnée. Elle se fonde sur une doctrine du malheur. Celui-ci est la source de prodigieuses vertus : le don d'aimer et aussi la sagesse. Un roman des années 1780, les *Réflexions d'un jeune homme*, explique que certaines âmes se trouvent démunies dans le plaisir ou dans la joie. Elles restent languissantes et froides. Le bonheur est incapable de les émouvoir. Dans la douleur, en revanche, ces âmes se retrouvent : « Quelle activité ! Quelle force ! Quelle source inépuisable de sensibilité quand il ne s'agit que de

1. Cf. RAULIN, *Traité des affections vaporeuses du sexe* (1758) ; POMME fils, *Traité des affections vaporeuses des deux sexes* (1760) ; ANDRY, *Recherches sur la mélancolie* (1785) ; BRESSY, *Recherches sur les vapeurs* (1787).
2. *La Comtesse de Savoie* (1726), p. 76.
3. *Op. cit.*, t. III, p. 44.
4. PRÉVOST, *Cleveland* (1732), t. III, p. 287.

souffrir ! » Le bonheur est chose superficielle. L'auteur invite à un apprentissage de la mélancolie, à une ascèse de la douleur, qui seuls assureront la possession d'un monde enfin découvert dans sa vérité. La mélancolie méthodique, la culture des émotions sombres, n'impliquent aucunement l'abdication du désespoir. Elles sont l'indice d'une plus profonde compréhension de la nature et de la condition de l'homme [1].

Les personnages romanesques ne sont pas seuls à assumer cette vocation du malheur. Des êtres bien réels leur font concurrence. Mlle de Lespinasse est contente de déclarer : « J'ai été formée par ce grand maître de l'homme, le malheur [2]. » Tout au long des célèbres lettres d'amour au comte de Guibert, l'imagination et la littérature transfigurent, valorisent la souffrance. Authentiquement malheureuse, Mlle de Lespinasse se veut l'héroïne d'un roman ou d'une tragédie du malheur parfaite. Elle écrit : « Je dirai comme Phèdre... [3] » ou bien : « Pour moi, je ne devais figurer que dans les romans de Prévost [4]. » Elle annonce même des révélations « qu'on ne trouve point dans les romans de Prévost ni dans ceux de Richardson [5] ». Il lui faut posséder sa passion comme un objet éblouissant qui l'étonne et qu'elle n'a jamais fini d'admirer. N'ayant presque plus la force de vivre, elle garde toujours celle de se regarder souffrir. Grâce à la littérature et à la musique (elle va entendre tous les soirs l'*Orphée* de Gluck), le malheur cesse d'apparaître comme ce *rien* qu'il est en réalité. Il peut se penser et se vivre. Il donne même un sens à la vie. C'est au renversement des valeurs ordinaires qu'aboutit la dialectique de la conscience morbide. Mlle de Lespinasse rejette dans le néant tout ce qui n'est pas sa passion et son malheur. Condamnée au repos et à la liberté, elle croirait ne plus exister. Sa souffrance mesure la conscience qu'elle a d'elle-même. Une image se revêt d'une significative ambivalence. Voulant exprimer à quel point son amour la met au supplice, elle écrit dans une de ses lettres qu'il lui semble être attachée sur la « roue ». Mais dans une autre lettre, le même instrument de torture sert à dépeindre la situation exactement inverse : « Cela me rappelle un mot de passion *qui me fit bien plaisir* : « Si jamais, me disait-on, je pouvais redevenir calme, *c'est alors que je me croirais sur la roue* [6]. »

Mlle de Lespinasse découvre la nature profonde de toute passion, qui est un refus simultané de la vie et de la mort : « La mort est le besoin le plus pressant de mon âme et je me sens garrottée à la

1. Cf. Feucher, *op. cit.*, pp. 128-130.
2. *Lettres de Mlle de Lespinasse*, 1811, t. I, p. 91.
3. *Ibid.*, p. 198.
4. *Ibid.*, 1906, p. 385.
5. *Ibid.*, 1811, t. I, p. 198.
6. *Ibid.*, p. 280 et pp. 296-297.

vie [1]. » Cette fascination de la mort s'exerce sur bien des âmes et déborde les zones de la mélancolie littéraire. Louis XV parlait souvent de la mort et envoyait compter les tombes fraîches dans les cimetières. Il n'est pas rare qu'un héros de roman, après la mort de l'être aimé, se confine dans une chapelle funèbre et y demeure seul avec le cadavre. Mais les désespérés peuvent préférer aux quatre murs voilés de crêpe un tombeau naturel. Ils choisissent alors un lieu sauvage, avec des rochers, des forêts et des antres profonds. Ces étranges claustrations sont des morts symboliques : la veillée mortuaire, indéfiniment prolongée, semble fondre en un même fantôme ambigu le défunt et celui qui le pleure. Quelquefois s'accomplissent de véritables rites d'auto-expiation. Les *Soirées de mélancolie* de Loaisel de Tréogate — où l'un des personnages exprime sa conscience d'un écrasement par cette image : « Je ne puis plus respirer sous un ciel de fer [2] » — en contiennent d'admirables.

Le caractère morbide de certaines inquiétudes apparaît dans d'autres délires : le besoin de forger, de posséder un être, d'en faire sa chose, comme une création continuée ; le Liebman de Baculard sombre dans cette folie. Le goût des monstres aussi : le XVIIIe siècle a beaucoup aimé les monstres, auxquels il voue curiosité, prédilection et gratitude. Ils ouvrent un univers sans limite où tout devient possible. Le monstre humain n'est en somme qu'un homme libéré, qui n'est plus tenu d'obéir à la « nature », ce mythe dangereusement équivoque qu'on invente pour justifier une révolte et qui bientôt devient plus tyrannique que cela même contre quoi il fut conçu.

En dehors des cas extrêmes, on reconnaît dans l'inquiétude le « vice radical des mœurs actuelles ». Dans *Le Malheureux imaginaire*, Dorat précise que son héros n'est pas un personnage fictif, mais le témoin d'une vérité contemporaine : « Il ne faut que reposer un œil attentif sur le tableau de la société pour y voir régner ce tourment, cette agitation, ce délire inquiet d'une imagination malade qui se crée des fantômes, ne croit à aucun des biens dont elle jouit, réalise tous les maux qu'elle prévoit, s'agite douloureusement au sein des délices et s'empoisonne aux sources mêmes d'où l'antidote devrait partir [3]. » L'imagination morbide pourrit le bonheur et le convertit en une angoisse qui point ou se déploie à tous les niveaux de la vie de l'âme. Certains rêves sont chargés de lourdes et transparentes significations. Dans les *Mémoires d'un homme de qualité*, le jeune marquis en fait un qu'on lirait sans surprise dans Kafka. Poursuivi par des spectres sur une terre « couverte de corps morts et à demi-pourris », le rêveur cherche refuge dans une forêt « fort sombre ».

1. *Ibid.*, p. 60.
2. *Op. cit.* (1777), p. 94.
3. *Op. cit.* (1777), *Avant-propos*, p. v.

Il se dissimule si bien au milieu des arbres qu'il devient arbre lui-même : « Mes habits se changèrent en écorce, mes mains en branches... » Il se croit protégé par sa métamorphose, mais les fantômes ne lâchent pas leur proie : « *Ils m'eurent bientôt démêlé parmi les autres arbres ;* il y en eut un qui monta sur mes branches pour les couper avec un fer tranchant ; mes prières ni mes larmes ne purent l'attendrir, il me donna plusieurs coups, dont il m'abattit autant de branches : mon sang coulait à grands flots et je ressentais des douleurs inexprimables [1]. » L'heureux prince de Ligne assure qu'il possède deux moi : l'un pour le jour, qui est euphorique et léger ; l'autre, violent et sombre, réservé à la nuit : « Je suis durant la nuit aussi tourmenté que je le suis peu pendant le jour, aussi inquiet que je suis tranquille dès que le soleil paraît. » Tous ses songes sont des cauchemars peuplés de « cris », de « lamentations », de « hurlements », de « colères » et de « fureurs ». Ses aventures nocturnes sont une exacte revanche sur la quiétude de ses heures de veille : alors qu'il ne monte jamais à cheval, chacun de ses rêves, ou presque, l'entraîne en des chevauchées infinies [2].

Ces différentes formes du malaise des âmes sont le signe d'une crise profonde. Il se produit une dissociation entre l'existence et la conscience. L'existence pure est mise à nu. Elle affleure par larges plaques. Elle devient opaque, anarchique. La conscience ne sait plus la prendre en charge, la couler dans une durée [3]. Désarmée devant elle, elle s'en détourne, la laissant émerger absurdement, et va se fixer sur des phantasmes, qui manifestent, sans l'assouvir, son désir de l'absolu. L'imagination, fonction régulatrice, joue mal son rôle. Mme Du Deffand ne s'ennuie tant que pour refuser ses secours, en proscrivant ce « romanesque » qui la révolte et l'humilie. Mlle de Lespinasse lui accorde trop en échafaudant, sur la réalité assurément tragique d'une passion si mal satisfaite, cette parade littéraire du malheur. Évincer tout à fait l'imagination revient à permettre que l'existence engloutisse la conscience. Lui être trop complaisant conduit la conscience à se livrer, pour son plus grand dommage, à son propre vertige.

Les maladies de l'âme se réduisent à deux symptômes opposés : l'ennui et l'inquiétude : « Voilà les deux pivots de la vie, dit Voltaire, de l'insipidité ou du trouble [4]. » Martin affirme dans *Candide* que l'homme n'a le choix qu'entre « les convulsions de l'inquiétude » et « la léthargie de l'ennui [5] ». Les épreuves de la conscience malheureuse sont moins en définitive des aberrations incompréhensibles

1. PRÉVOST, *op. cit.*, t. I, pp. 50-51.
2. Prince DE LIGNE, *De moi pendant la nuit*, dans *Pages intimes*, 1952, p. 119.
3. C'est l'expérience que subit, presque à chaque instant de sa vie, Mme Du Deffand.
4. *Œuvres complètes*, éd. Moland, 1877-1882, t. XLV, p. 267.
5. VOLTAIRE, *Candide*, chap. XXX, *Conclusion*.

qu'une image plus accusée de la condition humaine. Tout l'art de vivre du XVIIIe siècle, toute sa morale ou, ce qui revient au même, sa science du bonheur, ne tendront qu'à dessiner cette ligne moyenne entre l'inquiétude et l'ennui [1].

IV. — Frivolité et libertinage.

Cet art de vivre parfait, il ne semble pas que le *monde*, à lui seul, puisse l'apprendre. La frivolité, que les moralistes dénoncent comme un accablant vertige et le plus sûr moyen de faire son malheur, est défendue en 1750 par Boudier de Villemert [2] dans son *Apologie de la frivolité*. Il y démontre qu'elle est la plus raisonnable des attitudes, la seule qui n'excède pas le pouvoir de l'homme, qui soit à l'exacte mesure de sa condition. Le pêcheur de plaisirs ramène dans ses filets tous les biens de la vie. Le métaphysicien et le mélancolique ne recueillent que tourments inutiles et rêves sans espoir. La frivolité serait condamnable si l'homme avait quelque chance de pouvoir résoudre toutes les énigmes. Mais s'il est vrai qu'il ne pourra jamais saisir de la réalité que la pellicule des apparences, il ne faut plus considérer la frivolité comme un travers ou une mode, mais comme la seule morale s'ajustant d'elle-même à notre nature. Il faut ici faire leur part au paradoxe, à l'ironie. Mais cette justification de la frivolité est sincère dans la mesure où elle constitue une réhabilitation, contre la misanthropie spéculative, du bonheur de vivre en société. Dans la première moitié du siècle, le mot *philosophe* n'a pas pris encore sa valeur nouvelle. Il désigne souvent ceux que Boudier appelle les « sombres partisans du syllogisme [3] », les penseurs à l'ancienne mode, enfermés dans leur sauvagerie et la poussière de leur bibliothèque. A l'encontre de ces solitaires bourrus, pleins de mépris pour l'homme et immobiles à la façon des souches, la frivolité offre du moins l'image légère de la « circulation », cette vertu d'une société qui se veut heureuse. On devrait inverser le sens des mots. Ce qui est vraiment frivole, c'est tout ce qui s'oppose à la *communication* : « Nous avons jugé la circulation si essentielle que nous avons rejeté comme frivole ce qui n'en était pas susceptible [4]. » L'aptitude à circuler porte un autre nom, dont la dignité philosophique ne fera que croître : l'*utilité*. Si bien que le frivole n'est pas l'inutile, mais le simulacre aérien de l'utile, c'est-à-dire de l'humain.

Plus tard — à partir, si l'on veut, de la critique des mœurs pari-

1. Les pages qui précèdent sont le résumé d'un article intitulé « *Les maladies de l'âme au XVIIIe siècle* », à paraître dans la *Revue des Sciences Humaines*.
2. Avocat au Parlement de Paris, né en 1716.
3. *Op. cit.*, p. 14.
4. *Op. cit.*, p. 18.

siennes dans la seconde partie de *La Nouvelle Héloïse* — une apologie de la frivolité serait sans doute impossible ou un peu scandaleuse. D'ailleurs, l'idée même de frivolité est trop monolithique ou de portée restreinte. Il y a ceux qui ne sont jamais frivoles : les bourgeois, qui se confinent avec gravité et délices dans l'euphorie domestique. Sans compter la province, où l'air de Paris n'apporte que parfums éventés. A Paris même, tout n'est pas à l'unisson. L'essayiste écossais Crawford admire le grand monde, où règnent une « liberté décente », une sorte d' « intimité » artificielle et sincère à la fois, où l'on croit vivre un âge d'or de la sociabilité [1]. Envers ces délicatesses nullement frelatées, les romans du siècle se sont rendus coupables d'une trahison. Les conditions sociales sont beaucoup plus tranchées en France qu'en Angleterre. Les scènes d'intérieur des romans anglais constituent vraiment un témoignage national. Pour atteindre au même degré de vérité, les romanciers français auraient dû explorer un champ plus large, comparer les différents milieux, saisir l'originalité de chacun, se défier d'une satire trop générale, qui est imposture ou illusion. Beaucoup d'entre eux n'ont jamais connu le vrai monde ou n'y ont été admis que sur le tard, une fois armés d'idées fausses. Crébillon l'imagine selon ce qu'il a vu dans sa jeunesse « chez deux ou trois femmes de la condition la plus déréglée ». Prévost et Rousseau n'en savaient guère l'usage. Quant à Rétif, c'est aux bas-fonds seulement qu'il vouait ses errances nocturnes [2].

Les lois du monde ne peuvent en aucun cas se confondre avec les simples maximes du plaisir. Sans doute le goût de la volupté ou de la magnificence procède-t-il souvent d'un raffinement ingénu. Ducis décrit le dîner offert par le duc de Penthièvre à l'Académie Française. Au milieu de la table, un canal en miniature ceinturait un berceau de fleurs, et des jets d'eau jaillissaient tous ensemble, chaque fois que le duc appuyait sur un « petit ressort » qu'il cachait dans sa main : « J'observai que le prince était enchanté et heureux comme un enfant de cette réussite [3]. » Mais s'il est vrai que la libre imagination des plaisirs constitue l'un des pôles de cette société, l'équilibre est solidement assuré par le pôle antagoniste : la tyrannie des bienséances, des préjugés, de l'ordre moral. Ni le roi, ni Mme de Pompadour ne purent empêcher l'incroyable sacrifice de Mme d'Egmont, à qui le directeur de conscience de sa mère révéla, à vingt-cinq ans, qu'elle était fille adultère. En se mariant, elle eût transmis illégitimement à ses enfants

1. Introduction aux *Mémoires de Mme Du Hausset*, 1824, p. 14.

2. Crawford convient cependant que la Régence inaugure un autre monde. La rupture est profonde, vertigineuse : « Il semblait, dix ans après la mort de Louis XIV, qu'il y eût deux siècles entre son règne et celui de Louis XV. » (*Ibid.*, p. 9.) Désormais les viveurs qui vont mourir ne se réconcilient ni avec l'Église ni avec Dieu. Une âme vertueuse comme Mlle Aïssé s'offusque à peine de scandaleuses liaisons, qu'elle raconte « sans excès de censure, en se bornant à se préserver de la contagion ». (*Ibid.*, pp. 10-11.)

3. Ducis, *Lettres*, 1879, p. 86.

des biens qui ne lui appartenaient pas, qui n'étaient que le « produit du crime » : « Mme d'Egmont écouta ce détail avec terreur. Sa mère entra au même instant, fondant en larmes, et demanda à genoux à sa fille de s'opposer à sa damnation éternelle. Mme d'Egmont tâchait de rassurer sa mère et elle-même et lui dit : « Que faire ? » Le directeur lui répondit : « Vous consacrer entièrement à Dieu et effacer ainsi le péché de votre mère [1]. » La malheureuse se retira chez les carmélites. Tout révolte dans cette histoire : que l'absolution de la mère soit au prix du sacrifice de la fille ; que la réparation morale d'un crime coïncide si opportunément avec la défense d'un patrimoine.

Quelle part exacte faire à ce *libertinage* qui passe, dans le domaine des mœurs, pour l'un des signes les plus spectaculaires du siècle ? Dans un ingénieux petit livre, Roger Vailland croit y reconnaître les figures d'une abstraite tauromachie [2]. Mais il est arbitraire de se représenter le libertinage comme un jeu autonome ou un monde fermé. Il demeure en réalité solidaire d'un climat que composent les conventions, les passions et les vertus. Ce qui peint le mieux le XVIIIe siècle, ce n'est pas les parfaites constructions des *Liaisons dangereuses*, mais les hésitations, les conflits, les compromis et les sophismes, toutes les fois que la faiblesse devant le plaisir dénoue ou emporte les scrupules d'une conscience, sans la priver d'une vocation morale qui survit aux accidents. Le roué n'est qu'un cas-limite, un modèle effrayant, semi-réel. S'il intervient dans les romans, c'est à titre d'exemple, de témoin. Mais il n'en est qu'exceptionnellement le héros. Dans l'univers romanesque, le libertinage est généralement contenu par deux forces : l'une est intérieure, la vertu ; l'autre, extérieure : les bienséances, la nécessité de songer à sa réputation. Il est rare qu'on soit assez affranchi pour triompher des deux à la fois. A supposer que la vertu cède, le souci de la réputation subsiste, imposant précautions et limites.

Pour ne considérer que le libertinage mondain, on peut compter trois situations typiques. La première est celle du jeune homme qui fait ses débuts dans le monde. Le libertinage constitue alors le principal épisode d'une éducation sentimentale et morale. Il se résout finalement dans une conversion au mariage et au bonheur. Duclos a écrit deux romans sur ce thème : les *Confessions du comte de* *** (1741) et les *Mémoires pour servir à l'histoire des mœurs du XVIIIe siècle* (1751). Tous les deux traitent du libertin sauvé, avec seulement quelques variantes. Dans la seconde version, c'est la multiplicité des aventures, la saturation du dégoût et l'intervention providentielle d'une femme parfaite, qui assurent la métamorphose du libertin. Dans la première,

1. *Mémoires de Mme Du Hausset*, pp. 199-200.
2. Roger VAILLAND, *Laclos par lui-même*, Éditions du Seuil, 1953.

le libertin était sauvé par la vertu. Il devenait brusquement un autre après avoir accompli un acte de bienfaisance, et la femme-Providence semblait moins la cause que la preuve de ce renouveau d'une âme rafraîchie par le bien. Cependant la leçon des deux œuvres est la même. L'expérience du libertinage n'est qu'une aberration passagère et toujours corrigée, non une chute irrémédiable dans un infernal abîme. On devient libertin par « air », c'est-à-dire par fatuité, par étourderie, par contagion, en somme pour rien. Il suffit que le libertin rencontre quelque chose de *vrai* — amour ou vertu — quelque chose qui ne soit pas fumée, prestige ou simulacre, et son libertinage miraculeusement s'évanouit. Le libertinage n'est pas le domaine secret des pervers et des monstres, mais un champ normal d'expérience où se déroule l'initiation du jeune mondain.

Un autre libertinage menace la femme mariée, même si elle ne succombe qu'à l'abri d'une très haute idée de l'amour, avec pour justification l'inconduite, la vulgarité ou la monstruosité d'un époux. Pour qu'une telle situation devienne *libertine*, il suffit que quelqu'un s'en empare et la divulgue. De nombreux romans reprennent le thème de *La Princesse de Clèves* : la passion d'une femme mariée qui veut rester fidèle à son devoir. Mais les héroïnes du XVIIIe siècle ont une étrange façon d'entendre leur devoir. Tout en s'efforçant de rester vertueuses, elles sont en révolte contre la loi conjugale. Dans les *Mémoires du Comte de Comminges* (1735), la jeune Adélaïde choisit un monstre pour mari, afin de rassurer son amant : « Je vous dois du moins cette espèce de fidélité de ne trouver que des peines dans l'engagement que je vais prendre [1]. » L'engagement n'en sera pas moins tenu. Une héroïne de La Morlière, irréprochable elle aussi, avoue : « J'étais sourde à la voix d'un devoir que je regardais comme fantastique [2]. » Mme de Luz distingue deux ordres de devoirs, qui ne se rencontrent pas : son corps est à son mari, son cœur à son amant. La vertu consiste à respecter strictement cette répartition [3]. Partagées en apparence entre leur conscience et leur amour, ces étranges épouses sont en réalité tout entières du côté de l'amour. Mais elles ne savent pas choisir entre le confort de la résignation et les périls de la liberté. Elles voudraient conjuguer le bénéfice des deux. Tout en se proclamant sans reproche, elles ne renient jamais ce qui suffit pourtant à les rendre coupables.

La réalité n'est pas tellement différente. Le devoir conjugal et le

1. Mme DE TENCIN, *op. cit.*, p. 68.
2. *Le Fatalisme, pour prouver l'influence du sort sur l'histoire du cœur humain* (1769), p. 38.
3. Mme de Luz a compté sans les irruptions du destin, qui n'est pas tendre pour les belles âmes. A trois reprises, cette femme parfaite doit se résigner à être violée. Une première fois, par le magistrat à qui elle va demander la grâce de son mari compromis dans un complot ; la seconde, par un soupirant qui profite des circonstances : solitude, tenue de bain, évanouissement ; enfin par son directeur de conscience, qui s'empare d'elle endormie. Mme de Luz se sent alors coupable à double titre : « Elle avait manqué à la fois à la vertu et à l'amour. » Quand

plaisir de l'âme n'y sont pas davantage incompatibles. Mais ce n'est pas seulement cette *vertu* toute formelle et négative qui favorise leur accord. Il se noue entre eux une complicité d'une autre sorte, sous le couvert de la *réputation* : purement extérieur, cet autre critère offre plus de latitude. L'*Histoire de Madame de Montbrillant* de Mme d'Épinay, à la fois roman et mémoires, révèle comment on se perd sûrement, non par ses désordres, mais pour ne s'être pas conformé au statut mondain de la femme mariée en possession d'amant. Mme de Montbrillant n'en soupçonne pas les finesses. Elle aime avec ingénuité, c'est-à-dire avec imprudence, et se croit absoute par ce qu'elle a subi d'un ignoble mari. Pourtant on l'a avertie, mais trop tard. Première maxime : « Il s'agit de vous conduire de manière à ce qu'on ne puisse savoir qui vous a et qui ne vous a pas [1]. » Si on vient à le découvrir tout de même, rien n'est désespéré, pourvu qu'on ait appliqué la seconde maxime, ultime sécurité : « L'essentiel est de faire un choix qui en impose [2]. » En somme une femme mariée peut s'estimer tranquille, si son amant est *secret*, *unique* et — il faut tout prévoir — *avouable*. Pour avoir simplement convié, sans beaucoup de mystère, un soir qu'elle était malade, M. de Formeuse à un souper en tête-à-tête, au coin du feu, Mme de Montbrillant risque d'être condamnée par « tout Paris » [3]. Tel est le libertinage selon le monde. Une fois l'opinion alertée, fût-ce pour une bagatelle qui n'alourdit pas la conscience, on est virtuellement une femme perdue.

Ce libertinage définit moins une attitude morale qu'une situation mondaine. Le tout-puissant empire de la réputation, qui fait et défait les vertus, dissimule ou dénonce les crimes, pèse surtout sur la femme mariée, qui dépend plus que quiconque de l'opinion. L'opposition entre Mme de Luz et Mme de Montbrillant mesure la distance du roman à la vie. La fidélité courtoise à l'amant, la fidélité quasi juridique au mari, les devoirs bizarrement tranchés mais librement choisis qu'elles impliquent, sont remplacés par la simple tyrannie des rumeurs, dont toute la morale consiste à se garder. Pourtant les deux personnages se ressemblent par un mélange ambigu d'innocence et de culpabilité. Sans ces perpétuels malentendus entre le destin et la vertu, entre la vertu et le monde, il n'y aurait pas de libertinage.

Le troisième aspect du libertinage mondain est à la fois le plus rare et le plus souvent cité. C'est le libertinage du *roué*, qu'il ne faut pas confondre avec le donjuanisme. Le roué n'éprouve ni amour ni désir. Il ne travaille qu'à sa gloire et ne vit que pour le monde. Son

on a eu assez d'héroïsme pour résister à une passion glorieusement transmuée en pur amour, il est sans doute accablant de voir mourir sa vertu sans aucune compensation de bonheur ! (Duclos, *Histoire de Mme de Luz*, 1741).

1. *Histoire de Mme de Montbrillant*, éd. Georges Roth, t. II, p. 174.
2. *Ibid.*, t. I, p. 447.
3. *Ibid.*, p. 212.

libertinage est moins affaire de jouissance que de puissance. Le roué ressemble aussi peu à Casanova ou à Faublas, qui s'engagent vraiment dans leur plaisir ou leur passion, qu'aux personnages de Sade, qui sont contraints de s'éloigner du monde pour accomplir leurs cérémonies. Roger Vailland voit le libertinage du roué comme « un jeu *dramatique*, avec des *figures* bien déterminées », dont la dernière est une « mise à mort »[1]. Il s'agit selon lui de « mimer théâtralement le défi que l'héroïque libertin des XVIe et XVIIe siècles portait à Dieu, à l'autel et au trône ». Mais les idoles ayant changé, le libertin doit renouveler son combat, qui gagne en cruauté ce qu'il perd en panache : « Le libertin de société s'affirme et se prouve à l'égard de l'amour, qui est la grande affaire de la société de son temps[2]. » Il s'ensuit que l'attitude du libertin devant l'amour se définit surtout par des refus : refus de la passion (le libertin ne doit pas être amoureux), refus de l'obsession érotique (le libertin doit pouvoir *choisir* ses victimes), refus de l'immédiat sous toutes ses formes (le libertin néglige ce qui s'offre et ne séduit qu'après d'exactes préparations ; surtout il ne devient ce qu'il est que par un long apprentissage). Le moment décisif d'une séduction méthodique n'est pas celui où l'on prend, mais celui où l'on quitte. Toute l'entreprise est dirigée vers cet instant précieux, éblouissant, de la *rupture*. La gloire du libertin se compose de l'éclat qu'il a su donner à ses ruptures successives : « Ce qu'au siècle suivant on nommera « muflerie » est la règle absolue du libertin[3]. » Son éthique est donc exactement l'inverse de celle de la femme du monde, dont la réputation exige qu'on ne puisse jamais la désigner par le nom de ses amants. Inévitablement chaque triomphe du roué s'accompagne du naufrage d'une réputation mondaine. C'est même justement en cela qu'il consiste. La victime du libertin accède elle aussi au libertinage. Mais ce n'est pas alors d'une promotion qu'il s'agit. Un roman de Dorat, *Les Malheurs de l'inconstance* (1772) préfigure d'assez près *Les Liaisons dangereuses*. On y rencontre les mêmes situations, les mêmes personnages, les mêmes thèmes. Mais il restait une idée à trouver : que le plus haut génie libertin pût s'incarner en une femme, alors que la femme est la traditionnelle victime du libertinage. La Merteuil réalise ce prodige, assumant avec la même rigueur la morale mondaine, qui rend la femme prisonnière, et la morale du roué, qui fait le libertin roi.

Le libertinage peut suivre une autre voie que la voie mondaine. Il peut se libérer des convenances et fortement s'imprégner de ce goût de vertu que l'on mêlait à tout. Bien loin de provoquer toujours un reflux du libertinage, il arrive que la sensibilité ait partie liée avec

1. *Op. cit.*, p. 51.
2. *Ibid.*, p. 55.
3. *Ibid.*, p. 111.

lui. *Les Amours du Chevalier de Faublas*, l'un des plus fameux romans libertins, sont un chef-d'œuvre de sensibilité. On a imaginé peu d'âmes aussi fraîches que cette petite Comtesse de Lignolles, qui trompe son mari avec tant de bonne foi, atteint même au lyrisme de la revendication passionnée [1]. Son rêve est d'aller vivre avec son amant dans une « cabane petite et gentille » [2]. C'est un autre rêve, plus édifiant encore, qu'elle réalise. Au bras de Faublas, elle va visiter ses rustiques vassaux : « Oui, bonnes gens, je vous ramène votre mère [3]. » Elle est bouleversée par les effusions de gratitude dont ses « enfants » l'accablent : « Jamais, cet hiver, la plus intéressante tragédie ne m'a si fort émue ! », avoue-t-elle. Quant à Faublas, qui se partage entre deux amours principales, sans compter les épisodes, il brûle d'emmener son autre amante, Sophie, dans les mansardes et les taudis, en quête de bonnes actions, c'est-à-dire de voluptés : « Oh ! que tu me paraîtras plus belle quand je t'aurai vu t'attendrir. O ma Sophie ! tu soutiendras les pères de famille, les orphelins, les pauvres veuves, les filles délaissées... » Ici un temps de réflexion : « Les veuves, les filles !... » Mais il se ressaisit aussitôt : « Faublas, loin de vous cette horrible idée !... Respectez la beauté malheureuse que vous avez secourue [4]. »

La furtive tentation de Faublas suggère une situation libertine nouvelle : la séduction d'une jeune fille ou d'une jeune femme pauvre, prise entre les résistances de la vertu et les nécessités de la misère. C'est l'autre aspect du libertinage. Les règles du jeu mondain y sont inconnues : quand on est vertueuse, on ne l'est que pour soi-même. Seulement certains malheurs empêchent qu'on le demeure. Entre ces deux zones extrêmes, entre la débauche de vocation ou de divertissement des gens du monde et la débauche alimentaire du peuple, s'étend une sorte de désert pour le libertinage. La bourgeoisie, classe intermédiaire, ne tolère aucune infiltration. On ne saurait mieux la définir que par l'impossibilité absolue de la concevoir libertine. L'immobilité, la pesanteur de la morale bourgeoise interdisent toute évasion vers un autre style de vie, et le bourgeois libertin est irrévocablement un bourgeois déchu.

Le thème de la jeune fille pauvre victime du libertinage est l'un des plus fructueux de littérature romanesque. Qu'elles s'appellent Carina, Cécile, Justine ou Fanfiche [5], ces malheureuses, qui se donnent pour de l'argent, ne sont pas plus coupables que les femmes du monde, qui se laissent violer par surprise. Toutes ne font que subir un destin

1. Cf. *op. cit.*, 3e éd. an VI, t. IV, pp. 151-152.
2. Cf. *ibid.*, pp. 170-172.
3. *Ibid.*, t. III, p. 179.
4. *Ibid.*, p. 18.
5. Cf. AUVIGNY, *Mémoires du Comte de Comminville* (1735) ; GUICHARD, *Mémoires de Cécile* (1751) ; GIMAT DE BONNEVAL, *Fanfiche ou les Mémoires de Mademoiselle de **** (1748) ; MAGNY, *Mémoires de Justine ou les Confessions d'une fille du monde qui s'est retirée en province* (1754).

qui n'engage pas leur conscience. Si toutes commencent par l'innocence, toutes finissent par le repentir. Il est remarquable qu'aucune de ces aventures n'est l'histoire d'une déchéance. Les romanciers ont-ils voulu proposer la rassurante image d'un érotisme teinté d'humanité, ou seulement adapter aux réalités vulgaires l'idée académique de la vertu ? Ils poursuivent en tout cas, avec tout leur siècle, la réconciliation du réel et de l'idéal. *C'est avec le même enthousiasme que l'on accueille la vertu et le plaisir comme signes complémentaires de la bonté naturelle et de la valeur du monde* [1].

Même transfiguré par le cœur, le libertinage n'est pas le plus court chemin qui conduit au bonheur. Une prolixe littérature d'édification développe le thème des malheurs du libertin. Les controverses morales du XVIIIe siècle ne consistent bien souvent qu'à brandir de part et d'autre le spectre du malheur, en le projetant sur l'adversaire. Mais il faut reconnaître que les bien-pensants mettent à ce jeu moins d'humour que les conteurs cruels. Ils montrent sans sourciller comment le libertin, las de son libertinage, se transforme quelque jour en « philosophe chrétien » [2] ; comment une violence faite trop tôt à sa fiancée est à l'origine d'un enchaînement de désastres [3] ; comment une frénésie de plaisirs se résout en un alignement de cadavres [4].

Pas plus que dans les désenchantements du spleen, ce n'est dans la vie libertine que l'on rencontre les âmes vraiment heureuses. L'existence morbide consistait à se séparer des autres, à régner seul dans un monde d'angoisse, à chercher son salut ou sa perte dans une seule exaltation. Même l'ennui de Mme Du Deffand n'était qu'une passion retournée. A l'inverse, le libertinage revient à se dessaisir de soi, à jouer avec trop de sérieux la comédie du monde, à accepter la division intérieure pour sauver l'éclat du paraître. Ces deux styles de vie s'opposent comme deux excès contradictoires. L'âme malade est ivre d'elle-même et celle du libertin ne se retrouve pas.

Le bonheur appartient à ceux qui ont inventé un milieu entre la *solitude* et la *sociabilité*, sachant se tenir par rapport au monde à la bonne distance. Il exige surtout qu'on ait résolu le difficile problème de l'unité intérieure et de la liberté, en instituant une vivante dialectique entre le *divertissement* et la *passion*. Ces consciences saines et comblées, on ne les trouve ni dans les lugubres caveaux où se réfu-

1. Dans une nouvelle de RÉTIF DE LA BRETONNE, *Louise et Thérèse*, on voit deux filles équivoques inspirer toute une mystique du souvenir. Louise « au pied mignon » se métamorphose en « une belle étoile au zénith », que Rétif, pendant vingt ans, selon un rituel minutieux, vient contempler chaque soir en pleurant. La nouvelle, extraite de *La vie de M. Nicolas*, a été publiée à la suite des *Confessions d'un roué de la Régence (Confessions du Comte de ***)* de DUCLOS, en 1889.

2. Cf. LA SOLLE, *Mémoires de Versorand, le libertin devenu philosophe* (1751), t. II, p. 141.

3. Cf. DELACROIX, *Mémoires du Chevalier de Gonthieu* (1766), t. I, p. 175 : « Moment funeste, tu as causé tous mes malheurs ».

4. Cf. NOUGARET, *Les Méprises ou les Illusions du plaisir, lettres du Comte d'Orabel pour servir à l'histoire de sa vie* (1780).

gient les misanthropes délirants, ni dans les salons où l'être se dissout en fumée. Ce sont des gens du monde, mais qui vivent hors du monde. Ils nous révèlent l'une des formes les plus nobles de l'art de vivre de ce temps : *la sagesse des châteaux.*

V. — STYLES DE VIE HEUREUSE.

Trublet réclame des « histoires », mieux encore des « mémoires » d'hommes heureux [1]. Sans doute faut-il être sûr de soi pour se déclarer tel. Mais certains heureux sont reconnus et désignés par les autres. « L'un des hommes de notre siècle, dit Marmontel, qui avait le mieux arrangé sa vie pour être heureux, c'était Watelet [2]. » Le bonheur de Watelet procède de plusieurs équilibres. Entre le divertissement et la passion, dont les goûts sont le moyen terme : Watelet s'est « donné tous les goûts », ce qui lui permet à la fois d'approfondir des plaisirs qu'on ne fait souvent qu'effleurer et d'être préservé, par la diversité de ses aptitudes, contre la fascination d'un unique objet. Entre la sociabilité et la solitude : Watelet eut la sagesse d'enfermer sa gloire au sein d'une « société bénévole », d'un petit monde clos et choisi ; ainsi put-il également éviter l'aigreur d'être réduit à soi-même et l'évanouissement dans la foule étrangère. Équilibre encore entre l'amour de soi et l'amour des autres, entre la jouissance et la vertu. Admirant le style d'existence choisi par Watelet, Marmontel parle d'une « vie voluptueusement innocente ».

D'autres bonheurs sont plus simples. Il y a le bonheur de l'action, de l'élan, qui ne se décompose pas : « Je fais cas d'un philosophe comme le marquis de Saint-Georges, écrit Mirabeau à Vauvenargues, cet homme agit ; enfin il est heureux ! [3] » Il y a le bonheur de la duchesse de Choiseul, qui inspire tant d'envie à Mme Du Deffand. Mme de Choiseul n'explique pas le miracle de sa vie, sa sérénité dans la disgrâce, la calme plénitude de son cœur. Ses conseils sont banals, évasifs : « Vivez au jour la journée, prenez le temps comme il vient, profitez de tous les moments [4]. » Elle élude toute philosophie, toute réflexion même : « Sans savoir ni pourquoi ni comment, je suis heureuse, très heureuse... En fait de bonheur, il ne faut pas rechercher le pourquoi ni regarder au comment [5]. » Elle défend les préjugés, « seul frein des mœurs » [6], prône une morale du juste milieu [7], se méfie de tous les

1. *Essais sur divers sujets de littérature et de morale*, t. III, p. 249.
2. MARMONTEL, *Mémoires*, cité dans la *Biographie Universelle* de MICHAUD.
3. VAUVENARGUES, *Œuvres*, éd. 1929, t. III, p. 174.
4. Lettre à Mme Du Deffand, 14 octobre 1764, *Correspondance de Mme Du Deffand*, t. I, p. 320.
5. Lettre à la même, 5 juin 1775, *ibid.*, t. III, pp. 127-173.
6. Cf. *ibid.*, t. I, pp. 54-55.
7. Cf. Lettre du 30 novembre 1772, *ibid.*, t. II, p. 299.

beaux monstres, « métaphysique » ou « enthousiasme »[1]. En dépit d'une sagesse un peu plate[2], elle sauve l'essentiel, qui est la fidélité à soi[3]. Il est vrai que son âme est spontanément ennemie des excès, au point qu'elle peut reprendre à son compte, ou à peu près, les mots dont se servait Rousseau pour peindre son inhumain Wolmar : « Je ne sais point être gaie, je ne sais qu'être contente[4]. »

Mais si le bonheur est affaire de vocation, que peut enseigner une vie exemplaire ? Si l'on ne possède pas cette *aptitude* qui rend heureux, il est vain de compter sur un apprentissage[5]. Le bonheur de Montesquieu semble se réduire à un art tout spontané du *balancement*. Un mouvement naturel retient, corrige ou renverse le mouvement contraire, au moment où celui-ci deviendrait dangereux pour l'âme[6]. Ce bonheur qui se règle lui-même profite de la complicité du corps[7]. Et si Montesquieu s'accommode de tous les états et de tous les visages, ce n'est pas qu'il n'ait aucun regard, comme le Sage stoïcien, pour ce qui lui est étranger ; c'est au contraire qu'il s'amuse de tout[8]. Ces dons précieux se résument en une fraîcheur de l'âme devant l'existence, en cette sécurité de l'humeur qui maintient, par le seul fait de vivre, une même tonalité intérieure[9].

D'autres se trouvent heureux de façon chaotique, en mélangeant le plaisir d'être soi, la joie de collectionner les voluptés, et le respect de la vie pour elle-même. C'est le cas de Diderot[10]. Quant à Rousseau, il semble qu'il ne soit heureux que sournoisement et par manière de révolte, en niant l'objectivité de son destin (c'est ce qu'il croit du moins) par la qualité autonome et toujours contradictoire de ses états d'âme[11]. Montesquieu, Diderot, Rousseau : trois styles de bonheur bien différents. Les deux premiers pactisent aisément avec le monde, tandis que le troisième se dresse tout entier contre lui. Mais le bonheur de Montesquieu est le fruit d'une alchimie de l'âme, qui impose aux objets de subtiles métamorphoses. Celui de Diderot

1. *Ibid.*, t. I, pp. 54 et 322.
2. Cf. lettre du 28 décembre 1766, *ibid.*, t. I, p. 74.
3. « Je cède à toutes les impressions qui me sont propres ; je me refuse à toutes celles qui me sont étrangères. » (Lettre du 24 janvier 1771, *ibid.*, t. I, p. 323.)
4. 3 avril 1771, *ibid.*, t. I, p. 389.
5. Mme d'Épinay reconnaît : « Je suis beaucoup plus affectée du bien que du mal. » (*Mes Moments heureux*, p. 4.)
6. La plupart des confidences de Montesquieu sur lui-même se présentent sous forme d'antithèses. Cf. *Mes Pensées*, *Œuvres*, Bibliothèque de la Pléiade, t. I, pp. 975 et suiv.
7. « Je passe la nuit sans m'éveiller ; et le soir quand je vais au lit, une espèce d'engourdissement m'empêche de faire des réflexions. » (*Ibid.*, p. 576.)
8. « Je suis presque aussi content avec des sots qu'avec des gens d'esprit. » (*Ibid.*)
9. « Je m'éveille le matin avec une joie secrète ; je vois la lumière avec une espèce de ravissement. Tout le reste du jour je suis content. » (*Ibid.*, pp. 975-976.)
10. « J'aime la vie. Je ne suis pas assez mécontent de mes parents, de mes amis, de la fortune et de moi-même pour la mépriser. » (*Œuvres*, Assézat-Tourneux, t. IX, p. 213.)
« Je vous jure que je ne suis nulle part heureux qu'à la condition de jouir de mon âme, d'être moi, moi tout pur. » (*Correspondance inédite*, éd. Babelon, t. I, p. 207.)
11. « Je sentais, pour ainsi dire, en moi-même le contrepoids de ma destinée. » (*Lettres sur la vertu et le bonheur*, *Œuvres inédites*, Streckeisen-Moulton, p. 161.)

consiste à se gorger de tout avec la fièvre des grands appétits frustrés.

Certaines sagesses individuelles méritent de l'admiration. Le bonheur du cardinal de Bernis tient au surprenant équilibre entre l'intensité de ses désirs et la froideur des plans dont il les enveloppe, à son aptitude à attendre quand il bouillonne d'impatience, à sa manière de se servir des autres tout en se divertissant, à son pouvoir de soumettre toute tentation — tendresse ou libertinage — à son dessein capital, ne faisant jamais rien, fût-ce un mauvais vers, qui n'ait son utilité. Mais cette ascèse de l'arrivisme, remplie de luttes et de temps morts, ne reste pas sans récompenses : « J'ai réussi à obtenir tout ce que j'ai désiré justement ; mais la fortune m'a toujours disputé ses faveurs, il a fallu les lui arracher [1]. » Le président de Brosses est également lui-même à Venise, cité du plaisir — « C'est un doux séjour de jouissance qu'une gondole ! [2] » — à Florence, capitale des Humanités et paradis de l'esprit, à Rome, carrefour de toutes les intrigues. Sa sensibilité est assez mesurée pour ne pas le tourmenter sans raison [3]. Mais il s'enthousiasme à propos des terres australes, construisant l'image du Conquistador des temps nouveaux avec son triple idéal : la gloire de la découverte, qui doit succéder à l'horrible gloire de la guerre ; la curiosité pour un « spectacle tout neuf » ; l'esprit commerçant et la recherche des « profits » [4]. Le prince de Ligne avoue simplement : « Je ne connais pas de carrière plus heureuse que la mienne. » Ni le remords, ni l'ambition, ni la jalousie ne l'ont jamais troublée. Pourtant il ne peut citer que quatre « vrais bonheurs » qui soient de l'ordre du miracle, non de la sagesse : son premier uniforme, sa première bataille, son premier amour, sa guérison de la petite vérole. Le premier et le dernier ne pouvaient être qu'uniques. Quant aux deux autres, ils se répétèrent tant de fois qu'ils perdirent bientôt leur vertu de surprise [5]. Mais par des moyens très simples le bonheur s'élabore : il faut « chanter le matin pour être gai tout le jour [6]. » Et l'on peut se demander : « Pourquoi n'y a-t-il pas une école de bonheur ? [7] »

Le style de vie a son importance. C'est lui qui symbolise la permanence d'un être, fixe en quelque sorte son identité. M. de Lisieux reproche à Mme de Montbrillant d'osciller déraisonnablement entre la « retraite absolue » et « l'extrême dissipation » [8]. S'écarter d'un

1. BERNIS, *Mémoires*, p. 89.
2. DE BROSSES, *Lettres d'Italie*, t. I, p. 180. Cf. *ibid.*, p. 219 : « C'est demain qu'il me faudra quitter mes douces gondoles. J'y suis actuellement en robe de chambre et en pantoufles à vous écrire au beau milieu de la grande rue, bercé par interim d'une musique céleste. »
3. A propos d'une dame de Dijon, dont il garde, dit-il, un souvenir attendri : « Je suis vraiment affligé qu'elle ait perdu son dernier enfant ; mais je m'en console, en pensant que c'est une perte qu'on peut réparer en deux minutes. » (*Ibid.*, p. 213.)
4. DE BROSSES, *Histoire des navigations aux Terres Australes* (1756), t. I, notamment pp. 5, 12, 15-16.
5. Cf. Prince DE LIGNE, *Mélanges*, t. XIII, pp. 128-129.
6. *Ibid.*, t. XII, p. 271.
7. *Ibid.*, pp. 154-155.
8. Mme D'ÉPINAY, *Histoire de Mme de Montbrillant*, t. I, p. 425.

système d'habitudes, c'est renoncer à son moi, se dissoudre dans l'improvisation, le caprice, l'anarchie. Un emploi du temps régulier, sinon immuable, est nécessaire à la conscience heureuse. Il interpose entre l'âme et l'existence brute un écran protecteur. Quelquefois même il tient lieu de philosophie. On a peu le goût, au XVIIIe siècle, des efforts sur soi-même que le calcul et la ruse n'adoucissent pas. Mais une vie bien réglée peut obtenir autant et à moindres frais que la volonté pure. Indispensable garde-fou, le genre de vie n'est rien d'autre qu'une distribution dans le temps des inclinations qui nourrissent l'âme et la préservent, par leur succession prévisible, contre les emportements et les naufrages.

Deux styles de vie s'opposent : le style mondain et celui des châteaux. A vrai dire, le premier n'est le plus souvent qu'une durée sans forme, un sautillement de fou. La journée de l'abbé Voisenon est méticuleusement rythmée par l'absorption d'insolites breuvages, dans l'intervalle desquels il ne se passe rien :

« Il se lève à sept heures et demi du matin, prend aussitôt trois tasses de petite sauge de Provence, à dix heures une tasse de chocolat, à onze heures une tasse de café, dîne à une heure et mange les ragoûts les plus piquants, il boit un demi-verre de sentac, ensuite du café, à cinq heures trois tasses de véronique et un verre d'eau de six graines, une tasse de chocolat, à neuf heures deux œufs frais, du ratafia, une tasse de chocolat, à onze heures une tasse de café, quelquefois du kermès, du soufre lavé en différents opiats et quelquefois du lilium ; à ses repas des anchois, des huîtres vertes et du vin de Chypre avec des fruits à l'eau-de-vie [1]. »

L'aisance dans l'absurde touche ici au prodige. Mais il est des frivolités laborieuses, pathétiques même. Le désespoir de Mme Du Deffand lui suggère toute une stratégie des invitations. Mais aux soupers qu'elle donne plusieurs fois par semaine, aux visites dans les maisons familières, elle préférerait « l'habitation d'un château » auprès de ceux qu'elle aime. Elle s'y ennuierait moins, pense-t-elle, que dans « la solitude du grand monde [2] ».

Au début de leur mariage, M. et Mme de Montbrillant imaginent un rythme de vie qui concilie leurs devoirs mondains et leur intimité. Il ne leur en faut pas moins à demeure deux soupers, un dîner, un concert public et deux concerts privés. Rien de plus contrasté, du reste, que cette vie mondaine. Pendant que son mari court les lieux de plaisir, Mme de Montbrillant reste à la maison et dévore pour sa consolation toute la bibliothèque [3]. Sous le même toit, dans la même famille, coexistent des mœurs incompatibles. Tandis que M. de Montbrillant, libertin et financier, se meut dans le bourdonnement d'une

1. Cité sans référence dans la *Nouvelle Biographie Générale*, Firmin-Didot, t. XLVI, p. 339.
2. A Walpole, 19 janvier 1771, *Correspondance de Mme Du Deffand*, t. II, pp. 128-129.
3. Cf. *Histoire de Mme de Montbrillant*, t. I, pp. 237-238.

innombrable clientèle, parmi le tapage des « marchands d'étoffes, d'instruments, des bijoutiers, des décrotteurs et des créanciers », la dévote Mme de Gondrecourt, sa belle-mère, divise son temps entre les pauvres et la prière, et surveille de sa fenêtre une « demi-douzaine de poules » en faisant des « réflexions sur leurs mœurs [1] ».

La vie de château comporte également plusieurs styles. M. de Gersay, l'oncle de Mme de Montbrillant, est un vieux campagnard sauvage, qui rappelle, avec plus de bons sens et moins de colères, M. Western de *Tom Jones*. Il n'aime de la vie que la chasse aux perdrix rouges et se fait tuer par un voisin pour défendre un petit carré de terre, qui est le seul selon lui où vienne son gibier [2]. Mirabeau s'est enfermé dans son domaine, où il lit des livres d'agriculture dix heures par jour. Mais le tempérament du viveur se révolte contre l'acharnement de l'apprenti agronome ; il sent éclater sa forte nature [3]. Chez Mme d'Épinay, l'horaire d'une journée prend valeur de symbole. Afin de « ne pas perdre de vue son plan de philosophie », elle veut que « chaque jour représente un tableau abrégé de la vie humaine ». Le matin sera l'enfance : on le passe à « débiter des riens ». L'adolescent midi, point le plus brillant de la nature, est célébré, on ne sait pourquoi, par la gourmandise. Des « travaux philosophiques » et des « lettres de sentiment » remplissent le sérieux après-midi, comme ils devraient occuper l'âge mûr. Enfin le soir appartient à l'amitié, antidote de la vieillesse [4]. Voilà qui semble plus édifiant que les élixirs et les tisanes de Voisenon. Il est plus d'une manière de scander le déroulement d'un jour. Mais il est imprudent de vouloir trop prouver, d'écraser le temps humain sous de solennelles significations. La philosophie des journées d'Épinay est plus creuse encore que la préciosité gourmande du très futile abbé.

Parmi tous les châteaux où se filent des jours heureux, Chanteloup est la merveille. Là, il n'est pas question d'habiller le temps qui passe à la mode cicéronienne ou philosophique. Les Choiseul, qui s'y sont réfugiés après la disgrâce, n'ont pas même songé à tirer une doctrine de leur immédiate résignation. La vie à Chanteloup ne se compose que d'anodines occupations — bavardage ou tric-trac — mais accueillies par des âmes si reposées que leur inanité se change en plénitude [5]. De temps à autre — c'est l'abbé Barthélemy qui raconte — un événement rehausse les « grandes chroniques de Chanteloup », habituellement tissées d' « oisivetés », de « repos » et de « silences ». Une fois, le seigneur du château voisin amène ses enfants travestis en bergers

1. Cf. *ibid.*, t. II, pp. 292-293 et 303-304.
2. Cf. *ibid.*, pp. 355 et 364.
3. Cf. Lettre de Mirabeau à Vauvenargues, 15 août 1740, VAUVENARGUES, *Œuvres*, Paris, 1929, t. III, p. 248.
4. Cf. *Mes Moments heureux*, pp. 134-136.
5. Cf. *Correspondance de Mme Du Deffand*, t. I, pp. 200-202.

et leur fait réciter des églogues de sa composition. Ou bien l'archevêque de Tours, escorté de son grand vicaire, vient en visite. Tous les animaux donnent un grand ballet en son honneur. On permet aux moutons de se promener dans le salon. Le plus imposant, nommé par hasard Cathédrale, fait une glissade suivie de « quatre ou cinq culbutes, qui réjouirent fort la compagnie ». La deuxième entrée est celle des perroquets bleus et rouges : « Ce sont les gardes françaises et les gardes suisses de Chanteloup ». Des makis leur succèdent, puis un singe habillé en grenadier avec « un sabre au côté, un fusil sur l'épaule, un petit chapeau, un habit d'ordonnance, les joues couvertes de rouge de carrosse ». La dernière entrée prévue était celle des vaches, mais Monseigneur n'eut pas le loisir de l'attendre [1]. En dehors de ces fêtes un peu solennelles, la chasse constitue le divertissement ordinaire. Le « grand-papa » n'y parvient jamais à tuer un animal tout entier : tantôt il se contente de la moitié d'un lièvre, que quelqu'un d'autre doit achever ; tantôt du quart d'une bécasse, « emportée par les trois autres quarts [2] ». Mais le cérémonial est superbe : « Rien de si beau que ce spectacle ». En tête marche le capitaine des chasses, portant « un petit surtout de taffetas couleur de rose ». Derrière, vient le lieutenant, qui ressemble à un docteur de la comédie italienne, puis le premier piqueur « avec son cor autour du col », suivi de « trois ou quatre autres piqueurs, cinq à six gardes et sept à huit chiens superbes ». On tue les victimes « un peu comme les généraux gagnent les batailles » : on entend le coup, on accourt au bruit, on voit la bête étendue, on a peur, et on se retire « en bon ordre ». Parfois un des chasseurs crie qu'il a vu un chevreuil : en réalité, c'est un lièvre. La grand-maman court avec un « courage effroyable ». Le médecin Gatti est couché sur sa selle par la sciatique. Quant à Barthélemy, il est monté sur un cheval si petit que ses jambes se confondent avec celles de l'animal, « excepté qu'elles n'étaient pas si jolies [3] ».

Tout le monde s'émerveille du bonheur de Chanteloup. Mme de Choiseul : « Nous faisons assez bonne chère, nous passons des nuits fort tranquilles et toute la matinée à nous parer de perles et de diamants comme des princesses de roman... Nous menons ici une vie charmante. On ne s'assemble qu'à six heures du soir ; on fait un dîner-souper ; on reste en compagnie jusqu'à deux heures du matin ; on joue, on lit, et surtout on rit. On a de grandes matinées pour dormir, si l'on veut, ou faire ses affaires [4]. » Barthélemy demande qu'on en parle à voix basse : « A propos de bonheur, ne me parlez pas trop de celui que l'on goûte ici, il me semble que l'envie est toujours aux

1. Cf. *ibid.*, t. I, pp. 273-274.
2. Cf. *ibid.*, pp. 338-339.
3. Cf. Lettre de Barthélemy à Mme Du Deffand, 7 janvier 1770, *ibid.*, t. I, pp. 281-282.
4. *Ibid.*, p. 324.

écoutes [1]. » Et la pauvre Mme Du Deffand admire de loin ce paradis, où sa place est toujours prête, mais dont son destin l'exclut : « Chanteloup renferme non seulement tout ce que j'aime et j'estime, mais tout ce qui peut contribuer au bonheur et à l'agrément de la vie, indépendamment même de tout sentiment [2]. »

***

Derrière l'euphorie ou l'humour de ces images commencent les vrais problèmes. Le bonheur du prince de Ligne a quelque chose d'élaboré et de méticuleux qui inquiète. Le programme d'une journée heureuse ne comporte pas moins de six rubriques :

« Il faut en se réveillant se dire : 1) Puis-je faire plaisir à quelqu'un aujourd'hui ? 2) Comment pourrai-je m'amuser ? 3) Qu'aurai-je à dîner ? 4) Pourrai-je voir un homme aimable ou intéressant ? 5) Paraîtrai-je tel à Mme Une Telle qui me plaît beaucoup ? 6) Avant de sortir, lirai-je ou écrirai-je quelque vérité neuve, piquante, utile ou agréable ? — et puis remplir ces six points si l'on peut [3]. »

Peut-on encore se dire heureux, si par hasard ces six points ne sont pas « remplis » ? Tel est l'aspect positif — le plus précaire — de l'épicurisme moderne, celui qui consiste à se fixer des buts, à choisir des objets de jouissance et à les atteindre, « si l'on peut ». L'envers de l'épicurisme, ce que Julie de Wolmar nomme « l'épicuréisme de la raison », semble plus sûr. Le sage Barthélemy le comprend fort bien : « Le bonheur ne consiste que dans la privation et non dans la jouissance, comme on l'a cru depuis cinq à six mille ans ; privation de café, de vin et de ragoût, dans le physique ; de sentiment, et par conséquent de chagrins, dans le moral ; de ministre et de Parlement, dans la politique [4]. »

Si l'on interroge plus avant ces deux heureux du siècle, l'homme d'étude parasite des grands et le prince soldat, on s'aperçoit bientôt de tout ce qui limite, menace ou consume leur bonheur. Barthélemy soupire, même à Chanteloup, après l'austère liberté où s'amoncelaient ses travaux. Il sent qu'il n'est pas fait pour le monde, que sa condition actuelle est une parodie. Il finit par douter de lui-même, par devenir amer : « Au fond, je ne suis pas aimable... Je suis un de ces êtres inu-

1. *Ibid.*, p. 315.
2. Mme Du Deffand à Mme de Choiseul, 25 février 1771, *ibid.*, t. II, p. 138.
3. Ligne, *Mélanges*, t. XX, p. 120. Ailleurs le prince de Ligne conseille de « prendre deux jours par semaine » pour faire le bilan de son bonheur : « Examinons notre existence. Je me porte fort bien... Je suis riche. Je joue un rôle, j'ai de la considération, on m'aime ou l'on m'estime... Sans cette récapitulation on se blase sur son heureuse position. » (*Ibid.*, t. XIII, p. 376). Mais qu'adviendra-t-il de ceux dont la position est moins heureuse ?
4. *Correspondance de Mme Du Deffand*, t. I, p. 338.

tiles dont on ne peut dire ni bien ni mal [1]. » Un jour de particulière tristesse, il avoue à Mme Du Deffand qu'il oublie auprès d'elle « les inquiétudes (qu'il) renferme dans le fond de (son) âme, parce qu' (il n'est) pas assez important pour en ennuyer personne [2] ». L'art de vivre du prince de Ligne, fait d'un harmonieux compromis entre les voluptés du repos, l'ivresse des passions et l'exaltation de la gloire [3], cache une sombre idée de la nature humaine, où tout n'est qu'inquiétude et perversité [4]. Un parfait honnête homme selon lui n'existe pas, et il ne se juge pas meilleur que les autres : « Que de petitesse je trouve en moi lorsque je m'examine à fond [5]. » Il rêve d'un bonheur idéal, exilant dans les chimères la part romanesque de son âme [6]. Peut-être passe-t-il sur la grandeur et sur la gloire comme un reflet d'absolu [7]. En dehors de cela, le bonheur n'est qu'une affaire de technique : auto-suggestion, résignation, compensations, recherche des « sujets de rire », habile traitement des passions d'où l'on tâchera d'extraire le plus de plaisir possible (toutes y sont propres, même l'avarice, à l'exception d'une seule, l'ambition, qui ne se croit jamais satisfaite [8]). Il faut aussi prévoir une débâcle de la sagesse. Alors la partie est gagnée, ou perdue : « Qu'on ne respire que dissipation, joie, jeu, chasse, fêtes, spectacles, bonne chère, bonne société, choses extraordinaires, de la folie même et des folies ». Mais pour prétendre encore, en plein tourbillon, à la qualité d'homme, il faut au moins que deux choses soient sauves : les devoirs et le goût [9].

L'évocation de certaines vies, de certains visages, le rappel de cette joie de vivre où l'on aime à reconnaître tout le XVIIIe siècle, quelques lieux communs sur la fièvre de la Régence, la légende de Casanova aventurier du plaisir, ces images qu'on a mille fois commentées, celles moins connues qu'on vient de produire, tout cela ne donne de ce temps qu'une idée bien superficielle. Le bonheur vécu est de peu d'importance auprès des réflexions que le bonheur suggère. Celles-ci s'enrichissent à leur tour d'arrière-pensées, de calculs inconscients, de contradictions. Le désir de vivre est moins fort souvent que la peur de souffrir et la méfiance envers la vie.

1. *Ibid.*, t. I, p. 346 ; t. II, p. 27.
2. *Ibid.*, t. II, p. 232.
3. « Il est beau de sortir du calme des promenades consacrées à l'ombre et au silence, et de la douce agitation de celles qui sont consacrées à l'amour heureux, pour se livrer à l'enthousiasme de la valeur. » (*Mélanges*, t. VIII, p. 80.)
4. Cf. *Mélanges*, t. XIII, pp. 97, 330-332, 432, 435.
5. Cf. *ibid.*, t. XII, pp. 36-37, 320, 292-293.
6. Cf. *ibid.*, t. XII, pp. 223-224 ; t. XIII, pp. 141-145 ; 234-35.
7. Cf. *ibid.*, t. XII, p. 172 ; t. XIII, pp. 341 et 450.
8. Cf. *ibid.*, t. XIII, pp. 276-277, 204, 302-304 ; t. XII, pp. 69-70, 72-73, 73-77.
9. Cf. *ibid.*, t. XII, p. 26.

VI. — Structure et analyse de l'ouvrage.

Les pages précédentes avaient pour but de suggérer l'insuffisance d'une simple étude de *mœurs* et de conduire le lecteur, par une suite d'évocations concrètes, jusqu'au seuil de l'*idée* du bonheur. Pour aller au-delà du pittoresque pur, pour déjouer aussi le calcul des moralistes qui ne visent qu'à surprendre et à édifier, deux démarches sont possibles, que l'on tentera successivement. Il est probable qu'elles se recouperont plus d'une fois. Mais les mêmes thèmes n'y apparaîtront pas dans le même éclairage.

Une Première Partie traitera *du bonheur et de ses conditions.* On s'efforcra d'y mettre l'idée du bonheur en relation avec les motivations psychologiques, les climats de pensée et les réalités sociales qui la nourrissent et l'informent. La notion de bonheur sera considérée comme un tout, mais on la situera dans des perspectives différentes. La Seconde Partie suivra une méthode inverse : la perspective ne changera pas, mais on décomposera le bonheur en ses éléments.

L'idée du bonheur est tout d'abord fonction de la *condition humaine.* Selon qu'on considère l'homme comme un réprouvé, comme un prodige de contradictions, ou comme le favori de la nature, la quête du bonheur n'aura pas le même sens. Ce sera l'occasion d'apprécier, à première vue, la part d'*optimisme* et la part de *pessimisme* qui composent la pensée du siècle. (Chapitre I).

La recherche du bonheur relève ensuite de *conditions psychologiques.* Elle est sans doute le fruit d'un instinct ; elle est inspirée par la *nature.* Mais la nature comprend aussi des impulsions, des tentations, qui détournent l'homme du bonheur, plus qu'elles ne l'y conduisent. Celles-ci rencontrent des complicités dangereuses dans le « monde », tel que les moralistes le stigmatisent, tel qu'un Rousseau en poussera au noir l'analyse. En revanche, la philosophie traditionnelle, celle qui définit le bonheur comme le *souverain bien,* est beaucoup trop utopique pour enseigner utilement à leur résister. En définitive, *nature humaine* et *condition humaine* se rejoignent en un problème majeur : celui de la *liberté.* C'est d'elle que le bonheur dépend en dernier ressort. (Chapitre II).

Mais il ne suffit pas que l'homme soit libre ou se croie tel. Encore faut-il que le bonheur soit une idée simple. Or comment le serait-il, puisqu'il doit répondre à des exigences incompatibles ? Le bonheur réside dans l'*unité* intérieure ; pourtant est-il concevable sans une *diversité* de goûts, d'aptitudes et d'expériences ? Le bonheur est dans le *repos,* rêve caché au fond de toute sagesse ; mais il est aussi dans le *mouvement,* nécessaire à la vie de l'âme. Le bonheur devient facile, si la *raison* le prend en charge et le construit ; mais n'est-il pas plus immédiat encore, si le *sentiment* seul y conduit ? Le bonheur est dans l'assouvissement complet d'une nature *individuelle* ; mais l'existence de la société n'exige-t-elle pas que l'*ordre* impose des limites aux désirs de chacun ? Enfin le bonheur consiste-t-il à suivre la *nature*, ou bien la *vertu*, dont les voies sont le plus souvent divergentes ? Les hommes du XVIIIe siècle n'apportent de réponse claire à aucune de ces alternatives. Ils refusent de choisir et tentent, contre l'évidence même, de concilier les contraires. (Chapitre III).

Le bonheur dépend aussi de la *condition sociale* : il n'est pas le même pour le courtisan, l'homme riche, le paysan et le bourgeois. Sur ce point, la pensée des moralistes, si sensible d'ordinaire à toutes les complexités, se fait étonnamment sommaire. On s'accorde autour d'un lieu commun : *le bonheur est dans la médiocrité*. Cette unanimité, tant soit peu suspecte, mérite de subir l'épreuve d'une analyse critique. (Chapitre IV).

Il convient ensuite de situer l'idée du bonheur par rapport aux grandes lignes de la pensée morale. Que devient, tout d'abord, ce thème, en partie nouveau, dans le traditionnel contexte *chrétien* ? Au lieu d'attaquer de front l'une des idées-force de son temps, le christianisme du XVIIIe siècle s'ingénie à la prendre à son compte, à l'annexer. Il n'y renoncera que lorsque les Philosophes auront fait éclater l'insurmontable contradiction entre la nouvelle éthique et la doctrine chrétienne. (Chapitre V).

Est-ce à dire que la pensée *philosophique* apporte elle-même, relativement au bonheur, une libération totale ? On essaiera de fixer quelques doctrines, en se demandant si elles approfondissent ou au contraire appauvrissent les données psychologiques. On apercevra que la notion d'un *bonheur universel déduit de la nature et de ses lois* rejette dans le néant tous les bonheurs de l'intime et de l'unique. La « philosophie » sacrifie, au nom d'une certaine idée de l'homme, imposée par les nécessités du combat, les richesses et les secrets de l'âme individuelle. Pour se libérer des vieilles emprises, il est presque toujours nécessaire de s'aliéner à des mythes nouveaux. (Chapitre VI).

Mais il faut considérer à part une zone où la pensée chrétienne et la pensée philosophique pénètrent l'une et l'autre, mais sans en détruire l'autonomie : c'est ce domaine *bourgeois*, que Groethuysen a magistralement évoqué [1]. Un certain style de bonheur définit le bourgeois du XVIIIe siècle. Peut-être même est-ce celui qui permet de résoudre le mieux les antinomies que l'on a rencontrées. (Chapitre VII).

Dans la Deuxième Partie, l'idée du bonheur se trouvera associée aux diverses *formes de l'existence*. Cette seconde démarche sera à la

1. Bernard GROETHUYSEN, *Origines de l'esprit bourgeois en France*. I, *L'Église et la Bourgeoisie*, Paris, Gallimard, Bibliothèque des idées, 1927.

fois *analytique* et *dialectique*. On y étudiera séparément les composantes du bonheur, et l'on tentera de reconstruire, à partir des éléments les plus simples, et selon un ordre de complexité croissante, le chef-d'œuvre d'une âme ou d'une vie heureuse.

Au niveau le plus élémentaire, un certain bonheur est *donné* avec les *formes immédiates de l'existence* : en premier lieu, ce bonheur tout simple, et antérieur à tous les autres, qui consiste à *exister* ; cet autre bonheur aussi qui découle de relations parfaites entre *l'âme et le corps* ; et cette félicité plus riche de l'harmonie physique entre *l'âme et les choses*, due aux *sensations*. C'est l'une des originalités du XVIIIe siècle, d'avoir découvert, de Montesquieu à Rousseau, le *bonheur de l'existence.* (Chapitre VIII).

Lorsque cet équilibre fondamental cesse d'être *senti* pour être *pensé*, on s'élève d'un degré. On accède à la *sagesse*, à l'*immobilité de la vie heureuse.* La raison qui apparaît ici n'est pas encore la raison spéculative. Elle n'est que cette raison pratique qui aménage les formes concrètes de l'existence et compose le décor naturel et humain du *repos* : loisir, étude, famille, amitié, campagne, jardins. Ce style de bonheur, où s'harmonisent l'éternelle rêverie *pastorale*, l'antique tradition de l'*épicurisme* et le goût moderne de la *bienfaisance*, se prolonge tout naturellement en *poésie.* (Chapitre IX).

A partir du moment où interviennent les *plaisirs*, c'est un nouvel élément de complexité qui s'introduit. Les plaisirs marquent l'irruption du *mouvement*. Le problème moral qu'ils posent est d'abord un problème psychologique : comment maintenir l'équilibre entre le mouvement et le repos ? On y parvient de trois façons : par une *technique*, par une *éthique* et par une *esthétique* des plaisirs. (Chapitre X).

Si l'équilibre est détruit au profit du *mouvement*, le bonheur exige du moins que celui-ci ne puisse plus se confondre avec la frénésie vide du plaisir, qu'il se change en *sentiment*. Mais ici l'on achoppe au plus grave problème : celui des *passions*. Le XVIIIe siècle, qui en est obsédé, ne lui trouve guère, contrairement à sa légende, que des solutions prudentes, banales et ambiguës. Mais ceux-là même qui en dissertent de façon conventionnelle savent merveilleusement explorer l'immense domaine du cœur : le *sentiment de l'amour*, le *sentiment de la gloire*, le *sentiment et les mystères du monde*. (Chapitre XI).

Le sentiment à lui seul ne répond pas à tous les besoins de l'âme. Il comporte à tout moment un risque d'accélération et d'emportement, qui effraie. Il s'embrouille et se dissout lui-même, à moins qu'une méthode de vie ne le régularise. Enfin il est vite à court d'inventions, si l'esprit ne lui prête pas les siennes. C'est la *raison* qui assumera ces trois fonctions : *définir une norme*, qui assure définitivement l'équilibre entre le mouvement et le repos ; *aménager* et distribuer dans le temps les diverses expériences de la vie affective ; surtout forger ces grands *mythes* qui symbolisent l'union supérieure du cœur et de l'esprit, et qui placent le bonheur de l'homme au centre d'un système universel. L'*ordre du monde*, la *nature*, le *progrès* cessent d'apparaître comme des idées pures : ce sont plutôt des alibis qu'une complaisante raison fournit à des âmes trop exigeantes. (Chapitre XII).

Le problème du bonheur pouvait jusque-là être envisagé sans aucune référence à autrui. La plus grande complexité est atteinte au moment où la rencontre du prochain transforme la poursuite du bonheur en une réflexion *morale*. Il est admis, en effet, qu'on ne peut être heureux sans les autres, et en même temps que le renoncement au profit des autres constitue le tout de la *vertu*. Mais la nature, en offrant à l'homme le privilège de la *sociabilité*, lui a inspiré le goût de ce désaisissement de soi et lui en procure à chaque instant les moyens. L'euphorie de la *bienfaisance* fait d'un même acte un *plaisir* et un *devoir*. Cependant, certains soupçonnent que la vertu, quelquefois difficile, peut être *sacrifice*. Mais cette idée est insoutenable pour la plupart des consciences du XVIIIe siècle, qui la masquent par un recours à l'utopie. Aussi la dialectique demeure-t-elle inachevée. C'est à Kant qu'il reviendra de conclure, en dissociant définitivement le problème moral de celui du bonheur. (Chapitre XIII).

Le plan systématique que l'on vient d'exposer a fourni l'architecture d'ensemble de l'ouvrage. Mais, à l'intérieur de chaque chapitre, on a essayé, lorsqu'il le fallait, de ménager certaines études d'âme, d'approfondir certaines œuvres, de rétablir, pour éviter le désordre et les confusions, les grandes lignes d'évolution. Il fallait aussi tâcher d'équilibrer les grands et les petits, laisser une place de choix à Voltaire, Rousseau, Diderot, Prévost, Vauvenargues, sans rompre la continuité d'un exposé fondé sur un rassemblement d'auteurs de moindre allure, sur une collection ou un enchaînement de thèmes communs à tous. Il fallait enfin étudier à part certaines œuvres mineures *(Traité du vrai mérite, Théorie des sentiments agréables)*, dont l'importance historique fut pourtant considérable. Il serait miraculeux que ces différents équilibres fussent atteints. Du moins savait-on qu'on devait y prétendre.

PREMIÈRE PARTIE

LE BONHEUR ET SES CONDITIONS

CHAPITRE PREMIER

LE BONHEUR ET LA CONDITION HUMAINE

« Vous me mandez que vous vous ennuyez, et moi je vous réponds que j'enrage. Voilà les deux pivots de la vie, de l'insipidité ou du trouble. »

VOLTAIRE, Lettre à Mme Du Deffand.

« Tout est parfait dans le physique ; tout ne l'est pas dans le moral, mais cela dépend des hommes et doit en dépendre ; car il n'est point de perfection morale sans la volonté libre de l'homme. »

BEAUSOBRE, *Essai sur le bonheur.*

Introduction : Un nouvel ordre du monde. — 1. Variations subjectives. — 2. Les thèmes du pessimisme. — 3. Zadig et Candide. — 4. Le bonheur de vivre. — *Conclusion :* L'optimisme et son évolution.

La pensée du XVIIIe siècle découvre, pour la première fois peut-être, que l'existence de l'homme ne se suffit pas à elle-même et réclame une justification. Si la condition humaine devient une énigme et un sujet d'angoisse, c'est que nul ne se sent plus soutenu par la stabilité de l'univers théologique du XVIIe siècle, et qu'il n'est plus de Révélation pour renseigner d'emblée chaque homme sur sa destination.

Cette prise de conscience se trouve rarement formulée dans sa pureté métaphysique. Chez Mme Du Deffand, qui est tellement inquiète du sens de sa propre vie et de toute vie, le thème de l'absurdité de la condition humaine se mêle constamment à celui des tracasseries ou des platitudes de la vie sociale. Mais c'est que l'inquiétude de ces âmes, si fortement incarnées, est sincère. Pour les contemporains, la condition de l'homme est d'être en relation avec d'autres hommes. Il est donc normal que le métaphysique et le social se recouvrent sans cesse. Jamais une conscience du XVIIIe siècle ne médite abstraitement sur la condition de l'homme. C'est à travers une déception, à la suite d'une amitié rompue, devant le spectacle d'une injustice, que l'homme s'aperçoit de ce qu'il est et s'interroge sur son existence. Souffrir par les autres apparaît souvent comme l'essence même du mal, et le désarroi de l'homme, désarmé devant sa destinée, peut se dissimuler derrière une simple description des servitudes et des trahisons qui défigurent ou constituent toute vie sociale. Là sont en tout cas les deux sources angoissantes de notre misère [1], et Rousseau est l'exception, qui décharge la Providence ou la nature de la responsabilité des folies humaines.

Il serait exagéré de dire que l'homme du XVIIIe siècle se débat au milieu d'un vertige, dans un univers incohérent. Le monde reste aussi fortement structuré qu'il l'était au siècle précédent et l'ordre de la nature demeure aussi évident. D'ailleurs la permanence d'un finalisme providentiel, qui survit obstinément, tout au long du siècle, à la foi disparue ou compromise, est assez significative. Mais à mesure que la Nature prend la place de la Providence, ce qui change dans la conception de l'ordre du monde, ce n'est pas tant sa rigueur ou sa stabilité que la façon dont l'homme s'y rattache. Au XVIIe siècle, c'est par le biais de sa destination spirituelle que l'homme se sentait lié à l'œuvre de la création. Désormais, l'accord est surtout physique. L'homme sait parfaitement quelle est sa place dans la nature, mais il sent en même temps qu'une part de lui-même échappe à cette nature. En tant qu'*animal*, il appartient à l'univers. Mais, en tant que *conscience*, il devient un être solitaire, presque égaré. Montesquieu déclare que le monde moral ne suit pas des lois aussi rigoureuses que le monde physique, et la part d'idéalisme qu'il parvient à sauver doit composer, en se compromettant, avec un déterminisme qui, pour être rationnellement explicable, est fort loin cependant de ne relever que de l'Esprit. Quant au thème favori de l'optimisme rationaliste, selon lequel la Raison a précisément été donnée à l'homme pour lui révéler sa destination et lui ôter toute inquiétude, sa présence indiscrète et son aspect de slogan donnent à penser qu'il s'adresse à des âmes bien réticentes.

Le chrétien du XVIIe siècle pouvait paraître un être double, composé d'un corps et d'une âme. Mais cette dualité n'en était pas une, car une même justification rendait compte des deux termes. Les consciences de l'âge philosophique, qui voudraient tant échapper à la dualité, ne parviennent jamais, au contraire, à combler le vide qui se creuse entre ce qui, dans l'homme, est nature et ce qui demeure liberté. L'erreur métaphysique du siècle est de n'avoir pas compris qu'il n'existe aucun moyen terme entre une philosophie de l'absolu et une philosophie de la liberté. La notion dangereuse et équivoque de « nature » est précisément le pivot autour duquel tournent sans cesse la confusion ou le compromis. Absolu qui n'ose pas conserver

1. Cf. *Correspondance de Mme Du Deffand*, 1865, t. I, pp. 559-560.

son nom ou liberté qui se pétrifie aussitôt elle-même, la « nature » ne pouvait fournir que des réponses ambiguës aux questions sur la condition humaine.

Le problème n'est soluble qu'à condition d'escamoter l'un des termes. Pour les philosophes matérialistes, l'homme ne cesse d'être une énigme qu'en devenant l'aboutissement nécessaire d'un strict déterminisme. Encore un Diderot, qui appartient à leur groupe, éprouve-t-il devant les conclusions d'Helvétius une révolte que n'explique aucune nécessité objective. Avec Rousseau, d'autre part, l'homme retrouve un nouvel absolu qui redonne un sens à sa condition. Mais pour tous ceux qui, comme Voltaire, ne choisissent pas entre un système déterministe et une éthique humaniste postulant la liberté, la condition de l'homme ne cesse pas d'être indéchiffrable.

D'où la diversité et la contradiction des jugements sur la condition humaine. Quelquefois celle-ci n'apparaît qu'au travers d'un système, dont la simplicité est presque caricaturale. Ou bien l'on se trouve en présence d'attitudes purement affectives, motivées par l'état d'âme d'un instant, l'humeur la plus superficielle. Ou encore la vision de l'homme, si elle s'affirme de façon permanente tout au long d'une même pensée, loin d'être le fruit d'une réflexion, ne fait qu'exprimer la tonalité profonde, désespérée ou euphorique, d'une âme. La question la plus angoissante ne reçoit en ce siècle de philosophes aucune réponse vraiment philosophique. On reste seul devant l'énigme de la condition humaine, avec ses réactions les plus instinctives ou ses partis pris les moins élucidés. Selon le choix conscient ou non, mais toujours arbitraire, de chacun, les mêmes situations, les mêmes accidents peuvent servir à exalter la liberté de l'homme ou à montrer son écrasement par un incompréhensible destin.

I. — Variations subjectives.

Ces incertitudes ressortent curieusement de la confrontation de deux œuvres dans le temps assez voisines, mais d'inspiration diamétralement opposée, bien que se voulant l'une et l'autre édifiantes dans leur simplicité sans nuance : un court roman de Bésenval, *Le Spleen* (1757), et la pièce philosophique de Savérien, *L'Heureux* (1754).

Le Spleen n'est nullement, comme le titre le suggère, la confession ou le témoignage d'une âme morbide. Bésenval assure qu'il est un homme heureux et qu'aucun accident n'a pu faire de lui un aigri ou un désenchanté [1]. Il veut, sans plus, se divertir à « démontrer que

1. Rien n'est plus vrai, en l'occurrence. Le baron Pierre-Victor de Bésenval, lieutenant général et inspecteur général des Suisses, connut tous les succès mondains et militaires, fut un homme brillant et un courtisan parfait, sans être assez profond pour souffrir de rien : son

le malheur est inséparable de quelque situation que ce soit ». On saisit au vif l'ingéniosité du parti pris : il s'agit d'un jeu, d'un choix gratuit. Ce n'est pas par une intuition ni par une réflexion approfondie que l'on cherche le nœud de la condition humaine, mais par une construction systématique, que l'on oriente comme on veut. Le héros de Bésenval est un homme sur qui s'accumulent toutes les catastrophes et dont la vie est une série continue de désastres. Trompé par tous ses amis, veuf au désespoir tenace, il ajoute à des malheurs incontestables une accumulation mécanique et ridicule de petites déconvenues. S'il va à la chasse, il se casse le bras et crève les yeux de son « guenard », caché par un buisson. S'il collectionne des tableaux, son valet de chambre laisse tomber sur la plus précieuse de ses toiles une échelle qui la déchire de part en part. S'il tente de se consoler en achetant des porcelaines, la boiserie du salon, en s'écroulant, les anéantit :

« *Moi :* Il faut avouer que vous êtes né sous une malheureuse étoile.
« *L'inconnu :* Oui, je conviens qu'il est rare de trouver dans la vie d'un seul homme un assemblage aussi funeste de choses fâcheuses. Mais enfin, Monsieur, je n'ai fait qu'éprouver les malheurs attachés aux différents genres de vie que j'avais embrassés et par là succomber aux dangers auxquels chacun est exposé [1]. »

Les malheurs du spleenétique de Bésenval ne sont rien auprès des catastrophes que doit subir « l'heureux » de Savérien, au nom transparent de M. Félix. Lui aussi est une cible privilégiée pour le destin : il perd tous ses biens, on assassine sa femme, et, pour comble d'infortune, le voilà accusé du meurtre. On le met en prison, on le juge, on le condamne, on va l'exécuter. Cependant il s'obstine à se proclamer satisfait, assurant qu'il n'y a pas de malheur dans le monde et que tous les hommes sont heureux par essence, indépendamment des

spleenetique peut à cet égard apparaître comme une sorte d'imaginaire compensation à sa relative insensibilité, à sa sérénité superficielle. Il mourut en 1794, entouré de ses amis, et, dit-on, en chantant, s'éteignant sans douleur et sans maladie apparente : en somme, une fort belle mort épicurienne.

1. *Le Spleen* est un simple conte philosophique. M. Hoog a eu tort d'y voir un témoignage de l'angoisse préromantique. Le spleen ne désigne nullement ici un malaise sans cause, un désenchantement fondamental, ce que M. Hoog appelle une « crise de l'existence ». L'amertume qui s'est déposée au fond de l'âme de cet extraordinaire malchanceux, ridicule à force d'être victime, ne saurait être tenue pour pathologique, si l'on songe à tous les revers, à tous les désastres qu'il a dû, sans répit, essuyer : « Tant de contrariétés réunies me plongèrent dans une mélancolie, dans un abattement dont rien ne pouvait me tirer... » (p. 59). Aucune tristesse ne pourrait être plus nettement motivée. C'est donc bien la condition humaine en général qui est ici mise en cause, non les égarements frénétiques d'une conscience malade. D'ailleurs le spleenétique inconnu parle sans cesse en moraliste : « Moi : « Il n'y a donc point de bonheur ? » — L'inconnu : « De bonheur parfait, non. Par le bonheur on entend une jouissance permanente : où peut-elle exister ? Nos situations dépendent de tant de circonstances qu'il est impossible qu'elles se combinent de façon à procurer un état stable ; de là, les privations, les contrariétés, par conséquent le malheur. Si, par un hasard bien rare, cet état désirable ne se détruit pas, alors la satiété et le dégoût prennent bientôt la place des inconvénients et produisent le même effet. Ce que je vous dis semble vous affliger, monsieur : tâchez de ne point réfléchir, vous en serez moins malheureux » (p. 37).

situations particulières [1]. M. Félix est donc « l'heureux » permanent et absolu. On pourrait voir dans son attitude l'illustration schématique d'un thème stoïcien : le Sage est content en toutes circonstances. Mais M. Félix n'est pas insensible. Le secret de son bonheur consiste à extraire des jouissances de tous les modes de la sensibilité, de tous les accidents qui l'affectent. Lorsqu'on lui annonce la mort de sa femme, il n'essaie pas de tempérer son chagrin. Mais dans cet abandon il trouve un nouveau plaisir, et c'est encore en « heureux » qu'il s'enivre de sa souffrance. Le héros stoïcien se bornait à ne souffrir de rien. Plus habile et plus gourmet, M. Félix jouit de tout [2]. Par une sorte de dédoublement périlleux, il parvient à se nourrir délicieusement de son âme bouleversée, tout en sauvegardant une vue lucide de lui-même, qui le place au-dessus de ses propres émotions et lui permet, en quelque sorte, d'en tenir froidement le journal [3]. S'il établit en lui cette division, ce n'est pas pour rester libre, comme l'Alidor de Corneille, mais pour jouir deux fois de son être, et savourer simultanément le morbide plaisir des larmes et la joie tonique d'un esprit qui ne pactise pas avec les faiblesses du cœur [4].

Cette euphorie à la fois spontanée et systématique, cette aptitude à se « prendre à tout », que Montesquieu aussi découvrait à son âme, cette présence déliée au concert des choses, ce pouvoir d'investir la sensation, qui remplit l'instant, du prestige habituellement dévolu au rêve, cette saisie profonde du réel qui supprime l'impossible et fait de l'existence une plénitude, tout cela compose une image artificielle d'un bonheur dont le siècle offre bien d'autres expressions plus authentiques, mais non point différentes.

1. Cf. Savérien, *L'Heureux*, *Avertissement.* Il faut dire que cette ahurissante accumulation de cauchemars n'est qu'une suite d'épreuves, fondée sur d'habiles truquages. Un roi, étonné et jaloux de l'impassibilité heureuse de M. Félix, a voulu le mettre au pied du mur et lui donner occasion d'exercer sa philosophie. Toutes les péripéties de la pièce sont l'effet d'une ingénieuse mise en scène, et l'épreuve tourne à la gloire de M. Félix ainsi qu'à l'édification du roi.

2. Voici ses réflexions, lorsqu'il se promène dans un parc : « Lieu charmant, si favorisé de la nature, soyez le confident de mes plaisirs. Je ne chante point les peines ni de l'amour ni de l'ennui. Vous n'êtes témoin que de mon bonheur. Petits oiseaux, qui égayez nos échos par vos doux chants, renouvelez vos tendres airs. Et vous, bruyant ruisseau, mêlez le murmure de vos claires eaux à un concert si mélodieux. Quel spectacle ! Chaque objet augmente ici ma félicité. Mon âme s'enivre à longs traits des satisfactions particulières qu'elle éprouve, tandis qu'elle goûte avec une sorte de volupté l'harmonie de tant de bienfaits... Que l'homme est heureux ! Un seul de ces objets est capable de remplir le vide de mon cœur et il jouit de tous. Mes sens semblent plier à de si douces réflexions. Je succombe sous leur faiblesse. Le Dieu du sommeil, sans doute jaloux de mes plaisirs, veut y prendre part. Ne lui envions point ce bonheur. » (Il s'endort). (*Op. cit.*, I, 4).

3. « Je sens, oui je sens que je suis vivement touché. Quel bonheur ! Mon amour-propre en est ému et je me trouve flatté dans le sein de la douleur. » (*Ibid.*, II, 6).

4. Pour employer une formule que l'on rencontre souvent dans les auteurs du XVIIIe siècle, si M. Félix se déclare heureux, paradoxalement semble-t-il, au moment du plus profond bouleversement de son être, c'est que ce bouleversement même *l'avertit plus fortement de son existence* que ne saurait le faire n'importe quel plaisir. Or être heureux, c'est être averti de son existence, c'est remplir du plus grand nombre d'émotions et de perceptions ce vide intérieur qui menace d'engloutir l'homme insensible ou inoccupé dans les limbes de l'ennui. Le personnage de Saverien est intéressant dans la mesure où il conduit jusqu'à l'outrance schématique et à l'insoutenable paradoxe, un thème exploité par tout le siècle pour justifier la recherche d'un bonheur fondé non sur l'équilibre, mais sur l'exaltation,

Devant chacune de ces deux œuvres, on éprouve la même impression de gratuité, presque de vertige, à constater avec quelle partialité s'apprécie un destin [1]. Il semble que la condition humaine soit vidée de tout contenu objectif, privée d'arrière-plan métaphysique. La vie est un pur donné, taillé dans l'absurde, qui ne se réfère à rien, ne signifie rien. Les choses ne sont que comme on veut les voir ou les faire, bonnes ou mauvaises selon l'attitude que l'on choisit et le système que l'on invente.

Dramatiser et noircir sans mesure la condition de l'homme, ou au contraire l'alléger de son mystère pour la transformer en une suite contrastée d'exercices voluptueux, n'eût pas été possible au siècle précédent. Nul n'avait le droit de résoudre à sa façon la plus lourde énigme du monde. Maquiller la Providence en une Fatalité acharnée à détruire, ou contester la valeur expiatoire du séjour terrestre, eût été également sacrilège. Entre les accidents particuliers d'une vie et la structure providentielle de l'univers, aucune marge ne restait pour une interprétation subjective des choses. Le chrétien n'avait pas plus le droit d'amortir les coups que de se révolter. L'esprit de pénitence lié à l'espérance du salut, la soumission à la justice de Dieu et la confiance en sa bonté, inspiraient à tous même résignation, même ferveur. La vie humaine n'était pas une énigme, mais une sorte de dyptique dont la signification paraissait claire : une vallée de larmes, où l'homme déchu devait payer ses fautes ; le champ glorieux de l'homme racheté, où chacun avait à faire fructifier pour son compte la promesse du Ciel.

Désormais tout devient possible : la condition humaine n'est plus, à proprement parler, une condition, mais une façon de voir les choses. C'est pourquoi la pensée du siècle retrouve si aisément les chemins du Stoïcisme et de l'Épicurisme, qui confèrent à l'homme le pouvoir de modeler le monde à sa guise, en décidant souverainement de ce qu'il doit être et des relations qu'il choisit d'avoir avec lui [2].

Le problème du bonheur n'est donc pas lié à une image de la condition humaine unanimement et immuablement admise. On juge, à l'inverse, de la condition de l'homme selon les vicissitudes de la destinée et selon l'humeur personnelle.

où les états d'âme ne valent qu'en fonction de leur puissance de choc. De chaque catastrophe, M. Félix se fait un prétexte à libérer une source d'énergie, dont l'épanchement délicieux ou le brutal déferlement porte à un degré inouï d'acuité la conscience qu'il a de lui-même : son existence est alors décuplée, elle s'étend bien au-delà de son moi habituel. Le paroxysme est une jouissance, quelles que soient sa nature et sa qualité.

1. Pourtant l'œuvre de Savérien est peut-être aussi, comme celle de Bésenval, le fruit d'une « compensation », mais en sens inverse. Ingénieur de la marine et mathématicien, Alexandre Savérien, né à Arles, fut toute sa vie un malchanceux, presque un raté. Il mourut inconnu et misérable en 1805, âgé de 85 ans.

2. En réalité, le XVIIIe siècle limite la portée de cette subjectivité souveraine, latente dans les philosophies antiques, par une étonnante présence aux choses, un sens aigu et avide du réel. La sagesse qu'il édifie est toute d'acceptation et de convenance, non de rupture ou de renoncement.

Dans un conte de Mme d'Épinay, intitulé *Les Illusions* [1], on assiste aux amours de deux bergers, qui ont successivement pour témoin l'atrabilaire Mélanippe et le bon vieillard Philémon. Le premier ne prédit que des catastrophes et dépeint avec minutie les ravages des passions. Le second professe qu'en enveloppant le réel d'un voile d'illusions, la vie peut ressembler à un songe. Les dieux ont tout donné à Mélanippe, « excepté le secret de jouir », alors que Philémon l'a reçu en partage, à défaut de tout le reste, dont il n'a plus besoin. Cet informulable « secret » suffit à modifier du tout au tout la vision de la condition humaine.

Ces variations n'existent pas seulement d'un individu à un autre, mais selon les moments d'une évolution personnelle. Les sentiments souvent contradictoires de Voltaire sur la vie et sur l'homme sont à mettre, en grande partie, au compte de l'humeur et de l'accident. Lorsqu'il écrit son poème du *Mondain* (1736), il est un homme heureux. Après un séjour à Cirey, auprès de Mme du Châtelet, il retrouve soudainement les joies brillantes de Paris et se laisse étourdir. En 1759, à l'époque de *Candide*, chagrins et déboires se sont précipités. Mme du Châtelet est morte, laissant Voltaire accablé de solitude, tandis que les déceptions de carrière vont achever de l'aigrir : échec du courtisan à Versailles, rupture avec Frédéric II, affaire « Genève », désillusion polonaise du côté de Catherine II. Le tremblement de terre de Lisbonne ne fera que cristalliser toutes ces amertumes. Aussi la condition humaine dans *Candide* ne ressemble-t-elle pas à ce qu'elle était dans *Le Mondain*. A l'euphorie systématique succède le désenchantement.

2. — Les thèmes du pessimisme.

Cette subjectivité souveraine empêche de fixer une seule image de la condition de l'homme. On peut dire seulement entre quels pôles cette image évolue.

L'un des thèmes les plus fréquents du pessimisme consiste à privilégier, par rapport à l'homme, la condition des animaux. Dans une œuvre anonyme de 1762, les *Dialogues des animaux ou le Bonheur*, on voit Circé, sur le point de renvoyer Ulysse, lui offrir de rendre forme humaine à ses compagnons, qu'elle a transformés en bêtes. Ulysse leur porte la nouvelle, mais à sa stupéfaction aucun d'eux n'accepte de redevenir homme, chacun estimant la condition humaine bien inférieure à celle de l'animal qu'il est désormais et qu'il entend

1. *Mes Moments heureux*, pp. 211 et suivantes.

demeurer [1]. Le jeu reste superficiel et le livre n'est qu'un pot-pourri facile des lieux communs de la critique morale.

Plus sincères et plus profondes, certaines prises de position émanent d'hommes dont la vie personnelle, loin d'attester le malheur de l'homme, peut passer pour un chef-d'œuvre de sagesse, où volupté et raison s'équilibrent harmonieusement. Dans l'*Histoire d'Ema*, le comte de Bissy, mousquetaire, courtisan et homme de lettres, dresse un bilan de la vie humaine et conclut que « les maux ont quelque chose de plus vrai que les plaisirs [2] ». L'heureux prince de Ligne trace un tableau au moins aussi noir et reconnaît que les peines, comparées aux plaisirs, jaillissent de plus de sources et nous atteignent plus profondément. Toute la vie consiste en un déséquilibre permanent entre les douleurs et les joies, comme si l'on ne disposait jamais que de quelques parcelles d'onguent pour d'éternelles blessures, comme si le mal gardait toujours la même impitoyable avance sur toutes les consolations [3]. Les épreuves de l'homme tiennent à deux causes : sa propre nature et l'existence de la société. C'est à la première que sont imputables l'aptitude de notre corps à ressentir plus vivement la souffrance que le plaisir, et cette loi, fondamentalement injuste, selon laquelle les plaisirs, en s'accentuant, se muent en leur contraire, alors qu'aucun paroxysme ne convertit ou n'interrompt la douleur. Quant à la société, sûre pourvoyeuse d'humiliations et de dommages, elle enserre chaque indi-

1. L'huître, qui était jadis un pêcheur misérable, fait valoir que la nature lui a donné une maison. La taupe, ex-laboureur, s'estime satisfaite de voir la terre lui offrir spontanément sa nourriture. Le serpent, ci-devant médecin, est content de ne rien faire, les animaux n'étant jamais malades. Le lièvre avait, étant homme, essayé toutes les conditions et éprouvé l'amertume de chacune. Le bouc, qui était dans sa vie antérieure un avare, évoque le malheur des passions ; en outre, il oppose les désagréments du mariage aux bienfaits de l'union libre, telle qu'elle se pratique chez les animaux. Puis, c'est l'éléphant qui est consulté, d'autant plus attentivement qu'il était, dans sa forme première, un philosophe. L'éléphant répond : « La philosophie est la recherche du bonheur : je l'ai trouvé ; pourquoi voudrais-tu que je changeasse ? » (*op. cit.*, p. 86). Enfin vient la biche, qui était autrefois une charmante jeune femme. Elle commence par énumérer et déplorer les malheurs des femmes. Et voilà soudain qu'à l'inverse des autres, elle accepte de reprendre sa figure humaine. Mais la portée de cette décision inattendue est bien limitée. C'est seulement pour retrouver du même coup la parole, qu'elle aurait perdue à tout jamais, si elle était restée biche !

2. « Divisons-la en trois parties : comptons les moments où notre existence ne nous a paru qu'égale à un sommeil tranquille ; comptons ensuite ces instants singuliers, à qui nous donnons le nom de plaisir, de joie, de bonheur ; et enfin comptons les moments d'amertume, de tristesse, de douleur extrême ; et pour rendre notre division plus parfaite, ajoutons-y le degré de vivacité et de sensibilité qui naît des impressions de joie ou des impressions de tristesse : nous reconnaîtrons alors, sans contredit, que la plus grande partie de nos joies ne vaut pas mieux que le sommeil ; et nous avouerons que dans les autres parties ces moments de tristesse et de douleur ont été plus fréquents et nous ont affectés plus vivement que ceux des plaisirs et de la joie. Car enfin la peine vient de mille sources ; elle naît du plaisir même ; sa durée, qui augmente la douleur, fait cesser le plaisir, au point qu'il deviendrait une peine insupportable, s'il continuait. On n'est pas le maître de chasser la peine, et le plaisir ne dépend pas de nous. Selon de grands philosophes, le bonheur n'est autre chose que la privation des peines. *Effectivement les maux ont quelque chose de plus vrai que les plaisirs ;* la moindre souffrance dissipe la joie la plus grande ; les plaisirs les plus vifs ne peuvent distraire d'une douleur médiocre. D'après cette triste considération, mais qui est juste, on conviendra, je crois, que la mort nous soustrait à plus de maux qu'elle ne nous enlève de plaisirs et qu'ainsi, tout calculé, elle est plutôt un bien qu'un mal et la récompense du sage, qui a supporté patiemment les misères d'une vie longue et pénible. » (BISSY, *Histoire d'Ema* (1752), t. II, pp. 118-122.)

3. Cf. Prince DE LIGNE, *Mélanges*, t. XII, pp. 39-40.

vidu dans un réseau de vanités, de convoitises et de haines, qui ne laissent qu'un bien faible jeu aux mouvements d'une liberté heureuse.

Rien ne sert de vouloir surmonter ce destin, de s'assurer du recul critique de la méditation. Il existe un décalage entre la condition de l'homme, qui est simplement de vivre et de souffrir, et la vocation de certains hommes, qui les force à penser. Ceux-ci souffrent alors doublement : des épreuves communes, qu'ils n'adoucissent pas, et des maux réservés à eux seuls, qu'ils subissent pour avoir tenté d'abolir ces dernières. C'est déjà l'idée du malheur de l'homme de génie, qui est torturé à la fois parce qu'il est un homme et parce qu'il est plus qu'un homme [1].

Certains cris de douleur devant le tragique de la condition humaine atteignent un degré surprenant d'exaltation morbide. Témoin ce personnage romanesque qui, désespéré par la trahison de sa maîtresse et ayant vainement tâché d'en mourir, se sent frustré de sa propre mort, furieux de son agonie manquée. Il raconte comment il chavirait déjà dans le néant et comment il se prépare à de nouvelles souffrances, puisque le malheur s'enracine dans l'existence même [2].

Les variations pessimistes sur le thème de la condition humaine sont innombrables, tout au long du siècle, et quelquefois d'un accent pathétique. Voltaire juge le monde et résume la vie en une phrase : « *Il y a de terribles malheurs sur la terre, Madame, pendant que ceux qu'on appelle heureux sont dévorés de passions et d'ennui* [3]. » L'homme est simultanément offert aux catastrophes du cosmos et de l'histoire, gui engloutissent une ville, dévastent un royaume, font douter de la Providence, et aux monstres qu'il nourrit en lui-même : rage violente des passions ou sournoise dissolution de l'ennui.

En se rappelant les confidences de ses pénitents, l'abbé Trublet déclare :

« J'ai trouvé moins heureux ou plus malheureux encore que je les croyais la plupart de ceux qui m'ont ouvert leur cœur, confié leurs peines et fait l'histoire de leur vie. Les confesseurs savent bien des crimes et des malheurs

1. « C'est peut-être pour avoir pris ce vol si haut vers la sublimité que le malheureux J. J. Rousseau a tant souffert par son imagination. » (*Ibid.*)

2. « Me voilà rejeté sur ce misérable globe ; je vais continuer à parcourir la carrière pénible de la vie ; je suis du nombre des êtres souffrants et malheureux, lorsque je me flattais de voir détruire ma fragile existence et de m'endormir dans la nuit du néant. Je dois me préparer à de nouvelles peines, *car il suffit d'exister pour éprouver l'infortune et des chagrins continuels et pour être déchiré par les traits de la douleur. Quelle est la créature raisonnable qui puisse se dire véritablement heureuse ?* L'indigent plongé dans la misère et le riche qui nage dans l'opulence n'ont-ils pas chacun leurs sujets d'affliction ? S'il y avait un être toujours satisfait de son sort, sa félicité serait troublée par le spectacle des maux sans nombre, qui tourmentent les tristes habitants de la terre. Hélas ! j'avais tant de plaisir à sentir, par degrés, la destruction de mon être ! J'étudiais ce qui se passait en moi à l'approche du moment où j'allais finir ; je m'étais fait une habitude et une sorte de volupté de la douleur ; et il ne me restait plus qu'un pas à faire pour connaître ce que nous éprouvons au passage de la vie à la mort. » (Nougaret, *Les Méprises ou les Illusions du plaisir* (1780), t. I, pp. 87-88.)

3. Lettre du 14 septembre 1766 à Madame de Saint-Julien, Voltaire, *Œuvres complètes*, éd. Moland, t. XLIV, p. 426.

secrets ; encore les plus méchants et les plus misérables ne sont pas ceux qui vont à confesse [1]. »

Comme le prince de Ligne, il estime que le malheur est proportionnel à la conscience que l'on prend de son existence et aux efforts qu'on fait pour affirmer ou étendre son « être » [2]. La seule façon de limiter la souffrance est de se réduire le plus possible, afin de n'offrir au monde que la plus petite surface. Il faudrait en somme renoncer à être homme, pour esquiver les maux attachés à la qualité d'homme.

Par un curieux renversement en ce siècle où tous ceux qui écrivent et qui pensent célèbrent les bienfaits de la vie en société, c'est très souvent celle-ci qu'on incrimine le plus aigrement, lorsqu'il s'agit de fixer une hiérarchie entre toutes les tares de la condition humaine. Pour le marquis de Lassay, la vie en elle-même est un bien, et le monde à l'état brut se révèle comme une profusion d'agréments et de prestiges. Mais trois causes gâtent le bonheur naturel d'exister : la mort, la maladie et, plus que tout, la méchanceté des hommes [3]. Il se produit même une compensation entre les maux d'origine diverse : les tribulations et les écœurements du monde constituent comme un palliatif désespéré du mal métaphysique, inscrit dans la nature. A se sentir toujours dévoré par les autres, on se console aisément de vivre si peu. Ceux-là même qui insistent sur la vocation sociale de l'homme soulignent les dangers du voisinage et combien il est vain de se prétendre heureux, si l'on ne sait absolument se suffire à soi-même [4].

Un roman de la fin du siècle rassemble tous ces thèmes dans un registre qui va d'une sombre ironie aux fureurs du blasphème. Les *Réflexions d'un jeune homme* (1786) de Feucher évoquent pêle-mêle les malheurs des différents âges, les tourments du cœur et de la pensée, le désaccord entre le corps et l'âme, le désordre universel de la Nature, le scandale de la mort. Selon l'auteur ou le désespéré qui s'épanche,

1. Abbé TRUBLET, *Essais sur divers sujets de littérature et de morale*, t. III, p. 259 ; cf. *ibid.* : « Les regrets et les repentirs du passé, les désirs et les inquiétudes pour l'avenir viennent se joindre au dégoût et au mécontentement du présent. Ainsi se passe la vie. » — On citera souvent l'abbé Trublet, qu'on peut considérer comme le porte-parole des traditionalistes et des penseurs « moyens » du XVIIIe siècle. Cela ne veut pas dire qu'il fût un sot ; mais il avait le génie des lieux communs. Si *Le Pauvre Diable* de VOLTAIRE (« Il compilait, compilait, compilait ») a porté un coup mortel à sa réputation, il avait fait ses débuts dans la littérature sous les auspices de Fontenelle, et il était estimé de Montesquieu et de Maupertuis. De toute sa vie, Trublet n'eut qu'un grand désir : entrer à l'Académie française ; il y travailla pendant trente ans, de 1736 à 1761. Il mourut à Saint-Malo, sa ville natale, dont il était chanoine, en 1767, âgé de 70 ans.

2. « L'être nuit en quelque sorte au bien-être ; et, pour être bien, il ne faut être que jusqu'à un certain point. Au reste on est toujours assez mal dans cette vie, et sans les espérances que donne la religion, il vaudrait mieux pour un grand nombre d'hommes n'être point du tout. » (*Ibid.*, pp. 260-261.)

3. Cf. LASSAY, *Recueil de différentes choses*, t. III, p. 76.

4. « Il n'y a dans le monde de gens qui soient vraiment contents et amusés que ceux qui savent s'occuper tout seuls et qui se sont fait des plaisirs indépendants du faste et de la société. *Tout ce qui nous fait tenir aux hommes nous prépare toujours des peines.* » (Mme DE BENOUVILLE, *Les Pensées errantes*, p. 191.)

l'homme ne demande qu'à abdiquer sa qualité de créature raisonnable, le prestige dont Dieu l'a investi en appâtant son orgueil n'étant qu'un piège, au fond duquel le guettent des supplices [1]. Quant à la sensibilité, elle ne console pas des détresses de la raison, mais elle y ajoute [2]. Le déplorable sort de l'homme ne dépend donc pas de sa situation dans le monde, mais de son essence même. Ce sont les dons qu'il a reçus qui le prédestinent à souffrir, c'est ce qui le rend *homme* qui le condamne sûrement. Le bonheur et le malheur ne sont pas deux parts distinctes de sa vie, ni les moments opposés des alternatives de la fortune, mais le double visage d'une même réalité. Le malheur, en particulier, ne saurait se réduire au résultat réversible d'un simple accident. Il est le signe d'une trahison permanente, que la créature est en droit de reprocher à son Créateur ; il est la seule réalité qui demeure, toutes les fois que l'homme, éternelle dupe de Dieu, regarde plus loin que les mirages fragiles d'un imaginaire bonheur [3].

La date de ce roman pourrait laisser croire que d'aussi sombres lamentations sont exclusivement nourries de désespoir et de colère préromantiques. Pourtant, il n'est nullement nécessaire d'être une conscience morbide ou fin de siècle pour estimer la condition humaine foncièrement malheureuse. Un philosophe aussi peu « sensible » que Maupertuis juge que « dans la vie ordinaire, la somme des maux surpasse celle des biens », célèbre d'un ton morne le « mal de vivre » et reprend le leitmotiv pascalien, qui veut que l'homme s'étourdisse pour esquiver l'insoutenable angoisse de n'être que lui-même [4]. Il ren-

1. « Dieu juste, entends la plainte de l'homme, anéantis, reprends cette fatale raison, source de nos douleurs les plus aiguës ; en vain l'orgueil murmure que c'est le sceau de ma grandeur, le principe de ma force, la cause de ma royauté ! *Que m'importe le vain trône de la nature si j'y suis malheureux.* C'est le bonheur que je veux, et si la brute a moins de souffrances, c'est sa place que j'envie. » (Feucher, *Réflexions d'un jeune homme*, p. 13.)

2. « Rare sensibilité ! Ornement céleste d'une âme immortelle ! Fatal présent du ciel pour la terre ! Que tu m'enchantes et me déchires ! Si tes plaisirs sont inappréciables, que tes souffrances sont aiguës ! Que de larmes tu m'as fait verser ! Par quelles angoisses, quelle amertume n'ai-je pas expié quelques moments délicieux volés à la douleur ! Que de maux je te dois ! Hélas, sans toi, sans cet étonnant épanchement qui me transforme en ceux que j'aime, mes jours couleraient purs et sans orages. Indifférent pour tout ce qui m'entoure, étranger à tout ce qui n'est pas moi, heureux de mon seul bonheur, je suffirais pour ma félicité. Que m'eût été tout le reste alors ? Au lieu de me multiplier pour la douleur, j'aurais resserré mon existence et j'eusse désiré ses atteintes. Que mon cœur n'est-il de bronze ! » (*Ibid.*, pp. 62-63.)

3. Tout est défectueux dans l'homme, même sa structure fondamentale, cette coexistence boîteuse entre une âme et un corps, que tout oppose. Cette prétendue merveille n'est qu'un monstrueux assemblage, dont l'idée inouïe doit être mise au compte d'une ingéniosité maligne : « O quel chef-d'œuvre que l'union de deux choses si dissemblables, si peu faites l'une pour l'autre ! Mais quelle suite funeste, quel tourment pour les deux ! Eh ! par quelle fatalité la douleur seule leur est-elle commune, tandis que leur goût, leur activité, leurs sensations sont si différents ? Aussi qu'il est rare de trouver ce moment heureux d'un accord parfait qui laisse savourer paisiblement le plaisir... » (*Ibid.*, p. 125). Le véritable drame est que notre âme « trop active » dévore nos « faibles organes », en faisant de la vie une déperdition d'énergie, qui exténue perpétuellement l'homme, rongé par les passions et les désirs : cf. *ibid.*, p. 125-126.

4. « Si on examine la vie d'après ces idées, on sera surpris, on sera effrayé de voir combien on la trouvera remplie de peines et combien on y trouvera peu de plaisirs. En effet, combien sont rares ces perfections dont l'âme aime la présence : la vie est-elle autre chose qu'un souhait continuel de changer de perceptions ? Elle se passe dans les désirs, et tout l'intervalle qui en sépare l'accomplissement, nous le voudrions anéantir... Tous les divertissements des hommes

chérit même sur le pessimisme de Pascal, en instillant au divertissement des qualités perverses, en le voulant aussi frelaté que possible. Il préconise l'usage des stupéfiants, des « liqueurs spiritueuses », de « la fumée des feuilles d'une plante », qui aident l'homme à supporter sa condition, en l'oubliant [1].

La tristesse de vivre est telle que l'on doit aimer tous les états qui mettent à l'abri des tentations et des accidents de l'existence ordinaire. Rien de plus désespérant que les consolations de Maupertuis, lorsqu'il décrit « les avantages qu'on peut retirer des maladies [2] ». Si les maladies sont très douloureuses, elles sont courtes, et encore ce bref corps-à-corps avec la souffrance n'est-il pas tout à fait exempt de « moments délicieux », tels qu'une « situation nouvelle, une boisson rafraîchissante ». En revanche, si elles se prolongent, c'est qu'elles ne sont pas douloureuses, et le malade, délivré de la nécessité de vivre, exclu de l'éternel circuit des désirs et des désillusions, croit jouir enfin d'un pâle bonheur. La maladie tue en quelque sorte la vie dans le malade, ce qui revient à le guérir du mal de vivre [3]. Dans la tiédeur lourde de la chambre, les passions se feutrent, s'amenuisent. L'existence se resserre, devient imperceptible. Tous les prestiges dangereux sont abolis ; toutes les fausses magies s'évanouissent ; l'âme, retirée de tout, se pénètre déjà de la sécurité de la mort [4].

Il n'y a donc que deux façons d'échapper au tourment de vivre : l'étourdissement des multiples ivresses ou la léthargie d'un état quasi comateux, mitoyen entre la vie et la mort, qui ne conserve de la vie que la conscience, pour savourer déjà, de la mort, le repos ; l'évasion

prouvent le malheur de leur condition : ce n'est que pour éviter les perceptions fâcheuses que celui-ci joue aux échecs et que cet autre court à la chasse... » (MAUPERTUIS, *Essai de philosophie morale* (1749), chap. II).

1. « Dans l'Europe, l'Asie, l'Afrique et l'Amérique, tous les hommes, d'ailleurs si divers en leurs usages, ont cherché des remèdes au mal de vivre. » (*Ibid.*).

Les stupéfiants exercent au XVIIIe siècle une sorte de fascination. Lorsque Mme d'Épinay s'inquiète, parce que sa mère, malade, doit se droguer à l'opium, l'abbé Galiani la rassure en ces termes : « Pourquoi vous inquiétez-vous si fort qu'elle fasse toujours usage de l'opium ? Qu'en craignez-vous ? Ignorez-vous que l'Orient tout entier, c'est-à-dire la moitié au moins du genre humain, vit avec l'opium, ou pour mieux dire dans l'opium, jusqu'à la décrépitude. L'Occident se sert du vin, au lieu de l'opium, et en tire le même parti. Ne connaissez-vous pas de vieilles ivrognesses ? Eh bien ! maman sera une ivrognesse d'opium... Mettez-vous bien en tête que la vie n'étant qu'un amas de maux, de souffrances et de chagrins,

« Dieu fit de s'enivrer la vertu des mortels ».

L'opium, le vin et le tabac, les trois drogues les plus enivrantes, sont le contre-poison de la vie des Asiatiques, des Européens, des Américains. » (*Correspondance de l'abbé Galiani*, t. II, p. 267-268, lettre du 22 novembre 1777).

L'ivresse est donc indispensable pour se distraire du mal de vivre, et tous les vertiges sont bons, qui permettent de l'oublier, des fumées de l'opium à celles du patriotisme : « Il est vrai, Madame, je ne suis plus ivre de la manière que vous prétendiez que je l'étais à Paris ; mais l'ivresse me paraît si nécessaire pour s'étourdir sur les misères de notre vie que je me suis abandonné à la fumée du patriotisme, qui porte à la tête tout autant que l'amour et les autres passions. » (Lettre de M. Scheffer à Mme Du Deffand, 19 mars 1754, *Correspondance de Mme Du Deffand*, t. I, p. 198).

2. MAUPERTUIS, *Lettre sur la maladie*, *Œuvres*, 1756, t. II, pp. 289 et suivantes.
3. Cf. *ibid.*, p. 292.
4. Cf. *ibid.*, pp. 289 et suivantes.

offerte par ces fumées qui font chavirer la mémoire ou le rétrécissement de l'existence, devenue un minuscule point supportant le poids de l'être et de la conscience.

Ceux qui refusent de perdre leur lucidité n'ont plus qu'à se forger le plus gratuit des courages, lorsque tout porte au découragement. Beaucoup donnent, en le justifiant à peine, cet ultime conseil :

« Quelque triste que soit notre vie, il faut toujours penser que le découragement l'empoisonne encore. M'en croirez-vous ? Jouissez des biens de la terre et armez-vous de patience pour en supporter les maux. Si chacun ne pensait qu'à sa misère, vous savez qu'il s'ensuivrait de fâcheuses conséquences. Lorsqu'on proposait au maréchal de Gassion de se marier, il répondait qu'il n'estimait pas assez la vie pour en faire part à quelqu'un. J'aime cette philosophie dans un guerrier : elle est déplacée dans tout autre homme [1]. »

Voilà donc la dernière consolation : un argument de convenance ! Que les guerriers, s'ils veulent, semblent farouches et sombres : c'est un air qu'ils portent à merveille, et ils ne risquent de contaminer personne ! Mais qu'un homme de salon n'aille pas, à tout propos, par des mots désabusés et des mines souffrantes, rappeler à ces gens de si bon ton, et si joliment captivés par le vertige du monde, l'horreur de la condition humaine.

Il n'est pas inutile non plus d'avoir appris cette sagesse épicurienne, teintée de fatalisme, dont la froideur dissimule à peine l'amertume secrète : ne jouir que du présent, donner leur vrai prix aux choses, habilement naviguer entre les illusions et les scrupules, et penser que la mort harmonise tout [2].

Que d'efforts, d'autre part, ne doit-on pas faire pour garder seulement l'équilibre dans un monde mouvant, où tout se brouille et se métamorphose, avant de se résoudre en poussière [3]. Devant cette fantasmagorie qui l'étonne, l'homme n'a qu'une ressource : croire en la Providence, transporter dans l'efficacité sociale cette énergie qu'il ne peut dépenser en connaissance, afin de travailler à la seule entreprise que tout le branle de l'univers ne saurait empêcher : le

1. BLONDEL, *Loisirs philosophiques* (1756), pp. 84-85. — Jean Blondel (1733-1810) était un homme de lettres, un avocat, puis magistrat, d'une très humble origine, moins que bourgeoise. On raconte que son épouse fit, pendant cinquante ans, le bonheur de sa vie.

2. « Le temps que nous passons sur la terre est si court par rapport à l'éternité qui l'environne qu'on ne saurait quasi lui donner de nom : à notre égard, il ne laisse pas d'avoir quelque durée, et un homme sage, laissant dans les mains de Dieu sa destinée et l'avenir qu'il lui a caché avec des voiles impénétrables à son esprit, doit jouir du présent qu'il donne et tâcher de rendre sa vie heureuse, ne durât-elle qu'un jour : en un mot, il doit éviter tous les maux et chercher tous les biens, autant qu'il le peut sans faire d'injustice ; mais il ne doit donner aux uns et aux autres que le prix qu'ils ont ; il leur voit une fin trop proche pour les estimer tant et pour se donner autant de peine qu'on s'en donne : la mort égale en un moment la fortune des plus heureux hommes du monde et des plus malheureux. » (LASSAY, *Recueil de différentes choses*, t. III, pp. 74-75.)

3. Cf. *ibid.*, t. IV, pp. 220-221.

bonheur du genre humain [1]. Solidement ligués, les hommes sont plus forts que leur condition. Leur unanimité rend possible l'installation d'un ordre pleinement et purement humain, au-dessus de l'ordre brut des choses. Ni le mystère, ni la nécessité, ni l'absurde, ni même la fragilité de notre être ne sont plus des sujets de désespoir. Que les hommes pactisent entre eux, qu'ils élaborent un bonheur commun : à cela la Nature ne fait pas obstacle. C'est la part de l'homme, ce miraculé de la Création, qui possède, seul parmi tous les êtres, le privilège de la solidarité.

3. — Zadig et Candide.

L'une des principales fonctions du conte voltairien est de mettre en scène, sinon le tragique de la condition de l'homme, du moins l'absurdité du monde et la vanité des projets humains.

Zadig est l'histoire d'un homme qui possède tout pour être heureux : prestiges de la jeunesse, de la beauté et de la richesse, qualités de l'esprit et de l'âme. S'il manque, malgré tout, le bonheur, c'est que tous ses mérites et ses avantages ne le dispensent pas d'être la victime des autres. C'est de ceux-ci, presque toujours, que viennent les obstacles, tant il est vrai que la vertu isolée demeure inutile, sans la complicité de la vertu d'autrui [2].

La destinée de Zadig se trouve orientée et conduite par l'influence de trois forces de nature différente : les prédispositions heureuses de Zadig, la rareté et l'harmonie de ses qualités personnelles, constituent la force positive ; les vices des hommes, dont le héros est le jouet et qui sont autant d'embûches, la force négative. Mais au-dessus, il y a la fortune qui arbitre et qui peut à son gré faire triompher l'une ou l'autre. A plusieurs reprises, elle intervient par des coups inopinés au moment où Zadig est le plus en péril et le replace dans une voie royale.

En fait, il semble que la pensée de Voltaire ne choisisse pas entre deux thèses également « philosophiques », mais qui s'accordent mal entre elles : selon l'une, le bonheur est inversement proportionnel à la vertu [3] ; pour l'autre, il ne dépend que du hasard. La première

1. Cf. *ibid.*, pp. 223-224.

2. Les rapports entre la vertu et le bonheur sont l'un des thèmes favoris de la pensée du siècle. Les moralistes s'appliquent à montrer que la vertu est l'unique, mais sûr chemin du bonheur. Les romanciers, au contraire, s'attendrissent ostensiblement, avec peut-être quelque soulagement secret, sur les infortunes de la « vertu malheureuse ». Voltaire prend, dans *Zadig*, le parti de ces derniers, mais en substituant à l'idée de fatalité la notion moins sentimentale et plus philosophique de l'absurde.

3. Zadig déclare : « O Vertu ! A quoi m'avez-vous donc servi ?... Tout ce que j'ai fait de bien a été pour moi une source de malédictions. » (Voltaire, *Romans et Contes*, Bibliothèque de la Pléiade, p. 26.)

est l'expression d'un pessimisme systématique et paradoxal ; la seconde ne révèle qu'un scepticisme évasif. Si l'on fait abstraction du dénouement providentiel qui donne à *Zadig* son véritable éclairage, on comprend mal la signification du conte.

L'existence de Zadig se déroule comme une absurde suite d'enchaînements imprévisibles, d'accidents gratuits, d'infortunes imméritées. Presque toujours des causes minuscules se répercutent en effets sinistres et inattendus [1]. Si la vertu n'est pas systématiquement disqualifiée — plusieurs fois même elle aide Zadig à redresser ou à renverser sa condition [2] — elle ne compte pas pour grand chose devant la contingence des événements. L'efficacité relative du mérite, de la sagesse et de la volonté, ne peut, tout au plus, que se combiner avec l'influence saugrenue du hasard et tenter de composer avec elle. Alternativement, l'une et l'autre mènent le jeu. Mais on ne peut jamais prévoir à quel moment ce sera l'une ou l'autre. Dans la balance du Destin, les qualités humaines ne pèsent pas plus que la chienne « volage », les griffons imaginaires [3], et les rubans jaunes de la reine. Cette conclusion n'est-elle pas plus affligeante qu'un simple fatalisme écrasant, qui priverait l'homme de toute chance de bonheur, mais lui rendrait, en échange, la grandeur pascalienne de la victime, plus noble que ce qui la détruit ? La destinée humaine, pour Voltaire, n'a pas ce tragique grandiose, et l'homme, en quête d'un bonheur si fugace, ne peut même pas se nourrir de la certitude d'être nécessairement vaincu. La vérité est moins terrible, plus humiliante. L'homme a ses chances de succès dans la chasse au bonheur. Mais elles sont réparties le plus absurdement du monde. Tantôt ses qualités le servent, tantôt elles l'écrasent. Tantôt un événement fortuit le favorise, tantôt il le perd. La vertu n'est récompensée que de temps à autre, lorsque la folie des hommes et l'aveuglement du hasard le permettent. La science du bonheur est donc impossible, car on ne peut convertir en objet de connaissance une chose aussi irrationnelle. Cependant, ne pas croire au bonheur serait une faute, car il peut arriver qu'on le rencontre, même si ce doit être sans lendemain.

Zadig, déjà fort étonné par l'absurdité du monde, n'est pas loin de la révolte, lorsqu'en déplaçant son regard, ce n'est plus seulement l'absurde qu'il découvre, mais le scandale de l'iniquité. Un jour, il

1. « Tout m'a tourné jusqu'ici d'une façon bien étrange : j'ai été condamné à l'amende pour avoir vu passer une chienne ; j'ai pensé être empalé pour un griffon ; j'ai été envoyé au supplice parce que j'avais fait des vers à la louange du roi ; j'ai été sur le point d'être étranglé parce que la reine avait des rubans jaunes ; et me voici esclave parce qu'un brutal a battu sa maîtresse. » (*Ibid.*, p. 30).

2. C'est ainsi que Zadig devient ministre. C'est ainsi qu'il échappe à la servitude et qu'il devient, grâce à son mérite, le conseiller de Sétoc, dont la Fortune l'avait tout d'abord fait l'esclave : la vertu corrige ainsi une erreur de la destinée.

3. Zadig : « Tout me persécute dans le monde, jusqu'aux êtres qui n'existent pas. » (*Ibid.*, p. 13).

rencontre un pêcheur au bord d'une rivière, et il s'aperçoit qu'il n'est pas, comme il le pensait, le « modèle du malheur », mais qu'il existe encore plus malheureux que lui. Pour la première fois, il a l'idée d'une communauté des êtres dans la souffrance, et c'est ce jour-là, celui où il pense le moins à lui-même, qu'il est le plus près du désespoir [1].

Mais Zadig n'a vu jusque-là que l'envers du tableau. La Providence, dont il doute, va se révéler à lui par degrés. C'est dans la nature, d'abord qu'il la découvre, et devant un ciel nocturne qu'il en a l'intuition. Lorsqu'il quitte Babylone, il réfléchit sur la condition humaine en contemplant les étoiles [2]. Cette admirable méditation est destinée à remettre toutes choses à leur place. Les absurdités terrestres s'évanouissent devant les splendeurs immenses d'un univers parfaitement ordonné. A la clarté immuable des étoiles, le corps-à-corps de ces insectes agressifs et effarés que sont les hommes, se perd dans le minuscule nuage de poussière soulevé par leurs agitations. L'éternité visible du monde rassure la raison, qui peut alors juger en toute quiétude ces jeux parodiques, ces vains trémoussements, dont se compose la conduite humaine. Le contraste, effrayant et apaisant à la fois, entre l'infiniment grand et l'infiniment stable, et, d'autre part, l'infiniment dérisoire, loin d'accabler l'esprit, lui communique ce choc, cette émotion exaltante, dont M. Pomeau a fort bien montré qu'elle est d'essence religieuse.

Une telle pensée cependant ne supprime pas l'absurde. Elle risque même de transformer un simple non-sens en scandale, car l'existence du malheur et du mal n'est pas effacée pour autant. Aussi la Providence doit-elle se révéler plus explicitement qu'à travers l'univers créé. Autrement Zadig pourrait croire que tout l'ordre du monde s'est réfugié dans la sublime machinerie du ciel. Il faut que l'ange Jesrad lui apparaisse et lui dévoile l'énigme universelle, en lui apprenant « *qu'il n'y a point de hasard* » et que « *tout est épreuve ou punition, ou récompense, ou prévoyance* ». Les méchants ne servent qu'à éprouver les justes, et « il n'y a point de mal dont il ne naisse un grand bien [3] ». Le monde dans lequel vit l'homme n'est donc pas absurde, puisque

1. « Il lui échappa de murmurer contre la Providence, et il fut tenté de croire que tout était gouverné par une destinée cruelle qui opprimait les bons et qui faisait prospérer les chevaliers verts. » (*Ibid.*, p. 57). Le chevalier vert est cet imposteur qui a volé à Zadig l'armure offerte par la reine et qui s'est fait proclamer vainqueur du tournoi à sa place. Il symbolise donc le mensonge et l'injustice.

2. « Il admirait ces vastes globes de lumière qui ne paraissent que de faibles étincelles à nos yeux, tandis que la terre, qui n'est en effet qu'un point imperceptible de la nature, paraît à notre cupidité quelque chose de si grand et de si noble. Il se figurait alors les hommes tels qu'ils sont en effet, des insectes se dévorant les uns les autres sur un petit atome de boue. Cette image vraie semblait anéantir ses malheurs en lui retraçant le néant de son être et celui de Babylone. Son âme s'élançait jusque dans l'infini et contemplait, détachée de ses sens, l'ordre immuable de l'univers. » (*Ibid.*, p. 27).

3. S'il n'y avait que du bien et point de mal, « cette terre serait une autre terre », et « cet autre ordre qui serait parfait ne peut être que dans la demeure éternelle de l'Être suprême de qui le mal ne peut approcher ». (*Ibid.*, p. 62).

tout y possède un sens [1]. Il n'y a jamais d'accident, mais une infinité de manifestations particulières de la volonté divine. La Providence veille sur chaque destinée individuelle, dont les vicissitudes, loin d'incliner l'homme au désespoir, tendent à lui révéler que tout sert le bien, y compris le mal. L'incohérence apparente de l'univers n'est que le masque d'une stricte justice immanente : seuls les méchants se retrouvent irrévocablement malheureux. Chacun de ces insectes, dont on ne peut s'empêcher de rire, lorsqu'on compare leur gesticulation prétentieuse à la majesté immobile des astres, demeure à tout instant sous le regard de Dieu.

La pensée de Voltaire reste, une fois de plus, assez ambiguë. Lorsqu'il voulait évoquer les tristes aspects de la condition humaine, il oscillait entre un pessimisme absolu, sur le thème de la vertu persécutée, et un simple scepticisme, se bornant à mettre en doute la finalité de la vie humaine, mais sans laisser croire à une finalité inverse, c'est-à-dire à la fatalité. Maintenant qu'il corrige cette vision du mal et de l'absurde, en obligeant la Providence à se dévoiler, il hésite entre une Providence universelle et une Providence particulière, l'une qui n'existe qu'à l'échelle de l'infinité cosmique, l'autre qui assume le détail des destinées individuelles, en descendant des « étoiles » aux « insectes ».

Cette ambiguïté sera résolue dans *Candide*, où l'image de la condition humaine est plus fortement unifiée, mais beaucoup plus sombre. La description du destin n'y est plus seulement extérieure. Voltaire insiste moins sur les tribulations de l'homme que sur ses déchirements intérieurs. Cette fois le mal est tout autant dans le cœur humain que dans les revers de la fortune. Selon Martin, l'homme est « *né pour vivre dans les convulsions de l'inquiétude ou dans la léthargie de l'ennui* [2] ». L'ennui et l'angoisse constituent les deux pôles entre lesquels la conscience évolue. Devant la vie, on doit résoudre ce choix simple : participer ou s'abstenir. Dans le premier cas, on s'expose à subir passivement les accidents de la destinée et à ne plus vivre que dans l'inquiétude, l'épuisante ronde des passions, la surprise des catastrophes. Accepter de vivre et tenter d'agir, c'est renoncer au repos, à l'unité intérieure, à cette plénitude d'être dont tout homme rêve. Au contraire, si l'on se rend insensible aux stimulations, aux intérêts que la vie porte en elle et qui occupent la conscience, on se trouve réduit à cette fâcheuse et morne rêverie devant un miroir, qu'on ne peut soutenir sans mourir d'ennui. Candide choisit d'abord la première solution : son existence est une longue suite d'agitations et de calamités ; nul repos, nul bonheur, nulle jouissance de soi-même, nul

1. « Tout ce que tu vois sur le petit atome où tu es né devait être dans sa place et dans son temps fixe, selon les ordres immuables de celui qui embrasse tout. » (*Ibid.*)
2. VOLTAIRE, *Candide*, chap. XXX. *Conclusion*, *op. cit.*, p. 234.

empire sur les événements. En choisissant la retraite, c'est au second terme de l'alternative qu'il se résout. On a souvent commenté *Il faut cultiver notre jardin.* On s'accorde à y voir la devise d'un pessimisme ou d'un optimisme modéré, comme l'on voudra. Le sens de la formule ne fait pas de doute. Il combine deux idées également négatives : restons à l'écart du monde pour ne pas souffrir, et travaillons pour ne pas avoir à penser [1]. Cette règle désenchantée propose une solution au choix existentiel de tout à l'heure. Elle revient à dire : acceptons l'ennui pour échapper à l'angoisse. Car c'est bien l'ennui que trouvera Candide dans sa métairie, avec sa bien-aimée flétrie et sa duègne borgne. Et il ne peut s'y résigner qu'en le confrontant au souvenir de ses épreuves passées, ou en abdiquant toute conscience. Il parvient tout de même à extraire de l'ennui une valeur positive, encore qu'assez médiocre : le repos.

En outre, Candide est un personnage infiniment plus passif que Zadig, moins richement doué. Ce n'est jamais par sa vertu ou sa sagesse qu'il rétablit sa fortune. D'un bout à l'autre, il reste le jouet du destin. D'ailleurs, il n'est pas obsédé au même degré que Zadig par l'idée du bonheur : c'est l'ordre du monde qui le préoccupe, non son propre sort, qu'il n'ose jamais regarder en face, encore moins isoler du vertige universel. Le problème des rapports entre le bonheur individuel et l'existence du bien et du mal dans le monde ne se pose donc pas dans les deux contes de la même façon. Dans *Candide,* le premier dépend entièrement du second. Aucune initiative personnelle n'est possible au milieu des convulsions générales. Dans *Zadig,* l'action personnelle de l'homme d'élite peut, dans une certaine mesure, collaborer avec le destin. C'est pourquoi le seul bonheur permis à Candide est un bonheur d'abstention, exigeant la retraite comme condition préalable. La vocation de Zadig consiste, au contraire, à affirmer son pouvoir sur les événements. A la différence de Candide, il profite de la vie et l'exploite largement. L'un sera heureux pour avoir joué le jeu jusqu'au bout. L'autre ne pourra l'être qu'en cessant à jamais de le jouer, car il perdrait toujours. Aussi Candide finit-il dans sa métairie et Zadig sur le trône de Babylone. Le premier se met à l'abri du déterminisme universel ; le second y participe en y insérant sa liberté.

Des deux conceptions de la Providence qui coexistaient dans *Zadig,* Voltaire ne retient que la moins consolante. Selon l'ange Jesrad, la Providence n'était indifférente à rien et ne sacrifiait jamais à la cause de l'harmonie universelle les destins particuliers. Dans *Candide,* c'est tout le contraire, et la révélation du derviche contredit celle de Jesrad. Dieu est au monde ce que le pilote du vaisseau est à son bâtiment. Il ne quitte jamais le gouvernail et dirige à tout instant

1. « Travaillons sans raisonner, dit Martin ; c'est le seul moyen de rendre la vie supportable. » (*Ibid.*, p. 237).

la marche du navire. Mais il oublie de se demander si les souris qui s'agitent dans la cale ne souffrent pas du mal de mer [1]. L'homme est dans l'univers comme les souris dans le vaisseau de Sa Hautesse Aucune puissance ne veille sur son bien-être, mais le monde, dont il est solidaire, n'est pas livré à l'aventure. La sagesse consiste à ne rien attendre de l'ordre, chaque fois que l'on doit résoudre des difficultés personnelles, à tout en attendre, au contraire, et à s'y abandonner, pour tout ce qui dépend du monde dans sa totalité [2]. La morale pessimiste de Voltaire tend à faire oublier les incohérences et les tribulations particulières, au profit de l'admiration confiante de l'universel. Il est une autre sagesse voltairienne, « optimiste » celle-là, qui rend un son sensiblement différent [3].

***

Des analyses précédentes se dégagent les principales variations pessimistes sur le thème de la condition humaine. Elles expriment les diverses inquiétudes ayant prise sur l'esprit et la sensibilité de l'homme.

Ce sont des inquiétudes métaphysiques (la peur devant le mystère

1. « Quand sa Hautesse envoie un vaisseau en Égypte, s'embarrasse-t-elle si les souris qui sont dans le vaisseau sont à leur aise ou non ? » (*Candide, Conclusion.*)

2. Ce prestige de l'universel rejoint ce qu'écrivait Voltaire à Mme Du Deffand sur le privilège de la pensée, en quoi il fait consister la seule consolation possible aux malheurs de la condition humaine. La fonction de la pensée est précisément d'isoler l'universel, qui est aussi l'éternel et l'immuable, de ces variations épisodiques et scandaleuses que sont les illusions individuelles, les vérités particulières, presque équivalentes à des mensonges, et les préjugés. Il demeure cependant une apparente contradiction. Voltaire conseille à Mme Du Deffand, pour échapper à son mal, de concentrer, en quelque sorte, tout son être dans sa pensée. Pour Candide, le secret du bonheur consiste à ne pas penser. Qu'en conclure ? La contradiction s'éclairera peut-être à la lumière de ce que l'on dira à propos de l'antinomie entre le Repos et le Mouvement. Mme Du Deffand, qui souffre d'une sorte de paralysie de toutes ses facultés, a besoin de penser pour donner à son âme un peu de mouvement. Candide, au contraire, dont la vie a été fort agitée, ne pourra pas mieux se guérir qu'en se laissant glisser dans une torpeur sans conscience. En réalité, c'est toujours le même dilemme : les convulsions de l'inquiétude ou la léthargie de l'ennui. Lorsqu'on a trop souffert de l'un, la seule ressource est d'avoir recours à l'autre. Mme Du Deffand, qui s'ennuie, peut prendre le risque de penser, même si cela doit lui causer quelque trouble. Candide, en revanche, dont l'existence n'a été que trop troublée, peut prendre le risque de s'ennuyer, si l'ennui le repose. Il faut dire également que les leçons de bonheur destinées à Mme Du Deffand s'adressent à une femme exceptionnellement intelligente, alors que Candide figurerait assez bien « l'homme moyen ». Enfin peut-être n'est-il pas nécessaire d'accorder très rigoureusement la pensée de Voltaire avec elle-même, dès lors que cette pensée se déroule sur deux plans très différents : on n'est pas tenu à la même sincérité ni à la même attitude d'esprit, lorsqu'on écrit très sérieusement et très gravement à une vieille amie malade, pour tenter de lui redonner quelque goût à la vie, et lorsqu'on compose un conte, fût-il « philosophique », en partie pour se divertir.

3. Le plus curieux est que la pensée de Voltaire aboutit à une philosophie assez élevée, et dont l'accent est incontestablement religieux, lorsqu'elle procède de thèmes pessimistes, alors qu'elle se réduit à des conclusions tristes et banales, lorsqu'elle s'inspire de thèmes optimistes, comme on le verra à propos des *Remarques sur les Pensées de Pascal.* (Cf. le chapitre *Bonheur philosophique.*) Il semble qu'il se produit à l'intérieur de cette pensée une sorte de compensation spontanée, qui la ramène toujours au même point d'équilibre, malgré ses variations contingentes et les empreintes successives qu'y laissent les vicissitudes d'un destin.

de l'au-delà et l'instabilité de l'univers) ou les tourments liés à la nature humaine : l'homme plus sensible à la douleur qu'au plaisir ; le cœur et ses souffrances ; la pensée qui achoppe contre tant d'énigmes et qui ravive les blessures qu'elle voudrait guérir ; l'existence surtout de ces limites au-delà desquelles la sensibilité ne saurait s'étendre : d'un côté, la lassitude, l'ennui ou le dégoût, de l'autre, l'embrasement des passions, qui rend le repos impossible. L'inquiétude et le vertige devant les caprices de la destinée viennent ensuite, avec les tourments de la vie sociale et les maux imputables à la méchanceté des hommes.

Cependant la condition de l'homme n'exclut pas un certain nombre de remèdes, de recours ou d'évasions, et personne ne demeure tout à fait démuni. On peut s'étourdir à l'aide de ces stupéfiants qui communiquent au corps et à l'âme une délicieuse ivresse. On peut rétrécir son existence, en la réduisant aux besoins nécessaires, en restant calfeutré à l'intérieur de soi ; ou, au contraire, sortir de soi et chercher un refuge dans une large solidarité humaine. On peut enfin demander des secours à la religion, s'abandonner à la Providence, attendre une autre vie.

Pour certains, le mal de vivre demeure radical, comme si l'existence même de l'homme était un scandale métaphysique. Il n'est alors d'autre échappatoire qu'une fuite vers le divertissement et une intoxication permanente de plaisirs. Pour ceux-là, l'homme en soi est une chose absurde, un tissu de contradictions. Il est constitué de manière à n'être jamais heureux, parce que ses exigences sont impossibles à satisfaire et se détruisent elles-mêmes. Le mal est vraiment dans la nature de l'homme, au point que le malheur est la forme même de l'être.

Pour d'autres, la condition de l'homme se définit moins en fonction d'une *nature humaine* que selon la situation qu'occupe chaque homme par rapport au monde et à ses semblables. Il n'est donc pas question de *condition*, mais d'états particuliers, qui se choisissent et s'aménagent. Au lieu d'être le résultat fatal d'une vocation universelle ou d'une prédestination intérieure, le mal se résorbe dans une succession de chocs et de contre-coups, dont les hommes sont plus responsables que le destin et contre quoi il n'est pas impossible de se défendre.

Enfin, d'un pessimisme relatif peut sortir une sagesse. Tout en restant exposé aux incertitudes du devenir, l'homme peut maintenir sa pensée rivée à l'absolu. Jamais les incohérences visibles du monde ne pourront mettre en cause la stabilité d'une Providence, située très au-dessus de la fortune. Pour se soustraire aux vicissitudes du relatif, l'homme conserve la ressource de rejoindre, en esprit, la plénitude et la fixité de l'Ordre. Qu'à cette sorte d'ascèse intellectuelle, il ajoute quelque endurance stoïcienne, qu'il se rende habile à calculer ses plaisirs, et la créature fragile et assez pitoyable qu'il était, qu'il pourrait toujours être, que certains seront toujours, se métamorphosera elle-même en un homme heureux.

4. — Le bonheur de vivre.

On peut porter sur la condition humaine un tout autre regard et penser que l'homme n'a aucun effort à faire pour devenir heureux, pour la très simple raison qu'il l'est déjà. Bien loin d'être une victoire de l'homme sur son destin, le bonheur devient une donnée naturelle, liée à la seule existence [1].

Ceux qui ne sont pas philosophes et qui savourent de façon immédiate la volupté de vivre, ont vite fait de balayer les sophismes qui s'imaginent prouver le malheur de l'homme [2]. Les philosophes cherchent des raisons et trouvent au bonheur d'exister une triple source : la nature, la société et la raison. D'Holbach écrit là-dessus une page enthousiaste. La structure même de l'être humain le prédispose à d'infinies jouissances. Le monde physique qui l'entoure lui prodigue ses bienfaits et l'éblouit de ses prestiges. La société semble faite pour créer et multiplier les plaisirs. Enfin l'ensemble des virtualités humaines, ce fonds perfectible, encore mal exploité, dont la raison doit tirer d'infinies ressources, parachève au prix d'une élaboration méthodique la félicité naturelle [3].

1. « Nous sommes heureux et nos discours sont tels qu'il semble que nous ne le soupçonnions pas... Il faudrait convaincre les hommes du bonheur qu'ils ignorent, lors même qu'ils en jouissent » (Montesquieu, *Mes Pensées*, pp. 549-550). Montesquieu ajoute en note à la pensée 550 : « J'ai vu les galériens de Livourne et de Venise ; je n'y ai pas vu un seul homme triste. Cherchez à présent à vous mettre en écharpe un morceau de ruban bleu pour être heureux. »

L'avis au lecteur précédant un *Traité du bonheur dans tous les états de la vie*, publié en 1737, à la suite du *Traité de l'éducation des enfants* de Locke, déclare : « Je dis donc que, dès que l'homme a l'usage de la raison, il est non seulement heureux dans tous les âges et dans toutes les conditions de la vie, mais qu'il ne cesse pas de l'être dans les différentes situations où il se trouve, quoique, au sentiment du vulgaire, il paraisse très misérable. » Le traité se compose de 5 parties : 1. *On cherche le bonheur où il n'est pas.* — 2. *On peut être heureux dans tous les âges de la vie.* — 3. *On peut être heureux dans tous les états de la vie* (état ecclésiastique, mariage, célibat). — 4. *On peut être heureux dans toutes les conditions de la vie* (magistrature, profession des armes, commerce, barreau, beaux-arts, vie rustique). — 5. *On peut être heureux dans les différentes situations de la vie* (adversité, oppression, captivité, exil, maladie, mort).

2. « Il y a des gens qui disent que la vie n'est qu'un assemblage de malheurs ; ce qui revient à dire que l'existence est un malheur ; mais si la vie est un malheur, la mort est donc tout le contraire, et c'est le bonheur, puisque la mort est l'opposé de la vie. Cette conséquence peut paraître rigoureuse. Mais ceux qui tiennent ce langage sont assurément malades ou pauvres, car s'ils jouissaient d'une bonne santé, s'ils avaient la bourse bien garnie, la gaieté dans le cœur, des Cécile, des Marine, et l'espérance de mieux encore, oh ! certes ils changeraient d'avis. Je les tiens pour race de pessimistes, qui ne peuvent avoir existé qu'entre des philosophes gueux et des théologiens fripons ou atrabilaires. Si le plaisir existe et qu'on ne puisse en jouir qu'étant en vie, la vie est un bonheur. Il y a des malheurs : j'en sais quelque chose ; mais l'existence de ces malheurs mêmes prouve que la somme de bonheur l'emporte ; or, parce qu'au milieu d'une foule de roses on trouve quelques épines, faut-il méconnaître l'existence de ces belles fleurs ! non ; c'est calomnier la vie que de nier qu'elle est un bien. Quand je suis dans une chambre obscure, je me plais infiniment à voir au travers d'une fenêtre un immense horizon vis-à-vis de moi » (Casanova, *Mémoires*, Bibliothèque de la Pléiade, t. I, pp. 268-269).

3. « Quoi qu'en dise une théologie chagrine ou une philosophie atrabilaire, tout homme qui

C'est une éclatante réponse au « mal de vivre » de Maupertuis. Elle prouve que le jugement porté sur la condition humaine ne dépend pas d'une attitude philosophique, mais d'éléments personnels, subjectifs. Maupertuis et d'Holbach sont solidaires en tant que philosophes, puisqu'ils défendent l'un et l'autre deux aspects voisins du matérialisme. Ils ne s'en font pas moins de la condition humaine deux idées tout à fait différentes. Montesquieu, en revanche, qui est fort éloigné du matérialisme et dont la pensée recèle bien des vestiges du spiritualisme classique, apprécie l'existence de la même manière que d'Holbach. La nature humaine implique, selon lui, une sorte de finalisme spontanément orienté vers le bonheur. Ce n'est pas seulement le désir du bonheur que l'homme trouve dans son âme, mais le bonheur lui-même. Sa « machine » est construite de manière à assurer aux plaisirs un constant avantage sur la souffrance. Le monde semble inventé pour lui plaire. Non seulement il jouit de cet immense bonheur d'exister, dont il est la seule créature à avoir conscience, mais il peut humer, palper, savourer toutes ces choses qui s'épanouissent sous ses sens, libérant leur mille séductions. Quant aux maux inséparables de la condition humaine, ils semblent n'exister que pour préparer le lit des plaisirs qui suivront. Si, d'aventure, ces maux se prolongent, alors ils portent leur compensation en eux-mêmes. L'homme est doué d'un amour-propre et d'un pouvoir d'illusion, qui lui font découvrir sous une agréable lumière jusqu'aux plus sombres conjonctures. Pouvoir espérer et ne pas voir, tel est l'ultime privilège de cet être unique, dont il ne suffit pas de dire qu'il existe pour être heureux, mais dont tout le bonheur est enfermé dans son existence même [1]. La vie humaine est une sorte de jeu truqué à l'avantage de l'homme, où il est impossible de ne pas gagner toujours. Une seule réserve cependant : ce jeu suppose une règle, qui est de ne pas tricher soi-même. La Providence a déjà pipé les dés en notre faveur ; tenons-nous donc pour satisfaits, et n'allons pas

sait jouir, *s'il ne trouve pas une félicité complète en ce monde*, peut au moins y rencontrer une foule de plaisirs de détail faits pour rendre son existence heureuse ou pour faire à tout moment une diversion puissante à ses peines. La société, quelque corrompue qu'elle soit, nous fournit des douceurs dont nous devons profiter pour notre bonheur ; les hommes en goûteraient bien plus si leur raison, plus cultivée, leur apprenait en quoi consiste le vrai bonheur, et si *leurs institutions et leurs gouvernements les invitaient et les forçaient à se rendre mutuellement heureux*... Exister est un bien ; quel être assez chagrin peut refuser de convenir que l'exercice de ses sens ne lui procure à chaque instant une foule d'agréments ? Quel homme assez misanthrope pour ne trouver aucun charme dans la société des hommes, dans les liaisons d'amitié, dans les conversations enjouées, dans les amusements des villes, dans les échanges continuels de services qui se font entre concitoyens ? Quel être assez insensible pour n'être pas touché des spectacles variés que la nature présente ? Ne jouissons-nous pas d'un jour serein, de l'aspect riant de la verdure, de la fraîcheur d'une ombre solitaire, du chant mélodieux des oiseaux, du cours majestueux des fleuves et des rivières, des plaisirs innocents de la campagne qui nous font si souvent oublier les désagréments que nous causent les injustices des cours et les folies des villes ? Oui, je le répète, il est en ce monde des plaisirs variés pour l'homme, il est fait pour le bonheur ; il serait bien plus heureux s'il était plus raisonnable ; il serait raisonnable si l'on prenait soin de cultiver sa raison » (D'Holbach, *Système social*, t. I, pp. 181-182).

1. Cf. Montesquieu, *Mes Pensées*, 549.

tout compromettre en y mêlant nos propres feintes. Autrement dit, ne désirons pas au-delà de ce que nous offre une condition si par faite [1].

L'*Essai sur le bonheur* de Beausobre est tout vibrant de la contemplation émerveillée des multiples délices composant la condition humaine [2]. Le livre fut écrit trois ans après Lisbonne, un an avant *Candide*, ce qui explique peut-être l'accent un peu forcé, paradoxal, que prend un optimisme à tout prix, poussé jusqu'au mépris de l'évidence. L'auteur s'étonne qu'un seul tremblement de terre ait suffi à faire douter du bonheur de l'homme. Toutes ces évocations pathétiques, ces « champs couverts de morts et de mourants, ces orphelins abandonnés, ces veuves désolées, ces terres ravagées », ne sont que « des déclamations qui ne prouvent rien [3]. » L'optimisme de Beausobre ne cherche nullement à s'inscrire dans la ligne de l'optimisme leibnizien. Il ne prétend pas prouver que *tout est bien*, mais que la condition de l'homme lui permet de s'accommoder de tout, du bien comme du mal. C'est d'ailleurs une bien étrange consolation que de vouloir adoucir des maux particuliers en faisant admirer la perfection de l'univers. Il vaut mieux aider les hommes à prendre conscience de leur bonheur réel, au sein même de leur existence individuelle, sans aucune métaphysique, en leur faisant simplement découvrir de quoi leur vie est faite :

« Il me semble trouver dans la vie tant de biens précieux, et tant d'avantages rares que je ne puis m'empêcher de bénir la Providence de m'avoir donné l'existence : bénissez-la comme moi, vous tous qui vivez, car *vous êtes heureux* et j'espère vous en faire convenir [4]. »

Si l'on admet que le plus grand malheur coïncide avec les plus grands vices et que le bonheur parfait consiste en l'apogée de la vertu, il faut convenir que la plupart des hommes sont compris dans l'intervalle séparant ces deux extrêmes. Dans cette zone de la médiocrité morale, les vertus sont incontestablement plus nombreuses que les vices. Donc le bonheur moyen l'emporte sur le malheur moyen [5].

1. « Pour faire un traité sur le bonheur, il faut bien peser les termes où le bonheur peut aller par la nature de l'homme, et ne point commencer par exiger qu'il ait le bonheur des anges ou d'autres puissances plus heureuses que nous imaginons. » (*Ibid.*, 1001).

2. Louis de Beausobre, né à Berlin, en 1730, était le fils du très savant Isaac de Beausobre, pasteur réfugié en Prusse, et fort admiré de Frédéric. Par estime pour son père, le roi s'était personnellement occupé des études du « petit Beausobre », qu'il envoya prendre l'air du monde à Paris, après un séjour à l'Université de Francfort. A son retour, Beausobre entra à l'Académie des Sciences de Berlin. Il écrivit *Le Pyrrhonisme du sage* (1754), *Le Songe d'Épicure*, traduit du grec (1756), *L'Essai sur le bonheur* (1758), l'*Introduction générale à l'étude de la politique, des finances et du commerce* (1765). C'était un homme affable et spirituel, fort peu tourmenté, et connaissant vaguement beaucoup de choses.

3. « Les calamités publiques ne diffèrent des adversités ordinaires de la vie que par le nombre de ceux qui souffrent ces maux : serait-il triste de mourir dans un bouleversement général, quand il ne l'est pas de mourir dans le sein de la tranquillité publique ? » (*Op. cit.*, p. 78-79).

4. *Ibid.*, p. 4.

5. « Il n'est point d'homme en qui l'on trouve plus de vice que de vertu, il n'en est point qui soit plus attaché au vice qu'à la vertu : les crimes sont non seulement rares, mais tou-

De plus, les maux dont se plaignent les hommes méritent rarement cette qualité [1]. Ou bien ils sont évitables, et il dépend de nous de les faire cesser [2], ou bien ils sont inévitables, et ce ne sont plus des maux, puisqu'ils nous viennent alors d'un Être qui ne peut vouloir que le bonheur des hommes. L'analyse de détail confirme cette curieuse pétition de principe. Par exemple, les douleurs du corps ne sont rien, puisqu'on préfère vivre infirme à ne pas vivre du tout [3]. Quant aux souffrances de l'âme, il y a bien des façons de les contourner, de les rendre anodines. Au lieu de nous désespérer de la mort des êtres chers, pourquoi ne pas nous réjouir à la pensée du bonheur que nous leur devions, tant qu'ils étaient vivants [4] ? Le sophisme est surprenant : toute souffrance finit par se dissoudre dans le sentiment heureux qui serait son contraire, parce que cette souffrance actuelle et ce bonheur dont nous déplorons la perte ont l'une et l'autre la même *cause*, ou du moins procèdent d'une relation diamétralement opposée avec le même objet [5]. Les chagrins des hommes n'ont de réalité que subjective. Ils se composent le plus souvent de « chimères » et de « minuties », dont un effort de jugement nous délivrerait [6]. Lorsque, par extraordinaire, ces maux ont quelque chose de réel, ils prennent une valeur édifiante et permettent à l'homme de s'éprouver [7]. On peut donc se former de la condition humaine une opinion sans équivoque :

« *L'homme considéré comme individu, dont le véritable bonheur dépend de lui-même, est heureux : il est sorti des mains du Créateur avec tout ce qu'il fallait pour l'être et, s'il devient malheureux, c'est à force de s'opposer aux voies de la nature et de la raison* [8]. »

jours suivis de repentir, ce qui leur ôte une bonne partie de ce qu'ils ont de laideur : *l'homme envisagé du côté moral est heureux*, puisque le nombre et la force de ses maux, c'est-à-dire de ses vices et de ses crimes, est au-dessus du nombre et du prix de ses biens, c'est-à-dire du nombre et du prix de ses vertus. » (*Ibid.*, p. 7).

1. « On se plaint d'être malheureux, et on allègue des raisons qui prouvent le contraire... L'état actuel des hommes est un état heureux. » (*Ibid.*, p. 10).

2. « Que de plaintes détruites par cette seule réflexion ! » (*Ibid.*, p. 13).

3. « D'ailleurs, quelque maladie que nous ayons, tout notre corps ne souffre pas, et si nous étions justes, nous opposerions à nos douleurs les biens dont nous jouissons. Un sourd n'est point aveugle, un goutteux n'est pas hydropique. » (*Ibid.*, p. 17).

4. « Ces pertes sont fâcheuses, je l'avoue, mais ces pertes nous prouvent notre bonheur... » « Pourquoi ne pas bénir la Providence de les avoir eus, au lieu de se plaindre de ne les plus avoir ? Au lieu de songer à ce nombre d'années que nous passerons privés de ces amis, que la mort nous a enlevés, songeons au long espace de temps que nous avons passé avec eux. *Cherchons donc dans nos pertes un sujet de joie, il s'y trouvera toujours... Tout dépend de nous, de nos principes, de nos efforts : notre tristesse n'est jamais proportionnée à notre mal, mais elle est proportionnée à notre faiblesse.* » (*Ibid.*, pp. 34 et suiv.).

5. « *Nos larmes prouvent notre bonheur :* car elles prouvent que nous avons joui d'un bien dont la possession nous était précieuse. » (*Ibid.*, p. 43).

6. « Ce qui prouve que, dans nos chagrins, l'opinion et le chimérique l'emportent sur le réel, c'est que les hommes ne sont point d'accord, ni avec eux-mêmes ni avec les autres, sur le prix de certains avantages et sur le degré de peine attaché à quelques inconvénients. » (*Ibid.*, p. 53).

7. « Les maux sont des remèdes salutaires qui ont quelque amertume ; les plaisirs sont souvent des poisons qui ont quelque agrément. » (*Ibid.*, p. 56).

8. *Ibid.*, p. 177.

Après avoir démontré l'irréalité des maux, Beausobre veut prouver que les biens ont une existence objective, que le monde en foisonne et qu'il ne tient qu'à l'homme de les cueillir [1]. Encore les bienfaits de la nature ne sont-ils pas son privilège, qui consiste en ces trois avantages : la pensée, « don inestimable », les douceurs de l'amitié, les extases de l'amour [2].

Tel est ce naïf *Essai sur le bonheur,* où l'exaltation se mêle au paradoxe, où des thèmes stoïciens galvaudés sont vivifiés par l'élan d'un moderne enthousiasme. Il se termine par une large vision du monde, dont la lumière enveloppant toutes choses ne dispense pas l'homme de cette lumière intérieure : la sagesse [3].

***

Ces divers témoignages sur la condition humaine frappent surtout par leur contradiction. Tantôt la vie terrestre est célébrée comme un séjour édénique [4], avec des délices de toutes sortes et des conso-

1. « Tout ce que je viens de dire prouve que les hommes ont tort de se plaindre des maux de la vie : je prouverai encore que les biens dont ils jouissent sont des biens qui méritent leur reconnaissance et que ceux qu'ils désirent ne sont que des avantages dont ils peuvent se passer et souvent ce que la Providence leur a refusé parce qu'elle les aimait... » (*Ibid.*, p. 108). « Que de biens pour l'homme ! Je suis sorti du néant, je suis parvenu à l'existence, mon enfance a été sauvée des dangers qu'elle est obligée de courir ; je sens du plaisir à voir la belle nature offrir à mes yeux le plus beau des spectacles ; les sons les plus harmonieux flattent mon oreille et m'inspirent du sentiment ; les fleurs répandent un parfum délicieux ; je goûte des mets qui excitent mon appétit et augmentent mes forces ; un tact voluptueux m'inspire des plaisirs qui me prouvent mon existence et mes désirs conduits par la raison gouvernent mon âme sans la troubler ; un tranquille sommeil vient réparer mes forces, ma paupière se ferme pour quelques heures et se rouvre pour voir l'aurore avec un nouveau plaisir. On ne saurait trop admirer avec combien de soin la nature a pensé à rendre notre état heureux ; elle change insensiblement nos goûts à mesure que nos besoins changent avec notre âge : l'enfance a ses plaisirs qui durent longtemps, la jeunesse en a de vifs, l'âge mûr en a de tranquilles, et la vieillesse qui en a de lents les sent d'autant plus qu'ils sont moins fréquents... » (*Ibid.*, p. 165-166).

2. *Ibid.*, pp. 167 et suiv.

3. « ... Jetez un regard sur l'univers, et vous verrez la nature en travail s'opposer à nos maux : jetez un regard sur les voies de la Providence et vous verrez bientôt qu'un hasard aveugle ne conduit point cet univers : *tout concourt au bonheur des hommes* et Dieu n'est pas un tyran... La nature est pleine de ressources, elle est la plus tendre des mères : elle nous tend les bras, ne nous éloignons pas des voies qu'elle nous prescrit et des secours qu'elle nous offre. Faisons plus : au sein des maux, si la Providence nous y place, persuadons-nous qu'il est heureux de vivre. C'est dans l'étude de la sagesse et de la vérité qu'on voit arriver en paix la fin de ses jours ; *à chaque instant de notre vie nous jouissons d'un bienfait inestimable ;* ne permettons pas que nos préjugés offusquent la lumière du flambeau qui nous éclaire : arrivons à notre fin, nous sentirons qu'il est heureux de vivre et très heureux d'avoir bien vécu. » (*Ibid.*, p. 213 et pp. 219-220).

4. Cf. Buffon : « La terre, élevée au-dessus du niveau de la mer, est à l'abri de ses irruptions ; sa surface émaillée de fleurs, parée d'une verdure toujours renouvelée, peuplée de mille et mille espèces d'animaux différents, est *un lieu de repos, un séjour de délices,* où l'homme, placé pour seconder la nature, préside à tous les êtres ; seul entre tous capable de connaître et digne d'admirer, Dieu l'a fait *spectateur de l'univers* et *témoin de ses merveilles* ; l'étincelle divine dont il est animé le rend participant aux mystères divins : c'est par cette lumière qu'il pense et réfléchit ; c'est par elle qu'il voit et lit dans le livre du monde, comme dans un exemplaire de la Divinité. La nature est le trône extérieur de la magnificence divine : l'homme qui la contemple, qui l'étudie, s'élève par degrés au trône intérieur de la toute-puissance : fait pour adorer le Créateur, il commande à toutes les créatures ; *vassal du ciel, roi de la terre,* il l'anoblit, la peuple et l'enrichit ; il établit entre les êtres vivants l'ordre, la subordination,

lations pour tous les malheurs. Tantôt une malédiction semble peser sur l'homme, victime élue d'un Destin qui s'acharne.

Paul Hazard a proposé naguère, à ces contradictions, une solution chronologique [1]. L'optimisme ne serait vraiment à la mode que jusqu'au désastre de Lisbonne, en 1755, et ferait place ensuite à toutes les formes du désespoir : « A partir de *Candide* le procès est jugé et la cause perdue [2]. » Si quelques optimistes s'obstinent à survivre, Paul Hazard les qualifie d' « exaltés », et sa seule concession est de convenir que « l'optimisme ne disparut pas d'un coup », sans atténuer l'accent catégorique d'une thèse ainsi formulée : « La majorité des contemporains, à mesure que le siècle suivait son cours, ne prononçaient plus les mots magiques qui devaient expliquer et diminuer la misère humaine qu'avec un sourire d'ironie, voire même sur un ton de protestation et de rancune [3]. »

Il est difficile de ne pas être sceptique, si l'on confronte cela avec les faits, qui prouvent la simultanéité ou même une succession inverse de ces attitudes contradictoires. Prévost invente son Cleveland, « être de douleur », dont la vie n'est qu'une suite de catastrophes providentielles, au moment même où Voltaire veut démontrer contre Pascal (avec bien des résignations, il est vrai) que la condition de l'homme est heureuse. *Le Spleen* de Bésenval et *l'Heureux* de Savérien, qui s'opposent de façon presque mécanique, ne sont séparés que par un intervalle de trois années. Enfin l'*Essai sur le bonheur* de Beausobre, qui est peut-être, de tous les traités du siècle, le plus euphorique, suit de trois ans l'illustre tremblement de terre.

Il aurait mieux valu dire que, dans la seconde moitié du siècle, l'optimisme change de nature. Il devient, à coup sûr, de moins en moins *moral* et d'inspiration de moins en moins *humaniste*, pour chercher désormais ses points d'appui dans une philosophie ou une mystique de la nature. Sans aucun doute, l'optimisme ne meurt pas après Lisbonne, ni après *Candide*, mais ce n'est plus forcément l'*homme* que l'on trouve au centre. L'ordre de l'univers tend à éclipser la condition humaine, qui n'en est qu'une infime partie. *L'optimisme se*

l'harmonie ; *il embellit la nature même*, il la cultive, l'étend et la polit, en élague le chardon et la ronce, y multiplie le raisin et la rose. » (Extrait de l'*Histoire Naturelle*, cité dans BUFFON, *La nature, l'homme, les animaux* Club des libraires de France, 1957, pp. 53-54.)

Cet admirable texte est construit sur deux idées principales, qui servent d'appui à tout l'optimisme de Buffon : 1) Place assignée à l'homme au niveau intermédiaire d'une inébranlable hiérarchie : « vassal du ciel, roi de la terre ». 2) Réciprocité de bienfaits entre la nature et l'homme. La terre est pour l'homme un « lieu de repos, un séjour de délices ». Mais l'homme rend ce qu'il a reçu, puisqu' « il embellit la nature même ».

1. Paul HAZARD, *Le problème du mal au XVIII*^e^ *siècle*, in *Romanic Review*, 1941.
2. *Op. cit.*, p. 163.
3. P. Hazard fonde également sa thèse sur un certain nombre d'arguments purement « philosophiques », d'une remarquable intelligence. Mais son tort n'est-il pas justement d'avoir considéré le problème de l'optimisme comme un thème de la « pensée européenne », sans tenir compte d'un certain nombre de réactions irrationnelles et de partis pris individuels, qui embrouillent à coup sûr la question, mais qui peut-être l'humanisent ?

dissocie du rationalisme et de l'humanisme classiques, pour s'incorporer à d'autres formes de pensée.

En outre, les problèmes et les angoisses que soulève la condition humaine ne sont pas seulement à l'usage des philosophes. Un dialogue se poursuit, tout au long du siècle, entre les consciences philosophiques et les âmes sensibles, qui souvent coexistent chez les mêmes hommes, si bien que pour beaucoup le dialogue se change en un conflit intérieur. Si la réflexion systématique a pour but de fixer des notions claires et apaisantes, la sensibilité se grise d'émotions indécises ou contrastées : il est nécessaire, si l'on veut faire vibrer toutes les cordes du cœur, de toucher quelquefois celles qui ne résonnent que dans les tonalités sombres. A vouloir assumer à la fois deux vocations, celle de *penser* et celle de *sentir*, il était impossible d'éviter une contradiction, qui éclate dès qu'il s'agit d'apprécier la condition humaine. La philosophie exige que l'homme surmonte sa condition, qu'il la déchiffre, lui invente un sens, lui découvre une fin, qu'il assume sa nature sans avoir à la subir. La sensibilité, en revanche, ne s'épanouit jamais aussi somptueusement qu'en imaginant l'homme écrasé par sa destinée et voué à tous les sinistres prestiges du malheur.

Même si l'on admet que l'optimisme purement philosophique suit, au cours du siècle, une courbe descendante, il reste difficile d'affecter une évolution aussi simple aux thèmes de la sensibilité. Si le héros sensible de 1735 est fort bien représenté par le très pitoyable Cleveland, victime de la Providence en dépit de tous ses mérites, celui de 1770 ressemble beaucoup plus au personnage de Le Prévost d'Exmes, Rosel ou « l'homme heureux » [1], ou à ce Dolbreuse [2] qui doit encore beaucoup souffrir et répandre bien des larmes, mais qui n'a plus, à la différence de Cleveland, de Destin à affronter : il lui suffit d'être vertueux pour être heureux, sans qu'aucune puissance maligne intercepte le fruit légitime de sa vertu.

Ces divers éléments sont trop complexes, ils se rencontrent et se compensent entre eux de façon trop imprévisible, pour que l'on puisse accepter sans nuances la thèse de Paul Hazard. On peut tout de même convenir des amputations que l'optimiste rationaliste de la première moitié du siècle eut à subir dans la suite. Le style du bonheur à la mode en 1760 ou 1770 suppose un rétrécissement de l'être, un effort personnel, presque une ascèse, en tout cas une série de renoncements, que le bonheur selon l'idéal de 1730-1740 n'exigeait certes pas. Dans la première moitié du siècle, le bonheur dont on rêve et que l'on croit possible, est véritablement complet ; il fait une place aux voluptés mondaines, à l'amour-passion, et à la vertu, le tout étant maintenu

1. Le Prévost d'Exmes, *Rosel ou l'Homme heureux* (1776).
2. Loaisel de Tréogate, *Dolbreuse ou l'Homme du siècle ramené à la vertu par la raison et le sentiment* (1783).

dans un état d'équilibre, grâce à des principes éprouvés de sagesse et à l'arithmétique des plaisirs. La confiance en la nature humaine, et plus encore en la raison, était alors totale. En 1770, en revanche, le bonheur dépend d'abord d'un certain nombre de refus : refus des passions, refus de certains plaisirs, jugés périlleux ou indignes, refus également de la vie sociale sous un grand nombre de ses formes. Surtout les éléments du bonheur sont rassemblés autour d'un pôle unique : la vertu. Sans doute, cette notion de vertu reste-t-elle pour la plupart bien équivoque. Elle ne désigne souvent qu'une effusion de la nature, trop facilement justifiée par l'euphorie du sentiment intérieur. Les plus naïfs parlent d'être heureux « selon la nature *et* selon la vertu », sans se douter qu'ils énoncent une absurdité et que les deux termes sont contradictoires. Seuls les plus lucides — Rousseau et Diderot sont de ceux-là — savent bien que la vertu consiste non pas à suivre la nature, mais à lui résister.

Toutefois l'humanisme rationaliste ne constitue pas à lui seul toute la pensée du siècle. Il n'est pas davantage le seul système de pensée au sein duquel l'homme serait en mesure de croire au bonheur. Paul Hazard écrit sa démonstration comme si Rousseau n'existait pas. Ou plutôt, il voit justement en Rousseau l'un des responsables de ces regards chargés d'amertume que l'on porte sur la condition humaine. Avec Rousseau, la condition humaine n'est plus imputable à la nature, mais relève de l'homme lui-même : « C'est à la politique qu'il appartenait désormais de ramener le bien sur la terre. » On voit mal pourquoi une telle perspective devrait éteindre la pensée optimiste. On comprend mieux dans quelle mesure elle peut la renouveler.

Il faut redire enfin que les opinions citées dépendant avant tout d'attitudes spontanées, de motivations secrètes, d'un choix existentiel. Il est impossible de classer les divers sentiments sur la condition humaine selon l'appartenance philosophique de leur auteur. Quels sont ceux, d'autre part, qui n'ont jamais changé ? M. Pomeau a fort bien analysé le cas Voltaire, en expliquant par ses vicissitudes personnelles les variations de sa pensée.

Plus que le contenu précis des multiples réponses, retenons l'importance, la fréquence et la diversité des réflexions sur la condition humaine. Peu importe, en définitive, que l'homme en ce monde soit ou non déclaré heureux. Le plus significatif est que la question soit sans cesse posée. D'ailleurs les solutions sont toujours ambiguës. Si l'on estime l'homme heureux, on aperçoit les limites qui cernent et menacent ce bonheur. Si l'on conclut à son malheur, on a tôt fait de lui découvrir des compensations. Et l'optimisme de principe d'un Beausobre force singulièrement son accent, comme s'il voulait à tout prix sauver des illusions.

Cependant, à la question : « *L'homme est-il heureux ?* », il semble bien que la réponse ait été le plus souvent négative, puisqu'on ne cesse de se poser deux autres questions : « *Pourquoi l'homme n'est-il pas heureux, alors qu'il désire tant l'être ?* » et « *Serait-il, par extraordinaire, quelque moyen de le devenir ?* »

CHAPITRE II

LA CONQUÊTE DU BONHEUR ET SES VICISSITUDES

« Demandez à tout homme quel est l'objet qui l'occupe le plus et qu'il estime le plus digne de l'occuper, il vous dira toujours que c'est celui de se rendre heureux et en cela il vous dira vrai ; en sorte qu'il n'est plus question que d'examiner s'il ne se trompe pas dans le choix des moyens. »

PECQUET, *Pensées diverses sur l'homme.*

Introduction : L'obsession du bonheur. — 1. La nature et ses trahisons. — 2. Le « monde » et ses masques. — 3. La philosophie et ses impostures. — 4. Bonheur et Liberté. — *Conclusion :* Un bilan négatif.

Jusqu'à la révolution kantienne, toutes les réflexions sur la nature de l'homme et les fins légitimes de son action reposent sur ce postulat : *l'homme est fait pour être heureux.* Chrétiens, mondains et philosophes des XVIIe et XVIIIe siècles en conviennent, même si le mot *bonheur* s'inscrit dans les contextes les plus différents. Dans ses *Méditations sur l'Évangile,* Bossuet déclare : « Tout le but de l'homme est d'être heureux ; Jésus-Christ n'est venu que pour nous en donner le moyen [1]. » A quoi Voltaire a l'air de faire écho, en pensant, il est vrai, à tout autre chose : « La grande affaire et la seule qu'on doive avoir, c'est de vivre heureux [2]. »

Au XVIIIe siècle, l'insistance à reprendre ce thème confine plus d'une fois à l'obsession. Le problème du bonheur est senti et proposé comme la clé de tous les autres [3], et l'on répète inlassablement avec

1. BOSSUET, *Méditations sur l'Évangile, Œuvres posthumes,* 1731, t. I, p. 5.

2. Lettre à Madame la Présidente de Bernière (1722), VOLTAIRE, *Œuvres complètes,* t. XXXIII, p. 62.

3. « Si jamais il s'offrit à la pensée d'un écrivain un sujet vraiment utile et intéressant, un sujet important pour tous les âges et toutes les conditions de la vie humaine, ce fut sans contredit celui du bonheur. Il tient à la morale comme à la politique ; il embrasse la constitution physique des peuples comme celle des gouvernements ; enfin il regarde l'homme tout entier. » (ROCHEFORT, *Histoire critique des opinions des anciens et des systèmes des philosophes sur le bonheur* (1778), *Discours préliminaire,* p. VII.)

Trublet : « Tout se réduit au bonheur... Rien n'importe que le bonheur ; par conséquent rien n'importe que relativement au bonheur [1]. » Le bonheur est le seul idéal concevable, la seule justification de l'existence humaine : aucune autre *valeur* ne se superpose à celle-là ; toutes, au contraire, en découlent, et n'avoir pas su ou pu être heureux, c'est n'avoir rien fait de sa vie [2].

La quête du bonheur se révèle essentielle pour l'homme. Il ne s'agit pas d'un luxe de la réflexion philosophique, mais de la remise en question des raisons même de vivre, de la recherche d'un accord nécessaire entre les exigences les plus primitives, émanant des régions obscures de l'existence, et les aspirations les plus élaborées de la conscience. Il ne faut pas y voir non plus une immense illusion collective, ni l'application d'un pacte conclu entre les hommes, afin d'aménager au mieux une vie que l'on doit subir. La recherche du bonheur, l'homme ne la choisit pas, et l'on peut dire qu'il est à la fois étrangement actif et merveilleusement passif. On verra tout le mal qu'il se donne pour être heureux, et la part d'erreurs et d'égarements qui entravent sans cesse une chasse maladroite : cela, c'est ce qui revient en propre à la liberté humaine. Si l'homme n'était pas libre, il serait infailliblement et immuablement heureux. Car le principe même de la course au bonheur se trouve inscrit dans la nature, où la conscience ne fait que le découvrir. Peut-être même, avec plus de prudence, y trouverait-elle aussi comme une méthode implicite, qu'un peu de bon sens suffirait à convertir en sagesse. En tout cas, l'homme n'est pas libre de ne pas vouloir son bonheur [3]. La loi naturelle qui le meut est comparable par sa rigueur, son universalité, aux lois du monde physique. Delisle de Sales, dans sa *Philosophie du bonheur*, y montre la réplique de la gravitation universelle [4].

Il reste cependant, entre le monde moral et le monde physique, cette différence que signalait Montesquieu au début de l'*Esprit des Lois* : le premier n'obéit pas à ses propres lois avec la perfection mécanique du second. L'homme est un être libre, et sa liberté se mesure, assez fâcheusement il est vrai, à cet écart constant entre sa conduite,

1. TRUBLET, *op. cit.*, t. III, pp. 229-230. Trublet ajoute : « Il ne faut pourtant pas s'en faire un prétexte pour négliger l'étude et la science, puisqu'au contraire elles peuvent contribuer au bonheur. Mais dans la vérité ce n'est que par cet endroit qu'elles sont vraiment utiles et estimables. »

2. « Le cri de la terre entière est cependant d'être heureux. Le bonheur est le premier et le plus important objet de nos vœux : on ne souhaite d'exister que pour arriver à ce but. En le manquant, tout est indifférent, odieux, insupportable, hormis la mort. » (Abbé HENNEBERT, *Du Plaisir ou du moyen de se rendre heureux* (1764), Avant-propos, p. VIII.) Né en 1726, mort en 1795, l'abbé J. Baptiste Hennebert, chanoine de l'église de Saint-Omer, était connu à la fois pour ses travaux de naturaliste et pour son *Histoire générale de l'Artois*.

3. Cf. BURLAMAQUI, *Principes du droit naturel*, p. 70.

4. « L'homme bien organisé gravite vers le bonheur, comme les corps pesants vers le centre du globe... L'homme gravite vers son bonheur, comme la matière tend au repos : ôtez-lui la liberté et il sera constamment heureux... » (DELISLE DE SALES, *Philosophie du bonheur* (1796), t. I, p. 25, et t. II, p. 109).

dont il est le maître, et les ressorts profonds d'une nature qu'il ne s'est pas donnée. Celle-ci veut que l'homme désire le bonheur et l'obtienne. Mais sa liberté, qui ravive en lui le besoin d'être heureux, l'empêche le plus souvent de le devenir.

L'exigence naturelle du bonheur n'en pénètre pas moins toute la conscience, qu'elle colore [1]. Située bien en deçà des notions du bien et du mal, elle échappe à la morale, en même temps, du reste, qu'elle la constitue. Elle explique et justifie les conduites les plus différentes et se retrouve au fond de l'angélisme comme au fond de la perversité [2]. Pour que le désir du bonheur, qui n'est pas « moral » en son essence, s'instaure le guide de la vie morale, il lui suffit de pactiser avec la raison. Livrée à elle-même, la raison n'est pas très efficace pour le débroussaillage de l'âme, dont elle sait mal équilibrer les forces violentes, c'est-à-dire les passions. Tel est l'un des grands thèmes de la morale de Rousseau : seule une passion, devenue dominante, peut tenir en respect toutes les autres. La plus qualifiée est la « passion de la raison », qui n'est rien d'autre que l'instinct profond du bonheur, suffisamment élucidé et maître de lui-même pour vouloir se rallier à un ordre plus vaste que lui [3]. Entre la raison et le bonheur, les rapports sont toujours réversibles. L'une doit souvent freiner les impulsions que l'autre favorise, mais la raison n'est que lettre morte si le sentiment du bonheur ne l'anime pas.

Ce dernier n'est pas plus étranger à la conscience religieuse qu'il ne l'est à la raison. Selon l'*Encyclopédie*, le christianisme, qui n'a rien de surnaturel, ne fait qu'aménager le bonheur dans des perspectives plus larges, que lui ajouter des prolongements infinis [4]. La démonstration, dont la virulence philosophique ne se cache guère, va curieusement à la rencontre de ces touchants efforts, par quoi tant de mora-

1. Delisle de Sales en fait la remarque en reprenant et en contestant, tout à la fois, l'analyse des moralistes classiques : « L'amour du bonheur ne diffère point de l'amour de soi ; ainsi quand Nicole et La Rochefoucauld ont défendu à l'homme de s'aimer, ils lui ont défendu d'être heureux. » (*Ibid.*, t. II, p. 107).

2. Cf. TRUBLET, *op. cit.*, t. III, pp. 244-245.

3. Un disciple anonyme de Rousseau s'exprime ainsi : « Le désir du bonheur étend son pouvoir absolu sur tous les êtres sensibles ; il est le principe de leur mouvement ; c'est le grand mobile des actions humaines ; *c'est le modérateur de nos passions ;* il fait des merveilles sous sa conduite, *quand il est éclairé par la raison...* Puissant désir, pénètre pour jamais mon âme ; échauffe-la de tes ardeurs bienfaisantes, anime-la par tes nobles transports, occupe-la tout entière, dirige son activité, surmonte sa répugnance, rends-toi maître absolu de ses caprices. Et vous, passions orageuses qui courez en tumulte à votre but, sans règle et sans frein, renoncez à l'empire ; vous allez être désormais subordonnées. » (*La Recherche du bonheur*, par M. T.D.L.M., 1776, pp. 4 et 8).

4. « Chacun n'a-t-il pas le droit d'être heureux, selon que son caprice en décidera ? Il ne faut point opposer à cette maxime, qui est certaine, la morale et la religion de J.-C., notre Législateur et en même temps notre Dieu, *lequel n'est point venu pour anéantir la nature, mais pour la perfectionner.* Il ne nous fait point renoncer à l'amour du plaisir et ne condamne pas la vertu à être malheureuse ici-bas. La loi est pleine de charmes et d'attraits. Elle est toute comprise dans l'amour de Dieu et du prochain. La source des plaisirs légitimes ne coule pas moins pour le chrétien que pour l'homme profane : mais dans l'ordre de la grâce, il est infiniment plus heureux par ce qu'il espère que par ce qu'il possède. Le bonheur qu'il goûte ici-bas devient pour lui le germe du bonheur éternel. » (*Encyclopédie*, Article *Bonheur*).

listes chrétiens et d'hommes d'Église entreprennent de prouver que la religion apporte à l'homme le vrai bonheur. Au lieu de faire dépendre le salut des épreuves terrestres, ils affirment que Dieu n'a mis l'homme au monde que pour lui offrir, en attendant la béatitude, le bonheur compatible avec la nature déchue : au bien-être « parfait et inaltérable », que la munificence du Créateur nous avait préparé « avant la chute », a succédé, « pour ainsi dire, un bonheur de second ordre, que sa bonté compatissante a substitué [1] ». Voilà donc le christianisme entièrement dilué dans un hédonisme à deux étages : du bonheur terrestre au bonheur éternel, la continuité est parfaite ; la Nature et la Grâce conspirent à la félicité humaine. Que l'on accepte ou non la Révélation en tant que telle, toute religion est d'abord la réponse à une inquiétude *naturelle*, une voie d'accès, parmi d'autres, au bonheur. Sous le miracle ou l'imposture de la charité, c'est encore l'homme qui se cherche et qui cherche cette félicité, en dehors de laquelle, qu'il la convoite ou qu'il la vive, il cesserait tout simplement d'exister [2].

Il est donc normal que la question du bonheur soit apparue comme la plus grave et la plus passionnante de toutes, provoquant une sorte de fureur pour tous les livres de morale, où on la trouvait longuement et minutieusement débattue. D'autant que morale et psychologie ne

1. Abbé DE GOURCY, *Essai sur le bonheur* (1777), p. 14. — Vicaire général de Bordeaux et membre de l'Académie de Nancy, l'abbé de Gourcy était l'un des porte-parole officiels de l'Église de France, chargés de la défendre contre les Philosophes.

2. Dans l'article *Charité*, Diderot démontre qu'en analysant les différentes formes possibles du sentiment religieux, on constate qu'elles ne révèlent toutes qu'une seule et même vérité, « savoir que nous cherchons tout naturellement à nous rendre heureux. C'est selon saint Augustin la vérité la mieux entendue, la plus contante et la plus éclairée. *Omnes homines beati esse volunt atque unum ardentissimo amore appetunt; et propter hoc cetera quicumque volunt...* C'est le cri de l'humanité, c'est la pente de la nature ; et suivant l'observation du savant évêque de Meaux, saint Augustin ne parle pas d'un instinct aveugle, car on ne peut désirer ce qu'on ne sait point et on ne peut ignorer ce qu'on sait qu'on veut. L'illustre archevêque de Cambrai écrivant sur cet endroit de saint Augustin croyait que ce Père n'avait en vue que la béatitude naturelle. Mais qu'importe, lui répliquait Bossuet, puisqu'il demeure toujours plus incontestable, selon le principe de saint Augustin, qu'on ne peut se désintéresser au point de perdre, dans un seul acte, quel qu'il soit, la volonté d'être heureux, par laquelle on voit toute chose... Il est évident que ce principe *l'homme cherche en tout à se rendre heureux* une fois avoué, il a la même ardeur pour la béatitude surnaturelle que pour la béatitude naturelle... Qu'on écoute le sentiment intérieur et l'on verra que *la vue du bonheur accompagne les hommes dans les occasions les plus contraires au bonheur même.* Le farouche Anglais qui se défait veut être heureux ; le bramine qui se macère veut être heureux ; le courtisan qui se rend esclave veut être heureux ; la multitude, la diversité et la bizarrerie des voies ne démontrent que mieux l'unité du but... » Plus loin, Diderot assure que « la charité (est) tellement unie avec le penchant à la jouissance qu'on ne peut éloigner ces choses que par des hypothèses chimériques hors de la nature... » et que « les mobiles naturels et surnaturels ne s'excluent pas ». (DIDEROT, *Œuvres complètes*, Assézat-Tourneux, t. XIV, pp. 102-103).

Qu'on n'accuse pas Diderot de perfidie pour être allé chercher des références à une idée « philosophique » jusque dans saint Augustin. Dans un très inoffensif et très conformiste *Traité de morale ou devoirs de l'homme envers Dieu, envers la société et envers lui-même* (1767), un professeur de philosophie de Toulouse, probablement ecclésiastique, en tout cas bien-pensant, nommé Lacroix, déclare que « le bonheur est le seul objet que nous nous proposons dans toutes nos actions », et il emprunte lui aussi ses preuves à saint Augustin (« Il n'est personne, dit saint Augustin, qui ne veuille être heureux ; quelque chose que veuille l'homme, il ne s'écarte jamais de cette volonté, qui est innée à tous »), ainsi qu'à Pascal (« La volonté ne fait jamais la moindre démarche que vers cet objet (le bonheur) : c'est le motif de toutes les actions des hommes, jusqu'à ceux qui se tuent. ») (LACROIX, *op. cit.*, p. 4.)

se distinguaient pas encore et qu'aucun de ces traités édifiants n'osait proposer des normes de vie, sans avoir sondé tous les « détours du cœur humain », offrant ainsi un double plaisir à des esprits friands d'analyse [1]. Le bonheur fait aussi le sujet de toutes les conversations, et la façon dont on l'agite, à propos de n'importe quoi, traduit bien une hantise [2]. On en parle même aux êtres les plus simples, aux plus frustes des consciences, et lorsqu'un curé de campagne veut exhorter ses ouailles à la vertu et au travail, s'il a déjà épuisé le thème épouvantable des brasiers de l'Enfer, il leur déclare plus simplement qu'il faut faire son devoir afin d'être heureux en ce monde [3].

Pourtant ce concert de propos, de colloques et de sermons n'est pas pur de toute dissonance. Si l'on parle tant du bonheur, c'est justement parce qu'on s'englue dans les contradictions, qu'on dispute sur des énigmes, ou que l'on s'étonne de s'être fourvoyé par des chemins perdus [4]. La diversité des avis en la matière donne le vertige et fait soupçonner la nature fantomatique d'un être aussi insaisissable [5]. Le plus grave est qu'on n'évite pas une étrange équivoque, en différant de choisir entre ce monde et l'autre. La nature pousse les hommes à vouloir le bonheur ici-bas, et l'impatience de leur désir suffit à les

1. L' « Homme de qualité » de Prévost fait cette réponse au père Bouhours, qui lui demande le genre de livres qu'il préfère : « Je lui répondis que j'aimais beaucoup un bon livre de morale, où les détours du cœur humain fussent bien expliqués ; les avantages de la vertu et les douceurs d'une vie réglée exposés dans tout leur jour ; enfin un livre où ce qui peut faire le vrai bonheur de l'homme fût bien traité. » (PRÉVOST, *Mémoires d'un homme de qualité*, t. I, p. 193.)

2. « Les conversations dans les sociétés ne roulent que sur le bonheur ou le malheur. Y parle-t-on de politique, on se rappelle tout ce qui peut contribuer à la prospérité d'un État ou en occasionner la ruine. Les nouvelles du temps donnent lieu à des réflexions sur les circonstances heureuses ou malheureuses des événements qu'on rapporte. S'agit-il des affaires des particuliers ? C'est toujours dans le point de vue du bonheur ou du malheur qu'on les considère. Si l'on se rencontre, ne commence-t-on pas toujours par s'informer des raisons qu'on a de se réjouir ou de s'attrister, et quel homme est lui-même un seul moment sans ressentir de la joie ou de la tristesse ? » (STANISLAS LECZINSKI, *Œuvres du Philosophe bienfaisant* (1763), t. IV, pp. 273-274).

« Le nom de bonheur retentit partout. On en disserte dans tous les cercles et dans tous les livres. » (BLONDEL, *Des hommes tels qu'ils sont et doivent être* (1758), p. 14.)

3. C'est dans cet esprit, et avec le curieux souci de concilier les exigences de la morale et les impératifs de l'agriculture, que Froger, curé de Mayet dans le diocèse du Mans, écrit en 1769 ses *Instructions de morale, d'agriculture et d'économie pour les habitants de la campagne ou Avis d'un homme de campagne à son fils*, « ouvrage destiné à servir pour enseigner à lire aux enfants de la campagne ». Il y déclare en particulier : « On ne peut s'aimer soi-même sans désirer d'être heureux ; on n'est vraiment heureux qu'en remplissant exactement ses devoirs et en fournissant à ses besoins. Le travail étant un devoir pour tous les hommes et leur unique ressource légitime pour subvenir à leurs besoins, leur bonheur dépend donc de le bien remplir ; je veux dire d'aimer leur travail, chacun dans leur état, et d'y être assidus et exacts. » (*Op. cit.*, p. 12).

4. « Sans cesse les hommes se proposent mutuellement des moyens de vivre heureux. J'entends la voix des sages. Je regarde ensuite de tous côtés si tant de sublimes génies qui ont parlé à l'univers n'en ont point changé la face et je vois toujours des êtres aussi méchants et aussi malheureux. » (BLONDEL, *op. cit.*, p. 14.)

« Je promène mon esprit de tous côtés et je vois que tous les hommes sont méchants et malheureux ; cependant ces mêmes hommes ont un désir insatiable de bonheur et ils courent toujours après... Étant méchants et malheureux, une vie innocente et heureuse est un château qu'ils font toujours. » (LASSAY, *Recueil de différentes choses*, t. IV, p. 239).

5. « Il n'y a point de question sur laquelle les hommes s'accordent mieux que sur celle-là : « Chacun cherche-t-il son bonheur ? ». Mais il n'y en a point sur laquelle ils s'accordent moins que cette autre : « Quelle est la nature du bonheur ? » Contradiction suffisante pour faire croire que nous ne sommes pas heureux. » (BLONDEL, *op. cit.*, p. 56).

persuader que sa conquête est possible. Mais ils savent bien, d'autre part, qu'aucune destinée terrestre ne le porte en elle, puisqu'il est réservé à une autre vie [1]. Ce n'est pas l'un des moindres paradoxes du siècle que de raisonner et d'agir en tout comme si le bonheur était tout entier de ce monde, et de répéter en même temps — pour se consoler de ne l'y avoir pas trouvé, ou parce que l'on résiste mal à l'ultime envoûtement des croyances qui meurent — que la félicité est remise à un autre séjour.

Une autre contradiction gâte la poursuite du bonheur. Dans les limites même de ce monde terrestre, l'homme passe son temps à accumuler les reniements et les maladresses, à défaire ce qu'il a fait, à vouloir et à ne vouloir plus. Il semble que l'espérance ait plus de prix que le bonheur même et qu'on s'attache plus à le désirer qu'à le posséder véritablement. En tout cas, si le bonheur menace de se laisser saisir, l'homme ne manque jamais de ruses pour n'avoir pas à le prendre. Comme le dit joliment Mme de Puisieux, « le bonheur est une boule après laquelle nous courons tant qu'elle roule et que nous poussons du pied quand elle s'arrête [2] ».

I. — La nature et ses trahisons.

De cette course au bonheur, où s'épuise l'humanité entière, tous les auteurs du siècle aiment à décrire les vicissitudes, les aveuglements et les souffrances. La première aberration consiste à vouloir courir après quelque chose, à considérer le bonheur comme une proie lointaine, comme un objet, dont les séductions, mille fois grossies par l'imagination, semblent nous exciter à la capture. Or le bonheur ne saurait se trouver dans les objets ; il est un état intérieur, un mode privilégié de l'être [3].

Il ne suffit pas à l'homme de confondre le bonheur avec des objets. Il évalue mal ces objets, ébloui par les puissances trompeuses qui se liguent contre lui. L'imagination est la plus coupable. Elle l'oblige

1. « Le bonheur, dit l'homme, voilà où tendent tous mes désirs, voilà ce que je cherche. L'homme dit encore : « Le bonheur n'est point de ce monde. Il ne nous est pas donné d'en jouir. Pourquoi donc, insensé, courir après un être de raison ? » (Marin, *Réflexions et pensées diverses* (1751), pp. 197-198.)

2. *Caractères*, p. 170.

3. « Le germe de notre bonheur n'est point dans les choses qui nous environnent, mais en nous-mêmes... chercher hors de soi ce que l'on ne peut trouver qu'en soi, c'est se tromper soi-même de gaîté de cœur... » (Pecquet, *Pensées diverses sur l'homme*, p. 92.) La confusion du bonheur, qui est un état intérieur, avec l'objet du désir, qui ne peut rester qu'extérieur à nous-même, est le vice fondamental de la poursuite du bonheur. Si l'homme est capable de se tromper ainsi, c'est que le désir obnubile sans cesse le jugement et se substitue à lui. C'est pourquoi nous nous risquons à de telles entreprises sans la moindre certitude de succès ; il nous suffit de désirer fortement pour ne plus être en mesure d'apprécier exactement (cf. *ibid.*, p. 91).

Antoine Pecquet (1704-1762) était grand maître des eaux et forêts de Rouen. Il est l'auteur d'un traité sur *les lois forestières en France*, de traductions de l'italien et de l'espagnol, ainsi que de plusieurs ouvrages de morale. Il compte au nombre des victimes de Voltaire.

à se vouloir fasciné, à réclamer sans cesse ces choses brillantes, dont l'éclat s'éteint quand nous les prenons dans nos mains. Aussi sommes-nous condamnés à des bonds perpétuels vers de nouveaux et toujours illusoires prestiges. Cet élan qui pousse l'homme d'une erreur à l'autre est proprement sans fin. Car l'imagination ne demande que du mouvement. Peu importe que l'on aille d'échec en échec. L'essentiel est qu'on ne reste pas immobile. L'imagination ignore le bonheur de l'immobilité [1].

La vanité s'entend fort bien, elle aussi, à conférer aux choses une fausse valeur. Ces grands mouvements, à quoi l'imagination nous invite, ne visent la plupart du temps que de petits objets, auxquels la vanité accorde un prix sans mesure [2]. On reconnaît l'analyse favorite de La Rochefoucauld, dont le XVIIIe siècle s'inspire, tout en croyant le réfuter. Dans le domaine de la chasse au bonheur comme dans tous les autres, la vanité est habile à feindre, sachant à merveille abandonner du terrain pour se reconstituer, aussi virulente, sur une autre ligne et sous une autre forme. Lorsqu'elle est impuissante à faire illusion sur la valeur véritable des fins qu'elle poursuit, elle se contente d'une satisfaction restreinte : le paraître du bonheur, au lieu de sa réalité. Il suffit à certains qu'on les croit heureux [3]. Quant à ceux qui le sont vraiment, leur bonheur leur paraît fade, s'ils ne le sentent pas rayonner sur les autres, devenus jaloux [4]. Enfin la vanité accule à ce paradoxe : elle rend toujours content de soi et toujours mécontent de son état [5].

Comme l'imagination et la vanité, les passions s'interposent entre l'homme et son bonheur. On pourrait penser qu'elles travaillent à la grandeur de l'homme. En réalité, elles en font apparaître la faiblesse, en révélant cette tare profonde de sa nature, qui est de ne pas savoir se reposer. Les passions, au même titre que l'imagination, expriment ce besoin éperdu du mouvement, signe de l'instabilité et de l'incomplétude du cœur humain [6]. En outre, elles supposent cette contradiction interne : nées du désir de l'homme de remplir ou de masquer l'immense vide qu'il porte en lui-même, elles se fixent absurdement

1. Cf. BOUDIER DE VILLEMERT, *Andrométrie* (1753), pp. 48-50.
2. Cf. *ibid.*, pp. 111-112.
3. « On veut être heureux, parce que cela suppose la possession de plusieurs avantages, qui attirent des égards et de la considération. Ainsi ce sont proprement les titres du bonheur, c'est le pouvoir d'être heureux, plutôt que le bonheur même que nous voulons qu'on nous attribue ; et il y a en cela une vanité bien ridicule. Si l'on pouvait se glorifier de quelque chose, ce serait du bonheur même et non pas de la possession des biens dans lesquels on le fait consister ; car outre que ces biens ne sont pas un mérite, ils ne nous rendent point heureux par eux-mêmes. » (TRUBLET, *op. cit.*, t. I, pp. 308-310).
4. Montesquieu fait dire au roi Candaule : « Hélas, je suis heureux, mais c'est une chose qui n'est sue que de Vénus et de moi ; mon bonheur serait plus grand s'il donnait de l'envie. » (MONTESQUIEU, *Le Temple de Gnide*, ch. III, *Œuvres*, éd. Laboulaye, t. II, p. 29).
5. « Il n'est presque point d'homme qui ne soit content de lui-même, mais, par un événement des plus singuliers, il n'en est presque point aussi qui soit content de son état et de sa fortune. » (STANISLAS LECKZINSKI, *op. cit.*, t. I, p. 320).
6. Cf. *Andrométrie*, pp. 124-125.

sur des objets encore plus vides que ce qu'ils prétendent combler.

Dernier obstacle intérieur au bonheur des hommes : le désir du bonheur ne s'estime jamais assouvi. Il n'arrive jamais à personne de dire : « Je suis assez heureux maintenant. Restons-en là. »[1].

La vie humaine apparaît donc comme une suite vertigineuse de faux-pas et de reprises, d'illusions et de désenchantements, d'obstinations et de brusques réveils[2]. Il est évident que l'homme ne cesse de se rendre malheureux, malgré tous les efforts par quoi il tend au bonheur et même à cause d'eux. Quelle valeur accorder à ces souffrances ? Sont-elles simplement l'accidentel contre-coup des maladresses ou le signe nécessaire d'une destination ? Pour les Philosophes, elles constituent une sorte de châtiment immanent, infligé par la Nature ; celle-ci avertit l'homme qu'il a mal élucidé le message enfermé dans sa raison ou qu'il s'est trompé sur le choix des moyens[3]. Ses tourments prendront fin dès qu'il aura compris ce que la Nature attend. Un acte du jugement suffit pour abolir le supplice. Une simple prise de conscience replace tout dans l'ordre. Ses erreurs rectifiées, l'homme peut être heureux et jouir de tout ce que la Nature lui promet.

Les moralistes chrétiens partent eux aussi de l'évocation d'une humanité inquiète et aveugle, qui dénoue la trame de son bonheur, du geste même dont elle croit la rendre plus solide. Mais ils en tirent une conclusion différente. Il ne s'agit plus d'une punition immanente, mais d'un signe surnaturel : si la nature de l'homme est d'être malheureux, dans l'exacte mesure où il entreprend de se rendre heureux, c'est qu'il n'est pas fait pour trouver son bonheur ici-bas. Ce n'est pas seulement sa faiblesse qu'il prouve par ses infatigables errements et cette patience d'insecte qu'il met à redresser, chaque fois, l'édifice qui s'écroule. C'est sa grandeur qu'il révèle, car cette multitude de désirs, extravagants et frustrés, donne la mesure d'un unique désir

1. « Dans le bonheur le plus parfait on en recherche toujours un autre et l'espérance de ce bonheur, toute incertaine qu'elle est, rend moins sensible et corrompt même tout celui que l'on possède. » (STANISLAS LECKZINSKI, *op. cit.*, t. I, p. 320). Et Montesquieu écrit à Mme Du Deffand : « Je suis pourtant bien ici, mais les heureux ne quittent-ils pas sans cesse les lieux où ils savent qu'ils sont bien, pour ceux où ils espèrent être mieux ? » (*Correspondance de Mme Du Deffand*, t. II, p. 481).

2. « On commence par concevoir l'idée du bonheur ; on en cherche la réalité ; on n'en entrevoit que le fantôme ; les passions nous aveuglent ; on se trompe, on s'égare, on revient sur ses pas ; une seconde erreur succède à la première ; on se repent, on se corrige, de nouveaux désirs nous assiègent ; nous obtenons ; l'objet de nos soins nous échappe, on se désespère ; et l'on finit par se consoler jusqu'à ce que de nouveaux égarements nous amènent de nouveaux chagrins : *tel est le cercle fatigant de la vie humaine.* » (*La Recherche du bonheur*, pp. 187-188.)

« Comme l'unique point de vue de l'homme est de chercher à se rendre heureux, rarement il se rebute des obstacles qu'il rencontre en son chemin, et tout épineux et tortueux que lui paraissent les sentiers qu'il bat, il espère toujours trouver le bonheur, à force de chercher et d'y aspirer. » (Abbé CHAYET, *Les Doux et paisibles délassements de l'amour* (1761), p. 88.)

3. « Chercher hors de soi ce qu'on ne peut trouver qu'en soi, c'est se tromper soi-même de gaîté de cœur : *aussi l'Etre suprême nous punit-il par notre propre tourment de l'égarement dans lequel nous tombons, malgré les lumières naturelles dont il nous a prévenus.* » (PECQUET, *op. cit.*, pp. 91-92.)

infini, dont l'assouvissement n'est pas de ce monde. Le vide qui est dans le cœur de l'homme et qu'aucune joie humaine ne saurait combler n'est que la marque en creux de sa destination éternelle [1].

La morale religieuse revalorise, en quelque sorte, le désir, en lui assignant une fonction plus qu'humaine : au lieu de n'exprimer que la condition mortelle de l'homme, il est le reflet de sa condition plénière. Pour que l'homme puisse pressentir celle-ci, il faut qu'il se soit d'abord vainement cherché en ce monde, qu'il ait sondé la vanité de ses appétits. La morale naturelle, au contraire, intercepte le désir à son point d'origine, là où il n'est encore qu'instinct indifférencié du bonheur, et l'empêche de s'émietter dans la vaine convoitise des objets. Dès sa naissance, le désir doit s'allier à la raison, ne pas se diviser, tenir le monde à distance et se satisfaire tout entier dans « la jouissance de soi-même ». Ceux qui ont opté pour le bonheur terrestre veulent épargner à l'homme des tourments inutiles, qui n'auraient jamais de compensation et resteraient du temps perdu. Ceux qui ne conçoivent de bonheur qu'éternel le laissent épuiser l'amertume de sa condition provisoire, afin qu'il apprenne à viser plus haut.

Toute cette critique de la nature humaine ne contient rien de très original par rapport aux moralistes classiques. La Rochefoucauld avait déjà montré les détours infinis de l'amour-propre, qui ne feint de se renier que pour changer de déguisement. Pascal avait accusé les *puissances trompeuses* et fait éclater l'ambivalence de l'homme, si misérable et si grand. La reprise de ces thèmes n'a rien de surprenant. Les conclusions de l'analyse morale, tentée par les écrivains classiques, constituaient déjà, au XVIIIe siècle, comme un immuable trésor. Sans doute défendait-on souvent contre elles la *nature humaine*. Mais on ne doutait pas qu'il y en eût une, et les grands auteurs du XVIIe siècle restaient des maîtres pour l'avoir découvert. Il est cependant curieux que des

1. « Le dégoût qui suit la possession de ce qu'on a le plus désiré et l'inconstance qui fait courir après de nouveaux objets, bien loin d'être dans l'homme une faiblesse et une bizarrerie, sont au contraire la preuve de son excellence et de sa dignité. L'homme, possédant tout, sent encore au-dedans de lui-même un vide immense. C'est que tout et peu sont la même chose à l'égard d'une capacité infinie. Le pauvre et le riche sont également pauvres. Il faudrait savoir se tourner, dit-on, et cela est vrai dans un sens. Mais dans un autre c'est comme si l'on disait qu'il faudrait savoir se rapetisser, se dégrader, cesser d'être un homme. L'homme n'est jamais content, quoi qu'il possède, et ne doit pas l'être. Mais il s'imagine qu'il le serait, s'il possédait telle ou telle chose, s'il parvenait à tel degré de richesse ou d'élévation. Voilà son tort ; tort de l'esprit, qui ne voit pas ce qu'il devrait voir, et non du cœur qui sent ce qu'il doit sentir, qui, à cet égard, est dans l'ordre et, pour ainsi dire, fait sa fonction en désirant toujours. » (TRUBLET, *op. cit.*, t. III, pp. 231-232).

Les moralistes chrétiens ne font que reprendre le thème pascalien de la recherche du bonheur : « Qu'est-ce donc que nous crie cette avidité terrible et cette impuissance, sinon qu'il y a eu autrefois dans l'homme un véritable bonheur, dont il ne lui reste maintenant que la marque et la trace toute vide, et qu'il essaye inutilement de remplir de tout ce qui l'environne, recherchant des choses absentes le secours qu'ils n'obtient pas des présentes, mais qui en sont toutes incapables, parce que le gouffre infini ne peut être rempli que par un objet infini et immuable, c'est-à-dire par Dieu même. » (PASCAL, *Pensées*, édition Brunschvicg, 425).

leit-motive aussi pessimistes coexistent désormais avec d'autres qui les contredisent. Comment accorder la théorie de l'amour-propre selon La Rochefoucauld, et la réhabilitation de ce même amour-propre considéré comme le foyer unique de toutes les ressources de l'être humain, comme une sorte d'élan vital d'où jaillissent aussi bien les vertus que les vices ? On en sera réduit à inventer, comme le fait Rousseau, des distinctions trop subtiles entre *l'amour-propre* et *l'amour de soi*.

En reprenant les grandes lignes de l'analyse classique, on se trouvait conduit à condamner *toute subjectivité* : on est malheureux parce qu'on se fait du bonheur une image forgée à travers mille rêves, qui n'ont d'autre existence qu'en nous-même. Les moralistes classiques avaient raison de dire que tout ce qui relève du moi est suspect ou pervers. Ils pouvaient ensuite proposer un modèle de vie ; on savait à quelle morale se référer et qu'elle était garantie par la Révélation. Il n'en est plus de même au siècle suivant. Que ce soit la morale chrétienne, qui se défait, ou la morale philosophique, qui s'élabore, aucune ne possède la consistance et la rigueur suffisantes, pour qu'il soit possible, à qui cherche une règle de vie, de faire abstraction de lui-même. Moralistes et philosophes le sentent, qui se contredisent si souvent. Après avoir rejeté les illusions ou les rêveries incompatibles avec les vérités universelles de la nature, de la raison ou de la religion, ils proclament qu'être heureux c'est « jouir de soi », que le bonheur est relatif, qu'il est absurde de vouloir définir un souverain bien, que la « morale universelle » doit s'accommoder d'un certain nombre d' « idiotismes ». Jamais cette équivoque entre un bonheur universel et un bonheur subjectif ne se dissipera tout à fait. Tantôt le moi sera expulsé au profit de l'ordre, tantôt l'ordre sacrifié au moi. Le plus souvent, il se conclut simplement entre eux des pactes ambigus.

2. — Le « monde » et ses masques.

La nature humaine n'est pas seule responsable des vicissitudes des hommes en quête du bonheur. Tant d'échecs sont imputables, pour une large part, à la société. Le *monde* tend de plus en plus à devenir un concept séparé ; il désigne un milieu homogène, spécifique, où l'homme, si on l'y plonge, revêt comme une autre nature. Une bonne partie de la littérature romanesque joue de l'opposition radicale entre le monde et la retraite. Tantôt il s'agit d'*un bourgeois qui s'est avancé dans le monde*, tantôt d'*un homme de qualité qui s'est retiré du monde*. Comme l'a montré B. Muntéano, on peut expliquer l'œuvre de Rousseau par une suite d'oscillations entre les deux tentations qui divisent sa pensée, sa conscience et sa vie : la sociabilité et la solitude.

Le monde ou la retraite ? Jusqu'à quel point s'engager dans le monde ? A quel moment convient-il de s'en retirer ? Tout homme, un jour ou l'autre, doit faire ce choix, répondre à ces questions. L'instant crucial est celui où un être jeune quitte la maison familiale pour s'aventurer dans la société. En cette périlleuse circonstance, il est bien peu de pères ou de mères, sachant tenir la plume, qui n'adressent de solennelles *instructions* à une fille ou à un fils.

Les moralistes classiques avaient bien ajouté à leur critique de la nature humaine une critique du *monde*. La Rochefoucauld surtout en avait clairement dénoncé les deux principales tares : l'imposture et le conformisme. Mais cela découlait encore de la nature et ne semblait ni inquiétant, ni irrémédiable. Les moralistes chrétiens et les prédicateurs ne cessaient de stigmatiser l'impureté du monde et d'avertir les mondains de songer au salut. Mais justement la peur de manquer son salut était la seule raison qui pût faire quitter le monde. Les plus sévères n'envisageaient que ce compromis : qu'on fasse son devoir d'homme, qu'on cherche ses plaisirs d'homme, en passant dans le monde une vie presque entière ; puis qu'on se retire, avant de mourir, pour se disposer à l'éternité.

Au XVIIIe siècle, ce n'est plus au nom du salut, mais du bonheur que l'on fait le procès du monde. La seule question est de savoir si l'on a plus de chances d'être heureux parmi la société ou dans la solitude. Si le monde est réputé dangereux pour le bonheur, c'est qu'il est d'abord le domaine du fugace, un scintillement perpétuel, où l'on ne découvre aucun point fixe, où l'on ne peut jamais se reposer en soi [1]. Surtout on croit assister à un absurde jeu de masques : jamais on n'y voit de sincérités qui s'affrontent, jamais de visage nu. L'être disparaît, éclipsé par la fonction ou par le rôle [2]. Le train du monde se réduit à un « commerce de faux », qui est un mélange de dissimulation, de conformisme, de vanité et de cruauté [3]. Tout cela laisse bien peu de chances au bonheur. N'y eût-il dans la société qu'une plate et anodine uniformité, sans le poison secret des dénigrements réciproques, que pourraient espérer ces êtres qui « ne pensent ni ne sentent » ? [4].

1. « L'art d'être heureux dans le monde n'est que l'art de fixer plus ou moins longtemps des images fugitives. » (LOAISEL DE TRÉOGATE, *Dolbreuse*, t. I, p. 1).

2. « Nous sommes trop inattentifs ou trop occupés de nous-même pour nous approfondir les uns les autres ; quiconque a vu des masques dans un bal danser amicalement ensemble et se tenir par la main sans se connaître pour se quitter le moment d'après et ne plus se voir ni se regretter peut se faire une idée du monde. » (VAUVENARGUES, *Œuvres*, t. II, p. 193).

3. Cf. BOUDIER DE VILLEMERT, *Andrométrie*, pp. 39-40.

4. « Ils se chargent des idées qu'on leur fournit, bientôt même ils les perdent de vue pour d'autres qu'on leur suggère. Vils automates, ils n'ont de droit à l'humanité que par leur figure. Faut-il donc s'étonner s'ils n'ont point aussi de droits au bonheur ? » (STANISLAS LECZINSKI, *op. cit.*, t. I, p. 329).

L'instabilité, le mouvement perpétuel qui composent la vie mondaine, rejoignent l'instabilité et la tentation du mouvement inscrites dans le cœur humain. Est-ce donc le monde qui a défiguré la nature ou l'homme qui l'a conçu à sa propre image, pour rejeter hors de lui-même le vertige qui l'habite ?

Rousseau lui-même ne croit pas que l'homme naturel se détruise au fond de l'homme social. La nature, qui est un absolu, demeure inaltérable. S'il en était autrement, l'éducation d'Émile serait impossible. Au plus vif de sa satire des mœurs parisiennes, il arrive à Saint-Preux d'évoquer, à propos des âmes les plus futiles ou les plus perverses, ces remontées imprévues du naturel qui brise, pour un instant, le réseau des habitudes et des convenances. Si l'homme social est un monstre, c'est moins par son essence même que par sa structure, qui n'est pas homogène. M. Burgelin a fort bien dit que la *dénaturation* est en réalité une *dualité* [1]. L'homme du monde se compose de l'être profond et d'un masque, qui cache le premier sans l'effacer. Si l'on prend un masque, c'est moins pour se dissimuler que pour se reconnaître : on veut ressembler à tout le monde, et par là on se rassure. Avec la dualité profonde, l'uniformité apparente est le caractère essentiel de l'homme social.

Les mondains disposent le plus souvent de deux masques : celui de la condition sociale — le masque professionnel en quelque sorte [2] — et celui de la position mondaine, masque de la mode ou du snobisme [3]. Le plus curieux est que ces deux aliénations différentes ne se combinent qu'en s'opposant : « Quoique tous prêchent avec zèle les maximes de leur profession, tous se piquent d'avoir le ton d'une autre [4] ». Ces deux aspects les plus superficiels de la dénaturation s'expliquent par un même désir, admirablement défini par la formule de Rousseau : *tirer toute son existence des regards d'autrui*. L'homme du monde n'existe plus en fonction de lui-même. Il est « dénaturé » en devenant extérieur à soi. Au lieu de jouir directement de son être, il ne se cherche plus que dans une image de lui-même renvoyée

1. P. BURGELIN, *La Philosophie de l'existence de J.-J. Rousseau*, P.U.F., 1952, ch. VIII. Dans la lettre 14 de la seconde Partie de *La Nouvelle Héloïse*, Saint-Preux évoque ainsi la dualité entre le masque et l'être profond : « Les hommes à qui l'on parle ne sont point ceux avec qui l'on converse, leurs sentiments ne partent point de leur cœur, leurs lumières ne sont pas dans leur esprit, leurs discours ne représentent pas leurs pensées. » (Édition Mornet, Paris, 1925, t. II, p. 314).

2. « Quand un homme parle, c'est, pour ainsi dire, son habit et non pas lui qui a un sentiment et il en changera sans façon tout aussi souvent que d'état. Donnez-lui tour à tour une longue perruque, un habit d'ordonnance et une croix pectorale et vous l'entendrez successivement prêcher avec le même zèle les lois, le despotisme, l'inquisition. Il y a une raison commune pour la robe, une autre pour la finance, une autre pour l'épée. » (*Ibid.*, p. 310).

3. « On n'a qu'à s'informer de leurs sociétés, de leurs coteries, de leurs amis, des femmes qu'ils voient, des auteurs qu'ils connaissent : là-dessus on peut d'avance établir leur sentiment futur... Ces gens-là s'en vont chaque soir apprendre dans leurs sociétés ce qu'ils penseront le lendemain. Chaque coterie a ses règles, ses jugements, ses principes, qui ne sont pas admis ailleurs. » (*Ibid.*, p. 311).

4. *Ibid.*, p. 313.

par les autres. La société s'interpose entre l'âme profonde et la conscience.

Mais le monde ne se compose pas seulement de ces salons aux portes toujours ouvertes, carrefours où se croisent pêle-mêle tous les grotesques et tous les importuns. Il existe un monde plus secret, où n'entrent que les initiés, où les bienséances fléchissent, où l'intérêt se déclare avec plus de violence ou de cynisme. C'est là que s'élabore la chronique scandaleuse : la satire y est « amère » et « le poignard affilé »[1]. Les purifiantes convenances étant abolies, on peut être vraiment méchant. Cela ne veut pas dire que l'on y soit sans masque. A défaut de l'esprit de caste et du snobisme, c'est l'intérêt personnel qui prête le sien. Car l'intérêt, par rapport à la bonté naturelle, est encore un masque. Si les autres sont un camouflage du moi, il en est la fausse interprétation.

Le plaisir du mystère s'ajoute au plaisir de la malveillance et l'aiguise. Mais il ne donne pas au jeu plus de sérieux. Les railleries n'ont qu'un objet, le ridicule : « Ce qui n'est que le mal est si simple que ce n'est pas la peine d'en parler[2]. » La frivolité confine à l'inexistence. Molière, avant Rousseau, s'était moqué des gestes de la vie sociale. Mais il n'avait dénoncé que le *mensonge*. Rousseau pousse la critique beaucoup plus loin : sous le masque, l'homme se dissout, finit par ne plus exister[3]. Cet évanouissement de l'homme sous le masque se reconnaît, entre autres signes, à l'impossibilité de communiquer. Les cœurs n'ayant rien à se dire, il faut, pour qu'une conversation se soutienne, « y faire intervenir la moitié de Paris[4]. »

Quelquefois la frivolité prend le déguisement du sérieux. On joue à philosopher, à moraliser, comme on joue à médire[5]. La morale qu'on débite n'engage à rien, car « ici toute la morale est un pur verbiage[6] ». Cette philosophie de salon est amère et dégradante pour l'homme. En même temps que des désespérés, les mondains sont des coupables, qui tentent de justifier leurs vices en en désignant la cause

1. Voir l'épisode du « souper prié » dans la lettre 17. On n'est admis à ce genre de souper qu'après une sélection sévère et sur expresse invitation. On peut donc considérer ces réunions très fermées comme la quintessence du « monde ».

2. « Les fripons sont d'honnêtes gens comme tout le monde ; mais malheur à qui prête le flanc au ridicule... Tout ce qui doit allumer la colère et l'indignation est toujours mal reçu, s'il n'est mis en chanson et en épigrammes. » (*Op. cit.*, p. 333).

3. La remarque est de M. Burgelin.

4. « Ce qui m'a le plus frappé, c'est de voir six personnes, choisies exprès pour s'entretenir agréablement ensemble et parmi lesquelles règnent le plus souvent des liaisons secrètes, ne pouvoir rester une heure entre elles six sans y faire intervenir la moitié de Paris, *comme si leur cœur n'avait rien à se dire et qu'il n'y eût là personne qui méritât de les intéresser.* » (*Ibid.*, pp. 333-334).

5. « Au milieu de tout cela, qu'un homme de poids avance un propos grave ou agite une question sérieuse, aussitôt l'attention commune se fixe sur ce nouvel objet... et l'on est étonné du sens et de la raison qui sortent comme à l'envi de toutes ces têtes folâtres. » A ce dernier mot, Rousseau épingle une note : « Pourvu, toutefois, qu'une plaisanterie imprévue ne vienne pas déranger cette gravité ; car alors chacun renchérit ; tout part à l'instant et il n'y a plus moyen de reprendre le ton sérieux. » (*Ibid.*, pp. 334-335).

6. *Ibid.*, p. 335.

dans une prétendue dépravation de la nature. Non contents de trahir celle-ci, ils voudraient la rendre responsable de leur propre trahison.

On parle aussi beaucoup des « sentiments », ce qui est un paradoxe et un blasphème. Ce qui concerne l'âme « est mis en grandes maximes générales et quintessenciées par tout ce que la métaphysique a de plus subtil [1] ». Cette confusion des ordres et des valeurs n'est pas le moins grave des symptômes de la dénaturation. Le cœur n'est plus ce qu'il devrait être, le guide et le ressort de l'esprit. Il en devient le hochet ou la pâture, simple thème d'exercices et occasion de briller. En outre, le sentiment, qui nourrit les conversations, est exclu des conduites. Ce sont les bienséances qui le suppléent : « Tout ce qui n'est plus dans les sentiments, ils l'ont mis en règle, et tout est règle parmi eux... [2] » Dans ce monde où « nul homme n'ose être lui-même », tous les êtres sont interchangeables :

« Tout le monde fait à la fois la même chose dans la même circonstance. Tout va par temps comme les mouvements d'un régiment en bataille : vous diriez que ce sont autant de marionnettes clouées sur la même planche ou tirées par le même fil [3]. »

Tout n'est pourtant pas négatif dans cette critique. Saint-Preux découvre dans les mœurs parisiennes une quintessence des aberrations sociales. Mais les dérisoires poupées qu'il observe conservent malgré tout quelque chose d'humain : il transparaît en elles un peu de ce caractère français, fait de vérité et de bienfaisance. De la civilisation la plus corrompue émerge de temps à autre l'âme profonde d'un peuple. Des femmes impudiques se révèlent parfois le « recours des malheureux » [4].

En définitive, ces mondains sont surtout des *énigmes*. Les derniers mots de Saint-Preux, juge de la société, valent un refus de juger : « Sous des dehors si ouverts et si agréables, les cœurs sont peut-être plus cachés, plus enfoncés en dedans que les nôtres [5]. » Nul n'a donc le droit de se prononcer sur ces cœurs cachés, qui ne sont pas forcément des cœurs morts. Bien des vices répandus dans le monde restent à la surface de l'âme : ce ne sont que des « vices de parade », qu'il est de bon ton d'afficher. Frelatée, la raison vit encore, et le cœur veille, obscurément. Le pessimisme de Saint-Preux se tempère d'un ultime doute, fondé sur le respect de l'homme et la confiance en la nature.

1. *Ibid.*, p. 336.
2. *Ibid.*, p. 337.
3. *Ibid.*, p. 338.
4. Cf. *ibid.*, pp. 377-78 et p. 381, lettre 21.
5. *Ibid.*, p. 383.

3. — La philosophie et ses impostures.

Devant les trahisons de la nature et les mensonges de la société, demeure une double ressource : la religion et la philosophie.

La religion est sûre de son efficacité. De nombreux traités ou romans d'inspiration chrétienne s'attachent à décrire l'itinéraire typique d'un homme en quête du bonheur, qui traverse en trébuchant un certain nombre d'expériences mondaines ou *naturelles*, dont il éprouve successivement l'inanité, avant d'atteindre ce repos dans la contemplation de l'*Ordre*, en quoi Formey et bien d'autres font consister le *vrai bonheur* [1]. On passe ainsi, par une montée progressive, d'une évocation très sombre de la nature et de la société, à l'image euphorique d'un homme transfiguré, qui trouve dans le style de vie enseigné par la religion, en même temps que de lumineuses voluptés, la certitude du salut.

La philosophie, en revanche, n'a qu'une maigre confiance en son pouvoir. Il n'est pas rare que les philosophes s'acharnent à faire eux-mêmes la critique de toute idée philosophique de la félicité, pour renvoyer finalement l'homme à lui-même, et aux plus subjectifs expédients.

La vogue des traités consacrés au bonheur (une cinquantaine environ pour tout le siècle) est un signe ambigu, qui révèle au moins autant l'inquiétude des âmes que l'assurance des moralistes. Certains philosophes s'indignent de cet engouement [2], et c'est avec beaucoup de scepticisme que la plupart de ces traités furent accueillis.

L'idée même d'écrire sur le bonheur paraît chimérique et gâtée par une contradiction interne. Il est impossible, en effet, de sortir d'un dilemme. Ou ces livres sont écrits par des hommes tristes et malheureux ; et alors quelle confiance leur accorder, puisqu'ils n'ont pas pu éclairer et convertir leur propre auteur [3] ? Ou ils sont l'œuvre

1. Cf. Formey, *Système du vrai bonheur* (1751) ; abbé Jacquin, *Lettres parisiennes sur le désir d'être heureux* (1758).

2. Comparant avec aigreur le génie méconnu et la médiocrité couronnée, Diderot déclare : « Il faut que le chancelier Bacon reste ignoré pendant cinquante ans... Il faut que le *Traité du vrai mérite* par Le Maître de Claville ait en deux ou trois ans cinquante éditions. » (Diderot, Assézat-Tourneux, t. XI, p. 294). Le chiffre est évidemment exagéré, mais il reste que le *Traité du vrai mérite*, compromis séduisant et facile entre la morale du monde et la morale crhétienne, fut l'un des livres le plus souvent édités du siècle. (Cf. chapitre v : *Bonheur mondain et vie chrétienne*).

3. L'abbé Barthélemy, écrivant à Mme Du Deffand, déclare : « J'ai toujours plus redouté le mal physique que le moral, parce que le premier amène ou grossit le second et que ce dernier ne fait pas la même impression sur une âme enfermée dans un corps sain et vigoureux. Quand on réfléchit sur tout cela, on est bien dégoûté de tous ces traités, de tous ces poèmes que des hommes communément fort tristes ont composés sur le bonheur. Mais il faut bien que les gens oisifs écrivent sur des réalités ou des chimères. » (10 septembre 1772, *Correspondance de Mme Du Deffand*, t. II,.p. 248). Dans la *Correspondance littéraire* de mars 1767, Grimm, rendant compte du *Traité du bonheur* de Desserres de la Tour, concède : « Qu'on déraisonne

de gens satisfaits, et ils perdent toute valeur objective, chacun d'eux n'étant que le portrait de l'homme heureux qui l'a conçu [1].

La légitimité et l'efficacité d'une recherche philosophique du bonheur vont donc se trouver mises en cause. Ce que la spontanéité incohérente et paradoxale du désir, réfractée à travers ce milieu déformant qu'est le monde, ne pouvait pas atteindre, est-il à la portée d'une méthode systématique ? Les plus optimistes des philosophes ou, si l'on veut, tous les philosophes dans leurs moments d'optimisme le croient. Mais de la philosophie même émane un doute, qui récuse toute sagesse prétentieuse. Ce qu'elle se reproche, ce n'est pas son optimisme, mais d'avoir plus de foi en l'esprit qu'en la nature, de tuer par la raison ce que le simple bon sens eût conservé, de célébrer autour d'un dieu fictif d'inutiles cérémonies, d'observer le cœur humain avec un outillage d'astronome, de préparer de solennelles captures pour un gibier qui n'est que le rêve du chasseur [2].

tristement sur le bonheur, c'est le sort de presque tous ceux qui en ont écrit. » (*Correspondance littéraire*, mai 1767, t. VII, p. 321).

Le plus « triste » de ces philosophes qui ont sinistrement écrit sur le bonheur est, à coup sûr, Maupertuis : « M. de Maupertuis, qui a cru toute sa vie et qui peut-être a prouvé qu'il n'était pas heureux, vient de publier un petit écrit sur le bonheur. » (MONTESQUIEU, *Correspondance*, t. II, p. 235, lettre 480). « Maupertuis était né sombre, atrabilaire, ennemi de tous les talents qu'il n'avait pas et, comme personne ne partageait l'idolâtrie qu'il s'était vouée, il mourait à chaque minute de chagrin de ce que, s'étant fait Dieu, aucune puissance ne travaillait à son apothéose. L'auteur, qui juge de tout par le rang qu'il occupe dans l'échelle des êtres, se croyant mal placé, affirme que tout est mal dans la nature. De là le paradoxe qu'il veut démontrer à la manière des géomètres. » (DELISLE DE SALES, *Philosophie du bonheur*, t. I, p. 55).

Mme de Puisieux, avant d'entreprendre une critique détaillée de l'*Essai de Philosophie morale*, établit un parallèle entre Maupertuis et Fontenelle : « Parcourez le *Traité du bonheur* de Fontenelle et vous prononcerez, malgré vous, que l'écrivain était heureux. Vous sortirez moins éclairé peut-être de son ouvrage que de l'*Essai de philosophie morale* de Maupertuis ; mais vous en sortirez plus content. Vous aimerez mieux la vie après avoir lu Fontenelle ; après avoir lu Maupertuis, vous voudriez presque être mort. Si j'osais, je dirais que l'un présente surtout des bonbons qui fondent délicieusement dans la bouche, et que l'autre met sous la dent des noisettes qui sont dures à casser et qui ne donnent quelquefois que de la poussière. Demandez à Fontenelle ce que c'est que le plaisir et ne craignez pas qu'il vous réponde que c'est en général toute perception que l'âme aime mieux éprouver que de ne pas éprouver. Quelle triste définition du plaisir !... Je trouve que M. de Maupertuis a prétendu soumettre tout le monde à une arithmétique morale qui lui est propre et appliquer à tous les hommes un calcul qui ne convient qu'à ceux de sa classe. » (Mme DE PUISIEUX, *Caractères*, p. 173).

D'Holbach s'étonne également de la tristesse, de l'aigreur et de l'acharnement des théoriciens du bonheur dans leur peinture désespérante de la nature et de la vie humaines : « Rien de plus vague, de plus affligeant, de plus impraticable que les conseils que la plupart des moralistes nous ont donnés pour nous conduire au bonheur. » (*Système social*, t. I, p. 177).

1. Diderot se déclarait un jour dégoûté de tous ces traités du bonheur « qui ne sont jamais que l'histoire du bonheur de ceux qui les ont faits ». Saint-Lambert, dans la préface du poème posthume d'Helvétius, observe de même que « Fontenelle nous dit seulement comment Fontenelle était heureux ». (Cité par MANGEOT, *Les « Réflexions sur le bonheur » de Mme du Châtelet*, dans les *Mélanges Lanson*, p. 277). Delisle de Sales est du même avis, lorsqu'il écrit, à propos de Fontenelle : « On le voit toujours caché derrière le rideau quand il met les autres en scène : c'est toujours d'après sa mesure individuelle qu'il établit une mesure générale... quand il écrit sur le bonheur, il n'apprend rien d'autre à ses contemporains sinon comment, avec sa froide apathie, il se rendit heureux. » (DELISLE DE SALES, *Philosophie du bonheur*, t. I, p. 54). Et à propos du poème d'Helvétius *Le Bonheur* : « C'était à ce philosophe, sans doute, à en parler ; lui qui, également favorisé de la Nature et de l'ordre social, beau, riche, sensible et toujours aimé, ne voyait que la main tutélaire du père des hommes partout où Maupertuis voyait le sceptre d'airain d'Arimane ». (*Ibid.*, p. 57). Quant à Montesquieu, il avoue lui-même : « En traitant du bonheur, j'ai cru devoir prendre des idées communes et me contenter de faire sentir ce que je sentais et porter dans l'âme des autres la paix de mon âme. » (*Mes Pensées*, 551).

2. « Il ne faut point beaucoup de philosophie pour être heureux. Il n'y a qu'à prendre des

Ainsi les raisonneurs se dégoûtent de la raison. Croire à la possibilité d'une parfaite sagesse, n'est pas le signe à quoi l'on reconnaît un philosophe, mais la révélation d'une naïveté pré-philosophique. Etre philosophe, c'est comprendre qu'il faut extirper de son cœur toute exigence d'absolu, s'il est vrai que l'absolu n'est pas la mesure de l'homme. L'ange dit à Memnon : « Tu seras assez heureux pourvu que tu ne fasses jamais le sot projet d'être parfaitement sage », et il lui explique « qu'il est aussi impossible d'être parfaitement sage que d'être parfaitement habile, parfaitement fort, parfaitement puissant, parfaitement heureux [1] ». Le besoin de perfection, qui dévore Memnon, semble à Voltaire aussi ridicule que l'inquiétude métaphysique de Micromégas. L'un tente d'escalader des chimères, qui s'écrouleront sous lui ; l'autre, annihilé par l'angoisse, se noie dans la conscience de son propre néant. A égale distance de ces deux démesures, le bonheur commence avec l'acceptation détendue et enjouée de notre destin, et le vrai bon sens ne consiste pas à choisir ni à construire, mais à s'accommoder des choses telles qu'on les trouve [2].

Il se peut qu'une sagesse soit possible. Mais ce n'est pas celle des philosophes. Celle-ci n'est jamais de plain-pied avec la nature. Tantôt elle l'écrase sous des ornements parasites, choisis et disposés par l'orgueil ; tantôt elle la rapetisse. Dans les deux cas, elle divise l'homme et le dresse contre lui-même. La seule sagesse authentique serait une « *effusion de l'âme dans sa pureté* », c'est-à-dire une affirmation spontanée et totale de l'homme [3].

Marmontel, dans *Le Philosophe soi-disant*, se divertit à la caricature

idées un peu saines. Une minute d'attention par jour y suffit. » (MONTESQUIEU, *ibid.*). « Le bonheur, le premier des biens après la vertu, en est aussi le plus fragile. Il ressemble à cette rose de la pudeur, que l'on ne peut toucher sans la flétrir ; il meurt toujours quand on le compare et quelquefois même quand on l'examine. » (DELISLE DE SALES, *op. cit.*, t. II, p. 127). « Des astronomes observent des étoiles, ils n'en seront jamais plus près que nous. Ainsi des raisonneurs sur le bonheur. » (VOLTAIRE, *Supplément aux œuvres en prose, Pensées sur le bonheur*, *Œuvres complètes*, t. XXXII, p. 604). « Nous cherchons à découvrir le bonheur comme un astronome cherche à découvrir une étoile. » (CHEVALIER D'ARCQ, *Mes Loisirs*, p. 39).

1. VOLTAIRE, *Memnon*, *Romans et Contes*, Bibliothèque de la Pléiade, p. 93.

2. A propos du « petit nombre d'hommes qui osent avoir le sens commun », Voltaire écrit à Mme Du Deffand : « Je pense que vous êtes de ce petit nombre. Mais à quoi cela sert-il ? A rien du tout. Lisez la parabole du Bramin que j'ai eu l'honneur de vous envoyer ; et je vous exhorte à jouir autant que vous le pouvez de la vie qui est peu de chose, sans craindre la mort qui n'est rien. » (Voltaire à Mme Du Deffand ; lettre du 13 octobre 1759.). Ce « bon bramin » est, comme Zadig, quelqu'un qui possède tout pour être heureux. Mais, pour son malheur, un étrange caprice le hante ; il souffre de « tout ignorer », c'est-à-dire de ne pas tout savoir. Ses qualités même, qui sont grandes, ne lui servent qu'à mesurer la distance qui le sépare et le séparera toujours de cette perfection absolue, dont il rêve bizarrement. Situation d'autant plus édifiante qu'à côté du Bramin végète une vieille indienne « bigote, imbécile et assez pauvre » qui, ne se posant pas de questions, s'estime fort heureuse de vivre.

Mlle de Lespinasse ne découvre le bonheur que chez des êtres qui ne raisonnent pas : « ... chez quelques érudits bien lourds et bien solitaires ; chez de bons artisans, bien occupés d'un travail lucratif et peu pénible ; chez de bons fermiers qui ont de nombreuses familles bien agissantes et qui vivent dans une aisance honnête. Tout le reste de la terre fourmille de sots, de stupides ou de fous ; dans cette dernière classe sont tous les malheureux et je n'y comprends point ceux de Charenton ; car le genre de folie qui fait qu'on se croit le Père Éternel, vaut peut-être mieux que la sagesse et le bonheur. » (Mlle DE LESPINASSE, *Lettres*, éd. 1811, t. I, pp. 261-262).

3. L. S. MERCIER, *Mon Bonnet de nuit*, t. II, p. 169.

du bonheur philosophique : Ariste, le philosophe péremptoire et glacé, explique à Clarice, Doris et Lucinde, mondaines écervelées mais sensibles, à l'aide de quels axiomes simples, imperturbablement appliqués, il peut se vanter d'avoir su se rendre heureux tout en faisant des heureux [1]. Sous la satire superficielle transparaît la conscience à demi-obscure d'une essentielle contradiction : le bonheur ne peut pas être un objet pour la raison, car ils relèvent l'un et l'autre de deux ordres incompatibles. La raison n'est apte qu'à saisir des *idées* épurées de toute contingence affective. Le bonheur doit se vivre, et il se volatilise, si on l'isole du cours irrationnel de l'existence. Kant saura tirer de cette contradiction une conclusion définitive : la recherche du bonheur ne peut pas être le fondement de la morale, parce qu'elle est sans commune mesure avec la raison. Le bonheur est un simple « idéal » de « l'imagination », une « réalité empirique », non un « impératif catégorique ».

La critique des Philosophes ne parvient pas aussi loin. Mais elle établit, contre Platon et les Stoïciens, que le bonheur humain est le contraire d'un absolu. Dans le *Dictionnaire philosophique,* Voltaire s'attaque à la chimère du souverain bien. Invoquer le souverain bien lui semble aussi absurde que de parler du « souverain carré, » du « souverain cramoisi », du « souverain bleu », du « souverain ragoût », du « souverain marcher » ou du « souverain lire ». Aucune réalité, aucune notion relative à l'homme ne peut se concevoir sous cet état de perfection immobile, car tout ce qui concerne l'homme suit son destin, qui est de toujours varier, de ne jamais franchir les limites du relatif. Le souverain bien n'est qu'une création de l'esprit, comme la pierre philosophale : « Cette chimérique manière de raisonner a gâté longtemps la philosophie [2]. » D'ailleurs, comment exprimer ce pur rêve en termes d'expérience ? Le souverain bien sera-t-il une seule et immuable volupté ou une suite continue de plaisirs variés ? Mais « l'un et l'autre sont incompatibles avec nos organes et avec notre destination ». Sera-t-il attaché à telle condition particulière, à l'exclu-

1. « Monsieur est donc philosophe ? demanda-t-elle en le voyant. — Oui, madame, répondit Ariste. — C'est une belle chose que la philosophie, n'est-ce pas ? — Mais, madame, c'est la science du bien et du mal ou, si vous voulez, la sagesse. — Ce n'est que cela, dit Doris. — Et le fruit de la sagesse, poursuivit Clarice, est d'être heureux sans doute.— Ajoutez, madame, de faire des heureux. — Je serais donc philosophe aussi, dit à demi-voix la naïve Lucinde, car on m'a répété cent fois qu'il ne tenait qu'à moi d'être heureuse en faisant des heureux... Ariste, avec le sourire du mépris leur fit entendre que le bonheur philosophique n'était pas celui que peut goûter et faire goûter une jolie femme. » Interrogé plus précisément, Ariste explique de quelle façon il est heureux : « Cela est tout simple, madame, je n'ai point de préjugés, je ne dépends de personne, je vis de peu, je n'aime rien et je dis tout ce que je pense. — N'aimer rien, observa Cleon, me semble une disposition peu favorable à faire des heureux. — Hé monsieur, répliqua le Philosophe, ne fait-on du bien qu'à ce que l'on aime ? Affectionnez-vous le misérable que vous soulagez en passant ? C'est ainsi que nous distribuons à l'humanité le secours de nos lumières. — Et c'est, dit Doris, avec des lumières que vous faites des heureux ? — Oui, madame, et que nous le sommes ». (MARMONTEL, *Le Philosophe soi-disant, Contes moraux,* t. II, pp. 2-3).

2. *Dictionnaire philosophique,* article *Bien, souverain bien.*

sion de toutes les autres ? L'idée en est ridicule, car il est impossible d'ordonner en une hiérarchie les diverses conditions. Chacun a de fort bonnes raisons d'aimer la sienne et le plus heureux est rarement celui qu'on pense [1].

Si le bonheur est relatif, cela ne signifie pas qu'il soit mesurable, et ce n'est pas le moindre de ses paradoxes. Inapte à être évalué selon la quantité, il ne se distingue pas de la substance, de la qualité d'une vie. Il est donc impossible d'établir des comparaisons entre les destins. Si l'on en reste aux vérités du sens commun, on dira, par exemple, que Charles-Quint était plus heureux qu'un jeune muletier, parce que le sens commun est toujours dupe des signes de la grandeur. Si l'on est philosophe et si l'on croit savoir que le bonheur se trouve dans la médiocrité, on estimera le jeune muletier plus enviable que Charles-Quint. Mais dans les deux cas on aura jugé à l'aveuglette. Il faudrait être logé dans la conscience de l'empereur et du muletier pour tenir quelque certitude : « On n'a point de balance, dit Voltaire, pour évaluer l'*être* d'un homme avec celui d'un autre [2]. »

Il faut admettre que le bonheur de chaque homme échappe à tous les autres, singulièrement à ces philosophes qui croient saisir tout le réel dans leurs mesures et l'exprimer dans leurs maximes.

En fait, la relativité du bonheur est triple. Des bornes étroites réduisent l'horizon individuel. Chacun s'arme une fois pour toutes de quelques idées, qui enferment et limitent la totalité de ses désirs, le prédestinant à ne vouloir, à ne concevoir même, que ce qu'il trouve inscrit à l'intérieur d'un cercle, dont sa vie et sa pensée ne sortent jamais [3]. Ce n'est pas un simple acquiescement, encore moins une résignation grondeuse ou attristée, qui cloue les hommes à leur état,

1. « Si on donne le nom de bonheur à quelques plaisirs répandus dans cette vie, il y a du bonheur en effet ; et si on ne donne ce nom qu'à un plaisir permanent ou à une file continue et variée de sensations délicieuses, le bonheur n'est pas fait pour ce globe terraqué : cherchez ailleurs. Si on appelle bonheur une situation de l'homme, comme des richesses, de la puissance, de la réputation, on ne se trompe pas moins. Il y a tel charbonnier plus heureux que tel souverain. » (*Ibid.*).

2. « Il y a grande apparence qu'un muletier se portant bien a plus de plaisir que Charles-Quint, mangé de la goutte ; mais il se peut bien faire aussi que Charles-Quint avec des béquilles repasse dans sa tête avec tant de plaisir qu'il a tenu un roi de France et un pape prisonniers, que son sort vaille encore mieux, à toute force, que celui d'un jeune muletier vigoureux. Il n'appartient certainement qu'à Dieu, à un être qui verrait dans tous les cœurs, de décider quel est l'homme le plus heureux... » (*Ibid.*).

3. « Le bonheur de l'homme est quelque chose de fort arbitraire. Les hommes le mettent là où ils croient être bien : or ils ne se trouvent bien que quand ils sont assurés de la possession à peu près de ce qu'ils pouvaient espérer selon les vues bornées dans lesquelles les resserre un nombre d'idées proportionnées à la condition dans laquelle la Providence les fait naître ; idée qui ne leur laisse apercevoir quantité d'objets que de loin et ne les leur rendent par conséquent que faiblement désirables. » (MORELLY, *Le Prince, les délices des cœurs, ou Traité des qualités d'un grand Roi, et sistême general d'un sage Gouvernement*, Amsterdam, 1751, t. I, pp. 103-104.) Principe dont se prévaudra certain conservatisme social, pénétré de l'idée que, chacun étant bien là où il se trouve et ne concevant pas le bonheur d'être ailleurs, il est vain de vouloir améliorer les conditions et de prévoir des changements dangereux, à l'intention de qui ne les réclame ni ne les désire.

mais une conviction décidée, une allègre adhésion, quelquefois même un entêtement agressif [1]. La Providence fait en cela bien les choses, et la morale doit en tenir compte. Il ne faut chercher son bonheur que selon ses déterminations particulières, en consultant son humeur, son caractère et sa condition [2].

Un jour que Diderot se trouvait à la campagne, tout heureux d'y être, il voit arriver un des hommes les plus spirituels d'Europe, l'abbé Galiani :

« Bon, dis-je, voilà un excellent colon qui nous vient le soir. » Je vis qu'on mettait les chevaux à la voiture : « Comment, lui dis-je, cher abbé, est-ce que vous vous en retournez ? » « Si je m'en retourne ! me répondit-il, je hais la campagne à mort et je me jetterais dans le canal si j'étais condamné à passer ici un quart d'heure de plus. » Il n'en fallut pas plus pour me faire sentir combien le bonheur d'un homme différait du bonheur d'un autre [3]. »

Ne reste-t-il pas au moins quelque certitude que n'entame aucune relativité ? Est-ce que la pratique de la vertu n'est pas un sûr moyen d'être heureux ?

« Non, parbleu, il y a tel homme si malheureusement né, si violemment entraîné par l'avarice, l'ambition, l'amour désordonné des femmes, que je le condamnerais au malheur si je lui prescrivais une lutte continuelle contre sa passion dominante. Mais cet homme ne sera-t-il pas plus malheureux par les suites de sa passion que par la lutte qu'il exercera contre elle ? Ma foi, je n'en sais rien et je vois tous les jours des hommes qui aiment mieux mourir que de se corriger. J'étais bien jeune lorsqu'il me vint en tête que la morale entière consistait à prouver aux hommes qu'après tout pour être heureux on n'avait rien de mieux à faire en ce monde que d'être vertueux ; tout de suite, je me mis à méditer cette question et je la médite encore [4]. »

Le doute de Diderot relativement à la vertu rejoint celui de Voltaire à propos de la raison. L'un et l'autre ont cru tenir le grand dogme de la vie morale. Mais ils connaissent trop de gens qui sont heureux sans être vertueux ni raisonnables. Leur philosophie, contredite par l'expérience, bat en retraite, perplexe. Devant l'évidence des faits, comment s'accrocher à un système ? Mais comment renoncer à une

1. « Le bonheur, à proprement parler, ne fait point de jaloux ; on n'envie que les choses auxquelles on l'attache. On veut être heureux d'une certaine manière ; et on ne voudrait pas l'être d'une autre ; et telle est l'illusion de l'imagination et des sens que, quelque persuadé qu'on soit que quelques personnes sont heureuses, on ne voudrait pas de leur bonheur. » (TRUBLET, *op. cit.*, t. I, p. 314).

2. *Ibid.*, t. III, p. 254.

3. DIDEROT, *Note à propos du « Temple du bonheur » de Dreux du Radier*, éd. Assézat-Tourneux, t. VI, pp. 438-439. (L'attribution du *Temple du bonheur* à Dreux du Radier est d'ailleurs fausse : il s'agit d'une confusion entre le recueil en trois volumes publié en 1769 sans nom d'auteur — le responsable en était sans doute Suard ou Castilhon — et un poème de 1740, portant le même titre, qui était bien l'œuvre de Dreux du Radier.)

4. DIDEROT, *ibid.*

intuition qui satisfait si bien l'esprit ou la conscience ? Diderot ressasse la même question, diluée dans toute son œuvre, sans jamais lui trouver de réponse définitive. Quant à Voltaire, il achoppe à cet illogisme : on constate que des êtres sans esprit sont plus heureux que les gens raisonnables. Malgré cela, on s'entête à préférer la raison au bonheur, tout en convenant que le bonheur est le seul but de la vie : « Comment donc cette contradiction peut-elle s'expliquer ? Comme toutes les autres ; il y a de quoi parler beaucoup. »

Le bonheur n'est pas seulement relatif aux fins individuelles. Aucun homme n'existe seul et, par conséquent, ne prend conscience de lui-même, indépendamment des autres. Dans le jugement que l'on porte sur son propre état, interviennent toujours de multiples références à l'état d'autrui. Apprécier son bonheur, c'est toujours se comparer. On peut même assurer que le bonheur d'un homme vivant en société n'est que l'ensemble des rapports qu'il établit lui-même entre le sort des autres et le sien [1].

Un troisième aspect de la relativité du bonheur tient à la structure de la conscience, à la durée intérieure. L'homme s'éprouve comme une succession d'états, qui conservent tous leur qualité particulière. Mais chacun a sa place dans l'enchaînement d'une vie, et sa couleur propre s'altère par la confrontation secrète avec tous les états antérieurs [2]. Condillac fait à ce sujet une hypothèse. Un être qui n'aurait connu que des états uniformément heureux ou malheureux n'aurait, faute de comparaison, aucune conscience claire de son bonheur ou de son malheur, qu'il ne distinguerait pas de la pure existence. Cet être imaginaire serait condamné à vivre sans trouver une idée et un mot pour qualifier son sort [3]. Autre conséquence excessive : si

1. Cf. MARIN, *Réflexions et pensées diverses*, à la suite de *L'Homme aimable*, pp. 199-200.

2. « Le bonheur et le malheur sont toujours relatifs à quelque situation antécédente dont on conserve le souvenir. Un être qui n'éprouverait jamais que des sensations désagréables serait toujours mal, sans jamais soupçonner qu'il pût être mieux. Son malheur ne serait donc point augmenté par des comparaisons à des situations heureuses dont il n'aurait pas les idées. La statue ne s'estimera donc jamais plus heureuse que lorsqu'après avoir longtemps éprouvé des situations désagréables, elle viendra enfin à en éprouver d'agréables. Car, outre le plaisir *absolu* attaché à toute sensation qui flatte, elle jouira encore du degré de plaisir *relatif* attaché à la comparaison qu'elle fera entre la situation actuelle et la situation antécédente. » (Charles BONNET, *Essai analytique sur les facultés de l'âme*, p. 452).

3. Diderot s'indigne contre cette hypothèse ; il soutient que le bonheur et le malheur conservent toujours une identité parfaitement reconnaissable, qui suffit à en faire des états de conscience, et non de simples modes de l'existence, sans qu'il soit besoin de les comparer à des états antérieurs : « Il n'en est pas du bonheur et du malheur ainsi que des ténèbres et de la lumière : l'un ne consiste pas dans une privation pure et simple de l'autre. Peut-être eussions-nous assuré que le bonheur ne nous était pas moins essentiel que l'existence et la pensée, si nous en eussions joui sans aucune altération ; mais je n'en peux pas dire autant du malheur. Il eût été très naturel de le regarder comme un état forcé, de se sentir innocent, de se croire pourtant coupable et d'accuser et d'excuser la nature, tout comme on sait. M. l'abbé Condillac pense-t-il qu'un enfant ne se plaigne quand il souffre que parce qu'il n'a pas souffert sans relâche depuis qu'il est au monde ? S'il me répond qu'exister et souffrir, ce serait la même chose pour celui qui aurait toujours souffert et qu'il n'imaginerait pas qu'on pût suspendre sa douleur sans détruire son existence ; peut-être, lui répliquerai-je, l'homme malheureux sans interruption n'eût pas dit : « Qu'ai-je fait pour souffrir ? » Mais qui l'eût empêché de dire : « Qu'ai-je fait pour exister ? » Cependant je ne vois pas pourquoi il n'eût point eu

la vie de l'âme est une succession d'états, le sentiment de bonheur ne peut s'insinuer qu'au passage d'un état à un autre. On n'est donc pas heureux à moins que le bonheur n'augmente sans cesse [1].

4. — Bonheur et liberté.

La relativité du bonheur s'explique par une double série de limites : subjectives et objectives.

Dans la première catégorie, il faut incriminer la paradoxale dialectique du désir et de la possession, qui s'excluent mutuellement et renaissent l'un de l'autre dans un perpétuel mouvement : « Le désir joint à la possession, un désir toujours vif avec une possession toujours imperturbable, voilà le Bonheur parfait [2]. » Malheureusement, le désir ne s'attache qu'aux prestiges absents. Mais le vide qui le fascine le détruit en même temps, si bien que l'exaltation et l'inquiétude toujours se compensent. Quant à la possession, elle oublie ce qu'elle porte en elle de solide et se désespère seulement de ne plus retrouver le charme du désir. Après avoir désiré avec anxiété, on possède avec indifférence : « Ainsi le cœur va d'objets en objets, de désir en désir, livré tout à la fois au dégoût et à l'inquiétude [3]. » Il est impossible d'échapper à la contradiction. Par définition, le désir ne peut ni s'assouvir ni se laisser évincer ; sa nature même lui interdit de se fixer dans un état de repos. Il doit proliférer et perpétuer son élan, n'épuisant un objet que pour convoiter l'autre. A supposer qu'il puisse être détruit, l'homme s'engluerait dans un état de torpeur et d'ankylose, dans une absolue léthargie [4].

les deux verbes synonymes *j'existe* et *je souffre*, l'un pour la prose et l'autre pour la poésie, comme nous avons les deux expressions : *je vis* et *je respire* ». (Diderot, *Lettre sur les aveugles*, Assézat-Tourneux, t. I, pp. 323-324).

1. « L'homme aperçoit que son état et celui des autres êtres n'est pas un moment le même ; qu'ils existent en passant continuellement d'une façon d'exister à une autre ; par là l'existence de l'homme et celle des autres êtres est dite une existence successive... Tous les états d'une vie doivent être différents ; de manière qu'il est impossible qu'un être se trouve deux fois dans le même état... Tous les êtres passent continuellement d'un état à l'autre ; ce changement qui arrive à l'être, lorsqu'il passe d'un état à l'autre, s'appelle transition. Qu'on y fasse attention et l'on trouvera que c'est cette transition qu'on nomme *bonheur* quand elle est heureuse et *malheur* quand elle est malheureuse. *Jouir d'un bonheur constant, cela veut dire passer continuellement d'un état heureux à un autre état qui l'est davantage.* » (Élie Luzac, *Le Bonheur ou Nouveau système de jurisprudence naturelle*, Berlin, 1754, pp. 39-44. Ouvrage souvent attribué par erreur à Formey.)

2. « Tout est bien aux yeux de celui qui manque de tout ; il approuve tout dans la nature, excepté sa situation ; toutes les sensations chez lui sont vives et fortes ; le besoin les aiguise et le défaut d'un objet les rend plus fougueuses. Dès que la jouissance paraît, le désir s'envole. Quiconque posséderait à lui seul tout l'Univers, mépriserait bientôt le monde réel pour aller promener ses désirs dans l'empire des choses possibles. » (Gourcy, *Essai sur le bonheur*, pp. 2-3.)

3. Trublet, *op. cit.*, t. I, p. 324. Le plus étrange est que ces objets, dévalorisés par la possession, prennent brusquement un grand prix le jour où on les perd : cf. Gourcy, *op. cit.*, pp. 31-32.

4. « Celui qui pourrait parvenir à ne plus rien désirer ne jouirait plus de ses facultés, il serait

Le remède n'est donc pas dans la suppression des désirs. Peut-être consiste-t-il à substituer à la possession l'espérance, qui nourrit délicieusement le désir et le neutralise sans l'éteindre : « L'état le plus heureux où l'on puisse se trouver ici-bas, c'est celui d'un désir vif accompagné d'une forte espérance [1]. » Mais l'espérance n'est pas non plus sans danger. Incertaine, elle est altérée par l'inquiétude. Trop sûre d'elle-même, elle annonce déjà le dégoût de la possession. En outre, « l'âme fixée à cet objet à venir ne saurait s'amuser d'aucun présent ». Loin de nous aider à supporter le présent, une pensée trop tendue de l'avenir nous rend ce présent plus insipide [2]. Enfin les espérances déçues sont inguérissables : « Quand on a bâti des châteaux en Espagne et qu'ils viennent à être ruinés, il reste des masures où se logent des chouettes et d'autres oiseaux lugubres [3]. »

Le bonheur suppose donc un triple équilibre : entre le désir et la possession, entre la possession et l'espérance, entre le désir et l'espérance. Le commencement du bonheur, c'est d'espérer ce qu'on désire. Son achèvement, de désirer ce qu'on possède. Il faudrait que le désir survive à la possession, que la possession, vivifiée par le désir, soit doucement gonflée par l'espérance de se conserver ou de s'accroître modérément ; il faudrait surtout que cet espoir devienne une limite, que ne franchirait aucun nouveau désir.

L'incapacité où se trouve la conscience de maintenir cet équilibre idéal entre le désir, la possession et l'espérance, rend assez vaine toute philosophie du bonheur et en réduit beaucoup la portée. L'homme, fût-il philosophe, ne peut rien changer aux lois de sa nature. Il ne peut compter que sur des expédients, qui lui épargnent d'en trop souffrir. Le seul moyen d'échapper à la surenchère du désir et de la possession, c'est, à partir d'un certain niveau, celui du raisonnable ou du nécessaire, d'empêcher la prolifération des désirs [4].

Aux limites subjectives du bonheur s'ajoutent des limites objectives. Celles-ci ne sont plus imputables aux erreurs de la liberté humaine, aux jeux bizarres, aux exigences contradictoires, à la flexibilité d'une conscience protéiforme. Elles tiennent aux déterminations de fait, intérieures ou extérieures, qui pèsent sur l'homme et l'assujettissent à une *condition*. Les deux plus importantes sont la

mort pour le reste de la société, il languirait lui-même dans un abrutissement continuel, il craindrait sans cesse que le moindre mouvement ne dérangeât l'économie de sa félicité. » (*La Recherche du bonheur*, pp. 2-3).

1. TRUBLET, *op. cit.*, t. III, pp. 284-285.

2. « Celui qui voyage avec une grande impatience d'arriver ne goûte aucun plaisir sur la route. » (*Ibid.*, pp. 287-288).

3. *Ibid.*, p. 317.

4. Montesquieu donne ce sage conseil à son petit-fils : « Si vous avez une fois tout ce que la nature et votre condition présente vous ordonnent de désirer, vous laissez entrer dans votre âme un désir de plus : prenez-y bien garde : vous ne serez jamais heureux. Ce désir est toujours le père d'un autre. Surtout si vous désirez des choses qui se multiplient, comme l'argent, quelle sera la fin de vos désirs ? » (MONTESQUIEU, *Mes Pensées*, 72).

nature physique, le *tempérament*, le donné brut, intérieur à nous-mêmes, qui ne relève d'aucun choix et demeure opaque à notre liberté, et d'autre part la *Fortune*, cette puissance qui transcende non seulement la conscience, mais le monde, et qui vient on ne sait d'où, de l'Esprit suprême ou des astres.

L'idée de représenter l'homme comme une marionnette alternativement agitée par la Nature et la Fortune procède tout droit des moralistes classiques. L'univers des *Fables* de La Fontaine est un monde d'obsédés, où chacun demeure prisonnier de ses instincts, cloué à sa nature, qu'il peut à la rigueur dissimuler, mais qui se révèle toujours au moment critique, en trahissant brusquement tout effort de liberté et tout progrès de sagesse. Déjà déterminés par cette fatalité intérieure, ces infortunés sont le jouet d'une fatalité extérieure, qui ajoute ses imprévisibles caprices aux éruptions trop prévisibles de la première. La Fortune fait tournoyer à sa guise ces personnages qu'elle saisit déjà tout ligotés, les jette dans des situations soudaines, s'amuse à intervertir les destins, à décevoir ceux qui ont misé sur elle, à surprendre ceux qui ne l'attendent plus. La Rochefoucauld se divertit au même jeu, et fait rebondir l'homme fragile sur les deux écueils qui le déchirent à tour de rôle et se le renvoient indéfiniment. Entre les roueries, les métamorphoses, les lacets tendus de l'amour-propre, et l'omnipotence de la Fortune, quelle autonomie reste à l'homme, pour s'appliquer à la vérité et travailler à son bonheur ?

Le XVIIIe siècle conserve ce schéma, en modifiant la valeur des termes : la Nature demeure souveraine, mais elle n'est plus un nœud de puissances trompeuses, un harcèlement diabolique attaquant l'homme de l'intérieur. Elle peut tendre vers le bonheur en vertu de sa propre pente, ou porter des germes heureux, que la raison fait éclore. Malgré tout, ces dispositions naturelles, l'homme ne se les donne pas. Ne seront heureux que les gens constitués pour l'être. Tous les efforts des autres ne pourront viser qu'une œuvre limitée d'accommodement ; ils ne changeront pas le fonds de leur tempérament et resteront tristes et malheureux, s'ils sont fâcheusement doués d'une âme mélancolique [1]. Selon Mme Du Deffand, le bonheur n'est susceptible que de deux formules : ou il consiste à satisfaire des penchants et à remplir des aptitudes, propres à nous rendre heureux ; ou il n'est qu'insensibilité de l'âme et engourdissement de l'esprit. Un bonheur positif : savourer ou bien faire ce que l'on aime. Un bonheur négatif : ne pas souffrir. Or les deux

1. « C'est le tempérament qui décide de nos goûts, ce n'est pas la réflexion. » (Mme DE BENOUVILLE, *Les Pensées errantes*, p. 189).
« Le tempérament est souvent au bonheur ce que la rosée est à la terre. » (Anonyme, *Réflexions diverses propres à former l'esprit et le cœur* (1749), p. 134).

dépendent de la Nature, de qui nous tenons aussi bien tous nos goûts que, faute de mieux, cette apathie providentielle [1].

Il faut même remonter des *goûts* aux *organes*, car, nos tendances étant liées à notre constitution, c'est, en définitive, dans notre corps que la Nature a déposé toutes nos chances de bonheur [2]. Trublet n'a pas tort d'affirmer : « Le bonheur serait plus du ressort de la médecine que de la morale, s'il y avait une médecine [3]. » Tout un aspect de la morale de Diderot et des philosophes matérialistes concerne les *organes* et en dépend. Mais la *nature* ne se limite pas au complexe psycho-physiologique personnel, englobant les goûts et les organes. Elle est aussi une destination plus générale, en même temps qu'une limite infranchissable, que chaque individu rencontre à des moments ou des distances variables, mais qui n'outrepasse jamais une autre limite fixe, assignée à l'espèce. Tout homme possède ainsi une *mesure* de bonheur. Dans sa *Lettre sur le bonheur*, Maupertuis souligne l'impossibilité de rien ajouter ou retrancher à la somme des biens et des maux qui nous est affectée sans notre consentement. Notre seule liberté consiste à distribuer, selon notre fantaisie, les éléments de cette somme, à dépenser un capital immuable suivant un rythme plus ou moins vif. Nul ne modifiera jamais cette *masse* constante, figuration quantitative du destin. On ne fait que s'y adapter par un jeu compliqué de compensations et d'oscillations intérieures. Et il n'appartient même pas à la Fortune de rien changer à ce que la Nature a pesé [4]. Il s'agit d'une fatalité immanente, à l'abri des révolutions accidentelles ou

1. « Notre bonheur ne peut être que l'ouvrage de la nature : il faut qu'elle donne des goûts, des talents ou qu'elle prive de tout germe d'esprit ; *il faut s'occuper ou végéter* ». (Lettre de Mme Du Deffand à M. Craufurt, 13 décembre 1778, *Correspondance de Mme Du Deffand*, t. III, p. 346).

2. « Ce n'est pas notre condition, c'est la trempe de notre âme qui nous rend heureux. Cette disposition de notre âme dépend de nos organes et nos organes ont été arrangés sans que nous y ayons la moindre part. » (VOLTAIRE, article *Heureux* de l'*Encyclopédie*, *Œuvres complètes*, t. XIX, p. 345).

3. TRUBLET, *op. cit.*, t. III, p. 238.

4. « Pour chaque homme, il y a une certaine somme de bonheur peu dépendante de la bonne ni de la mauvaise fortune... Il y a pour chaque homme une certaine mesure de contentement et de chagrin que l'imagination remplit toujours. Qu'on examine si, dans les situations qu'on a regardées comme les plus heureuses, on ne s'est pas fait des peines d'objets auxquels, dans d'autres situations moins satisfaisantes, on ne donnait pas la moindre attention ; si, dans les situations qu'on a craint comme les plus fâcheuses, on ne s'est pas fait des plaisirs qui dans les temps les plus heureux n'auraient pas touché l'âme. S'il est permis de comparer une substance spirituelle avec les corps, je dirais que comme pour les machines en mouvement, il y a un certain état auquel elles reviennent toujours, quel que soit l'effet des mouvements étrangers qu'on peut leur avoir imprimé, ce que les mathématiciens appellent *flatum permanentum* ; de même l'âme, quelles que soient les secousses extraordinaires qui l'aient agitée, revient bientôt à un certain état de contentement ou de détresse, qui est proprement un état permanent. » (MAUPERTUIS, *Lettre sur le bonheur*, *Œuvres*, 1756, t. II, pp. 193 et suivantes). Maupertuis n'envisage la rupture de cet équilibre que dans deux cas extrêmes, d'ailleurs sensiblement voisins, lorsque l'âme a reçu un choc trop violent. On aboutit alors à des états pathologiques : la folie, qui est un « désordre irréparable » de l'âme et la mélancolie, où toutes les idées sont détruites, sauf une qui est « conservée dans sa plus grande force ». Ces paroxysmes ne peuvent être que l'effet de la douleur, dont ils conservent la marque : « Ils portent toujours le caractère de la cause qui les a produits. Tous les fous sont malheureux, tous les mélancoliques le sont encore davantage. »

providentielles, inscrite dans la substance même de l'être qu'elle conduit. De façon moins élaborée, l'auteur de *La Recherche du bonheur* suggère une explication semblable, non plus à travers l'image d'un système de forces, mais dans la perspective d'une durée [1].

Diderot découvre le même équilibre entre les espèces :

« Voulez-vous que je vous dise une idée vraie ? C'est qu'il est tout à fait indifférent d'être homme ou lapin. Le bonheur peut varier entre les individus d'une même espèce, mais je crois qu'il est le même d'une espèce à l'autre [2]. »

Tout le bonheur auquel l'homme peut prétendre est donné dans sa *nature* : une nature non pas idéale, mais biologique. Un tel postulat prend le contrepied de toute morale humaniste et contraste singulièrement avec d'autres thèmes de Diderot, celui de la gloire, par exemple, qui lui permet, dans les lettres à Falconet, de déployer pompeusement un grand rêve à l'antique.

Les réticences sont plus fortes relativement à la Fortune. Beaucoup refusent d'admettre la dépendance de l'homme vis-à-vis d'une puissance si obscure et critiquent la notion même de hasard, en tentant d'éliminer du monde tout irrationnel : délivré d'un mythe funeste, l'homme doit devenir son maître à force de bon sens, de raison, de justice et de vertu. Mais le prestige du dieu-Hasard n'est pas tout à fait mort et suffit à intimider des esprits falots ou inquiets.

On se complaît ainsi à établir des balancements et des partages entre les incidences de la Nature et celles de la Fortune. Lassay, qui est désinvolte et romanesque, se garde de choisir et ne fait qu'opposer les fluctuations de notre devenir intérieur aux influences magiques, qu'il faut bien imputer aux étoiles [3]. Trublet, qui se veut un moraliste efficace, prend parti pour celui des deux termes qu'il

1. « Chacun apporte en naissant sa mesure de biens et de maux et celui qui commence par épuiser la mesure de son bonheur finira infailliblement par boire sans interruption le calice qui lui était destiné. » (*La Recherche du bonheur*, p. 143).

2. Diderot, Assézat-Tourneux, t. VI, p. 439. Cf. : « Il semble que la nature ait posé une limite au bonheur et au malheur des espèces... » (t. VI, p. 445). « Il m'est venu souvent dans la pensée que la somme des biens et des maux était variable pour chaque individu ; mais que le bonheur ou le malheur d'une espèce animale quelconque avait sa limite qu'elle ne pourrait franchir » (Diderot, *Supplément au Voyage de Bougainville*, Assézat-Tourneux, t. II, p. 248).

Devant un donné aussi stable, immuable, de quel pouvoir seront la recherche philosophique et l'effort moral ? La civilisation ne peut rien ajouter à la nature. Diderot retrouve l'un des grands thèmes de la pensée rousseauiste, mais à partir d'un point de vue qui lui est propre, celui du biologiste. Dans la mesure où l'espèce humaine devient une espèce animale parmi d'autres, il faut admettre qu'aucune forme historique ne peut changer la nature de l'homme. Les hommes sécrètent leur civilisation, comme les castors pétrissent leurs villages de boue, parce que leur instinct les y pousse. Surtout que deviennent les différences individuelles et la part de liberté laissée à chacun à l'intérieur de l'espèce ? Jamais les lapins ne se flattent d'un destin individuel. Pourquoi l'animal-homme en aurait-il seul le privilège ?

3. « Chacun a éprouvé tant de fois en sa vie que les mêmes choses qui lui avaient fait beaucoup de peine en un temps ne lui paraissent plus rien dans un autre et aussi qu'il n'était plus sensible à d'autres qui lui avaient fait un grand plaisir, qu'on ne peut nier que notre bonheur ou notre malheur dépend moins des choses extérieures que de la disposition où se trouve notre esprit, qui nous les fait voir et sentir différemment ; mais il ne laisse pas d'être vrai qu'il y a des étoiles heureuses et d'autres empoisonnées qui, indépendamment de notre humeur, nous rendent heureux ou malheureux. » (Lassay, *op. cit.*, t. III, pp. 69-70).

croit le plus transparent, sans bien se rendre compte que confier tout le soin du bonheur à la Nature n'est pas beaucoup plus rationnel que de l'abandonner à la Fortune [1]. Vauvenargues essaie d'équilibrer exactement les trois composantes du bonheur : le caractère, la fortune et la raison [2]. La Fortune se trouve ainsi réduite à une juste place : elle n'est que l'une des forces dont l'attraction s'exerce sur le bonheur, et non plus ce Destin dédaigneux jouant avec le pauvre cœur des hommes.

Certains n'hésitent pas à nier simplement l'existence du hasard et ne tolèrent, au-dessus de la liberté humaine, qu'un contrôle providentiel. Un *Traité de la Fortune* de 1732 veut prouver que la notion de hasard est illusoire et que « les choses qui paraissent d'abord les plus extraordinaires ne sont que des suites naturelles de certaines dispositions [3] ». En voulant à tout prix supprimer l'irrationnel, l'auteur retombe dans une illusion nouvelle, car il ne fait que substituer au mythe de la Fortune celui de la Nature, ce qui revient à remplacer le fatalisme par le finalisme [4]. Pernetti, dans ses *Conseils de l'amitié*, s'insurge avec vigueur contre un prétendu Destin [5]. Mme de Puisieux est plus formelle encore, en certifiant que le bonheur ne dépend que de soi :

« Il n'est pas bien décidé que le bonheur ne dépende pas de nous ; le mérite y fait quelque chose et la bonne conduite presque tout. Vous me répondrez peut-être que, n'étant pas les maîtres des événements, il est impossible de les rendre heureux ou favorables. A cela j'en appellerai

1. « La nature fait des heureux, malgré la fortune ; la fortune n'en fait jamais malgré la nature... La fortune peut, malgré la nature, faire des malheureux ; jamais des heureux... La fortune peut donner des plaisirs, la nature seule peut donner le bonheur. C'est quelquefois par ses faveurs même que la fortune ôte le bonheur que la nature a donné. » (TRUBLET, *op. cit.*, t. III, p. 270). « C'est la nature qui fait les heureux et non la fortune. » (*Ibid.*, t. I, p. 326).

2. « Quand on pense que le bonheur dépend beaucoup du caractère, on a raison ; si on ajoute que la fortune y est indifférente, c'est aller trop loin ; il est faux encore que la raison n'y puisse rien ou qu'elle y puisse tout. » (VAUVENARGUES, *Réflexions sur divers sujets*, *Œuvres*, t. I, pp. 103-104).

3. DE LA BRUYÈRE, *Traité de la Fortune* (1732), p. 4.

4. Par exemple, l'inégal partage des richesses n'est nullement un hasard, mais répond à une intention précise, qui est providentielle pour le progrès même de la société. « C'est par une suite de l'ordre que plusieurs en sont privés et qu'ils ignorent les moyens de les acquérir, alors que la nécessité de se procurer leurs besoins les oblige à exercer leurs talents ; ... l'abondance générale des richesses deviendrait nuisible à l'homme et le jetterait dans une véritable indigence. » (*Op. cit.*, p. 9). Pas plus que la condition sociale, qui relève de l'ordre, l'état intérieur, qui ne dépend que de soi, n'est imputable à cette chimérique fortune : « Chacun est à soi-même sa fortune, c'est-à-dire que notre conduite détermine ce qui nous arrive de bon et de mauvais et que la manière de faire une chose décide de son succès. Qu'on se serve, à la bonne heure, des termes de fortune et de hasard, pour éviter de longues circonlocutions, mais qu'on en sépare l'idée et qu'on ne s'imagine point que les événements de la vie en dépendent. Regardons le *bonheur* on le *malheur* comme l'effet de l'état où l'on se trouve et non pas comme la cause de ce qui nous arrive ; rien n'est plus contraire au sens commun et rien, à mon avis, ne caractérise plus le vulgaire que ces sortes d'opinions. » (*Ibid.*, p. 5).

5. « Il y a de la folie à établir un destin, une étoile, une fatalité aveugle, à qui on donne un empire absolu sur les hommes ; il n'y a qu'à raisonner pour s'en convaincre. » (PERNETTI, *Conseils de l'amitié*, pp. 92-94). — Le chanoine Jacques Pernetti (1696-1777) était spécialiste des antiquités et de l'histoire de Lyon. Il appartenait à l'Académie de cette ville. On estimait sa modestie et la douceur de son caractère.

à votre expérience. L'on n'a presque point de chagrin, d'inquiétude, enfin de tout ce qui trouble le bonheur, qu'ils n'aient été précédés de quelque faute. Si l'on suivait la lumière, la vertu, la justice et la raison dans toutes les démarches, on serait souverainement heureux [1]. »

Cependant bien des fatalistes survivent, qui acceptent avec une philosophique sérénité ou quelque sombre délectation l'idée d'un hasard tout puissant, à qui l'homme, délivré de lui-même, se remet entièrement de son sort. Malgré le progrès des lumières, d'Holbach pense que « le bonheur de l'homme ne résultera jamais que de l'accord de ses désirs avec les circonstances [2] ». D'Argens intitule l'un des articles de son essai *Sur la vie heureuse* : « *Qu'il ne dépend point de nous d'être véritablement heureux* [3] » Quant à Sébastien Mercier, il compare la vie humaine aux orages d'une journée d'été [4]. Livrée à la fatalité des tempêtes, l'existence de l'homme élude toute prévision de la sagesse. Le bonheur n'est qu'une éclaircie dans un ciel toujours brouillé et souvent noir.

***

Les différentes voies de la conquête du bonheur se révèlent également précaires et remplies de broussailles. Aucune méthode sûre, aucune formule définitive ne s'en dégagent.

Les analyses précédentes s'inspirent largement de thèmes traditionnels : la critique de la nature humaine, à la façon des classiques, s'y retrouve, ainsi que les exhortations inclinant au détachement chrétien, et la description effrayante des passions orageuses, des désirs impossibles, du destin ballottant indéfiniment l'homme, qui ne sort de l'effarement où ces remous le jettent que pour se croire, aussitôt après, le maître absolu des choses. Le plus neuf est aussi le plus naïf : comment croire sérieusement qu'il suffit de connaître l'essence du bonheur pour le vivre ? Mais les philosophes eux-mêmes sont réticents, et les « lumières » servent alternativement à construire la formule du bonheur universel et à la disqualifier.

La critique morale a du moins le mérite de décrire fidèlement la

1. Mme DE PUISIEUX, *Conseils à une amie*, 1749, nouvelle éd., p. 42. Ailleurs, il est vrai, Mme de Puisieux affirme exactement le contraire : « Toute la bonne conduite imaginable ne donne pas le bonheur. » (*Caractères* (1750), p. 227).

2. D'HOLBACH, *Système de la nature*, t. I, p. 363.

3. « Il faut que les hommes soient bien aveuglés par l'orgueil et qu'ils fassent bien peu de réflexion sur eux-mêmes, puisque dans le temps que, par leur état naturel, ils sont non seulement exposés à tous les maux, mais qu'ils en sont souvent accablés, sans pouvoir l'éviter, ils se persuadent et veulent persuader aux autres qu'il dépend d'eux d'être heureux ; c'est-à-dire de commander aux éléments pour qu'ils n'aient rien à redouter de la rigueur des hivers et des chaleurs de l'été et qu'ils n'essuient aucune maladie, eux, ni ceux qu'ils aiment ; car enfin pour que le bonheur des hommes fût une suite de leur volonté, il faudrait que cette volonté décidât de tout ce qui doit opérer le bonheur. » (D'ARGENS, *Philosophie du bon sens*, t. III, p. 12).

4. Cf. L. S. MERCIER, *Contes moraux*, *Rose*, p. 112.

folie des hommes et de réduire à peu de chose les ambitions de la philosophie. Nulle part, le bonheur n'apparaît comme immédiat. Trois chemins sont possibles pour y parvenir : la réalisation irréfléchie des impulsions naturelles, favorisées par les prestiges de la société ; les leçons traditionnelles du détachement chrétien, qui enseignent une ascèse progressive impliquant bien des ruptures ; l'élaboration philosophique d'un idéal de vie, dont la raison tente l'application méthodique. La première voie est celle des illusions, des vaines espérances, des convoitises frustrées, et on ne fait qu'y souffrir sans jamais avancer. La seconde n'inspire guère des âmes de plus en plus libérées de la doctrine chrétienne : une morale du renoncement est à contre-courant de toutes les aspirations du siècle. Le bonheur « philosophique » semble mieux fait pour séduire. Mais les Philosophes le placent à l'antipode de tout ce que la philosophie a enseigné jusque-là sur le bonheur. Le *souverain bien* des Anciens révolte la nature et la raison, au même titre que le détachement chrétien. Les Philosophes devaient avoir le dernier mot. Mais ce ne fut qu'après avoir récusé la philosophie.

CHAPITRE III

L'IDÉE DU BONHEUR ET SES ANTINOMIES

« M. Du Bucq prétend que le bonheur n'est autre chose que de l'intérêt dans le calme. »

Abbé BARTHÉLEMY,
Lettre à Mme Du Deffand.

« C'est le comble de la félicité que d'être heureux et innocent tout ensemble. »

BAUDOT DE JUILLY, *Dialogues entre MM. Patru et d'Ablancourt sur les plaisirs.*

« Ils sont trop heureux, ils ne peuvent être coupables ! »

LOAISEL DE TRÉOGATE,
La Comtesse d'Alibre.

Introduction : Définitions du bonheur. — 1. Les quatre aspects du bonheur. — 2. Diversité et Unité. — 3. Existence et Personne. — 4. Mouvement et Repos. — 5. Sentiment et Raison. — 6. Individu et Société. — 7. Nature et Vertu.

Parmi les définitions du bonheur, certaines sont vagues et euphoriques : il suffit pour être heureux de préférer la vie au néant [1]. Une telle félicité n'exige comme prudence que d'éliminer les maux imaginaires, de se résoudre à l'inéluctable, de manière à laisser jouer sans mélange « l'attachement naturel que nous avons pour la vie » [2]. Le bonheur, en ce sens, c'est l'existence retrouvée dans sa pureté originelle. Quand elle n'est pas obscurcie par des angoisses ou déviée par des chimères, l'âme libère spontanément ce plaisir de vivre qui est l'une de ses composantes virtuelles. Si l'homme savait épuiser son existence, il éprouverait qu'il n'a pas besoin de raison pour être heureux.

1. « Il ne faut pas dire que le bonheur est ce moment que nous ne voudrions pas changer pour un autre. Le bonheur est ce moment que nous ne voudrions pas changer pour le non-être. » (MONTESQUIEU, *Mes Pensées*, 994).

2. « L'attachement naturel que nous avons pour la vie la rendrait délicieuse, si l'inquiétude et la crainte de la perdre n'empoisonnaient le plaisir qu'on a d'en jouir. » (STANISLAS LECZINSKI, *Œuvres du Philosophe bienfaisant*, t. III, p. 342).

D'autres définitions sont plus précises, mais dogmatiques. Le bonheur y dépend de quelques éléments privilégiés. Ce sont des formules de théoriciens, de doctrinaires. Comme ces malades qui ne doivent pas mourir sans la permission de la Faculté, nul ne peut être heureux s'il n'a mis son bonheur en maximes. Dans son *Discours sur le bonheur de la vie*, le « Philosophe bienfaisant » compte trois sources de bonheur : l'amour-propre, la raison, et ce « je ne sais quel instinct aveugle qui, fondé sur la complexion physique de notre être, répugne au moindre mal et recherche tout ce qui peut le satisfaire »[1]. Selon le marquis d'Argens, « le véritable bonheur consiste dans trois choses :

1) N'avoir rien à se reprocher de criminel.
2) Savoir se rendre heureux dans l'état où le ciel nous a placés et dans lequel nous sommes obligés de rester.
3) Jouir d'une parfaite santé.

Si l'une de ces trois choses nous manque, nous ne pouvons pas être véritablement heureux[2]. »

Bonheur, somme toute, négatif, revenant à ne pas souffrir : un corps sain, une conscience paisible, une condition dont on est content ; voilà qui doit combler l'homme raisonnable. Rouillé d'Orfeuil, dans son *Alambic moral*, estime de même que l'on doit harmonieusement concilier le bonheur moral et le bonheur physique[3]. Le marquis de Lassay institue entre les composantes du bonheur une hiérarchie strictement personnelle, presque hétérodoxe :

« Je n'arrange pas les biens et les maux de cette vie suivant l'opinion ordinaire des hommes : selon moi le premier de tous les biens est la liberté, le second l'estime des hommes, le troisième la santé, et je ne donne que le dernier lieu aux richesses[4]. »

1. *Op. cit.*, t. I, p. 327. On sera donc heureux toutes les fois que seront accomplies simultanément les exigences de l'amour-propre, de la raison, et celles de cet « instinct aveugle », qui n'est autre, semble-t-il, que l'instinct de conservation.

2. D'ARGENS, *Sur la vie heureuse*, *op. cit.*, t. III, p. 312. — Né en 1704 à Aix-en-Provence, fils d'un procureur général au parlement, Jean-Baptiste Boyer, marquis d'Argens, après une carrière militaire accidentée, renonça au service et passa en Hollande, pour y vivre de sa plume. Invité par Fréderic à Potsdam, il demeura pendant vingt-cinq ans à la cour de Prusse. A soixante ans, il épousa secrètement une actrice, dont il s'était épris avec violence : Fréderic ne le lui pardonna jamais. Retiré à Aix, il y acheva sa vie en philosophe et mourut en 1771. D'Argens convenait lui-même que ses dogmes dépendaient des saisons. Il savait plusieurs langues, s'occupait de chimie et d'anatomie, et peignait assez bien. Son œuvre la moins illisible est la *Philosophie du bon sens*, 1763, 3 vol.

3. « Le bonheur moral est d'être bien avec soi et avec les autres... Je veux dire n'avoir rien à se reprocher, aimer ses semblables et en être aimé. Le bonheur physique est la liberté... J'appelle liberté la facilité de faire avec sûreté et tranquillité tout ce qui nous est nécessaire, utile et agréable. » (ROUILLÉ D'ORFEUIL, *L'Alambic moral* (1773), p. 87). Le premier ne relève que de la conduite et de la conscience de chacun. Le second est affaire de gouvernement. C'est pourquoi « ceux qui en sont chargés... répondent à Dieu du bonheur et du malheur de tous les individus ».

4. LASSAY, *op. cit.*, t. III, p. 64. — Armand-Léon de Madaillan de Lesparre, marquis de Lassay, né en 1652, était issu d'une famille noble de l'Agenois. Deux passions dirigèrent toute sa vie : la gloire des armes et la galanterie. Il réussit également en ces deux domaines.

En revanche, l'auteur de la *Relation singulière ou le Courrier des Champs-Élysées* propose une définition des plus conformistes :

« Voici en quoi consiste le bonheur. Il porte sur trois bases : sur l'exemption des désirs, sur la patience, sur la bonne conscience. Voilà les trésors nécessaires à l'homme pour être heureux [1]. »

Toutes ces formulations dogmatiques du bonheur sont de tendance moralisante. Les éléments contingents, d'ordre physique ou matériel, y figurent accessoirement. Les richesses sont reléguées au dernier rang. Seule la santé est souvent citée en première ligne. La gaîté naturelle, l'heureuse tournure du tempérament et les plaisirs de la société occupent une place avantageuse [2].

Les définitions d'un troisième type reposent surtout sur des restrictions. Celles-là n'ont rien de triomphal, ni même d'assuré. Il ne s'agit plus d'épuiser le bonheur dans son essence, ni d'énumérer tous les biens dont il se compose. Ce sont des définitions de défense, qui cherchent simplement à sauver l'essentiel. Le bonheur n'est qu'une timide efflorescence, qu'il convient de préserver en sa fragilité. Il n'est question que de fixer le sens minimum du mot et de prendre la réalité qu'il évoque, en quelque sorte, au ras du sol. Le plus souvent, de telles définitions s'accompagnent d'un pessimisme latent et d'un sourire un peu crispé : le bonheur, c'est cette frêle part conquise sur le néant universel et l'universelle souffrance.

Voltaire écrit à Thiériot, en 1729 :

« Croyez-moi, il n'y a de bonheur dans le monde, pour notre corps, que d'avoir ses cinq sens en bon état et, pour notre âme, que d'avoir un ami : tout le reste n'est que chimères [3]. »

Quarante ans après, Mme Du Deffand se confesse au même Voltaire :

« Pour moi, mon cher Voltaire, je fais consister le bonheur dans l'exemption de deux maux, les douleurs du corps et l'ennui de l'âme. Je n'aspire point à une parfaite santé ni à aucun plaisir ; je supporterais patiemment mon état actuel, qui, aux yeux de tout le monde paraît bien malheureux, si j'avais un ami véritable. L'amitié est la seule passion que l'âge n'amortit pas [4]. »

Il avait de la bravoure, du charme, de l'esprit, et de la sensibilité. Retiré en Normandie, après la mort de sa dernière épouse, la marquise de Bouzoles, qu'il avait épousée alors qu'il avait 70 ans, et elle 30, il installa dans son château, pour se distraire, un atelier typographique, où il fit imprimer son *Recueil de différentes choses*. Il mourut en 1738.

1. Abbé LAMBERT, *op. cit.*, p. 78. Il est précisé en outre que « le bonheur n'est pas incompatible avec les richesses ».

2. Pour Trublet, c'est même l'essentiel : « Le Français est le peuple le plus propre au bonheur, parce qu'il est le plus gai et le plus sociable. Pour être heureux (je l'ai dit plus d'une fois), il faut d'abord de la gaîté ; c'est comme le fonds du bonheur. Il faut ensuite des plaisirs que la gaîté assaisonne et qui l'entretiennent. Or c'est la société qui fournit ceux de la meilleure espèce. » (TRUBLET, *op. cit.*, t. III, pp. 406-407).

3. VOLTAIRE, *Oeuvres complètes*, t. XXIII, p. 187.

4. *Correspondance de Mme Du Deffand*, t. II, p. 98, 5 oct. 1770.

Peut-être est-ce encore trop que de faire dépendre le bonheur de l'attachement d'un ami. Il vaudrait mieux pouvoir le réduire davantage et se satisfaire entièrement de soi. Quelques mois plus tard, Mme Du Deffand écrit à Walpole :

« Vous êtes bien heureux de pouvoir vous passer de tout, de vous suffire à vous-même. Il n'y a que ce bonheur-là dans le monde ; on ne peut s'appuyer ni compter sur rien [1]. »

Mais, pour une âme tendre, les ultimes régions du renoncement restent inaccessibles. L'ascèse entreprise peut élaguer du bonheur une foule d'éléments accessoires. Il demeure que le désir d'être heureux ne peut se distinguer du désir d'aimer et d'être aimé. Illusion d'autant plus tragique que Mme Du Deffand manque trop d'imagination pour se contenter du sentiment pur. Le bonheur est de jouir de la présence de ce qu'on aime. C'est la définition dernière, au delà de laquelle toute autre concession devient impossible [2].

Les définitions de la dernière catégorie pourraient être qualifiées d'*extensives* et d'*euphoriques*. Elles ressemblent à celles du second type, dans la mesure où le bonheur est posé comme un ensemble d'aptitudes, de satisfactions et d'avantages, comme un équilibre informant une diversité. Mais l'accent est tout autre. Ces définitions ne sont plus didactiques, composées et imposées de l'extérieur : elles procèdent d'exigences plus intimes, trahissant comme une avidité de vivre, une sorte d'humeur conquérante. Tout en conservant les maximes impersonnelles de la sagesse, on y accorde beaucoup à la vie de l'âme. Dans la formule qu'elle propose au début de ses *Réflexions sur le bonheur*, Mme du Châtelet amalgame des éléments « philosophiques » (absence de préjugés), traditionnels (vertu et santé) et personnels (goûts, passions, illusions) : « Il faut pour être heureux s'être défait des préjugés, être vertueux, se bien porter, avoir des goûts et des passions, être susceptible d'illusions... [3] »

Ces diverses façons de convertir le bonheur en règles de vie révèlent toutes un aspect positif et un aspect négatif. Il s'agit de faire fructifier toutes les chances de l'homme. Mais *épuiser* n'est possible qu'à condition de *restreindre*. Ce n'est qu'à l'intérieur de certaines limites que le bonheur peut être exhaustif. On insistera donc sur ces limites.

1. *Ibid.*, t. II, p. 156, 26 mars 1771.

2. « Je persisterai jusqu'à la mort dans l'erreur de croire qu'il n'y a de bonheur dans la vie que d'aimer et d'être avec ce que l'on aime. » (*Ibid.*, t. II, p. 520, 26 décembre 1775).

3. Dans cette phrase Mme du Châtelet réunit l'essentiel du bonheur philosophique, qui tient à la perception de la vérité par une raison épurée des préjugés, et du bonheur sentimental, qui dépend des goûts et des passions. On notera une subtile différence entre les « préjugés » et les « illusions ». Les préjugés sont des illusions collectives, stéréotypées ; loin d'enrichir la vie personnelle, ils la contraignent à des renoncements indus, à d'injustifiables sacrifices, exigés par une opinion qui superpose aux lois de la nature et de la raison des obligations fictives. Les illusions, qui ne sont pas moins contraires à la vérité, apparaissent en revanche comme des erreurs nécessaires, salutaires : celles dont chacun a besoin pour vivre, qu'il ne prétend pas imposer aux autres, et qui, loin de rogner ses plaisirs, les multiplient.

Aucune de ces définitions ne préconise le déchaînement, les exaltations incontrôlées. Toutes mettent en évidence le côté le moins spectaculaire du bonheur, qui est de ne pas souffrir. L'intention de la plupart des moralistes est de fonder une morale universelle, qui assure le bonheur de chacun en détournant les individus des assouvissements dangereux pour l'ordre social.

Un tel bonheur demeure dans la ligne traditionnelle d'une sagesse. Il n'est « épicurien » que dans la mesure où il ne reconnaît rien au-dessus de la nature. Mais il ne l'est pas, si l'épicurisme désigne la fidélité systématique à la loi du plaisir. Un grand esprit de modération inspire toutes ces formules, dirigées contre la tentation des paroxysmes. Tous ceux qui cherchèrent le bonheur dans une autre voie firent scandale : la morale cynique de La Mettrie est désavouée par les philosophes matérialistes les plus proches de lui. Et lorsqu'on veut identifier ce qu'on nomme « l'esprit du XVIIIe siècle » avec la célèbre frivolité et l'hédonisme tapageur de la Régence, on oublie simplement que la réprobation, la condamnation, l'anathème même, qui frappent ces quelques années infamantes constituent l'un des lieux communs les plus galvaudés de l'époque [1].

I. — Les quatre aspects du bonheur.

Si l'on dépasse la simple définition formelle pour tenter une description psychologique, on constate que le bonheur peut revêtir quatre aspects différents.

1. Pour préciser le point d'aboutissement de la morale moyenne, à la fin du siècle, on pourrait choisir deux traités offrant un exemple, l'un du bonheur « philosophique », l'autre du bonheur vertueux et sentimental, à la façon de Rousseau. Le premier, qui est l'œuvre de Paradis de Raymondis, s'intitule *Traité de morale et du bonheur* (1784). Le bonheur qu'il préconise se compose de six éléments : santé, aisance, liberté, tranquillité, occupation agréable (par exemple, l'étude) et, en dernier lieu, l'application systématique d'une morale destinée, non à étouffer les passions, mais à les diriger, en « appréciant » exactement la valeur réelle des divers objets vers lesquels se porte le désir humain. Ceux-ci sont de trois sortes : les richesses, les honneurs et les plaisirs. Ils peuvent légitimement demeurer la triple fin d'une conduite « morale », à condition que tout élan spontané vers chacun d'eux soit équilibré par un acte de la raison, assignant leur vrai prix aux choses convoitées et servant à modérer, à corriger, ou à épurer le désir. Le traité de Paradis de Raymondis est probablement l'un des meilleurs que le siècle ait produits sur le même sujet. L'auteur avait succédé à son père comme lieutenant-général du baillage de Bourg-en-Bresse, où il était né en 1746. Ayant dû démissionner, à cause de son peu de santé, il se rendait chaque année à Nice, où il passait l'hiver, à lire, à écrire, et à étudier l'agriculture. Il mourut à Lyon en 1800.

Le second traité, dont l'auteur, anonyme, est un avocat au Parlement, a pour titre *La Recherche du bonheur en quatre divisions tendantes au même but* (1776). On y retrouve, vulgarisés, les thèmes essentiels de la morale de Rousseau : prestige de la vertu, qui devient un nouvel absolu ; élimination de la vanité, qui empêche le resserrement de l'être, condition nécessaire du bonheur ; exaltation d'un amour à la fois pur et passionné ; enfin un résidu de stoïcisme, qui permet de mieux résister à certains accidents.

Ces deux images du bonheur s'équilibrent, l'une autour de la Raison, l'autre autour de la Vertu. Dans le premier cas, la Raison assume une fonction de sélection et de contrôle par rapport à l'ensemble de la vie psychologique. L'acte essentiel de la vie morale consiste à savoir « apprécier ». Dans le second, c'est la Vertu qui oriente et purifie la vie intérieure, déclenche et irrigue tous les sentiments, valorise l'amour, cautionne et parachève le bonheur.

Il peut être d'abord un *bilan d'états de conscience*, le fruit d'une arithmétique, exactement le reste d'une soustraction. Soient deux séries d'états de conscience : les états agréables et les états désagréables. Si l'on suppose que le chiffre exprimant la première est supérieur à celui qui évalue la seconde, le bonheur est donné dans le nombre obtenu par la soustraction des deux chiffres. Dans le cas contraire, l'opération se ferait évidemment à l'envers, et c'est un chiffre mesurant le malheur que l'on obtiendrait. Un tel calcul implique que la vie psychologique n'est pas un courant continu, mais une succession d'états distincts. Pensent ainsi des épicuriens cyniques, comme La Mettrie, et des moralistes tristes, comme Maupertuis. C'est aussi quelquefois l'idée de Montesquieu ou de Voltaire.

Mais le bonheur peut s'exprimer, de façon bien différente, sous la forme d'une totalité, d'une unité. Il désigne alors cet état permanent qui résulte de l'apaisement des tendances fondamentales. Il suppose une synthèse de toutes les facultés : plaisirs du corps, plaisirs du cœur, plaisirs de l'esprit collaborent et se composent, selon un ordre donné et une stricte hiérarchie. Le malheur provient d'une rupture d'équilibre, provoquée par l'élimination ou la prolifération indue de l'une des tendances. Cette conception, mieux adaptée à la réalisation de l'homme universel qu'aux jouissances de l'intimité, est celle de Voltaire, de d'Holbach, d'Helvétius, de la plupart des Philosophes.

Le troisième style de bonheur repousse toute idée de synthèse et d'universalité. Il consiste en un resserrement de tout l'être autour d'un point unique, que l'on appellera le *moi*, faute de mieux, puisqu'il représente ce qu'il y a dans l'âme de plus profond et de plus secret. Parler du moi est cependant équivoque, car il peut aussi désigner un système de goûts et d'idées. Celui dont il est ici question se rapproche de la simple *conscience d'exister*, laquelle peut demeurer vide de tout contenu et puiser sa plénitude dans ce vide même. Entre la « jouissance de soi-même », qu'évoque Caraccioli, et la conscience purement végétative de Rousseau à l'île Saint-Pierre, bien des nuances sont possibles.

La dernière image du bonheur est liée à l'acuité de la conscience et à l'exaltation des sentiments. Etre heureux, c'est *être averti de son existence*. Celle-ci cesse d'être savourée en état de repos. Le bonheur dépend, cette fois, de *l'existence en mouvement*. Il n'est plus dans les voluptés, quasi extatiques et immobiles, d'une âme délivrée sinon de tout son poids terrestre, du moins des contradictions et des exigences qui forcent à sortir de soi. Il devient une avidité terrible, trop forte pour se payer de banales jouissances, qui réclame des émotions inouïes, des états d'une tension extrême, recherchés non pour leur valeur propre, mais pour accroître à l'infini la conscience d'exister vertigineusement. Les personnages de Prévost, ceux de

Sade se soutiennent aisément dans ce registre, où les « préromantiques » vont chercher des stimulants pour leur âme malade.

Ces quatre aspects du bonheur n'existent pas toujours séparés. Les trois premiers, notamment, ne sont pas incompatibles. La synthèse des facultés de l'âme peut aboutir au même repos que la jouissance du moi à l'état pur. Ces deux modes du bonheur, différents par leur nature, présentent à peu près les mêmes symptômes ; on trouvera simplement plus de diversité psychologique dans le premier, une plus grande plénitude existentielle dans le second. Il n'est pas non plus facile de distinguer toujours le bonheur comme équilibre et comme succession d'états. Dans quelle catégorie ranger, par exemple, les dilettantes du plaisir ? Les considérera-t-on comme des collectionneurs d'instants précieux, ou comme des humanistes aimables, curieux d'exercer, pour leur plus grande joie, toutes les aptitudes de l'homme ?

En réalité, cela importe peu. L'essentiel n'est pas de distinguer des catégories, mais d'épuiser tous les aspects possibles. On constate alors que ceux-ci se distribuent autour de quelques hésitations fondamentales.

2. — Diversité et unité.

Première antinomie d'importance : le bonheur est-il un état permanent d'unité intérieure ou une suite d'humeurs contrastées ? On oppose souvent, à cet égard, bonheur et plaisir. L'un est réputé durable, l'autre fugitif. Mais cette différence de durée ne suffit pas à fonder une différence de nature. Lorsqu'on s'interroge sur la qualité même du bonheur, on conclut qu'il n'est rien d'autre qu'une harmonie intelligente de plaisirs [1].

Quelquefois même le bonheur, au lieu de se diluer dans le flux intérieur, n'exige aucune durée pour son accomplissement. Il s'épuise dans l'instantanéité même du plaisir. Celui-ci ne participe plus au bonheur, à la façon dont le fil se perd dans la trame ; il vaut par lui-même, se charge d'absolu ; il n'est plus un plaisir, mais un atome de bonheur :

« Toute perception dans laquelle l'âme voudrait se fixer, dont elle ne souhaite pas l'absence, pendant laquelle elle ne voudrait ni passer à une

1. « Le plaisir est un sentiment agréable et passager : le bonheur, considéré comme sentiment, est une suite de plaisirs. » (Voltaire, article *Félicité* du *Dictionnaire philosophique*, *Œuvres*, t. XIX, p. 94).

« La vie n'est point une farce ni une suite de vaines parades ; elle doit être variée d'occupations et de plaisirs, proportionnés aux différents âges : c'est par le bon usage qu'on en fait que s'acquiert cette heureuse disposition de l'âme qu'on appelle le bonheur... » (Boudier de Villemert, *L'Ami des femmes* (1774), p. 201).

autre perception, ni dormir, toute perception telle est un plaisir. Le temps que dure cette perception est ce qui s'appelle *moment heureux* [1]. »

Dans cette perspective, le bonheur perd toute couleur d'âme pour se résoudre dans un émiettement plus ou moins dense de moments heureux. Au lieu d'être simplement enté sur le sentiment de l'existence, il réclame une activité de la conscience, qui procède à une « estimation confuse » de son état. Le bonheur ne s'éprouve pas, il s'évalue. Le bien se trouve confondu avec l'être, le mal avec le néant. Tout ce qui recèle quelque part de malheur est rejeté dans l'inexistence. Maupertuis ignore la douceur de certaines larmes et reste de marbre devant les prestiges de la douleur [2].

La discontinuité de la conscience, simple déroulement d'instants autonomes, qui ne se fondent jamais dans une coulée homogène,

1. Les perceptions s'évaluent selon deux critères : leur durée et leur intensité : « L'estimation des moments heureux ou malheureux est le produit de l'intensité du plaisir ou de la peine par la durée. » Cette estimation n'est pas le fruit d'un calcul systématique. Chaque conscience l'opère spontanément et confusément, à chaque seconde de la vie, « par jugement naturel » : « Chaque homme par un jugement naturel fait entrer l'intensité et la durée dans l'estimation confuse qu'il fait des moments heureux ou malheureux. Le Bien est une somme de moments heureux évalués par la durée et l'intensité de ces moments. Le Mal est une somme semblable de moments malheureux. Le Bonheur est la somme des biens qui restent après qu'on a retranché tous les maux. Le Malheur est la somme des maux qui restent après qu'on a retranché les biens. Le Bonheur et le Malheur dépendent de la compensation des biens et des maux. L'homme le plus heureux est celui à qui, après la déduction faite de la somme des maux, il est resté la plus grande somme de biens. Si la somme de biens et la somme de maux sont égales, on ne peut appeler l'homme heureux ou malheureux. Le néant vaut son être. » (MAUPERTUIS, *Essai de philosophie morale*, chap. 1).

2. Dans *Le Bonheur ou Nouveau système de jurisprudence naturelle*, Berlin, 1754, Élie LUZAC, fortement influencé par Maupertuis, soutient une thèse semblable, qui accentue encore la discontinuité fondamentale de la vie humaine : « L'homme aperçoit que son état et celui des autres êtres n'est pas un moment le même, qu'ils existent et passent continuellement d'une façon d'exister à une autre : par là l'existence de l'homme et celle des autres hommes est dite une *existence successive* » (*Op. cit.*, p. 5). Aucun pouvoir de synthèse ne permet à la conscience de réunir les moments en une totalité. L'âme demeure prisonnière de l'instant : « Tout être intelligent ne sent que son état présent, puisque ce n'est pas dans un état passé qu'il peut être, lequel n'est plus, ni dans un état futur, lequel n'a pas lieu encore. » (*Ibid.*, pp. 5-6). Le sentiment de l'existence n'est que la conscience toujours renouvelée de ces états successifs, dont chacun est escorté d'un jugement positif ou négatif : « Le sentiment de l'existence est tel que l'être qui sent aime mieux éprouver ce sentiment que de ne pas l'éprouver, ou mieux ne pas l'éprouver que de l'éprouver. Dans le premier cas, il préfère son être au néant, dans le second, le néant à l'être. Quand le sentiment est tel qu'on aime mieux l'éprouver que de ne pas l'éprouver, je le nomme agréable ; et je le nomme désagréable dans le cas contraire. L'état accompagné d'un sentiment agréable est dit heureux, malheureux celui qu'accompagne un sentiment désagréable. *D'où il paraît qu'un être est heureux, dès qu'il préfère son existence au néant et qu'un être est malheureux, dès qu'il préfère le néant à l'existence.* Si la vie est composée d'états heureux ou malheureux, elle sera heureuse ou malheureuse, à mesure que les uns l'emporteront sur les autres. » (*Ibid.*, pp. 7-13). Luzac estime, comme Héraclite, qu'on ne se baigne pas deux fois dans le même fleuve. Toute la vie de l'âme n'est que métamorphose et contraste. Par suite, on ne peut même pas dire que le bonheur soit attaché à la conscience de tel ou tel état, mais bien davantage à celle du passage entre deux états consécutifs. (Cf. *ibid.*, pp. 39-40). Cela est une conséquence de l'habitude. L'homme s'accoutumant à son bonheur au point d'être vite hors d'état de le ressentir, il faut qu'il passe sans cesse d'un bonheur moindre à un bonheur plus fort. Parler du bonheur comme d'un état permanent suppose donc une contradiction interne, un non-sens : pour être permanent, le bonheur doit s'accroître sans cesse, c'est-à-dire justement n'être jamais le même deux instants de suite.

Élie Luzac était un philosophe et un jurisconsulte hollandais, né en 1723 près de Leyde d'une famille réfugiée, originaire de Bergerac. Il avait suivi à Leyde l'enseignement d'Hemsterhuis et s'était rallié à la philosophie de Wolff. Devenu libraire-imprimeur, il imprima en 1748 *L'Homme-machine* de LA METTRIE. Son traité *Le Bonheur* est assez remarquable par son raisonnement méthodique et serré. Luzac mourut à Leyde en 1796.

est doublement exploitée par certains philosophes. D'abord elle accrédite l'idée que le bonheur peut être *légitimement* une succession de plaisirs, puisqu'il ne saurait *psychologiquement* être autre chose. Ensuite elle constitue une pièce, parmi d'autres, de l'arsenal matérialiste, car elle suggère l'inexistence de l'âme. Si la conscience se fragmente à l'infini, se dilue dans une poussière d'instants, si elle n'est qu'un pur *devenir*, que garde-t-elle de commun avec l'âme, qui était posée comme *substance* ? La conception de la conscience comme succession d'états permet de dépasser la dualité cartésienne entre l'âme et le corps, et de prouver indirectement l'unité de l'homme.

A l'opposé d'une telle doctrine, on peut concevoir le bonheur comme une totalité immobile. Il faut alors imaginer un homme qui aurait atteint la plénitude de son être par l'apaisement de tous ses désirs, la réalisation de toutes ses aptitudes, et qui vivrait sans angoisse, sans rêve, sans tentation, et, ce qui est le plus difficile, sans aucun dégoût de tant de privilèges [1]. Kant définira le bonheur comme « la satisfaction de tous nos penchants, tant extensive quant à leur variété qu'intensive quant au degré et protensive quant à la durée [2] ».

C'est de ce bonheur exhaustif, harmonieux, d'une sérénité plus qu'humaine, que rêve d'Holbach, quand il trace le portrait d'un grand de ce monde parcourant son vaste domaine parmi les bénédictions de ses vassaux. Autour du seigneur philanthrope, un peuple éperdu se presse, qui lui renvoie sa propre image idéalisée. Une fois ses nobles devoirs accomplis, le châtelain se retire dans son cabinet pour se livrer aux joies de l'esprit. Là, il se met à lire « dans le livre immense de la nature », étudiant la « science si variée du monde moral » et admirant « les tableaux de l'histoire ». Il peut ainsi « remplir agréablement par l'étude les intervalles que lui laisse l'exercice de ses vertus [3] ».

Une si tranquille béatitude suppose beaucoup de choses : de la naissance, des richesses, de l'éducation, un bon naturel, une âme calme et vertueuse, de la curiosité d'esprit. On y voit paraître l'image naïve, quasi extatique, d'un humanisme nouveau, qui fait de la terre un autre Paradis et croit à l'épanouissement de toutes les facultés de l'homme, lumineusement équilibrées autour d'une active bonté. Ce chef-d'œuvre de la nature et de la fortune illustre l'idée du bonheur dans sa plus vaste extension et sa plénitude.

1. « Pour être heureux, il faudrait que toutes nos inclinations fussent satisfaites, que nous fussions en repos sur la prévoyance de l'avenir, que le désir de la gloire fût assouvi, que l'ardeur pour les grands emplois fût rassasiée ; ou bien que l'inclination pour le repos trouvât un calme où rien ne la troublât, il faudrait que l'envie de connaître, de savoir et d'apprendre fût pleinement assouvie, que l'inclination pour le faste ne fût point contrainte et que le penchant à l'amour trouvât un objet qui ne lui laissât point d'autre à désirer ; mais qui est l'homme assez heureux pour rencontrer une seule de ces choses ? » (ALLEAUME, *Suite des caractères de Théophraste et des mœurs de ce siècle*, 1700, p. 59.)

2. KANT, *Critique de la raison pure*, 2e éd., *Méthodologie transcendantale*, chap. II, section 2.

3. Cf. D'HOLBACH, *Système social*, t. III, pp. 149-150.

Mais une telle félicité pourrait sembler amère à qui ne dispose pas d'autant d'avantages. Par bonheur, s'il n'est pas souvent donné de vivre dans l'univers de ses rêves, on peut toujours tirer profit de ce que l'on possède, de manière à rêver de tout. C'est à l'âme qu'il appartient d'opérer, par une alchimie secrète, non pas une transfiguration du réel, alors inconcevable, mais un rajeunissement merveilleux du monde, grâce auquel tout point de contact entre la conscience et les choses devient source de bonheur. Montesquieu avoue : « Mon âme se prend à tout », et la Marquise des *Entretiens sur la pluralité des mondes*, en son naïf éblouissement, s'émerveille que le ciel l'ait fait naître dans un si doux climat [1]. Ce bonheur de l'épanouissement se distingue peu, à l'époque de Fontenelle, d'un simple jeu d'alternances entre les divers plaisirs. Par la suite, il implique une hiérarchie, qui subordonne les plus immédiats des assouvissements aux jouissances les plus nobles. Delisle de Sales construit sa *Philosophie du bonheur* en superposant trois étages, dont chacun représente l'une des « portes » de l'âme ouvertes au bonheur. Les sens constituent la première de ces portes ; au-dessus figure l'entendement et, au plus haut degré, la vertu :

« Le bonheur se compose pour l'homme de l'union intime des plaisirs physiques avec ceux de l'âme et ceux de l'intelligence : c'est du passage sans secousse des uns aux autres que résulte l'harmonie entre toutes les facultés, comme de la fonte habile des teintes naît cette magie de coloris qui donne la vie à un tableau [2]. »

Cette conception fondée sur quelques notions-clés (totalité, équilibre, synthèse, hiérarchie) est l'aboutissement d'un compromis. On y reconnaît le dessein systématique d'épuiser la *nature humaine*, qui recèle

1. « En vérité, si un certain philosophe rendait grâce à la nature d'être homme, et non pas bête, grec et non pas barbare, moi je veux lui rendre grâce d'être sur la planète la plus tempérée de l'univers et dans un des lieux les plus tempérés de cette planète. » Comme le philosophe qui vient de l'instruire lui fait galamment remarquer qu'elle a bien d'autres motifs de gratitude, sa jeunesse et sa beauté par exemple : « Mon Dieu, réplique-t-elle, laissez-moi avoir de la reconnaissance sur tout, jusque sur le tourbillon où je suis placé. *La mesure du bonheur qui nous a été donné est assez petite, il n'en faut rien perdre et il est bon d'avoir pour les choses les plus communes et les moins considérables, un goût qui les mette à profit.* » (FONTENELLE, *Entretiens sur la pluralité des mondes*, 4e éd. (1724), pp. 168-169.)

2. DELISLE DE SALES, *Philosophie du bonheur*, t. II, p. 120. — Jean-Baptiste Isoard de Lisle, dit Delisle de Sales, est l'un des écrivains les plus curieux du XVIIIe siècle. Né à Lyon en 1743, il entra à l'Oratoire, qu'il quitta bientôt pour venir à Paris cultiver la littérature. Sa *Philosophie de la nature*, en le faisant condamner au bannissement perpétuel, le rendit célèbre : on venait le voir dans sa prison, on ouvrit une souscription en sa faveur, Voltaire prit fait et cause pour lui. Finalement, le Parlement cassa la sentence du Châtelet. Se remettant à écrire, Delisle ne put jamais, en dépit des titres étranges dont il paraît ses innombrables ouvrages, retrouver une telle célébrité. En 1793, il fut enfermé à Sainte-Pélagie à cause de son utopie, *Éponine*. Libéré par Thermidor, il publia sa *Philosophie du bonheur*, commencée pendant sa détention. Par la suite, il devint membre de l'Institut, vécut retiré dans sa famille, au milieu de ses 36.000 livres, qui remplissaient 15 ou 16 pièces, se remaria à 72 ans, et mourut en 1816. Doué d'une imagination inépuisable et bizarre, il se comparait aux grands philosophes de l'Antiquité. Il avait fait installer chez lui son buste en marbre blanc, avec cette inscription :

Dieu, l'homme, la nature, il a tout expliqué.

toutes les virtualités d'un bonheur détaché des prestiges lointains de l'au-delà. Il semble qu'on ait la hantise de perdre une miette de ce bonheur, qu'on ne rencontrera nulle part, si on n'a pas su le saisir en ce monde : d'où le désir, à la fois hardi et inquiet, de procéder à l'inventaire des dons et des promesses que l'homme trouve en lui-même [1].

Mais un deuxième élément, plus traditionnel, se mêle au premier et, dans une certaine mesure, s'y oppose. Il importe de préserver la plus haute destination de l'homme, sa grandeur, sa vocation à l'éternité. La foi qui a perdu son caractère objectif conserve des résonances subjectives et laisse flotter un halo dans l'âme qu'elle a désertée. On a beau s'être détaché de l'éthique et des dogmes chrétiens, il faut pouvoir rêver encore d'une spiritualité imprécise, qui est la seule défense contre l'angoisse de mourir et confère à la morale une sanction plus sûre et moins plate que l'*utilité* des Encyclopédistes.

Le compromis conclu entre ces deux tendances explique la coexistence d'une *apologie de la nature* et d'une *hiérarchie morale*, où culminent, vidées d'une partie de leur sens, les anciennes valeurs spirituelles.

Le troisième type de bonheur se définit par le *rétrécissement de l'être*, le repliement, l'immobilité. C'est un bonheur détaché des objets et dans lequel les désirs, purgés de leur impatience, déversent toute leur énergie à l'intérieur du cœur apaisé. Il n'a pas à se conquérir, ni même à se construire. Il est donné. Chaque être le porte en lui. Il suffit de savoir l'atteindre là où il se trouve [2]. Pour un Voltaire, l'homme ne peut s'accomplir que dans la relation. Ici, le bonheur se donne

1. En 1775, on traduit de l'anglais l'*Essai sur les moyens de rendre les facultés de l'homme plus utiles à son bonheur*, de Jean GREGORY, professeur de médecine à l'Université d'Edimbourg et premier médecin de S. M. en Écosse. L'ouvrage se divise en cinq sections, chacune étant consacrée à l'une de ces facultés. D'abord l'instinct naturel, qui dépend uniquement du corps et que l'homme partage avec les animaux. Puis les facultés proprement humaines : « Les avantages que l'espèce humaine possède supérieurement au reste du genre animal tirent principalement leur origine de la *raison*, du *principe social*, du *goût* et de la *religion*. Nous allons chercher combien chacun de ces avantages contribue à rendre la vie plus heureuse et plus agréable. » (*Op. cit.*, pp. 124-125.) Il s'agit d'exploiter toutes les ressources de la nature humaine pour les faire collaborer au bonheur. L'exposé suit un mouvement ascendant, qui conduit de l'instinct naturel à la religion.

La plupart des traités de la deuxième moitié du siècle sont construits sur le même type. C'est ainsi que l'*Essai sur le bonheur* de GOURCY explique successivement : « Comment les plaisirs des sens peuvent contribuer au bonheur et y nuire. Comment peuvent contribuer au bonheur les plaisirs de l'esprit et des lettres. Comment contribuent au bonheur les plaisirs de l'âme : 1) ceux qui naissent de la vertu et de la bienfaisance ; 2) le plaisir de l'amitié. » On notera l'emploi de formules de plus en plus affirmatives : les plaisirs des sens peuvent *contribuer au bonheur ou y nuire*, les plaisirs de l'esprit *peuvent y contribuer*, ceux de l'âme *y contribuent*. Les plaisirs de l'âme sont donc les seuls facteurs *inconditionnels* de bonheur. Ceux de l'esprit sont soumis à des restrictions. Quant aux plaisirs des sens, ils demeurent dangereusement ambivalents, et il faut beaucoup de chance ou de prudence pour n'en tirer que d'heureux fruits. A ce bonheur humain, réparti en trois paliers, se superpose enfin la vie chrétienne.

2. « La Félicité existe pourtant, chacun la porte dans son cœur et ne l'aperçoit que dans les objets étrangers. *Plus on s'écarte de soi-même, plus on s'écarte du bonheur.* » (VOISENON, *Histoire de la Félicité* (1751), t. I, p. 3).

« Le bonheur existe, mais il n'est point dans les objets qui nous entourent, dans les hommes

comme le refus de toute relation. Il devient une sorte d'absolu intime : c'est le moi porté au suprême degré de solitude et de plénitude, coupé des êtres et des choses, ne tenant à rien, ne convoitant rien, satisfait de jouir de lui-même. Il n'est plus question, d'autre part, de distinguer entre elles les facultés de l'âme. Ce moi, qui est plénitude, est également unité. L'euphorie existentielle ne se divise pas.

Le parfait détachement est, sans doute, un état chimérique [1]. Mais il est possible d'y tendre, en réduisant les besoins de l'âme [2], en diminuant la *capacité du cœur*. Il ne suffit pas, en effet, de supprimer des jouissances, si l'on ne fait que libérer des désirs, que l'on devra satisfaire autrement. C'est le désir lui-même qu'il faut étouffer, et pour cela, faire que le cœur soit rempli « par une plus petite mesure de plaisir [3] ». L'erreur la plus commune consiste à chercher le bonheur dans « une existence nouvelle et plus étendue ». Étendre son existence suppose qu'on ne vit plus que dans les choses, qu'on cesse de coïncider avec soi. C'est manquer de confiance en la nature, qui a mis notre bonheur en nous-même [4].

De tous les auteurs du siècle, Rousseau a le mieux défini le bonheur comme *rapprochement de soi* [5]. Le faux bonheur des gens du monde

avec qui on a des rapports. Chacun le porte dans son cœur, et c'est dans ce sanctuaire seul que le sage doit l'aller chercher. » (DELISLE DE SALES, *Philosophie du bonheur*, t. I, p. 70).

« Tant que l'on met son bonheur en soi seul, le sort a peu de prise pour tourmenter ; mais lorsqu'une fois l'attachement se divise et que les liens du sang et de l'amitié nous unissent à d'autres êtres, qu'il est aisé de nous rendre malheureux au-delà de l'imagination. » (FEUCHER, *Réflexions d'un jeune homme*, p. 57.)

1. « Quelque principe ou quelque opinion d'indépendance que l'on ait au dedans de soi, on dépend toujours de quelque chose ou de quelqu'un. » (Cf. PECQUET, *Discours sur l'emploi du loisir*, pp. 41-45.)

2. Tronchin, écrivant à Mme d'Épinay, lui donne, dans ce sens, des conseils de sagesse et de bonheur : « Vous êtes plus faite que personne pour jouir de la tranquillité d'âme qui est le fruit de la sagesse ; et à quoi servirait la sagesse sans le fruit ? Elle ne serait qu'une décoration, j'ose vous le dire, parce que vous pouvez l'entendre. Étendez, ma bonne amie, la demeure de votre philosophie : le vrai bonheur y est renfermé ; tout ce qui est au-delà n'est que vains désirs, soucis et peines. Que l'exemple des autres hommes, que notre propre expérience vienne au secours de notre raison. La première vérité sera que notre bonheur est en nous-même et qu'il s'affaiblit de l'appui que ce qui est au dehors lui prête : or, comme la cupidité et l'orgueil le rendent plus dépendant, réduisons nos besoins et n'ayons point de prétentions. Voilà, en deux mots, l'itinéraire du bonheur et de la sagesse. » (Lettre de Tronchin à Mme d'Épinay, juillet 1756, dans *Mes Moments heureux*, pp. 95-96).

3. « Il faudrait que notre cœur se resserrât, se rapetissât en quelque sorte ; que sa capacité d'être heureux, devenant moins étendue, pût être remplie par une plus petite mesure de plaisir ; en un mot, que nous fussions également contents, en possédant moins. Or, comme la capacité d'être heureux peut s'étendre, je crois aussi qu'elle peut diminuer et qu'il arrive quelquefois en effet qu'elle diminue. » (TRUBLET, *op. cit.*, t. I, pp. 342-344).

4. « Ne nous accoutumons pas, je vous prie, à traiter la nature de marâtre ; ce serait trop ingrat ou ne la pas connaître. Partout où elle a placé des hommes, elle a placé à côté d'eux le bonheur et il ne tient qu'à nous d'en jouir ; *c'est que le bonheur est bien plus dans nous-mêmes que dans les objets qui nous entourent.* Il naît de notre manière de penser ; et ce n'est point, croyez-moi, une denrée que les marchands vendent aux peuples chez lesquels ils trafiquent, ou qu'ils rapportent pêle-mêle avec du sucre et de la cochenille. » (MABLY, *De la Législation*, pp. 11-12).

5. « On ne peut être heureux sur la terre qu'à proportion qu'on s'éloigne des choses et qu'on se rapproche de soi. » (ROUSSEAU, Lettre à Mlle D. M., 4 novembre 1764, *Œuvres complètes de J.-J. Rousseau*, d'après Petitain et Musset-Pathay, Paris, Houssiaux, 1852, t. IV, p. 509).

« Un homme vraiment heureux ne parle guère et ne rit guère ; il resserre pour ainsi dire son bonheur autour de lui. » (ROUSSEAU, *Émile*, IV, *ibid.*, t. II, p. 539).

équivaut à placer le centre de leur existence hors d'eux-mêmes. Ils se transportent dans les objets, auxquels sont attachés leurs désirs, et dans l'opinion d'autrui. Plus ces objets se multiplient, plus leur être se trouve écartelé, émietté à l'infini. Les choses convoitées par le désir peuvent aussi disparaître : le sentiment de l'existence, qui y était fixé, ne trouve alors que le vide et s'y anéantit. C'est l'ennui ou le désespoir. Quant à l'opinion, elle n'est précisément que du vide et ne saurait à ce titre fonder notre existence [1]. On aboutit à ce résultat paradoxal : « Nous n'existons plus où nous sommes ; nous n'existons qu'où nous ne sommes pas... » C'est ce décalage entre *l'être et l'existence* qui mesure le malheur de l'homme social. Si nos désirs ne sont plus à la portée de nos facultés et en harmonie avec nos besoins, s'ils se calquent sur les exigences de notre fantaisie et les vicissitudes de l'opinion, notre bonheur deviendra trop dépendant pour être encore réalisable. Fontenelle disait déjà qu'il faut trop de choses au bonheur d'un courtisan pour que la nature puisse en faire les frais.

Puisque nous ne pouvons pas « étendre nos facultés » et les lancer à la poursuite de nos désirs, « il ne nous reste qu'à rassasier nos besoins suivant le plan que la Nature a elle-même tracé [2] ». L'existence et le moi s'ajusteront ainsi l'un et l'autre, et c'est justement en cela que le bonheur consiste : « O homme ! resserre ton existence au dedans de toi, et tu ne seras plus misérable. ». La valeur du précepte est plus existentielle que morale. Le rêve étrange de presque tous les hommes est d'amplifier, de gonfler leur existence. Alors que leur moi naturel, indispensable centre de gravité, demeure à l'intérieur d'eux-mêmes, leur existence, propagée par la multiplication folle de leurs désirs, s'étale sur toute la terre [3]. Or la Nature exige de chaque individu qu'il n'excède pas les limites de son moi. L'homme n'est pas fait pour étendre son existence, mais pour la conserver : « Tout le reste n'est qu'esclavage, illusion, prestige. »

L'idéal du bonheur comme resserrement n'exprime pas seulement un rêve de repos et d'abstention. Il tend surtout à l'*unité*. Il voudrait abolir toute forme de division : entre l'âme et le monde, entre le moi

1. « L'homme sociable, toujours hors de lui, ne sait vivre que dans l'opinion des autres ; et c'est pour ainsi dire de leur propre jugement qu'il tire le sentiment de sa propre existence. » (*Discours sur l'origine de l'inégalité*, *ibid.*, t. I, p. 566).

2. « Le monde réel a ses besoins, le monde imaginaire est infini ; ne pouvant élargir l'un, nous devons rétrécir l'autre ; car c'est de leur seule différence que naissent toutes les pertes qui nous rendent vraiment malheureux. » (*Émile*, livre II, *ibid.*, t. II, p. 43).

3. « Nous tenons à tout, nous nous accrochons à tout : les temps, les hommes, les biens, les choses ; tout ce qui est, tout ce qui sera importe à chacun de nous : notre individu n'est plus que la moindre partie de nous-même. Chacun s'étend pour ainsi dire sur la terre entière et devient sensible sur toute cette grande surface. Est-il étonnant que nos maux se multiplient dans tous les points par où l'on peut nous blesser ? Que de princes se désolent pour la perte d'un pays qu'ils n'ont jamais vu ! Que de marchands il suffit de toucher aux Indes pour les faire crier à Paris ! » (*Ibid.*, p. 432).

et les objets, entre le vouloir et le pouvoir. Le drame de l'homme est de se projeter dans une sphère plus étendue que l'étroite zone réservée par la Nature à l'accomplissement de son moi. C'est au moment où l'on franchit la limite de cette zone qu'intervient le risque du malheur. Celui-ci n'est évité qu'à condition de rester à l'intérieur du champ circonscrit où l'on se découvre le maître du royaume, régnant sur cette portion de nature qu'est un cœur humain, avec près de soi les quelques objets nécessaires à la vie. L'état de nature n'est qu'une figuration mythique de cette unité existentielle, et l'immortalité de l'âme la survie imaginaire d'un moi promu à l'absolu. L'unité de la personne, la coïncidence de l'être et de l'existence, constituent le thème central de toute la pensée morale de Rousseau. Limite, unité, plénitude ; le bonheur passe successivement par ces trois termes : c'est en restreignant le plus possible la sphère d'expansion permise à la conscience qu'on peut faire coïncider l'existence et le moi ; c'est de cette coïncidence que découle le sentiment de plénitude en quoi consiste le bonheur.

Cette philosophie du bonheur n'est pas sur le même plan que la précédente. Elle procède de ces intuitions fondamentales sur lesquelles s'appuie la vie de la conscience et pourrait s'expliquer indépendamment de l'histoire. L'autre, en revanche, n'était que le croisement de deux courants d'idées, le fruit d'un compromis entre une doctrine déclinante et un esprit nouveau, chacun des deux ayant besoin de l'autre, l'une pour ne pas mourir, le second pour survivre sous le couvert d'un alibi.

3. — Existence et personne.

Le contraste entre ces deux styles de vie fait apparaître un autre dilemme : le bonheur s'aménage à deux niveaux différents, celui de l'existence et celui de la personne. L'existence est ce résidu qui demeure, lorsqu'on a vidé la conscience des émotions et des idées qui composent la vie de l'âme et dessinent la silhouette morale d'un être humain. La personne est l'ensemble des représentations qui meublent ou plutôt constituent une conscience. La Marianne de Marivaux sent fort bien la différence ; voici ce qu'elle déclare, à un moment critique où elle se trouve dans un complet dénûment :

« L'objet qui m'occupa d'abord, vous allez croire que ce fut la malheureuse situation où je me restais ; non, cette situation ne regardait que *ma vie* ; ce qui m'occupait me regardait *moi*. Vous direz que je rêve de distinguer cela : point du tout, *notre vie, pour ainsi dire, nous est moins chère que nous, que nos passions*. A voir quelquefois ce qui se passe dans notre instinct là-dessus on dirait que pour *être*, il n'est pas nécessaire de *vivre*, que ce n'est que *par accident* que nous *vivons* ; mais que c'est *naturellement* que nous *sommes* [1]. »

Marianne distingue donc clairement son existence de ses sentiments. Elle n'identifie que ces derniers à elle-même : *nous* est l'équivalent de *nos passions*. Marivaux résout sans hésitation l'embarras qu'éprouvait Pascal à définir le moi. Tous ses personnages n'ont pas d'autre vie que celle de leur cœur. Aussi, tant qu'ils n'aiment pas, ont-ils à peine conscience d'exister : cela leur vaut, comme l'a remarqué G. Poulet, l'illusion d'une naissance, d'une éclosion hors du néant, lorsqu'ils découvrent qu'un sentiment a pris brusquement possession de leur âme, leur permettant ainsi d'accéder à l'être.

A l'opposé, le Rousseau des *Rêveries* réduit la conscience de lui-même à l'existence pure, dépouillée de tout sentiment, et c'est alors que le bonheur lui est donné. Le « moi » s'est volatilisé. L'existence se suffit à elle-même ; aucune émotion ne l'habite, aucune intention ne l'oriente. B. Muntéano l'a justement souligné : c'est aux confins même de l'inexistence que Rousseau croit le plus fortement exister.

Mais le mot *existence* n'a pas toujours la même signification. A côté du sens essentiellement restrictif que Rousseau lui donne, il peut désigner, non plus le simple fait de vivre, mais l'ensemble des sensations et des états intérieurs correspondant aux points de contact entre l'âme et le monde. On aboutit alors au quatrième type de bonheur qui consiste, selon la formule si souvent employée, à *être averti de son existence* avec la plus grande intensité possible. Cette fois, le bonheur n'est pas un équilibre, ni un dépouillement immobile de l'âme resserrée autour d'elle-même, mais une *exaltation* liée à une acuité exceptionnelle de la conscience. Toujours en devenir et en effervescence, il ne se distingue pas d'un mouvement à l'état pur [2]. Il s'agit d'un bonheur de l'*intensité*. Ce n'est plus la qualité des états de conscience qui compte, ni l'harmonie des facultés de l'âme, ni ce sentiment de plénitude que l'on goûte à se rassembler tout en soi. Ce que l'on cherche alors, c'est la tension vers un paroxysme, impliquant une singulière vigueur de l'âme, un pouvoir quasi magique des objets, et un incessant renouvellement des perceptions, toujours plus aiguës et plus violentes, jusqu'à ce que l'homme ait atteint les limites de lui-même [3].

1. MARIVAUX, *La Vie de Marianne*, éd. Deloffre, Paris, Garnier, 1957, p. 129.

2. « L'homme veut toujours être averti de son existence le plus vivement qu'il est possible, tant qu'il peut l'être sans douleur. Que dis-je ? Il consent très souvent à souffrir plutôt que de ne point sentir. » (D'HOLBACH, *Système de la nature*, t. I, p. 338).

3. « Pour être heureux sans interruption, il faudrait que les forces de votre être soient infinies, il faudrait qu'à sa mobilité il joignît une vigueur, une solidité que rien ne pût altérer ; ou il faudrait que les objets qui lui communiquent des mouvements puissent acquérir ou perdre des qualités, suivant les différents états par lesquels notre machine est forcée de passer successivement ; il faudrait que les essences des êtres changeassent dans la même proportion que nos dispositions, soumises à l'influence continuelle de mille causes, qui nous modifient à notre

Cette dynamique du bonheur dépend de trois éléments : une réserve quasi inépuisable d'énergie intérieure ; la faculté, pour l'âme, d'être toujours accaparée et satisfaite par les objets, ce qui suppose une coïncidence entre le rythme de déroulement de l'univers et celui de la conscience ; une progression constante dans les sensations. Dans la *Philosophie du bonheur*, Delisle de Sales veut expliquer l'étrange ascétisme des Cénobites :

« C'est qu'ils ont voulu être avertis de leur existence d'une manière plus vive que le reste des hommes... Ils se sont imaginés qu'on était sur ce globe des êtres passifs, quand on se contentait d'y être bon citoyen, père tendre et homme vertueux [1]. »

Le bonheur, en effet, ne se limite pas forcément à la satisfaction des besoins essentiels du corps et de l'âme, qui suffit pourtant à l'équilibre. On aspire, au delà de cet équilibre, à une conscience décuplée de soi. La plénitude, premier stade du bonheur, tend à émousser le sentiment de l'existence. On ne se *sent* plus exister, précisément parce que l'on est heureux et que l'âme, comblée, s'affaisse et se détend. Or, pour être heureux totalement, il est nécessaire de se sentir vivre et de toujours désirer. Le bonheur de l'intensité est, à la fois, l'achèvement et le contraire du bonheur de la plénitude [2].

Etre heureux, c'est donc être remué, éprouver la vie non comme une trame uniforme ou une surface tranquille, mais comme une suite de mouvements et de chocs, dont la surprise et la violence nous grisent. C'est par le mouvement seul que l'âme est avertie de son existence. C'est dans l'extraordinaire, l'insolite, l'inattendu que l'on vit vraiment. Dès lors, la voie est ouverte à toutes les démesures. Un tel bonheur échappe, par définition, à toute limite. L'accélération du rythme intérieur se poursuit sans fin, vertigineusement. C'est pourquoi les personnages de Sade réclament des sensations de plus en plus inouïes. Le *monstrueux* possède le privilège de hisser très aisément la conscience jusqu'à ces étranges apothéoses, où l'on savoure pleinement son existence. On peut atteindre ainsi une sorte de

insu et malgré nous... Il faut que l'action de l'objet qui nous remue et dont l'idée nous reste, loin de s'affaiblir et de s'anéantir aille toujours en augmentant ; il faut que, sans fatiguer, épuiser ou déranger nos organes, cet objet donne à notre machine le degré d'activité dont elle a continuellement besoin. » (D'Holbach, *ibid.*, pp. 332 et 337).

1. Delisle de Sales *Philosophie du bonheur*, t. I, p. 134.

2. « Pour que l'homme soit heureux : 1) Il faut que ses besoins physiques soient satisfaits et qu'il soit sûr qu'il ne manquera pas des choses nécessaires pour sa subsistance. 2) Lorsque tous les besoins primitifs sont satisfaits, l'amour du bonheur agit encore sur le cœur de l'homme ; il faut qu'il soit ému, intéressé, *qu'il éprouve des sentiments qui lui rendent l'existence agréable, en sorte que ce soit un bien pour lui que d'être.* » (Pluquet, *De la Sociabilité*, t. II, pp. 26-27).

Dans le *Discours préliminaire* à l'*Histoire critique des opinions des philosophes sur le bonheur*, Rochefort définit le premier stade du bonheur comme la suppression de l'ennui : « Vivre heureux, c'est consommer le cours du temps sans en sentir le poids... » Mais ce n'est pas là tout le bonheur : « Ce n'est point l'absence de l'ennui qui peut constituer le bonheur : mais *l'énergie, la permanence* ou *la succession des sentiments agréables.* » (Rochefort, *Histoire critique, Discours préliminaire*, pp. xiii et xv).

nietzschéisme avant la lettre : le bonheur est cette extase d'une âme souverainement libre, enivrée de sa propre grandeur, qui ne se développe qu'en vertu de sa propre loi, et s'affirme en méprisant tout ce qui n'est pas elle [1].

4. — Mouvement et repos.

Cependant que de textes contemporains célèbrent le bonheur comme un état de repos, une délicieuse immobilité de l'âme ! Le bonheur, dit Marmontel, « *est dans le silence des passions, dans l'équilibre et le repos* [2] ». Le « philosophe bienfaisant » parle d'une « apathie heureuse », que conspirent à former « la simplicité, l'innocence et la tempérance [3] ». Bien loin de se confondre avec le mouvement éperdu d'une âme lancée à la conquête de situations inconnues, le bonheur n'est que l'acceptation tranquille d'un état actuel, une coïncidence parfaite avec soi-même :

« Quand je réfléchis sur ce que j'appelle *Bonheur,* il me semble que c'est un sentiment d'approbation de l'état où je suis, d'où naît ce que j'appelle constamment joie, tranquillité d'âme [4]. »

1. Dans *Le Paysan perverti,* Gaudet donne à Edmond des leçons de bonheur aussi démoniaques et splendides que celles que Vautrin, plus tard, donnera à Rastignac : « Ceux qui pensent et chez qui s'est développée de bonne heure cette énergie qui distingue l'être raisonnable de la brute, ceux-là doivent se conserver libres et ne se vendre à la société que lorsqu'elle les paie ce qu'ils valent. Jusque-là, qu'ils vivent pour eux ! Ils sont les fleurs du genre humain et plus ces fleurs sont belles, plus elles ont le droit de ne pas être utiles, ou plutôt leur beauté est leur utilité. C'est l'honneur qu'elles font à l'espèce humaine qui les acquitte de leur devoir social... Idée philosophique et sublime, peu dangereuse parce que très peu d'hommes se trouvent à même de l'avoir... Edmond, c'est au rang de ces hommes que je veux te mettre, je veux que toi et ta sœur vous soyez de ces êtres distingués du vulgaire ; ô mes amis, mes chers amis, j'ai une immense ambition pour vous ! Eh bien ! Edmond, je ferai ton âme libre et grande, largement ouverte au bonheur ! Je t'éprendrai de la nature et de la raison, je foulerai aux pieds devant toi les préjugés et quand j'aurai tout fait, je vous dirai, à Ursule et à toi : « Jouissez, vous êtes faits pour jouir ! » Et vous jouirez ! Ma jouissance à moi sera de voir la vôtre, et je serai plus dieu que Dieu, car il est des cas où l'on souffre de ses lois et mes lois à moi ne vous auront donné que du bonheur. » (Rétif de la Bretonne, *Le Paysan et la paysanne pervertis,* 2e partie, chap. III).
2. Marmontel, *Contes moraux,* t. II, p. 35.
3. Cf. Stanislas Leckzinski, *op. cit.,* t. I, pp. 338-341.
4. Saint-Hyacinthe, *Recherches philosophiques,* p. 241.

La duchesse de Choiseul écrit à Mme Du Deffand : « Le bonheur est le fruit de la raison ; c'est un état tranquille, permanent, qui n'a ni transports ni éclats. » Si elle estime heureuse Mme de Caraman, leur amie commune, c'est parce qu'elle est « environnée d'objets de satisfaction que sa raison approuve et sur lesquels son sentiment se repose. » (*Correspondance de Mme Du Deffand,* t. II, pp. 242-243, 5 septembre 1772).

L'auteur du *Bonheur rural* définit le bonheur comme le « résultat d'une longue suite de moments où l'âme, dans le calme de la satisfaction, peut avec complaisance se replier sur elle-même, pour se connaître, pour se contempler, pour s'encourager à la vertu. » (*Op. cit.,* t. I, p. 11).

Pour Buffon, « le bonheur de l'homme consiste dans l'unité de son intérieur » (*Discours sur la nature des animaux, Œuvres complètes,* éd. Sonnini, t. XXI, p. 326). Cette unité consiste en une exacte répartition des rôles entre le corps, dont la fonction se limite à *sentir,* et l'âme, vouée seulement aux tâches spéculatives, et non pas à sentir à la place du corps, selon l'hérésie et la démence des gens passionnés, qui sont, précisément à cause de cela, les plus malheureux des hommes.

Mouvement et repos apparaissent comme les deux pôles du bonheur. D'un côté, les tenants du bonheur-équilibre ou du bonheur-sagesse, secrètement inspirés par le rêve d'un repos absolu. Rêve mythique, et qui révèle l'une des constantes aspirations de l'âme humaine : le bonheur est cet état de grâce, cette euphorie édénique, où l'homme s'imagine allégé de toute une part de lui-même, jouissant de son immobile perfection. Au niveau des réalités de l'âme, un tel repos représente à la fois la *victoire sur l'ennui* et le *refus de l'exaltation*. Plus profondément, il se réfère au besoin d'*achèvement de soi*. Symboliquement enfin, l'homme y rêve de s'endormir dans cette majestueuse et sereine suffisance qu'il attribue aux choses et aux dieux.

Le rêve du repos n'est peut-être qu'en apparence un rêve de la conscience. Il semble trahir l'existence de forces plus obscures, de puissances cachées, bien antérieures à la naissance de l'esprit, qui voudraient, en ensevelissant la conscience, retourner dans le sein de la terre, se replonger dans la nature-mère, dans cet univers aveugle qui est le seul éternel. Au fond de tout rêve du repos se devine le rêve d'une mort qui n'est pas anéantissement, mais naissance à l'être [1].

Le rêve du mouvement, au contraire, figure le délire d'une conscience prise de vertige, qui veut se soûler de ses propres pouvoirs et se donner à toutes les frénésies, à seule fin d'échapper à la mort. Vie absolue, liberté pure, refus de tout ce qui est *nature*, la tentation du mouvement révèle un autre aspect des profondes rêveries de l'âme humaine : la panique de la conscience, qui a peur, cette fois, d'être confondue avec les objets et tente de se créer perpétuellement. Or, pour ne pas se laisser absorber par les choses, la conscience est tenue de les dévorer elle-même : sa faim doit être permanente, toujours en quête de nouveaux aliments, car il suffirait qu'elle oublie un instant de se nourrir du monde, pour que le monde l'engloutisse aussitôt.

C'est pourquoi la conscience qui a opté pour le mouvement ne peut jamais s'arrêter. Elle a engagé une terrible partie, dont l'enjeu est mortel. Il faut que l'un des deux antagonistes succombe. En fait, c'est la conscience qui est toujours vaincue, et il ne saurait en être autrement. Car elle n'est jamais uniquement conscience, c'est-à-dire liberté pure. Elle est aussi nature. Le monde, qu'elle affronte, est nature exclusivement : aucun principe ennemi ne le dévore de l'intérieur ; il n'abrite dans la place aucun adversaire. Le combat de la conscience contre le monde ressemble toujours un peu aux derniers jours de Troie.

1. Mme de Choiseul, après avoir défini le bonheur comme un « état tranquille, permanent, qui n'a ni transports ni éclats », ajoute : « Peut-être est-ce le sommeil de l'âme, la mort, le néant, je n'en sais rien, mais je sais que tout cela n'est pas triste, quoiqu'on y attache des idées lugubres. » (*Correspondance de Mme Du Deffand*, t. II, p. 242).

Cette dualité symbolique qui partage l'homme entre la tentation du vertige et le rêve du repos est sans doute éternelle. Mais le XVIIIe siècle l'exprime avec une particulière transparence. Peu d'époques ont exalté, avec une égale ferveur, le repos et le vertige, rêvant simultanément de délicieuses torpeurs, d'alanguissements raffinés, de sagesses fortes et solides, d'équilibres minutieux, et d'autre part, de sensations inouïes, d'exatiques délires, de frénésies et de transports. L'âme du XVIIIe siècle est faite de ces alternances ou de ces mélanges entre les plaisirs tranquilles, les langueurs molles, et les ivresses démesurées.

Expliquer cette ambivalence par l'antinomie raison-sentiment ne suffit pas. C'est prendre même l'un des effets pour la cause. Il n'y a pas plus de *raison* dans la nostalgie du repos que dans la fascination du vertige. Il s'agit de deux rêves opposés, dont les racines plongent au plus profond de l'âme.

Le siècle a tenté de résoudre cet antagonisme [1]. Il a conçu divers systèmes d'oscillations ou imaginé des compromis stables. On pourrait alors formuler ainsi la définition du bonheur : *l'état d'une âme ayant résolu l'antagonisme fondamental entre la tentation du vertige et le rêve du repos, entre le mouvement et l'immobilité.*

Déjà, selon Batteux, Épicure distinguait deux sortes de volupté : « l'une qui consistait dans le mouvement et l'autre dans le repos [2] ». Selon le « physicien de Nuremberg », auteur des *Lettres sur l'homme,* l'assouvissement des instincts naturels ne suffit pas à combler le cœur humain et y laisse flotter une inquiétude. L'homme veut avoir, de surcroît, « un sentiment vif de sa propre existence ». Mais on ajoute aussitôt :

« Le besoin d'un sentiment vif de l'existence est balancé chez l'homme par une autre disposition, qui lui est commune avec tous les autres êtres sensibles, la paresse ou l'amour du repos... L'amour du repos et le désir d'exister vivement sont deux besoins contradictoires qui influent l'un sur l'autre et se modifient [3]. »

1. Certains se heurtent à la dualité comme à une contradiction et demeurent incapables de tout progrès dialectique. Trublet remarque, par exemple, l'incompatibilité entre « le goût du changement » et le « goût de l'habitude » : « Le goût du changement fait qu'on se trouve d'abord mieux dans toute situation nouvelle, quoique moins bonne en soi. Le goût de l'habitude fait qu'on se trouve moins bien dans toute situation nouvelle, quelque meilleure qu'elle soit. » (*Op. cit.*, III, p. 264). D'autre part, il ne voit pas comment concilier « le désir de vivre tranquille » et la nécessité d'assigner à la vie un intérêt qui l'oriente, l'anime, la sauve du mortel danger de l'ennui : « Projets, desseins, entreprises, sources d'inquiétudes et de chagrins, le seul moyen de vivre tranquille, c'est de ne prétendre à rien. Mais l'ennui naîtra de cette tranquillité et de cette inaction : il faudrait donc s'occuper sans but, s'il était possible, et avec une parfaite indifférence sur le succès de son travail. Mais c'est le but, c'est le désir de succès qui anime, qui rend l'occupation vive et intéressante, ou du moins qui en adoucit les peines. » (*Ibid.*, p. 309).

2. Abbé BATTEUX, *La Morale d'Épicure, tirée de ses propres écrits* (1758), p. 92.

3. ARNAUD et SUARD, *Variétés littéraires*, t. III, pp. 190-191.

Diderot découvre lui aussi la présence de ce double principe, dont il rend hommage à la nature : « Avec un fond d'inertie plus ou moins considérable, Nature, qui veille à notre conservation, nous a donné une partie d'énergie qui nous sollicite sans cesse au mouvement et à l'action [1]. » Pour Morelly, les deux instincts ne sont pas en contradiction, mais se résorbent l'un dans l'autre : l'inclination pour le repos est le principe même de l'activité, le mouvement servant seulement à éviter la lassitude d'un repos immuable, à troquer un état de repos qui se décolore contre un autre plus neuf [2]. Delisle de Sales se demande :

« La Nature a-t-elle fait de l'homme un être contradictoire ? Elle a placé dans notre âme un *principe d'activité* qui en tend tous les ressorts avec une *pente invincible vers le repos ;* ces deux forces se combattent sans cesse sans se distraire : l'une indique la route du bonheur, l'autre paraît s'identifier avec lui [3]. »

Bernardin de Saint-Pierre insère la même observation dans un contexte métaphysique : « Il y a dans l'homme deux puissances, l'une animale et l'autre divine. La première lui donne sans cesse le sentiment de sa misère, la seconde celui de son excellence [4]. » Le sentiment de la misère, en nous faisant désirer un refuge, inspire le rêve permanent du repos. Le sentiment de notre excellence donne à notre nature cet élan, cet enthousiasme, qui la transporte au-delà d'elle-même. Entre ces deux aspirations, l'âme humaine reste souvent en balance : « Notre âme aime autant le repos que le mouvement [5]. » Lorsqu'elles trouvent à s'assouvir en même temps, l'homme obtient le plus grand bonheur dont il est capable, « car alors, nos deux natures, si j'ose ainsi les appeler, jouissent à la fois [6] ».

Pour être heureux, il faut donc pouvoir donner une réponse à ces deux tendances opposées, concilier le calme et l'activité, la plénitude qui rassemble l'âme en elle-même et l'intérêt qui l'oblige à se donner du mouvement, en se portant vers les objets extérieurs. L'abbé Barthélemy écrit à Mme Du Deffand : « M. du Bucq prétend que le bonheur n'est autre chose que de l'intérêt dans le calme [7]. » Trublet pense de même : « Pour que le cœur soit tranquille, il faut que l'esprit ou

1. *Salon de 1767*, Assézat-Tourneux, t. XI, p. 219.
2. Cf. *Code de la nature* (1755), p. 65.
3. Delisle de Sales, *Philosophie de la nature*, t. III, p. 114.
4. Bernardin de Saint-Pierre, *Études de la nature, 12e étude*, *Œuvres*, 1825-1826, t. V, p. 22.
5. *Ibid.*, p. 69.
6. *Ibid.*, p. 22. Bernardin reprend, en somme, l'antithèse pascalienne en la renversant. L'homme est un mélange d'animalité et de divinité, de misère et de grandeur. Mais, pour Pascal, la misère se trahit par l'inquiétude et le goût du divertissement, tandis que la partie spirituelle n'aspire qu'au repos. Pour Bernardin, au contraire, c'est l'homme misérable qui voudrait se reposer dans la conscience de sa sécurité, alors que le sentiment du divin qui l'habite le pousse à la conquête et au mouvement.
7. 20 avril 1778. *Correspondance de Mme Du Deffand*, t. III, p. 336.

le corps soient un peu agités [1]. » Le chevalier d'Arcq déclare dans *Mes Loisirs* : « Le Bonheur et le Repos résultent l'un de l'autre et ne sont, pour ainsi dire, qu'une même chose ; mais il ne faut pas confondre le repos avec l'inaction. *Le repos de l'âme est dans un mouvement régulier, que rien ne suspend, que rien ne précipite* [2]. » L'abbé de Gourcy, en démontant dans son *Essai sur le bonheur* le délicat mécanisme de l'âme humaine, y découvre « *le besoin d'un sentiment vif, le besoin d'un doux repos, l'un et l'autre également pressants, également attachés au fond de notre être* ». Le seul moyen de les satisfaire simultanément réside dans « une vie tranquille sans être oisive, occupée sans être fatigante ou tumultueuse [3] ». Dans une calme occupation s'harmonisent le goût de la stabilité et celui du mouvement ; c'est elle qui doit constituer le fond même de notre vie. Mais l'excès de régularité pourrait rendre cette activité insipide. Dès lors, l'équilibre serait rompu et le système pencherait trop vers le pôle *repos*, faisant basculer l'âme dans l'enlisement de l'ennui. Il faut que la trame un peu grise de l'existence soit relevée, de temps à autre, par quelque dessin plus brillant. A cette condition, la paix intérieure ne deviendra jamais torpeur. Des plaisirs bien choisis peuvent seuls empêcher cette dégradation. Mais ils ne doivent pas susciter un mouvement trop vif, car le système s'écroulerait, cette fois, pour s'être trop incliné dans le sens opposé. On aboutit ainsi à la formule définitive : « *Le bonheur est un état de paix et de contentement, parsemé de plaisirs sans amertume et sans remords, qui en égaient le fond* [4]. »

La définition du bonheur que propose cet homme d'Église répond très exactement, et jusque dans les termes, à celle de l'*Encyclopédie* : « *Notre bonheur le plus parfait dans cette vie n'est donc... qu'un état tranquille semé çà et là de quelques plaisirs qui en égaient le fond* [5]. » Il est vrai que, si la conclusion est la même, la démarche qui y conduit est rigoureusement inverse. Gourcy part d'un état permanent d'équilibre, qu'il anime, après coup, de plaisirs intermittents. L'*Encyclopédie* commence par identifier le bonheur et le plaisir [6]. Si l'on se bornait à concevoir le bonheur dans l'absolu, sans se soucier de le rendre réalisable, on l'imaginerait sous la forme d'un perpétuel mouvement, car il faut avant tout tirer l'âme de cette « indolence paresseuse », de cet « assoupissement », où elle est menacée de languir, dès qu'on

1. TRUBLET, *op. cit.*, t. I, p. 356.
2. CHEVALIER D'ARCQ, *Mes Loisirs* (1755), p. 39.
3. GOURCY, *Essai sur le bonheur*, p. 128.
4. *Ibid.*, pp. 61-62.
5. *Encyclopédie*, article *Bonheur*.
6. « Les hommes se réunissent encore sur la nature du bonheur. Ils conviennent tous qu'il est le même que le plaisir ; ou du moins qu'il doit au plaisir ce qu'il a de plus piquant et de plus délicieux. Un bonheur que le plaisir n'anime point par intervalles et sur lequel il ne verse pas ses faveurs est moins un vrai bonheur qu'un état et une situation tranquille. C'est un triste bonheur que celui-là. » (*Ibid.*).

l'abandonne à elle-même [1]. Mais la condition de l'homme n'autorise pas cette permanente agitation qui enchanterait tous les moments d'une vie. Les joies un peu fortes sont enfermées dans des instants privilégiés. Il reste donc à remplir les intervalles : c'est à la tranquillité de le faire [2].

La *Théorie des sentiments agréables* de Lévesque de Pouilly définit le bonheur en deux mots : perfection et activité. La perfection procure à l'âme cette jouissance immobile qu'elle tire de sa propre contemplation : c'est l'image même de la béatitude divine, ce suprême repos qui consiste à savourer son être. Mais, comme l'homme n'est pas Dieu, il ne saurait soutenir longtemps cet état. Le besoin d'agir l'oblige à sortir de lui-même et à s'affirmer par le mouvement. Étant donnée sa nature sociable, son activité le met nécessairement en relation avec ses semblables. L'idéal du bonheur est, en définitive, de ne pas s'étendre hors de soi, tout en restant lié aux autres. Lévesque de Pouilly réduit toute sa doctrine à ces deux préceptes : bien s'installer en soi (voilà pour le repos) ; cultiver les aptitudes sociales et se dévouer aux hommes (voilà pour le mouvement). Ainsi se trouvent conciliées la perfection et l'activité [3].

L'équilibre entre le mouvement et le repos se conçoit de plusieurs façons ; il peut être une *synthèse*, une *superposition*, ou une *équivalence* pure et simple.

L'auteur de l'*Andrométrie*, Boudier de Villemert, imagine une sorte d'histoire dialectique des tâtonnements de l'humanité en quête du bonheur. Dans un premier temps, l'homme a cru discerner son bonheur à travers tous les objets qui lui paraissaient avoir « quelque peu de liaison avec lui ». Bientôt insatisfait par « les richesses, la grandeur, la volupté », effrayé par les bousculades qu'elles suscitent, il en a conclu que le « bien universel » ne pouvait être attaché à « aucun avantage particulier », qu'il devait se laisser « posséder par tous, sans souffrir de partage », et qu'on avait donc toutes chances de le découvrir en soi « et non au dehors ». Cette « conclusion outrée » conduisit alors de l'excès de dissipation à l'excès d'ascétisme. On

1. « Il faut laisser couler la joie jusqu'au plus intime de notre cœur, l'animer par des mouvements agréables, l'agiter par de douces secousses, lui imprimer des mouvements délicieux, l'enivrer des transports d'une volupté pure que rien ne puisse altérer. » (*Ibid.*).

2. « Mais la condition humaine ne comporte point un tel état : tous les moments de notre vie ne peuvent être filés par les plaisirs. L'état le plus délicieux a beaucoup d'intervalles languissants. Après que la première vivacité du sentiment s'est éteinte, le mieux qui puisse lui arriver, c'est de devenir un état tranquille. » (*Ibid.*).

3. « Ce n'est pas seulement dans des preuves réelles de perfection qu'on peut trouver une sorte de félicité, c'est encore dans la nature même de ses occupations... Les plaisirs de l'esprit et ceux du corps, *le repos et le mouvement*, la solitude et la société, les délassements et les occupations sérieuses, tous ces différents biens se prêtent de nouveaux charmes en se succédant ; et leur variété dans la vie fait le même effet que la différence des accords dans l'harmonie... L'idée de notre perfection et l'exercice successif de nos différentes facultés sont comme deux sources toujours ouvertes de plaisirs différents. Une intelligence bienfaisante mêle par portions égales les deux précieuses liqueurs en faveur de l'homme sage et les verse incessamment sur lui. » (LÉVESQUE DE POUILLY, *Théorie des sentiments agréables*, pp. 192 et 195).

oublia que l'âme n'est pas faite pour vivre détachée des choses. Éparpillée dans le monde, elle s'y volatilise ; mais strictement close et devenue sa propre prison, elle s'asphyxie. La vérité apparut enfin au troisième stade : « *L'homme doit être en mouvement, mais il ne faut pas que ce mouvement soit excessif... C'est dans ce juste milieu également éloigné du repos et de l'agitation qu'il peut trouver le bonheur* [1]. »

L'antinomie du mouvement et du repos en suppose une autre : il ne suffit pas de bien régler le rythme de la vie psychologique ; il faut aussi fixer la position de l'âme dans l'espace. Lorsqu'elle est exclusivement projetée vers l'extérieur, un mouvement accéléré s'empare d'elle, la voue au vertige et l'anéantit. Dès qu'elle se retranche à l'intérieur d'elle-même, elle s'expose au danger de la stagnation et de la mort. Le bonheur suppose donc, non seulement une synthèse du mouvement et de l'immobilité, mais le choix d'une attitude intermédiaire entre une pure *introversion* et une *extraversion* sans limite. L'âme doit se prêter aux objets, mais sans se renier, ni s'affoler à les poursuivre. Elle doit rester assise en son for intérieur, mais à condition d'en sortir quelquefois, de contempler le monde et d'y prendre du plaisir. Le bonheur consiste en une relation stable entre l'âme et les choses. L'homme n'est fait ni pour se dissoudre dans l'oubli de lui-même, ni pour se cloîtrer dans le silence et le vide d'une conscience qui serait aveugle à la beauté de l'univers.

En d'autres termes, il lui est interdit à la fois d'*être* sans restriction et de *posséder* tout ce qu'il convoite. La plénitude de l'être lui est refusée par son essence. Son envie de posséder est astreinte aux limites de son pouvoir sur la nature et sur les autres. L'homme n'est heureux que lorsqu'il arrive à équilibrer exactement son besoin d'*être* et sa tentation de *posséder* [2]. Pour l'auteur de l'*Andrométrie,* l'harmonie nécessaire entre le mouvement et le repos trouve sa forme parfaite dans un compromis entre la jouissance de soi et un regard, détendu mais attentif, toujours posé sur les choses.

D'autres moralistes conçoivent le même équilibre comme une construction à deux étages. Au niveau inférieur, l'homme, en satisfaisant ses plus sommaires exigences, se borne à écarter la douleur [3]. Cette sérénité quasi organique risquerait de se diluer dans l'inexis-

1. BOUDIER DE VILLEMERT, *Andrométrie,* pp. 50-53 ; cf. une analyse semblable, liée à la critique de l'idéal stoïcien, dans STANISLAS LECZINSKI, *Œuvres du Philosophe bienfaisant,* t. I, pp. 307-308.

2. Cet équilibre est possible si l'on songe que le plus précieux de tous les biens que l'âme puisse posséder, c'est précisément d'être pleinement elle-même, c'est-à-dire d' « exercer raisonnablement » ses facultés : « Le bonheur est une situation agréable de l'âme, qui naît de l'assurance où elle est de *posséder tous les biens* qui peuvent lui convenir. Or *le premier de tous ces biens est l'exercice raisonnable de ses facultés* : elle ne saurait être satisfaite, lorsqu'elle en abuse ou qu'elle en intervertit l'ordre. » (*Andrométrie,* pp. 54 et suiv.).

3. « Par ce moyen l'homme se met dans un état de tranquillité ; toutes les parties de son corps sont dans une espèce d'équilibre qui l'empêche de sentir son organisation. » (PLUQUET, *Examen du fatalisme,* t. III, pp. 187 et suiv.).

tence, si justement elle ne libérait l'esprit pour une activité dont un plaisir positif pourra naître. L'homme se hisse, de la sorte, au second palier du bonheur ; désormais, il n'est plus qu' « *un spectateur, dont le bonheur dépend des perceptions que lui procure le spectacle au milieu duquel il est placé* [1] ». Mais pour que ce spectacle contribue effectivement au bonheur ou le constitue, encore faut-il qu'il soit perçu selon certaines lois. On ne tirerait aucun plaisir des choses, si elles se manifestaient sous la forme d'une matière immobile et indifférenciée. Il faut que la vision humaine découpe le monde en objets, et que ces objets se renouvellent perpétuellement [2]. L'esprit de l'homme heureux manipule les choses, les envisage de toutes les manières, sous tous les éclairages, établit entre elles des rapports insolites, improvisés, effacés aussitôt que posés. C'est en cela que consiste le mouvement de l'âme, qui couronne et anime le bonheur figé de la plénitude physique.

Cette « variété des perceptions », dont dépend le bonheur, n'encourt pas le risque d'une accélération infinie, impossible à maîtriser. A partir d'un certain point, l'homme ne désire aucun surcroît de bonheur et ne réclame pas de variété plus grande. Le jugement intervient de lui-même pour séparer le superflu du nécessaire. Il interdit qu'on considère comme indispensable au bonheur tout ce qui pourrait l'augmenter. Le mouvement de la conscience se stabilise en vertu d'une finalité naturelle, que la raison interprète et formule. Elle sait qu'une foule de « domestiques », des « équipages somptueux », « un corps chargé d'étoffes précieuses » n'ajoutent rien à la fraîcheur que l'âme puise dans la diversité [3].

Mouvement et repos, par conséquent, se dépassent, se complètent et se limitent mutuellement. L'apaisement des besoins tranquillise le corps et libère l'âme. Devenue disponible, celle-ci part à la découverte des choses, et le voyage lui révèle le vif agrément de son existence. Mais le mouvement, qui l'enchante, s'amortit de lui-même avant de l'étourdir, et ne s'évade pas d'une fondamentale stabilité, arrêtée par la sagesse. Là encore on peut découvrir une amorce de dialectique, un instant masquée par l'image statique de l'édifice. Pourtant, parmi toutes ces évolutions de l'âme heureuse, une chose demeure naïvement immobile : cette Nature qui discerne imperturbablement

1. *Ibid.*

2. « Il faut que l'âme, pour éprouver du plaisir, ait des perceptions distinctes et variées ; ainsi l'homme rassasié et bien organisé aurait du plaisir, aimerait son existence et serait heureux, s'il avait des perceptions distinctes et variées. Pour les acquérir, il faut comparer les objets et y voir des rapports nouveaux ; il n'y a point d'objet qui n'ait une infinité de faces différentes et par conséquent qui ne fournisse un fond abondant de perceptions neuves à un esprit exercé et qui s'est occupé. » (*Ibid.*).

3. En revanche, « on trouve cette variété de perceptions dans l'enfant que tous les objets nouveaux intéressent, dans le sauvage agréablement occupé à voir couler un fleuve ou un ruisseau, qu'il n'abandonne que pressé par la faim ou par la soif, dans le laboureur ou dans l'artisan qui ne sont point accablés sous le poids de l'indigence ». (*Ibid.*).

« l'utile » et rejette avec tant de vertu ce qui ne sert qu'à éblouir.

Enfin la tendance au repos et son antagoniste peuvent être représentées comme les deux faces d'une même réalité, la double expression d'un même instinct. Selon le « physicien de Nuremberg » [1], la recherche de l'intensité ne contredit pas l'aspiration au repos, lequel ne prend tout son sens qu'en tant qu'achèvement et résultat du mouvement. L'homme, en réalité, n'a qu'un désir : extraire perpétuellement, selon un rythme cyclique, le mouvement du repos et et le repos du mouvement. C'est le repos espéré par delà le mouvement qui stimule et oriente celui-ci. C'est le mouvement, précédant le repos, qui confère à ce dernier sa pleine valeur [2].

La plupart des Philosophes ne pensent pas autrement que les moralistes obscurs : chacun ne fait qu'imprimer son style à la conciliation idéale du mouvement et du repos. Montesquieu range dans la double catégorie des « gens malheureux » tous ceux dont l'âme souffre de troubles du mouvement : « Les uns ont une certaine défaillance d'âme, qui fait que rien ne la remue [3]. » Pour ceux-là, la vie n'est qu'une stagnation morose : c'est le repos affreux des marécages. D'autres, au contraire, ont trop de mouvement, qu'ils poussent jusqu'à la « frénésie », et « désirent impatiemment tout ce qu'ils ne peuvent pas avoir ». Il ne leur manque que de savoir se reposer. Les gens heureux, en revanche, sont ceux qui savent équilibrer repos et mouvement. Tantôt c'est un rythme régulier d'alternance, avec des temps vifs et des temps calmes, un cycle où le désir, l'espoir, la jouissance se succèdent doucement et s'engendrent à l'infini [4]. Tantôt un mouvement continu, d'une intensité modérée, mais constante [5].

L'idée du bonheur pour Montesquieu suppose un certain nombre de limites, qui sont la garantie d'un repos préalable. Le bonheur ne doit pas dépasser les bornes de la condition humaine : il est absurde qu'un homme convoite la félicité d'un dieu. Jamais l'âme ne doit s'aliéner aux passions qui l'entraîneraient à la dérive. Toute vie est vouée au désastre, qui ne choisit pas cette sagesse comme centre de gravité. L'essentiel étant ainsi assuré et l'homme lié par de solides amarres, il lui reste à jouir du sentiment de son existence

1. *Lettres sur l'âme par un physicien de Nuremberg*, *Variétés littéraires*, t. III, cité dans GOURCY, *op. cit.*, pp. 126-127.

2. « Le besoin d'un sentiment vif de l'existence est balancé dans l'homme par une autre disposition qui lui est commune avec tous les êtres sensibles, la paresse ou l'amour du repos. *Cette force d'inertie est le plus grand principe d'activité parmi les hommes.* Le repos en perspective, qui faisait courir Pyrrhus, fatigue encore tout ambitieux qui veut s'élever, tout avare qui amasse au-delà de ses besoins. » (*Ibid.*).

3. MONTESQUIEU, *Mes Pensées*, 549.

4. « Les uns sont vivement excités par des objets accessibles à leur âme et qu'ils peuvent facilement acquérir. Ils désirent vivement ; ils espèrent, ils jouissent, et bientôt ils recommencent à désirer. » (*Ibid.*).

5. « Les autres ont leur machine tellement construite qu'elle est doucement et continuellement ébranlée. Elle est entretenue et non pas agitée ; une lecture, une conversation leur suffit. » (*Ibid.*).

dans une mouvante succession de plaisirs. L'âme n'est pas une substance immobile, mais une « suite d'idées » : « Elle souffre quand elle n'est pas occupée, comme si cette suite était interrompue et qu'on menaçât son existence [1]. » Arrêter ou ralentir le flux des sensations et des images, c'est opter pour le néant. Les plaisirs ne valent que comme modifications du sentiment de notre existence. Son *intensité* est fonction de leur *mobilité*, car toute perception s'émousse en ne variant pas. La diversité des impressions rajeunit l'âme, lui offre vigueur et fraîcheur. Nécessaire quand il fallait se défendre du vertige, le repos serait ici mortel pour le bonheur [2].

Diderot projette dans l'espace l'antinomie repos-mouvement, en distinguant un *bonheur circonscrit* et un *bonheur expansif* :

« Il y a un bonheur circonscrit qui reste en moi et qui ne s'étend pas au-delà. Il y a un bonheur expansif qui se propage, qui se jette sur le présent, qui embrasse l'avenir et qui se repaît de jouissances morales et physiques, de réalité et de chimère, entassant pêle-mêle de l'argent, des éloges, des tableaux, des statues, des baisers [3]. »

Le premier de ces deux styles se définit par le repliement, l'immobilité, la plénitude ; le second, qui est pur mouvement, suppose l'infinie dilatation d'une conscience dévorant tous les objets avec une précipitation anarchique. Bien loin de se reclure dans son état actuel, l'âme absorbe la totalité du temps, engloutit le futur. Affamée, elle ne distingue plus la réalité du rêve. L'opposition du physique et du moral, du noble et du vil, n'a plus de sens : tout aliment lui est bon. Pourtant il s'agit moins d'amasser, de s'enfler, de s'accroître, que de se mouvoir et s'enivrer de vitesse. La conscience ne regarde du côté des choses que pour cela : restant en elle-même, elle se prendrait à la glu de l'insipidité.

Cependant, à l'élan de la folle conquête, on peut préférer un état de concentration imaginaire, quasi immatériel, qui réduirait l'être à un point immobile. Dans le *Rêve de d'Alembert*, Mlle de Lespinasse et Bordeau s'efforcent de concevoir ces deux modes d'existence portés à l'absolu [4]. L'extase ponctuelle et la « dilatation idéale » qu'ils impliquent restent davantage de simples images que la description de vrais

1. *Ibid.*, 551.
2. Là est le secret du bonheur personnel de Montesquieu : « Ce qui fait que je ne puis pas dire avoir passé une vie malheureuse, c'est que mon esprit a une certaine action qui lui fait faire comme un saut pour passer d'un état de chagrin dans un autre état et de faire un autre saut d'un état heureux à un autre état heureux. » (MONTESQUIEU, *Mes Pensées*, 9).
3. DIDEROT, Assézat-Tourneux, t. II, p. 306.
4. Mlle de Lespinasse : « J'existe comme en un point ; je cesse presque d'être matière, je ne veux que ma pensée ; il n'y a plus ni lieu, ni mouvement, ni corps, ni distance, ni espace pour moi ; l'univers est anéanti pour moi et je suis nulle pour lui. »
Bordeau : « Voilà le dernier terme de la concentration de votre existence ; mais sa dilatation idéale peut être sans bornes. Lorsque la vraie limite de votre sensibilité est franchie, soit en vous rapprochant, en vous condensant en vous-même, soit en vous étendant au dehors, on ne sait plus ce que cela peut devenir. » (DIDEROT, *ibid.*, t. II, p. 154).

états d'âme. A Rousseau, peut-être, il sera donné de vivre ces situations extrêmes. Lui seul saura réduire sa conscience au pur sentiment de l'existence soutenu par quelques sensations élémentaires, et trouver dans ce vide une merveilleuse plénitude. Lui seul aura le privilège de faire basculer son imagination, de ce dépouillement immobile, dans une expansion aux limites de l'univers.

5. — Sentiment et raison.

La dualité repos-mouvement se retrouve dans l'hésitation banale entre les prestiges accidentés du *Cœur* et la rassurante stabilité de la *Raison*. Il n'est personne, « âme sensible » ou « philosophe », qui n'aime à comparer, quant à leurs chances et à leurs risques, le bonheur de la sagesse et les extases du sentiment. Dès le début du siècle, les *Tablettes de l'homme du monde* en soulignaient les tentations équivalentes et suggéraient, pour tirer d'embarras, le choix d'un système d'alternance [1]. Quatre-vingts ans plus tard, Mme de Staël professe une semblable leçon, avec toute la nostalgie d'un immense espoir sacrifié. Le bonheur est refusé, elle le sait d'expérience, aux êtres passionnés comme aux âmes de glace. Il appartient à ces cœurs blessés que la nécessité a ralliés à l'apaisement, mais qui portent le deuil éternel de leurs illusions perdues [2].

Entre ces témoignages extrêmes, tout le siècle ne cesse de supputer mérites, charmes et périls des deux styles de vie. Trublet les confronte avec une assez lourde lucidité et prône, comme la plus avantageuse, une sorte d'esquive, dont la nature semble posséder le secret : « *L'état le moins malheureux est celui qui approche le plus de l'insensibilité, pourvu, néanmoins, que cette insensibilité soit naturelle et non survenue.*

1. « L'Amour et la Raison sont les sources des deux plus grands plaisirs de la vie. Ils sont tellement incompatibles qu'il est impossible d'en pouvoir goûter en même temps le souverain degré de la perfection de l'un et de l'autre. Il faut avoir aimé à l'abri d'une Raison incommode et avoir été éclairé par la Raison, dans tout son jour, pour avoir goûté les charmes inexprimables d'un amour sans larmes et pour avoir senti les plaisirs divins d'une Raison renaissante... Mais, n'en déplaise à certains infirmes, l'homme serait assez heureux si, tranquille dans son âme, jouissant d'une santé parfaite et raisonnablement des biens de la fortune, il pouvait, à son bon plaisir, se donner tour à tour au charmant abandon d'un parfait amour et au plaisir céleste d'une raison triomphante. » (*Tablettes de l'homme du monde* (1715), pp. 39 et suiv.). C'est le phénomène bien connu de l'inconstance, grâce auquel l'âme trouve d'elle-même ce rythme parfait, où alternent la passion et la détente, l'exaltation et le repos, l'ivresse et la lucidité, et qui dessine assez bien le profil d'une vie heureuse. Aussi est-il absurde de condamner l'inconstance. Elle n'est pas un crime, mais une précieuse aptitude permettant à l'âme de trouver sa respiration convenable. Le parfait amour, fort éloigné du souverain bien, ne serait qu'aveuglement et torture, et s'opposerait au bonheur.

2. « J'ai tâché d'offrir un système de vie qui ne fût pas sans quelques douceurs, à l'époque où s'évanouissent les espérances du bonheur positif dans cette vie : ce système ne convient qu'aux caractères naturellement passionnés et qui ont combattu pour reprendre l'empire ; plusieurs de ses jouissances n'appartiennent qu'aux âmes jadis ardentes et la nécessité de ses sacrifices ne peut être saisie que par ceux qui ont été malheureux. » (Mme de Staël, *De l'Influence des passions sur le bonheur des individus et des nations* (1796), pp. 50-51).

L'être nuit en quelque sorte au bien-être ; et pour être bien, il ne faut être que jusqu'à un certain point [1]. » L'homme oscille entre deux envoûtements et deux risques : d'un côté, l'enivrement du cœur et les souffrances que l'on doit en attendre ; de l'autre, la quiétude de la raison, mais l'ennui qui dissout toute vie inactive. C'est le dilemme voltairien : « les convulsions de l'inquiétude ou la léthargie de l'ennui. » A ceux qui n'ont pas reçu la grâce d'une relative insensibilité, Trublet offre ce remède : *substituer des goûts aux passions*, de façon à tenir l'âme en éveil, sans la rendre malade, et à se ménager des jouissances, que la raison ne désavoue pas [2]. Boureau-Deslandes estime lui aussi que « plus on a de goûts, plus on vit heureux », et il propose cette curieuse recette : « *Pour bien sentir, il faut rejeter toutes les passions qui viennent de la nature et en faire d'autres sur leur modèle* [3]. » Le conseil est l'inverse de celui de Trublet : l'un vantait cette impassibilité qui est un don de la nature ; l'autre recommande une émotivité qui soit un effet de l'art. Le *sentiment* désigne souvent à lui seul un compromis entre la raison et la passion, le repos et le mouvement, la liberté de l'esprit et la fatalité de la nature. Un homme doué de sentiment est celui qui a reconstruit son âme en s'aidant de la raison, mais en suivant les contours de son moi naturel — pur tissu de passions — qu'il conserve en transparence. La sagesse des mondains est la plus habile à accomplir ce travail.

Dans un climat différent, cet être de souffrance qu'est Cleveland, cette victime choisie par la Providence pour on ne sait quelles redoutables fins, ce pur héros sensible, est aussi le « philosophe anglais » qui réfléchit sur lui-même, élabore méthodiquement des plans de vie, essaie tous les systèmes de bonheur, et se sauve de sa plus grande détresse en se retirant à l'abbaye de Saumur, pour y parcourir, des rudiments aux plus sublimes trouvailles, tout le champ de la philosophie et de la théologie. Montesquieu se console par une heure de lecture : Cleveland est singulièrement plus exigeant. C'est en affamé qu'il dévore d'énormes livres, avec l'excès qu'il porte en tout. Mais la lecture et la méditation guérissent la plus terrible de ses douleurs.

Ces compromis ou ces alternances ne suffisent pas à abolir les incompatibilités. Certains les sentent si bien qu'ils optent pour l'un des termes, en répudiant l'autre résolument. Pour Montesquieu, il n'y a guère de balance entre l'esprit et le cœur. Sa méfiance envers l'irra-

1. Trublet, *op. cit.*, t. III, pp. 260-261.
2. « Pour être heureux, il faudrait... n'avoir point de passions et avoir seulement des goûts ; et alors on ne pourrait en avoir trop... Qui a du goût pour tout, n'a de passion pour rien : les plaisirs lui viennent de toutes parts ; plaisirs, à la vérité, moins vifs que ceux des passions, mais plus tranquilles, plus purs, plus fréquents, plus durables. Les peines sont rares et légères. » (*Ibid.*, pp. 327-328).
3. Boureau-Deslandes, *L'Art de ne point s'ennuyer* (1715), p. 87.

tionnel est extrême, et il se scandalise sans indulgence aux délires des hommes. Les afflictions de la raison sont seules capables d'altérer son euphorie, où ni rêve ni fantaisie n'entrent jamais [1]. Vauvenargues, au contraire, n'est qu'élan, générosité et folie. Il imagine le bonheur comme la négation du repos, la pure action de l'âme ; il le veut tout de sentiment et de mouvement [2]. Mme d'Épinay soutient contre Tronchin une dispute épistolaire. Tronchin affirme qu'il ne faut pas aimer pour ne pas avoir à souffrir : « Réduisons nos besoins, n'ayons point de prétention ; voilà en deux mots l'itinéraire du bonheur et de la sagesse. » Mme d'Épinay répond : « De la sagesse, oui ; du bonheur, non. » Tronchin accorde finalement que le sentiment et la raison ne se concilient qu'au sein d'une philosophie idéale, et qu'il faudrait être armé d'une sagesse quasi divine pour aimer sans s'exposer au malheur [3].

On ne trouve guère que chez Rousseau une doctrine des rapports entre le sentiment et la raison. Leur conflit est le signe d'une dualité, qui ne prend son sens que dans l'ensemble du système. Il ne peut, en effet, éclater que dans un homme divisé entre l'état de nature et l'état social. Au stade naturel, la raison et le cœur restaient accordés, ou plutôt indifférenciés. L'homme de la nature n'avait à faire aucune *réflexion* sur lui-même. La raison lui aurait été bien inutile. Son immédiate innocence lui suffisait.

Dans un ordre social *idéal*, le divorce n'existerait pas davantage, la vie affective s'y trouvant rationalisée. Tous les penchants seraient sous le contrôle d'une vertu qui, n'étant pas sentie comme une contrainte, ne susciterait aucun désir antagoniste et donnerait le ton à l'âme tout entière. Elle serait si parfaite qu'elle deviendrait, en somme, *naturelle*. Cette unité que l'innocence offrait d'emblée à l'homme

1. « Je suis ami de presque tous les esprits, dit-il, et ennemi de presque tous les cœurs. » (MONTESQUIEU, *Mes Pensées*, 17) ; et encore : « J'aime incomparablement mieux être tourmenté par mon cœur que par mon esprit. » (*Ibid.*, 19). « J'ai été, dans ma jeunesse, assez heureux pour m'attacher à des femmes que j'ai cru qui m'aimaient. Dès que j'ai cessé de le croire, je m'en suis détaché soudain. » (*Ibid.*, 4). L'attitude de Montesquieu est donc exactement nuancée. Il choisit le mouvement, quand il s'agit des plaisirs, qui doivent réveiller ou soutenir le sentiment de l'existence. Mais il se rallie à l'immobilité, dès que ce mouvement risquerait de submerger la raison.

2. « On ne saurait jouir qu'autant que l'on agit et notre âme ne se possède véritablement que lorsqu'elle s'exerce tout entière. » (VAUVENARGUES, cité par POULET, *La Distance intérieure*, pp. 37 et suiv.). « Le plaisir est naturellement attaché à l'être. » Or l' « être ne nous est donné que pour l'accroître. » Le sentiment de notre existence n'est que le désir d'étendre cette existence : « Nous tirons de l'expérience de notre être une idée de grandeur, de plaisir, de puissance que nous voudrions toujours augmenter. » Cette exigence du mouvement et de l'action est telle qu'il faudrait véritablement faire violence à la nature, pour lui résister : « Il est tellement impossible à l'homme de subsister sans action, que, s'il veut s'empêcher d'agir, ce ne peut être que par un acte encore plus laborieux que celui auquel il s'oppose. » L'homme en action, c'est donc l'homme à l'état pur, dans tout l'éclat et l'élan de sa nature. Un homme immobile, ou qui voudrait l'être, loin de savourer un impossible repos, deviendrait comme une négation de lui-même. A cet état douloureux, insoutenable, s'oppose l'ivresse joyeuse de l'homme qui, par delà l'action, atteint à la grandeur : « Il y a des moments de force, des moments d'élévation, de passion et d'enthousiasme, où l'âme peut se suffire et dédaigner tout secours, ivre de sa propre grandeur. »

3. Cf. Mme D'ÉPINAY, *Mes Moments heureux* (1758), pp. 105 et suiv.

de la nature, la vertu la restituerait par la médiation de l'ordre à l'homme social absolu.

Reste le cas intermédiaire, où l'on n'est ni *homme* ni *citoyen*, où l'on n'appartient ni tout à fait à l'État ni tout à fait à soi-même, où l'on conserve des impulsions *naturelles*, alors que l'innocence est perdue, où l'on est ligoté par un système social, sans avoir la volonté de s'y fondre. Dans cette situation contradictoire, qui est la cause de nos malheurs, tous les conflits entre la raison et le cœur sont possibles, et l'histoire de l'homme n'est que celle de ces conflits [1]. Choisir n'aurait d'ailleurs aucun sens. En l'actuel état de choses, ni le cœur ni la raison ne sont ce qu'ils devraient être. L'un se manifeste comme la résurgence de désirs incompatibles avec l'ordre. L'autre n'a aucune chance de s'imposer comme la faculté chargée d'élucider et d'exprimer les décisions de la conscience. Elle s'est irrévocablement dégradée en ce factice « raisonnement » qui n'émane pas de l'homme total. Il ne reste qu'à prendre un masque et à vivre dans le mensonge. Les authentiques besoins du cœur se dissimulent sous des désirs fabriqués. La raison s'escamote derrière la parade de l'esprit. Si un homme vrai, comme Rousseau, demeure au milieu de ces hommes faux, il est voué alternativement à la persécution et au déchirement. Il n'aura ni le pouvoir de se masquer, puisque la vérité est son essence, ni celui de réaliser pour lui-même cet accord idéal du sentiment et de la raison, car la révolte contre les hommes ne suffit pas à l'affranchir de l'histoire, ni de l'état hybride qui en est le déplorable fruit.

Pourtant un tel accord, qui est, si l'on veut, utopique, n'implique aucune contradiction. Entre le cœur et l'esprit, il n'y a pas d'essentielle différence, sentiments et idées n'étant que les modifications accidentelles d'une même énergie profonde. Dans *La Nouvelle Héloïse*, Édouard explique comment la force de l'amour peut être captée, convertie et consommée par la raison. Commentant la passion de Saint-Preux pour Julie, il assure : « *La sublime raison ne se soutient que par la même vigueur de l'âme qui fait les grandes passions* et l'on ne sert dignement la philosophie qu'avec le même feu que l'on sent pour une maîtresse [2]. » Le vrai ressort de la sagesse n'est autre que la « *passion de la raison* », qui dépasse, en réalisant l'unité de l'homme, la dualité traditionnelle du cœur et de l'esprit.

En dépit, toutefois, de ces sources et de ces ressources communes,

1. « Ce qui fait la misère humaine est la contradiction qui se trouve entre notre état et nos désirs, entre nos devoirs et nos penchants, entre la nature et les institutions sociales, entre l'homme et le citoyen. Rendez l'homme un et vous le rendrez aussi heureux qu'il peut l'être. Donnez-le tout entier à l'État ou laissez-le tout entier à lui-même. Mais si vous partagez son cœur, vous le déchirez ; et n'allez pas vous imaginer que l'État puisse être heureux, quand tous ses membres pâtissent. » (C. E. VAUGHAN, *The Political writings of Jean-Jacques Rousseau*, Cambridge, 1915, t. I, p. 326).

2. *Nouvelle Héloïse*, éd. Mornet, t. II, p. 249.

raison et sensibilité s'opposent par leur forme et leur mouvement [1]. La sensibilité reste dépendante des sensations, qui se modifient perpétuellement. Rousseau avoue : « Cette action de mes sens sur mon cœur fait le seul tourment de ma vie. » Le propre de « l'âme sensible » est de se laisser déséquilibrer, dans l'exaltation ou l'inquiétude, par la plus fugitive impression [2]. Toujours le cœur est heurté, happé, façonné par l'objet ; et, comme l'objet n'est jamais le même, il est promis à d'incessantes métamorphoses.

L'étroite dépendance entre l'âme et les choses n'est pas la seule cause qui empêche la sensibilité de se fixer. L'âme sensible est douée d'un rythme propre, qui la fait sans cesse osciller d'un extrême à l'autre. Saint-Preux dit de lui-même : « Dès lors mon âme en branle n'a plus fait que passer par la ligne du repos et ses oscillations toujours renouvelées ne lui ont jamais permis d'y rester. » Marcel Raymond a énuméré les ambivalences qui travaillent le cœur de Rousseau : « Amour-haine ; orgueil-humiliation ; besoin d'innocence-sentiment de la faute ; volonté de puissance liée à une volonté inverse de faiblesse et d'anéantissement. » [3] Par son assujettissement au flux continuel des choses, par les mouvements pendulaires qui l'animent de l'intérieur, la sensibilité semble donc incompatible avec le repos.

La Raison, au contraire, est une force immobile. M. de Wolmar, qui la représente, a éliminé de son âme le mouvement. Immunisé à la fois contre la tristesse et la gaîté, il ne quitte jamais le visage d'une sérénité glacée. Sa souveraine apathie devait se tremper au feu d'une sensibilité pure. C'est la signification profonde du couple Julie-Wolmar [4]. Basil Munteano a conçu une ingénieuse hypothèse. Il distingue en Rousseau deux moi : un moi permanent, enfoui au fond de la conscience et sans ouverture sur l'extérieur ; un moi-agent, projeté vers les choses, dont le rôle serait d'explorer le monde, afin d'y découvrir une place pour le moi permanent [5]. Ce dernier repose sur une synthèse stable de la raison et d'une partie de l'affectivité. Le couple Julie-Wolmar en serait la figuration symbolique. Saint-Preux aurait la charge de représenter le moi-agent, qui recueille la part la plus mobile et la plus inquiète de l'âme, celle dont Julie s'est

1. Encore une fois, cette opposition n'est concevable que pour un homme qui n'est ni tout à fait naturel, ni tout à fait social.

2. « Celui qui l'a reçu doit s'attendre à n'avoir que peine et douleur sur la terre. Vil jouet de l'air et des saisons, le soleil et les brouillards, l'air couvert et serein règleront sa destinée et il sera content ou triste au gré des vents. » (*Nouvelle Héloïse*, éd. Mornet, t. II, p. 95).

3. Cf. Marcel RAYMOND, *J.-J. Rousseau : deux aspects de sa vie intérieure : permanence et intermittence du moi*, *Annales Jean-Jacques Rousseau*, XXIX, 1941-1942.

4. C'est Wolmar pourtant qui parle de la « passion de la raison », laissant entendre que cette dernière n'est pas obligatoirement froide. Faut-il donc opposer à la raison immobile, qui juge, une raison en mouvement, qui découvre et conquiert, et aux simples sages, les passionnés de la sagesse ? Nouvelle alliance entre le cœur et la raison, qui n'est pas cette fois une association conclue de l'extérieur, mais une fusion interne.

5. Les oscillations pendulaires de l'âme révèlent le rythme de cette exploration. (Cf. Basil MUNTEANO, *La solitude de Rousseau*, *Annales Jean-Jacques Rousseau*, XXXI, 1946-1949).

débarrassée. Dans l'univers de Clarens, rêve du moi profond, il doit assumer les faiblesses et les vertiges que le sentiment et la raison, même réconciliés, ne pourront jamais inclure dans aucun pacte.

L'antinomie entre le cœur et la raison demeure donc, pour une grande part, irréductible. Trop de choses les opposent, différence de rythme et de tension, différence de qualité aussi, puisque le cœur n'est que *nature*, tandis que la raison est liberté. Mais l'on s'accorde à reconnaître que cette dualité doit être vécue, et nul ne songe à s'y dérober en subtilisant l'un des termes. Il est bien peu de délires qui submergent jusqu'à la nostalgie de la raison, et bien peu de sagesses qui ne soient édifiées sur un large assentiment du cœur.

6. — Individu et société.

Il semble, en revanche, qu'on affiche plus d'optimisme dans la résolution d'une autre antinomie : celle qui fait s'affronter le bonheur individuel et le bonheur collectif. La manière même dont on pose le problème implique sa solution. Si la recherche du bonheur est le seul mobile de l'homme, le point d'origine ou de cristallisation de toutes ses tendances, cette proposition ne doit pas être vraie seulement de manière subjective, mais objectivement : elle doit se vérifier pour tous. Dès lors, on ne peut revendiquer son bonheur sans en reconnaître le droit aux autres. Il faut même les aider à être heureux, puisque nous nous estimons fondés à leur demander une aide semblable, quand notre félicité personnelle est en cause. La démonstration peut prendre une forme plus immédiate, à la fois plus cynique et plus sentimentale. Etre heureux au milieu des autres, c'est être heureux par les autres. Mais ceux-ci nous aimeront-ils, s'ils ne nous doivent rien ? Or que peuvent-ils nous devoir sinon leur propre bonheur ? On ne peut donc se rendre heureux qu'en contribuant au bonheur des autres.

Plusieurs éléments se rencontrent dans l'élaboration du théorème de base de toute la morale : un simple principe de justice, l'idée de la sociabilité naturelle, la foi dans le calcul psychologique, et plus profondément, ce besoin d'être aimé qui devient l'unique ressource d'un homme privé d'absolu. Comment ne pas redouter la solitude dans un monde dont la signification et les fins sont devenues moins claires ? Inquiète et libre à la fois, la sensibilité cherche des stimulants et des ivresses, la passion de l'humain enfièvre tous les esprits. Le salut est dans le rapprochement de toutes ces âmes avides, de ces cœurs anxieux. La sociabilité devient l'unique et providentielle dimension de l'homme [1]. Derrière l'hédonisme intelligent et la doctrine de

1. « L'estime et l'amitié des autres sont nécessaires au bonheur ; la vertu l'est aussi ; car ils n'aiment et n'estiment que ceux qu'ils croient vertueux et à proportion qu'ils les croient tels.

l'intérêt bien entendu, se devine un pathétique appel. Peut-être même un élan retenu vers le miracle. On n'est pas loin de croire que le bonheur se propage selon la loi mystérieuse d'une contamination des âmes. La clarté qui émane du bonheur universel colore les destins particuliers, et telle est la magie des jeux de lumière, qu'il n'en faut pas davantage pour constituer chacun en personnage heureux.

L'optimisme consiste, pour une bonne part, à nier toute contradiction entre le bonheur de l'individu et celui de la société. Cette conviction est l'aboutissement d'une parfaite logique. Elle repose sur deux postulats. Le premier est celui de la sociabilité naturelle. Si la nature de l'homme est d'être un animal sociable, si son existence ne se conçoit qu'à l'intérieur d'un groupe ou au sein de l'humanité, tous ses instincts doivent jouer dans le sens de l'harmonie universelle. Une antinomie entre bonheur individuel et bonheur général devient proprement absurde. L'autre postulat revient à admettre qu'une fois opérée accidentellement l'intégration de l'homme naturel à la société, l'ordre social, devenu souverain, prend en charge toutes les exigences individuelles, auxquelles il est en mesure de répondre complètement. Telle est la thèse de Rousseau : à partir du moment où, dans la cité idéale, l'*homme* serait devenu exclusivement *citoyen*, il n'aurait plus à affronter des problèmes d'homme, mais des problèmes de citoyen, qui seraient tous résolus dans le cadre de la cité. Non seulement il n'y aurait pas de conflit entre l'*individuel* et le *collectif*, mais la distinction entre les deux perdrait tout sens, puisque le citoyen est précisément cet homme en qui l'individuel et le collectif ne se conçoivent plus comme séparés.

Pour les Physiocrates, tout se règle spontanément, selon l'ordre inscrit dans la nature. Il s'agit d'une finalité immanente, qui assume et résout toutes choses : « Plus on se rapprocherait de l'ordre, dit Le Trosne, moins il y aurait à gouverner [1]. » Cet ordre tend aussi bien au bonheur de tous qu'à celui de chacun ; le premier n'est que la somme des félicités particulières, toutes conçues sur un même modèle [2]. Comme il est, par définition, à la fois « physique » et moral [3],

Mais pour paraître vertueux, il faut l'être... ou si, par impossible, on venait à bout de le paraître, sans l'être en effet, ce ne serait qu'au moyen d'efforts et de contraintes incompatibles avec le bonheur. *La vertu est donc nécessaire au bonheur de celui même qui ne la regarde pas comme une obligation morale.* Le plus grand moyen d'être heureux, ce serait peut-être de désirer beaucoup que les autres le fussent. Notre bonheur dépendant en grande partie de celui de la société dans laquelle nous vivons, surtout du bonheur de ceux avec qui nous avons des liaisons plus particulières, on en conclut avec raison qu'il faut vivre autant qu'on peut avec des heureux. On devrait donc en conclure aussi qu'il faut en faire autant que l'on peut. S'il faut vivre avec des heureux, tâchons de rendre heureux ceux avec qui nous vivons. N'être pas sensible au plaisir d'en faire à autrui, c'est être privé d'un plaisir très grand en lui-même et qui est la source de beaucoup d'autres. » (TRUBLET, *op. cit.*, t. III, pp. 252-254).

1. LE TROSNE, *De l'Ordre social* (1777), p. 70.

2. « Soyons tous libres, tous riches, tous heureux, multiplions nos biens et nos jouissances. » (*Ibid.*, p. 82).

3. « L'observation de l'ordre, qui renferme la justice par essence, est le seul moyen de parvenir au bonheur physique. » (*Ibid.*, p. 83).

il ne saurait y avoir aucun décalage entre le fait et le droit, entre le désir et la valeur. L'ordre consiste justement en une série d'équations posées entre ces différents termes. On ne voit pas ce qui pourrait altérer l'euphorie de cette identité universelle, simultanément garantie par le physique et le métaphysique [1]. Dans ce monde semblable à une idéale sphère, chaque individu ne peut obtenir ses plaisirs que des autres, qui lui en demanderont en échange d'équivalents : « Il faut avoir les moyens d'offrir jouissances pour jouissances. » Aussi nul ne peut se proposer de « jouir » seul : « Il faut nécessairement » que nos semblables « soient associés à l'accroissement de nos jouissances ou que nous renoncions à cet accroissement [2] ».

Dans la littérature sentimentale, on retrouve la même foi, soutenue par une effusion de l'âme prenant conscience de l'unité de l'univers moral, où toutes les émotions sont solidaires et se répondent à l'infini. Ermance, qui a retrouvé Dolbreuse, veut associer le monde à leur extase d'amoureux [3]. Le bonheur de deux êtres isolés serait inconcevable et illégitime. Il ne se justifie et ne résonne que sur fond de bonheur universel. Au lieu de mettre à part ces deux cœurs comblés, l'énergie que l'amour libère se répand sur l'humanité. Au lieu de neutraliser l'instinct moral, l'euphorie sentimentale le rend plus exigeant. Au lieu de rétrécir le champ de l'âme, la tendresse d'élection se déploie en une tendresse immense. Le bonheur ne devrait jamais être un privilège qui accuse le caractère exceptionnel d'un destin, mais le flux anonyme qui submerge, par larges vagues, la communauté des hommes, et qui ne porte dans les âmes la douceur des passions satisfaites, qu'en y attachant le sentiment plus grave de la « sainteté des devoirs ».

L'optimisme de principe ne parvient pas cependant à voiler toujours l'antagonisme entre le bonheur individuel et le bonheur social. Théories et effusions laissent quelquefois apparaître, au travers de quelques déchirures, l'ambiguïté tragique du réel. Dans un épisode de *Cleveland*, Prévost décrit avec minutie le système fondé par une colonie de protestants dans une île heureuse, située en des confins

1. Le Mercier de la Rivière parle d'un ordre « où tous les intérêts sont si parfaitement combinés, si inséparablement unis entre eux que, depuis les souverains jusqu'aux derniers de leurs sujets, *le bonheur des uns ne peut s'accroître que par le bonheur des autres* » (LE MERCIER DE LA RIVIÈRE, *L'Ordre naturel et essentiel des sociétés politiques* (1767), *Discours préliminaire*).

2. « La façon dont nous sommes organisés nous montre donc que dans le système de la nature chaque homme tend perpétuellement vers son meilleur état possible et qu'en cela même il travaille et concourt nécessairement à former le meilleur état possible du corps entier de la société. » (*Ibid.*). La seule condition de cette collaboration *infaillible* des instincts de chacun au bonheur de tous, c'est la totale liberté de ces instincts. Ceux qui ont imaginé des restrictions à la liberté individuelle ont cru à une opposition naturelle entre l'intérêt personnel et l'intérêt général. Or l'idée est absurde : « Qu'est-ce donc que l'intérêt général d'un corps, si ce n'est ce qui convient le mieux aux divers intérêts particuliers des membres qui le composent ? Comment peut-il se faire qu'un corps gagne quand ses membres perdent ? » (*Ibid.*, p. 35).

3. Cf. LOAISEL DE TRÉOGATE, *Dolbreuse*, t. II, p. 93.

si mystérieux du monde et si bien enclose de montagnes, qu'elle est invisible au voyageur des mers.

Paternalisme, géométrie, absolutisme moral, tous les traits dominants de l'utopie s'y retrouvent. L'ordre *naturel* qui y règne est si parfait qu'il ne laisse rien à l'autonomie — elle aussi « naturelle » pourtant — des sentiments individuels. Lorsque Gelin et ses compagnons, qui ont abordé au pays heureux à la suite d'un naufrage, décident de s'y installer et d'y prendre femme, on arrête que l'attribution des épouses se fera par tirage au sort. On ne dispose en effet que de six prétendants pour une centaine de vierges, et les autorités estiment qu'un libre choix disqualifierait honteusement les filles dédaignées et « blesserait la loi de l'égalité naturelle [1] ».

La situation illustre à merveille le conflit entre la Justice collective et le Bonheur individuel. Sous couleur de défendre l' « égalité naturelle », on enlève à chacun la libre disposition de lui-même [2]. Dans ce théorique paradis du bonheur, les cœurs frustrés se révoltent. Gelin, chef de file des prétendants, organise la rébellion. Chacun enlève son élue et l'épouse selon le rite naturel [3]. Dans une harangue au « ministre », Gelin explique l'irréductible antinomie des deux bonheurs [4]. Mais son apologie des droits individuels n'est pas entendue. Le prétendu royaume du bonheur est, en réalité, celui de la « cruauté » et de la « superstition ». L'île heureuse est la proie d'une odieuse tyrannie ecclésiastique. Au nom de la religion, ces protestants fanatiques n'hésitent pas à « *violer les saintes lois de la Nature, qui est la plus sacrée et la plus inviolable de toutes les religions* [5] ».

Ce sont, en effet, ces jeunes gens, acharnés à défendre leur droit au bonheur, qui se trouvent dans l'ordre. La vraie spontanéité du cœur n'est jamais pur caprice, mais reflète la volonté de Dieu, que la tyrannie des ministres trahit et défigure [6]. Le sentiment devient

1. Bridge, qui n'est pas encore fait aux lois du pays heureux, a du mal à entrer dans cette justification : « Je me sentais un fonds de délicatesse, qui ne s'accommoderait point d'une épouse dont je ne serais redevable qu'au hasard. Mon cœur demandait à choisir et *je commençais à craindre de ne pas trouver dans l'île tout le bonheur qu'on m'y promettait.* » (PRÉVOST, *Cleveland*, t. II, p. 120).

2. « On nous traite ici comme des esclaves. » (*Ibid.*, p. 156).

3. Prévost précise qu'un mariage « naturel » est « aussi saint, si le cœur l'avoue et si le Ciel l'approuve — ce qu'il ne manque pas de faire si le cœur est sincère — qu'un mariage conclu selon les rites religieux ».

4. « Nous sommes nés libres. Rien ne nous a paru si injuste et si mal conçu que cette odieuse cérémonie du sort, à laquelle vous avez voulu que nous fussions redevables de nos épouses. Des Anglais et des Français ne souffrent point qu'on tyrannise leur cœur. Nous sommes rentrés dans nos droits en nous choisissant nous-mêmes de chères et aimables moitiés, qui partageront désormais nos peines et nos plaisirs et qui nous feront connaître de nouvelles douceurs dans ce séjour de la paix et de l'innocence. Il nous était impossible d'y vivre heureux sans elles ; et *comme on nous a promis du bonheur en nous y conduisant, nous nous flattons qu'on nous laissera jouir avec tranquillité du seul bien auquel nous l'avons attaché.* » (*Ibid.*, pp. 212-213).

5. *Ibid.*, p. 363.

6. « Les desseins de Dieu ne se déclarent jamais si sensiblement que par ces mouvements indélibérés auxquels la volonté de l'homme ne contribue de rien. Nous les avions expliqués dans le sens le plus naturel, c'est-à-dire comme une marque que le Ciel nous destinait à épouser

le truchement de la Grâce, alors que l'ordre établi n'est qu'imposture et sacrilège. Le cœur et ses impulsions font éclater le cadre mensonger de l'utopie. L'ordre social et l'ordre naturel se manifestent incompatibles, et c'est le second qui est fidèle à l'ordre providentiel. Par delà le système social et ses inventions suspectes, les exigences des âmes et les desseins de Dieu se rejoignent [1].

Pour imposer leurs sentiments légitimes, les insurgés ont provoqué une révolution, assassiné le ministre, « dont toutes les vues étaient celles d'un ennemi cruel et artificieux [2] », et installé un régime à leur mode. Mais c'en est fini de la paix générale. La tyrannie des ministres, si elle brimait bien des désirs et des rêves, permettait à tous de vivre dans l'innocence et la tranquillité. La rigueur géométrique de l'ordre, en stérilisant les passions, garantissait une sorte de pureté. En luttant pour les droits du cœur, les imprudents ont introduit dans l'île l'esprit du monde. Aussi les habitants de la colonie se rebiffent-ils contre ceux qui furent, de bonne foi, leurs corrupteurs :

« Nous vivions paisiblement dans cette île avant que de vous y avoir reçus. Vous y avez mis le trouble en séduisant nos filles, en massacrant notre ministre et en voulant nous imposer des lois à force armée. Enfin, vous nous avez apporté toute la corruption de l'Europe dont nous nous étions crus à couvert ici pour toujours [3]. »

Mais la dialectique reste inachevée : aucun espoir de solution ne se dessine. Il faut choisir entre la pureté de l'Ordre et la libre satisfaction du cœur. La première implique qu'on renonce au bonheur, la seconde comporte tous les risques des passions. Entre l'individu et la société, il n'y a pas de conciliation possible. L'épisode de l'île heureuse apporte un important correctif à l'optimisme du siècle.

Mme de Staël soutient, beaucoup plus tard, un point de vue à la fois semblable et opposé. Elle affirme qu' « *une grande différence existe entre le système du bonheur individuel et celui du bonheur des nations* [4] ». Mais cette différence est exactement l'inverse de celle perçue par Prévost. Pour Mme de Staël, c'est le bonheur personnel qui exige une complète maîtrise des passions, tandis que le bonheur des peuples s'accommode d'un certain jeu dans le déploiement des désirs. Il le réclame même pour éviter la paralysie de la société. Les mouvements du cœur, qui brisent les individus, font vivre les nations [5]. Il n'y a donc aucun accord

les jeunes personnes pour lesquelles il nous inspirait tout d'un coup la plus vive affection. » (*Ibid.*, p. 279).

1. Aucun système social n'a le droit, même au prix du bonheur collectif, de ne pas reconnaître les exigences fondamentales du bonheur individuel : « De quelque sévérité de mœurs et de quelque zèle qu'on se pique ici à observer les lois et les décisions des anciens, il faut poser pour principe que nous avons affaire à des hommes : or, des hommes ne sauraient renoncer aux sentiments de la Nature. » (*Ibid.*, pp. 250-251).

2. *Ibid.*, pp. 307-308.

3. *Ibid.*, p. 373.

4. Mme de Staël, *De l'Influence des passions*, p. 16.

5. « Dans l'étude des constitutions, il faut se proposer pour but le bonheur et pour moyen

à chercher entre le bonheur individuel et le bonheur général ; leur nature est trop différente. L'un est un état négatif, qui consiste à ne pas souffrir et demande l'étouffement des passions. L'autre admet « l'existence positive et indestructible d'une certaine quantité d'êtres passionnés [1] ». Sur ce dernier plan seul, l'homme a le droit d'espérer un bonheur relatif. Au sein de l'univers social, chacun peut se promettre quelques-unes des joies modérées qui naissent de désirs satisfaits. La vie personnelle, au contraire, ne doit tendre qu'à l'indifférence, voilée de nostalgie, d'une âme parvenue à se vaincre. On sent bien de l'amertume dans cette décision de laisser à la société le soin de rendre les individus heureux. Ce n'est pas de ce bonheur-là que Mme de Staël rêvait, mais d'une félicité plus secrète, plus triomphale aussi : le fruit des passions comblées. Elle n'accorde tout à la communauté que par dépit de ne pouvoir tout abandonner à l'individu. Le ralliement au social n'est plus un signe de confiance et d'optimisme, mais un désenchantement, le nouveau bonheur n'étant jamais qu'un indigne reflet de l'autre.

La conclusion de Mme de Staël rejoint celle de Prévost et en diffère. S'il n'y a plus d'essai de révolte contre la société, c'est qu'on ne croit plus du tout à la Nature. Au lieu de contester l'ordre social, on y souscrit afin de sauver ce qui peut l'être encore. En un sens, l'antinomie est résolue. Il n'y a plus à choisir, mais à chasser toutes les chimères, pour aménager au mieux les médiocres compensations qui demeurent.

7. — Nature et vertu.

La contradiction entre le bonheur individuel et le bonheur collectif s'exprime aussi sous une forme plus abstraite, et se change en une antinomie entre la Nature et la Vertu. Ce sont les deux mots magiques du siècle, qui symbolisent, en toute rigueur, deux styles de pensée et de vie contradictoires. Seuls des rationalistes aveuglés, des moralistes au facile conformisme, et des esprits naïvement

la liberté : dans la science morale de l'homme, c'est l'indépendance de l'âme qui doit être l'objet principal, ce qu'on peut avoir de bonheur en est la suite. L'homme qui se vouerait à la poursuite de la félicité parfaite serait le plus infortuné des êtres ; la nation qui n'aurait en vue que d'obtenir le dernier terme abstrait de la liberté métaphysique serait la nation la plus misérable ; les législateurs doivent donc compter et diriger les circonstances, et les individus chercher à s'en rendre indépendants ; *les gouvernements doivent tendre au bonheur réel de tous, et les moralistes doivent apprendre aux individus à se passer du bonheur. Il y a du bien pour la masse dans l'ordre même des choses, et cependant il n'est pas de félicité pour les individus :* tout concourt à la conservation de l'espèce, tout s'oppose aux désirs de chacun, et le gouvernement, à quelques égards représentant l'ensemble de la nature, peut atteindre à la perfection dont l'ordre général offre l'exemple ; mais les moralistes, parlant aux hommes individuellement, à tous les êtres emportés dans le mouvement de l'univers, ne peuvent leur promettre avec certitude aucune jouissance personnelle que dans ce qui dépend toujours d'eux-mêmes. » (*Ibid.*, pp. 41-42).

1. *Ibid.*, p. 16.

chimériques, peuvent les accorder et les confondre. Nature et Vertu manifestent des exigences et indiquent des voies, que tout sépare. L'une consiste à descendre sa pente, l'autre à la remonter ; l'une spécule sur cette part de l'âme donnée dès l'origine, l'autre demande d'élaborer une conduite ; l'une appelle au témoignage de l'instinct, l'autre à celui de la conscience ; l'une est l'apanage de l'homme éternel, l'autre participe à un ordre social ; l'une fait qu'on pense surtout à soi, l'autre oblige à penser d'abord aux autres. Il est difficile de rêver opposition plus complète.

Cependant que de sophismes pour tenter obstinément, éperdument, de la voiler ! La vertu devient euphorique, spontanée, « naturelle » ; au lieu de combattre les instincts, elle n'a qu'à les suivre. L'homme vertueux n'est plus cet homme divisé, tendu contre lui-même, mais un habile manipulateur de son âme, favorisant, sans qu'il lui en coûte, le jeu des tendances les plus nobles. Ou bien il suffit de *comprendre* que le bonheur de chacun dépend du bonheur de tous : la vertu alors s'imposera d'elle-même. L'homme se trouve devant l'impératif moral comme un esprit sain devant l'évidence. L'exercice de la vertu devient, dans les deux cas, le plus riche et le plus profitable des plaisirs. La vertu, choix autonome et difficile, se dénoue dans une immédiate facilité ou dans la froide exécution d'un calcul avantageux.

Inversement, la Nature, en se moralisant, en sous-tendant les instincts par une *loi naturelle*, conquiert la dignité de la Vertu. Elle se porte d'elle-même aux actes complexes et douloureux, aux dépassements, aux sacrifices. Toutes les dimensions de la conscience morale se retrouvent en elle, au moins à l'état de virtualités.

Les deux termes tendent ainsi à se rapprocher l'un de l'autre ; toute distance finit même par s'abolir, et la *loi naturelle* est confondue avec la simple émotivité des cœurs sensibles. Le mouvement se continuant bien au-delà de la rencontre, chacune des deux notions vient occuper la place abandonnée par l'autre : c'est la loi naturelle qui revêt l'impersonnelle rigidité de l'impératif moral, et c'est la vertu qui se noie dans l'effusion de l'âme.

La confusion entre la Nature et la Vertu est particulièrement opportune en ce qui concerne le bonheur. Il importe d'abord de persuader que la vertu est la seule voie d'accès au bonheur et que les méchants expient tôt ou tard leur méchanceté. Croire et faire croire cela, c'est préserver l'ordre tout en garantissant les droits de chacun. Mais pour le cas où certains hésiteraient encore et seraient tentés de préférer les charmes, même provisoires, du vice aux épines d'une vertu éventuellement triomphante, *il faut aussi prouver que cette vertu n'est pas difficile*, qu'elle n'est pas l'ennemie de la Nature. Presque tout le siècle se met d'accord sur ce double lieu commun, qui cache à peine une double mauvaise foi. Aussi arrive-t-il aux esprits courageux et lucides de regimber. Dans ses moments de crise, Diderot se déprend des dogmes spongieux de sa phraséologie morale et les discute [1]. Nature et Vertu ne coïncident pas forcément. La première est souvent rebelle à la seconde. Or la légitimité de la Nature n'est-elle pas supérieure à celle de la loi morale ? Toutes nos inclinations ne sont-elles pas justifiées par l'irresponsabilité où nous nous sentons devant elles et qui semble prouver l'existence d'une finalité transcendant la conscience ? Un personnage de Sade dira brutalement : « Si la Nature désapprouvait nos goûts, elle ne nous les inspirerait pas [2]. » La littérature romanesque se délecte à célébrer les infortunes de la Vertu. Alors que tous les traités expliquent longuement et suavement que le bonheur se confond avec les qualités morales, la plupart des romans ne montrent que des personnages malheureux malgré leur vertu ou à cause d'elle. Ils constituent comme une revanche du bon sens sur les systèmes, à moins qu'ils ne libèrent certaines tendances perverses, agacées par le vacarme des pharisiens. Un Duclos se divertit à peindre la vertu dans de grotesques postures.

Cependant le grand rêve moyen est bien d'accorder le bonheur et la bonne conscience, la jouissance et la vertu. Le siècle pourrait prendre pour devise cette phrase des *Dialogues entre MM. Patru et d'Ablancourt sur les plaisirs*, relative à l'amour conjugal : « *C'est le comble de la félicité que d'être heureux et innocent tout ensemble* [3]. » Soixante-quinze ans plus tard, *La Recherche du bonheur* affirme de même que l'amant sincère et enthousiaste cherche « les moyens légitimes pour *accorder tout au plaisir sans rien ôter à l'innocence* [4] ».

On trouve ici l'ultime transposition de l'antinomie mouvement-repos. Le plaisir représente le mouvement de l'âme, et « l'innocence »

1. Mme de Puisieux, peut-être sous l'influence de Diderot, note avec sincérité : « Je connais des personnes très satisfaites, quoique très méchantes et d'autres très mécontentes, quoique très vertueuses. La ressource de celles-ci est dans quelque système chimérique qui les console, et la tranquillité des autres dans un étourdissement qui dure presque jusqu'à la fin. *Que faire donc pour être heureux ?* Le dirai-je ? Sans doute, puisque je n'écris que pour dire la vérité ; ne se laisser tromper par les préjugés ni à la vie, ni à la mort ; être méchant, si on a l'esprit, l'âme, le cœur et les penchants tournés à la méchanceté ; être bon, si on a l'âme, le cœur et les penchants tournés à la bonté, et mourir comme on a vécu. J'aurai beau dire aux moutons de faire les loups, ils seront toujours moutons, et aux loups d'être doux comme des agneaux, ils resteront toujours loups. Quiconque est loup, agisse en loup. » (Mme DE PUISIEUX, *Caractères*, pp. 132-133).

2. SILHOUETTE, dans sa *Lettre préliminaire au Traité mathématique sur le bonheur*, tente de réfuter par l'absurde cette thèse des libertins : « Un savant et prodéiste a mis cette matière hors de propos dans un ouvrage qu'il vient de publier : « Le grand article fondamental de la religion naturelle est, dit-il, de suivre la nature, c'est-à-dire les inclinations, les penchants, les désirs que l'auteur de la nature a mis en nous, afin de déterminer notre conduite ; car sûrement il n'aurait point mis en nous ces inclinations, s'il n'avait eu dessein qu'il fût permis de les gratifier, rien n'étant plus incompatible avec sa sagesse et sa bonté que de nous donner des désirs pour les combattre et pour les réfréner. » N'est-il pas là le commentaire que l'on aurait droit de faire, en prenant pour règle la conduite de certaines personnes ? Exposer les principes par lesquels seuls ils pourraient la justifier est le moyen le plus propre pour la faire détester. » (SILHOUETTE, *Lettre préliminaire au Traité mathématique sur le bonheur*, dans les *Œuvres* de BOULANGER, t. VI, pp. 268-269).

3. BAUDOT DE JUILLY, *op. cit.* (1701), t. II, p. 46.

4. *La Recherche du bonheur*, p. 119.

n'est que l'équivalent moral de l'idée de repos. Si l'on rêve de se sentir à la fois comblé et justifié, c'est que cet état mixte est le seul qui permette de réaliser l'équilibre en quoi consiste le bonheur. L'excitation du plaisir apporte à l'âme la conscience d'exister vivement et lui procure des jouissances. Mais celles-ci ne peuvent être savourées sans un sentiment de sécurité, qui en promet la permanence et en affirme la légitimité [1]. Cette profitable complicité entre la volupté et la bonne conscience atteint, dans la littérature sentimentale de la deuxième moitié du siècle, un tel degré de certitude mystique que le bonheur devient le signe irrécusable de l'innocence. On lit dans un roman, à propos de deux amants extasiés : « *Ils sont trop heureux, ils ne peuvent être coupables* [2]. »

Au sein même de la recherche du bonheur, la préoccupation morale reste toujours présente. Rien n'est plus étranger aux consciences du siècle que l'esprit de pari. On refuse de choisir. On exige de gagner sur les deux tableaux. Plus une jouissance est perçue avec intensité, plus elle est présumée sans reproche. L'évidence du plaisir devient le critère moral de l'acte.

L'homme du XVIIIe siècle ne veut pas devoir son bonheur à la révolte. Il entend éviter le risque du déchirement et de la solitude. Le saut dans l'inconnu, le scandale, le destin des grands réprouvés et des aventuriers de l'absolu, ne le tentent guère. Il faut que son bonheur, si exquis, si pimenté, si peu « moral » qu'il puisse être en son essence, lui soit donné comme une chose légitime, qu'aucune puissance ne le lui conteste, qu'il l'enivre et le rassure en même temps, qu'il caresse ses sens, soûle son esprit et son cœur d'un délicieux vertige, et verse à sa conscience cette sérénité qui l'authentifie et achève de le rendre délectable. Le bonheur doit posséder le double privilège de mettre l'âme en mouvement et la conscience en repos.

1. « L'essence du bonheur consiste dans le sentiment, dans un sentiment doux et délicieux, qui dilate l'âme et la remplit. Le degré du bonheur dépend donc du degré et de la vivacité du sentiment. *Mais ce n'est pas assez que le sentiment soit doux, vif, délicieux; il faut encore qu'il soit innocent, durable, avoué par la raison.* Quel bonheur espérer de plaisirs momentanés qui sont suivis de longues douleurs et, ce qui est plus redoutable encore, qui traînent après eux la honte et le remords ? » (GOURCY, *op. cit.*, pp. 59-60).

2. LOAISEL DE TRÉOGATE, *La Comtesse d'Alibre* (1779), p. 110.

CHAPITRE IV

BONHEUR ET CONDITION SOCIALE

« Un homme ne se sent point heureux de ce qu'il est né dans une condition riche ; et il ne se sent point aussi malheureux de ce qu'il est né dans une pauvre. »

Marquis DE LASSAY,
Recueil de différentes choses.

« Il faut donc qu'il y ait un pauvre, pour qu'il y ait un riche... »

SÉNAC DE MEILHAN,
Considérations sur les richesses et sur le luxe.

« Heureuse médiocrité ! C'est vous seule qui pouvez faire le bonheur du genre humain. »

Mme THIROUX D'ARCONVILLE,
Des Passions.

Introduction : La condition et l'âme. — 1. Justification de l'inégalité. — 2. Écueils des richesses et de la grandeur. — 3. Félicité et misère des humbles. — 4. Apologie de la médiocrité.

Que le bonheur soit une aptitude de l'âme, et non pas l'effet de la condition ou le reflet des situations particulières, apparaît généralement comme une évidence. Montesquieu insiste fréquemment sur la subjectivité du bonheur conçu comme un pur rythme intérieur. Le bonheur et la condition sont deux réalités hétérogènes : rien n'est plus étranger à l'homme que sa condition, rien ne lui est plus personnel que son bonheur [1].

Mais pareille conviction n'aboutit nullement à prôner une sorte de détachement stoïcien. On conclut, au contraire, à une acceptation pleine et entière, à une fusion naturelle de la condition et du moi. C'est parce que le bonheur ne dépend pas de la condition que toutes

1. « En quelque état qu'on soit, on n'est point heureux précisément par cet état, mais par le rapport et la convenance de cet état avec notre caractère et nos dispositions naturelles ou acquises. Il est même des hommes d'un caractère si propre au bonheur, qu'ils l'auraient trouvé en quelque condition que le hasard ou leur propre choix les eussent placés. Tel grand, tel riche heureux et dont on attribue le bonheur à sa grandeur, à ses richesses, aurait été un heureux artisan, un heureux paysan, un heureux pauvre. De même tel homme impute son malheur à son état, qui serait également malheureux dans tout autre. Le bonheur est donc presque toujours l'effet du tempérament seul. Quelquefois aussi il est l'ouvrage de la raison jointe au tempérament. L'état y contribue moins qu'on ne croit d'ordinaire. En un mot, le bonheur et le malheur viennent du physique bien plus que du moral. » (TRUBLET, *Essais sur divers sujets de littérature et de morale*, t. I, pp. 310-311).

les conditions peuvent sembler heureuses. La subjectivité, qui est l'âme du bonheur, se répand au dehors, imprègne la condition et, pour ainsi dire, l'annexe. Celle-ci se trouve intégrée à la conscience, participe de ses prestiges : la voilà tout à fait intériorisée. Mais elle n'a pu l'être que parce qu'au début elle n'était rien, qu'elle s'offrait comme un champ vierge au dynamisme conquérant de l'âme.

Aussi est-il absurde de supputer le bonheur des autres selon leur condition, telle qu'on peut la voir de l'extérieur. La seule chose qui compte, c'est la façon dont l'individu l'assume, en lui prêtant son vrai visage, qu'elle ne revêt que pour lui seul [1]. La condition s'identifie finalement à l'être. Il ne suffit pas de dire que chaque homme juge sa condition heureuse. En fait, il n'a plus assez de recul pour la juger. Il est devenu sa condition. Il ne peut se concevoir, s'imaginer autrement que par elle, à travers elle. Comment pourrait-on la comparer à un fardeau, à une charge infligée de l'extérieur (images banales et fausses), si elle est *cela même à partir de quoi l'homme prend conscience de lui-même et qu'il ne distingue pas de soi ?*

Une telle découverte devient vite le prétexte d'un lieu commun exploité à perte d'haleine : *le bonheur est possible dans toutes les conditions.*

En 1706, Formentin écrit un *Traité du bonheur* pour démontrer qu'on est heureux dans « tous les âges », tous les « états », toutes les « conditions » et toutes les « situations » de la vie. C'est un moraliste bien intentionné et un défenseur de l'ordre social, plus qu'un fin connaisseur de l'âme humaine : au lieu de s'en tenir, comme le fera Montesquieu, à quelques intuitions sur la subjectivité du bonheur, il entreprend de décrire lourdement les avantages attachés à chaque condition. Il prêche avec une conviction égale « le bonheur dans l'exercice de la magistrature, le bonheur dans la profession des armes, le bonheur dans le commerce, le bonheur dans la profession du barreau, le bonheur dans la profession des beaux-arts, le bonheur dans la vie rustique [2] ».

Le *Premier Discours sur l'homme* de Voltaire développe plus vaguement le thème de l'indépendance du bonheur par rapport à la condition :

1. « Quand nous parlons du bonheur et du malheur, nous nous trompons toujours parce que nous jugeons des conditions et non pas des personnes. Une condition n'est jamais malheureuse lorsqu'elle plaît. » (MONTESQUIEU, *Mes Pensées*, 30). Or, une condition plaît toujours : « On dit que tout le monde se croit malheureux. Il me semble au contraire que tout le monde se croit heureux. Le courtisan croit qu'il n'y a que lui qui vive. » (*Ibid.*, 549, note).

2. FORMENTIN, *Traité du bonheur*, IVe partie, titres des chap. 1 à 6. Il faut noter l'oubli d'une catégorie, celle du riche oisif. Le courtisan seul, pour ce bourgeois des premières années du XVIIIe siècle, n'a pas droit de figurer parmi les heureux. Sur les six conditions énumérées, quatre sont des conditions bourgeoises, la cinquième est plus littéraire que sociale (« le bonheur dans la vie rustique»), et une seule condition reste l'apanage exclusif de la noblesse : la profession des armes, seul privilège de la classe noble dont le bourgeois ne soit pas jaloux.

« Le malheur est partout, mais le bonheur aussi,
Ce n'est point la grandeur, ce n'est point la bassesse,
Le bien, la pauvreté, l'âge mûr, la jeunesse
Qui fait ou l'infortune ou la félicité [1]. »

Tous les hommes sont égaux devant le bonheur, qui est inscrit dans leur nature. Or la condition ne change pas la nature. L'inégalité des conditions devient donc négligeable. Seule importe l'égalité devant le bonheur, la seule que Dieu ait promise à l'homme [2]. D'Holbach

1. VOLTAIRE, *Premier Discours sur l'homme*, *Œuvres complètes*, éd. Moland, t. VIII, p. 383.
2. Cf. *ibid.*, pp. 379-380 et 383-384.

Le *Premier Discours sur l'homme* est annoté de façon fort intéressante dans l'édition de Kehl, par Condorcet et Descroix. D'abord les éditeurs s'appuient sur la tradition classique, en citant une maxime de La Rochefoucauld : « Quelque différence qui paraisse entre les fortunes, il y a une certaine compensation de biens et de maux qui les rend égales. » Phrase qui exprime en réalité une pensée pessimiste sur les limites de la nature humaine, incapable d'aller très loin dans le bonheur comme dans le malheur, et n'entend servir la cause d'aucun conservatisme social.

Condorcet et Descroix tentent ensuite de réfuter Rousseau qui établit « une grande différence entre les maux des dernières classes de la société et ceux qui affligent les premières, parce que, dit-il, les maux du peuple sont l'effet de la mauvaise constitution de la société ; les grands au contraire ne sont malheureux que par leur faute. »

Leur premier argument est que « cette observation n'est pas vraie rigoureusement ». L'ennui et le dégoût des grands peuvent être la conséquence de leur sottise naturelle ou de leur mauvaise éducation, qui ne leur sont pas imputables. Sans compter que leur destin exceptionnel les voue à des malheurs d'exception, dont ils ne sont pas davantage responsables : « Est-ce par sa faute que le Masque de Fer fut mis à la Bastille ? » En revanche, parmi tous les malheureux qui souffrent de la pauvreté, certains auraient pu éviter leur sort « par plus d'activité, plus de travail, plus d'économie, de prévoyance ». Il serait donc plus exact de dire que « le hasard et la mauvaise conduite entrent à la fois dans presque tous les malheurs des hommes ».

En second lieu, il est d'une grande utilité sociale de persuader au peuple qu'un équilibre naturel entre les maux et les biens égalise toutes les conditions : « Cette manière de voir les états de la vie est consolante pour le peuple ; elle conduit même à une conséquence très utile. Si les biens et les maux des différentes conditions forment entre ces conditions une sorte de balance, si l'ennui qui poursuit les riches, si les dangers qui environnent les grands sont un équivalent des maux auxquels la misère condamne le peuple, tous gagneront à une plus grande égalité ; les uns y trouveront plus d'aisance, les autres plus de sûreté. Ne serait-il pas utile de persuader aux hommes que l'intérêt des différentes classes de la société n'est pas de se séparer, mais de se rapprocher, qu'elles doivent chercher non à s'opprimer, mais à s'unir, parce qu'aucune classe ne peut augmenter son bonheur aux dépens d'une autre, mais seulement en faisant des sacrifices au bonheur commun ? »

Texte intéressant, et qui préfigure curieusement l'analyse marxiste de l'idéal « petit-bourgeois ». Condorcet y préconise un rapprochement des classes extrêmes autour d'un idéal commun d'aisance confortable et de bonheur moyen. Il précise ailleurs qu'il serait dangereux d'aller trop loin dans la voie de l'égalité. Le maintien et le développement de la société exigent une part d'inégalité entre les différentes classes. C'est de ce décalage qu'émane toute l'énergie nécessaire au progrès de la société entière. Mais cette inégalité ne doit pas être un état de tension, c'est-à-dire d'opposition des classes : la société ne progresserait plus, et se dévorerait elle-même. Le schéma est entièrement conçu en vue de la promotion d'un état privilégié, destiné à absorber progressivement les deux autres : c'est l'état mitoyen, la condition du bourgeois, l'homme qui n'est ni étourdi par le vertige des grands, ni dégradé par la misère du peuple, et qui a su se construire paisiblement une sorte de bonheur du juste milieu.

Il faut aussi souligner cette façon cynique d'apaiser la conscience du bourgeois heureux, en identifiant l'ennui des riches et la misère du peuple, comme si les deux maux étaient égaux en gravité, et que le riche et le pauvre fussent, du point de vue du bonheur, logés à la même enseigne. Cela conduit à soupçonner la sincérité du souhait, par lequel Condorcet espère « plus d'aisance » pour le peuple. Si le peuple ne souffre pas plus de sa misère que le grand de son ennui, il peut, à la rigueur, supporter sa condition sans trop de peine, et l'idéal de l'aisance à la portée de tous se trouve rejeté dans un avenir vague et lointain.

Ce texte est donc particulièrement riche : peur des bouleversements sociaux qui compromettraient le progrès de la bourgeoisie, désir d'humilier les grands en comparant leur misère morale à la détresse physique des pauvres, volonté de maintenir le peuple dans un état de résignation relative, en lui laissant juste assez d'espoir pour lui ôter toute idée de révolte, idéal de l'aisance et du bonheur de juste milieu, que Condorcet affecte de présenter comme la affirme de la même façon : « Il est un bonheur pour tous les états. La vie la plus malheureuse a ses moments heureux... Nous jouissons dans le cours d'une vie d'une *infinité de plaisirs de détail*, auxquels l'habitude nous empêche de faire attention : nous sommes heureux à notre insu [1]. »

Voilà donc dissoute d'un coup l'image d'un bonheur parfait, d'une fastueuse euphorie, qui serait l'apanage des Grands de ce monde. Le bonheur n'est pas la joie de vivre dans les scintillements du cristal et les chauds reflets de l'or. Il tient à la satisfaction des besoins élémentaires, à ces infimes jouissances qui trouvent place dans chaque vie. On ne doit pas le chercher dans les broderies que chacun inscrit, selon sa condition, sur la trame unie de l'existence. Il est tissé dans cette trame même, à la portée de tout être, quels que soient les prestiges ou le dénuement qui l'entourent [2].

formule même du « bonheur commun », mais qui n'est en fait qu'une définition du bonheur bourgeois, tous ces thèmes sont particulièrement représentatifs de la pensée sociale du XVIIIe siècle. Pensée de bourgeois, qui ne rêvent d'une harmonisation relative des classes extrêmes que pour mieux assurer le triomphe de la classe intermédiaire, mais qui s'opposent à une égalité totale, qui ruinerait leurs propres privilèges et freinerait leur ascension. Ce que veut la bourgeoisie, c'est maintenir de l'ordre social seulement ce qui est nécessaire à sa promotion et en éliminer tout ce qui pourrait la compromettre : la « grandeur » ostentatoire des nobles et leurs richesses, qu'aucun service ne justifie ; et, d'autre part, la misère du pauvre, qui menace la sécurité du bourgeois et risque de troubler sa conscience heureuse.

1. D'HOLBACH, *Système social*, t. I, pp. 187-188.

Dans un poème intitulé *Le Plaisir* (1755), l'auteur, Hector D'ESTAING, démontre de que le plaisir départi aux hommes se trouve équitablement partagé entre les différents âges, les différentes conditions, les différents états :

« L'artisan desséché par le feu qu'il allume
Qui fait plier le fer et fait gémir l'enclume ;
Le laboureur tardif armé d'un aiguillon,
S'appuyant sur le soc pour ouvrir un sillon ;
Le manœuvre englouti dans le sein de la terre
Qui cherche les métaux ou détache la pierre,
L'auteur dont le travail est l'effet du besoin,
L'indigent orgueilleux qui quête sans témoin ;
Le vieillard menacé du coup inévitable,
Le nègre enrichissant un maître impitoyable,
Le malade au tombeau, le forçat dans les fers,
Les tableaux différents de mille états divers
Offrirent à mes yeux par un juste partage
Des plaisirs en tout temps et des goûts à tout âge. » (*Op. cit.*, p. 86).

Il faut souligner cette hypocrisie consistant à confondre « l'*état* », qui ne relève que de la condition humaine et du destin (le « vieillard », le « malade au tombeau »), et la *condition*, dont la société seule est responsable. Il est bien évident que nul ne peut éviter au « vieillard » le « coup inévitable » qui le menace, alors qu'il n'est nullement inscrit dans la nature des choses que le nègre enrichisse un « maître impitoyable ». L'auteur tente de justifier les iniquités sociales en les mettant sur le compte de la fatalité, en les installant au même niveau que les vicissitudes qui tiennent à la nature et aux limites de l'homme. Sous le lieu commun de la tradition morale, se dissimule mal la justification de l'inégalité sociale.

2. Delisle de Sales est de l'avis de d'Holbach : « Il existe un mode de bonheur pour tout individu de l'espèce humaine, quel que soit son âge, son sexe ou son rang ; qu'il cultive son jardin comme Candide ou qu'il fasse graviter avec Newton les mondes dans l'espace ; qu'il tienne en souverain le levier de la politique ou qu'il cède en automate à ses impulsions ; qu'il maîtrise la fortune, comme Sylla et le Cardinal de Mazarin, ou qu'il subisse le plus honorable des supplices, comme Socrate, Phocion et Malesherbes. » (DELISLE DE SALES, *Philosophie du bonheur*, t. II, p. 113).

I. — Justification de l'inégalité.

Du point de vue de la conscience individuelle, toutes les conditions sont éprouvées comme égales. Du point de vue de l'ordre social et du bonheur collectif, il est nécessaire qu'elles soient inégales. Les deux arguments ne se contredisent pas, mais sont complices : *l'égalité subjective* ne sert qu'à conjurer les effets de *l'inégalité objective*. Il n'est pas difficile, comme on le verra, de dépister ici une double mauvaise foi : on exalte le bonheur de *chacun*, alors qu'on ne songe qu'au bonheur de *tous* ; on feint de s'inquiéter du bonheur de *tous*, alors qu'on ne défend que le bonheur de *certains*.

L'inégalité sociale, au XVIIIe siècle, n'apparaît plus, comme au siècle précédent, dans la perspective d'une finalité providentielle. Mais elle relève d'une autre finalité, dans la mesure où elle est jugée nécessaire à l'équilibre de la société et à son bien-être. Bien loin d'être disqualifiée comme une injuste survivance, l'inégalité est proclamée facteur de progrès. Le bonheur de la communauté exige la dépendance de toute une catégorie d'individus [1].

Dans l'article *Égalité* du *Dictionnaire philosophique*, Voltaire avoue avec un candide cynisme :

« Il est impossible dans notre malheureux globe que les hommes vivant en société ne soient pas divisés en deux classes, l'une de riches qui commandent, l'autre de pauvres qui servent... Le genre humain, tel qu'il est, ne peut subsister à moins qu'il n'y ait une infinité d'hommes utiles qui ne possèdent rien du tout : car, certainement, un homme à son aise ne quittera pas sa terre pour venir labourer la vôtre. »

Il déplore sans doute que la condition humaine ait rendu inéluctable cette subordination au sein de la société. Cependant ceux qui s'y trouvent assujettis ne sont pas forcément à plaindre : « Tous les pauvres ne sont pas absolument malheureux. La plupart sont nés dans cet état et le travail continuel les empêche de trop sentir leur situation. »

Turgot est plus catégorique ; selon lui, l'inégalité « n'est point un mal » : « *Elle est un bonheur pour les hommes*, un bienfait de celui qui a fait avec autant de bonté que de sagesse tous les éléments qui entrent dans la composition du cœur humain [2]. » Loin d'être une con-

1. Dans son *Traité de la Fortune*, La Bruyère explique pourquoi les richesses seront toujours hors d'atteinte de certains hommes : « C'est par une suite de l'ordre que plusieurs en sont privés et qu'ils ignorent les moyens de les acquérir, afin que la nécessité de se procurer leurs besoins les oblige à exercer leurs talents... L'abondance générale des richesses deviendrait nuisible à l'homme et le jetterait dans une véritable indigence. » (*Op. cit.*, p. 9).

2. Turgot, *Lettre à Mme de Graffigny sur les « Lettres péruviennes »*, 1751, in *Œuvres complètes* de Turgot, éd. Eugène Daire, Paris, 1844, t. II, pp. 785 et suiv.

vention humaine, l'inégalité est inscrite dans la nature. Ce n'est pas avec l'organisation sociale qu'elle a commencé, mais au niveau des aptitudes « physiques » : « Les hommes ne sont point nés égaux ; il n'en est pas qui possèdent exactement les mêmes forces, le même esprit, les mêmes passions. » La véritable convention serait une égalité imposée par les lois. D'ailleurs la fragilité en serait vite rompue sous la pesée des forces naturelles, qui reviendraient d'elles-mêmes à leur déséquilibre primitif. Cette inégalité voulue par la nature est, en outre, éminemment utile à l'état social. La vie complexe d'une nation conduit à la *division du travail*, qui oblige à marquer des différences, étant donnée la diversité, en dignité comme en nature, des tâches, des besoins et des services [1].

A ces arguments de fait inspirés d'un principe assez simpliste d'économie politique, Turgot mêle certains critères de valeur, qui fondent l'inégalité sociale sur de pures distinctions de *mérite*. Il ne dit plus « *Il est utile* », mais « *Il est juste* ». Dans l'appréciation de ce mérite, il cite, à côté de l' « intelligence », un certain nombre d'avantages, dont la contingence purement extérieure relève, non d'une juridiction naturelle, mais de l'accident [2]. C'est déjà une justification morale du capitalisme, qui dépasse de beaucoup la simple justification voltairienne de l'inégalité par la nécessité de répondre aux divers besoins de l'homme.

Pour d'Holbach, l'inégalité, « loin de nuire, contribue à la vie et au maintien de la société... [3] » :

« La société, de même que la nature, établit une inégalité nécessaire et légitime entre ses membres. Cette inégalité est juste, parce qu'elle est fondée sur le but invariable de la société, je veux dire sur sa conservation et son bonheur... [4] »

On retrouve dans la *Politique naturelle* la double justification, naturelle et finaliste, de l'inégalité : non pas invention perverse des hommes, mais simple imitation de la nature ; non pas instrument d'oppression, mais Providence collective. D'Holbach interprète ce second thème de façon quelque peu différente, en ne se contentant pas d'évoquer

1. « La distribution des professions amène nécessairement l'inégalité des conditions. » (*Ibid.*).
2. « Ceux qui n'ont pas eu l'*intelligence* ou l'*occasion* d'en acquérir n'ont pas le droit d'en priver celui qui les a mérités, gagnés, obtenus, par son travail. Si les paresseux et les ignorants dépouillaient les laborieux et les habiles, tous les travaux seraient découragés, la misère serait générale. Il est plus *juste* et plus utile pour tous que ceux qui ont manqué d'esprit ou de *bonheur* prêtent leurs bras à ceux qui savent les employer... Il n'est pas injuste que celui qui a inventé un travail productif et qui a fourni à ses coopérateurs les aliments et les outils nécessaires pour l'exécuter, qui n'a fait avec eux pour cela que des contrats libres, se réserve la meilleure part ; que pour prix de ses avances, il ait moins de peine et plus de loisir. Le loisir le met à la portée de réfléchir davantage, d'augmenter encore ses lumières ; et ce qu'il peut économiser sur la part équitablement meilleure, qu'il doit avoir dans ses produits, accroît ses capitaux, son pouvoir de faire d'autres entreprises... ». (*Ibid.*).
3. D'Holbach, *Politique naturelle*, Discours I, § 10.
4. *Ibid.*, § 39.

la nécessité générale de la division du travail. Il souligne que, si tous les hommes étaient susceptibles des mêmes passions, convoitaient les mêmes biens, cultivaient les mêmes visées, ils se trouveraient perpétuellement en état de compétition et de discorde [1]. L'inspiration finaliste reste la même, mais avec un arrière-plan psychologique et non plus moral. Sans doute est-ce une habileté pour esquiver le problème social lui-même. L'inégalité doit apparaître comme la condition de l'épanouissement individuel. C'est elle qui permet à chacun d'orienter son instinct de vivre vers les fins qui lui sont personnelles. Elle n'est donc responsable d'aucune aliénation, ne fait que sanctionner la coexistence harmonieuse et hiérarchisée des volontés particulières et traduire dans les structures sociales l'inégalité qui existait déjà naturellement entre ces volontés [2].

Cela n'empêche pas d'Holbach de prendre également à son compte l'argument économique. Mais il le fond avec l'argument naturel. C'est un décret de la nature qui a fondé la vie sociale sur le processus de *l'échange*, source de toutes les activités et de tout bonheur. L'inégalité, à supposer qu'elle soit un mal, porte son remède en elle-même. Au lieu de diviser les hommes, elle les rapproche et les unit. Elle n'est que la face négative, ou plutôt la condition préalable, de l'entr'aide universelle. Comment peut-on voir un vice de la société en cela même qui la constitue et la fait servir au bonheur de tous [3] ? L'argument précédent trouve ici sa contre-partie. L'inégalité offre à chacun la possibilité de s'affirmer au sein de la société, en restant fidèle à lui-même. Mais en même temps, elle l'oblige à mettre en commun, pour le bien de tous, ce que la nature lui a donné en particulier. Ainsi, grâce à l'inégalité des conditions, la société est au service de l'individu, comme l'individu est au service de la société.

1. « Ils ne s'occuperaient qu'à se détruire, parce que tous placeraient leur bonheur dans les mêmes choses ; la société humaine, ainsi composée de concurrents, de rivaux, d'ennemis, si elle subsistait quelque temps, ne tarderait pas à se dissoudre. L'inégalité et la diversité qui subsistent entre les hommes sont cause que, quoiqu'ils aient une ressemblance générale, ils ne sont presque d'accord sur rien et que chacun tend à sa manière vers ce qu'il croit utile à son propre bonheur. De là naît cette activité avec laquelle chaque homme cherche à cacher son infériorité et s'efforce d'atteindre les avantages qu'il croit voir dans les autres. » (*Ibid.*).

2. C'est toujours à cette inégalité naturelle qu'il faut en revenir. D'Holbach se moque du mythe de l'égalité primitive : « Cessons donc de supputer une prétendue égalité qu'on croit avoir originairement subsisté entre les hommes. Ils furent toujours inégaux. Ne déclamons point contre cette inégalité qui fut toujours nécessaire... L'homme faible, soit de corps, soit d'esprit, fut toujours forcé de reconnaître la supériorité du plus fort, du plus industrieux, du plus spirituel ; le plus laborieux dut cultiver un terrain plus étendu et le rendre plus fertile, que ne put faire celui qui avait reçu de la nature un corps plus débile. Ainsi il y eut, dès l'origine, inégalité dans les propriétés et dans les possessions. » (*Ibid.*, § 10).

3. « Tout est échange dans la société : *l'inégalité que la nature a mise entre les individus, loin d'être la source de leurs maux, est la vraie base de leur félicité*. Par là les hommes sont invités et forcés à recourir les uns aux autres, à se prêter des secours mutuels. Chaque membre de la société se voit obligé de payer par les facultés qu'il a reçues celles dont les autres lui font part. Ainsi l'inégalité de force ou de talents oblige les hommes à mettre en commun, pour le bien de tous, ce que la nature a donné à chacun en particulier. L'homme faible de son corps, mais dont l'esprit est vigoureux, guidera l'homme robuste et lui fournira les moyens de faire de ses forces un usage utile à son bonheur. » (*Ibid.*).

***

On peut se demander comment la « sensibilité » du siècle accepte sans s'émouvoir certains aspects révoltants de l'inégalité des conditions. D'abord il est faux que de telles protestations n'éclatent jamais. Les cyniques paradoxes du conservatisme social n'ont pas ébloui certaines âmes généreuses, comme Diderot. En outre il arrive, surtout vers la fin du siècle, qu'on découvre le peuple tel qu'il est : non pas le peuple des campagnes, protégé par les mythes tenaces de la félicité rustique, mais celui des villes, dont aucune idéalisation ne voile rituellement la misère.

Cependant rien n'entame la bonne conscience de tous ceux pour qui les victimes de l'ordre social sont insensibles à leur sort, les pauvres accoutumés à leur pauvreté, et le peuple en général doué d'une nature si grossière qu'il est incapable de concevoir même l'idée du bonheur. Voltaire n'est pas le seul à penser que « tous les pauvres ne sont pas absolument malheureux ». Voici le témoignage d'un autre écrivain moins suspect, étant pauvre lui-même :

« Faites-moi passer en revue ces gens grossiers et sans lumières, nés dans la condition la plus abjecte. Présentez-moi de ces hommes que vous appelez les malheureuses victimes des caprices du sort et qui ont connu la misère, dès qu'ils ont ouvert les yeux. A quoi passent-ils leur vie ? A manger, travailler, dormir, et à faire d'autres malheureux. *Soyez sûrs que vous avez plus de pitié de leur état qu'ils n'en ont horreur.* Ils ont moins de passions, parce qu'ils ont moins d'idées. Cela est clair. L'habitude qu'ils ont contractée de souffrir leur fait perdre celle de croire qu'ils souffrent. C'est une espèce d'ignorance de leur misère ; et s'ils savent qu'ils sont malheureux, ils savent à peu près cela comme nous savons que nous devons mourir. Voilà de la part de la Nature une conduite bien admirable. Si elle fait naître les gens dans un état de misère, elle leur donne un caractère propre à le soutenir et même à l'oublier. Car, de ce que dans les sociétés civiles toutes sortes d'états sont nécessaires pour y maintenir une dépendance continuelle les uns des autres, sans laquelle les sociétés tomberaient dans une anarchie qui en causeraient la perte, il s'ensuit qu'il doit y avoir des hommes faits pour servir les autres, et que si ces hommes, faits pour servir les autres, viennent à découvrir l'horrible néant, dans lequel ils sont plongés, ils détesteront infailliblement la vie, chercheront à sortir par la mort ou la fuite de cet état de misère et détruiront ainsi l'harmonie de la société [1]. »

Utilité sociale et finalité naturelle se confondent une fois de plus. La nature a poussé très loin ses complaisances : non seulement elle désigne les victimes dont le sacrifice est nécessaire au bon fonctionne-

1. BLONDEL, *Loisirs philosophiques*, pp. 38-42.

ment des institutions humaines, mais elle a la prudence de les anesthésier ou de les ligoter elle-même, afin de prévenir le sursaut qui pourrait bouleverser un si bel ordre. Elle fournit à la société tous les malheureux que celle-ci consomme. Mais, retournant vers eux sa sollicitude, elle immunise leur sensibilité et, les condamnant à souffrir, les empêche de sentir qu'ils souffrent.

Le naïf et l'odieux se mêlent ici. Mais il ne faut pas dire que toute sensibilité est absente. L'exaltation d'une finalité dans le monde, qui assurerait une commune régie de la Nature et de la Société, n'est pas une idée morte. Elle s'accompagne de profondes résonances, qui ne laissent pas de sang-froid. Ce n'est pas avec cynisme que Blondel écrit cette page, mais avec émotion. Seulement, cette émotion est exactement le contraire de celle qu'un homme moderne pourrait éprouver. L'un reconnaît une harmonie là où l'autre ne verrait que désordre et scandale. Il importe de ne pas lancer l'anathème aux hommes du XVIIIe siècle, simplement parce qu'ils ne pensent pas et surtout ne *s'émeuvent* pas comme nous.

2. — ÉCUEILS DES RICHESSES ET DE LA GRANDEUR.

Devant le problème des richesses, les esprits se divisent assez nettement. Les Philosophes célèbrent et justifient la richesse ; les moralistes d'inspiration traditionnelle la réprouvent, ou du moins la suspectent. Les uns placent le bonheur dans une suite de sensations agréables : or l'argent peut en procurer beaucoup. Les autres l'imaginent comme un état d'innocence et de repos, que l'argent ne peut que troubler. En outre, les premiers analysent les conditions objectives du bonheur individuel lié au bonheur social, ils étudient les relations de la morale et de l'économie, découvrent que la félicité d'une nation est fonction des biens matériels qui y circulent. Les seconds définissent le bonheur comme un état personnel, à l'image du salut, et ils sont surtout sensibles aux pièges tendus par le monde à l'autonomie de l'âme. Les richesses seront donc fort diversement jugées, selon qu'on les envisage par rapport aux structures économiques du bonheur collectif, ou relativement aux exigences intérieures de l'équilibre individuel.

Dans le deuxième chant de son poème *Le Bonheur*, Helvetius souligne les difficultés de la condition du riche et montre que les richesses ne résolvent rien : elles « sont moins des biens réels que le moyen d'en acquérir ». Pour se convertir en jouissances, elles réclament la science ou le talent d'être riche [1]. L'argent n'est salutaire que s'il

1. « Il ne faut point de connaissances dans une fortune bornée. La nature indique les jouissances. Il faut des lumières pour jouir d'une grande fortune, qui ne serait qu'à charge si elle ne donnait pas de nouveaux goûts. » (HELVÉTIUS, *Le Bonheur*, argument du chant II).

provoque un enrichissement de l'âme, une extension de l'amplitude humaine. En lui-même, il n'est rien d'autre qu'*un moyen d'assouvir des goûts*. Plus on est riche, plus on est tenu de posséder de goûts, sans quoi les richesses cesseraient d'être un moyen pour devenir leur propre fin. Mais se créer des goûts est chose délicate. L'homme riche doit consulter des spécialistes, des philosophes. On voit par là que la richesse oblige, qu'elle implique sagesse et culture. L'homme riche et heureux n'est pas le parvenu ignorant, mais l'amateur éclairé.

Diderot justifie le luxe de la même manière. Le luxe n'est innocent que s'il ne sert ni à la parade, ni à l'oppression, mais seulement à la « jouissance ». Il y a deux façons pour l'homme riche de consommer ses richesses. Ou bien l'on consent que l'or « mène à tout », qu'il soit sacré « Dieu de la nation », qu'il distribue les privilèges destinés au mérite et à la vertu. Etre riche consiste alors à *montrer* sa richesse, car elle est la seule vertu, comme la pauvreté est le seul vice. Il faut être riche ou méprisé. Des riches qui plastronnent, des indigents qui se cachent, telle est la première image du luxe [1].

Il existe un autre luxe qui n'est pas « le masque de la misère, mais le signe de l'aisance publique et du bon goût général [2] ». Cette fois, l'or ne sert plus à parvenir. Ce sont les talents et les vertus qui remplissent, légitimement, ce rôle. L'argent n'est plus une *puissance sociale*, mais seulement un *moyen de jouir*. Il ne provoque plus aucun déséquilibre entre les classes, aucune frustration : « La nation entière aura toute l'aisance que chaque condition comporte » et « il n'y aura d'inégalité entre les fortunes que celles que l'industrie et le bonheur doivent y mettre ». Ainsi libéré de son pouvoir maléfique, l'or peut assumer la seule destination qui l'innocente, lui restitue vie et fraîcheur. Il investit de bonheur « tous les sens » :

« J'aurais donc des poètes, des philosophes, des peintres, des statuaires, des magots de la Chine ; en un mot, tout le produit d'une culture, tous ces vices charmants qui font le bonheur de l'homme en ce monde-ci et sa damnation éternelle dans l'autre [3]. »

1. « Voilà donc une espèce de luxe, signe d'une opulence réelle dans un petit nombre de citoyens, et masque de la misère qu'il accroît dans la multitude. » (TOURNEUX, *Diderot et Catherine II*, pp. 223-224).

2. *Ibid.*, p. 229.

3. *Ibid.*, p. 238. Cf. *Salon de 1767* : « La terre sera le mieux cultivée qu'il est possible ; ses productions diversifiées, abondantes, multipliées amèneront la plus grande richesse et la plus grande richesse engendrera le plus grand luxe : car si l'on ne mange pas l'or, à quoi servira-t-il, si ce n'est à multiplier la jouissance ou les moyens infinis d'être heureux, la poésie, la peinture, la sculpture, la musique, les glaces, les tapisseries, les dorures, les porcelaines et les magots ? » (DIDEROT, Assézat-Tourneux, t. XI, p. 86). « Maîtres des nations, ôtez à l'or son caractère représentatif de tout mérite. Abolissez la vénalité des charges, que celui qui a de l'or puisse avoir des palais, des jardins, des tableaux, des statues, des vins délicieux, de belles femmes ; mais qu'il ne puisse prétendre sans mérite à aucune fonction honorable dans l'État. » (*Ibid.*, p. 93).

La richesse se trouve absoute, valorisée par la jouissance. L'argent est bon, s'il se métamorphose en plaisirs ; il est coupable, s'il usurpe un pouvoir dans la société. Il ne participe au bonheur que sous sa forme la plus légère, la plus fluide, comme pourvoyeur de voluptés.

Voltaire disait dans *La Défense du Mondain* :

> « Cette splendeur, cette pompe mondaine
> D'un règne heureux est la marque certaine.
> Le riche est né pour beaucoup dépenser
> Le pauvre est fait pour beaucoup amasser [1]. »

Il faut que l'argent de l'homme heureux se volatilise. La richesse ne souffre que deux dépravations : l'ostentation et l'avarice. Pauvres et mauvais riches se rejoignent dans la même hérésie : donner à l'argent cette compacte et inquiète immobilité qui le pétrifie, l'empêche de courir, en fait une substance triste, un *être* sans emploi, au lieu d'un *faire* précieux. Les vraies richesses sont celles qui s'abolissent sous les espèces de ces cristaux, de ces ors et de ces marbres, dont le « Mondain » peuple sans honte son existence.

Cependant le bourgeois Voltaire, à la différence de Diderot, qui est bourgeois aussi, mais d'une autre manière, admet sans trop de peine que l'argent soit tenu pour signe de puissance. De tous les philosophes du siècle, il est celui qui accepte le plus aisément l'évidence du bonheur par la richesse. Il est riche avec spontanéité, facilité, bonne conscience, et Mme Du Deffand l'admire beaucoup pour cela [2]. Pour lui, l'argent ne soulève aucun problème moral : le luxe n'est qu'un état de fait, un moment de la civilisation. L'homme riche par excellence, c'est le « bourgeois de Paris ou de Londres », qui travaille en même temps à sa propre fortune et à la prospérité de l'univers. Condamner le luxe équivaut à refuser l'histoire, à vouloir arrêter la vie [3]. La richesse n'est pas une notion abstraite, mais l'indice vivant d'une complicité économique, cet influx qui anime magiquement le circuit reliant à l'infini le travail au plaisir et le plaisir au travail. Créatrice de jouissances, et partant de bonheur, elle constitue aussi la preuve d'un bonheur antérieur. C'est une civilisation heureuse qui fait les gens riches ; ceux-ci dépensent leur argent à se rendre toujours plus heureux ; cet argent, dispersé, enrichit encore la nation ; et le cycle se poursuit éternellement.

1. VOLTAIRE, *Défense du Mondain*, vers 69-72.

2. « Savez-vous, monsieur, ce qui me prouve le plus la supériorité de votre esprit et ce qui fait que je vous trouve un grand philosophe ? C'est que vous êtes devenu riche. Tous ceux qui disent qu'on peut être heureux et libre dans la pauvreté sont des menteurs, des fous et des sots. » (Mme DU DEFFAND à Voltaire, 28 octobre 1759, *Correspondance de Mme Du Deffand*, t. I, p. 250).

3. « Les déclamateurs voudraient-ils qu'on enfouît les richesses qu'on aurait amassées par le sort des armes, par l'agriculture, par le commerce et par l'industrie ? » (*Dictionnaire philosophique*, article *Luxe*).

***

En face de cette justification économique et hédoniste de la richesse, subsiste un fort courant moralisateur, qui dérive de l'idéal fénelonien de la frugalité. Tout soupçon d'opulence y est jugé incompatible avec le bonheur. Le riche bourgeois qu'est Montesquieu fait tenir à Plutus, dans l'*Histoire véritable*, des propos du plus banal moralisme [1], et Mlle de Lespinasse vante au comte de Guibert le bonheur fort peu doré des « érudits », des « artisans » et des « fermiers » [2].

Dans son *Histoire critique des opinions des philosophes sur le bonheur*, Rochefort élabore une critique systématique de la richesse. Il en souligne le plus grave paradoxe : la richesse fournit les moyens d'être heureux, mais elle enlève toute aptitude au bonheur. Le riche possède de quoi gorger son âme de plaisirs ; mais cette âme est engourdie, émoussée, léthargique, et les plaisirs, qui devraient la faire vivre, sont arrêtés par l'écran de sa somnolence. Sur ce premier paradoxe, s'en greffe un second. Dans les limbes sans lumière où elle végète tristement, l'âme du riche n'en demeure pas moins hypersensible à toutes les angoisses. Elle s'inquiète de son indifférence, qui l'humilie en lui prouvant sa nullité. Elle s'affole à l'idée de perdre ces biens sans efficacité pour son bonheur, mais utiles du moins à sa parade, et qui la protègent contre la misère ou la médiocrité, dont l'idée lui est insoutenable. Enlisée dans son apathie, elle reste désarmée et sans ressource devant les catastrophes, qu'elle ne peut ni parer, ni prévoir. Ne jouissant de rien et craignant tout, insensible à la joie, trop vulnérable au malheur, l'âme du riche ne fait qu'osciller indéfiniment entre l'inquiétude et l'ennui [3].

Feucher affirme que les riches sont malheureux, parce qu'ils manquent d'imagination. Pour eux, la réalité se réduit à elle-même. Aucun prestige n'enveloppe l'objet de leurs jouissances. L'âme n'est plus « secouée » par des plaisirs devenus habitudes. Surtout, elle n'est plus capable d'interposer entre elle et les choses ce voile magique, si nécessaire au bonheur. Posséder est le seul acte qui soit à la portée des riches. Or c'est le plus triste de tous, lorsque l'imagination ne le transfigure pas [4].

Dans sa critique des richesses, Trublet exploite plusieurs arguments.

1. « Mon ami, je préside aux richesses et la Fortune distribue les dignités. Nous donnons sans choix et sans égard parce que ce sont des choses qui ne peuvent pas faire le bonheur de ceux qui les reçoivent... Les dieux, lassés des importunités des mortels qui leur demandaient ce que très peu pouvaient obtenir, voulurent avilir ces sortes de biens : ils y joignirent la tristesse, les soins cuisants, les veilles, les maladies, le désir, les dégoûts, la pâleur, la crainte. Et cependant, étrange manie, les hommes ne les lui demandèrent pas moins. » (MONTESQUIEU, *Histoire véritable*, *Œuvres complètes*, éd. Laboulaye, t. V, pp. 72-73).

2. Mlle DE LESPINASSE, *Lettres*, 1811, t. I, p. 261.

3. ROCHEFORT, *op. cit.*, *Discours préliminaire*, p. XX.

4. *Réflexions d'un jeune homme*, pp. 115-116.

Par les mirages qu'il suscite, la délicatesse, les exigences infinies, la vanité qui l'accompagnent, l'argent augmente les désirs. Or richesse et pauvreté ne sont pas des états absolus ; l'une et l'autre n'existent que comme rapport entre les désirs et les moyens de les satisfaire. Seul est riche celui dont les besoins et les ressources s'équilibrent. Dès que les premiers l'emportent sur les secondes, on est pauvre. C'est pourquoi la richesse et la pauvreté produisent des effets semblables : les riches, comme les pauvres, ne sont pas en état de répondre à leurs besoins, les uns par excès de besoins, les autres par manque de ressources [1]. En outre, les richesses sont sans effet sur « les biens essentiels » : « La santé et la gaîté ne sont pas de leur ressort [2]. » Surtout elles se révèlent incapables de rompre ou de résoudre la dialectique de la possession et du désir. Une incompatibilité de nature oppose l'âme aux biens matériels. Ceux-ci sont statiques, limités, pesants, alors que l'âme est mouvement, légèreté, infinitude. La richesse ne peut l'apaiser qu'au moment précis où elle lui est donnée, où elle fournit un point d'appui provisoire à son perpétuel bondissement. Dès que la possession tourne à l'habitude, elle devient un état immobile, qui cesse d'être accordé à la vivacité du rythme intérieur [3].

Le malheur veut que le désir des richesses soit l'un des instincts les plus solidement rivés au cœur de l'homme, au point que le désenchantement même n'est jamais détachement. Déçu par l'expérience de l'argent, l'homme n'en reste pas moins fasciné et le convoite toujours [4]. Cette magie s'exerce encore plus sur les pauvres que sur les riches. Le peuple ne conviendra jamais que la richesse n'apporte pas le bonheur. Lorsque un riche, désabusé, proclame publiquement son échec, chacun pense : « A sa place, j'aurais su être heureux [5]. »

Selon Rousseau, les richesses constituent l'une de ces monstrueuses proliférations qui se greffent sur la simple existence, étendent artificiellement l'être moral, et augmentent sa vulnérabilité. L'homme riche ne coïncide plus avec lui-même. Par les projets qu'elles suscitent, les soins qu'elles réclament, ses richesses l'obligent à se transporter dans un monde imaginaire où tout se dérobe et le trahit. Comme le dit M. Burgelin, le riche « vit l'avenir contre le présent » [6]. La richesse interdit la jouissance de cette immédiate plénitude, réservée à l'homme heureux qui n'existe qu'en lui-même. Elle est comme une expansion anti-naturelle du moi : « Les riches deviennent sensibles dans toutes les parties de leurs biens [7]. » Un marchand, qui est à

1. *Op. cit.*, t. I, p. 336.
2. *Ibid.*, p. 335.
3. *Ibid.*, pp. 321-322.
4. *Ibid.*, p. 317.
5. *Ibid.*, pp. 315-316.
6. P. Burgelin, *La Philosophie de l'existence de J.-J. Rousseau*, p. 137.
7. Rousseau, *Discours sur l'inégalité*, *Œuvres complètes*, t. I, p. 112.

Paris, souffre si son bâtiment fait naufrage sur la côte des Indes [1].

La critique des richesses n'aboutit pas forcément à l'idée d'une inéluctable détresse des riches. On n'est pas heureux parce qu'on est riche. Mais on peut être heureux, tout en étant riche. Il n'est pas impensable qu'un homme riche aménage, à côté de sa richesse, un authentique bonheur. Celui-ci ne sera pas imputable à la condition exceptionnelle de cet homme, mais à ce qu'il possède de commun avec tous les autres [2]. On peut même risquer une hypothèse : un riche, qui serait en même temps philosophe, se rendrait peut-être plus heureux que n'importe qui. La philosophie garantirait la solidité de son équilibre, et ses richesses serviraient à animer son repos [3]. Mais un tel compromis devient impossible, dès que la richesse franchit le seuil qui la sépare du luxe [4].

Surtout il existe une façon d'utiliser les richesses qui, bien loin de rendre l'homme malheureux, lui procure un état voisin de la béatitude. Le riche qui prodigue tous ses biens pour le bonheur des hommes savoure comme une apothéose. Par le biais de la *bienfaisance*, voilà donc le riche languissant, angoissé, ou frivole, devenu un être surnaturel. Un certain usage des richesses peut conduire au-delà de l'humaine condition et réunir en un même miracle la puissance et la jouissance. Le riche bienfaisant se nourrit de tout le bonheur qu'il donne. Il partage l'ivresse de Dieu, qui se délecte de sa propre création [5].

Une telle félicité demeure l'exception. Le plus souvent, les riches sont malheureux ; aussi malheureux par les peines morales attachées à leur condition que les pauvres par leur misère [6]. La compensation ne semble même pas exacte. En tout état de cause, le bonheur du pauvre reste plus facile à obtenir : la santé y suffit, ainsi qu'une bonne « police ». Il faut beaucoup de choses, en revanche, au bonheur d'un homme riche. La nature, comme dit Fontenelle, en fait rarement les

1. Finalement, la richesse tue l'âme du riche. De même que la misère stérilise et corrompt le cœur du pauvre, par l'abrutissement où elle le fait sombrer, de même la richesse, par l'aliénation qu'elle rend inévitable, prive l'être humain de toute conscience morale : « Partout le riche est toujours le premier corrompu, le pauvre suit, l'état médian est atteint le dernier. » (ROUSSEAU, Lettre à Tronchin, 26 novembre 1758, *ibid.*, t. IV, p. 143).

2. TRUBLET, *op. cit.*, t. I, pp. 341-342.

3. « Si un riche était bien philosophe, philosophe par le cœur autant que par l'esprit, il serait peut-être un peu plus heureux qu'un autre. » (*Ibid.*, p. 327).

4. « Le bonheur n'est pas absolument incompatible avec les richesses, parce que ces dernières peuvent, quoique difficilement, admettre la vertu, mais la vertu ne peut subsister avec le luxe. » (Abbé LAMBERT, *Relation singulière ou le Courrier des Champs-Élysées*, p. 80).

5. « Un riche vertueux est, après un bon Roi, l'image la plus ressemblante de l'Etre suprême : il est capable de toutes les sortes de biens qu'il veut faire ; c'est une jouissance que ses richesses lui donnent, à laquelle le mérite et la plus grande volonté ne peuvent suppléer ni atteindre. Il a en ses mains le remède à presque tous les maux de la vie ; les richesses adoucissent merveilleusement les infortunes qu'elles ne peuvent effacer absolument. » (PERNETTI, *Conseils de l'amitié*, p. 179).

6. « La Nature a veillé pour eux à réparer cette inégalité des conditions, et la sensibilité a été donnée à l'homme riche pour compenser, dans la balance, les besoins du nécessiteux. » (ROCHEFORT, *op. cit.*, *Discours préliminaire*, p. XVIII).

frais. Aussi le problème du bonheur n'existe-t-il sérieusement que pour lui. La joie du pauvre ne lui appartient pas. Elle dépend du hasard, et surtout de l'État : affaire de gouvernement, non de sagesse individuelle. Le riche au contraire est responsable de lui-même. C'est à lui que sont dédiés tous les traités sur le bonheur, car lui seul a besoin de conseils pour se rendre heureux, étant seul d'ailleurs à savoir en profiter. Le bonheur des pauvres est dans leurs bras. Le bonheur du riche ne peut être que dans son âme. Or c'est de son âme précisément que ses richesses ont fait, pour le bonheur, un séjour presque inhabitable [1].

***

Les tourments de la grandeur sont plus insupportables encore, presque sans remède. Les richesses peuvent, par le soin qu'on met à les acquérir et à les conserver, entretenir une certaine activité de l'âme. Mais la grandeur est privée de cette ressource, elle qui n'a qu'à se contempler elle-même. Aussi la vie des Grands n'est-elle qu'ennui à l'état pur : chaque instant de leur existence se passe à sonder le « vide affreux » qui s'installe au centre d'eux-mêmes et s'agrandit sans cesse, dans la fade torpeur de leurs jours. Voilà le gibier de choix pour les moralistes, ceux pour qui le problème du bonheur prend une résonance tragique. Tout homme peut être heureux dans les limites de sa condition. A l'exception du Grand, qui doit fuir son palais, renoncer à ses fastes et à ses vertiges, opter pour le cloître ou le désert. Il n'est pas de bonheur pour lui sans cette rupture, ce renoncement. Il faut qu'il rejette dans le néant toute une partie de lui-même. L'homme atteint de ce mal qu'est la grandeur, doit tuer en lui la grandeur, s'il veut sauver l'homme.

Mme Campan raconte une anecdote, pleine de sens et d'un discret humour. Un jour, l'une des filles de Louis XV, Mme Louise, qui s'était retirée au couvent, l'invite à suivre son exemple :

« Elle ajouta que les moralistes avaient raison, lorsqu'ils disaient que le bonheur n'habite point dans les palais ; qu'elle en avait acquis la certitude ; que si je voulais être heureuse, elle me conseillait de venir jouir d'une retraite, où l'activité des idées pouvait se satisfaire en s'élevant vers un monde meilleur. *Je n'avais point à faire à Dieu le sacrifice d'un palais et des grandeurs de la terre, mais celui de l'intérieur d'une famille bien unie; et c'est là que les moralistes qu'elle me citait ont justement placé le vrai bonheur.* Je lui répondis que dans la vie privée l'absence d'une fille aimée, chérie, se faisait trop cruellement sentir à sa famille. La princesse n'ajouta rien à ce qu'elle m'avait dit [2]. »

1. *Ibid.*
2. *Mémoires de Madame Campan*, 1928, t. I, p. 18.

Le malheur des Grands est un lieu commun, dont usent en même temps moralistes chrétiens et Philosophes. Pour les premiers, il s'agit d'émouvoir les plus prestigieux des mondains, de les dégoûter de leur condition, de préparer l'expiation et le salut. C'est le moment décisif où la conscience chrétienne, après avoir beaucoup concédé au monde, doit exiger que le monde lui soit sacrifié [1]. Quant aux Philosophes, si enclins à composer avec les richesses, ils s'apitoyent bruyamment sur la misère des Grands et dénoncent l'absence d'humanité qui donne à leur supplice un caractère monstrueux. Réaction d'une pensée bourgeoise contre une classe dont la puissance n'apparaît plus fondée sur l'utilité ni sur la vertu.

Dans le deuxième chant du *Bonheur*, Helvétius évoque « les plaisirs et les troubles de l'ambition, ses ravages et ses crimes [2] ». Auteur d'un « ouvrage de sentiment », Blondel déclare que son livre n'est pas écrit pour les Grands, qui seraient incapables de le comprendre, « parce qu'ils ne connaissent l'humanité que par les maux dont ils l'affligent [3] » et que le sentiment les déconcerte et les irrite. D'Argens affirme qu' « il est difficile de vivre heureux auprès des Grands [4] ». Mercier s'indigne contre les « oisifs qui végètent en croyant vivre et qui, pour se dédommager de l'ennui qui les accable, font deux toilettes par jour [5] », contre « ces personnes désœuvrées, qui ont bien de la peine à tuer leurs vingt-quatre heures et qui emploient tous les artifices imaginables pour en venir à bout [6] ». Lévesque de Pouilly décrit avec un pathétique forcé le martyre des Grands. Il se compose de la succession cyclique de ces trois phrases : l' « inquiétude dans la recherche », le « dégoût dans la jouissance », le « désespoir dans la privation [7] ». Le thème auquel Rousseau donnera sa forme systématique s'annonce : le Grand est *déséquilibré* au sens physique du terme, son existence ayant pris artificiellement une telle étendue que le *moi* authentique n'est plus pour elle un suffisant point d'appui.

Ainsi les Grands sont désignés à la fois comme *malheureux* et comme *coupables*. Coupables envers la société, dont ils constituent les surannés parasites. Coupables envers la nature, dont ils laissent s'enrayer les merveilleux mécanismes, n'accédant jamais à la qualité d'homme. Leur malheur est la sanction de cette double trahison. C'est avec

1. Massillon insiste sur le malheur des grands, que dissout la frivolité du monde et en qui Dieu n'habite jamais : « Les grands seuls sentent le malheur d'une âme livrée à elle-même, en qui toutes les ressources des sens et des plaisirs ne laissent qu'un vide affreux et à qui le monde entier avec tout cet amas de gloire et de fumée qui l'environne devient inutile, si Dieu n'est point avec elle. » (MASSILLON, *Petit carême*, cité par GROETHUYSEN, *Origines de l'esprit bourgeois*, p. 173).
2. HELVÉTIUS, *Le Bonheur*, 1er chant, argument.
3. BLONDEL, *Des hommes tels qu'ils sont et doivent être* (1758), *Avertissement*.
4. D'ARGENS, *Sur la vie heureuse*, § VIII.
5. L. S. MERCIER, *Tableau de Paris*, t. I, p. 71.
6. *Ibid.*, pp. 88-90.
7. Cf. LÉVESQUE DE POUILLY, *Théorie des sentiments agréables*, pp. 191-192.

joie que Philosophes et bourgeois le proclament, eux qui se sentent à la fois si nécessaires et si humains, dignes par conséquent d'un bonheur deux fois mérité.

3. — Félicité et misère des humbles.

En parfaite antithèse avec l'image du riche bâillant de désœuvrement ou travaillé de besoins inouïs, se dessine celle du « bonheur sous le chaume ». Habilement orientée, la confrontation des deux permet à bon compte d'avantager la seconde.

Il se produit toujours, on l'a dit, une adaptation spontanée à la condition, quelle qu'elle soit. Plus exactement on finit par oublier tout à fait celle-ci, qui n'est plus, comme l'existence elle-même, qu'une composante tellement implicite du bonheur que la conscience ne la perçoit plus isolément [1]. Mais ce n'est pas assez dire de la pauvreté qu'elle ne laisse jamais l'âme démunie relativement au bonheur. En réalité, elle préserve un pouvoir d'émerveillement qu'aucune autre condition n'offre au même degré. La possession n'a rien gâté pour le pauvre, et tous les biens de ce monde conservent à ses yeux, justement parce qu'ils lui sont inaccessibles, un prestige absolu. Pour celui qui n'a rien, l'univers reste un lieu fascinant de désirs. Lui seul porte sur les choses un regard innocent. Lui seul conserve, dans une société pervertie et amère, le privilège de la fraîcheur [2]. Aussi l'auteur d'un poème sur *Le Plaisir* peut-il consacrer le sixième « songe » de son œuvre à montrer que « les indigents et ceux qui vivent du travail de leurs mains sont moins à plaindre qu'on ne croit [3] ».

Parmi tous ces heureux indigents, les plus favorisés demeurent les « laboureurs ». Le cadre naturel où leur vie se déroule se prête plus aisément aux libres associations et métamorphoses qu'un morne intérieur d'artisan. Le goût de la poésie pastorale sert d'aliment et d'alibi à l'exaltation des rites champêtres. Les paysans sont la seule fraction du peuple avec laquelle les honnêtes gens des villes sont quelquefois en contact. Mondains et bourgeois ignorent l'ouvrier des

1. Cf. Morelly, *Le Prince...*, t. I, p. 104, et Lassay, *op. cit.*, t. III, p. 65.

2. « Tout est bien aux yeux de celui qui manque de tout ; il approuve tout dans la nature, excepté sa situation... toutes les sensations chez lui sont vives et fortes ; le besoin les aiguise et le défaut d'un objet les rend plus joyeuses... » (*La Recherche du bonheur*, p. 2). Mêlant à cet argument un autre, dont le désintéressement est encore plus suspect, l'auteur exhorte les pauvres à vouloir rester pauvres, puisque la pauvreté les rend tout à la fois heureux, « aimables » et... inoffensifs : « Ah ! ne balancez pas à préférer votre indigence qui met tout votre être en action à cette suffisance ennuyeuse qui engourdit ses facultés (il s'agit de l'homme riche), *et si la misère vous rend si aimables, gardez-vous bien de désirer une opulence qui vous rendrait peut-être à craindre*... Il faut plus de force dans la jouissance que dans la privation ; celle-ci nous fait rentrer dans le devoir ; l'autre nous en écarte souvent. » (*Ibid.*).

3. H. d'Estaing, *Le Plaisir*, p. 88.

faubourgs, et lorsqu'ils se distraient aux champs, ils oublient le meunier du village, mais rendent visite aux laboureurs.

Ceux-ci bénéficient encore du mythe de l'agriculture, de toutes les notions ou images de fécondité qui s'y cristallisent. L'agriculture apparaît comme la source de toute vie et de toute richesse. Elle devient l'incarnation dans une fonction économique des vieux rêves d'Eldorados et de Cocagnes. Elle assume idéalement un grand rôle maternel, et les paysans sont promus officiants de cette déesse-mère. Aussi les misères de leur condition ne parviennent-elles pas à estomper le prestige de leur essence, qui leur confère, comme nécessaires attributs, pureté, sérénité et joie [1].

En sa régularité paisible, rythmée par la seule nature, la vie du laboureur est une succession de plaisirs [2]. Dans *Des hommes tels qu'ils sont*, Blondel suit un citadin en promenade à la campagne, qui soumet un paysan à une assez plaisante « interview » :

1. « Au hameau, tout respire un air serein et content et, malgré ses fatigues, le laboureur sur le déclin du jour s'y annonce de loin encore par de joyeuses chansons, que l'écho se plaît à répéter longuement. Si l'homme pouvait s'isoler de la veille et du lendemain, sans doute il serait heureux sous le chaume en dépit de la nature, et si le bonheur parfait pouvait exister, c'est aux champs que j'irais le chercher. » (FEUCHER, *Réflexions d'un jeune homme*, pp. 113-114.) Ailleurs (p. 65), le même auteur va jusqu'à parler de « l'heureux journalier », à propos de cet immense prolétariat rural dont la misère était affreuse. L'idéalisation à la fois systématique et mythique, dont on a ici un parfait exemple, ne recule devant aucune réalité.

2. « Un laboureur, surpris par le déclin du jour, montrera le moment du plaisir dans la fin de sa tâche, qui lui fait en sifflant, *en fredonnant quelque pastorale*, regagner sa chaumière. Son appétit, prêt à dévorer le pain bis avec quelques légumes refroidis, le dispose à un second plaisir. Il en goûte un troisième, quand je l'entends ronfler plus merveilleusement sur la paillasse que le riche fainéant sur le duvet. Quoiqu'il ait pris un repos très court, le lever de l'aurore lui marque *le moment agréable de retourner aux travaux de Cérès*. Dans son état, tout misérable qu'il paraît, il compte plus de moments heureux qu'un grand qui reste couché douze heures sans pouvoir ni digérer ni dormir et qui, en se levant, ignore ce qu'il deviendra toute la journée. » (HENNEBERT, *Du Plaisir* (1764), t. II, pp. 56-57).
Les plaisirs du métayer sont évoqués avec le même enthousiasme et constituent une vraie symphonie du bonheur : « Il se promène, seul ou en compagnie, dans les avenues du village, il visite les guérets et les grains verts, et il s'intéresse aux jeux publics : puis il va s'épanouir librement la rate avec son voisin ou son compère ; retourné au logis, il veille à ses bestiaux, badine avec son chien, rit avec ses domestiques : pour divertir sa famille, *il chante sur la musette les plaisirs innocents de la vie champêtre*. Insensiblement le coucher du soleil lui annonce l'heure du souper : il trouve excellent ce qu'une main frugale lui a apprêté dans des vases d'argile. Les enfants, rangés autour de lui, reçoivent attentivement ses préceptes sur l'art de Triptolème. Il leur raconte les histoires qui se sont passées autrefois ou récemment, en en tirant une morale qui les excite à être laboureurs et hommes de la terre. Le sommeil s'appesantissant sur ses paupières, il rend au créateur les derniers devoirs de la journée. Il se couche content, s'endort tout de suite et ronfle de tous ses poumons comme une pédale d'orgue. La plupart de ces bonnes gens sont plus heureux avec leur routine que des seigneurs et des bourgeois qui, à force de philosopher trop ou trop peu sur les moyens d'arriver au plaisir, le décharnent ou l'épaississent. » (*Ibid.*, pp. 31-33).
Tout est surprenant dans ces descriptions de la vie champêtre. Pourquoi l'instant de « retourner aux travaux de Cérès », après un « repos très court », est-il qualifié de « moment agréable » ? Comment concevoir que le paysan conserve assez de recul devant sa propre existence pour la poétiser, à la manière des gens du monde, et chanter sur sa musette « le plaisir innocent de la vie champêtre » ? D'où viennent ce souci pédagogique et ces intentions édifiantes, prêtés à ces « bonnes gens », décidément fort doués, puisqu'ils sont capables, non seulement d'assumer leur condition avec tant de bonne humeur, mais d'en tirer encore une poétique et une morale ? Le procédé, fait de naïveté et de mauvaise foi, consistant à attribuer aux paysans eux-mêmes les sentiments que le spectacle ou l'imagination de la vie rustique inspire à l'observateur ou au rêveur bourgeois, repose sur un double parti pris : un *allègement*, une transposition euphorique de toutes les réalités composant la trame de l'existence paysanne ; une *moralisation* de cette existence, dont le moindre détail revendique et proclame une valeur exemplaire.

« La chose dont je veux vous prier vous paraîtra peut-être singulière : c'est de me permettre de *vous voir manger.* Je m'aperçois que le repas que vous faites vous semble délicieux, quoiqu'il ne le soit pas en effet. J'ignore si vous vous regardez intérieurement comme un homme heureux ; mais vous en avez la physionomie, et je désire de tout mon cœur que vous le soyez, comme vous paraissez l'être.

— Je ne suis point malheureux, répondit le paysan. L'ouvrage que je fais tous les jours, quoique fort pénible, ne me déplaît point. Je ne demande rien au Ciel de plus que ce que je possède. J'ai peu de choses, mais j'ai la paix... [1] »

Là-dessus s'enchaîne un parallèle entre le sort des gens du monde et celui des hommes des champs. Pendant que ceux-ci s'exténuent à défricher ou à moissonner, « il y a cent de ces petits abbés de cour qui... obtiennent en une minute un bénéfice de 25 ou 30 mille livres ». Le soir, « ils se couchent sur le duvet et dorment sans pitié jusqu'au lendemain onze heures du matin ». Et le parallèle s'achève par un saisissant synchronisme : « Il y a huit ou neuf heures, dit le citadin au laboureur, que vous suez pour les faire vivre, lorsqu'ils commencent à ouvrir les yeux. » Cependant la comparaison tourne à l'avantage du sage rustique. Le courtisan est le jouet d'un destin qui le fait voltiger comme un pantin fou, l'oblige à mille pirouettes, et l'épuise en un fourmillement d'agitations inutiles, tant et si bien que sa voluptueuse existence n'est, en définitive, qu'une longue chaîne de corvées. En outre, que de blessures pour ces poupées fragiles : une piqûre d'épingle, et les voilà perdus ! Anémiés par leur condition inhumaine, les gens du monde sont en proie à tous les chagrins, imaginaires ou non, qui leur font vivre dans le déchirement la dérisoire tragédie de leur inexistence. A cela s'ajoutent d'épouvantables tares, dont aucune n'a chance de s'insinuer dans l'âme transparente du laboureur [2].

Sans doute de tels poncifs sont-ils sincères, s'il est vrai qu'ils expriment ce rêve de pureté qui consume le bonheur des mondains. Ils constituent un ensemble de variations sur le thème du Paradis, et leur prestige tient à leur pouvoir de transférer, du mythe à la réalité, l'idéal de l'innocence et du repos. Retrouver les bergers de

1. BLONDEL, *Des hommes tels qu'ils sont...*, pp. 122 et suiv. Un peu plus loin, l'auteur renchérit sur ce tableau : « Dans vos hermitages, *où vous manquez presque du nécessaire, vous êtes en un sens mille fois plus heureux que les grands du monde,* dont l'âme insatiable trouve toujours quelque chose à désirer. O mon ami ! heureux ceux qui, comme vous, n'ont, pour ainsi dire, d'autre sentiment que celui de l'instinct naturel. »

2. Le citadin raconte au laboureur une histoire d'avortement qui « révolte la nature » : « Vous attendiez-vous à ces horreurs ? Vous qui êtes pauvres, oseriez-vous commettre un crime aussi exécrable ? Voilà les suites du luxe et de l'ambition. Vos paisibles hameaux ne sont point affectés de ces attentats dont l'humanité frémit. On n'y connaît ni l'amour désordonné des plaisirs, ni la vanité, ni l'ambition, ni l'avarice. Les funestes passions ne sont pas encore parvenues jusqu'à vous. *Il est vrai que vous manquez de beaucoup de choses : mais, ne les connaissant point, il est impossible que vous les désiriez, et, conséquemment, la privation vous en est absolument indifférente.* » (*Ibid.*, pp. 132-133).

l'idylle dans les plus familières campagnes, rajeunir les pasteurs d'Arcadie et les héros de l'Astrée par cette transposition dans la vie contemporaine, c'est donner à la rêverie un pouvoir de suggestion et comme une fictive authenticité, qui en font un aliment plus solide et la ramènent à la mesure de ces âmes, peu faites pour imaginer en dehors des limites du réel.

Mais il est difficile de ne pas y voir aussi le signe d'un conservatisme social plus ou moins cynique. Bien des auteurs qui s'expriment ainsi ne sont pas des mondains, mais des bourgeois, qui travaillent au triomphe de leur classe, forte du triple privilège de l' « aisance », de l'activité, et de la pensée. *Dans l'ordre social contemporain, les bourgeois estiment être les seuls à échapper simultanément aux perversions de l'oisiveté et à l'anéantissement de la misère.* La « grandeur » stérilisante et la dégradante pauvreté constituent les deux pôles morbides d'un univers, dont le bourgeois représente le seul élément sain. Contre l'inutile corruption des mondains et des grands, il faut instruire un vigoureux procès, car ce sont eux qui barrent la route. Quant au peuple, qui n'est sans doute pas un ennemi, qui peut même devenir, sinon un allié, du moins un prétexte, on doit pouvoir l'oublier en toute tranquillité de conscience. La bourgeoisie n'a qu'un but, qu'elle juge lié au bonheur de la société tout entière : c'est de faire reconnaître ses mérites, non de livrer bataille en faveur d'opprimés, dont une libération hâtive compromettrait justement son œuvre de progrès. Seulement le bourgeois est « sensible » : il ne peut abandonner le peuple qu'en étant bien convaincu qu'il n'existe aucune urgence à modifier son état. D'où l'importance de cette littérature, moins « littéraire » qu'on ne le croit, qui célèbre avec transport le bonheur campagnard et l'oppose au martyre doré des gens du monde.

Le double jeu de la pensée bourgeoise est ici manifeste. Elle se sert des humbles contre les grands, mais ce n'est pas pour leur remettre les fruits de la victoire, puisque le peuple est *a priori* déclaré heureux. La tactique consiste à condamner les grands, au nom de l'idéal moral que le peuple est censé incarner, puis à intercepter les bienfaits de l'opération. Bien loin de modifier la condition des humbles, il faut les fixer dans leur essence, les enfermer dans le halo magique de la frugalité heureuse. Ils sont trop précieux, tels qu'ils sont, comme justification mythique des revendications bourgeoises.

On aurait tort de croire cependant que tout le monde se fie à la vertu rassurante de ces images d'Épinal. Certains ne dépassent pas le doute. D'autres trouvent absurde de parler de *bonheur* à propos du peuple : l'idée même en est trop complexe pour s'appliquer à des êtres dont la conscience émerge à peine d'une existence végétative. Enfin quelques protestations résolues dénoncent l'hypocrisie et proclament l'affreuse misère de ces hommes, délibérément sacrifiés par le reste de la nation. Des réactions individuelles de la sensibilité ou du bon sens empêchent la conscience bourgeoise de se cristalliser sans aucune faille autour de thèmes indiscutés.

L'attitude de Trublet est instructive à cet égard. Il commence par prendre à son compte les lieux communs. Mais tout en vantant le bonheur du peuple, un doute lui vient : il s'interroge sur la vraisemblance de ce qu'il vient d'affirmer. Alors, il fait machine arrière, se renie lui-même, sans se soucier de résoudre ni même d'atténuer la contradiction. Contradiction pourtant grave entre l'automatisme d'une pensée impersonnelle, dont la signification est toute sociale, et le jeu d'une lucidité spontanée, qui découvre soudainement la vérité, au travers des mythes lénifiants :

« Le nombre des heureux surpasse-t-il celui des malheureux ? Je crois que oui, parce que je suis assez porté à penser qu'il y a plus d'heureux que de malheureux dans les conditions basses, parmi le peuple, les artisans, les paysans, les domestiques, etc... Or ces conditions renferment le plus grand nombre des hommes. Si le maître n'est pas heureux, ses valets le sont, et il y a plus de valets que de maîtres.

Peut-être néanmoins penserais-je autrement de ces conditions inférieures, si je les connaissais mieux... Je jette les yeux sur le peuple, sur cette foule d'hommes asservis aux plus rudes travaux, sur ces paysans qui portent le poids du jour et de la chaleur, et j'y aperçois des signes de joie, j'entends leurs chants. Mon cœur en est flatté : car j'en conclus que malgré leurs peines ils sont heureux. Je m'approche et je les félicite de leur gaîté. Mais ils me répondent qu'ils ne chantent que pour s'aider à soutenir le travail, à l'adoucir et à s'en distraire, pour sentir moins leurs peines. *Ils ne chantent pas parce qu'ils sont joyeux, mais pour se réjouir un peu, s'il est possible, du moins pour ne pas se laisser tout à fait abattre* [1]. »

Admirable sincérité de l'aveu. Encore qu'elle soit tardive et qu'il ait fallu de la naïveté pour se méprendre sur ces chants ! Du moins Trublet a-t-il le mérite de rapporter objectivement la réponse qui lui est faite, lorsqu'il « félicite » les paysans de leur « gaîté ». Au lieu d'éluder les félicitations, le laboureur de Blondel ne faisait que renchérir et détaillait fièrement les motifs et les modes de son bonheur.

La révélation qu'apporte à Trublet une expérience, réelle ou fictive, d'autres la tirent d'une analyse préalable de l'âme populaire. Les gens du peuple, selon eux, ne peuvent pas être heureux, car ils ignorent la science du bonheur et n'ont aucune chance de s'en instruire. Pour Delisle de Sales, « le peuple est rarement heureux, parce qu'il

1. TRUBLET, *op. cit.*, t. III, pp. 255-257.

confond les instruments du bonheur avec le bonheur lui-même [1] ». Quant à Mme Thiroux d'Arconville, elle ne peut pas concevoir que le peuple ait des « sentiments ». Or le bonheur n'est pas un état objectif, mais une prise de conscience. Faute d'une certaine étendue ou d'une certaine richesse de l'âme, il est impossible de s'en former la moindre idée. Cette fois, ce n'est pas un éclair de lucidité qui remet en cause l'appréciation conventionnelle du bonheur des humbles, mais un préjugé supplémentaire, qui a pour effet d'annuler le premier. Édifiante contradiction d'une pensée qui se réfute ainsi elle-même ! L'homme du peuple n'est pas vraiment un homme, il ne peut donc aspirer à un bonheur d'homme. Sa nature, pourtant, n'est pas différente de celle du bourgeois ou du mondain. Tout son malheur consiste même à se trouver réduit à cette nature brute, car le bonheur est l'œuvre de l'esprit, qui prend la nature comme simple modèle. Comment le peuple viendrait-il à bout d'aussi subtiles tâches ? Non seulement le bonheur n'est pas dans la pauvreté, mais la pauvreté rend le bonheur impossible dans la mesure où elle tue l'âme [2].

Un examen de l'influence de la condition sociale sur la vie intérieure ne permet donc pas de conserver intacte l'image de la félicité des humbles. Il suffit de substituer la réalité de la misère à l'idée mythique de la *frugalité* pour que d'illusoires images s'abolissent. D'ailleurs la légende ne saurait valoir, en dépit de tous les aveuglements, pour le peuple pris dans son ensemble. L'idéalisation rassurante ne s'applique qu'à l'habitant des campagnes, sur qui se projettent agréablement les reflets de la pastorale. Mais que faire de l'ouvrier des villes, qui ne voit jamais le ciel, que le travail exténue, et que les miasmes dévorent ? Celui-là ne restera-t-il pas, en tout état de cause, réfractaire au traitement du mythe ? Louis-Sébastien Mercier, qui conserve une poétique vision du bonheur rustique, trace du peuple de Paris un effrayant portrait [3]. L'inégalité des conditions

1. Delisle de Sales, *Philosophie du bonheur*, t. II, p. 113.

2. Le peuple « *ignore presque s'il a une âme*, ou du moins il paraît n'en faire aucun usage : il semble que ses organes ne sauraient se développer... Il est, si l'on peut s'exprimer ainsi, l'enfant de la nature. S'il est vertueux, ce n'est que par instinct ou par la crainte des châtiments ; il n'a des mœurs qu'autant que ses désirs le lui permettent ; en un mot, on pourrait en quelque façon dire du peuple qu'il n'a que des sensations et que le sentiment lui est inconnu... » (Mme Thiroux d'Arconville, *De l'Amitié*, t. I, p. 120). « Cherchons dans l'avilissement, où la pauvreté réduit le peuple, le peu de sensibilité dont il est susceptible... Tous ses désirs se bornent à sa triste existence, qu'il craint de perdre, quoiqu'elle ne lui procure que des malheurs... Il en est de la pauvreté comme de la peur : elle anéantit tout autre sentiment... Le malheureux qui manque de subsistance ou qui craint d'en manquer le lendemain n'aime personne et ne peut rien aimer » (*Ibid.*, p. 124).

3. « Si ce sont les comparaisons, comme je n'en doute point, qui le plus souvent tuent le bonheur, j'assurerai en même temps qu'il est presque impossible d'être heureux à Paris, parce que les jouissances hautaines des riches y poursuivent de trop près les regards de l'indigent. Il a lieu de soupirer en voyant ces prodigalités ruineuses qui n'arrivent jamais jusqu'à lui. *Il est bien au-dessous du paysan du côté du bonheur* : c'est l'homme de la terre, j'ose le dire, le moins pourvu pour son besoin ; il tremblera de céder aux penchants de la nature et, s'il y cède, il fera des enfants dans un grenier. N'y a-t-il pas alors contradiction manifeste entre *naissance* et *non propriété* ? Ses facultés seront abâtardies et ses jours seront précaires. Les spectacles, les

se révèle alors brusquement sous une lumière tragique. Ce peuple « mou, pâle, petit, rabougri » garde à peine figure humaine. Broyés comme des insectes par les roues des carrosses, ces êtres sans âme et sans vie n'ont jamais aperçu le bonheur que sous les espèces terribles de ce luxe qui les écrase [1].

Sous ce peuple dépouillé, terni, exsangue, végète encore un autre monde : celui des bas-fonds, exclu par le crime de la communauté des hommes. Chez un être aussi généreux que Vauvenargues, on ne perçoit, dès qu'il est question de ces réprouvés, que la condamnation et l'horreur. On est très loin encore de la rédemption des « misérables » [2]. Vauvenargues sait pourtant qu'une profonde dépravation ne s'explique pas sans une grande misère. Mais il n'a pas un mot pour contester l'ordre social, qui rend possibles l'une et l'autre. Bien plus, il souligne le caractère irrémédiable de la déchéance, l'inutilité de toute pitié. Tout système politique élimine des résidus. Une société harmonieuse englobe un lot nécessaire de maudits.

Le même thème, pris dans la perspective, non plus de la résignation, mais de la révolte, aboutira à refuser le principe social lui-même au nom du bonheur des hommes. Il n'y a guère que quelques esprits décidés, quelques âmes ardentes, pour oser aller aussi loin [3]. L'abbé Raynal dépeint la condition du « colon » dans les campagnes, celle de l'artisan dans les villes. Il les suppose allégées des fatigues et des périls qui en font de lentes agonies. Il admet que l'existence de ces parias soit moins dure que « la vie errante des sauvages, chasseurs ou pêcheurs ». Même dans cette hypothèse purement imaginaire, « il resterait encore une distance infinie entre le sort de l'homme civil et celui de l'homme sauvage, différence tout entière au désavantage de l'état social : *c'est l'inégalité des fortunes et surtout des conditions* [4] ». Le problème est ainsi retourné, ou plutôt il débouche sur un autre. Il ne s'agit plus de savoir si la condition sociale est un élément important ou négligeable dans le calcul du bonheur, mais si l'existence

arts, les doux loisirs, la vue du ciel et de la campagne, rien de tout cela n'existe pour lui ; *là enfin, il n'y a plus de rapport de compensation entre les différents états de la vie ;* là, la tête tourne dans l'ivresse du plaisir ou dans le tourment du désespoir... » (L. S. MERCIER, *Tableau de Paris*, t. I, p. XV).

1. *Ibid.*, t. I, pp. 54-55.

2. « Il se trouve des hommes qui ont pris le crime comme un métier ; qui, cachés au fond des grandes villes, y composent comme un peuple à part, vivant sans règle, sans frein, sans crainte des dieux ; sur qui l'honneur ne peut plus rien, en qui ne reste aucun sentiment de honte ou d'humanité ; malheureux que l'attrait du mal a entièrement abrutis, que la misère et le goût du plaisir ont voués dès leur enfance à l'infamie, et qui ne semblent être sur la terre que pour la perte ou pour l'effroi des autres hommes. On leur dirait : voulez-vous être bons, sortir de votre misère et mener une vie moins troublée ? ils abuseraient de ce support et de cette compassion, mais ils ne changeraient point. Nés dans la pauvreté, l'habitude les a dès longtemps endurcis contre tous les traits du malheur et ils supportent sans peine les extrémités les plus dures. » (VAUVENARGUES, *Œuvres*, t. I, p. 218).

3. Cf. abbé COYER, *Dissertations pour être lues : ... la seconde sur la nature du peuple* (1755).

4. RAYNAL, *Histoire philosophique et politique des établissements et du commerce européen*, t. VI, pp. 201-202.

même des conditions autorise encore à parler de bonheur. Le mal s'inscrit dans la nature de la société telle qu'elle est, avec ses inégalités et ses divisions qui font le malheur de tous. Les grands et les riches souffrent de maux qui leur sont propres et finissent par ne plus percevoir les plaisirs dont ils ont le privilège. Quant aux pauvres, qui ont déjà à supporter leur sort, il leur est en outre réservé la torture d'un voisinage accablant. Ils ne savent pas que les heureux de ce monde traînent aussi leur part de misère, qu'ils sont devenus insensibles à la volupté même. Ils ne croient que ce qu'ils voient, et leur misère s'augmente de leur aigreur, à contempler tant d'opulence. A côté de ces lourdes évidences. le problème moral du bonheur ne pèse plus guère !

A mi-chemin du révolutionnaire Raynal et de ces moralistes qui pensent avoir tout dit, quand ils ont prôné le dosage des plaisirs ou la simplicité champêtre, des débats s'instituent entre Philosophes. Diderot prend à parti Helvétius, qui explique d'étrange manière la supériorité de l'homme qui travaille par rapport au riche inoccupé. L'effort du premier est, selon lui, largement compensé par le « plaisir de prévoyance » qui le sous-tend à la pensée du salaire. L'oisif, au contraire, ne peut qu'attendre en se morfondant, une fois le désir satisfait, son éventuelle résurrection. Comme, d'autre part, les jouissances liées aux besoins sont les mêmes pour tous, il faut conclure que le travailleur est plus heureux que l'homme riche, car il est seul à jouir d'un plaisir permanent. Le fastueux indolent ne peut espérer que des joies fugitives, surgissant, de temps à autre, sur fond de stagnation [1]. Diderot n'a aucun mal à noyer dans l'ironie le surprenant sophisme :

1. Dans la section VIII de son livre posthume *De l'Homme*, Helvétius pose en principe que « *l'homme occupé est l'homme heureux* ». Il le prouve en distinguant deux sortes de plaisirs : *les plaisirs des sens*, qui correspondent à la satisfaction des besoins physiques et, par conséquent, ne varient pas d'une condition à l'autre, et *les plaisirs de prévoyance* : « Entre ces plaisirs, je compte tous les moyens de se procurer les besoins physiques. *Les moyens sont par la prévoyance toujours convertis en plaisirs réels.* » Ainsi le menuisier qui manie son rabot éprouve « tous les plaisirs de la prévoyance attachés au paiement de sa menuiserie », « chaque coup de hache rappelle au charpentier les plaisirs que doit lui procurer le paiement de la journée... » Il s'ensuit que « le travail, lorsqu'il est modéré, est en général le plus heureux emploi que l'on puisse faire du temps où l'on ne satisfait aucun besoin, où l'on ne jouit d'aucun des plaisirs des sens, sans contredit les plus vifs et les moins durables de tous... » Que deviendra alors « l'opulent oisif », qui ne dispose pas de cette ressource ? Lui possède de quoi pourvoir sans travail à ses besoins. Il n'aura donc jamais à *prévoir* l'instant où lui serait donné le moyen de les satisfaire. Entre la satisfaction d'un désir et sa résurgence, il n'aura qu'à *attendre*, dans un état de passivité et de vide absolus. Cette attente inutile qui sépare la satisfaction de deux besoins, c'est proprement l'ennui : « Les plaisirs de cette espèce (de prévoyance) n'existent point pour l'opulent qui sans travail trouve dans sa caisse l'échange de tous les objets de ses désirs. Il n'a rien à faire pour se les procurer : il en est d'autant plus ennuyé. Aussi toujours inquiet, toujours en mouvement, toujours promené dans un carrosse, c'est l'écureuil qui se désennuie en roulant sa cage. Pour être heureux, l'opulent oisif est forcé d'attendre que la Nature renouvelle en lui quelque besoin. C'est donc l'ennui du désœuvrement qui remplit en lui l'intervalle qui sépare un besoin renaissant d'un besoin satisfait. Dans l'artisan, c'est le travail qui, lui procurant les moyens de pourvoir à ses besoins, à des amusements qu'il n'obtient qu'à ce prix, le lui rend agréable. Pour le riche oisif, il est mille moments d'ennui pendant lesquels l'artisan et l'ouvrier goûtent les plaisirs toujours renaissants de la prévoyance. » L'ennui devient ainsi la trame de l'existence

« J'aurais plus de confiance dans les délices de la journée d'un charpentier, si c'était le charpentier qui m'en parlait et non pas un fermier général, dont les bras n'ont jamais éprouvé la dureté du bois et la pesanteur de la hache. Ce bienheureux charpentier, je le vois essuyer la sueur de son front, porter ses mains sur les hanches et soulager par ce repos la fatigue de ses reins, haleter à chaque instant, mesurer avec son compas l'épaisseur de la poutre. Peut-être est-il fort doux d'être charpentier ou scieur de pierre, mais, franchement, je ne veux point de ce bonheur-là, même avec l'agréable souvenir, à chaque coup de cognée ou de scie, du paiement qui m'attendrait à la fin de ma journée [1]. »

Il se peut que le travail soit un remède à l'ennui. Mais toutes les façons de se délivrer de l'ennui ne sont pas équivalentes. Il en est qui le remplacent par l'usure et l'épuisement. La fatigue du travail devient bientôt un mal autrement redoutable que l'ennui [2]. Autre illusion : le travailleur ne peut pas tirer de l'assouvissement de ses besoins des sensations aussi riches que l'homme oisif. L'accablement où son travail le jette le prive d'énergie, émousse singulièrement sa présence au plaisir [3]. Il est absurde aussi d'imaginer le peuple heureux parce qu'il est moins accablé de soucis que les Grands. La comparaison n'a aucun sens, tant diffère l'étendue du registre moral où viennent s'inscrire bonheur et malheur. Sans doute le courtisan a-t-il des soucis inconnus au scieur de pierre, mais il accède à des ivresses que celui-ci ne rencontre jamais [4]. Surtout les malheurs du courtisan et ceux du scieur de pierre ne sont pas du même ordre : les premiers n'existent qu'en imagination ; les seconds sont si véritables que tous les efforts de l'imagination parviennent à peine à en voiler l'horreur. D'ailleurs, le courtisan est toujours libre de renoncer à son état, si celui-ci le dégoûte ou lui pèse, alors que le scieur de pierre est à jamais rivé au sien [5].

du riche. Toute sa vie se passe à souhaiter que la Nature réveille le plus vite possible un désir endormi : « *O indigents, vous n'êtes pas sans doute les seuls misérables ! Pour adoucir vox maux, considérez cet opulent oisif qui, passif dans presque tous ses amusements, ne peut s'arracher à l'ennui que par des sensations trop vives pour être fréquentes.* » (Helvétius, *De l'Homme*, VIII, chap. 2 et 5).

1. Diderot, éd. Assézat-Tourneux, t. II, pp. 427-428.

2. En outre, cette fatigue « est telle que l'ouvrier est bien plus sensible à la cessation de son travail qu'à l'avantage de son salaire : ce n'est pas sa récompense, c'est la dureté et la longueur de sa tâche qui l'occupent pendant toute sa journée. Le mot qui lui échappe lorsque la chute du jour lui ôte la bêche des mains, ce n'est pas « je vais donc toucher mon argent », c'est « m'en voilà donc quitte pour aujourd'hui ». (*Ibid.*, p. 428).

3. « Vous croyez que, quand il est de retour chez lui, il est bien pressé de se jeter entre les bras de sa femme ? Vous croyez qu'il y est aussi ardent qu'un oisif entre les bras de sa maîtresse ? » (*Ibid.*, p. 428).

4. « Si le scieur de pierre a ressenti moins de peine d'une veine de pierre très dure que le courtisan de l'inadvertance du monarque ou du sourcil froncé de son ministre, un regard du monarque, un mot favorable de son ministre a rendu le courtisan plus heureux que le scieur de pierre ne l'a été par une veine tendre de la pierre, qui diminuait sa fatigue et abrégeait son travail. » (*Ibid.*, p. 428).

5. La *Réfutation* se résume dans cette interpellation directe : « Enfin, Helvétius, lequel des deux aimeriez-vous mieux être, ou courtisan ou scieur de pierre ? Scieur de pierre, me direz-vous. Cependant, avant la fin du jour, vous seriez dégoûté de la scie qu'il faudrait reprendre

Délesté de son allègre colère contre le simpliste Helvétius, Diderot se retourne, avec plus de sérieux et d'éloquence, contre Rousseau. Il lui reproche d' « avoir mal plaidé la cause de l'état sauvage contre l'état social ». Ce ne sont pas les futilités ni les perversions des gens du monde qui condamnent une société, mais la destruction systématique du plus grand nombre au profit de quelques-uns, ainsi qu'une curieuse méprise dans la répartition des richesses, qui donne tout à ceux qui ne font rien et n'ont besoin de rien, pour tout refuser à ceux qui travaillent et sont dénués de tout. Dans une page admirable [1], aussi insolite en son temps que celle de La Bruyère sur les paysans, Diderot dévoile le scandale de ces euphoriques déclamations affirmant que le bonheur est donné aux pauvres et refusé aux riches. Le travail n'apparaît plus comme le bienfaisant antidote de l'ennui. Il est ce qui avilit et dégrade l'homme, ce qui tue la vie. Il est vrai que le problème du bonheur ne se pose pas pour ceux qui travaillent. Mais c'est pour une raison bien plus terrible que le simple fait d'être occupé. C'est que toute leur énergie se dépense, non à organiser un bonheur dont ils n'ont même pas l'idée, mais à défendre leur droit de vivre, à disputer leur existence au travail.

De tels accents sont rares. La plupart préfèrent s'en tenir aux lieux communs apaisants d'une morale qui déclare le bonheur indépendant de la condition, détourne l'attention des humbles, et favorise le triomphe de la félicité bourgeoise.

le lendemain ; et vous auriez bientôt envoyé paître et le monarque et son ministre et toute la cour, si votre rôle de courtisan vous déplaisait. » (*Ibid.*, pp. 428-429).

1. ... « Il y a beaucoup d'états dans la société qui excèdent de fatigue, qui épuisent promptement les forces et qui abrègent la vie ; et quel que soit le salaire que vous attachiez au travail, vous n'empêcherez ni la fréquence ni la justice de la plainte de l'ouvrier. Avez-vous jamais pensé à combien de malheureux la préparation de la chaux de céruse, le transport du bois flotté, la cure des fosses causent des infirmités effroyables et donnent la mort... Oui, l'appétit du riche ne diffère pas de l'appétit du pauvre, je crois même l'appétit de celui-ci beaucoup plus vif et plus vrai ; mais pour la santé et le bonheur de l'un et de l'autre, peut-être faudrait-il mettre le pauvre au régime du riche et le riche au régime du pauvre. C'est l'oisif qui se gorge de mets succulents, c'est l'homme de peine qui boit de l'eau et mange du pain, et tous les deux périssent avant le terme prescrit par la nature, l'un d'indigestion et l'autre d'inanition. C'est celui qui ne fait rien qui s'abreuve à longs traits du vin généreux qui réparerait les forces de celui qui travaille... Les mines du Hartz recèlent dans leurs immenses profondeurs des milliers d'hommes qui connaissent à peine la lumière du soleil et qui atteignent rarement l'âge de trente ans... C'est là qu'on voit des femmes qui ont douze maris... Combien d'ateliers dans la France même, moins nombreux, mais presque aussi funestes ! Lorsque je repasse en revue la multitude et la variété des causes de dépopulation, je suis toujours étonné que le nombre des naissances excède de 1/19 celui des morts. » (*Ibid.*, pp. 430-431).

Page admirable, sans doute, d'éloquence et d'émotion. Mais il faut se garder d'en tirer des conclusions imprudentes. Deux points sont à remarquer :

1° Diderot n'imagine pas autre chose pour rétablir la justice qu'une *interversion* des destins, ou plutôt un échange de « régime » entre le riche et le pauvre. Il ne conteste pas le partage de la société en riches et en pauvres, division qui lui semble naturellement et légitimement fondée.

2° Il croit à une séparation fatale et figée entre le *travail* et l'*oisiveté*. Il semble même que le travail implique nécessairement cet avilissement et cette exploitation de l'homme, qu'il évoque magistralement. Pour y échapper, il faudrait sortir de la sphère du travail, entrer dans celle de l'oisiveté. Diderot n'imagine pas une société où tout le monde travaillerait, où le travail serait réglementé, humanisé, débarrassé de ses plus lourdes tares.

La pensée du philosophe repose donc sur des antinomies traditionnelles et simplistes : richesse-

4. — Apologie de la médiocrité.

Si l'on veut fixer la conception moyenne d'une vie heureuse selon le XVIIIe siècle, c'est bien l'idée d'un *bonheur bourgeois* qui s'impose. Mais il serait imprudent d'en trop préciser ou alourdir le contenu social, le bonheur bourgeois débordant largement les limites de la bourgeoisie. C'est surtout autour d'une idée morale qu'il se constitue : l' « *aurea mediocritas* », héritée de la sagesse antique, dont le XVIIIe siècle, censé ne rêver que commencements et ruptures, se nourrit avec plus de ferveur encore que l'âge classique.

La médiocrité est malaisée à définir autrement que de façon négative. Elle désigne cet état intermédiaire entre le dénuement, avec toute l'aigreur de son ascétisme forcé, et l'excessive richesse, qu'escortent l'inassouvissement, l'instabilité, l'inquiétude morale. Elle maintient en équilibre la possession et le désir, dont le décalage et l'antagonisme tourmentent à la fois les misérables et les nantis. Elle est cet intervalle assez étroit qui sépare le trop du trop peu. En deçà, l'âme chavire dans la convoitise des pauvres ; au delà, c'est le vertige du luxe qui l'étourdit. Seule une honnête aisance permet d'aplanir les aspérités de la vie, sans détourner des jouissances intimes.

La médiocrité n'est en somme que la transposition sociale de l'idée du repos. Elle exclut les passions et permet à l'âme de savourer sa propre immobilité. L'homme « médiocre » n'a pas besoin d'émotions pour être heureux. Son bonheur n'est pas une aventure, ni même un devenir, mais un état définitivement assuré. « *Ah ! trop heureuse médiocrité,* s'écrie Beausobre, *c'est vous qui détournez de l'homme les leçons un peu dures de la pauvreté et les écueils funestes de la richesse* [1]. » Montesquieu assure : « La médiocrité est un garde-fou [2]. » Et Mably prononce : « C'est dans l'état heureux de la médiocrité qu'on peut, sans beaucoup d'efforts, se former à la philosophie [3]. » Dans

pauvreté ; oisiveté-travail. Le scandale n'est pas dans l'existence de ces deux oppositions, mais dans le parallélisme défectueux qui s'établit entre elles et qui fait que *la richesse coïncide avec l'oisiveté, la pauvreté avec le travail.* Ce qui indigne Diderot, c'est cette équivalence paradoxale. Révolte de la conscience morale, plus que remise en question de la société.

1. Beausobre, *Essai sur le bonheur*, p. 22. On pèsera soigneusement les mots : « Les leçons *un peu dures* de la pauvreté et les écueils *funestes* de la richesse. » Toujours transparaît l'idée qu'à tout prendre la pauvreté vaut mieux que la richesse.

2. *Mes pensées*, 1134. Cf. : « Le bon sens et le bonheur des particuliers consiste beaucoup dans la médiocrité de leurs talents et de leurs fortunes. » (*Esprit des Lois*, Livre V, chap. 3).

3. Mably, *Principes de morale* (1784), p. 365.

Mme Thiroux d'Arconville écrivait : « Heureuse médiocrité ! C'est vous seule qui pouvez faire le bonheur du genre humain ! Vous seule vous mettez à l'abri des écarts et de l'impétuosité des passions ! Sans vous tout équilibre est rompu : ce que nous gagnons du côté des talents et du génie, nous le perdons avec usure du côté de la sagesse. » (Mme Thiroux d'Arconville, *Des Passions* (1764), p. 116).

Et Trublet : « Seigneur, ne me donnez ni la pauvreté, ni les richesses. Qu'elle est sensée, cette prière du sage ! Qu'elle est philosophique ! *L'extrême pauvreté et l'extrême richesse sont*

la *Théorie des sentiments agréables*, Lévesque de Pouilly se demande « quels sont les genres de vie les plus heureux ». Il répond : « Du point de vue social, les conditions moyennes sont plus favorables au bonheur que les places les plus brillantes. » Et il évoque ainsi la vie tranquille de ces êtres fortunés, qui ont reçu la médiocrité en partage :

« La plupart d'entre eux, exempts d'inquiétude, de chagrin et d'ennui, portent dans le fond du cœur une joie sereine, toujours prête à se développer. Si leurs jours ne sont pas filés d'or, ils le sont du moins de soie ; c'est un tissu de sentiments doux, où il n'entre ni plaisir vif, ni chagrin amer [1]. »

Pour d'Argens, la médiocrité constitue la deuxième condition de « la vie heureuse ». Il assortit son choix d'un commentaire bref : « Parmi les biens que le Ciel donne à ceux qu'il favorise, la médiocrité est un des plus grands [2]. » On peut alors s'étonner que tous les Grands ne veuillent pas descendre au rang de simples mortels : c'est que la grandeur oblige et qu'ils sont attachés par devoir à leur état. Pour conquérir l'un des signes du bonheur, ils devraient en sacrifier un autre — la bonne conscience — car ils conserveraient le remords de s'être dérobés à leur destination.

Helvétius explique « le malheur presque universel des hommes et des peuples » par le « partage trop inégal des richesses » et le vertigineux contraste entre les « deux classes de citoyens : l'une qui manque du nécessaire, l'autre qui regorge du superflu [3] ». Les uns s'épuisent à des besognes qui les empêchent de vivre, les autres se consument d'ennui et ne vivent pas davantage. Pour rendre tous les hommes heureux, il faudrait rapprocher ces deux catégories extrêmes, les fondre en une seule masse moyenne, où tous jouiraient d'une même aisance [4]. Cette refonte de l'ordre social, destinée à rallier à la fois l'opulence et la misère à la médiocrité, exigerait deux conditions : une redistribution de la propriété [5] et une réforme de l'éducation traditionnelle, coupable d'associer irrévocablement dans la conscience enfantine « l'idée de richesse à celle de bonheur [6] ».

Dans son *Traité de morale et du bonheur*, Paradis de Raymondis consacre un chapitre à « l'aisance », définie comme « un revenu suffisant pour fournir aux besoins et aux commodités les plus essentielles

presque également contraires, non seulement à la vertu, mais encore au bonheur. » (*Op. cit.*, t. I, p. 326).

1. Lévesque de Pouilly, *Théorie des sentiments agréables*, p. 227.
2. D'Argens, *op. cit.*, t. III, p. 15.
3. Helvétius, *De l'Homme*, t. II, p. 169.
4. *Ibid.*, p. 170.
5. *Ibid.*, p. 171.
6. Il faudrait concevoir un autre système, dans lequel ces deux idées ne seraient plus indissolublement liées et « qui aurait pour but de prouver aux hommes que, dans la suite des instants qui composent leur vie, tous seraient également heureux, si, par la forme du gouvernement, ils pouvaient à quelque aisance joindre la propriété de leurs biens, de leur vie et de leur liberté. » (*Ibid.*, p. 172).

de la vie[1] ». Voltaire fixait à quarante écus « le nécessaire annuel aux besoins physiques de l'homme ». Mais si l'aisance s'étend aussi aux « commodités », il faut l'évaluer plus largement[2]. Elle n'en reste pas moins accessible à tous par le travail et l'économie, qui « ont toujours vaincu la pauvreté ».

La notion *d'aisance* tend à résoudre l'opposition traditionnelle, fondée sur la théologie, entre les riches et des pauvres. C'est à ce titre qu'elle est typiquement bourgeoise et conforme à l'esprit nouveau, quoique transposée d'une très ancienne vision de l'homme.

Dès le début du siècle, le thème de l'aisance s'introduit dans les fictions romanesques. Dans la *Retraite de la Marquise de Gozanne* (1735), on peut lire l'histoire d'un solitaire, qui a quitté le monde pour le désert, après avoir placé ses biens en viager, afin d'assortir sa retraite de toutes les douceurs du confort : « *L'aisance où je suis*, observe-t-il, *fait le principal agrément de ma retraite ;* je satisfais par là à tous mes désirs que j'ai soin de modérer. » Et il convient que sans cette précaution, et la « rente considérable » qu'il s'est assurée, son sort serait « fort triste »[3]. L'aisance s'intègre à tout un complexe psychologique et poétique, dont la tonalité dominante est celle du repos. Elle désigne bien cette plénitude, également refusée aux tourments des richesses et aux angoisses du dénuement.

A cette variation romanesque répond, en contraste, une variation de veine picaresque. L'aisance n'est plus associée au repos, mais au mouvement ; elle est ce qui libère, ce qui rend disponible, ce qui voue un être, que n'alourdit pas l'argent, aux improvisations et aux aventures. De *L'Indigent philosophe* au *Neveu de Rameau*, une certaine forme de méditation sur les richesses aboutit à l'exaltation de la vie de bohème, dont la fraîcheur tonique entretient l'âme dans un état de grâce et d'allègement ignoré du riche, que son argent ankylose. A vrai dire, il ne s'agit pas exactement d'aisance. Pour être bohème, il faut avoir moins que l'aisance : le personnage de Marivaux s'intitule « indigent ». Mais cette indigence, qui est inférieure économiquement à l'aisance, lui est très comparable psychologiquement, dans la mesure où elle est « philosophique ». L'aisance ne consiste plus dans la facilité à satisfaire des besoins modérés, mais dans la facilité à les négliger, à se passer même du nécessaire ; elle devient cette suprême agilité de l'âme, qui ne se meut jamais aussi libre que dans un total dépouillement. Non pas aisance immobile et un peu sérieuse de celui qui pos-

1. PARADIS DE RAYMONDIS, *op. cit.*, t. I, p. 25.

2. « Il faut pour l'aisance une autre évaluation que pour le nécessaire. Nous la portons à deux cents livres, monnaie de France. Avec ce revenu, un homme sage, vivant dans les lieux où les denrées ont une valeur médiocre, comme le plus grand nombre des provinces de ce royaume, peut se procurer les choses nécessaires aux besoins réels et aux commodités qui le touchent de plus près. » Ces commodités, selon l'auteur, désignent « quelques meubles pour satisfaire les premiers besoins, tels qu'un lit, une table, quelques chaises ». (*Ibid.*).

3. Antoine de LABARRE DE BEAUMARCHAIS, *op. cit.*, t. I, p. 297.

sède peu ; mais aisance insouciante, primesautière, de celui qui se moque de rien posséder. L'euphorie bohème dialogue ainsi avec la suffisance bourgeoise, et toutes deux sont les modulations extrêmes d'une même tonalité [1].

La bonne humeur de l' « indigent philosophe » n'est nullement chimérique. Dans ses *Loisirs philosophiques*, Blondel explique qu'il avait rêvé d'une « certaine aisance » et que, n'y parvenant pas, il s'est résigné à être pauvre [2]. Au niveau de la médiocrité, le bonheur est immédiatement donné : il n'exige aucun effort d'adaptation, aucune sagesse élaborée. Si l'aisance est impossible, il faut s'accommoder de la pauvreté. Mais cela exige quelque philosophie. Quant aux riches, leur cas est dramatique et leur bonheur tient du prodige. Il y faut une nature exceptionnelle, de la lucidité, une immense faculté de détachement, et cette intégrité morale que les richesses ont justement pour effet de dissoudre.

Un isolé comme Vauvenargues comprend bien que la médiocrité de la condition peut se réfracter en une médiocrité de l'âme [3]. Il se révolte contre l'idéal bourgeois de la prudence et du refus. Mais Vauvenargues est une exception, qui n'entame pas l'unanimité du siècle.

L'idée du bonheur par la médiocrité se situe au point de rencontre

1. L' « indigent philosophe » est un ancien riche, brusquement devenu pauvre, et qui jouit délicieusement d'être délivré de la richesse. D'où son « aisance », sa bonne humeur, son euphorie : « Par ma foi, plus j'examine mon état et plus je m'en loue ! » (MARIVAUX, *Œuvres*, éd. 1781, t. IX, p. 487). « Vive la pauvreté, mon camarade, les gueux sont les enfants gâtés de la nature ! Elle n'est que la marâtre des riches, elle ne produit presque rien qui les accommode. » (*Ibid.*, p. 448). « Hier en me couchant, je n'avais pas un sol pour le lendemain ; aujourd'hui je me relève avec plus d'argent qu'il ne m'en faut pour vivre dix jours ; et je ne donnerais pas ces dix jours-là pour une année de la vie d'un ministre d'État... Vivent les plaisirs de ceux qui n'en ont guère ! Il n'y a rien qui les rende si piquants que d'en avoir rarement, sans compter qu'il ne faut pas bien de l'apprêt pour être aise, quand on ne l'est pas souvent ; on se réjouit, où les autres ne sentent rien ; il faut des machines aux gens du monde pour les divertir. Aux gens comme moi, il ne faut presque rien ; par exemple, me voilà charmé parce que je vais être huit ou dix jours sans travailler... Aujourd'hui que mon lit est dur, je n'en souhaite pas un plus mollet, je mets seulement mon ragoût à pouvoir y dormir la grasse matinée. La Nature est une bonne mère : quand la Fortune abandonne ses enfants, elle ne les abandonne pas, elle. Un homme était riche, il devint pauvre ; laissez-le faire, la Nature en lui a pourvu à tout ; ... ses besoins s'humanisent : ils demandent peu parce qu'ils ne peuvent avoir beaucoup ; et le peu qu'ils ont les satisfait mieux cent fois que le beaucoup quand ils l'avaient. » (*Ibid.*, pp. 438-440).

2. « Je ne veux point affecter un faux air de Philosophie. Si j'essayais de montrer la plus parfaite ataraxie pour les biens de la fortune, on ne m'en croirait pas et on aurait raison. J'avoue donc naïvement ma pensée. S'il m'eût été permis de faire un choix, je n'aurais pas pris de trésors aussi immenses qu'inutiles ; mais j'aurais souhaité me procurer *une certaine aisance*, qui m'eût mis dans le cas de ne travailler que pour le plaisir de travailler et hors de l'embarras qui accompagne si souvent les trop grands biens. Quand j'ai vu que cela n'était point, j'ai pris mon parti. J'ai fait des réflexions salutaires et j'ai dit en moi-même : « Tout bien considéré, je ne dois point savoir mauvais gré à la fortune de son caprice. C'est peut-être un grand bonheur pour moi que j'aie été du nombre des proscrits. Les faveurs sont dangereuses. Si je fusse né au sein de l'opulence, entraîné bientôt par le tourbillon des faux plaisirs, j'aurais négligé la vertu et les sciences... C'est une terrible chose que d'être à la fois vicieux et ignorant... » (BLONDEL, *Loisirs philosophiques*, pp. 35-37).

3. « Si l'on pouvait dans la médiocrité n'être ni glorieux, ni timide, ni envieux, ni flatteur, ni préoccupé des besoins et des soins de son état ! Mais qui peut soutenir son esprit et son cœur au-dessus de sa condition ? Qui peut se sauver des faiblesses que la médiocrité traîne avec soi ? De même qu'on ne peut jouir d'une grande fortune avec une âme basse et un petit génie, on ne saurait jouir d'un grand génie ni d'une grande âme dans une fortune médiocre. » (VAUVENARGUES, *Œuvres*, t. I, p. 91).

de plusieurs influences : reprise du thème stoïcien de l'impassibilité du sage et du thème épicurien de l' « *aurea mediocritas* » ; survivance de l'exhortation chrétienne à supporter les épreuves qui n'atteignent que le corps ; manifestation des aspirations bourgeoises, qui visent aussi bien à disqualifier les Grands qu'à faire oublier les humbles ; volonté de préserver et de justifier un ordre social, dont les assises se trouvent moins sûres, depuis qu'il n'est plus réputé d'essence divine. Sous sa banalité apparente, l'on a affaire à une notion ambiguë, où se mêlent l'idée traditionnelle de l'autonomie de l'âme par rapport à la condition, et la justification, singulièrement actuelle et « impure », de l'inégalité sociale.

La médiocrité heureuse demeure un thème de la pensée bourgeoise. Elle implique une morale de la méfiance et de la mesure, qui consiste à fixer des limites et à exploiter en profondeur les choses que l'on a une fois reconnues comme siennes : Rousseau enseigne, dans *La Nouvelle Héloïse*, que l'on ne s'enrichit qu'en possédant mieux ce qu'on a, qu'en s'appropriant ce qu'on possède.

Paul Hazard dit des hommes du XVIIIe siècle : « Leur bonheur était une certaine façon de se contenter du possible sans prétendre à l'absolu ; un bonheur de médiocrité, de juste milieu, qui excluait le gain total, de peur de la perte totale ; l'acte d'hommes qui prenaient paisiblement possession des bienfaits qu'ils discernaient dans l'apport de chaque jour [1]. » Sans doute cela n'est-il pas tout à fait vrai. Le siècle des bourgeois recèle un lot important d'âmes inquiètes, de consciences morbides, d'esprits aventureux, prêts à risquer « la perte totale » par espoir du « gain total ». Mais s'il fallait dessiner le profil moyen de ce temps, on pourrait conserver l'image que trace Groethuysen de l'esprit encyclopédique [2], décrit comme le tour du propriétaire accompli par le bourgeois, dans un monde que la science vient de mettre à sa disposition, avec la volonté non de s'enrichir fébrilement et d'amasser coûte que coûte, mais de placer posément une étiquette sur chacun des objets acquis, afin de le mieux connaître, de le mieux posséder et de mieux en jouir.

1. P. Hazard, *La Pensée européenne*, t. I, p. 25.
2. Dans le *Tableau de la littérature française*, Gallimard, article sur l'*Encyclopédie*.

CHAPITRE V

BONHEUR MONDAIN ET VIE CHRÉTIENNE

« Nous ne devons songer qu'à adorer Dieu et à jouir de mille choses qu'il a mises sur la terre, qui flattent nos sens. »

Marquis DE LASSAY,
Recueil de différentes choses.

Introduction : Évolution générale. — 1. Le chrétien honnête homme : Vers un christianisme aimable ; Le *Traité du vrai mérite ;* Persistance des illusions ; Le rationalisme chrétien. — 2. L'Église contre le monde : *Le Doyen de Killerine ;* Résistance des mondains ; Critique des Philosophes ; Procès et condamnation du monde. — *Conclusion* : Bonheur et Salut.

L'une des conséquences les plus significatives de la recherche du bonheur est la tentative de rapprochement et de réconciliation qui s'opère, dans la première moitié du XVIIIe siècle, entre deux styles de vie et deux morales, que tout destinait à s'affronter : la morale mondaine et la morale chrétienne. Le XVIIe siècle n'avait cessé d'approuver et de manifester l'acuité de leur divorce ; tandis que les moralistes chrétiens anathématisaient l'esprit du monde, les moralistes engagés dans le siècle donnaient toute leur attention à l'analyse du cœur humain, sans se référer jamais aux normes du christianisme [1]. A partir de 1680, on commence à chercher une sorte de terrain d'entente qui permette de saisir en un système d'explication unique l'homme de la Nature et l'homme de la Grâce. Malebranche s'avisa le premier que les mobiles du cœur humain sont toujours les mêmes et qu'un même mouvement les porte vers les biens éternels et les félicités illusoires [2]. Que l'homme soit englué dans la Nature ou aspiré par la Grâce, c'est toujours son bonheur qu'il cherche. La direction

1. Il faudrait nuancer cette affirmation. Il y eut en effet, au XVIIe siècle, des tentatives de compromis entre la pensée chrétienne et l'esprit du monde : on peut au moins citer l'humanisme dévot et la morale jésuite. Les moralistes chrétiens du XVIIIe siècle ne font, à bien des égards, que poursuivre l'effort des jésuites du siècle précédent.

2. Pascal l'avait déjà dit, mais non de la même façon : il existe une *correspondance* entre la recherche active du bonheur terrestre et l'aspiration implicite à l'éternité, la première *figurant* la seconde. Pour Malebranche, cette correspondance devient une *continuité* : c'est *le même* élan, *le même* désir, qui porte l'homme à la conquête des biens temporels et à son salut.

du mouvement peut changer, mais son essence et son origine restent les mêmes. Aussi va-t-on assister, jusque vers 1735, à de multiples tentatives pour harmoniser, dans un style de vie unique, le bonheur mondain et la vie chrétienne. D'une part, les moralistes chrétiens s'emploient à montrer que seul le chrétien peut être véritablement « honnête homme », à décrire « les charmes de la société du chrétien » ou à détailler « l'art d'allier la piété avec la politesse ». De l'autre, les moralistes mondains s'attachent à ménager une assez large place dans la « science du monde » aux vertus proprement chrétiennes. Lorsque paraît en 1734 le *Traité du vrai mérite* de Le Maître de Claville, on peut croire que ce double travail a abouti et qu'il n'existe plus le moindre hiatus entre le bonheur mondain et la vie chrétienne. Désormais l'honnête homme, qui est aussi homme de bien, pourra sans mauvaise conscience se délecter des joies terrestres, qu'il sait pures lorsqu'elles sont convenablement réglées, en attendant le bonheur parfait de l'autre monde, qu'une vertueuse existence lui aura mérité.

Mais, peu avant le milieu du siècle, le divorce redevient éclatant. Il est vrai que de nouveaux partenaires entrent en lice. A la virulence des Philosophes, qui proclament le christianisme incompatible, non seulement avec le bonheur mondain, mais avec toute forme de sociabilité, les chrétiens répliquent par un durcissement de leur attitude et un retour à l'intransigeance d'autrefois. Sans doute certains ne quittent pas le plan de la polémique philosophique, continuant à justifier « naturellement » le christianisme et à croire possible une alliance entre la Foi et la Raison. Mais ces traités d'apologétique concernent plus les raisons de croire et les principes de la foi que la morale elle-même. Les prédicateurs et les moralistes d'après 1740, au lieu de montrer comment l'esprit de l'honnêteté mondaine et celui de l'Évangile peuvent aisément et agréablement s'accorder, retrouvent la voix de Bossuet pour proclamer qu'on a trahi Dieu, dès qu'on jette un regard du côté du monde. On ne dit plus qu'on peut faire son salut dans le monde, mais qu'il faut choisir entre le monde et le salut.

Le siècle, toutefois, ne devait pas se terminer sans une nouvelle réconciliation entre l'esprit chrétien — ou du moins l'esprit religieux — et l'esprit du monde. Le compromis vainement cherché surgira de lui-même : la « sensibilité » parvient à réaliser le miracle, à fondre dans un même élan l'amour du monde et l'amour de Dieu. Mais le « monde », désormais, ce n'est plus l'étroit univers des salons, le plaisir des compagnies doucement frivoles, les élégances fragiles et surannées. On s'évade de ce microcosme forgé par la civilisation, au mépris de la nature des choses. On accède au « monde » dans toute son amplitude, dans sa réalité, son mystère, sa profondeur :

le monde des choses, la nature, l'univers créé, le grand Tout. Les vraies relations ne sont plus maintenant entre partenaires d'un même cercle, mais entre toutes les créatures ou entre quelques âmes particulières, réunies par des liens d'élection. Relations immenses, enivrantes, quasi mystiques, ou relations délicieusement restreintes, qui font le bonheur du refuge et de l'intimité.

Il ne saurait plus alors exister de contradiction entre le bonheur selon le monde et l'idéal religieux. Toute opposition entre Nature et Grâce perd son sens. La Nature est la perpétuelle manifestation d'une Grâce qui s'y épuise entièrement. Le monde est la merveille de Dieu, ce par quoi il se *révèle*. L'homme religieux de la fin du siècle (est-il chrétien ? cela est une autre question) savoure les délices terrestres, en élevant sa pensée vers celui qui les lui a destinées et qui ne lui demande rien d'autre que de le reconnaître à travers ses plaisirs. Dans le finalisme sentimental de la fin du XVIIIe siècle, se résorbe le conflit entre le monde et Dieu. Il n'y a plus à choisir entre bonheur terrestre et au-delà, qui ne sont que les deux moments successifs d'une merveilleuse aventure.

I. — Le chrétien honnête homme.

On peut prendre comme point de départ la querelle qui mit aux prises Malebranche, Arnauld et Bayle en 1685. Elle fut déclenchée par le *Traité de la nature et de la grâce*, où Arnauld crut voir une réhabilitation des plaisirs. Ceux-ci y apparaissaient spiritualisés, comme venant de Dieu, qui les glisse dans notre âme à l' « occasion » des perceptions sensibles. Par suite, le bonheur terrestre ne fait plus qu'annoncer et précéder sans discontinuité le bonheur éternel : la Grâce et la Nature, cessant de s'opposer, collaborent harmonieusement à la félicité de l'homme. Contre une telle hérésie, Arnauld s'insurge, essaie de maintenir étanche la séparation entre la Nature et la Grâce, rappelle qu'aucun des plaisirs attachés à la condition terrestre ne peut être appelé un bien et que notre bonheur n'est pas de ce monde. Quant à Bayle, pour envenimer le débat, il démontre que le seul vrai bonheur est bien celui d'ici-bas, que Dieu l'a voulu ainsi, qu'il a conçu l'homme pour cela, mais que ce même Dieu, changé en tortionnaire subtil, nous a interdit par la Révélation de jouir des avantages dont il a pourvu notre nature. Façon experte, décisive, de faire éclater la morale chrétienne et d'en révéler brusquement la contradiction, le scandale, l'absurdité.

Au début du XVIIIe siècle, le problème du souverain bien et des plaisirs fait l'objet d'un autre dialogue, imaginaire celui-là, entre « Messieurs Patru et d'Ablancourt ». On peut mesurer le chemin parcouru. « Monsieur Patru », dont on ne dit pas s'il est janséniste, n'a guère évolué par rapport à Arnauld : c'est toujours la même intransigeance, le même parti pris d'austérité, la même condamnation du monde, considéré comme un séjour maudit. Pour lui, il n'est pas d'autre vérité que celle-ci : « La volupté dégrade l'homme et anéantit le chrétien [1]. » Mais d'Ablancourt ne parle pas le langage de Bayle. Il ne veut nullement suggérer que le bonheur mondain et la vie chrétienne s'excluent mutuellement. Cette fois, c'est deux morales chrétiennes qui s'opposent : l'une qui s'obstine à ne pas démordre d'un implacable rigorisme, celle que Patru est chargé d'incarner et de défendre ; l'autre, que d'Ablancourt fait sienne, qui adopte, en le sanctifiant, le point de vue du monde et exorcise les plaisirs. Dieu permet qu'on en jouisse, pourvu que ce soit selon sa volonté. Il ne dit plus, comme le Dieu de Bayle : « Sacrifiez votre bonheur terrestre pour obtenir la vie éternelle », mais plutôt : « Jouissez en paix de ce bonheur que je vous ai préparé, en songeant seulement à la vie éternelle, qui vous sera donnée par surcroît. » Le conflit n'est plus entre le monde et Dieu, mais entre deux conceptions du Christianisme, dont l'une réprouve le monde, tandis que l'autre accepte de composer avec lui. Jusque vers 1740, la seconde prévaudra largement.

Réconcilier Dieu et les plaisirs, la religion et le monde, telle est la grande entreprise commune des mondains et des écrivains chrétiens, dans la première moitié du siècle. L'obscur moraliste Alleaume, auteur, en 1700, d'une *Suite des caractères de Théophraste et des mœurs de ce siècle*, évoque l'ambiguïté des rapports entre la Religion et la Nature :

« Les préceptes de la religion combattent pendant un temps en nous-mêmes avec les penchants de la nature ; à la fin, il se fait une paix que chacun conclut à sa manière : on donne à la nature et à la religion... Cette paix se fait dès les premiers jours de combat chez les âmes lâches, mais les plus fortes ne combattent pas longtemps sans quelque accommodement. Il faut dans la religion des théologiens indulgents, qui défendent la facilité et l'indulgence, qu'elle a pour empêcher que ceux qui sont austères ne la spiritualisent trop et ne la poussent à une trop grande rigueur ; il faut aussi des théologiens austères, pour empêcher que la religion ne devienne trop humaine et trop relâchée [2]. »

1. Baudot de Juilly, *Dialogues entre Messieurs Patru et d'Ablancourt sur les plaisirs* (1701), t. I, p. 43. Nicolas Baudot de Juilly, né à Paris, en 1678, d'un receveur des tailles de Vendôme, était subdélégué de l'intendant à Sarlat. Il écrivit des romans historiques et mourut en 1759.

2. *Op. cit.*, pp. 190-191. — On peut rapprocher ce texte du passage de la *Cinquième Provinciale* où la politique des jésuites, dans la direction des âmes, est ainsi expliquée : « Sachez donc que leur objet n'est pas de corrompre les mœurs : ce n'est pas leur dessein. Mais ils n'ont pas aussi pour unique but celui de les réformer : ce serait une mauvaise politique. Voici quelle est leur pensée. Ils ont assez bonne opinion d'eux-mêmes pour croire qu'il est utile et comme nécessaire au bien de la religion que leur crédit s'étende partout, et qu'ils gouvernent toutes les consciences. Et parce que les maximes évangéliques et sévères sont propres pour gouverner quelques sortes de personnes, ils s'en servent dans ces occasions où elles leur sont favorables.

Voilà donc Patru et d'Ablancourt également justifiés, et expliquées d'avance les contradictions des gens d'Église, qui tantôt vitupèrent les plaisirs du monde, tantôt s'ingénient à inventer des accommodements.

Les partisans de l'accommodement semblent bien être les plus nombreux. Dans l'*Histoire d'une grecque moderne*, Prévost parle de ces « livres de morale dont les auteurs ont été de bonne composition avec les désirs du cœur et les usages du monde [1] ». Le Tiberge de *Manon Lescaut* non seulement rend possibles, par ses services imprudents et sa crédulité, les égarements de Des Grieux, mais trouve simplement à lui dire, lorsqu'il tente de le convertir, qu'il goûterait une existence plus douce et plus semée de vrais plaisirs dans le sein de la Religion, que dans la vie de passion qui le dévore. Cette sorte d'hédonisme spirituel imprègne toute la morale chrétienne. On s'acharne à montrer que le chrétien est le plus heureux de tous les hommes, et qu'en outre le véritable honnête homme, celui qui porte au plus haut degré l'idéal de la sociabilité mondaine, c'est encore lui et nul autre.

L'argument fondamental consiste à prouver que la religion n'intéresse pas seulement le salut, mais que le seul authentique bonheur en ce monde ne se distingue pas de la pratique raisonnable d'une vie dévote. Pas plus que Tiberge, les moralistes n'invitent à l'effort, ni au renoncement. Tous pourraient donner à leurs ouvrages le titre choisi en 1727 par le Père Calmel pour l'un des siens : *Méthode facile pour être heureux en cette vie et assurer son bonheur éternel.*

Il ne suffit pas d'affirmer qu'il n'y a que le chrétien pour être heureux : les mondains pourraient répondre qu'ils préfèrent être moins heureux, pourvu que ce soit selon les usages du monde. Il faut démontrer que c'est justement en étant chrétien qu'on peut le plus sûrement rester fidèle à l'honnêteté. La religion n'impose aucune rupture avec un idéal qui a fait ses preuves. Mieux : elle le contient tout entier. Et, de surcroît, elle apporte des garanties spirituelles, que la seule éthique mondaine serait bien en peine d'offrir.

La morale chrétienne est sûre de ne rien perdre, en jouant sur la triple affirmation : seule, elle assure le bonheur éternel ; seule, elle procure le bonheur terrestre ; seule enfin, elle permet aux gens du monde de réaliser leur idéal de mondains. Par ce double recul ou cette double surenchère, on ligote dans un même réseau toutes les aspirations et les inquiétudes de l'honnête homme : son angoisse du salut, son appétit de bonheur, et jusqu'au souci de sa gloire mondaine.

Mais comme ces mêmes maximes ne s'accordent pas au dessein de la plupart des gens, ils les laissent à l'égard de ceux-là, afin d'avoir de quoi satisfaire tout le monde ». (*L'Œuvre de Pascal*, éd. Jacques Chevalier, Bibliothèque de la Pléiade, p. 474.)

1. *Op. cit.*, t. II, p. 73.

En 1730, paraît un ouvrage de Mme Aubert, *Les Charmes de la société du chrétien*[1]. La religion s'y trouve définie et défendue par son utilité sociale, son pouvoir d'adaptation aux agréments du monde, et ce climat euphorique dont elle enrobe ceux qui sont destinés à vivre ensemble. On n'ose pas apprécier la distance, depuis Pascal[2] ! Ce nouveau et singulier christianisme semble spécialement conçu pour former un homme de salon. Le chrétien n'est plus cet ascète torturé, ni ce mystique éperdu, ni ce militant de la foi, qu'il lui arrivait d'être naguère. Il devient un honnête homme, parfumé et courtois, doux pour ses semblables, et sachant merveilleusement vivre. On ne le reconnaît plus à cette troublante aura de folie ou de scandale, qu'il irradiait en d'autres temps, mais, au contraire, à ce que tout, autour de lui, devient facile, suave, et de bon ton. Ce qui donne tout son prix au christianisme, c'est la séduction qui émane de la personne du chrétien[3].

L'abbé Claude-François Lambert, qui publie en 1741 un roman édifiant intitulé *Mémoires et aventures d'une dame de qualité qui s'est retirée du monde*, annonce ainsi ses intentions :

1. Un simple regard sur la table des matières est déjà édifiant : « 1. Qu'il n'y a d'aimable pour nous que ce qui nous rend plus heureux et plus parfait. — 2. Que de tous les hommes, le chrétien est le seul vraiment aimable. — 3. Que le chrétien est seul capable de nous instruire des routes qui conduisent au solide bonheur. — 4. Qu'il n'y a que les chrétiens, dont la conduite, toujours bienfaisante, procure la félicité des autres. — 5. Qu'il n'y a d'aimable que le chrétien dans l'exercice des devoirs domestiques. — 6. Qu'il n'y a que le chrétien qui remplisse les devoirs de l'amitié. — 7. Qu'il n'y a que le chrétien qui soit exactement et universellement vrai. — 8. Qu'il n'y a que le chrétien, dont la société, sans altérer l'innocence, nous fera goûter les douceurs que les passions promettent en vain. »

Dans la Préface, l'auteur explique ingénument ses intentions. La sociabilité conduisant au bonheur, telle est la vraie destination de l'homme : « A quoi nous servirait de nous unir les uns aux autres, si nous ne devions pas en être plus heureux ? » Or le chrétien répond mieux que tout autre à cette double condition : « La société du chrétien, quoiqu'elle nous paraisse d'abord languissante, froide et austère, peut seule remplir le désir et l'idée que nous avons d'un état tranquille et doux..., il n'y a que lui qui possède les qualités vraiment aimables et... il n'est donné qu'à lui d'écarter ici les maux qui nous poursuivent, de les adoucir au moins, en attendant que notre capacité soit remplie par la jouissance de Celui dont les perfections et la durée n'ont pas de bornes. Telle est, en général, l'idée que nous avons eu dessein de remplir ici. Il nous a paru qu'en prouvant qu'il n'y a dans la société de vrai charme qu'avec le chrétien, c'était réconcilier ceux qui se font de lui une fausse idée et presque un fantôme, dont ils s'effraient et s'éloignent. Il nous a même paru que c'était encore réconcilier les hommes avec le christianisme même. Il est impossible en effet de ne pas admirer, de ne pas aimer une religion qui sait former les hommes respectables que sont les chrétiens et leur inspirer des vertus si conformes, si proportionnées aux besoins des autres hommes. » (*Op. cit.*, Préface, pp. XIV, XIX).

2. Cela est vrai, en ce qui concerne la spiritualité. Pourtant, même lorsqu'ils trahissent Pascal, les moralistes du XVIIIe siècle en paraissent imprégnés. Pascal ne disait sans doute pas que le chrétien est le seul à pouvoir faire un homme de salon accompli. Mais il disait que le libertin fièrement installé dans le libertinage est le contraire d'un honnête homme, qu'il est fort éloigné du « bon air » qu'il affecte, et qu'il ne peut inspirer aucune confiance ni constituer un véritable ami (cf. édition Brunschvicg, Pensée 194). Le libertinage est donc opposé aux *vertus sociales*, tandis que l'honnête homme est l' « image » du chrétien.

3. Comparant les joies que l'on peut attendre des voluptés ordinaires et celles que dispense la compagnie du chrétien, l'auteur des *Charmes de la société du chrétien* déclare : « De son côté, qu'est-ce que la société du chrétien nous offre pour nous rendre heureux ? La réalité de ce que la passion ne fait que promettre sans le donner. La joie douce et pure que son commerce répand dans l'âme est bien différente et bien au-dessus de cette joie trompeuse dont la passion enchante nos sens. L'une est tout au plus une joie d'ivresse, mais entrecoupée de remords ; l'autre est une joie tranquille, presque céleste, et qui se voit naître de la vertu. Elle est toujours pure et égale. Rien ne peut l'épuiser. Plus on s'y plonge, plus elle est douce ; elle ravit l'âme sans la troubler. » (*Op. cit.*, p. 145).

« Nous n'offrirons que des exemples d'une vertu aimable, qui paraisse d'une pratique aisée à ceux-mêmes qui par leur état sont engagés dans le monde. Les leçons que nous leur donnerons leur apprendront à savoir accorder les devoirs de l'honnête homme avec ceux du chrétien. »

Dix ans plus tard, l'abbé Du Préaux est l'auteur d'un livre qui porte un titre singulièrement explicite : *Le Chrétien parfait honnête homme, ou l'Art d'allier la piété avec la politesse et les autres devoirs de la vie civile, ouvrage qui intéresse tout le monde, où l'utile est revêtu de l'agréable et où la fiction poétique sert de canal à la vérité.* Il s'étonne que les livres de piété soient d'ordinaire « sérieux et graves » et que « l'agréable, le joyeux, s'y trouve bien rarement de la partie ». Il a voulu tenter une voie nouvelle et essayer d'unir « l'agréable avec l'utile, le joyeux avec le sérieux, l'agrément avec la solide et sincère piété ». Pour tenir parole, le voilà qui débute par une chanson intitulée *L'Amour divin*, qui doit se chanter sur l'air de « Non, mon volage... [1] ». Plus loin, quatre vers disent bien ce qu'est devenue la folie de la croix :

« O croix ! aimable croix, délices du Sauveur,
Jadis, tu fus pour l'homme un trop cruel martyre ;
Aujourd'hui de ton sein découle la douceur ;
Malheureux, aujourd'hui, qui vers toi ne soupire [2]. »

Du Préaux estime que, si l'on prend le terme d'honnêteté dans toute sa rigueur, « on ne peut être honnête homme sans être chrétien ». Les païens n'ont jamais été vraiment honnêtes. Seule est concevable, dans le paganisme, une honnêteté superficielle, réduite au respect des bienséances, qui consiste seulement à ne pas faire le mal et ne comporte aucune perfection. La véritable honnêteté, en revanche, impliquant « des mœurs bonnes, louables, conformes à la droite raison », est toujours proche du christianisme [3].

1. En voici le premier et le dernier couplets :

« Beauté suprême,
Dieu de mon cœur,
Mon doux Sauveur ;
Beauté suprême,
Dieu de mon cœur,
Je languis d'amour
Vers vous nuit et jour
Et d'une ardeur extrême
Je redis cent fois
Au milieu des bois
Je vous aime. »

« Mon divin maître
A qui je tiens
Par cent liens ;
Mon divin maître
A qui je tiens ;
Par vos doux appas
Ne permettez pas
Qu'ailleurs je puisse mettre
Mes tendres amours.
A vous pour toujours
Je veux être. »

(*Op. cit.*, t. I, pp. 52-54.)

2. *Ibid.*, p. 419.

3. « Il me paraît que les idées du vrai chrétien et du parfait honnête homme que je viens d'exposer ne sont point fausses. Il me semble aussi que ces idées ou ces portraits devraient être placés fort près l'un de l'autre et qu'on devrait joindre et réunir ces deux tableaux, non pas dans la même chambre, mais dans la même personne... Il est très important et très nécessaire *d'unir et comme marier en soi-même le titre glorieux de parfait honnête homme avec l'excellente qualité de bon et vrai chrétien.* » (*Ibid.*, pp. 46-47).

Commentant une phrase de l'*Épître aux Romains* : « Marchons honnêtement comme on le fait en plein jour », Du Préaux déclare que Saint Paul a voulu dans ce passage « prouver

Alléchées, les charmantes mondaines que Du Préaux met en scène veulent extraire de l'Écriture un manuel de savoir-vivre : « Vous nous feriez un sensible plaisir de nous faire voir que dans l'Écriture il se trouve certains endroits qui regardent l'honnêteté, la politesse, le savoir-vivre [1]. » Et le bon Père qui leur donne la réplique de citer, sans s'émouvoir, l'histoire de Noé ivre, recouvert par ses fils. Un peu plus loin, il n'hésite pas à disqualifier la dévotion qui ne cohabite pas avec les bonnes manières :

« *Un homme qui est pieux et bon chrétien, mais qui d'ailleurs manque de certains principes propres à l'honnête homme, qui est rustique et impoli dans ses manières, à quoi est-il bon ? A prier. Pour qui est-il bon ? Pour lui-même ; et voilà tout... Le grand point pour être parfait à tous égards consiste à réunir dans sa personne une sincère et solide piété, avec une politesse aimable et un honnête savoir-vivre* [2]. »

Cette étonnante flexibilité de la doctrine chrétienne, cette aptitude des gens d'Église à prêcher et à recommander comme une vertu la soumission aux lois du monde, cette volonté d'harmoniser, en un style de vie unique, l'idéal de la vertu chrétienne et la morale profane des plaisirs survivent jusqu'à la fin du siècle [3]. En 1774, l'abbé Mayeul-Chaudon regrette, dans *L'Homme du monde éclairé*, que « cette foule d'écrits publics en faveur de la religion » ne témoigne pas de « plus d'égards à la frivolité des gens du monde [4] ».

On pourrait lui répondre qu'à l'époque où les écrivains religieux prodiguaient si facilement les concessions à l'esprit mondain, les gens du monde n'étaient pas, comme il le croit, les « adversaires du christianisme ». Au zèle des hommes d'Église à prôner l'honnêteté et les bonnes manières, à favoriser d'harmonieuses alliances entre

excellemment... qu'il est d'une grande conséquence, qu'il est même nécessaire d'être non seulement chrétien, mais honnête homme et parfaitement honnête homme ; de vivre non seulement selon les lois d'une piété sincère, mais aussi selon les maximes d'une bienséance reçue, raisonnable et mise en œuvre ». (*Ibid.*, pp. 79-80).

1. *Ibid.*, p. 81.

2. *Ibid.*, p. 96. Ce n'est d'ailleurs pas l'impiété que cet homme d'Église vitupère le plus violemment, mais l'absence de bonnes manières : « O qu'il est bon, qu'il est avantageux, qu'il est de conséquence d'être poli et cultivé ! d'être habile dans l'art de commercer avec les honnêtes gens, dans l'art du savoir-vivre ! Quelle honte d'être ignorant en cette matière ! Une telle ignorance ne nous met-elle pas à certains égards au-dessous des animaux ? » (*Ibid.*, p. 78).

3. Cependant, comme on le verra, à partir du moment où l'esprit mondain, au lieu de n'être qu'un attachement spontané au plaisir, pactise avec l'esprit philosophique, la morale chrétienne retrouve sa rigueur et condamne de nouveau le monde avec intransigeance. Mais bon nombre de chrétiens demeureront jusqu'au bout partisans du compromis et de l'accommodement.

4. « On y fait des arguments et les arguments les lassent ; on y cite de longs passages et les plus courts les ennuient ; on les ramène sans cesse à la théologie et la théologie est leur épouvante. Il semble qu'on n'ait pas fait assez d'attention que les adversaires du christianisme sont des hommes, que l'appareil des armes fait fuir et qu'on ne peut terrasser qu'en paraissant se jouer avec eux. Aussi, pour être utile aux gens du monde, que l'incrédulité a séduits, il faut prendre leur langage, plaisanter avec eux et ne réfuter leurs raisons qu'après avoir montré le faux de leurs railleries. » (*Op. cit.*, Avertissement, p. VII). A certains moments, il semble que l'auteur oublie toute hiérarchie entre les perfections chrétiennes et les activités mondaines : « Pour parvenir à l'acquisition des biens de l'esprit, des sciences et des beaux-arts, trois moyens sont requis : la prière, l'étude, la conversation. » (*Ibid.*, pp. 401-402). On dirait que le point de vue du monde équilibre exactement le point de vue chrétien.

la piété la plus stricte et la plus exquise sociabilité, répondait la bonne volonté des honnêtes gens à inclure les exigences chrétiennes dans leur idéal de vie brillante [1].

Les mondains vont jusqu'à faire endosser à la morale chrétienne des notions purement profanes, comme l'idée de gloire. De Sacy écrit en 1715 un *Traité de la gloire* [2]. Il cite l'Écriture, en montrant que la gloire y est toujours évoquée comme la suprême récompense et le bien par excellence. Il précise qu'il n'entend pas parler de la gloire éternelle. Dans l'Ancien Testament, les peines et les récompenses sont temporelles, et le « Nouveau Testament n'a rien changé à ces idées ». Sans doute Jésus-Christ et les apôtres ont-ils prêché l'humilité, mais « loin de dénier la vraie gloire, ils la regardent toujours comme l'appareil le plus inséparable de la vertu, comme un bien auquel un chrétien peut légitimement aspirer et qu'il doit très soigneusement conserver [3] ».

1. Les *Tablettes de l'homme du monde ou Analyse des sept qualités essentielles à former le beau caractère d'homme du monde accompli* (1715) fixent ainsi la hiérarchie des vertus mondaines : « 1. Homme craignant Dieu ; 2. Honnête homme vertueux ; 3. Homme poli ; 4. Homme savant ; 5. Homme sachant bien ses exercices ; 6. Homme de guerre ; 7. Homme d'État. » Rien n'est oublié : conduite chrétienne, vertu naturelle, agréments et politesse, aptitude aux charges pratiques, que l'homme du monde doit être en état d'assumer. Ce manuel de parfaite sociabilité contient même un traité de la Prédestination. L'honnête homme ne peut se dispenser de choisir une attitude précise devant une aussi grave difficulté : « J'ose me flatter d'avoir mis dans l'évidence que la question de Prédestination ne doit ni l'inquiéter, ni le rendre nonchalant touchant son salut ; mais au contraire elle doit le porter à bien faire. » (*Ibid.*, p. 274). Si, déjà, une nette différence est sentie entre la « morale chrétienne » et la « morale naturelle », l'auteur des *Tablettes* ne les envisage pas autrement que solidaires : « Après avoir rapporté le plus essentiel de la *morale chrétienne*, qui est la règle des actions de l'homme pour le conduire au souverain bien, il sera à propos de rapporter aussi quelque chose touchant la *morale naturelle*, qui dirige les actions de l'homme à la vertu, le souverain bien d'ici-bas, auquel il devrait se porter avec beaucoup d'ardeur. » (*Ibid.*, p. 23). La morale chrétienne ne porte l'homme « à bien faire » que dans l'espérance du salut. Or il existe une autre vertu, qui ne relève d'aucune sanction éternelle, et à laquelle la raison seule peut conduire. L'homme vertueux, en ce sens, c'est déjà plus que l'honnête homme : « La qualité d'honnête homme consiste à suivre le principe de la loi naturelle, de ne point faire à autrui ce qu'il croit qu'on ne lui devrait pas faire ; la qualité d'homme vertueux consiste à faire régner toujours la Raison ». (*Ibid.*, p. 275). Si le chrétien, l'homme vertueux et l'honnête homme ne se confondent donc pas tout à fait, ils collaborent étroitement et se rejoignent dans la synthèse de « l'homme du monde accompli ».

On tirerait une conclusion voisine de l'ouvrage de CALLIÈRES : *De la science du monde et des connaissances utiles à la conduite de la vie* (1717). Callières ne fait pas de distinction entre le chrétien, l'honnête homme et l'homme vertueux. Il amalgame d'emblée les trois notions pour forger son « homme de mérite », dont il fait longuement le portrait. Celui-ci possède toutes les qualités ; il a « l'âme belle », « l'esprit bien fait » ; il est « cultivé et éclairé » ; il sait joindre « aux sciences nécessaires et utiles à sa condition ou à la profession qu'il a choisie une connaissance exacte des bienséances qui se pratiquent parmi les plus honnêtes gens du pays qu'il habite ». Son humeur est toujours égale, son jugement « désabusé des erreurs vulgaires », et son caractère exempt de toute vanité. Il possède enfin de hautes vertus morales, avec un fonds inépuisable de dévouement. Callières conclut par cette exhortation : « Qu'il soit bon citoyen, bon parent, bon ami, bon maître, bon sujet et, *pour dire encore plus que tout cela, bon chrétien. Sans cette dernière qualité, tout ce que nous appelons des vertus ne sont que faiblesses, vaine gloire, ostentation et intérêt déguisé; il faut qu'elles soient produites par l'amour que nous devons à Dieu, qui doit être leur unique source et qu'elles y retournent toutes comme vers leur centre.* » (*Op. cit.*, pp. 252-256).

2. De l'aveu de ce mondain, l'homme du monde ne se parachève que dans le chrétien. La Préface du livre est destinée « à un grand nombre de personnes pieuses qui, persuadées que l'un des principaux fondements de la Religion chrétienne et son caractère le plus essentiel est l'humilité, s'imagineraient qu'il veut la détruire et élever sur ses ruines l'orgueil sous un autre nom. »

3. *Op. cit.*, Préface.

Certains traités du bonheur, d'inspiration philosophique ou mondaine, se placent résolument sous le patronage de la religion chrétienne. Au début de sa *Théorie des sentiments agréables*, Lévesque de Pouilly assure que son ouvrage « *appuie la plupart des maximes de l'Évangile, n'en contredit aucune et nous invite à les pratiquer toutes* [1] ». Il existe selon lui, en matière de bonheur, deux niveaux superposés : le bonheur naturel, dont sont également susceptibles le chrétien et le mondain incrédule ; le bonheur de la vie spirituelle, réservé au seul chrétien. Lorsque le chrétien a atteint ce suprême palier, il peut, s'il le veut, dédaigner le bonheur moins parfait, dont il a dépassé le stade. Son regard, qui tombe alors de très haut, remet les choses à leur vraie place. La religion n'exige rien d'autre. En offrant au chrétien un bonheur à lui seul destiné, Dieu n'a nullement prétendu le frustrer de celui qui découle de la simple qualité d'homme. Le mépris du bonheur naturel est un luxe permis au parfait chrétien, non un renoncement imposé à tous. L'Évangile déverse sur ses fidèles des grâces particulières, mais il ne leur conteste pas la jouissance des privilèges inscrits dans la nature humaine, dont tous les hommes profitent au même titre. Proposer un système de bonheur, conçu selon l'esprit du monde, ce n'est donc pas contredire l'Évangile ni le trahir, mais l'interpréter, le compléter, en amenant au jour la part implicite du message chrétien, que l'Écriture passe sous silence, parce qu'il est des visées plus hautes, relatives au destin éternel de l'homme, qui estompent, sans les désavouer, certains aspects plus humbles de la doctrine morale.

***

Beaucoup plus représentatif encore de l'alliance entre l'esprit mondain et le christianisme, le *Traité du vrai mérite* de Le Maître de Claville est, avec ses éditions multiples, un des livres de morale qui eurent le plus de lecteurs durant tout le siècle [2].

Il propose un idéal d'équilibre entre la raison, dépouillée de « cette affreuse austérité que lui prêtent ceux qui la craignent », et la passion,

1. *Op. cit,*. pp. 10-13. En présentant, dans son *Recueil de différents écrits sur le bonheur, le plaisir...*, la première ébauche du livre de Lévesque de Pouilly, SAINT-HYACINTHE déclare : « C'est un abrégé de philosophie morale, capable d'élever les sentiments, de mettre le cœur dans les intérêts de la vertu, et de justifier l'accord de la religion avec la raison. Nos fausses idées sur le plaisir et la félicité forment un des plus grands obstacles que la foi de Dieu ait à surmonter, pour s'établir dans le cœur. »

2. LE MAÎTRE DE CLAVILLE, *Traité du vrai mérite de l'homme considéré dans tous les âges et dans toutes les conditions, avec des principes d'éducation propres à former les jeunes gens à la vertu* (1734). On a pu y reconnaître l'influence du jésuite espagnol Gracian. Cf. J. SARRAILH, *Notes sur Gracian en France*, *Bulletin hispanique*, 1937. — Charles-François Le Maître, sieur de Claville, est né à Rouen en 1670. Il était président au bureau des finances de cette ville. La vogue de son traité fut extraordinaire et le flatta démesurément. Il n'en devint que plus vulnérable aux critiques : « C'était le premier bonheur de ma vie, disait-il, on n'aurait pas dû me l'enlever. » Il mourut en 1740 : le *Vrai mérite* en était déjà à sa quatrième édition.

épurée de « son opposition au christianisme »[1], ne concevant aucune divergence entre un style de vie fondé sur des principes naturels et une conduite chrétienne : « Un homme vertueux, un philosophe chrétien sont, selon moi, termes synonymes[2]. »

Volupté et vertu ne sont donc plus qu'une seule et même chose. La vertu est une délicatesse spontanée dans le choix des plaisirs ; la volupté, une certaine sensibilité à la vertu, la jouissance intime d'une conscience heureuse. Du moins s'agit-il de cette volupté qu'on peut qualifier de « fine volupté » et qui se situe, comme la vertu elle-même, à l'extrême pointe d'une âme exquise[3]. Les dévots mis à l'écart et accusés d'imposture, c'est une sorte d'intimité consubstantielle qui se noue entre la volupté, la vertu et la religion. La « fine volupté » réside dans le témoignage d'une « conscience pure ». Or, à quel homme, plus qu'au chrétien sincère et indulgent, est-il donné de jouir de cette paix intérieure ? Quant à la religion, elle n'est qu'une « sensualité à faire le bien » ; éliminant tout ascétisme, elle consiste en une spontanéité euphorique, orientée par miracle vers l'idéal moral. Aussi le mondain pourvu de « mérite » se définit-il par une formule inattendue : c'est un homme « chrétiennement voluptueux »[4]. La vertu étant le contraire de l'austérité et la volupté comme l'envers de la débauche, la vie parfaite suppose un idéal d'équilibre, de juste milieu[5].

1. *Ibid.*, p. 20.

2. *Ibid.*, p. 45. Le Maître de Claville envisage quatre degrés dans la réalisation du type humain idéal : le « *galant homme* », c'est-à-dire celui qui possède le privilège d'un commerce agréable, grâce à sa parfaite politesse, et qui n'est affligé d'aucun « défaut essentiel » ; l' « *honnête homme* », qui peut n'avoir pas les charmes du galant homme, mais qui possède des qualités positives de cœur et de caractère ; l' « *homme de mérite* », qui réunit les avantages des deux précédents, avec « plus d'ornements et plus de profondeur, plus de dons, plus de talents » ; enfin l' « *homme de bien* », qui « peut n'avoir pas autant de mérite », mais dont le « mérite est bien plus décisif : simple, vrai, humain, pieusement avare du temps, il en met tous les moments à profit pour l'éternité ». Or la « vraie vertu » consiste en un mélange de ces quatre types. Elle rassemble la politesse du « galant homme », les qualités de « l'honnête homme », les talents de « l'homme de mérite » et la vertu chrétienne de « l'homme de bien ». (*Ibid.*, pp. 47-50). « En un mot, noblesse d'âme, force et justesse d'esprit, finesse de goût, mais d'un goût purifié et subordonné aux règles de la Religion, voilà tout ce qui est le plus propre à nous rendre solidement heureux et véritablement vertueux. » (*Ibid.*, p. 52).

3. C'est pourquoi l'homme « vertueux » n'est autre que le « vrai voluptueux » et que la « vraie vertu » se compose de la « fine volupté », du « vrai honneur » et de la « droite raison » : « *La fine volupté s'introduit jusque dans le sanctuaire de la Religion*, non pas chez ces dévots qui font servir la vertu de masque au vice. Un homme faux ne saurait être vertueux ni voluptueux... Mais comme la fine volupté vient surtout du témoignage intérieur d'une conscience pure et sans tache, je dis, non pas d'un dévot, mais de celui qu'on appellera homme de bien, que, s'il a du goût et de la raison, il est le plus voluptueux de tous les hommes. Culte de Dieu continuel et sans partage, pratique régulière des maximes les plus saines, attachement inviolable à la doctrine la plus pure, *sensualité à faire du bien* au prochain, toujours égal et doux, toujours raisonnable... Voilà tout ce qui compose les plus parfaits plaisirs de l'homme *chrétiennement voluptueux*. » (*Ibid.*, pp. 61-62).

4. Lorsqu'il envisage l'idéal mondain pur de tout alliage, Le Maître de Claville ne lui en réserve pas moins une place enviable dans sa hiérarchie morale : « Si j'étais chargé de régler les rangs suivant le mérite personnel, je placerais l'homme poli immédiatement après l'âme noble et l'esprit sublime. » (*Ibid.*, p. 107). En tout cas, la science du monde est infiniment préférable à la science tout court : « Il faut savoir, mais, préférable à tout, il faut savoir vivre. Je crois donc qu'on a l'essentiel de la science quand on a assez de fonds pour remplir les devoirs de son état et assez d'acquis pour être souhaité dans un monde poli. » (*Ibid.*).

5. « S'il y a un milieu entre une coquette et une carmélite, entre un capucin et un débauché,

L'éthique des rapports féminins doit, par exemple, incliner le chrétien, le fin voluptueux, ou l'homme de mérite, à naviguer entre deux périls : « L'abus des femmes, maladie du cœur ; le renoncement aux femmes, maladie de l'esprit. » Entre ces deux extravagances morbides, il faut trouver une attitude moyenne [1]. En tout cas, Le Maître de Claville n'hésite pas à exalter l'amour, « la seule passion qui intéresse l'honnête homme [2] ». Mais en même temps, il vante les prestiges de l' « *aurea mediocritas* » selon Horace [3], et prône la restriction du bonheur dans les limites de la sagesse. Il recommande, non de vouloir toujours posséder davantage, mais de s'enfermer dans l'intimité d'un domaine clos, et de ne chercher un accroissement de bonheur que dans la « jouissance mieux entendue » de ce que l'on s'est, une fois pour toutes, approprié [4]. Séparation du possible et de l'impossible, de la vie de l'âme et des accidents de la fortune, fixation des limites à l'expansion de l'être et à l'élan des désirs, possession enivrante et sûre d'un capital que l'on dédaigne d'accroître, c'est tout un aspect de la sagesse sentimentale et vertueuse qui transparaît déjà. Rousseau a beaucoup lu dans sa jeunesse le *Traité du vrai mérite*, et il semble lui avoir beaucoup emprunté.

Le Maître de Claville célèbre encore l'apaisement profond du bonheur conjugal [5]. Du centre de l'intimité des deux époux, il voit rayonner ce bonheur sur le groupe familial tout entier [6]. C'est tout

ce milieu consiste dans l'accomplissement des devoirs de l'état qu'on a choisi et dans l'usage des plaisirs innocents. » (*Ibid.*, p. 290).

1. « Vivre gracieusement, librement, mais toujours respectueusement avec quelques femmes choisies, c'est, sans blesser la sagesse, se procurer toutes les délices de la plus exquise volupté. » (*Ibid.*, p. 218).

2. « Vous ne verrez pas le médiocrement honnête homme professer l'incrédulité, prêter sur gages, vendre la justice, et désoler la veuve et l'orphelin, et vous verrez le souverainement honnête homme amoureux. » (*Ibid.*, p. 217).

3. Cf. *ibid.*, pp. 312-313.

4. « Pour être heureux, jouissez à tout moment des miracles de la nature, sentez le prix des biens qui vous sont plus propres, ne vous repaissez point de chimères, ne laissez point empoisonner le bonheur de vos jours par des désirs vains et vagues, *resserrez-vous dans la jouissance de ce qui vous appartient;* contentez-vous du nécessaire, mais du nécessaire pesé au poids de la sagesse et de la modération. Si la fortune vous fait part de son casuel, profitez-en ; mais ne le prenez pas pour un fonds inaliénable; et si, après un sourire d'un quart d'heure, si même après des faveurs plus constantes, la folle vient à vous tourner le dos, sachez vous retrouver où vous étiez. Voilà tout le fin de ma morale et tout le sortilège de ma volupté. Je crois vous avoir déjà découvert la moitié de la pierre philosophale, en vous rendant plus heureux par la jouissance mieux entendue de ce qui vous appartient. » (*Ibid.*, p. 346).

5. « Il est vrai que rien n'est plus saint ni plus rare que d'aimer sa femme. Je n'ai pas besoin de traiter ces deux points : ils ne sont que trop reconnus ; mais, si le plaisir est conforme à la loi, il n'en est que plus pur ; s'il est rare, il en est plus exquis. J'ajoute même, sans craindre la raillerie des mauvais plaisants, que le plaisir d'aimer sa femme est sans contredit le plus flatteur de tous les plaisirs... Je soutiens que, si nous étions sages, nous trouverions dans nous-mêmes et dans notre maison une foule de plaisirs toujours renouvelés ; par conséquent, plaisirs d'autant plus doux et plus exquis qu'ils ne nous coûtent ni la peine de changer, ni le remords qu'entraînent ceux qui sont défendus. Un plaisir si conforme à la religion, à la raison, à la fine volupté ne saurait être chimérique. » (*Ibid.*, pp. 374, 377-378).

6. « C'est un grand plaisir pour le père de famille de se retrouver souvent au milieu des siens, de faire la consolation de tous, de voir par eux ses vertus multipliées. Quel goût ne trouve-t-on pas dans les plus petits offices de cette tendre amitié ? De toutes parts ce ne sont que tendres soins, qu'empressements : on voit succéder tour à tour le plaisir, le travail et l'étude. Je me trompe, tout est plaisir, tous les cœurs ne sont qu'un cœur... » (*Ibid.*, p. 391).

un idéal bourgeois qui se devine, jusque dans cette prédilection qu'on accorde à l'amitié, élevée au-dessus de l'amour même [1].

L'évocation d'un bonheur de sécurité, de mesure, et de tendresse, succédait à une mise en système de cette vie mondaine dont l'amour et les plaisirs sont les scintillants prestiges. Or voici qu'à ce plan de félicité bourgeoise, s'enchaîne un abrégé de morale chrétienne, où sont vantés les mérites du renoncement, les fruits de la douleur, et les vertus de la contrainte.

Après avoir si bien plaidé la cause du bonheur, Le Maître de Claville enseigne qu'il « est d'heureux malheurs, sans lesquels l'honnête homme, content d'être homme d'honneur, ne penserait guère à devenir homme de bien... [2] » L'épreuve apparaît comme le parachèvement de la sagesse. Loin d'avoir à s'en défendre, une « ingénieuse volupté » peut y trouver sa nourriture. Retrouver la paix après une tempête de l'âme est aussi délicieux pour l'homme affligé que, pour le riche goutteux, de « sucer un jarret de veau » après un long temps d'abstinence. Ni le bonheur, ni le jarret n'auraient, autrement, de saveur.

C'est par là, d'autre part, que le divin entre en l'homme [3]. La hiérarchie des avantages procurés par la religion est assez révélatrice. Son premier objet est le salut. Elle doit permettre de se tranquilliser sur cette importante affaire, afin de se vouer d'un cœur plus léger aux joies de ce bas-monde. Ensuite vient la morale, qui est indispensable pour épargner au bonheur les irruptions d'une conscience chagrine, et qui s'harmonise si bien avec la vie bourgeoise. Quant aux mystères et aux dogmes, dépourvus de toute utilité, ils sont relégués au troisième rang et ne font que « s'ajouter » au reste [4].

Cette religion, Le Maître de Claville ne la veut pas trop sévère. Dieu sait bien que les gens du monde ne sont pas gourmands de macérations, ni très doués pour le recueillement, la méditation, ou la prière. Aussi a-t-il mis à leur portée un certain nombre de vertus d'une application plus facile : c'est le cas de l'aumône, si bienfaisante à l'âme des riches, qu'il aurait fallu, pour eux seuls, inventer les pauvres [5].

1. « Pour les connaisseurs et les délicats, l'amitié est tellement supérieure à l'amour que la maîtresse la plus aimable n'a tout au plus dans un cœur que les restes de l'ami ; on se prête à l'amour, mais on se livre à l'amitié. » (*Ibid.*, p. 404).

2. « Une félicité trop constante » est comparable à un « estomac trop chargé : « A l'homme toujours plongé dans la bonne fortune, au sensuel toujours heureux, les disgrâces deviennent un vomitif nécessaire pour préserver son âme de la léthargie, que cause presque toujours le bonheur continuel. Les disgrâces servent à l'âme, comme le bonheur au tempérament. » (*Ibid.*, pp. 353-354).

3. « Il est donc vrai que, par les disgrâces, la Religion nous réveille, nous éclaire, nous soumet et nous soutient ; que la raison, détrompée, juge plus sainement des objets et en sent mieux la valeur, et que l'ingénieuse volupté perfectionne notre résignation et notre consolation, en ce qu'elle nous promet le retour de la santé ou de la bonne fortune ; notre goût, aiguisé par la privation, reprend une sensibilité nouvelle pour les plaisirs innocents. » (*Ibid.*, p. 359).

4. Cf. *ibid.*, p. 458.

5. « De toutes les bonnes œuvres, il n'en est point de plus aisée ni de plus méritoire que l'au-

La conciliation entre l'esprit du monde et la morale chrétienne se révèle finalement si facile que l'auteur lui-même en éprouve quelque gêne. Il ne peut s'empêcher de s'en justifier, en se parant contre l'éventuelle ironie de ses lecteurs :

« Si quelque mauvais plaisant, repassant dans sa tête ce que j'ai dit des plaisirs, le trouvait incompatible avec cette morale [1], j'ai à lui répondre ce qu'il aurait dû sentir dans tous mes chapitres. Mon dessein, toujours suivi dans mes conseils, est d'apprendre aux jeunes gens destinés au monde le secret d'allier les plaisirs innocents, le mérite, l'honneur et la vertu. Je veux bien qu'on se réjouisse à tout âge ; mais je veux que le divertissement soit honnête et qu'on ne s'en laisse pas trop posséder : de même, je veux qu'on s'attache *par préférence* à la grande affaire du salut ; mais je n'exige pas qu'on aille s'enterrer dans les déserts de la Thébaïde. Ce parti ne convient qu'aux vertueux de premier ordre et qu'aux âmes privilégiées. *Restons dans le monde, goûtons-en les douceurs qui sont convenables à notre condition, mais vivons en hommes polis et délicats, en hommes raisonnables et en chrétiens* [2]. »

Le traité de Le Maître de Claville apprend comment on pouvait rêver, en 1734, d'une morale propre à assurer son bonheur dans ce monde et dans l'autre. Remarquable assurément par son équilibre et sa dignité, cette morale surgit à la rencontre de trois courants de pensée, d'origine assez hétérogène, mais que toute l'habileté jointe au « vrai mérite » consiste justement à savoir unifier : éthique mondaine des voluptés délicates ; sagesse un peu bourgeoise, aussi éloignée de l'ascétisme que du libertinage, et fondée sur le goût de la sécurité et l'épanouissement des sentiments naturels ; morale chrétienne enfin, qui n'abandonne pas tout à fait ses visées spirituelles, mais qui, loin de condamner le monde et de l'exclure, s'accommode aisément et largement de ses charmes comme de ses vertus. Le galant homme, l'homme prudent et le chrétien sont les trois personnages réunis en un seul, qui font de l'homme de « vrai mérite » le parangon commun, en ces années 1730-1740, des mondains raisonnables et des dévots conciliants.

mône. Dieu, par une tendre condescendance pour notre faiblesse, offre aux riches ce moyen de salut qui supplée, en quelque façon, au peu d'usage qu'ils font des choses saintes. On croit dans le monde que le don de la longue méditation, des prières ferventes, des saintes lectures et de la fréquentation des sacrements est le don des parfaits. Une funeste crainte de se trop gêner si l'on se tournait à la vertu en produit le retardement. Que fait Dieu en faveur du mondain et du riche pour le ramener à lui ? Il veut bien recevoir l'aumône par manière de supplément. Il n'est point de satisfaction plus facile, tout le monde en convient ; il n'en est point de plus méritoire, l'Écriture y est formelle. » (*Ibid.*, pp. 462-463).

1. Il s'agit de la morale chrétienne, à prétention hautement spirituelle, que l'auteur vient de définir.

2. *Ibid.*, p. 483.

***

Cet idéal ne devait pas mourir de sitôt. Pourquoi y renoncer, puisqu'il satisfaisait si bien tout le monde ? Seule l'insistance corrosive des Philosophes pourra le faire éclater, et pendant longtemps beaucoup en garderont la nostalgie [1].

Stanislas Leczinski propose, dans l'un de ses essais, de « *devenir philosophe chrétien sans renoncer pour cela aux douceurs et aux charmes de la vie* [2] ». Le philosophe chrétien, qui sait jouir de ce qu'il possède, sait également se passer de ce qu'il n'obtient pas. L'idéal chrétien ne se borne pas à apporter sa caution à la morale naturelle : il lui ajoute une force supplémentaire, en lui fournissant d'inestimables ressources pour le cas où elle serait hors d'état d'appliquer ses propres principes. Celle-ci suppose, en effet, un accord toujours réalisé, ou en tout cas toujours possible, entre l'homme et le monde. Lorsqu'une rupture éclate brusquement, la sagesse purement mondaine se trouve tragiquement désarmée, en plein désarroi. C'est alors qu'intervient, dans toute sa pureté, l'esprit du christianisme, qui, après avoir sanctionné et sanctifié les plans de la prudence temporelle, apprend à y renoncer, dès qu'un obstacle imprévu les a rendus caducs [3].

L'adaptation de la pensée chrétienne au bonheur profane s'opère donc de façon réversible. Tantôt la religion justifie les maximes de la morale naturelle, tantôt, en cas de conflit annulant toute action heureuse de l'homme dans le monde, elle prend le relais de cette morale, dont l'événement a révélé l'échec, et elle offre au chrétien une compensation surnaturelle aux amertumes de l'honnête homme.

Mais ce péril, doublé d'une métamorphose, demeure exceptionnel. Le plus souvent, le chrétien doit pouvoir vivre dans le monde et y

1. En 1752, retrouvant la ligne d'inspiration de Le Maître de Claville, CHAMPDEVAUX, l'auteur d'un ouvrage sur *L'Honneur, considéré en lui-même et relativement au duel; où l'on démontre que l'honneur n'a rien de commun avec le duel, et que le duel ne prouve rien pour l'honneur*, tente de concilier la notion mondaine de l'honneur et les principes fondamentaux de la vertu chrétienne. L'honneur doit se confondre avec la Justice. L'idéal proposé demeure celui de l'auteur du *Traité du vrai mérite* : c'est l'homme de bien, qui réunit les qualités de l'homme de probité et celle du chrétien, et qui est « infiniment préférable aux deux autres, en ce qu'il anime et couronne ses vertus par l'esprit de piété, qui lui communique une force, une plénitude et une solidité que n'ont point les vertus destituées de cet esprit. » (*Op. cit.*, p. 32).

2. STANISLAS LECZINSKI, *Le Philosophe chrétien, Œuvres du Philosophe bienfaisant*, t. III, p. 340. Pour le « philosophe bienfaisant », comme pour Le Maître de Claville, « la vertu n'est ni rebutante, ni austère : au lieu de retrancher de vos plaisirs, elle les augmentera ». Il est précisé : « Je parle de ces plaisirs qu'elle sait rendre plus délicieux et plus agréables... Vous deviendrez réellement philosophe chrétien avec cette vertu, vous jouirez amplement et solidement de ce bonheur que vous cherchez, sans renoncer ni à la condition dans laquelle la Providence vous a mis, ni au commerce du monde, ni aux douceurs de la vie ; votre philosophie ne consistant pas à vous rendre sauvage, insensible, inhumain, ne préjudiciant point à votre salut, encore moins au prochain et n'exposant point votre vie... Le philosophe chrétien fait donc consister la douceur de la vie et le bonheur le plus assuré à user largement de celui dont il jouit et à savoir se passer de celui qui lui manque. » (*Ibid.*, pp. 364 et 370).

3. Cf. *ibid.*, p. 395.

vivre en chrétien. Dieu a créé l'homme pour le monde, et celui-ci n'est pas conçu pour le perdre, mais pour l'aider à remplir sa vocation, qui est d'être heureux sur terre. En 1766, Le Bret écrit *Élise ou l'Idée d'une honnête femme,* portrait d'une chrétienne dans le monde. L'exemple d'Élise prouve qu' « *on peut jouir de la véritable tranquillité au milieu des plaisirs bruyants du monde* [1] ». La même année, dans *La Religion de l'honnête homme,* Caraccioli affirme qu' « on ne peut être honnête homme sans religion [2] » et que « l'honnête homme est facilement chrétien [3] ».

Ce Caraccioli est un curieux personnage, qui incarne à merveille le compromis entre l'esprit chrétien et l'esprit du monde [4]. Peut-être même en reste-t-il au stade de la contradiction inconsciente, en voulant jouer simultanément le plus gros jeu possible sur les deux tableaux. Quand il pense à la religion, ce n'est pas sur l'enivrement d'une piété confortable qu'il arrête sa pensée, mais sur le tableau, digne de Bossuet, du pécheur à l'article de la mort, qui soudainement entrevoit l'horreur de sa damnation. Quant au monde, il n'est pas le séjour d'une froide sagesse. Caraccioli aime la joie, le rire, tous les étourdissements de la vie, non la triste procession de vertus et de plaisirs également guindés. Fougueusement, il se lance dans les deux aventures : l'existence terrestre, dont il faut extraire toutes les voluptés permises ; la destinée éternelle, où l'on frôle sans cesse l'épouvantable risque de l'Enfer. Comment les concilie-t-il ? Rien ne prouve qu'il cherche à les concilier. Il vit les deux expériences à la fois, et chacune l'exalte autant que l'autre. Comme il a le goût baroque et qu'il est friand de macabre [5], il écrit, en 1761, un *Tableau de la mort,* qui dévoile sous « la parure, le fard et les odeurs », l'effroyable pourrissement de la chair [6]. Un an plus tard, il est l'auteur d'un livre,

1. *Op. cit.*, p. 246.
2. *Op. cit.*, titre du chap. VIII, p. 56.
3. *Ibid.*, titre du chap. XVIII, p. 168.
4. Il y a deux Caraccioli, qu'il importe de ne pas confondre, comme cela arrivait souvent au XVIIIe siècle. Le plus apprécié dans le monde était le marquis Dominique de Caraccioli, ambassadeur du royaume de Naples, connu pour son dynamisme irrésistible. Celui que l'on cite ici est son cousin, Louis-Antoine de Caraccioli, né à Paris en 1721, et qui appartenait à l'Oratoire. Ses œuvres de morale sont innombrables ; on dit qu'il les écrivait pour vivre. Elles n'en étaient pas moins fort précieuses aux ecclésiastiques de province, qui en raffolaient et y trouvaient la matière de leurs sermons. Caraccioli était un homme fort drôle et plein d'esprit, pourvu d'un don prodigieux d'imitation, dont il régalait la société. Il mourut, très pauvre, en 1803.
5. « Nous vivons dans l'infection, portant en nous-même une odeur toujours insupportable. Les vers sont au milieu de nous et la pourriture ne nous abandonne jamais. Les plus belles personnes ne sont qu'un assemblage de parties prêtes à se dissoudre et nous avons beau farder nos visages, orner nos corps, les dorer et les argenter, ils n'ont rien de plus excellent que la boue. » (CARACCIOLI, *De la Jouissance de soi-même*, p. 323).
6. « Quel courage, ou plutôt quelle hardiesse, de présenter un tableau de la mort dans un siècle aussi sensuel et aussi frivole que le nôtre ! Combien ne contrastera-t-il pas avec tant de livres futiles dont on surcharge les villes et les Cours ! Bien des personnes le regarderont ou comme le fruit d'une noire misanthropie ou comme une insulte faite à nos mœurs, qui ne respirent que l'amour des jeux, des spectacles et des modes. Cependant le *Tableau de la mort*, tout horrible qu'il nous paraît, n'est que notre propre portrait ; et il ne s'agit que de fouiller en nous-mêmes pour trouver les principes de cette corruption qui doit consumer nos chairs, carrier nos os et nous rendre autant de squelettes. En vain la parure, le fard et les odeurs viennent s'unir ensemble

qui s'intitule *De la Gaîté*. La pirouette est si inattendue qu'il s'ingénie à l'expliquer :

« On sera sans doute surpris de voir l'auteur du *Tableau de la mort* donner un ouvrage sur la gaîté ; mais je me flatte que, lorsqu'on l'aura parcouru, on avouera qu'il ne contredit en rien cette philosophie chrétienne que j'ai tâché d'inspirer. »

Il s'agit, en effet, d'une « gaîté toute spirituelle, qui naît du calme des passions et qu'on peut appeler l'épanouissement d'une âme tranquille ». Elle est « plutôt le rire de l'âme que celui des sens [1] ». Aussi doit-on la juger compatible avec l'exercice de la vertu chrétienne. Seuls les « faux dévots » peuvent en prendre ombrage, et les « libertins » insinuer que l'homme religieux ne rit pas [2]. Cette gaîté trouve sa source et son épanouissement dans la société. Caraccioli pense que le chrétien doit être le plus sociable des êtres. Mais, en même temps, il est l'homme qui « jouit de soi » [3]. Le suprême bonheur peut se concevoir au sein d'une société dévote, où chacun jouirait à la fois de lui-même et de la réunion de tous : « Ce serait sans doute un ciel anticipé [4]. »

On mesure l'ambiguïté d'une telle morale, qui commence par une diatribe contre les fastes du monde, découvre la pourriture naturelle, agite le spectre du Jugement dernier, et qui, au lieu d'opposer à ces prestiges condamnés un idéal austère, veut prouver que le « bonheur chrétien » est la meilleure façon de jouir de soi, qu'il s'allie agréablement à la gaîté, et atteint son apogée parmi les plaisirs de la société. Quelquefois, cette curieuse doctrine oublie même son appartenance chrétienne et ne parle plus que du « sage » ou du « philosophe » [5]. Que reste-t-il de religieux dans cette alliance harmonieuse entre les plaisirs de l'esprit et les joies mondaines, dans cet équilibre raisonnable entre la sociabilité et la solitude ?

Il y a plus étonnant encore : on ne se contente pas d'assurer que l'esprit du christianisme sert à couronner le bonheur temporel, qu'il dispense les plus pures et les plus sûres jouissances, qu'il colore la

pour dénaturer nos personnes et nous déguiser ce que nous sommes et ce que nous devons être ; nos cheveux blanchissent, nos visages se rident, nos passions s'usent, nos forces s'épuisent et tout nous instruit de notre caducité. » (CARACCIOLI, *Tableau de la mort*, Préface.)

1. *De la Gaîté*, Préface, p. VIII.

2. « Le monde fourmille de libertins et de faux dévots qui, dénués de principes, croient la gaîté incompatible avec la vertu, taxent d'inconséquence et quelquefois d'irréligion tout auteur dont la morale est sévère et la conversation enjouée. Ils ignorent... que des ris innocents ne contredisent jamais les maximes de la sagesse et qu'enfin la vertu ne plaît et n'engage qu'autant qu'elle se montre sous un aspect aimable. » (*Ibid.*, Préface, p. IX).

3. « Jouir de Dieu, c'est véritablement jouir de notre être, puisque Dieu, notre vie et notre bonheur, réside en nous d'une manière qui remplit toute notre capacité. » (*De la Jouissance de soi-même*, p. 149).

4. *Ibid.*, p. 373.

5. « Rien n'est plus charmant que de voir un philosophe qui sait distribuer son temps en philosophant et en riant à propos. L'âme, toute contente et toute joyeuse d'avoir demeuré tout le jour avec elle-même, s'épanouit ensuite dans la société, et elle fait voir alors que tout le feu des passions et des sens n'approche pas de sa satisfaction. » (CARACCIOLI, *De la Gaîté*, p. 351).

félicité terrestre d'un reflet d'éternité. L'accomplissement même des pratiques dévotes devient le plus agréable des divertissements, un expédient contre l'ennui. Pour l'abbé de Gourcy, « l'esprit de dévotion rend heureux », et Trublet n'hésite pas à écrire : « Un des plus grands avantages de la sincère piété, pour cette vie, c'est qu'elle est le meilleur moyen d'éviter l'ennui... Il y a bien des petits plaisirs dans la dévotion ordinaire [1]. » Autrement dit, ce n'est plus l'intention chrétienne qui transfigure le bonheur mondain, mais les contingences de la vie mondaine qui justifient les gestes de la vie chrétienne. A la limite, le christianisme ressemble beaucoup à l'épicurisme. C'est ce que Trublet, finalement, avoue [2].

A trop s'accommoder de l'esprit du monde, la morale du christianisme renonce d'elle-même à ses fins surnaturelles. Afin de paraître aimable, elle n'hésite pas à se comparer aux sagesses profanes, à montrer que rien ne l'en sépare. En un siècle où ce qu'il reste de religion tend à se confondre avec la simple morale, dire que la doctrine du Christ confirme les maximes de l'épicurisme, c'est achever de rendre inutile tout ce qui les distingue : non seulement une éthique du renoncement, mais le contenu même de la foi [3].

En quoi consiste le pacte équivoque conclu entre la religion et l'esprit du monde ?

Sans doute y a-t-il, de la part de l'Église, quelque opportunisme.

1. TRUBLET, *op. cit.*, t. I, p. 359.

2. « La morale épicurienne est d'accord avec la morale chrétienne sur la modération dans l'usage des plaisirs. Cette modération que la Religion sévère commande, la philosophie la plus voluptueuse la conseille. Le chrétien renferme l'usage des plaisirs dans les bornes du nécessaire ; l'épicurien qui entend bien ses intérêts ne passe ces bornes que de fort peu. Au delà, dit le chrétien, le plaisir n'est plus légitime ; au delà, dit l'épicurien, il n'est plus piquant. Au delà, dit l'un, est le péché et le remords ; au delà, dit l'autre, est la satiété et le dégoût, souvent même la peine et la douleur, qui produisent le repentir. » (*Ibid.*, t. III, p. 342).

3. Si la pensée chrétienne renonce d'elle-même, afin de se concilier l'esprit du monde, à ses justifications surnaturelles, comment s'étonner que la critique philosophique réduise la doctrine du christianisme à des modes naturels, singulièrement à la recherche du bonheur, question omniprésente dont la religion ne serait qu'une réponse parmi d'autres ? Pour Diderot, il y a deux façons d'aimer Dieu : l'amour « interne », qui consiste à l'aimer en vue de son salut, et l'amour prétendu « pur », qui fait qu'on n'aime Dieu que pour le plaisir de l'aimer. Or aucune de ces deux manières ne ressemble à ce que les chrétiens appellent Charité. Le premier amour n'est qu'un amour « mercenaire » : « La créature qui aime ainsi nourrit dans son cœur une espèce d'athéisme : elle est son Dieu à elle-même. » (DIDEROT, article *Charité* de l'*Encyclopédie* ; Assézat-Tourneux, t. XIV, p. 101). Quant au second, il n'est pas beaucoup plus désintéressé : si le chrétien ne cherche que le plaisir d'aimer Dieu, c'est bien son plaisir qu'il cherche et, par conséquent, lui-même (*Ibid.*, p. 102). Voilà pourquoi il est impossible de distinguer l'amour divin du penchant naturel à la jouissance. Voilà pourquoi la charité apparaît en définitive comme une pure fiction. L'homme n'obéit qu'à un mobile : la recherche de son bonheur. C'est aussi vrai en ce qui concerne sa vie « spirituelle » que pour toutes ses entreprises terrestres. Il n'y a donc rien de surnaturel dans la religion. Un chrétien est, comme tout un chacun, un homme qui a choisi une certaine façon d'être heureux. Diderot le dit formellement. Mais la plupart des moralistes chrétiens l'avaient laissé entendre, dans leur zèle, leur lâcheté ou leur maladresse à vouloir à tout prix effacer toute cause de conflit entre le bonheur mondain et la vie chrétienne.

Il ne faut pas que les mondains puissent s'échapper : comme il demeure peu d'espoir de les rendre tout à fait chrétiens, c'est au christianisme à se faire discrètement mondain. Cette adaptation aux usages et aux sentiments naturels, cette complicité avec le jeu des passions, pourvu que soit sauvée la foi elle-même, étaient, depuis longtemps déjà, dans la tradition de la pensée jésuite.

En outre, le rationalisme classique, en laissant croire à une sorte d'unité intelligible entre Dieu, l'homme et le monde, avait rendu hasardeuse, pour la religion, l'obstination à se maintenir dans l'esprit d'une franche rupture entre le bonheur terrestre et les conditions du salut. L'alliance entre le christianisme et l'esprit mondain était implicitement contenue dans la philosophie d'un Malebranche.

De plus en plus engagés dans le siècle et vivant comme si Dieu était mort, les mondains ne s'étaient pas aperçus tout de suite de la mort de Dieu. Ils conservaient encore maints scrupules, la peur d'aventurer leur âme, et, comme ils avaient une vision harmonieuse des choses, comme ils aspiraient à savourer tout ensemble les délices un peu vives des jouissances profanes et le sentiment apaisant d'une bonne conscience, ils ne pouvaient renoncer ni aux joies du monde, ni à l'absolution du Ciel.

On assiste comme à une transposition du rationalisme sur le plan de l'instinct. Il n'y a là aucune hypocrisie. On cesse simplement d'avoir conscience d'un déchirement entre la vocation terrestre et l'appel de l'au-delà. La continuité semble parfaite entre l'homme et le monde, entre le monde et Dieu. Celui-ci ne tend plus de pièges, comme Bayle sournoisement l'en accusait. Tout au plus soumet-il sa créature à une épreuve de discernement, dont elle a toutes chances de sortir avec succès, puisqu'il lui a donné la Raison pour cela. Pas plus qu'il n'y a de piège, il n'est besoin de miracle pour conduire l'homme à sa fin dernière. Dieu ne le force plus à un pari angoissant. Il n'exige plus qu'on dise oui ou non à ce monde, en sachant que ce *oui* ou ce *non* équivaudra à un *non* ou à un *oui*, en face du bonheur éternel. C'est, au contraire, un rapport positif qu'il a établi entre l'homme et le monde, et toute la morale consiste à vivre sans l'altérer. Au simple mouvement de bascule, à quoi se réduisait naguère le choix du chrétien, succède un jeu subtil d'équilibre.

Il ne suffit donc pas d'invoquer « l'incrédulité » du XVIIIe siècle. A partir du moment où Dieu devient un objet de raison, ce n'est pas être incrédule que de penser qu'il a construit l'univers de façon raisonnable, c'est-à-dire en dehors de tout ce que la raison humaine éprouve comme un scandale. Or le pire de tous les scandales, n'est-il pas cette tentation infligée au misérable qui aurait à portée de sa main la moitié de son bonheur et qui devrait y renoncer, pour qu'on ne lui en prenne pas l'autre moitié ? Dans sa destruction de Dieu, le rationalisme procède en deux temps : avant de le supprimer, il l'humanise. Voltaire l'a justement dit : si Dieu a fait l'homme à son image, nous le lui avons bien rendu. Lui ne pense qu'au dieu barbare des fanatiques, projection idéalisée de leur propre frénésie. Il ne comprend pas que son Dieu, celui du déisme, est aussi « humain » que l'idole de ses ennemis. La seule façon d'humaniser Dieu n'est pas de lui prêter des passions ; c'est l'humaniser encore que de le feindre raisonnable, la raison n'étant qu'un attribut humain parmi d'autres.

Telle est l'équivoque du rationalisme chrétien. On ne sait jamais si c'est Dieu qui a donné la raison à l'homme, ou si c'est l'homme, doué de raison, qui a inventé un Dieu qui lui ressemble, pour se substituer à lui et reconstruire à sa place le monde [1].

2. — L'Église contre le monde.

La tentative pour équilibrer les deux morales ne va pas sans des difficultés, dont un roman de Prévost, *Le Doyen de Killerine* (1735), porte le remarquable témoignage.

Le Doyen est un curieux personnage, teinté bien souvent d'un humour délicieux. Il se proclame l'ennemi de toute compromission entre les visées chrétiennes et les exigences du monde. Bien loin d'infléchir sa religion dans le sens du rationalisme, il reste cuirassé d'un providentialisme primitif, qui n'est d'ailleurs que la forme larvaire du rationalisme : pour lui, tout est miracle. A l'émerveillement pusillanime qu'il manifeste en toute occasion, s'ajoute la volonté, incroyablement têtue, d'appliquer à la lettre toutes les maximes de l'orthodoxie morale.

La logique voudrait alors qu'il se reléguât hors du monde, puisqu'il n'en reconnaît ni les lois, ni les usages. Or le voilà, au contraire, qui fait sans cesse irruption parmi ce qu'il réprouve et qu'il ignore, entreprenant de conclure lui-même le bonheur de sa famille et de tout régenter. Se refusant à tout compromis sur le plan de la doctrine,

1. La foi fondamentale de la raison est l'*ordre*. Sans doute n'est-il pas de notion plus susceptible de prendre des sens différents. Dans la vision médiévale du monde, celle de saint Thomas d'Aquin, l'ordre se définit comme une hiérarchie, comme une dépendance entre les divers éléments du monde. Ordonner, pour les médiévaux, c'est subordonner. L'individu perd toute signfication, et l'homme n'est au centre de rien. Le rationalisme classique est bien différent du rationalisme médiéval. Il ne se distingue pas d'un individualisme, la raison n'étant plus ce qui manifeste l'ordre du monde, dont l'homme ne serait qu'une infime partie, mais cet attribut que chaque homme possède en lui, et qui lui permet d'imposer au monde l'ordre qu'il a lui-même conçu. L'ordre et l'évidence ne sont plus dans les choses, mais dans l'esprit. L'homme projette sur le monde un ordre qui est de sa pure invention. Il se voit lui-même au centre de tout. L'effort du rationalisme a pour but d'harmoniser les deux mondes, visible et invisible, non plus selon les lois d'une hiérarchie, mais en tendant vers l'unité. La terre et l'au-delà sont deux cercles, dont l'homme constitue le centre commun. Tout l'effort moral consiste à élargir peu à peu le cercle intérieur jusqu'à ce qu'il se confonde avec le cercle extérieur, sans que le centre ait aucunement varié.

il se compromet ridiculement sur le plan de l'action, mettant la pureté de ses principes à l'épreuve mortelle de l'impureté du siècle.

Bien entendu, tout ce qu'il touche dégénère en catastrophe : le monde est allergique à la morale chrétienne suivie avec intransigeance, sans le moindre à-propos. Quant au héros, Don Quichotte de farce et de mélodrame, on ne compte plus ses postures grotesques : emporté en croupe sur un cheval au galop, séquestré aux côtés d'une jeune personne par un amant jaloux, puis s'évadant par une cheminée, il se retrouve un beau jour assassin, et s'en punit en restant trois semaines sans célébrer l'office !

La leçon de ces épisodes est claire. Georges, le frère du Doyen et l'honnête homme du livre, l'explique fort bien : il fallait ou s'en tenir au Christianisme tout pur, et rester verrouillé dans son presbytère, ou se jeter résolument dans le monde, armé d'une morale sachant ajuster l'esprit de la religion aux habitudes de prudence et d'honneur qui servent de règle aux mondains. L'absolu, qui veut rester tel, ne peut pas s'introduire sans contradiction dans le champ du relatif.

Il est faux, d'ailleurs, que le monde soit le royaume du Mal. Il ne se compose que des *sentiments*, dont l'essence n'est pas le péché, mais le mystère. Mystère psychologique : le cœur n'est jamais à la mesure de la raison ; l'univers affectif constitue un milieu autonome, qui échappe au contrôle de l'esprit. Mystère providentiel : le sentiment est si irrationnel qu'il est impossible, pour cette raison même, de s'en juger responsable. Déroutantes pour le sens commun, les passions ont une signification surnaturelle qui nous échappe. Suivant en apparence les improvisations toujours suspectes de la liberté humaine, elles attestent, fidèlement et mystérieusement, les desseins de Dieu.

Le monde, d'autre part, c'est une certaine forme de sagesse, bien différente de l'éthique chrétienne, mais qui n'en constitue pas moins une morale. Celle-ci, incarnée par Georges, est la seule à pouvoir résoudre les difficiles problèmes du cœur humain.

En suggérant que la morale chrétienne consente à pactiser avec le monde, Prévost ne l'engage pas à se renier. Qu'elle admette, sans plus, que Dieu ne s'est pas seulement manifesté, une fois pour toutes, par cette Révélation que l'Église doit maintenir au niveau de l'absolu, mais qu'il se manifeste tous les jours par la Providence. *Or le domaine de la Providence, c'est justement ce monde déprécié par la Révélation.* Dieu paraît à travers toutes choses, mais surtout dans les passions humaines : d'où l'ambivalence de ces dernières. Souvent orientées vers des fins malignes, elles n'en sont pas moins innocentes dans leur principe et dans leur énergie. Le chrétien qui veut vivre dans le monde et le comprendre, ne doit lancer contre le cœur aucun anathème, mais chercher dans ses mouvements les plus étranges l'obscure volonté de Dieu.

Transiger avec le monde, c'est encore accorder valeur relative à une morale qui, pour n'être pas chrétienne, mérite mieux que le mépris. L'honneur mondain a souvent de nobles exigences. Le chrétien doit l'annexer au christianisme, convaincu que la religion ne concerne que l'orientation générale d'une âme, et qu'elle abandonne à la morale sociale et naturelle le soin des événements particuliers.

Or le Doyen ne fait rien de tout cela. Pour lui, les passions sont incompréhensibles, scandaleuses. Il ne reconnaît un sentiment que s'il se coule spontanément dans le moule de la morale chrétienne. Tout le reste n'est qu'aberration ou, comme il dit, « simple badinage ». Non seulement il demeure imperméable à toute vérité humaine, incapable de comprendre un être, de déchiffrer un cœur, de prévoir une conduite — sa cécité psychologique est étonnante ! — mais il méconnaît les intentions de la Providence, qui s'expriment par ces accidents de l'âme où il ne voit qu'incohérence, futilité et malédiction.

En outre, le code des bienséances ne lui semble qu'une mise en système, complaisante et funeste, de toutes les lâchetés, de tous les cynismes, dont se parent ces passions étroitement mondaines, devant lesquelles il est encore plus désarmé que devant l'exaltation du sentiment pur. Après avoir mis quatre ou cinq volumes à comprendre l'amour de Patrice, il découvre avec stupéfaction, dans le cœur de Georges, une nouvelle passion dont il ignorait l'existence : l'ambition !

Prévost a-t-il voulu montrer que le christianisme et le bonheur mondain sont incompatibles ? Sans doute, mais en précisant bien qu'il ne s'agit que d'un certain christianisme. A vrai dire, aucun personnage du roman n'incarne la solution idéale. On ne dépasse pas l'antagonisme statique entre le Doyen et Georges, entre le champion de la morale chrétienne pure et l'apologiste de la pure morale mondaine. Aucun des deux, probablement, n'a raison. Le Doyen est ce fléau que l'on sait, et Georges déplaît par son orgueil, son esprit calculateur, son peu de tendresse. Mais certaines illuminations fugitives du Doyen laissent entendre qu'il n'y a pas d'irrévocable rupture et qu'on peut rêver d'une réconciliation des deux morales.

Le héros selon le cœur de Prévost, c'est évidemment Patrice, cet autre Des Grieux. Or Patrice est une âme faible, incapable de se gouverner. Ni le Doyen, ni Georges ne peuvent lui servir de guide, car ils n'ont l'un et l'autre qu'une vision fragmentaire des choses. Il lui faudrait un maître à l'image de « l'Homme de qualité », qui saurait accorder la doctrine chrétienne et les maximes du monde. Le roman contient assez de références à ce chef-d'œuvre de l'harmonie morale, pour que celui-ci n'apparaisse pas seulement comme utopique.

***

Le Doyen de Killerine se situe à la charnière du problème. Philosophe avant la lettre, Prévost y dévoile une conscience aiguë des incompatibilités entre deux mondes, que tout sépare. Contemporaine de l'euphorie qui éclate dans le *Traité du vrai mérite*, sa lucidité n'est pas sans valeur. Mais son tempérament, sans cesse écartelé entre le monde et le cloître, l'oblige à désirer un compromis. Celui-ci est dessiné avec une suffisante précision. Mais Prévost omet de dire à quelle sorte d'hommes il appartient de le réaliser. Les personnages de son livre sont des dévots fanatiques ou des mondains sans conscience. Personne n'y paraît capable de concevoir une sagesse médiatrice entre le bonheur selon le monde et l'absolu chrétien.

Or c'est bien faute d'âmes sincèrement décidées à le ratifier et à le vivre que le pacte projeté s'annula bientôt de lui-même.

D'abord les mondains conservent des réticences. Résignés, en principe, à accepter les règles et les pratiques d'un christianisme raisonnable, ils ne sont pas tendres pour la dévotion : entre l'esprit du monde et l'esprit dévot, il leur semble impossible de jeter le moindre pont. Or, bien que la distance qui sépare le christianisme raisonnable de la dévotion soit aisément mesurable, peut-on encore se dire chrétien, si l'on choisit un style de vie à l'antipode de la stricte discipline religieuse [1] ? Mais il y a plus grave. Les mondains comprennent mal les valeurs morales enseignées par l'Évangile et sont peu sensibles au « mérite » chrétien. Mme de Puisieux parle en termes assez vifs de l'humilité, où elle ne voit que « la manie des idiotes » [2]. Le marquis de Lassay, dont le sentiment religieux est sincère — le billet qu'il écrit le 28 mai 1737, à 85 ans, est admirable d'abandon à la Providence — juge la direction de conscience extravagante et contraire à la charité [3]. La raison élimine de la religion ce qui la con-

1. Mme de Puisieux s'adresse à une de ses amies, qui est tentée de devenir dévote : « Si vous devenez dévote, soyez-la tout simplement : ayez un bon directeur, trois ou quatre livres de piété ; c'est assez pour être sainte, si l'envie vous en prend. Je serais bien fâchée cependant que vous vous jetassiez dans la dévotion : ce serait bien de l'esprit perdu ; car ne vous y trompez pas, on ne peut être femme d'esprit et femme dévote ; la dévotion donne des scrupules et les scrupules gênent. Les personnes dévotes fuient le monde et c'est dans le monde que l'on trouve les conversations vives et brillantes, pleines de politesse et d'enjouement, qui amusent l'esprit et exercent l'imagination... Il faut de toute nécessité renoncer aux plaisirs : les austérités de la vie pénitente ne s'accordent pas avec les satisfactions et les vanités du monde. Plus d'ajustements, plus de spectacles, adieu les discours de galanterie ; et c'est le pire. » (Mme de Puisieux, *Conseils à une amie*, p. 21).

2. *Ibid.*, p. 100.

3. « L'examen de conscience d'autrui est une pratique de dévotion qui me semble fort étrange, quoiqu'elle soit bien en usage ; pour moi, il me paraît plus *raisonnable* d'avoir beaucoup de charité pour les autres et de ne jamais jeter les yeux sur leur conduite, hors qu'elle ne soit commise à nos soins. » (Lassay, *Recueil de différentes choses*, t. III, p. 79).

tredit ou l'étonne : il est remarquable que la charité soit rangée du côté de la première [1].

Lorsque Mme de Lambert, parfaite illustration de l'esprit mondain allié aux plus hautes vertus de l'âme, rédige les *Avis d'une mère à son fils*, elle n'y place pas un mot qui soit de résonance chrétienne. Elle ne prêche que la gloire [2], l'art de plaire [3], et cette bienfaisance qui est l'exigence naturelle d'une âme sensible, non la pratique d'une idéale charité : en la nommant, elle précise qu'il ne s'agit que d'un « goût » [4].

Ce n'est pas sur le chrétien que Mme de Lambert a les yeux fixés, mais sur « l'homme extraordinaire », le « héros » [5]. La morale dont elle rêve pour son fils se résume en une phrase, qui classe l'essentiel des valeurs mondaines : « Oubliez toujours ce que vous êtes, dès que l'humanité vous le demande ; mais ne l'oubliez jamais, quand la vraie gloire veut que vous vous en souveniez [6]. » Mélange assez curieux de grandeur cornélienne et de « sensibilité ». L'amour-propre est sacrifié à « l'humanité », mais il se retrouve sous une forme héroïque, comme si l'égoïsme ne se justifiait que dans la grandeur. Il se peut que la « vraie gloire » ressemble beaucoup moins à une apothéose du moi qu'au témoignage d'une bonne conscience. Cependant, dans tout cela, aucune référence à la vertu chrétienne.

En revanche, Mme de Lambert parle beaucoup de religion, lorsqu'elle s'adresse à sa fille. Il semble que le partage se fasse ainsi : pour l'homme, une morale héroïque et sociale, d'essence purement profane, l'humilité chrétienne étant trop incompatible avec la « grandeur » ; pour la femme, une morale mi-mondaine, mi-chrétienne, où le christianisme ne constitue pas une fin en soi, mais un certain mode d'adaptation au monde, ainsi qu'un recours contre le malheur. La religion n'est, en somme, qu'une précaution contre les dangers de la société. Celle-ci est ambiguë et redoutable, on ne peut y pénétrer que revêtu d'une armure [7]. Ou la religion ne compte pour rien ou elle

1. S'indignant contre la fausse austérité de ces gens qui se mortifient, tout en manquant d'humanité et de vertu, Lassay constate que les dévots sont moins capables de mener une vie innocente qu'une vie triste et ennuyeuse : « Souvent les gens qu'on appelle dévots sont des gens d'un naturel dur et farouche, qui, se retranchant tous les péchés gais pour lesquels ils n'ont point de goût et se réservant tous les tristes, comme l'envie, la haine, l'avarice et l'orgueil, affligent toute une ville et se servent du nom respectable de leur religion pour troubler la joie où ils ne sont pas propres. » (*Ibid.*, p. 81).

2. « Tout homme qui n'aspire pas à se faire un grand nom, n'exécute pas de grandes choses ; il faut par de grands objets donner un grand ébranlement à l'âme. Rien ne convient moins à un jeune homme qu'une certaine modestie qui lui fait croire qu'il n'est pas capable de grandes choses. » (Mme DE LAMBERT, *Œuvres*, 1748, p. 4).

3. « Les hommes ne vous doivent qu'autant que vous leur plaisez. Faites en sorte que vos manières offrent de l'amitié et en demandent. Tous les devoirs de l'honnêteté sont renfermés dans les devoirs de la parfaite amitié. » (*Ibid.*, p. 27).

4. Cf. *ibid.*, p. 20.

5. Cf. *ibid.*, p. 23 et p. 6.

6. *Ibid.*, p. 43.

7. « Vous arrivez dans le monde ; venez-y, ma fille, avec des principes : vous ne sauriez trop vous fortifier contre ce qui vous attend. Apportez-y toute votre religion ; nourrissez-la dans

n'intervient qu'à titre accessoire, pour atténuer les risques et pallier les manques de la vie mondaine [1].

***

Vers le milieu du siècle, le vrai dialogue n'est plus entre moralistes chrétiens et gens du monde, mais entre chrétiens et Philosophes.

La critique « philosophique » de la religion s'organise autour de deux thèmes complémentaires [2]. Le christianisme est l'ennemi du bonheur. Il met l'homme au supplice, en l'engageant dans une voie contraire à sa destination naturelle. En outre, il est vide de tout idéal moral et cohabite rarement avec la vertu. Il porte en lui l'erreur, le mensonge et le mal.

Grâce à ce double front, la position des Philosophes semble inexpugnable. Dans un premier temps, ils se contentent d'une réfutation préalable : le christianisme n'est pas à la mesure de l'homme. Alors que tout l'homme se trouve donné dans la nature, que sa vocation est de ce monde, la religion invente une « surnature », miroir truqué où nul ne retrouve plus son visage. Le christianisme est tout entier conçu pour un homme mythique, non pour l'homme vrai.

Mais à supposer que cet homme mythique soit l'homme vrai, à supposer que ce monde relatif puise tout son sens dans un absolu, trouve-t-on ce dernier dans la religion chrétienne ? Apporte-t-elle la révélation des essences que Platon faisait espérer aux prisonniers de la caverne ? Nullement. Le paradoxe du christianisme est de ne pas contenir ce qu'il promet. Il se proclame l'unique magicien du vrai et de l'éternel, mais il est en réalité aussi enchâssé dans l'illusion, aussi noyé dans le contingent, que n'importe quelle autre secte ou

votre cœur par des sentiments ; soutenez-la dans votre esprit par des réflexions et par des lectures convenables. Rien n'est plus heureux et plus nécessaire que de conserver un sentiment qui nous fait aimer et espérer, qui nous donne un avenir agréable, qui accorde tous les temps, qui assure tous les devoirs, qui répond de nous-mêmes et qui est notre garant envers les autres. De quel secours la Religion ne sera-t-elle pas contre les disgrâces qui vous menacent ? Car un certain nombre de malheurs vous est destiné... *Enveloppez-vous du manteau de votre religion ;* elle vous sera d'un grand secours contre les faiblesses de la jeunesse et un asile assuré dans un âge plus avancé. » (Mme de Lambert, *Avis d'une mère à sa fille, op. cit.*, pp. 57-58).

1. L'honnête homme et le chrétien ne se confondent pas toujours. Évoquant dans ses *Mémoires* les divers moments de son éducation, le cardinal de Bernis raconte qu'il eut d'abord un précepteur qu'il appelle indifféremment « honnête homme » ou « galant homme », par opposition au suivant, un séminariste, « dont une dévotion mal entendue avait échauffé la tête déjà rétrécie tant par la nature que par l'éducation » : « Ce bon personnage me faisait jeûner au pain et à l'eau la veille des grandes fêtes, m'ordonnait de laisser la moitié de mon dîner pour mon bon ange, me faisait faire l'oraison quatre fois par jour à genoux sur des pointes de fer, m'ordonnait de porter des bracelets de même métal également pointus, me donnait la discipline, non pour me corriger, mais pour me nourrir dans l'esprit de pénitence. » (Bernis, *Mémoires*, 1878, t. I, pp. 11-12).

2. Diderot définit ainsi le double point de vue d'où l'on peut considérer la religion chrétienne : « Le Christianisme peut être considéré dans son rapport ou avec des vérités sublimes et révélées, ou avec des intérêts politiques, c'est-à-dire dans son rapport ou avec les félicités de l'autre vie, ou avec le bonheur qu'il peut procurer dans celle-ci. » (Diderot, *Encyclopédie*, Article *Christianisme*, Assézat-Tourneux, t. XIV, p. 143).

doctrine. Bien loin de pouvoir passer pour le truchement sacré de la conscience universelle, il ne fait que charrier, au hasard de l'histoire, les fictions et les cruautés de ceux qui abritent sous le masque du divin leurs aberrations singulières.

Tandis que certains Philosophes, tel Diderot, désignent dans la religion l'adversaire du bonheur humain, d'autres, comme Voltaire, s'acharnent contre l'imposture de l'absolu, dressant d'interminables listes de sottises et de crimes.

L'article *Christianisme* de l'*Encyclopédie* contient un exposé perfide de la morale chrétienne. L'auteur — Diderot ou un autre — feint de s'indigner contre l'impiété, qui, ne pouvant attaquer le christianisme dans sa perfection spirituelle, insinue que cette perfection même en fait le fléau de ce bas-monde [1]. Accréditant sournoisement cette thèse sous couleur de la réfuter, on énumère tous les attentats dont le christianisme se rend coupable contre le bonheur des hommes : le célibat, la condamnation du luxe [2], le fanatisme. On affirme aussitôt, il est vrai, que le fanatisme est l'apanage des autres religions et qu'un chrétien qui devient fanatique cesse par là même d'être chrétien. Dans l'*Encyclopédie*, on veut être prudent. On modère sa pensée, on la dissimule sous le paradoxe ou l'ironie, on dit le contraire de ce qu'on veut faire entendre. Dans les *Pensées philosophiques*, Diderot ne se souciait pas de ces détours et, tout plein encore de l'enthousiasme de Shaftesbury, il faisait du « bonheur » chrétien un tableau quasi hallucinant [3].

Les virulentes *Œuvres philosophiques* attribuées à Fréret consomment avec éclat la rupture entre la religion et le monde [4]. Le

1. « Qui l'eût cru que le christianisme, en proposant aux hommes sa sublime morale, aurait un jour à se défendre du reproche de rendre les hommes malheureux dans cette vie, pour vouloir les rendre heureux dans l'autre ? » (*Ibid.*, p. 147).

2. « Qui peut nier que les arts, l'industrie, le goût des modes, toutes choses qui augmentent sans cesse les branches du commerce, ne soient un bien très réel pour les États ? Or le christianisme, qui proscrit le luxe, qui l'étouffe, détruit et anéantit ces choses qui en sont des dépendances nécessaires. Par cet esprit d'abénégation et de renoncement à toute vanité, il introduit à leur place la paresse, la pauvreté, l'abandon de tout, en un mot la destruction des arts. Il est donc par sa constitution peu propre à faire le bonheur des États. » (*Ibid.*, p. 149).

3. « Quelles voix ! quels cris ! quels gémissements ! Qui a renfermé dans ces cachots tous ces cadavres plaintifs ? Quels crimes ont commis tous ces malheureux ? Les uns se frappent la poitrine avec des cailloux, d'autres se déchirent le corps avec des ongles de fer ; tous ont les regrets, la douleur et la mort dans les yeux. » (DIDEROT, *Pensées philosophiques*, VII).

4. « Tout ramène nécessairement à la tristesse et au chagrin dans la religion chrétienne ; elle ne nous occupe que d'objets lugubres. Elle nous parle d'un Dieu jaloux des mouvements de notre cœur, de nos penchants les plus naturels, qui nous interdit les plaisirs les plus légitimes, qui se repaît de nos soupirs, de nos gémissements, de nos larmes, de nos douleurs, qui se plaît à nous éprouver par des chagrins, qui nous enjoint de nous mortifier, en un mot qui contredit sans cesse la voix et les vœux de la Nature ; un tel Dieu n'est assurément pas fait pour inspirer de la gaîté... La religion chrétienne se fait un principe d'anéantir le bonheur et le repos jusqu'au fond du cœur de l'homme ; elle se plaît à l'alarmer, à le faire trembler ; elle ne peut rendre heureux que ceux qui ne l'ont point assez méditée... » (FRÉRET, *Lettres à Eugénie*, *Œuvres philosophiques* (1775), t. II, p. 56). — Nicolas Fréret (1688-1749) était un érudit universel, également versé dans les mathématiques, la physique, l'astronomie, le droit, la philosophie, les langues de l'Orient et de l'Occident, l'histoire de tous les peuples et de tous les temps. On lui attribua après sa mort des œuvres d'un athéisme extrêmement agressif, en particulier

christianisme n'est pas seulement l'ennemi des félicités intimes. Non content de condamner l'homme à trembler sous le regard de Dieu, il lui enlève sa plus douce consolation, qui est de chercher le bonheur dans l'amour de ses semblables. Le chrétien reste en marge de toute société, et nul n'en peut rien attendre. Un moraliste parlait des « charmes de la société du chrétien ». C'est un portrait bien différent que trace Fréret du dévot, qui porte la désolation dans le monde et n'y propage que sa propre aigreur. L'esprit du christianisme est trois fois opposé à la sociabilité mondaine. Dans la mesure où il est obsédé par son salut, le chrétien concentre toute sa pensée sur lui-même. Il est donc incapable d'aimer les autres. En outre, il tente de leur imposer cette morale barbare, au nom de laquelle il s'improvise accusateur et juge. Il est enfin dévoré d'une assez vilaine jalousie, lorsqu'il rencontre, lui qui est son propre bourreau, la sérénité de ceux qui vivent en profanes : tout en lançant sur eux l'anathème, il se met à les haïr parce qu'ils lui jettent au visage l'offense de ce bonheur qu'il s'est à lui-même interdit [1].

A vrai dire, les mondains considéraient eux aussi le dévot comme irrecevable dans le monde. Toute la différence est qu'ils ne pensaient à lui que comme à l'antithèse du vrai chrétien, celui-ci ayant adopté les maximes du monde et sachant se montrer sociable. Pour Fréret, c'est le dévot qui est le vrai chrétien. Il n'en connaît pas d'autre. Aussi doit-on choisir entre le monde et le christianisme. Et si, d'aventure, un chrétien voulait entrer dans le monde, il faudrait simplement qu'il cessât d'être chrétien. Pour tout dire, on finit de l'être, dès l'instant même où l'on songe à son bonheur [2].

Fatal au repos des hommes, le christianisme est, de plus, une tromperie philosophique, car il ne possède aucune doctrine de justice, aucun idéal de vérité. Ce n'est pas sur l'absolu d'une Révélation qu'il se fonde, et son devenir est purement empirique, lié à des intérêts suspects ou ignobles, qui varient selon le hasard des passions [3]. Ce

l'*Examen critique des apologistes de la religion chrétienne* (1766) et la *Lettre de Thrasybule à Leucippe* (1768).

1. « *Étrange religion sans doute que celle qui, pratiquée à la rigueur, entraînerait la ruine totale de la société.* » (*Ibid.*, pp. 57-58). « La morale chrétienne ne semble imaginée que pour dissoudre la société et pour replonger chacun des membres qui la composent dans l'état sauvage. » (*Ibid.*, p. 83).

2. « Concluons que la religion chrétienne n'est point faite pour ce monde ; elle n'est propre à faire le bonheur ni des sociétés, ni des individus ; les préceptes et les conseils d'un Dieu sont impraticables et plus propres à décourager les hommes, à les jeter dans le désespoir et l'apathie qu'à les rendre heureux, actifs et vertueux. *Un chrétien est forcé de faire abstraction des maximes de la religion dès qu'il veut vivre dans le monde ; il cesse d'être vraiment chrétien dès qu'il travaille à son propre bonheur ; il perd de vue le Ciel quand il songe à celui des autres* ; il risque d'offenser son Dieu dès qu'il a des désirs, dès qu'il vit dans la société, qui n'est propre qu'à allumer ses passions, dès qu'il se permet des plaisirs ; en un mot, un bon chrétien est un homme de l'autre monde et il n'est point fait pour celui-ci. » (*Ibid.*, p. 65).

3. « Tout le système religieux ne paraît imaginé que pour l'utilité des prêtres ; la morale des chrétiens n'eut jamais en vue que l'intérêt du sacerdoce... » (*Ibid.*, p. 73). « Dans la religion chrétienne, la morale dépend uniquement de la fantaisie des prêtres, de leurs passions, de leurs

deuxième grief complète et élucide le premier. Si la religion est étrangère à ce monde, c'est qu'elle ne propose ni Vérité, ni Justice. Or celles-ci, comme l'enseigne la morale naturelle, sont inséparables du bonheur. Le christianisme ne peut donc pas justifier les sacrifices terrestres qu'il impose à ses fidèles par la promesse d'une félicité éternelle. *S'il est incapable de rendre l'homme heureux ici-bas, c'est parce qu'il est aussi incapable de le rendre heureux dans un autre monde.* Pour livrer les clés de la béatitude, il faudrait qu'il fût une religion de Justice et de Vérité. Mais s'il était réellement cela, il aurait déjà fait le bonheur de l'humanité.

Abandonnés à eux-mêmes, les mondains n'étaient des chrétiens tièdes que pour trop aimer le plaisir. Ils continuaient, pour la plupart, à ne concevoir aucune forme de vérité et de salut en dehors du christianisme. Mais ils s'enhardissent, dès qu'on leur propose les commodités de la morale naturelle. Celle-ci est assez habile pour ne pas paraître vide de toute assurance sur l'éternité. Le mondain, si mondain qu'il soit, renonce malaisément à la griserie passagère et à la consolation ultime de l'absolu. Aussi les Philosophes déistes ne manquent pas d'affirmer que l'abandon du christianisme n'oblige pas à renier l'immortalité de l'âme. L'idée de génie n'est pas d'opposer à l'esprit chrétien l'esprit du monde, le divorce sur ce point étant déjà consommé, mais d'avoir dissocié, ce qui est infiniment plus grave, christianisme et spiritualité. D'abord à l'aide d'une critique rationaliste, plus tard en versant cette spiritualité, isolée du christianisme, dans de nouvelles formes issues de la tradition ésotérique ou inventées par l'imagination. Après avoir montré à la raison que les vraies extases ne sont pas dans la religion, on restitue au cœur, par des systèmes exaltants et d'ingénieuses mystiques, les jouissances compromises.

Voilà donc les honnêtes gens, grâce aux Philosophes, libérés du christianisme. Dans cette émancipation, le bourgeois se retrouve aux côtés du mondain. La religion est bien plus intraitable encore pour le goût des affaires que pour le goût des plaisirs. Groethuysen l'a établi de façon admirable : la bourgeoisie, tout au long du XVIIIe siècle, se constitue sans l'aide du christianisme, c'est-à-dire contre lui. Aux yeux d'une stricte morale religieuse, le mondain et le bourgeois devraient paraître également futiles, également coupables. En réalité, c'est le bourgeois qui se sent le plus étranger à l'univers chrétien, où nulle place ne lui est réservée. Le mondain, comme le « riche » ou le « pauvre », demeure en tout état de cause un *type* chrétien. Mais le bourgeois n'a pas droit de cité dans la mythologie chrétienne,

intérêts ; elle n'a jamais de principes sûrs, elle varie selon les circonstances. » (*Ibid.*, p. 79). « Toutes les idées du juste et de l'injuste, du bien et du mal, de la bonté et de la méchanceté se confondent nécessairement dans la tête d'un chrétien. Son prêtre despotique commande, au nom de Dieu, à la nature même. » (*Ibid.*, p. 80).

qui l'ignore. La morale des Philosophes, en revanche, semble aussi bien faite pour lui que pour les gens du monde. Elle réhabilite non seulement le bonheur, mais le goût du travail, l'activité, l'amour de l'argent, tous les ressorts et toutes les formes de cette vie économique, où elle montre la vraie richesse des nations.

En rassurant le mondain sur la légitimité de ses plaisirs, en flattant le bourgeois, dont elle reconnaît la noblesse, la nouvelle morale distribue les faveurs d'une large absolution. Les uns pourront jouir en paix de leur vertige, les autres de leur labeur.

Mais cette bonne conscience, la Philosophie ne l'apporte qu'en laissant flotter autour d'un solide bonheur terrestre comme une frange de spiritualité. Le dieu des déistes y sera merveilleusement propice, ainsi qu'à laisser croire à la permanence d'un ordre providentiel. On évitera ainsi qu'un monde brutalement arraché à l'enveloppement rassurant ou terrible des dogmes chrétiens n'aille basculer dans le chaos. Car le mondain, et plus encore le bourgeois, ont besoin de prévoyance et de stabilité. C'est le bonheur terrestre qu'ils réclament, non l'ivresse d'un instant. L'un et l'autre sont peu joueurs et veulent être heureux sans trop de risques. Il faut donc leur promettre que, dans un univers parfait, toutes les félicités se rejoignent.

Ainsi abandonné par le monde et voyant ses concessions inutiles, l'Église n'a plus qu'à se replier sur des positions d'intransigeance et à soutenir un duel acharné.

***

Ce n'est pas la polémique sur des questions de doctrine qui est ici en cause, mais la condamnation par l'Église de l'esprit du monde, qu'elle prétendait naguère se concilier. Tandis que Philosophes et mondains proclament que la conquête du bonheur naturel ne peut plus tolérer l'entrave du christianisme, l'Église répond que la morale chrétienne ne peut pas souffrir davantage l'esprit du monde, où tout est à l'opposé de ses principes. La réplique est ainsi parfaite, et la rupture absolue.

A vrai dire, on ne saurait affirmer qu'il existe une succession chronologique tout à fait stricte entre une attitude conciliante et une attitude intransigeante de l'Église. Il est plus vraisemblable que les deux ont coexisté. Le jésuite Croiset, auteur, en 1743, d'un *Parallèle des mœurs de ce siècle et de la morale de Jésus-Christ*, dont les conclusions sont entièrement négatives, n'en écrit pas moins dans un autre de ses ouvrages : « Souvenez-vous cependant que toutes vos bonnes œuvres, toutes vos dévotions doivent être subordonnées aux devoirs indispensables de votre état et de votre emploi [1]. »

1. P. Croiset, *Réflexions chrétiennes sur divers sujets de morale*, t. II, p. VIII.

Cependant certains symptômes indiquent un durcissement progressif. En 1736, le chevalier de Mouhy, après une multitude de romans à succès, écrit ses *Nouveaux motifs de conversion à l'usage des gens du monde,* qu'il fait précéder d'une préface significative :

« J'avais travaillé jusqu'ici par d'innocentes fictions à porter mes lecteurs à l'amour de la vertu et à la haine du vice... Il semblait que cette méthode n'avait pas mal réussi ; l'ardeur que le public montrait pour ces sortes de lectures, le fruit qu'il en tirait, la manière de raisonner de ceux qui s'y attachaient et même leur conduite étaient le témoignage que cette façon d'instruire n'était pas infructueuse et qu'elle occupait l'esprit assez agréablement pour l'empêcher de se laisser aller à des amusements bien plus dangereux. »

L'auteur reconnaît que sa « méthode » a suscité des excès, que la religion était devenue prétexte à des fictions édulcorées, voire à des inventions troubles, et que la dignité du christianisme s'en était trouvée compromise. Ainsi a-t-il résolu de s'amender : « L'ouvrage que je donne au public est une preuve de ma soumission... » Désormais, il veut aider le lecteur « à voir le monde comme il doit être vu et à faire un emploi de la vie assez sage pour ne pas regretter un jour d'y avoir été... » Il s'attache donc à prouver qu'on ne peut goûter dans le monde de bonheur véritable, que les joies y sont illusoires, les plaisirs fugitifs, que le dégoût, l'ennui et la crainte minent nécessairement toute possession. Les candidats au bonheur ont tort de faire effort pour s'adapter au monde. L'un et l'autre ne sont pas de même nature. Les désirs de l'homme sont infinis, orientés, sans le savoir, vers l'absolu. Or les réponses que peut leur apporter le monde demeurent relatives, incomplètes, dérisoires. Aussi doit-on résolument l'abandonner, si l'on n'y est pas retenu par la contrainte des devoirs. Il faudrait alors se libérer de ceux-ci, avant d'aller savourer dans la retraite un irrévocable repos [1].

Les traités de morale et les fictions moralisantes semblent ainsi de moins en moins enseigner au chrétien à vivre dans le monde, et à l'homme du monde à se faire plus chrétien. Il s'agit maintenant de « convertir » le mondain, c'est-à-dire de l'engager à se retirer du monde. L'antithèse ne joue plus entre deux modes, l'un inexorable, l'autre accommodant, de la pensée chrétienne, mais entre le monde, dépeint comme opaque à l'esprit du christianisme, et la retraite, seul parti possible pour une conscience religieuse. L'image édifiante d'une retraite succédant à une vie profane remplace le mythe rassurant

1. Charles de Fieux, chevalier de Mouhy, né à Metz en 1701, mort en 1784, est, avec La Morlière, l'un des écrivains les plus pittoresques du XVIIIe siècle. A la solde de Voltaire et du maréchal de Belle-Isle, auteur de quatre-vingts volumes de romans, il était véritablement homme à tout faire : claqueur et chef de meute au parterre, espion, plumitif, satirique, maître-chanteur, et, comme on le voit ici, professeur de morale dévote.

du chrétien parfait honnête homme. Il ne s'agit plus de mettre à l'aise ceux qui vivent dans le siècle, mais de provoquer une rupture, un arrachement, grâce à quoi l'homme du monde, jusque-là totalement séparé de Dieu, se métamorphose en un être nouveau, totalement chrétien. Désormais, comme l'écrit le jésuite Pallu en 1740, « il faut préférer le salut à tout », « il faut rapporter tout au salut [1] ».

Le *Parallèle des mœurs de ce siècle et de la morale de Jésus-Christ* ne voit plus dans la politesse mondaine que le masque, fort transparent, des vices les plus opposés à la charité. L'honnête homme est brusquement saisi comme le contraire même du chrétien. Les finesses, les inventions exquises de l'art de plaire ne font que prêter une forme charmante à tout ce que l'Église doit estimer coupable [2] : « Rien n'est plus étonnant que la conduite de ces mondains qui font profession d'être chrétiens [3]. » Il est vrai qu'ils ont tous « une connaissance assez claire des principales vérités de la religion ». Il y en a même « peu qui ignorent la morale de l'Évangile » [4]. Mais une étrange déraison les frappe pour tout ce qui concerne leur salut [5]. Aussi Croiset

1. R. P. Pallu, *Du Salut, sa nécessité, ses obstacles, ses moyens* (1740), p. 5 et p. 30.
Le Système du philosophe chrétien (1746), « par M. de Gamaches, chanoine régulier de Sainte-Croix de la Bretonnière », n'envisage pas d'autre éventualité pour le chrétien qu'un renoncement complet à lui-même, à ses joies terrestres, et même à sa raison : « Puisque nous sommes destinés à mériter le plus qu'il est possible et que, d'ailleurs, ma raison me dit que nous devons faire hommage à Dieu de tout ce que nous tenons de sa main bienfaisante, je conçois qu'il ne peut y avoir aucune forme de sacrifice que nous ne soyons obligés de lui faire ; aussi vois-je que c'est de ce principe qu'émanent les obligations qu'impose au chrétien la religion qu'il professe. Elle exige de lui que, par la pratique des vertus qu'elle consacre, il sacrifie ses goûts, les plus doux penchants de son cœur, ses plus tendres affections ; elle veut qu'à ses sacrifices douloureux, il joigne celui des lumières de son esprit, *qu'il leur préfère les obscurités mystérieuses de quantité de dogmes capables d'étonner sa raison.* » (*Op. cit.*, pp. 30-31).

2. « On dirait qu'on n'a de l'esprit aujourd'hui et de l'adresse dans le monde que pour se damner avec moins de trouble et de remords. On est vicieux, pour ainsi dire, avec bienséance. Les vices aujourd'hui les plus grossiers sont adoucis et comme spiritualisés par des airs de politesse qui les masquent. La débauche n'a plus rien d'impétueux ni de farouche. Il semble aussi que le dérèglement dans les mœurs civiles a apprivoisé la conscience, laquelle, étant moins farouche, crie moins haut. De là cette tranquillité, cette sécurité affectée dans le libertinage de ce siècle et cette prudence de théâtre au milieu même de la plus effrénée dissolution. On ne vit jamais moins de piété, moins de religion, avec de plus belles manières. *On ne sut jamais si bien l'art de joindre l'irréligion avec toutes les bienséances de la vie.* A la vérité, on a de l'horreur d'une licence tumultueuse, d'un libertinage qui fait du bruit ; une licence muette et paisible est plus du goût de ce siècle ; on condamne une impiété effrontée qui, en se montrant, se décrie ; le grand art du monde aujourd'hui est de savoir se contrefaire et se masquer. On est vicieux sans le paraître, on n'affecte point de paraître dévot, on se fait même une espèce d'honneur de ne le pas être ; on s'étudie seulement à ne se pas faire la mauvaise réputation d'être impie ou sans religion ; et on peut dire que *ce ménagement si commun fait presque tout ce qu'on appelle aujourd'hui l'honnête homme selon le monde.* » (Croiset, *Parallèle*, pp. 13-14).

3. Croiset, *Réflexions chrétiennes*, t. II, p. 147.

4. Croiset, *Parallèle...*, p. 313.

5. *Ibid.*, p. 314.
Dans un autre ouvrage intitulé *Des Illusions du cœur dans toutes sortes d'états et de conditions* (1736), le Père Croiset semblait d'un avis plus nuancé : « Le monde, écrit-il, n'est pas généralement si corrompu. Il n'y a pas aujourd'hui seulement de l'esprit, de l'habileté, de la politesse parmi les gens du monde ; il y a de la probité, de la piété, de la droiture. La Religion n'y a rien perdu de ses droits ; et grâce au Seigneur, on trouve dans toutes les conditions des gens qui savent joindre un cœur et un esprit chrétiens avec toutes les bienséances de la vie civile ; on ne peut pas cependant dissimuler que l'esprit du monde ne prévale ordinairement à l'esprit chrétien et que ses maximes ne l'emportent sur les lois de l'Évangile ; quand c'est le cœur qui prend le parti de celles-là, la concurrence est toujours désavantageuse à celles-ci. » (*Op. cit.*, pp. 25-26).

refuse-t-il la qualité de chrétien à tous les « heureux du siècle »[1].

Toutefois l'intransigeance de l'Église n'est pas absolument irréductible. Ce n'est pas le monde en tant que tel qu'elle condamne, comme pouvaient le faire les jansénistes du siècle précédent, mais une certaine façon de vivre dans le monde [2]. Le salut demeure encore à la portée des mondains opiniâtres, mais à une double condition. L'une, subjective, consiste à maintenir toute vive, parmi les divertissements, la pensée de l'heure dernière ; l'autre, d'ordre pratique, à réserver, en dépit du monde, le temps de la piété, de la prière, de la méditation. Des moralistes comme Croiset ou Mésenguy ne reprochent pas tant aux mondains extravagances et turpitudes, c'est-à-dire les fautes particulières dont ils se chargent en accomplissant des gestes défendus. Ils déplorent surtout l'immense péché d'indifférence ou d'omission qu'est toute leur attitude, leur manière d'entendre la vie. Si la condition des mondains les oblige à vivre dans le temps, leur plus grave, leur unique faute consiste à gaspiller ce temps. Parmi tous les états que comporte le monde, un seul devrait être déclaré incompatible avec le salut : celui où l'on n'aurait littéralement pas le temps de penser à Dieu [3]. Or cet état, où l'aliénation serait complète et la damnation inéluctable, n'existe pas [4].

Ce n'est donc pas le temps qui manque. Prise en elle-même, aucune condition ne s'oppose absolument au salut. Mais l'esprit du monde s'infiltre dans toutes, comme une contamination sournoise, et dissout la volonté [5]. La plupart des mondains se livrent à « la vie molle », à une vie absurde, que rien n'élève, que rien ne remplit, une façon simplement apathique de laisser couler son existence dans un flux d'occupations dérisoires, de gestes inutiles, et de divertissements qui sont à peine des plaisirs [6]. Sans doute ces brillants paresseux et ces

1. « Ces gens du monde dont toute la vie n'est qu'une continuité de fêtes, de joies profanes, de bonne chère, un tissu étudié de divertissements, ces gens qui ne font des vœux qu'à la fortune, ces femmes mondaines, idolâtres d'elles-mêmes, ces grands du monde à qui tout rit et que tout flatte : tous ces heureux du siècle croient-ils qu'ils n'ont point d'autre règle de mœurs que cette divine morale ? Croient-ils qu'il n'y a point de salut à espérer que pour ceux qui vivent selon la morale de Jésus-Christ ? La réponse embarrasse autant que le parallèle. » (*Parallèle*, pp. 347-348). C'est l'argument inverse de celui de Fréret, qui disait : « Un chrétien est un homme de l'autre monde et n'est point fait pour celui-ci. » Inspirée de principes opposés, la conclusion est la même.

2. La doctrine de l'Église n'est même pas exempte de toute équivoque. Alors que certains prêchent purement et simplement la retraite, d'autres, tout en abhorrant les excès mondains, admettent qu'il est possible de faire son salut dans le monde. Il est vrai que Bossuet l'admettait aussi.

3. « S'il était vrai qu'il y eût des professions où, avec la meilleure volonté du monde, on ne pût trouver le moindre moment pour se recueillir, je dirais sans crainte qu'on est obligé de les quitter et qu'on ne peut en conscience continuer de les exercer. Car l'œuvre de salut est une œuvre nécessaire et indispensable pour chacun de nous ; et l'on convient qu'une personne serait obligée de quitter un état de vie, où elle ne pourrait pas absolument faire son salut. » (Abbé Mesenguy, *Exposition de la doctrine chrétienne* (1744), t. I, p. XVIII).

4. Cf. *ibid.*, pp. XLVI-XLVII.

5. *Ibid.*, p. LI.

6. « Ce n'est pas seulement à la Cour et chez les grands que cette vie d'oisiveté et de plaisir domine ; la mollesse aujourd'hui semble distinguer tout ce qui n'est pas artisan, tout ce qui n'est pas peuple, tout ce qui a l'esprit du monde... » (Croiset, *Parallèle*, p. 81). « On peut dire

oisifs exténués ne restent-ils pas toujours, du moins en apparence, à l'écart de toute vie chrétienne. Craignant les risques d'une impiété flagrante, beaucoup choisissent l'expédient de la « dévotion aisée ». Selon le tempérament, celle-ci prend l'aspect d' « une dévotion de bienséance et de raison », ou d' « une dévotion d'humeur et de naturel ». Mais, dans tous les cas, le paradoxe demeure le même : « *On devient dévot sans cesser d'être mondain* [1]. »

Tel était justement l'idéal du « vrai mérite » selon Le Maître de Claville. Peu de temps auparavant, tout moraliste chrétien l'eût sans doute approuvé. Désormais même le jésuite Croiset, qui n'est pas un fanatique, ne peut donner sa caution à un compromis scandaleux.

Il existe une autre façon de trahir Dieu et de négliger son salut. Elle est l'antithèse de la première. Il ne s'agit plus de l'indolence parfumée du prétendu honnête homme, mais de l'agitation déréglée des gens d'affaires et des marchands, obsédés par la conquête des biens temporels. Leur existence, toute de frénésie, ne ressemble guère à une vie molle [2]. Mais Dieu y occupe bien peu de place. A côté du monde creux de la frivolité et de la « grandeur », émerge le monde bourgeois du travail et de la richesse. L'Église, qui se sent décidément exclue du premier, se reconnaît encore moins dans le second. Une certaine forme d'activité, l'esprit de sérieux attaché à des simulacres, sont aussi contraires au christianisme que l'oisiveté et le plaisir. Les bourgeois paraissent même plus coupables, car leur acharnement laisse entendre qu'ils croient avoir trouvé l'absolu sur terre. En ne faisant que bâiller leur vie, les mondains, du moins, n'avaient pas mis un faux dieu à la place du vrai.

Le « monde » peut s'élargir encore, jusqu'à englober une certaine pauvreté. Depuis longtemps, les pauvres étaient les bien-aimés de

que la vie molle semble caractériser aujourd'hui dans le monde les gens aisés... L'oisiveté, les jours vides, les vains amusements semblent donner je ne sais quel air de distinction et de noblesse ; et bien des gens sans qualité s'imaginent que c'est se donner du relief et faire perdre de vue l'obscurité de leur naissance, en menant une vie molle et passant leur journée dans une superbe oisiveté. » (Croiset, *Des Illusions du cœur*, t. I, p. 45). Le reproche revient implicitement à réhabiliter le monde, par un certain biais. Tout en mettant au-dessus de tout l'impératif du salut, on n'en convient pas moins que l'homme doit aussi assigner à sa vie terrestre une fin terrestre. Ne pas remplir cette fin, se détourner de sa vocation sociale, c'est déjà une manière de ne pas être chrétien : « Quand un chrétien n'aurait à se reprocher que l'inutilité de sa vie, son salut serait-il sans danger ? Des jours vides sont un crime à qui a bien des devoirs à remplir. » (Croiset, *Réflexions chrétiennes*, t. II, p. 311).

1. « On prend le parti de la dévotion, mais d'une dévotion commode, qui sait l'art d'accorder toutes les douceurs de la vie avec la rigueur salutaire de la morale de l'Évangile... On veut être dévot sans cesser d'être sensuel : joies mondaines, jeux, spectacles profanes, divertissements peu chrétiens, tout cela trouve place avec la dévotion moins farouche aujourd'hui et plus apprivoisée. » (Croiset, *Des Illusions du cœur*, t. I, pp. 67-73).

2. « Quelle plus gênante assiduité à un bureau ! Quel travail, bon Dieu, plus opiniâtre et plus sec, quelle contention d'esprit plus tendue que celle des gens d'affaires ! *En quel temps de leur vie les voit-on occupés de l'affaire épineuse et indispensable de leur salut ?* Cloués jour et nuit sur leurs livres de comptes et sur un tas de lettres et de papiers, inaccessibles à tout autre qu'à des facteurs et à des commis, invisibles à leurs meilleurs amis et souvent même à leur propre famille, toujours l'esprit bandé, toujours rêveurs, toujours la tête remplie de projets, d'incidents, de sociétés, de nouveaux systèmes de trafic et de banque... » (Croiset, *Parallèle*, p. 304).

Dieu, ceux dont le salut ne fait jamais de doute, parce que leur misère les dispense de nombreux péchés, et que leur expiation commence bien avant l'heure. Mais l'esprit du monde est si conquérant, si vorace qu'il tente de ravir à Dieu les pauvres eux-mêmes. Ceux-ci se laissent pervertir dès l'instant où ils détournent les yeux de leur vocation, surnaturelle, liée à leur condition de pauvres, pour ne plus les fixer que sur cette condition même, sans plus un regard vers l'au-delà [1].

***

Le principal argument des moralistes, dans leur refus d'exorciser le monde, consiste à répéter que les plaisirs d'ici-bas sont hors d'état d'assouvir l'immense soif de bonheur qui est dans le cœur de l'homme. Non seulement l'existence mondaine détourne dangereusement du salut, mais son orientation trompeuse entraîne, dès cette vie, la redoutable sanction d'une épuisante, d'une inutile course au bonheur.

Tout comme leurs confrères d'inspiration plus clémente, les moralistes austères se gardent bien d'opposer *bonheur* et *salut*. Toujours l'un des deux termes se ramène à l'autre. Pour les premiers, c'est le salut qui est absorbé dans le bonheur terrestre : que l'homme se pénètre sans crainte des plaisirs épurés que Dieu lui a *naturellement* destinés, et le salut lui viendra de surcroît. Pour les autres, c'est le bonheur terrestre qui s'efface au profit du salut. Seule peut être considérée comme heureuse une condition qui tend sans détour vers « notre importante », « notre unique affaire... » [2] Détaché de cette pensée, le bonheur n'est même pas concevable. Ou du moins n'est-il qu'un « être de raison », dont l'expérience atteste tous les jours l'irréalité :

« Depuis plus de 6.000 ans que les hommes travaillent à se rendre heureux, aucun n'a pû trouver encore une joie pure, un repos plein et parfait qui ait fixé tous ses désirs. Il demeure encore un vide infini que tous les plaisirs de cette vie, que tous les objets et les biens créés ne peuvent remplir. Ce n'est point pour eux que l'homme a été fait, il a une fin plus noble qui seule peut le rendre heureux et après laquelle le cœur soupire sans cesse, sans même qu'on y pense [3]. »

1. « On dirait que les sentiments, la piété même suivent la qualité de la condition où l'on est. Un habit pauvre, une maison vide, l'obscurité où l'on vit, le mépris où l'on est, bien loin de servir à nourrir, à épurer la vertu, l'affaiblissent. La misère émousse l'esprit, lorsqu'elle n'est point soutenue par une piété chrétienne. *On ne regarde son état que par les endroits qui en font le mieux sentir la bassesse, sans jamais jeter ses regards sur la divine Providence, qui a toujours en vue notre salut*... Et de là vient que les pauvres, *dont la condition est si respectable dans le christianisme*, se rendent tous les jours plus indignes des grâces que Dieu voudrait leur faire et *courent grand danger de se perdre dans un état qui a de si grands avantages pour le salut.* » (*Réflexions chrétiennes*, t. II, pp. 303-304).

2. CROISET, *Parallèle*, p. 295.

3. *Ibid.*, pp. 293-294. Ce texte est très probablement la paraphrase de la pensée de Pascal (Brunschvicg 425) déjà citée.

Bonheur et salut sont posés dans un même mouvement. Le rêve du bonheur éternel est tout entier contenu dans la convoitise du bonheur terrestre. C'est le même instinct qui s'approfondit ou se prolonge. L'inquiétude du salut n'est pas une suggestion dogmatique, mais une émotion naturelle : « Le cœur soupire. » On ne sent plus l'opposition du fini et de l'infini. L'un et l'autre se rencontrent, se rejoignent et se confondent dans le cœur de l'homme.

Le désir d'être heureux sert même de *preuve* à la vérité d'une vie éternelle. Il est impossible qu'un désir infini ne reçoive pas de réponse à sa mesure. Si celle-ci n'est pas donnée dans le temps, c'est qu'elle est promise au mode le plus achevé de l'être. Une intuition familière délivre la certitude de l'éternité : « *C'est une chose absolument certaine que l'homme est né pour être heureux et que la félicité est la fin de son être. Ç'en est une autre, qui ne l'est pas moins, qu'il y a réellement un bien dont la possession et la jouissance peut faire son bonheur*[1]. »

En dépit de la pureté ou de l'agressivité doctrinale, le problème du salut n'apparaît jamais privé de ses implications avec le bonheur. Le *faux bonheur* du monde démontre l'existence d'un *vrai bonheur*, qui n'est pas de ce monde. Comme corollaire, seules l'attente et la préparation de ce bonheur parfait proposent la mesure et l'image du bonheur terrestre.

Il ne semble plus dès lors nécessaire de conclure à une contradiction dans l'attitude de l'Église. A supposer qu'il existe, un conflit de tendances, comparable à la lutte des jésuites et des jansénistes, perd beaucoup en importance. Alleaume suggérait en 1700 qu'il fallait aussi bien des « théologiens indulgents » que des « théologiens austères »[2]. L'unité de l'Église serait, en quelque sorte, inconsciente, chaque auteur interprétant la doctrine selon son tempérament. Ainsi se formeraient spontanément les deux sectes des moralistes sévères

1. MESENGUY, *Exposition de la religion chrétienne, 3ᵉ entretien, Du bonheur de l'homme et de la vérité de la religion chrétienne*, t. I, p. 104. « Notre bonheur consiste à être unis à Dieu, comme à notre souverain et unique bien. C'est de quoi vous êtes persuadé. Or c'est la religion qui forme cette union et ce commerce intime de l'homme avec Dieu. *C'est elle qui commence le bonheur de l'homme pendant la vie présente et qui le conduit au bonheur parfait et consommé de la vie future.* » (*Ibid.*, pp. 109-110). « Quel homme avant Jésus-Christ avait jamais enseigné une doctrine pareille à la sienne sur le bonheur de l'homme et sur la vie qui y conduit ? Qui nous avait appris que Dieu est notre dernière fin, qu'il nous a créés pour être lui-même notre lumière, notre vie, *notre bonheur* ; que le ciel est notre patrie, que c'est là où est notre trésor et où doivent tendre les désirs de notre cœur ; que *notre bonheur sur la terre* consiste à croire en lui, à l'adorer en esprit et en vérité, à écouter et à garder sa parole, à faire sa volonté, imiter sa bonté et sa miséricorde, à chercher en toutes choses sa gloire et non pas la nôtre, à être affamés et altérés de la justice ? » (*Ibid.*, t. VI, pp. 182-183).

2. On a déjà dit au cours du chapitre qu'il n'était pas possible d'accréditer en toute rigueur l'hypothèse d'une *évolution*, qui distinguerait très nettement deux temps (le temps des compromis et celui de la violence) dans les relations entre l'Église et le monde. On veut dire maintenant qu'une autre hypothèse, celle d'une *dualité* à l'intérieur de l'Église, ne semble pas davantage recevable, bien qu'on ait pu citer des témoignages contemporains d'inspiration différente. C'est donc à l'*unité* qu'on conclura : unité implicite ou « inconsciente », unité tactique, unité dialectique. Mais cela doit être nuancé, en tenant compte des deux *variables* : 1° opposition des tempéraments individuels ; 2° *histoire* du problème, qui suit bien, dans l'ensemble, la ligne qu'on a indiquée.

et des moralistes conciliants, qui collaboreraient à la solidité de l'Église. Tout se trouverait alors préservé à la fois : une relative souplesse dans l'adaptation au monde et l'indispensable rigidité dogmatique. Assez forte pour se maintenir, l'Église serait en même temps assez habile pour composer.

Mais l'unité des deux thèses chrétiennes est plus évidente encore, si on les considère comme les deux premiers moments d'une dialectique. On commence par assurer que l'esprit du monde est l'antagoniste de l'esprit chrétien, que toute complaisance envers lui expose gravement le salut, qu'il y a là un choix terrible, inéluctable. Mais la démarche suivante établit que le véritable esprit mondain ne se conçoit que soutenu, épuré par le christianisme : qu'on n'espère pas devenir honnête homme, si l'on n'est pas chrétien. Dès lors, la conclusion se tire assez clairement : le christianisme, qui promet le salut, permet en outre de savourer tous les fruits de la terre. Être chrétien, c'est tout gagner à la fois. Il n'y a que la Religion qui sache faire le bonheur de l'homme, dans ce monde et dans l'autre.

CHAPITRE VI

LE BONHEUR PHILOSOPHIQUE

« La première opération de l'esprit philosophique est de considérer ce que c'est que le bonheur. »

CHEVALIER D'ARCQ, *Mes Loisirs*.

Introduction : Bonheur mondain, bonheur philosophique, bonheur chrétien. — 1. Un technicien du bonheur : Fontenelle. — 2. Un mondain philosophe ou « l'art de ne point s'ennuyer ». — 3. Le bonheur universel ou « nouveau système de physique et de morale ». — 4. Pope et l'*Essai sur l'homme*. — 5. Voltaire et Pascal. — 6. La *Théorie des sentiments agréables*. — 7. Le scandaleux bonheur de La Mettrie. — 8. Les contradictions de Diderot. — 9. La philosophie et le siècle du bonheur. — 10. La philosophie et les âmes sensibles.

On peut se demander en quoi le bonheur philosophique se distingue du bonheur mondain. Par son contenu même, il en diffère peu. Mondains et philosophes, attachés au même idéal d'équilibre, conçoivent un style de vie presque commun.

Négligeables sur le plan de l'expérience, les divergences apparaissent, si l'on confronte les deux esprits. Le bonheur philosophique repose tout entier sur le postulat qu'une *science* du bonheur est possible. Il ne s'agit pas d'un art de vivre, laissé à la libre virtuosité de chacun, mais d'une connaissance calquée sur les sciences de la nature. Il existe des *lois du sentiment*, aussi universelles et presque aussi exactes que celles du monde physique. Le bonheur philosophique ne s'inspire pas d'une morale préconçue, d'une systématisation plus ou moins mythique de l'homme ; il découle *des conditions objectives du bonheur*. Celui-ci ne résulte jamais d'un choix, ni du rêve gratuit d'une vie parfaite, mais de la découverte d'un ensemble de faits, qui constituent le « mécanisme » du cœur humain.

La philosophie ne s'en tient pas là. Son propos essentiel consiste à *inclure la connaissance de l'homme dans une vision d'ensemble du monde*. Aussitôt perçues et comprises, les réalités de l'âme sont replacées dans une pensée plus large, qui demeure en partie métaphysique. Aussi le bonheur est-il rarement saisi en dehors de toute perspective finaliste. Cette confusion, mi-inconsciente, mi-volontaire, s'explique, à la fois par le besoin de sentir des rapports permanents et déchiffrables entre Dieu, l'homme et le monde, et par un souci politique relatif à l'organisation actuelle de la société. Les deux sont d'ailleurs liés, car la société humaine fait partie de l'ordre universel ou en copie le modèle. C'est pourquoi les réflexions ou les rêveries politiques du siècle s'enveloppent toujours d'une aura providentielle [1].

Le bonheur des mondains était plus simple. Il dérivait des modes les plus spontanés de l'expérience, d'une présence immédiate au monde. Cependant les honnêtes gens se transmettaient, à travers les générations, quelques notions précieusement mûries (bienséance, politesse, honnêteté, gloire), qui leur servaient de règle de conduite, traçaient les contours de leur bonheur et leur en révélaient la substance.

L'art de vivre des mondains demeure avant tout une éthique. Il émane d'un *idéal*, non d'une *vérité*. Un La Rochefoucauld — ses maximes le prouvent — connaît fort bien le cœur humain. Mais sa morale, telle qu'on peut l'entrevoir, consiste à composer un type d'humanité quasi chimérique, qui est le contrepied de ses observations. Au réalisme psychologique, qui ne révèle que le mensonge ou la misère de l'homme, s'opposent une perfection et un bonheur imaginaires, accessibles peut-être à quelques âmes d'exception. Les principes à partir desquels raisonnent les mondains ne sont que les aspects prestigieux d'un modèle de l'homme, forgé par un esprit délibérément dissocié du réel.

En outre, la morale mondaine n'est valable que pour le monde : morale de classe, si l'on veut. Les Philosophes, au contraire, écrivent pour l'homme « universel », et les règles de bonheur qu'ils édictent doivent pouvoir être suivies par tous. Leur morale n'exclut qu'une catégorie : les « monstres », ceux qui ne ressemblent pas au commun des hommes et dont on se détourne avec horreur. L'homme universel des philosophes remplace donc l'honnête homme des mondains. A un idéal aristocratique, se substitue une idée de la nature humaine plus large, mais aussi plus abstraite. Tout en cultivant le sens du relatif, le goût de ce qui est unique ou qui change, le XVIIIe siècle n'en a pas moins vécu d'une image de l'homme plus générale encore qu'au siècle précédent. Sans doute est-ce le classicisme qui porte la responsabilité de la « nature humaine ». Mais

1. Pour les Philosophes, la connaissance du cœur humain, dont le bonheur dépend, implique toujours : 1° que les lois du sentiment sont une partie des lois générales de l'univers ; 2° que la plus importante des intentions de Dieu, dans l'élaboration d'une nature humaine, concerne l'établissement de la société. La sociabilité figure ainsi l'aboutissement ultime des lois du sentiment.

les morales de l'époque, si elles n'étaient pas tout à fait des morales de classe, appartenaient à des courants d'idées fortement spécifiques et reflétaient de multiples partis pris [1]. Elles pouvaient donc introduire plus d'une variation contingente et concrète à l'intérieur de l'archétype commun. Les Philosophes, eux, veulent exactement calquer leur morale sur leur connaissance abstraite de l'homme, la déduire sans inflexion personnelle, sans choix idéologique, de la conception toute pure de l'homme universel.

S'il est vrai, enfin, que les deux morales sont l'une et l'autre plus sociales qu'individuelles, elles n'en supposent pas moins deux notions différentes de la sociabilité. Pour les mondains, celle-ci demeure une création de l'esprit, un chef-d'œuvre de l'art. Ils ne voient dans la société qu'une rencontre accidentelle de sincérités incompatibles et de mensonges convenus, dont l'harmonie ne relève d'aucune loi immanente : un salon doit « se conduire », à la façon d'un orchestre. Pour les Philosophes, en revanche, la sociabilité est inscrite dans la nature. Une fois encore, c'est la tentation du finalisme qui l'emporte. La Providence a imprimé dans l'homme cette dialectique infinie qui permet, malgré les contradictions apparentes, d'accorder toujours le bonheur de chacun et le bonheur de tous [2].

***

Pas plus qu'entre bonheur mondain et bonheur philosophique, il n'existe de grande différence extérieure entre le bonheur philosophique et le christianisme adapté au monde. Le style de vie défini par le *Traité du vrai mérite* ressemble fort à la sagesse naturelle (insérée, il est vrai, dans un providentialisme déiste) que recommande la *Théorie des sentiments agréables*.

Le Philosophe et le chrétien ne sont pas toujours de farouches antagonistes [3]. Sur le plan de la vie concrète, les leçons de la philosophie et celles de la religion se rejoignent bien souvent, et l'on aime à instituer entre elles des parallèles qui en soulignent les similitudes [4].

1. Cf. BÉNICHOU, *Morales du Grand Siècle*, Paris, Gallimard, Bibliothèque des idées, 1948.

2. Le bonheur philosophique se distingue donc du bonheur mondain par trois traits : 1° une analyse des conditions objectives du bonheur, tirée de la connaissance des lois du sentiment ; 2° la référence à un système du monde ; 3° une certaine conception de la « sociabilité ».

Il est difficile, par exemple, de considérer le « Mondain » de Voltaire comme un écrit philosophique. On n'y dépasse pas le niveau de l'expérience et de la spontanéité individuelles : « Le paradis terrestre est où je suis. » En revanche, les *Discours sur l'homme* sont un authentique traité philosophique, car le bonheur n'y est plus l'affaire d'un tempérament brillant et explosif ; il se présente comme l'application rigoureuse des lois du sentiment, déduites d'une « nature » humaine, elle-même incluse dans une conception d'ensemble du monde.

3. Du moins en ce qui concerne la morale pratique. On n'a pas à examiner ici les polémiques d'ordre spéculatif, qui accusent les positions et augmentent l'intervalle ou la tension entre les deux sphères de pensée.

4. A propos des richesses, Trublet déclare : « La plupart des chrétiens, je dis des bons chrétiens, sont dans l'erreur à ce sujet, aussi bien que les autres hommes. Ils sont persuadés des

Quelquefois on se borne à jouer sur le sens du mot « philosophe », que certains moralistes chrétiens ont tendance à annexer : « On n'est philosophe », selon Caraccioli, « qu'autant qu'on conforme sa vie à la religion »[1]. Mais il arrive aussi qu'on soit de bonne foi. Dans les *Considérations sur le génie et les mœurs du siècle,* Soubeiran de Scopon oppose l'esprit du monde à une sorte de jumelage de l'esprit philosophique et de l'esprit chrétien, qu'il découvre installés dans les mêmes zones :

« La philosophie a quelques traits de la religion : toutes deux célèbrent la vertu et condamnent le vice ; toutes deux enseignent à mépriser le luxe, le faste, les vains plaisirs ; l'une et l'autre renoncent aux emplois et à la puissance. Les richesses leur sont à charge et les applaudissements les importunent ; elles sont au-dessus de l'opinion et des préjugés ; elles rapportent tout à la vérité éternelle ; elles n'offensent personne et elles savent endurer les injures qu'on leur fait ; elles reçoivent à peu près du même œil la bonne et la mauvaise fortune et en tirent les mêmes avantages...[2] »

La plupart des ouvrages relatifs au bonheur révèlent de multiples interférences entre les thèmes philosophiques et les thèmes chrétiens. Maupertuis, dans son *Essai de philosophie morale,* conclut à la supériorité de la morale chrétienne par rapport au stoïcisme. Celui-ci peut être considéré comme l'apogée de la raison humaine. Mais « la raison éclairée d'une nouvelle lumière » apporte des promesses de bonheur infiniment plus riches et plus sûres[3]. Peu importe que le

inconvénients des richesses par rapport au salut, mais non par rapport au bonheur. Ils seraient meilleurs chrétiens ou, du moins, il ne leur en coûterait pas tant pour l'être, s'ils étaient plus philosophes. » (TRUBLET, *op. cit.*, t. I, pp. 318-319). Lorsqu'il confronte la sagesse philosophique et la sagesse chrétienne, le même Trublet déclare que la première est plus difficile et plus exceptionnelle que la seconde : « Il n'est guère moins vrai du bonheur de cette vie que de celui de l'autre, que la plupart des hommes ne le cherchent point ou le cherchent mal. Ils suivent aussi peu la raison que la foi, ils ne sont ni philosophes ni chrétiens... Le moraliste chrétien dit aux hommes : « Vous n'êtes pas dans la voie du salut. » Le moraliste, simple philosophe, leur dit : « Vous n'êtes pas dans la voie du bonheur. » L'un et l'autre parlent en vain, surtout le dernier. La sagesse humaine est encore plus rare que la sagesse chrétienne. » (*Ibid.*, t. III, pp. 228-229).

1. *De la Gaîté*, p. 39.

2. Dans les « occasions d'épreuves », le chrétien et le philosophe sont capables du même courage, de la même sérénité à souffrir le martyre. La seule différence est que « l'un porte son sacrifice au trône de Dieu et que l'autre le fait à la Raison » : « *Les vertus du chrétien et celles du philosophe* sont la modestie, la simplicité, la modération, la prudence, la sincérité, la fermeté mâle à dire la vérité, la haine de la flatterie, l'amour du travail, de l'étude et de la contemplation ; voilà en particulier les vertus qui leur sont communes. Si les gens du monde entendaient bien leurs intérêts, *le vrai chrétien et le vrai philosophe* seraient plus de leur goût. Ils devraient les aimer davantage ; *ils ne les trouvent jamais en concurrence;* ils ne les voient point leur disputer les biens ni les distinctions qu'ils recherchent si avidement, ni même les suffrages de la multitude dont ils sont si idolâtres. » (SOUBEIRAN DE SCOPON, *Considérations sur le génie et les mœurs du siècle*, pp. 178-180). On peut se demander dans quelle mesure le mot « philosophe » n'est pas pris ici seulement dans son sens traditionnel. Il n'en reste pas moins que l'auteur a dû avoir conscience de l'équivoque et qu'il a accepté d'en courir le risque. C'est donc qu'il ne considérait pas comme une déformation de sa pensée qu'on appliquât aux philosophes de son temps ce qu'il ne disait, peut-être, que de la philosophie en général.

3. « La somme du premier système se réduit à ceci : *Cherche ton bonheur à quelque prix que ce soit.* La morale du chrétien se réduit à ces deux préceptes : *Aime Dieu de tout ton cœur; aime les autres hommes comme toi-même.* Il n'est pas difficile de voir que l'accomplissement

christianisme soit ou non « surnaturel » : il reste qu'il a su formuler d'excellentes règles de vie. Même s'il n'est pas vrai d'une vérité absolue, du moins contient-il une vérité pratique autrement précieuse. Le bonheur du chrétien demeure la meilleure justification du christianisme [1].

Les auteurs chrétiens citent fréquemment les Philosophes, qui les citent, et jouent avec eux, à l'infini, le jeu des miroirs. L'abbé de Gourcy parle souvent comme un disciple de Rousseau et construit son *Essai sur le bonheur* à l'aide de thèmes et de formules empruntés à des traités philosophiques. Il estime, en particulier, ceux de Fontenelle, de Maupertuis et de Lévesque de Pouilly. Il monte en épingle cette phrase du dernier : « Non, Jésus-Christ ne nous fait point renoncer à l'amour du plaisir et ne condamne point la vertu à être malheureuse ici-bas [2]. » A propos des deux maximes qui terminent et résument la *Théorie des sentiments agréables*, il convient qu'elles sont le « précis » de ce qu'il a dit lui-même « de plus intéressant sur le bonheur » [3]. Surtout, il manifeste envers Maupertuis beaucoup de révérence : « Écoutons un célèbre philosophe rendre à la religion un hommage raisonné et reconnaître son incontestable supériorité sur la secte dont la philosophie se glorifie le plus [4]. »

Chrétiens et Philosophes, également épris d'unité, rêvent, malgré les conflits de pensée et les tapageuses haines, d'un style de vie com-

de ces deux préceptes est la source du plus grand bonheur qu'on peut trouver en cette vie. Cet abandon universel de soi-même me procurera non seulement la tranquillité, mais l'amour y répandra une douceur que le Stoïcien ne connut point. Celui-ci toujours occupé de lui-même ne pense qu'à se mettre à l'abri des maux ; celui-là n'a plus de maux à craindre. » (MAUPERTUIS, *Essai de philosophie morale*, chap. VI : *Des moyens que le christianisme propose pour être heureux*).

1. « Il n'est pas nécessaire de regarder le christianisme comme divin pour le suivre, quant aux règles pratiques qu'il enseigne, il suffit de vouloir être heureux et de raisonner juste... Dans cette égalité de ténèbres, dans cette nuit profonde, si je rencontre le système, qui est le seul qui puisse remplir le désir que j'ai d'être heureux, ne dois-je pas à cela le reconnaître pour le véritable ? *Ne dois-je pas croire que celui qui me conduit au bonheur est celui qui ne saurait me tromper ?* » (*Ibid.*, chap. VII). Il faut sans doute tenir compte des intentions profondes de Maupertuis. Il s'agit de placer toute la vérité du christianisme dans sa morale, et non pas dans ses dogmes, par conséquent de discréditer les dogmes et, en fin de compte, le christianisme lui-même. Il n'en reste pas moins qu'en annexant la morale chrétienne à sa philosophie, Maupertuis les rapproche et admet le principe de la continuité entre les deux mondes : « *Tout ce qu'il faut faire dans cette vie pour y trouver le plus grand bonheur dont notre nature soit capable est sans doute cela même qui doit conduire au bonheur éternel.* » (*Ibid.*). Cette phrase signifie, à coup sûr, que tout ce qui, dans le christianisme, se situe au-delà de la nature ou la contredit est à la fois inutile et nuisible (nuisible quant au bonheur terrestre, inutile pour le bonheur éternel). Néanmoins Maupertuis se prononce implicitement en faveur d'une morale chrétienne, qui saurait assumer la nature de l'homme, au lieu de la nier aveuglément. Or c'est justement cette morale accommodante que proposent la plupart des auteurs chrétiens. Le philosophe ne repousse le fanatisme chrétien que pour mieux accepter un christianisme souplement accordé aux exigences de cette vie. En cela il rencontre les moralistes conservateurs, qui favorisent eux-mêmes la distinction entre un christianisme farouche et un autre plus sociable, que la « philosophie » ne peut pas condamner. Les idées de Montesquieu sur le christianisme conçu comme une doctrine du bonheur en ce monde, indépendamment de sa valeur surnaturelle, qui est incertaine et qui importe peu, sont voisines de celles de Maupertuis. D'autres philosophes au contraire, tels Voltaire ou Diderot, s'emploient à montrer que le christianisme torture l'homme.

2. DE GOURCY, *Essai sur le bonheur*, p. 236.
3. *Ibid.*, p. 225.
4. *Ibid.*, p. 276.

mun, qui serait *la synthèse de la morale philosophique et de la morale chrétienne.* Les conciliations discrètes, dont les traités sur le bonheur fournissent de nombreux témoignages, contrastent curieusement avec le vacarme public des polémiques [1].

Dans la préface de son *Anti-Émile,* Formey soutient que le bonheur des hommes résulte de l'union entre la philosophie, la religion et la politique, et il s'étonne que des philosophes de son temps cherchent à briser cette triple alliance [2]. La philosophie n'est pas faite, selon lui, pour fonder de nouvelles structures, mais pour rajeunir l'attitude des hommes envers des formes éternelles. Respectueuse des lois de la morale et de la société, elle doit simplement les rendre plastiques, les diriger vers plus d'humanité, tempérer les exigences de l'ordre par le souci du bonheur. Mais le pacte est facile à rompre. La philosophie souffre d'une tentation, qui est de se substituer à la religion et à la politique. Alors il n'y a plus de compromis possible, et il faut choisir entre les voluptés de la bonne conscience et les débauches de l'orgueil révolté. Le sixième tome du *Comte de Valmont* de l'abbé Gérard, qui s'intitule *La Théorie du bonheur ou l'art de se rendre heureux mis à la portée de tous les hommes,* et qui est un chef-d'œuvre de conformisme militant, indique avec quelle violence la rupture peut éclater [3].

Les rapports entre la Philosophie et le christianisme, en matière de morale, apparaissent fort ambigus. Il semble très souvent qu'une même sagesse réunit et confond la fidélité au sacré et la prudence profane. A d'autres moments, l'incompatibilité soudain reconnue se change en hargne. Les deux clans s'accusent mutuellement de défigurer l'homme : les Philosophes reprochent aux

1. LADVOCAT écrit en 1721, dans ses *Entretiens sur un nouveau système de morale et de physique :* « Faisons ici une réflexion très importante : c'est que la religion chrétienne est la seule qui s'accorde parfaitement avec la loi naturelle ; toutes les autres en ont altéré et violé les principes. » (*op. cit.*, pp. 11-12). En 1774, l'abbé PARA DU PHANJAS publie un ouvrage intitulé : *Les Principes de la saine philosophie conciliés avec ceux de la religion.*

2. « Le bonheur temporel des hommes dépend de l'union aussi parfaite qu'il est possible de ces trois choses : une saine religion, une saine politique, une saine philosophie. *Tout le prix de la philosophie, qui n'est d'ailleurs pas faite pour le vulgaire, consiste à épurer les deux autres sources du bonheur, la religion et la politique.* Mais il semble qu'aujourd'hui elle veuille rester seule maîtresse et victorieuse sur les débris des deux autres. Cela ne lui réussira jamais. Les hommes ne peuvent ni ne veulent se laisser gouverner par des philosophes et par la philosophie. Il leur faut des lois et un culte fondé sur des dogmes et des faits. Si la philosophie rend la législation plus humaine et la religion moins superstitieuse, on lui aura les plus grandes obligations. Si elle veut renverser le trône et l'autel, on la méprisera, on la détestera. » (FORMEY, *Anti-Émile* (1763), Introduction, pp. 7-8).

3. « Pourriez-vous hésiter un moment entre cette philosophie douce et persuasive que nous puisons dans le christianisme et celle qui, après s'être annoncée sous les dehors trompeurs de la tolérance, de l'humanité, de la bienfaisance, sous les attraits séducteurs des plaisirs des sens, de la liberté, de l'indépendance, ne nous laisse plus apercevoir, depuis qu'elle s'est montrée à découvert, que des contradictions perpétuelles avec cette nature des choses dont elle se disait l'interprète, que l'immoralité la plus complète, la plus cruelle intolérance, un vil et farouche égoïsme, la tyrannie des passions et leur honteuse servitude ? Monstrueuse philosophie, qui n'est plus qu'un athéisme plus ou moins déguisé, qui ne nous rend plus susceptibles d'énergie que pour le mal et qui n'est propre qu'à faire les tourments de ceux qui se forment à son école. » (Abbé GÉRARD, *Le Comte de Valmont*, t. VI (an IX-1801), pp. 366-367).

chrétiens d'avoir tué la nature ; les chrétiens reprochent aux Philosophes d'avoir tué la conscience morale.

I. — Un technicien du bonheur : Fontenelle.

Philosophe sans le savoir, Fontenelle est, avec Saint-Evremond l'un des plus remarquables techniciens du bonheur.

Pour tout le siècle, il fut « l'homme heureux » [1], encore que la qualité de son bonheur ait été diversement jugée. Selon Mme de Puisieux, on aime mieux la vie après avoir lu Fontenelle, mais, pour Trublet, la sérénité de cet homme sec se compose surtout de négations [2]. Enchérissant encore, Delisle de Sales incrimine sa « froide apathie ».

Le premier critère du bonheur de Fontenelle est *l'immobilité*. Le bonheur, c'est le « fond des vies mêmes », cette partie de l'être qui, sous l'allure polymorphe des gestes et des plaisirs, ne varie jamais. C'est ce qui échappe au temps : non pas l'instant devenu éternel, selon le souhait de Faust, mais ces tréfonds de l'existence que n'agitent pas les remous de la durée. Aussi est-il absurde de calculer le bonheur en faisant la somme des « instants agréables ». Ceux-ci surviennent pour tous en nombre égal. Mais la *qualité* d'une vie n'est jamais la même, et c'est cela qui compte pour le bonheur [3]. Entre plaisirs et bonheur il n'y a pas de commune mesure. Les premiers ne s'évadent jamais de la durée. Éphémères, discontinus, ils restent étrangers à l'âme, étant trop déterminés par l'objet. Seul, le bonheur pénètre en nous-même ; il descend jusqu'à ces zones profondes qui laissent s'écouler avec indifférence tout ce que le temps emporte avec lui [4]. Même l'activité d'un homme heureux

1. Cf. Trublet, *op. cit.*, t. III, pp. 254-255 et pp. 366-369 ; Mme de Puisieux, *Caractères*, pp. 173 et suiv. ; Delisle de Sales, *Philosophie du bonheur*, t. I, p. 54.

2. « Peu d'imagination, peu de vivacité, peu de sentiment. Voilà les qualités du vrai philosophe, plus heureux qu'un autre homme, simplement parce qu'il est plus maître de lui, moins vulnérable au malheur. C'est moins l'effet de ses lumières que de ce qu'il n'a que des lumières. Voilà M. de Fontenelle. » (*Op. cit.*).

3. « Les hommes connaissent à peu près le même nombre d'instants agréables. Mais si, au lieu de considérer ces instants comme répandus dans la vie de chaque homme, on considère le fond des vies mêmes, on voit qu'il est fort inégal ; qu'un homme qui a, si l'on veut, pendant sa journée autant de contentements qu'un autre, est tout le reste du temps beaucoup plus mal à son aise et que la compensation cesse d'avoir lieu. » (Fontenelle, *Du Bonheur*, publié à la suite des *Entretiens sur la pluralité des mondes*, Paris, 1724, p. 387).

4. « On entend ici par le mot de bonheur un *état*, une situation telle qu'on en désirât la durée sans changement, et en cela le bonheur est différent du plaisir, qui n'est qu'un sentiment agréable, mais court et passager, et qui ne peut jamais être une situation, un état... Celui qui voudrait fixer son état, non par la crainte d'être pris, mais parce qu'il serait content, mériterait mieux son sort : on le reconnaîtrait entre tous les autres hommes à une espèce d'*immobilité* dans sa situation ; il n'agirait que pour s'y conserver et non pas pour en sortir. » (*Ibid.*, p. 386 et p. 388). Fontenelle parle de « fixer son état », non d'éterniser un instant. Le bonheur de Fontenelle est plus « subjectif » que celui de Faust, toujours tendu vers l'objet. En outre, éterniser un instant, c'est encore exploiter la durée. L' « état » au contraire ne relève que de la fixité essentielle de l'être.

conserve quelque chose d'immobile : tous ses gestes sont comparables à ceux de l'équilibriste qui n'incline son balancier que pour se maintenir.

Mais un tel bonheur trouve-t-il à s'insérer dans la vie de l'homme, où tout est mouvement ? Comment rester immobile au milieu de tant de désordres, d'agitations, de surprises ? Comment un être lancé dans le monde pourrait-il demeurer en repos ? Il semble que notre bonheur devienne le pur effet du hasard [1].

Le seul recours consiste à séparer la vie superficielle et la vie profonde, à ménager un hiatus entre le devenir du monde et la stabilité du moi. Cela est possible, en disposant d'une certaine façon pensées et sentiments. Si nous sommes sans prise réelle sur les choses, nous pouvons beaucoup sur nous-mêmes : « Il faut convenir que cette condition est assez dure. » Mais c'est à ce prix que tous les éléments de notre bonheur restent bien arrimés au creux de notre liberté. Autrement, ils deviendraient la proie de l'accident.

Il n'en est pas moins difficile d'être le maître absolu de ses « façons de penser ». Le commun des hommes se divise en deux classes : les êtres larvaires, qui ne pensent que comme il plaît à ce qui les entoure ; les obsédés, qui sont entièrement déterminés par leurs hantises [2]. Aux uns comme aux autres, le bonheur est par définition interdit. Beaucoup appartiennent simultanément aux deux groupes et souffrent à la fois d'une incontrôlable plasticité et d'un certain nombre d'idées fixes. Entre ces deux parts, l'une trop flexible, l'autre trop durcie, de nous-même, que reste-t-il à notre autonomie [3] ?

En admettant, toutefois, qu'une fructueuse manipulation de l'âme demeure à la portée de quelques-uns, comment en fixer les principes ?

Le plus important consiste à distinguer le réel de l'imaginaire. Il y a chez Fontenelle comme une haine de l'imaginaire. A ses yeux, réalité, vérité et bonheur se confondent. Il méconnaît, par nature et par système, le prestige des rêves, l'apaisante vertu des illusions. La réalité est assez riche pour qu'on y taille tout son bonheur. Mais cette richesse est surtout restrictive. Le réel ne *produit* qu'à condition de n'être que lui-même, de ne se prêter à aucune infiltration étrangère. Au lieu de tisser autour de l'âme un réseau de figures et de mensonges, qui la préserverait en l'isolant, l'ascèse du bonheur selon Fontenelle tend à faire coïncider la subjectivité la plus secrète et l'objectivité la plus neutre, à réduire la vie intérieure à une simple perception des choses, doublée d'une imperturbable appréciation. Tout le malheur des hommes vient de la confusion du réel et de l'imaginaire : la confrontation avec un bonheur chimérique dévalue celui qui dort entre leurs

1. *Ibid.*, pp. 390-391.
2. *Ibid.*, p. 391.
3. *Ibid.*, p. 392.

mains. En même temps, ils inventent des fantômes, qui les terrifient. Le vrai bonheur est un art de jouir de ce que l'on possède, à l'écart des rêves et des phobies, une façon de remplir sa mesure exacte sans sortir de soi.

Pour y parvenir, on doit faire place nette en son âme, en chassant les maux imaginaires [1]. Ces monstres, qui par eux-mêmes ne sont rien, obsèdent l'esprit, empruntant de leur irréalité même toute leur puissance. Un seul regard tranquille, une froide estimation de leur néant, suffit à les détruire. Aucun mythe ne résiste à la lucidité [2]. Pourtant il arrive que nos maux existent : alors, « nous (leur) ajoutons des circonstances imaginaires qui les aggravent ». La plupart des hommes enveloppent leur vie réelle d'une affabulation romanesque et noire. D'une simple existence, ils font un « destin », attribuant à de malins pouvoirs le simple fruit de la malchance ou de leurs erreurs. Ils augmentent ainsi leur mal, en s'empêchant de le combattre : on peut toujours répondre à de fâcheuses contingences, mais quel recours a-t-on contre un fabuleux ennemi [3] ? Non content de transfigurer abusivement la résistance du monde, l'orgueil exige qu'on n'oppose au prétendu Destin que de nobles ripostes. On se forge ainsi une imaginaire grandeur dans la souffrance, qui installe le malheur, transforme l'accident en essence [4]. Fontenelle se méfie des afflictions intarissables : l'homme chétif n'est pas fait pour tant de constance. L'oubli n'est-il pas, aussi bien, la parade naturelle de la douleur ? Il est donc doublement sot de ne pas en profiter [5].

Mais l'imagination n'a pas fini d'être débusquée. A supposer que l'on ait éliminé les « maux imaginaires », puis épuré les « maux réels » de toute complicité avec l'imaginaire, il reste que dans « les circonstances même réelles de nos maux » l'imagination s'insinue encore. La démarche de Fontenelle, poursuivant par étapes l'imagination dramatisante jusque dans ses derniers repaires, rappelle celle de La Rochefoucauld dans sa chasse à l'amour-propre.

1. *Ibid.*, p. 393.
2. *Ibid.*, p. 394.
3. *Ibid.*, p. 395.
4. *Ibid.*, p. 396.
Saint Evremond disait : « Quand il m'est arrivé des malheurs, je m'y suis trouvé naturellement assez peu sensible, sans mêler à cette heureuse disposition le dessein d'être constant ; car la constance n'est qu'une plus longue attention à nos maux... Elle est véritablement une nouvelle gêne à ceux qui souffrent. Les esprits s'aigrissent à résister ; et au lieu de se défaire de leur première douleur, ils en forment eux-mêmes une seconde. Sans la résistance, ils n'auraient que le mal qu'on leur fait ; par elle, ils ont encore celui qu'ils se font. » (*Œuvres mêlées*, 1865, t. I, pp. 87-88). Bien qu'opposés en un sens, la résistance stoïque et l'abandon vertigineux à la douleur sont deux partis pris imaginaires, qui faussent l'estimation du malheur et empêchent de s'en guérir. La sagesse, amie du bonheur, se tient également éloignée de ces chimériques « vertus ». Elle opte pour cet empirisme que formule Montesquieu : « Dans la plupart des malheurs, il n'y a qu'à savoir se retourner. » Le stoïcien et le malheureux inconsolables souffrent précisément de ne pas savoir se retourner. Ils se figent dans une immuable attitude, qu'ils croient noble et qui les flatte.
5. FONTENELLE, *Du Bonheur*, *op. cit.*, p. 397.

Il ne s'agit plus, cette fois, de fiction pure. L'imagination cesse d'inventer. Tout son art consiste à nous faire prendre telle attitude qui lui plaît mieux qu'une autre. L'illusion n'est plus dans l'objet, mais dans la direction, dans l'intensité du regard que l'on dirige vers lui. On appuie celui-ci plus qu'il ne faudrait, on l'insinue dans de complaisantes perspectives. Aperçu de la sorte, un simple point s'étale ou s'enfle démesurément [1].

L'homme n'est pas heureux, parce qu'il aime à être malheureux. La souffrance le gonfle et le flatte. Il lui arrive de puiser dans le malheur toute son existence. Sans ce dernier, combien d'êtres médiocres se croiraient dépossédés, mis à nu ! A défaut de plus brillants prestiges, se trouver malheureux devient une raison d'être [2].

Fontenelle ne se contente pas de diagnostiquer cette sorte de masochisme moral. Semblable à ces médecins de l'âme, qui de la connaissance des aberrations et des troubles déduisent le profil de la santé, il cherche à exploiter, en l'inversant, l'aptitude à sécréter de la douleur. Si l'homme malheureux est celui qui convertit tout en souffrance, pourquoi ne serait-on pas heureux en opérant la métamorphose contraire [3] ? L'imagination peut n'être pas si mauvaise. Habilement maniée, cette maîtresse d'erreurs devient source d'euphorie. Il suffit qu'elle joue le rôle d'un filtre, qui retiendrait toutes les peines et ne laisserait passer que les joies.

Après avoir conduit la chasse au malheur, Fontenelle publie les maximes du bonheur. Toutes vont dans le sens de la restriction. Le bonheur n'est possible qu'à l'intérieur de certaines limites ; peut-être même n'est-il qu'une certaine conscience de ces limites.

La première tient à la condition humaine. Être heureux consiste d'abord à prendre exactement la mesure de l'homme et à y ajuster ses désirs [4]. C'est ensuite se contenter de son lot personnel. Au lieu d'avilir ce que l'on possède en rêvant à ce que l'on n'a pas, on doit oublier ce que l'on n'a pas et n'aimer que ce que l'on possède [5]. Surtout, c'est choisir des « plaisirs simples » et viser comme souverain bien la tranquillité [6]. Certains la confondent avec l' « insipidité » et la méprisent : « *Mais quelle idée a-t-on de la condition humaine quand on se plaint de n'être que tranquille ?* » Le repos est l'état vers lequel

1. *Ibid.*, p. 398.
2. *Ibid.*, p. 399.
3. *Ibid.*, cf. Montesquieu : « Nous pouvons nous faire des biens de tous nos biens et nous pouvons encore nous faire des biens de nos maux. » (*Mes Pensées*, 1001).
4. *Ibid.*, p. 401. Montesquieu dira de même : « Pour faire un traité sur le bonheur, il faut bien poser le terme où le bonheur peut aller par la nature de l'homme et ne point commencer par exiger qu'il ait le bonheur des anges ou d'autres puissances plus heureuses que nous imaginons. » (*Mes Pensées*, 1002). « Si on ne voulait qu'être heureux, cela serait bientôt fait. Mais on veut être plus heureux que les autres et cela est presque toujours difficile, parce que nous croyons les autres plus heureux qu'ils ne sont. » (*Ibid.*, 1003).
5. *Op. cit.*, p. 405.
6. *Ibid.*, p. 409.

l'homme, même sans le savoir, tend naturellement, la fin secrète de toute vie, la forme la plus parfaite où puisse se couler une existence [1].

Pour s'assurer du repos, il faut que les éléments du bonheur soient en petit nombre et tous à notre portée [2]. Il faut aussi éviter le changement, de crainte qu'un progrès maladroit n'aboutisse à une chute [3] : « *Celui qui veut être heureux se réduit et se resserre autant qu'il est possible. Il a ces deux caractères, il change peu de place et en tient peu.* » A cela s'ajoutent les deux dernières conditions : une bonne conscience [4] et une médiocre fortune [5].

Fontenelle sait bien que son bonheur risque de paraître assez gris : « Je conviens qu'il manque à ce bonheur une chose qui, selon les façons de penser communes, y serait cependant bien nécessaire : il n'a nul éclat [6]. » Mais l'éclat ne compte pas parmi les signes d'une vie heureuse. Les seuls indices irrécusables sont l'immobilité, l'unité, et le resserrement. Le bonheur n'est pas le privilège des héros.

La sagesse de Fontenelle a sans doute quelque chose de glacé. A aucun moment on n'y sent vibrer l'âme : pas un mot sur l'amitié, encore moins sur l'amour. Mais sa technique de vie heureuse est plus exemplaire dans son impassibilité même que celle d'un Saint-Evremond, dont la morale ne consistait qu'à choisir délicatement ses plaisirs. Son bonheur, tout personnel, restait affaire d'intuition et de goût. Celui de Fontenelle relève désormais de la seule juridiction de la raison, qui est la même pour tous.

Partant d'une estimation assez sombre de la condition humaine, Fontenelle conclut que tout le bonheur de l'homme tient à la distance qui l'éloigne de sa condition. D'où l'aspect négatif de son éthique, les perpétuelles restrictions, l'obsession des limites, et ce manque d' « éclat » dont il feint de s'accuser. Bonheur sans générosité, sans doute. Mais aussi bonheur sans couleur ni surface, qui ne vise pas à posséder le monde, mais à se faire oublier de lui. Bonheur clandestin et feutré, réfugié à l'intérieur d'une conscience nourrie de plaisirs simples et tranquilles. Bonheur construit contre le rêve, ennemi de tous les mythes, surtout de ceux qui consolent. Bonheur d'évaluation, de jugement, de mesure. Bonheur immobile et muet. Pour tout dire, le contraire même de la vie. Mais il n'est pas sûr que Fon-

1. *Ibid.*, pp. 410-411. Fontenelle fait aux passionnés la même réponse que Saint-Evremond aux Stoïciens. Ceux-ci préféraient la vertu à la volupté. Absurde, répondait Saint-Evremond, puisque c'est précisément la volupté que vous cherchez dans la vertu. Fontenelle déclare de même à ceux qui préfèrent les emportements de la passion à la sécurité du repos : Absurde, puisque, à travers les vicissitudes de la passion, vous n'aspirez qu'au repos. Autant y arriver tout de suite, en évitant un parcours aussi accidenté.

2. *Ibid.*, p. 412.

3. *Ibid.*, p. 413.

4. *Ibid.*

5. *Ibid.*, p. 415.

6. Il est vrai que le manque d'éclat est compensé par la douceur de la sécurité et du mystère. (Cf. *ibid.*, p. 416).

tenelle aime la vie. Sa confiance en elle est bien moindre que celle de Saint-Evremond, qui aimait à dériver avec le flux des choses. Le bonheur de Fontenelle est une création de l'esprit, qui, sans nier le monde, lui reste parallèle. L'existence heureuse qu'il dépeint n'est que l'ombre de la vie réelle, une image qui la reflète et la trahit à la fois.

Mais c'est justement dans cette mesure qu'un tel bonheur mérite d'être appelé philosophique. Sans doute n'y trouve-t-on pas encore une vision d'ensemble du monde. Le point de vue de Fontenelle reste celui du moraliste, de l'expérimentateur d'âmes, du technicien de la vie intérieure. Sa méthode est un empirisme résolu. Il n'en résout pas moins certaines options essentielles : haine de l'imaginaire ; refus de l'illusion, de l'exaltation, de toute expansion du moi dans le monde ; méfiance envers la condition humaine comme envers la fortune, compensée par un large espoir en l'autonomie de l'homme, qui peut se protéger contre les risques de l'existence et inventer sa propre vie. De nombreux thèmes de Fontenelle seront repris par les Philosophes. Que Montesquieu rencontre plus d'une fois sa pensée, on n'en est guère surpris : les deux hommes se ressemblent, et de Saint-Evremond à Fontenelle, comme de Fontenelle à Montesquieu, la continuité est évidente. Il est plus étonnant que la maxime de Fontenelle « *Celui qui veut être heureux se réduit et se resserre autant qu'il est possible* » se retrouve au centre de la pensée morale de Rousseau. Ce dernier répétera sans cesse qu'il faut rassembler tout son être à l'intérieur de soi, au lieu de le propager étourdiment parmi les choses, sous peine de déséquilibre et d'une vulnérabilité plus étendue.

On peut donc apprécier l'importance de Fontenelle. Son côté épicurien, sa confiance dans le pouvoir de l'esprit, servent de lien entre la morale des libertins et celle de Montesquieu ou de Voltaire. Mais son idéal d'intimité, de repliement sur soi, de distance par rapport au monde, annonce déjà la sagesse de Rousseau.

2. — Un mondain philosophe ou « l'Art de ne point s'ennuyer ».

La philosophie de Fontenelle fut d'abord exploitée par des mondains. En 1715, Boureau-Deslandes publie *L'Art de ne point s'ennuyer* [1].

1. *L'Art de ne point s'ennuyer*, par M. Deslandes, A Paris, chez Étienne Gaudeau, MDCCXV. André-François Boureau-Deslandes était né à Pondichéry en 1690. Oratorien avorté, il devint commissaire général de la marine à Rochefort, puis à Brest. Il fut membre de l'Académie de Berlin. Après s'être démis de ses emplois, il mourut à Paris en 1757. Voltaire disait de lui : « C'est un vieux écolier précieux, un bel esprit provincial. » Boureau-Deslandes était un adepte de l'épicurisme et jouait à l'esprit fort. Ses modèles furent Pétrone, Saint-Evremond, et Fontenelle. Il est l'auteur d'une *Histoire critique de la philosophie* (Amsterdam, 1737) et de *Réflexions sur les grands hommes qui sont morts en plaisantant* (Amsterdam, 1714).

L'ouvrage ne dépasse guère le cadre et les thèmes de la morale des salons. Mais il se préoccupe de donner à celle-ci une âme ainsi qu'une méthode. Il s'agit d'expliquer comment l'art de vivre en société peut se prolonger en une science de la vie intérieure. Le monde ne remplit pas tous les moments d'une vie, et ses plaisirs ne nous touchent que si les sentiments vont à leur rencontre, si nous sommes capables de les prolonger par d'intimes résonances, si nous savons les spiritualiser. Ils ne deviennent en particulier source de jouissance, qu'au moment où ils glissent de la sensation immédiate à l'impression remémorée [1]. Par un retour sur les plaisirs passés, l'esprit les approfondit, les affine, y découvre des « délicatesses » non encore aperçues, de nouveaux « rapports », et c'est alors que commence la vraie volupté. Les plaisirs, autrement, ne sont que des passe-temps mécaniques, et non ce qu'ils doivent être pour entrer dans la composition du bonheur : des états d'âme [2].

On ne peut rêver de plus parfaite conciliation entre la vie mondaine et la vie intérieure. C'est la première qui nourrit l'autre, lui fournit substance et matière, lui donne un corps. Mais c'est dans la rêverie et la méditation que les joies du monde puisent une âme. Le bonheur mondain aboutit ainsi paradoxalement au bonheur de la solitude [3]. Celle-ci ne sert pas seulement à distiller des sensations trop épaisses, à ranger une fébrile récolte ; elle possède un prestige propre, qui balance celui du monde. Dans la solitude se cristallisent de précieuses images suscitées par le rêve du repos [4]. Moins l'homme a de rapports avec les objets brillants qui l'entourent, moins il se sent contraint ou en

1. « J'ai remarqué que ceux qui aiment le plaisir sans aucun discernement tombent dans un chagrin mortel, dès qu'ils se trouvent seuls. Incapables de se flatter, ils paient par des retours cuisants les sensations fines et galantes qu'ils ont eues ou à un concert exquis, ou à une table splendide : on dirait que la nature se repent de leur avoir été trop favorable ; elle a, au contraire, toutes sortes de ménagements pour *ces débauchés spirituels qui tâchent d'égayer leur raison et de la rendre libertine;* partagés entre les plaisirs et les réflexions, ils savent l'art d'en faire un mélange heureux : l'esprit brigue souvent l'amitié du corps. » (*Op. cit.*, pp. 29-30).

2. « Ovide qui était un grand maître dans la science de vivre délicatement a dit plus d'une fois que les moments de la vie les plus flatteurs lui paraissaient ceux où l'on réfléchissait sur les plaisirs qu'on avait eus ; c'est alors que l'esprit prend diverses formes, qu'il change souvent de situation et qu'il devient un véritable Protée : dans la vue d'examiner attentivement l'objet qui a su lui plaire, il en étudie tous les rapports, il se retrace mille petites délicatesses dont il a brigué l'heureux secours et qu'un sentiment trop vif avait dérobées à la connaissance. » (*Ibid.*, p. 30). Deslandes ajoute aussitôt : « Je souhaite que cette maxime ne soit point entendue de tout le monde. » (*Ibid.*, p. 31). C'est-à-dire que le bonheur auquel il pense demeure d'essence *aristocratique.* Cela est directement opposé à l'esprit philosophique, qui ne travaille qu'au bonheur de l'homme *universel.*

3. « On voit par là de quel prix doivent être les moments où nous nous trouvons seuls ; il n'y a personne qui ne puisse se ménager un certain fonds de pensées délicieuses pour s'en servir avec art... Chacun doit s'assurer d'un certain nombre d'idées vives et touchantes, pour s'en servir dans les occasions où les idées étrangères lui manquent... Les plaisirs n'ont point seulement une utilité présente : ce sont des semences agréables que le cœur reçoit et qu'il développe quand l'occasion s'en mêle. » (*Ibid.*).

4. « L'esprit retrouve dans la retraite cette douce liberté dont dépend sa force et sa délicatesse. C'est là que les passions perdent ce qu'elles inspirent de trop audacieux et que le cœur n'emprunte rien de l'art : ses sentiments sont vifs sans hardiesse, agréables sans nonchalance... » (*Ibid.*, p. 55).

péril. L'allègement et la sécurité sont les secrets désirs de toutes les évasions [1].

Mais si la vie mondaine entraîne l'âme vers d'imaginaires retraites, il se produit un reflux, par quoi le désert la restitue au monde. Tout le charme de la littérature romanesque tient à cette ambiguïté, à cette oscillation. Ainsi la « galanterie », forme suprême de la sociabilité, est le pur fruit de la solitude pastorale [2]. Mais, aussitôt après s'être attardé auprès des bergers, Boureau-Deslandes fait l'apologie des capitales et assure qu'il n'y a que trois endroits où un « homme d'esprit » ne s'ennuie jamais : Rome, Londres et Paris [3].

Il semble qu'une dialectique inachevée soit le mouvement naturel de l'âme. Celle-ci, en tout cas, n'est satisfaite que par le nombre et la diversité de ses goûts [4]. L'art d'être heureux se ramène à un *art de sentir,* lui-même issu d'un pacte entre la réflexion et l'activité [5]. Le vrai « sentiment », celui qui compte pour le bonheur, n'existe que sur fond de raison. De même que cette dernière est triste, si elle n'est pas tournée vers les plaisirs et les gestes de la vie, le sentiment est redoutable, lorsqu'il se fixe sur des objets que l'on n'a pas déjà traités par la raison. Ce n'est donc pas *passionnément* qu'il faut sentir pour être heureux. Pourtant il y a dans la nature des passions comme une vérité profonde. Le bonheur consiste à la saisir, tout en s'éloignant des objets qui constituent des tentations trop immédiates : « *Pour bien sentir, il faut rejeter toutes les passions qui viennent de la nature et en faire d'autres sur leur modèle* [6]. » Formule singulière et intéressante. Le « bien sentir » porte un accent résolument normatif. Mais la pensée

1. « On ne se plaît à la lecture de l'Astrée ou à celle des poésies pastorales que parce qu'on y trouve l'image d'une vie tranquille. Destinée aux inclinations les plus agréables, elle représente une nonchalance délicieuse et préférable aux mouvements de l'ambition la mieux récompensée. » (*Ibid.*, p. 57).

2. « Nés dans le sein de l'abondance, les bergers n'ont d'autres emplois que ceux qu'une paresse ingénieuse caractérise. La Nature toujours riante et qui ne cherche point à tromper leurs regards les presse de jouir de la vie. Mille riens amoureux, un badinage léger, des bagatelles qui échappent à d'autres yeux les occupent. Enfin la tranquillité charmante dont on jouit à la campagne semble avoir fait naître la galanterie. » (*Ibid.*, p. 54).

3. Cf. *ibid.*, chap. VII, *De la préférence que les grandes villes méritent sur celles qui sont moins fréquentées.*

4. C'est la grande idée du livre : « Plus on a de goûts, plus on vit heureux. » (*Ibid.*, p. 87). « Plus on sent, moins en s'ennuie. » (*Ibid.*, p. 135). « Le véritable bonheur se trouve dans les sentiments. » (*Ibid.*, p. 140). Deslandes explique successivement ce que doivent être les charmes d'un « bon repos », en quoi consiste « le génie propre à animer la conversation », quels sont les « caractères ennuyeux » qui gâtent la vie mondaine, et dans quelles occasions il faut avoir recours à la lecture : « Il y a un vide dans la vie qui ne peut être occupé ni par les affaires, ni par les plaisirs. Ces moments qui paraissent en quelque sorte jetés au hasard sont les plus difficiles à remplir. Par conséquent il faut beaucoup d'adresse pour leur faire un visage gracieux. On est soutenu par les affaires, on est entraîné par les plaisirs. L'esprit ne peut alors s'étudier ; mais l'intervalle qui se trouve entre les affaires et les plaisirs doit être destiné à la lecture. » (*Ibid.*, pp. 113-114). Parfait équilibre, qui ménage harmonieusement et fait habilement se compenser l'activité, le divertissement et le recueillement.

5. « La raison est triste et même inutile quand elle veut nous mettre au-dessus de tout par les pensées. Elle devient flatteuse et charmante en nous ramenant à tout par les actions. Voilà proprement l'art de sentir. » (*Ibid.*, p. 135).

6. *Ibid.*, p. 141.

ne sort pas du champ de l'empirisme. Tout l'esprit de la morale « philosophique » est déjà dans cette confusion [1].

3. — Le bonheur universel ou « Nouveau système de morale et de physique ».

Le bonheur philosophique n'est, on l'a dit, à aucun titre un bonheur de l'individu. Son essence est d'être *universel*, car il se déduit de la nature humaine.

En 1721, Ladvocat, l'auteur d'*Entretiens sur un nouveau système de morale et de physique* [2], s'étonne que le bonheur visé par les hommes revête mille formes dissemblables. Pourtant on ne peut en concevoir d'autre que celui dont la nature humaine détient la clé et qui est, par conséquent, le même pour tous. Pour en retrouver les thèmes essentiels, il faut remonter aux principes simples qui constituent l'homme, à l'immuable contenu de la loi naturelle [3]. Ces principes se trouvent réduits à trois : « Je pose les fondements du système que je veux établir sur le soin particulier que l'homme a naturellement de sa propre conservation, sur la liaison qu'il a contractée avec la société civile, et sur l'union qu'il doit avoir avec lui-même [4]. »

Le bonheur peut être défini comme l'état où l'on aura satisfait à une triple exigence : l'instinct de conservation ou l'amour de soi, qui est la justification profonde de tout ce que l'homme entreprend pour rendre son existence agréable ; l'unité intérieure, signe que cet instinct n'a pas mordu sur la loi morale, destinée à le contenir et à le régler ; la sociabilité, qui précise le sens de cette loi et qui ajoute à la sécurité de l'unité intérieure celle de l'union entre tous les hommes, d'où se tirent les vrais plaisirs.

L'homme est donc toujours identique à lui-même, et l'on doit considérer la morale comme une science rigoureuse :

1. Deslandes est également un « philosophe » dans la mesure où il esquisse une vague théorie des rapports entre la raison et la nature. Il les conçoit comme différentes : *la raison « rejette » la nature*. Cependant il existe entre elles une harmonie possible, sinon préalable, puisque *la raison imite la nature*. *L'Art de ne point s'ennuyer* pourrait ainsi indiquer l'instant du passage de la morale simplement mondaine à la morale « philosophique ».

2. *Entretiens sur un nouveau système de morale et de physique ou la recherche de la vie heureuse selon les lumières naturelles*. A Paris, rue Saint-Jacques, chez Jean Boudot et Laurent Rondet, MDCCXXI. Barbier attribue l'ouvrage à L. F. Ladvocat, doyen de la Chambre des comptes à Paris, qui ne figure pas dans la *Biographie universelle* de Michaud.

3. « Il n'est pas moins surprenant que la règle des mœurs, qui est la base et le principe de ce bonheur qu'il cherche, ait été si fort négligée jusqu'à présent, que personne ne nous en ait donné un système assez bien fondé pour établir la *méthode universelle*, sur laquelle le genre humain peut se conduire. Car s'il est certain que la raison donnée à tous les hommes par l'auteur de la nature ne soit que d'une espèce, il sera vrai aussi qu'il n'y a qu'une manière de s'en bien servir, et si l'on raisonne différemment, c'est que l'on n'est pas instruit de ces *principes universels de la loi naturelle*, commune à tout le monde, suivant lesquels toutes les conséquences devraient être uniformes. » (*Op. cit.*, préface).

4. *Ibid.*

« Je dis que les idées que nous avons du bien et du mal, du plaisir et de la douleur sont entendues de toutes les nations de la même manière... De même, comme les idées de plaisir et de douleur nous viennent par la voie des sens et de la réflexion, tout le genre humain étant pourvu des mêmes facultés, elles doivent être semblables... Il est donc inutile d'opposer qu'il n'y a rien de certain en fait de morale. Je conviens que les mœurs différentes des nations, la différence des climats qu'ils (*sic*) habitent leur donnent des coutumes différentes et différentes opinions sur cette matière ; mais je soutiens que les idées générales que nous devons avoir des principes universels que je viens d'avancer ne changeront jamais. Il sera toujours vrai de dire que, partout où il y a des pays habités, il y a des sociétés, que toutes ces sociétés ont des lois pour maintenir l'ordre et l'union dans leur gouvernement, qu'elles proposent des récompenses à ceux qui les observent et des punitions à ceux qui les violent, que ce qu'elles nomment vertu sera toujours louable et ce qu'elles nomment vice sera digne de blâme ; que le juste et l'injuste doivent être toujours réglés selon la loi de la Nature, quoique la loi positive y apporte quelquefois de l'altération ; enfin que les bonnes actions sont toujours accompagnées de bonheur et de plaisir, et les mauvaises de misère et de douleur [1]. »

Texte édifiant, notamment par ses faiblesses. Ladvocat affirme, ce qui est l'évidence même, qu'il n'existe pas de société sans un *ordre*. Voilà, sans doute, un fait universel. Mais les fondements et le contenu de cet ordre peuvent varier à l'infini. On ne conteste pas à l'auteur que la vertu est toujours méritoire, mais c'est pure tautologie, puisque la vertu est justement le nom que l'on donne à tout ce qui semble méritoire, ou que l'on a quelque raison de juger tel. Le point litigieux consistait à établir si le mot *vertu* et le mot *vice* désignent en tous moments et en tous lieux la même réalité. Or Ladvocat l'escamote. Voltaire, plus tard, le résoudra brillamment, mais par la négative.

On voit aussi qu'il ne faut pas être dupe du « relativisme » de ce temps. Peu d'époques, dit-on, furent plus captivées par la diversité des formes, par la bigarrure de tous les modes concrets de la vie des hommes. Mais toujours cette quête du particulier, de l'exotique, est conduite selon un certain dessein : découvrir sous le chatoiement la stabilité profonde, sous l'incohérent et le pittoresque ce qui est immuable et qui signifie. Collectionner les échantillons du bizarre est un jeu, masquant une autre recherche. Ce qui importe, c'est de faire surgir des vagues de l'histoire la *Nature* et son invincible éternité.

Enfin, lorsque l'auteur de ces lignes considère les variations et les contingences qui ont l'air de disperser à tous vents sa morale universelle, il songe seulement aux « nations » et ne semble pas concevoir d'autre forme du particulier. Il ne pense pas qu'il puisse s'introduire parmi les hommes d'autres raisons de ne pas être tous les mêmes que

1. *Ibid.*, pp. 43-46.

ces traditions et ces modes qui donnent à chaque peuple son visage. Il oublie l'unique vérité du bonheur intime, qui ne se nourrit que de lui-même. Qu'il s'agisse du secret de chaque âme ou des rites de chaque société, le XVIIIe siècle ne saura pas faire la différence entre ce qui n'est rien et « ce que jamais on ne verra deux fois ».

Pourquoi cet engouement pour l'universel, cette panique devant l'idée, vite chassée, que l'homme pourrait ne pas être, partout et toujours, *le même ?*

Sans doute parce qu'il fallait constituer l'homme comme *puissance*. L'homme du XVIIIe siècle doit être mieux cuirassé que celui du siècle précédent, car il est devenu l'homme qui se dresse contre Dieu, celui que Karl Barth appelle l'homme « absolutiste », voulant dire que c'est à lui seul désormais qu'il incombe de tout créer. Dans cette entreprise d'une étrange audace, l'homme-antagoniste devait revêtir la force et s'armer du prestige de l'homme universel. Il exigeait la mort de l'individu. L'un ne pouvait se rendre redoutable qu'au prix de l'effacement de l'autre. Il faudra une deuxième révolte pour se délivrer de la tyrannie de l'homme universel et installer à sa place l'individu-roi. Il n'était pas concevable de passer brusquement du royaume de Dieu à l'apothéose du moi. L'homme universel du XVIIIe siècle assure l'interrègne. Il est cet archétype dans lequel tous les individus se fondent pour en émerger invulnérables, comme Achille après les eaux du Styx. C'est une naïveté, sans doute, d'avoir imaginé qu'une abstraction pût aisément s'incarner en une armée d'hommes bien vivants, marchant tous au même pas. Mais il faut de la discipline, quand on veut faire reculer Dieu.

Voilà pourquoi le bonheur ne peut être qu'universel, c'est-à-dire *accessible à tous* et *le même pour tous*. Double conséquence normale, s'il est vrai que le bonheur se déduit mathématiquement de la nature de l'homme [1]. Dans la formule *bonheur universel*, le second terme fait contrepoids au premier, efface autour de lui tout halo de culpabilité. Le bonheur de tous sanctifie le bonheur de chacun, fait oublier ses limites, la sécheresse de ses calculs. Cet homme que brûle la soif de vivre et qui n'a plus de Dieu qu'une idée conventionnelle, n'en conserve pas moins un besoin d'absolution. S'il est vrai que le bonheur est universellement possible, c'est qu'il est bien la destination de l'homme. Justification après coup, qui confirme la justification préalable inscrite dans le simple désir d'être heureux. En se rendant tel, on n'usurpe rien, on ne fait que réaliser un bien virtuel. Comment, d'autre part, un homme aurait-il honte de son bonheur, puisqu'il sait que tous ses

1. Le *Journal de Trévoux* d'avril 1722, rendant compte du livre de LADVOCAT, déclare : « C'est dans ce dessein qu'il essaie un nouveau plan de morale où tout est réduit à des principes certains et géométriquement démontrés ; on n'a plus qu'à se laisser aller au cours libre des conséquences. » (*Op. cit.*, pp. 1435-1448).

semblables peuvent le partager ? Si certains y ont échoué, c'est par leur faute. Il leur suffisait de mieux déchiffrer la nature et de s'aider de la philosophie, qui est à la portée de tous [1].

4. — Pope et l' « Essai sur l'homme ».

L'*Essai sur l'homme* de Pope constitue la première expression d'une morale de l'homme universel. Il répond ainsi, en 1733, au vœu que formulait Ladvocat, en 1721.

Avec Pope, l'homme universel revêt un double sens. Il n'est pas seulement l'archétype qui transcende les individus, mais surtout l'homme situé à sa vraie place dans l'univers. Le destin de l'homme ne dépend plus du lien personnel et secret unissant à Dieu, qui seul la connaît et la juge, la conscience individuelle, mais du rapport objectif, immuable, entre l'homme et le monde. L'homme n'est plus ce nœud mystérieux de la création dont parlait Pascal ; il devient « une partie du tout ». Cessant d'être pris pour le centre du monde, il demeure à son rang dans l'ensemble des créatures, et on ne peut le comprendre qu'en l'immergeant dans la totalité des êtres. L'énigme qui l'enveloppait se dissout alors dans la transparence de sa nature. Il est inutile de mobiliser un paradoxe en revendiquant simultanément pour lui la perfection des anges et les « qualités corporelles des bêtes ». La part de l'homme devient claire et indivisible : c'est « la raison », qui le « dédommage » de « toutes les qualités que les bêtes ont au-dessus de lui » [2].

Plus exactement, deux principes se partagent sans contradiction la nature humaine : la raison et l'amour-propre, l'un et l'autre également nécessaires. Le second est le principe dynamique qui recèle toute notre énergie et communique à l'âme son mouvement. La raison constitue l'élément modérateur, qui retient et contrôle :

« N'appelons point l'un un bien, l'autre un mal : chacun produit sa fin ; l'un meut, l'autre gouverne. Ce qui convient à leur coopération doit être appelé bien, ce qui leur répugne doit être appelé mal... Sans l'un de ces principes l'homme serait dans l'inaction et sans l'autre il serait dans une action sans fin [3]. »

1. Cf. Beausobre, *Essai sur le bonheur*, pp. 177-178 : « La philosophie est faite pour tous les hommes... Tous les hommes sont appelés à participer à ce trésor, parce que tous les hommes ont une raison que le temps développe et que les maîtres perfectionnent. »

2. « Dans l'univers visible, il y a un ordre et une gradation générale... Cet ordre et cette subordination des créatures vivantes peut s'étendre encore beaucoup plus loin, tant au-dessus qu'au-dessous de nous... Une partie du tout qui sortirait de sa place, romprait la connexion de la totalité des choses. » (Pope, *Essai sur l'homme*, traduction par M. de Silhouette, Paris, 1736, 1re Épître, *De la nature et de l'état de l'homme par rapport à l'univers*.)

3. *Essai sur l'homme*, 2e Épître. *De la nature et del 'état de l'homme par rapport à lui-même considéré comme individu*, p. 29.

Le bien n'est pas le triomphe de la Grâce sur la nature, encore moins un assouvissement des impulsions naturelles. Il consiste en un équilibre des deux principes de notre être, en une harmonieuse conciliation du mouvement et du repos. Le mal, c'est la dualité, le déchirement, la passion qui submerge ou la raison qui paralyse. L'idéal moral ne se distingue donc pas du bonheur, puisque tous deux peuvent se définir comme le rythme parfait de la vie intérieure.

Un tel accord ne réclame ni tension excessive, ni effort périlleux : « L'amour-propre et la raison tendent vers une seule fin : la peine est leur aversion, le plaisir est leur désir. » Il suffit donc de compenser l'impétuosité de l'un par la froideur de l'autre. Le compromis à réaliser ne concerne nullement le domaine des fins, où l'harmonie est naturelle et comme préétablie. Il s'agit simplement de composer entre elles deux allures.

La collaboration facile de la raison et de l'amour-propre apparaît clairement dans la passion dominante. Celle-ci est la projection sur un unique objet de toute l'énergie de l'amour-propre. Contre cet élan qui rassemble toutes les forces de l'être, il serait vain que la raison s'armât. Elle ne peut que l'approuver et le suivre. Le plus souvent elle n'a pas à se faire violence, étant déjà engagée dans le choix de l'objet que la passion magnifie [1]. Cette unité dynamique, qui est un état de grâce, ne débouche pas seulement sur le bonheur, mais sur la vertu. Pour celui dont la raison a pleinement assumé la passion dominante, vertu et bonheur se confondent. L'une consiste à suivre avec rectitude la ligne que la passion découvre, l'autre résulte de ce mouvement même [2].

La vertu selon Pope se rencontre ainsi « mêlée à la nature ». Au lieu d'avoir à se crisper, à remonter une pente, elle est spontanément animée par l'ivresse des passions. Quant à celles-ci, elles ne sont plus tenues de se sacrifier pour laisser la place à une vertu qui s'installerait sur des ruines. La vertu est contenue dans la passion même. C'est à la raison de l'en extraire.

Cependant chacun ne cède à sa passion dominante que pour atteindre le bonheur convoité. Il appartenait à Dieu d'ordonner entre elles ces poursuites individuelles et d'en composer le bonheur général [3]. Il ne dédaigne rien dans cette tâche. Bien loin de ne songer qu'à l'éternel, c'est la matière même de nos destinées terrestres qu'il modèle sans cesse, pour nous construire ici-bas le plus habitable des

1. Cf. *ibid.*, pp. 38-39.

2. « L'Artisan éternel tirant le bien du mal ente sur cette passion nos meilleurs principes. C'est ainsi que la mesure de l'homme est fixée. *La vertu, mêlée à la nature, en devient plus forte.* Ce qu'il y a de grossier consolide ce qu'il y aurait de trop raffiné ; unis d'intérêts, le corps et l'esprit agissent de concert... Les passions servent à fixer nos principes et à les fortifier. » (*Ibid.*, p. 39).

3. *Ibid.*, p. 44.

séjours. Tout lui est bon, même les défauts et les vices. La Providence sait rendre les hommes heureux en les prenant tels qu'ils sont. Dieu ne désavoue pas son œuvre. Il est assez puissant pour tailler dans la nature même de quoi bâtir son plus bel ouvrage : l'harmonie de l'univers.

Après avoir envisagé l'homme par rapport à l'univers, puis dans sa nature prise en elle-même, Pope le considère « par rapport à la société ». Celle-ci n'est qu'un cas particulier de l'harmonie universelle, car « tout l'univers est un système de société » :

« Considère le monde où tu es placé, examine cette chaîne d'amour qui rassemble et réunit tout, ici-bas comme en haut... *Il n'y a rien d'étranger :* toutes les parties sont relatives au tout. L'esprit universel, qui s'étend partout, qui conserve tout, unit tous les êtres, le plus grand au plus petit... Rien n'est fait ni entièrement pour lui-même, ni entièrement pour les autres [1]. »

« Il n'y a rien d'étranger... » Tout le XVIIIe siècle se retrouvera dans ce mot, avec son besoin de tout connaître et de tout comprendre en ramenant à l'essentielle unité la diversité des apparences. « Lumières » et « sentiment » ne sont pas, comme on l'a cru, deux facultés ennemies ou disjointes, mais deux aventures très voisines, tendant toutes deux à restituer au monde sa vraie plénitude. Le cœur et l'esprit travaillent, ensemble ou simultanément, à élucider les innombrables rapports qui enveloppent si bien toutes choses, unissent si intimement tous les êtres, que rien n'a de sens, arraché à tout le reste, et que nul ne peut être heureux tout seul. Dérouler l'univers d'un seul regard, confondre en une même ferveur tous les hommes, tel est le but de ce siècle qui a tenté de concilier son goût de l'abstraction et sa passion des choses concrètes, son penchant pour le particulier et son exigence de l'universel, son besoin d'affinités électives et ses rêves de philanthropie, dans l'enivrement d'une totalité qui serait en même temps une unité.

C'est dans sa quatrième Épître seulement que Pope parle « de la nature et de l'état de l'homme par rapport au bonheur ». Mais a-t-il parlé jusque-là d'autre chose ?

Dieu a voulu que le bonheur fût égal pour tout le monde. Cela implique deux conséquences, qui peuvent sembler contradictoires. L'une est que le bonheur réside dans ce qui est commun à tous, qu'il soit un bonheur de *relation*. Mais s'il est vrai que le bonheur doit être le même pour tous, il ne saurait consister en ces biens que la fortune distribue entre ses seuls protégés : il faut qu'il soit, à coup sûr, dévolu à chacun. Or ce que chaque homme possède

1. *Ibid.*, 4e Épître, pp. 50-51 ; cf. *ibid.*, pp. 105-106 : « Ne fais qu'un système de bienveillance de tous les mondes, de tous les êtres raisonnables, de tous ceux qui ont vie et sentiment : d'autant plus heureux que tu seras plus généreux ; le plus haut degré de bonheur correspond au plus haut degré de charité. »

sans aléa ni surprise, c'est lui-même. Le bonheur oscillera donc entre la vie sociale et le recueillement : on se réjouit alternativement d'être avec les autres et avec soi-même. Une seule attitude l'exclut : la poursuite inquiète de ces objets que les préjugés ont enseigné à convoiter et dont le hasard seul dispose. Les deux modes complémentaires du bonheur possèdent en commun la vertu, ferment des relations humaines et justification de l'amour de soi : « *La vertu seule constitue un bonheur dont l'objet est universel et éternel* [1]. »

On peut être déçu par la platitude de ce moralisme. Mais il n'est pas sûr que le seul prestige de cette vertu soit d'ordre moral. Si elle fournit une image privilégiée du bonheur, c'est surtout parce qu'elle symbolise la sécurité et le repos. C'est ainsi qu'est posée la fascinante équation qui éblouira tout le siècle, jusqu'à ce que Rousseau et Kant en dénoncent l'imposture.

5. — Voltaire et Pascal.

Dans ses *Discours sur l'homme* (1738), Voltaire imite Pope. Il déduit lui aussi d'une immuable nature les grandes lignes du bonheur : résignation aux limites de la condition humaine, soumission à la Providence, usage raisonnable des plaisirs, pratique de la bienfaisance. Il n'y a plus trace de dualité entre une vocation surnaturelle de l'homme et son attachement au bonheur terrestre. Le plaisir n'est plus le signe ou la cause d'une colère divine, mais la manifestation d'une suprême bonté. Au vertige, à l'égarement de l'éternel exilé, succède une confiante relation avec un Dieu paternel, qui cesse de frustrer sa créature et choisit à son intention les plus exquises nourritures. La liberté toute fraîche, dont l'homme éprouve le sentiment intime, efface le souvenir de la prédestination. La modération se substitue au renoncement. La bienfaisance, cette vertu neuve qui fait qu'on s'évertue en faveur de ses semblables, conserve le meilleur de la charité. Mais elle ne regarde que du côté des autres, à la différence de la sainteté, où Voltaire ne découvre qu'enivrement égoïste, apothéose personnelle. L'homme bienfaisant, dévoué au bonheur de tous, remplace le saint, obsédé par lui-même et campé seul face à Dieu, dont il revendique les récom-

1. « Sachez que tous les biens dont peuvent jouir les individus, que tous ceux que Dieu et la nature ont destinés à l'homme, que tous les plaisirs de la raison et les joies des sens consistent en trois choses : la santé, la paix et le nécessaire. Les bons et les mauvais peuvent acquérir les dons de la fortune, mais le plaisir de la jouissance en est diminué, à proportion de la méchanceté de ceux qui les obtiennent. » (*Ibid.*, p. 83). L'homme heureux, c'est donc en définitive l'homme de bien : « Donnez à un scélérat tous les honneurs qu'il peut souhaiter, il y en a toujours un qui lui manque, celui de passer pour honnête homme... » (*Ibid.*, p. 84). « Nous ne pouvons dire quel est l'homme de bien ; mais, quel qu'il soit, il doit être le plus heureux. » (*Ibid.*, p. 86).

penses. Ainsi l'homme de Voltaire s'oppose trait pour trait à celui du christianisme.

Cependant, lorsque Voltaire entreprenait, en 1728, dans ses *Remarques sur les Pensées de M. Pascal*, de réfuter un moraliste chrétien, ses conclusions étaient moins convaincantes qu'il ne l'imagine, et son argumentation ne dépassait guère le niveau du malentendu.

Il est rare que Voltaire ait prise sur Pascal, et la plupart du temps, soit mauvaise foi soit incompréhension, il le frôle ou l'esquive plus qu'il ne lui fait face. D'abord il comprend mal le pessimisme pascalien : il y voit un jugement définitif, non ce désespoir provisoire qui conduit à l'illumination de la foi, comme le doute méthodique prélude à l'évidence cartésienne. En outre, il ne songe qu'à la *situation* de l'homme au sein d'un monde bien restreint, bien défini, nature familière ou société policée, ce qui revient à nier d'emblée toute *essence* spirituelle, à tenir pour résolue l'énigme même de la *condition*.

La démonstration voltairienne se déploie autour de deux thèmes : l'homme ne pose pas plus de problèmes, quant à son existence et sa nature, que tout ce qui peuple avec lui l'univers ; son sort n'est pas un tissu de misères et témoigne, au contraire, d'une adaptation parfaite à sa destination.

Pour dissiper le prétendu mystère de la condition humaine, Voltaire replonge l'homme dans la nature. Bien loin de le surprendre inexplicablement « égaré dans un canton de l'univers », il s'émerveille de toutes les affinités qui le lient à l'ensemble des créatures. La condition de l'homme est celle d'un animal parmi d'autres ; il tire toute son existence du milieu physique qui le circonscrit. Tout en lui, jusqu'aux plus complexes fonctions de sa conscience, dépend du jeu naturel de ses organes. Le double passage des sensations aux passions, puis des passions aux idées, ne laisse subsister aucune marge obscure [1]. Ainsi réhabilité, l'homme cesse d'être inquiétant. On ne peut plus dire de lui qu'il est un rien à l'égard du tout, un tout à l'égard de rien. Il devient simplement une partie du tout. L'effroi n'est donc plus de saison : l'homme sait fort bien ce qu'il est, où il est. Mais Voltaire ne l'a rassuré qu'en le ravalant au niveau des autres créatures.

Pour la deuxième partie de sa réfutation, Voltaire installe l'homme dans la vie sociale. Après avoir établi que l'homme-animal s'explique sans énigme, il considère l'homme civilisé, le citoyen d'une ville « opulente et policée », et il fait admirer son bonheur. Pourtant il n'y a pas de commune mesure entre l'animal humain, « qui vient au monde comme les autres animaux », et cet être de luxe façonné par des siècles d'histoire. C'est un peu se moquer que de brandir

1. Cf. Voltaire, *op. cit.*, III, éd. Moland, t. XXII, p. 30.

tour à tour, pour les besoins de la cause, chacune de ces deux images [1].

Qu'on n'imagine pas d'ailleurs la vie du bourgeois de Paris ou de Londres, élu pour parangon de l'homme, comme un enchaînement de délices. Il ne s'agit d'être heureux « qu'autant que la nature humaine le comporte ». Cela suppose l'étouffement des passions qui menaceraient l'équilibre, le renoncement à tout progrès hasardeux, la jouissance, toujours aléatoire, de biens contingents, tels que la richesse ou la santé. Insinuant que Pascal n'a pas consulté l'expérience, Voltaire lui oppose le témoignage d'un ami étranger qui lui écrit cette lettre :

« Je suis ici comme vous m'y avez laissé, ni plus gai, ni plus triste, ni plus riche, ni plus pauvre, jouissant d'une santé parfaite, ayant tout ce qui rend la vie agréable, sans amour, sans avarice, sans ambition et sans envie ; et tant que tout cela durera, je m'appellerai hardiment un homme heureux [2]. »

Hardiment n'est pas une clause de style. Il faut de la hardiesse, en effet, et quelque parti pris, pour appeler bonheur cette stagnation sans âme, cette euphorie sans motif et sans but.

Lorsque Voltaire essaie de conclure, il donne l'impression de se dérober. Il ne dit plus « hardiment » que l'homme est heureux, mais seulement que « la terre, les hommes et les animaux sont ce qu'ils doivent être dans l'ordre de la Providence ». Cette opinion d'un « homme sage » lui semble un « juste milieu » entre la vision du fanatique, qui regarde « l'univers comme un cachot et tous les hommes comme des criminels qu'on va exécuter », et la « rêverie d'un sybarite », pour qui « le monde est un lieu de délices où l'on ne doit avoir que du plaisir » [3]. Après la « nature », qui ne définit pas l'homme, puisque tous les êtres vivants y participent au même titre, après la prospérité singulièrement impersonnelle des « villes opulentes », le recours à la Providence, dont on ne peut rien dire, permet d'éluder le vrai débat et ne fournit que l'apparence d'une réponse optimiste.

La critique voltairienne est beaucoup plus pertinente lorsqu'elle aborde le *divertissement*, dont Pascal entendait faire la plus saisissante preuve de la misère humaine : l'homme se détournant de lui-même afin d'échapper à sa condition pure, qu'il ne soutiendrait pas. Comme le dit M. Pomeau, Voltaire reprend la description pascalienne du divertissement plus qu'il ne la conteste. Il convient qu'il

1. Voltaire expose ingénument son point de vue : « Pour moi, quand je regarde Paris ou Londres, je ne vois aucune raison pour entrer dans ce désespoir dont parle M. Pascal : je vois une ville qui ne ressemble en rien à une île déserte, mais peuplée, opulente, policée, et où les hommes sont heureux autant que la Nature humaine le comporte. » (*Op. cit.*, VI, *ibid.*, p. 31). De toute évidence, ce n'est pas de cet homme-là que Pascal entendait parler !

2. *Ibid.*, p. 33.

3. *Ibid.*, p. 34.

s'agit, pour l'infirmité de l'homme, d'un palliatif. Mais au lieu d'y reconnaître une misère supplémentaire, ou plus exactement cette démarche qui dénonce et parachève la misère essentielle dans le moment même où elle permet d'échapper à des misères fortuites, il considère que la faculté de se divertir est un merveilleux remède et qu'elle offre à l'homme en péril refuge ou évasion. Le divertissement n'est plus un expédient pour esquiver la condition humaine, il devient cette condition même dans ce qu'elle contient de plus précieux [1]. Voltaire le considère à la fois comme *nature* et comme *finalité*. Il y voit l'accomplissement normal de l'homme et le signe que la Providence a voulu notre bonheur :

« Cet instinct secret étant le premier principe et le fondement nécessaire de la société, il vient plutôt de la bonté de Dieu et il est plutôt l'instrument de notre bonheur qu'il n'est le ressentiment de notre misère [2]. »

Comme la plupart des Philosophes, Voltaire s'évertue à faire entrer la description de l'homme dans le cadre d'un finalisme naturel [3].

Les *Remarques sur les Pensées de M. Pascal* ne dépassent pas un optimisme modéré. En dépit de ses variations successives, Voltaire aboutit toujours aux mêmes conclusions, qu'il parte de prémisses « optimistes » ou « pessimistes ». Émanant de deux pôles opposés, sa pensée, après quelque cheminement, parvient au même point d'équilibre, où optimisme et pessimisme se fondent en un compromis à peu près constant. La conclusion de l' « anti-Pascal », en tout cas, ressemble peu à un cri de triomphe. La vision qui s'y exprime de la

1. Voltaire ne pense pas que l'homme soit fait pour rester en repos dans une chambre. Pour lui, ce repos absolu équivaut à une négation de l'existence. Exister, c'est agir, être en relation avec d'autres hommes, c'est vouloir et désirer, toujours entreprendre, voler vers tous les buts qu'on se donne : « Qu'est-ce qu'un homme qui n'agirait point, et qui est supposé se contempler ? Non seulement je dis que cet homme serait un imbécile, inutile à la société, mais je dis que cet homme ne peut exister : car que contemplerait-il ? Son corps, ses pieds, ses mains, ses cinq sens ? Ou il serait idiot, ou bien il ferait usage de tout cela. Resterait-il à contempler sa faculté de penser ? Mais il ne peut contempler cette faculté qu'en l'exerçant. Ou il ne pensera à rien, ou bien il pensera aux idées qui lui sont déjà venues, ou il en composera de nouvelles : or il ne peut avoir d'idées que du dehors. Le voilà donc nécessairement occupé ou de ses sens ou de ses idées ; le voilà donc hors de soi ou imbécile. Encore une fois, il est impossible à la nature humaine de rester dans cet engourdissement imaginaire ; il est absurde de le penser, il est insensé d'y prétendre. L'homme est né pour l'action, comme le feu tend en haut et la pierre en bas. *N'être point occupé et n'exister pas est la même chose pour l'homme.* Toute la différence consiste dans les occupations douces ou tumultueuses, dangereuses ou utiles. » (*Op. cit.*, XXIII, *ibid.*, p. 41).

2. *Ibid.*, XXIV, *ibid.*, p. 42. Voltaire répond à Pascal, qui disait : « Les hommes ont un instinct secret qui les porte à chercher le divertissement et l'occupation au dehors, qui vient du ressentiment de leur misère continuelle. » Lorsque Pascal affirme « que l'homme est si malheureux qu'il s'ennuirait même sans aucune cause étrangère d'ennui, par le propre état de sa condition », Voltaire répond : « Au contraire, l'homme est si heureux en ce point et nous avons tant d'obligation à l'auteur de la nature qu'il a attaché l'ennui à l'inaction, afin de nous forcer par-là à être utiles au prochain et à nous-mêmes. » (*Op. cit.*, XXVI, *ibid.*, p. 43).

3. Pascal s'indigne qu'un homme « qui a perdu depuis peu son fils unique » se divertisse de son chagrin en allant chasser le cerf. Voltaire lui répond : « Cet homme fait à merveille : la dissipation est un remède plus sûr contre la douleur que la quinine contre la fièvre ; *ne blâmons point en cela la nature, qui est toujours prête à nous secourir.* » (*Op. cit.*, XXVII, *ibid.*).

condition humaine n'est tonique que pour qui l'accueille avec une « philosophique » résignation [1].

6. — La « théorie des sentiments agréables. »

La *Théorie des sentiments agréables* [2] de Lévesque de Pouilly constitue sans doute le meilleur abrégé du bonheur « philosophique ». C'est là que les rédacteurs de l'*Encyclopédie* iront puiser la matière des articles *Passion* et *Plaisir*.

L'ouvrage se compose de trois parties : un système des plaisirs, un essai sur la Providence, et un traité de morale. Les trois ne sont pas sans rapport : ainsi la Providence est démontrée à partir des « sentiments agréables ».

L'auteur tient à donner un fondement inébranlable à sa morale, qui n'est pas une « spéculation frivole », mais une véritable science. La « science des sentiments » apparaît « aussi certaine » qu'une « science naturelle », et elle est infiniment plus « importante », car tout l'art d'être heureux s'en déduit [3]. L'âme humaine, comme le monde physique, obéit à des *lois*. Plus optimiste ou plus naïf que Montesquieu,

1. « Tous les hommes sont faits, *comme les animaux et les plantes*, pour croître, pour vivre un certain temps, pour produire leurs semblables et pour mourir. On peut, dans une satire, montrer l'homme tant qu'on voudra du mauvais côté ; mais *pour peu qu'on se serve de la raison*, on avouera que de tous les animaux l'homme est le plus parfait, le plus heureux et celui qui vit le plus longtemps. Au lieu donc de nous étonner et de nous plaindre du malheur et de la brièveté de la vie, nous devons nous étonner et nous féliciter de notre bonheur et de sa durée. A ne raisonner qu'en *philosophe*, j'ose dire qu'il y a bien de l'orgueil et de la témérité à prétendre que pour notre nature nous devrions être mieux que nous ne sommes. » (*Op. cit.*, XXVIII, *ibid.*, p. 44).

2. L'ouvrage fut d'abord publié dans le *Recueil de différents écrits sur l'amour, l'amitié...*, à Paris, chez Pissot, 1736, sous le titre *Réflexions sur les sentiments agréables et sur le plaisir attaché à la vertu*. Le recueil avait paru sous la responsabilité de Saint-Hyacinthe. Une édition à part de l'essai de Lévesque de Pouilly ayant été subrepticement procurée, en 1743, par Gauffecourt, on demanda à l'auteur de revoir et d'approfondir son œuvre. La première édition du traité définitif parut en 1747, à Genève, chez Barrillot et fils, avec une préface de Jacob Vernet, sous le titre *Théorie des sentiments agréables où après avoir indiqué les règles que la Nature suit dans la distribution du plaisir, on établit les principes de la Théologie naturelle et ceux de la Philosophie morale*. Une seconde édition fut publiée à Paris, chez David le jeune, en 1748 ; une troisième, revue et augmentée, suivit en 1749.

Louis-Jean Lévesque de Pouilly naquit à Reims en 1691. Il vint jeune à Paris et fut, à 22 ans, le premier à tenter d'expliquer les *Principes de la philosophie naturelle* de Newton. Par la suite, il renonça aux mathématiques pour la littérature. En 1722, il entra à l'Académie des Inscriptions. Élu lieutenant général de Reims, il déploya une grande activité municipale. Il mourut le 4 mars 1750, emporté par une fièvre violente. Il était l'ami de Fontenelle, de Bolingbroke, et de Voltaire. Ce dernier, qui séjourna quelques jours chez lui, en 1749, après la mort de Mme du Châtelet, estimait à la fois en lui « un vrai philosophe » et un « cœur tendre » (Lettre du 29 septembre 1749 à Mme Denis, *Correspondance* de Voltaire, Besterman, t. XVII, p. 178).

3. « De tous les arts, il n'en est point de plus important que celui de se rendre heureux : et il n'en est aucun dont le principe fondamental ait donné lieu à tant d'opinions différentes. Varron en a compté jusqu'à près de trois cents. C'est cependant de ce principe que dépend toute la philosophie morale. Or pour le connaître avec une parfaite évidence, il ne faut que remonter aux lois du sentiment, les rapprocher et se laisser conduire au fil des conséquences... Creusons la théorie des sentiments et nous verrons sortir les principes d'une morale exacte. » (*Op. cit.*, pp. 7-8 ; cf. l'ensemble du chap. 1).

Lévesque de Pouilly n'aperçoit pas dans les unes moins de rigueur que dans les autres. Le cœur de l'homme fonctionne à la façon d'une machine, et ses mouvements sont aussi déterminés que celui des corps soumis à la gravitation. De la connaissance de ces lois se tirent des principes, qui permettent de constituer une morale. Celle-ci peut être qualifiée d' « exacte » et permet de faire table rase des trois cents définitions du bonheur proposées jusque-là par les moralistes.

Les lois du sentiment sont liées à l'exercice des facultés naturelles. Un « usage convenable de nos facultés » est toujours accompagné de « sentiments agréables » : telle est le grand principe de notre nature. Le bonheur prend sa source dans l'homme lui-même, non dans l'événement. Sans doute consiste-t-il en une relation entre l'homme et le monde. Mais l'homme est beaucoup plus qu'un écho. C'est toujours lui qui garde l'initiative et qui choisit ses rapports avec les choses. Le bonheur ressemble moins à une aventure qu'à une aptitude. Aucun *destin* ne peut modifier les « facultés » dont il dépend.

Mais celles-ci n'engendrent de « sentiments agréables » qu'à la condition d'être « *exercées* ». Le bonheur humain n'est pas d'essence contemplative : on ne le rencontre que dans le registre de l'activité, et on ne peut le confondre avec une simple délectation intérieure, indifférente au monde sensible.

Enfin les facultés doivent se déployer selon un rythme modéré. Il s'agit de leur donner du mouvement sans les « fatiguer » ni les « affaiblir ». Le bonheur se situe à mi-chemin entre la morne apathie et l'agitation désordonnée.

Les facultés naturelles sont de trois sortes, selon qu'elles appartiennent au corps, à l'esprit, ou au cœur. Lévesque cite comme exemples de voluptés physiques la danse et la chasse, qui sont l'une et l'autre des mouvements réglés et qui ménagent le corps tout en l'occupant agréablement. Parmi les impressions reçues du monde extérieur, on doit privilégier celles qui excitent doucement nos organes et captivent nos sens sans tension excessive : on est « fatigué » par les « couleurs brillantes », empli de « tristesse » par les « couleurs brunes et noires », mais charmé par la « couleur verte » [1].

Quant aux plaisirs de l'esprit, ce n'est pas l'espérance de la gloire qui les suscite. Ils dépendent de l'esprit même, « sans aucune vue sur l'avenir et sans autre dessein que de remplir le moment présent ». On peut tirer de la lecture et de la réflexion une telle conscience de plénitude que « le charme de cet exercice enlève quelquefois l'âme au point qu'il semble l'avoir détachée du corps ». C'est l'extase d'Archimède, ou le silence alourdi de pensée du joueur d'échecs, dont le

1. Cf. *ibid.*, p. 21.

« recueillement si profond a pour objet le plaisir d'exercer l'esprit par la position d'une pièce d'ivoire »[1].

La suprême volupté de l'esprit consiste à établir des rapports entre les choses. C'est ainsi que se réalise dans le domaine de l'intelligence l'équilibre entre le repos et le mouvement. L'esprit qui compare jouit du mouvement ; mais celui-ci est limité par l'objet même de la comparaison et reste soumis à une intention qui le discipline. Les rapports qui donnent le plus de plaisir sont la symétrie, fondée sur « l'égalité » ou « l'opposition », et les relations arithmétiques [2]. Mais rien ne vaut cette unité de dessein éclairant d'une pleine signification tous les détails d'une œuvre parfaite [3]. L'esprit exulte, lorsqu'il voit se grouper autour d'un principe générateur toutes les parties de l'objet qu'il considère [4].

En même temps qu'une morale, une esthétique peut se déduire des lois du sentiment. Le chapitre v est consacré à « la beauté du corps, de l'esprit et de l'âme », le chapitre vii à « l'harmonie du style ». Pas plus que le bonheur, l'art n'est arbitraire. Les deux sont liés d'ailleurs, car l'œuvre d'art accomplie est celle qui ajoute au bonheur de celui qui la savoure. Elle doit donc s'ajuster aux canons des « sentiments agréables ». Ni les conventions établies par les esthéticiens, ni les improvisations de l'artiste ne peuvent remplacer cette connaissance objective. Le but de l'art est de répondre exactement aux besoins de l'homme [5].

Considérant enfin les plaisirs du sentiment, Lévesque traduit sa règle d'or en langage affectif : « Il y a un plaisir attaché à tous les mouvements du cœur où la haine ne domine point [6]. » L'indifférence est engourdissement et pourrissement de l'âme. Les sentiments violents, qui sont toujours plus ou moins des modes de la haine, se consument par excès d'intensité. Restent ceux dont l'amour est la tonalité : ceux-là seuls permettent au cœur de ne s'aigrir ni de s'éteindre, et le font vivre sur un rythme moyen [7]. Lévesque se souvient de Shaftesbury, qui définissait le bonheur comme la prédominance des « affections sociales » sur les tendances personnelles :

1. Cf. *ibid.*, p. 29.
2. Cf. *ibid.*, pp. 30 et suiv.
3. *Ibid.*, p. 40.
4. *Ibid.*, p. 41.
5. Cette esthétique s'inspire de la doctrine critique de l'abbé Du Bos. La justification de l'art n'est plus dans un idéal de beauté transcendant la nature humaine. Sa fonction est au contraire de proposer une réponse à l'exigence du bonheur, qui se trouve au cœur de cette nature. On pourrait imaginer qu'il s'agit d'un critère subjectif et qu'on est sur la voie d'une sorte d'impressionnisme. En fait, il n'en est rien, puisqu'il n'appartient à personne d'inventer son bonheur : on ne devient heureux qu'en suivant certaines lois. Ces lois seront également celles de la création esthétique. Dire que l'art est fait pour le bonheur de l'homme, ce n'est pas le noyer dans de confuses ou d'aberrantes sensibilités, mais le soumettre aux principes naturels qui règlent la vie de l'esprit et de l'âme.
6. *Ibid.*, Titre du chap. v, p. 49.
7. « *Aussi tout homme né bienfaisant est-il naturellement gai.* » (*Ibid.*, p. 52).

les plus agréables de tous les sentiments sont ceux qui tournent l'âme favorablement vers autrui. L'amour recèle une sorte de magie : « Il donne des charmes au chagrin même [1]. » Les moralistes chrétiens sont étranges et comprennent bien mal la nature de l'homme, lorsqu'ils prétendent épurer la vie religieuse de tout ce qui ressemble au plaisir d'aimer. Comme si l'amour de Dieu pouvait être dissocié de cette volupté ! [2]

Mais les sentiments où l'amour et la bienveillance dominent sont généralement des sentiments vertueux. On rencontre donc la vertu, comme la beauté tout à l'heure, sur le chemin du bonheur ! La morale semble ratifier d'elle-même les conclusions d'une analyse positive des « lois du sentiment ». Dès lors, cette nature, sur quoi tout se fonde, prend une valeur idéale. Lévesque se proposait simplement de découvrir les conditions et les voies du plaisir. Or voici qu'il rencontre le beau et le bien, sortant du plaisir même, ou plutôt le faisant naître : c'est la beauté qui rend l'esprit heureux, le bien qui comble l'âme. La *Théorie des sentiments agréables* n'est donc pas une froide dissection de l'homme. Elle aboutit à une sorte d'idéalisme eudémonique, qui place le bonheur dans la réalisation des fins les plus nobles. Lévesque avait raison de déclarer en commençant qu'il s'en tiendrait à la nature, puisque celle-ci finit par tout révéler, y compris ce qui la dépasse [3].

1. *Ibid.*, p. 53.

2. « Il y a eu de pieux visionnaires, qui ont essayé par une abstraction de l'esprit de désirer la durée de leur amour pour Dieu et l'anéantissement du plaisir qu'ils sentaient à l'aimer. Mais retrancher l'idée du plaisir de celle de l'amour, c'est retrancher de l'idée de miche celle de la rondeur. L'amour est désintéressé lorsqu'on ne veut en recueillir d'autre fruit que celui d'aimer. Le désintéressement du chrétien doit aller jusque-là et ne peut pas aller plus loin. » (*Ibid.*, pp. 56-57).

3. Jusque-là, l'auteur n'a considéré que les biens dont l'homme extrait directement son plaisir, ceux qui sont « agréables » par eux-mêmes. Mais il y a également ceux « qui le sont par ce qu'ils nous promettent ou qu'ils nous procurent ». Dans cette seconde catégorie « il n'en est point de plus importants que ceux qu'on appelle honnêtes, c'est-à-dire ceux qu'accompagne une idée de perfection ». (*Ibid.*, p. 111). Il existe deux sortes de perfection : la « perfection naturelle », réunion des qualités nécessaires à notre conservation, et la « perfection morale », ensemble d'aptitudes « qui semblent nous promettre un bonheur solide ». (*Ibid.*, pp. 113-114). Le bonheur peut donc se définir comme la conscience d'une perfection : « De tous les biens qui nous flattent par les promesses qu'ils nous font, la perfection est le plus précieux. Elle est comme le gage du bonheur. Un charme secret accompagne tout ce qui nous persuade que nous la possédons. » Mais l'idée de la perfection se compose le plus souvent au hasard, n'étant que le fruit de l'illusion ou de l'habitude. C'est à la philosophie qu'il appartient de la redresser et de révéler en quoi elle consiste : « Le principal objet de la philosophie est d'éclaircir nos idées sur ce point. Nous sommes d'autant plus parfaits que le corps a moins de principes de maladie et qu'il est plus capable d'exécuter les mouvements qui lui sont ordonnés ; que l'esprit a moins de principes d'erreur et plus de facilité à saisir et à exposer le vrai ; enfin que l'âme a dans la nature de ses goûts moins de principes de regrets, de chagrins, d'inquiétude et qu'elle est plus disposée à régler toutes ses volontés par des jugements clairs et certains, qui aient pour objet un bonheur solide et durable. Mais ce bonheur solide et durable ne le bornons point à un petit nombre d'années. Le sentiment intérieur doit convaincre tout être pensant qu'il est indivisible et par conséquent immortel. La perspective d'une félicité à venir doit donc être pour nous la partie la plus intéressante de notre bonheur présent. » La perfection philosophique apparaît comme un mélange de perfection classique et de perfection chrétienne. L'homme parfait, c'est l'homme doué de tous les avantages du corps, de l'esprit et de l'âme. Mais c'est également cet homme inachevé, qui espère en l'absolu d'un autre monde. La perfection est un amalgame

***

Au traité des plaisirs succède un essai sur la Providence, qui occupe trois chapitres. L'auteur de la *Théorie* tâche d'y prouver que les « lois du sentiment annoncent une souveraine intelligence » (chap. X) et « une intelligence bienfaisante » (chap. XI). C'est donc tout un système providentiel que Lévesque construit par induction à partir de l'âme humaine. Il faut que l'univers soit pénétré de merveilleux desseins pour que l'homme se trouve ainsi agencé en vue de son plaisir. Seule l'harmonie du monde peut expliquer le surprenant accord entre l'exercice des facultés, le bonheur et la vertu. C'est en raison des liens qui nouent entre elles toutes choses que certaines qualités découvertes en autrui nous procurent des « sentiments agréables » [1]. Là est aussi la cause de ces affinités, de ces sympathies secrètes, de ces envoûtements qui ressemblent à certains phénomènes du monde physique [2]. Le cerveau humain dans sa complexité suggère irrésistiblement une analogie avec la musique [3].

Trois faits particuliers portent témoignage en faveur d'une « souveraine intelligence » :

— *La hiérarchie des plaisirs et des facultés :* la beauté du corps nous touche moins que celle de l'esprit, qui nous semble elle-même inférieure à la beauté de l'âme [4].

— *Le fait que tous les plaisirs ne sont pas également nécessaires :* l'intensité de nos désirs est toujours proportionnelle à leur utilité [5].

— *La durée variable des sentiments,* selon que leur prolongation nous est avantageuse, indifférente ou nuisible [6].

Ce Dieu, qui a tout prévu, peut-il être célébré comme un Dieu bienfaisant ?

« J'appelle ici à témoin cette profusion de sentiments agréables, la peinture, la sculpture, l'architecture, tous les objets de la vue ; la musique, la danse, la poésie, l'éloquence, l'histoire, la géométrie, toutes les sciences,

d'idéals différents. Comme l'enthousiasme de Shaftesbury, elle suppose une confusion des valeurs.

Parcourant les diverses philosophies, Lévesque examine trois conceptions de la perfection morale. Celle de Confucius et de Zénon s'installe dans les plus hautes régions de notre nature, unissant la vérité et la justice. La perfection selon Pythagore et Socrate, qui ressemble à celle prônée par toutes les religions, spécule sur les intentions et les exigences de la divinité. Enfin l'idéal d'Épicure ne tient compte que du bonheur, seule destination clairement assignée à l'homme. Ces trois sortes de perfection sont complémentaires et la Perfection absolue procède de leur réunion. (Cf. *ibid.*, pp. 115-117).

1. *Ibid.*, pp. 133-134.
2. *Ibid.*, pp. 137-138.
3. *Ibid.*, pp. 136-137.
4. Cf. *ibid.*, pp. 146-147.
5. Cf. *ibid.*, pp. 148-49.
6. Cf. *ibid.*, p. 150.

toutes les occupations ; l'amitié, la tendresse, enfin tous les mouvements du corps, de l'esprit et du cœur [1]. »

Voilà donc le meilleur des mondes possibles. On ne saurait en concevoir un autre plus favorable au plaisir. Si l'on imaginait, à l'instar de Bayle et des autres, un univers d'où la douleur fût exclue, le sort de l'homme eût été comparable à celui de ces fleurs qu'un même jour voit naître et mourir [2]. Mais peut-être Dieu aurait-il pu nous dédommager de la douleur en rendant plus vives les joies sensuelles ? Celles de l'esprit et du cœur seraient alors devenues tout à fait insipides : « L'ivresse de quelques moments eût empoisonné tout le reste du temps par l'ennui [3]. » Il vaut mieux ne pas retoucher l'œuvre de la création et se moquer des « législateurs » qui tentent de reconstruire le monde [4].

Cet émerveillement devant la complicité, préparée en très haut lieu, entre l'univers et l'homme, constitue l'un des grands thèmes du siècle. Le bonheur est offert par la nature avant d'être construit par l'âme. L'homme n'a pas à vaincre l'hostilité des choses, ni à s'installer au milieu d'un désert. Il lui suffit d'accueillir les enchantements qui le pressent de toutes parts. L'optimisme philosophique et le providentialisme chrétien se rencontrent pour célébrer le monde comme un jardin de délices, comme une harmonie de merveilles.

La troisième partie du livre contient l'exposé de la doctrine morale. Lévesque y formule la règle de nos devoirs envers Dieu, envers les autres, envers nous-mêmes. Il cultive la même ambiguïté que tous ses contemporains : tantôt le bonheur est donné par la nature, tantôt il est la récompense de la vertu. On voudrait même qu'il fût les deux à la fois : ce qui est offert et ce qui se mérite, une jouissance instinctive et un idéal en action. La *Théorie des sentiments agréables* entreprend donc de prouver que le bonheur se confond avec la vertu, après avoir prétendu le découvrir dans la nature même.

A chacun des trois ordres de nos devoirs correspond une certaine

1. *Ibid.*, p. 164.
2. *Ibid.*, pp. 165-166.
3. *Ibid.*, pp. 168.
4. « Les mêmes législateurs eussent sans doute caractérisé par l'agrément tous les biens nécessaires à notre conservation ; mais eussions-nous pu espérer d'eux qu'ils eussent été aussi ingénieux que l'est la nature à ouvrir en faveur de la vue, de l'ouïe et de l'esprit des sources toujours fécondes de sentiments agréables, dans la variété des objets, dans leur symétrie, leurs proportions et leur ressemblance avec des objets connus ? Auraient-ils songé à marquer par une impression de plaisir les rapports secrets qui font le charme de la musique, les grâces du corps et de l'esprit, le spectacle enchanteur de la beauté dans les plantes, dans les animaux, dans l'homme, dans les pensées, dans les sentiments ? Ne regrettons donc point la réforme qu'Épicure et M. Bayle auraient voulu introduire dans les lois du sentiment. Reconnaissons plutôt que la bonté de Dieu est telle qu'il semble avoir prodigué toutes les sortes de plaisirs et d'agréments qui ont pu être marqués du sceau de la sagesse. » (*Ibid.*, pp. 169-171).

nuance de plaisir. Nous devons à Dieu notre admiration, comme « intelligence infinie », et notre reconnaissance, comme « intelligence bienfaisante ». Or ces deux sentiments appartiennent à la catégorie des états agréables. Au passage, Lévesque réfute Épicure, qui voulait qu'un dieu ne pût inspirer que la crainte [1]. Bien éloigné d'avoir à trembler, l'homme doit convenir que son créateur l'a comblé et accepter non comme un sacrifice, mais comme une restriction insignifiante, la défense que Dieu nous a faite des rarissimes jouissances qu'il lui a plu de nous refuser [2].

Il existe aussi un « plaisir attaché à l'accomplissement de nos devoirs envers nous-même », qui se « réduisent à savoir apprécier les biens qui s'offrent à nous et à soutenir nos maux avec courage » [3]. Lévesque s'indigne contre les Stoïciens, qui commandent de s'abstenir des plaisirs. Comment cela serait-il possible, alors que la volupté vient vers nous de tous côtés, que nous n'avons qu'à ouvrir les yeux, qu'à savoir nous occuper ou nous divertir à propos, qu'à jouir des autres et de nous-même, pour être aussitôt envahis de bonheur ? « Je dis plus, le plaisir naît au sein même de la vertu [4]. »

Il est néanmoins indispensable d'établir une hiérarchie entre les plaisirs. La supériorité des joies de l'âme est assez évidente. Il suffit d'imaginer et de comparer deux hommes, dont l'un serait privé des plaisirs de l'âme, l'autre des plaisirs des sens. Le premier, à coup sûr, serait à plaindre, « renfermé, pour ainsi dire, dans son écaille » et ne connaissant d'autre bonheur que « le sentiment sourd et aveugle » de la sensation actuelle. Le second, quoique mort aux voluptés physiques, s'estimerait assez heureux s'il pouvait réunir tous les plaisirs de l'esprit et du cœur. Toujours pauvres et limités, les plaisirs des sens sont en outre impurs, car un peu de douleur s'y mêle inévitablement : avant, c'est le désir ; après, le désenchantement ou le remords. Ce sont également des plaisirs incomplets, qui ne tirent leur existence que de l'approbation de l'âme [5]. Enfin les voluptés morales durent plus longtemps que la satisfaction des sens et elles sont par là même « bien plus de nature à remplir le vide de la vie ».

La morale individuelle consiste à disposer selon une harmonieuse diversité toutes nos jouissances, en sachant bien la valeur de chacune :

« Les plaisirs de l'esprit et ceux du corps, le repos et le mouvement, la solitude et la société, les délassements et les occupations sérieuses, tous

1. *Ibid.*, pp. 173-174.
2. « Placés dans l'univers comme dans le jardin d'Eden, si l'usage d'un fruit nous est interdit, n'en acceptons pas avec moins de reconnaissance ceux qui se présentent à nous de toute part. Jouissons de ce qui nous est offert, sans nous trouver malheureux de ce qui nous est refusé. » (*Ibid.*, pp. 175-176).
3. *Ibid.*, p. 180.
4. *Ibid.*, p. 180.
5. « Il y a plus : tout ce que la volupté a de délicieux, elle le reçoit de l'esprit et du cœur, et, sans leur secours, elle devient bientôt fade et insipide. » (*Ibid.*, p. 184).

ces différents biens se prêtent de nouveaux charmes en se succédant ; et leur variété dans la vie fait le même effet que la différence des accords dans l'harmonie [1]. »

Le bonheur personnel dépend de l'équilibre entre deux éléments : la conscience de notre perfection et un judicieux usage de nos facultés [2]. Il y a là comme un mélange d'humanisme et d'empirisme. Une certaine idée de la perfection se concilie avec une philosophie pragmatique du plaisir et de l'action. Une conception finaliste de la nature s'incarne et s'assouplit en rencontrant l'expérience, tire parti de toutes les formes de la vie.

Mais le bonheur ne s'achève vraiment que dans « l'accomplissement de nos devoirs envers les autres hommes ». Ces devoirs se limitent à être juste et bienfaisant : « La morale nous l'ordonne ; la théorie des sentiments nous y invite [3]. » Une fois encore, l'accord est complet entre l'obligation et le plaisir. La morale n'exige rien de plus que ce qui nous rend naturellement heureux [4].

L'homme ne peut inspirer à son semblable que deux sentiments : la crainte ou l'amour. Dans l'état de nature, toutes les relations humaines étaient fondées sur la crainte. Chacun se devait de faire peur aux autres, afin de se défendre lui-même. Les nations en sont encore à ce stade : aussi ont-elles besoin de la force pour faire respecter leurs droits. Il n'en est plus de même pour les individus, protégés par des lois qui garantissent leur vie et leurs biens. Il n'y a donc plus de raison de cultiver la crainte, et il ne reste d'autre parti que de se faire aimer. La situation d'un homme haï de tous et haïssant tout le monde serait intenable : « Tous les objets qui s'offriraient à ses yeux seraient affligeants ; tous les mouvements qui s'élèveraient dans son cœur seraient douloureux [5]. » Pour un homme juste et bienfaisant, en revanche, « tous les mouvements qui s'élèveront dans son cœur seront des plaisirs » [6].

Les devoirs envers tous les hommes ne sont pas incompatibles avec certaines affinités particulières [7]. On a prétendu que chaque atta-

1. *Ibid.*, p. 193-194.

2. « L'idée de notre perfection et l'exercice successif de nos différentes facultés sont comme deux sources toujours ouvertes de plaisirs différents. Une intelligence bienfaisante mêle par portions égales ces deux précieuses liqueurs en faveur de l'homme sage et les verse incessamment sur lui. » (*Ibid.*, p. 195).

3. *Ibid.*, pp. 200-201.

4. « S'il est vrai que tout mouvement de bienveillance soit un plaisir, que la tristesse même soit accompagnée d'une douceur secrète, dès que la bienveillance y domine, que tout mouvement de haine et de trouble soit une douleur, notre bonheur sera d'autant plus complet et plus solide que notre façon de vivre sera plus de nature à porter dans le cœur des mouvements de bienveillance et à en écarter tout mouvement de trouble et de haine. » (*Ibid.*, p. 203).

5. *Ibid.*, p. 208.

6. *Ibid.*, p. 209.

7. Par exemple, la parfaite amitié : « Il n'est pas de source plus féconde de sentiments agréables que l'accomplissement de ces devoirs qui apparaissent si austères. » (*Ibid.*, p. 213).

chement est une occasion de souffrir, qu'on offre, en aimant, plus de prise à la douleur :

« Il me semble que penser ainsi, c'est ignorer la puissance de l'amour. Telle en est la vertu magique : par l'intérêt que prennent de parfaits amis à ce qui les touche, leurs biens se multiplient, leurs maux semblent s'anéantir, et jusque dans leur tristesse mutuelle, règne une sorte de douceur qu'ils n'échangeraient pas contre les plaisirs les plus vifs [1]. »

Tous les impératifs de la vertu débouchent sur le bonheur. Et le bonheur terrestre, que la vertu distille, est destiné à se poursuivre éternellement dans un autre bonheur, qui en sera la récompense : « *Il ne peut y avoir sur la terre de situation plus délicieuse que celle d'un homme qui, trouvant dans la vertu un bonheur réel et présent, voit encore dans l'idée de la mort la perspective d'une félicité parfaite* [2]. » La « philosophie morale », dont dépend la possession de ce double privilège, est à la portée de tous les hommes, pourvu qu'ils soient capables de « la réflexion la plus légère » [3]. Elle tient en deux « maximes », qui résument toute la « science des sentiments » :

« Plaçons, autant qu'il est possible, notre bonheur et notre perfection non dans des liens qui soient hors de nous, mais dans une suite d'occupations accordées à nos talents et à notre état.

Prenons avec les autres hommes une façon de vivre qui soit de nature à porter dans le cœur des mouvements de bienveillance et à en écarter tout mouvement de haine, d'inquiétude, de trouble et de chagrin [4]. »

Telle est la doctrine du bonheur selon Lévesque de Pouilly. On peut la considérer comme l'expression la plus claire d'une sorte de morale philosophique moyenne. Sans contenir un seul mot d'accent chrétien, elle fait une large place à la religion, sous la forme d'un finalisme déiste, et n'insiste sur le bonheur terrestre qu'en réservant l'espérance d'un bonheur éternel. Elle illustre le refus d'un pari dont on ne parvient plus à poser les deux termes comme contradictoires. Il serait hasardeux de prétendre que le XVIIIe siècle a délibérément choisi la terre contre le Ciel. Le vrai est qu'il n'a pas compris la nécessité de renoncer à l'une pour mériter l'autre. Dieu est le créateur et le souverain de ces deux domaines, dont il a voulu faire les séjours successifs de l'homme. Les confusions perpétuelles entre la

1. *Ibid.*, p. 214.
2. *Ibid.*, pp. 223-224.
3. *Ibid.*, p. 232.
4. Ces vérités sont « aussi faciles à saisir que les principes des arts les plus communs.. Il en sort de toutes parts des démonstrations, soit qu'on réfléchisse un moment sur soi-même ou qu'on ouvre les yeux sur ce qui s'offre à nous tous les jours. » Autrement dit, la philosophie morale ne se fonde ni sur la Révélation, ni sur des spéculations ésotériques. Elle repose entièrement sur l'introspection et l'expérience. Elle se trouve donc bien à la portée de tout le monde. (*Ibid.*, pp. 233-235).

nature et la vertu sont des symboles maladroits du besoin de tout étreindre et de réconcilier les deux mondes.

Enfin l'on retrouve dans la *Théorie des sentiments agréables* tous les caractères du bonheur philosophique. C'est un bonheur *universel*, qui se déduit de la nature de l'homme ; un bonheur *rationnel*, qui suppose un équilibre fondé sur l'appréciation et le calcul ; un bonheur *social*, réservé à l'individu solidaire de la communauté.

7. — Le scandaleux bonheur de La Mettrie.

Si le bonheur des Philosophes implique une réhabilitation des plaisirs, il n'en demeure pas moins « moral » en son essence, et il n'autorise personne à accorder libre jeu à toutes ses exigences. Les désirs de chacun doivent composer avec ceux des autres, ce qui oblige à ne pas quitter la vertu d'un pas. Même les moins idéalistes des Philosophes, un Helvétius par exemple, n'imaginent pas l'homme autrement qu'entouré de robustes garde-fous.

Parmi eux, une seule brebis galeuse, universellement honnie : La Mettrie [1]. Celui-ci entend conduire jusqu'à ses dernières conséquences l'intuition philosophique qui restitue innocence et fraîcheur au maudit du christianisme, le plaisir. La Mettrie développe ce postulat dans un climat de pure abstraction, ou, si l'on veut, de délire égotiste. Il rejette toute règle qui le contredit, sans aucun égard pour la société et ses lois. Sa morale constitue une limite de la morale philosophique, dont elle ne retient que les innovations les plus hardies, et fait apparaître par contraste les autres Philosophes comme des « bien-pensants ».

Selon La Mettrie, la sensation constitue l'essentiel de la vie physique et morale. D'elle dépend tout notre bonheur ; devant elle,

1. Julien Offray de La Mettrie, né à Saint-Malo en 1709, était fils d'un riche négociant. Après des études chez les jésuites, il suivit les cours de la Faculté de médecine de Reims, où il fut reçu docteur en 1728. En 1733, il se rend à Leyde, où il rencontre Boerhave. En 1742, il devient médecin du régiment des gardes françaises, participe à plusieurs campagnes, et tombe malade au siège de Fribourg. Il commence alors à écrire ses ouvrages matérialistes, qui le font considérer comme un fou et un homme dangereux. En 1746, il doit chercher refuge à Leyde. Mais, après *L'Homme-machine*, il est également chassé de Hollande. Il trouve un asile à Berlin, où il arrive en 1748 : il y devient lecteur de Frédéric II, avec une pension et une place à l'Académie. Il s'ennuie bientôt à la Cour et se met à détester la Prusse : il charge Voltaire de négocier son retour à Paris. Mais il meurt en 1751 d'une indigestion de pâté, dont il avait tenté de se guérir lui-même, à l'aide de huit saignées et de bains. Voltaire annonça la nouvelle en ces termes à Richelieu : « Ce La Mettrie, cet homme-machine, ce jeune médecin, cette vigoureuse santé, cette folle imagination, tout cela vient de mourir pour avoir mangé par vanité tout un pâté de faisan aux truffes... Il a prié Milord Tyrconnel, par son testament, de l'enterrer dans son jardin. » Quant à Diderot, il fait ce commentaire dans l'*Essai sur les règnes de Claude et de Néron* : « La Mettrie, dissolu, impudent, bouffon, flatteur, était fait pour la vie des cours et la faveur des grands ; il est mort comme il devait mourir, victime de son intempérance et de sa folie ; il s'est tué par ignorance de l'état qu'il professait. » Ces deux témoignages donnent une idée de l'estime qu'inspirait La Mettrie aux Philosophes.

la liberté devient inutile et s'évanouit [1]. Le plaisir et le bonheur, qui ont même nature, sont affaire « d'organes », où l'esprit n'a pas à intervenir [2]. Toutes les jouissances sont bonnes, et pour être heureux il faut les accumuler pêle-mêle : « Avoir tout à souhait, heureuse organisation, beauté, esprit, grâce, talents, honneurs, richesses, santé, plaisir, tel est le bonheur réel et parfait [3]. »

Le but de La Mettrie est de provoquer le naufrage de la raison, en niant toute équivalence entre le bonheur et la vérité. Il exalte un bonheur originel, physiologique, automatique, dans lequel « l'âme n'entre pour rien » : l'ivresse des imbéciles, de l'opium ou des rêves, et toutes les formes agréables du mensonge. Une illusion précieuse mérite d'être mieux accueillie qu'une fâcheuse évidence [4]. Peu importe qu'un malin génie nous trompe, si le songe où il nous enferme est un songe heureux : « Qui a trouvé le bonheur a tout trouvé [5]. »

Fondu dans la sensation ou n'émergeant pas de l'imaginaire, le bonheur se réduit à la pure subjectivité. L'homme heureux vit séparé à la fois de la réalité des choses et de toute règle logique ou morale, qui contesterait la valeur de son plaisir, brouillerait au nom de la vérité cette fantasmagorie dont il s'enchante. En même temps le bonheur devient un absolu : en s'installant dans l'âme, il veut l'emplir à lui seul et en chasser tout le reste [6]. La vertu se trouve la première victime de cette exclusion : un bonheur qu'elle approuverait serait conventionnel et fragile, car elle n'est elle-même qu'une invention changeante de la vanité des hommes [7]. D'ailleurs la notion même de vertu est un non-sens, l'homme n'étant pas libre. Nul ne se choisit et ne possède de pouvoir sur soi. Aucune idée morale ne peut modifier ce qui a été longuement et fatalement mûri dans cette nuit profonde du corps où la conscience ne pénètre pas [8]. Il n'y a donc ni innocent

1. « Nous ne disposerons point de ce qui nous gouverne ; nous ne commanderons point à nos sensations ; avouant leur empire et notre esclavage, nous tâcherons de nous les rendre agréables ; persuadés que c'est là où gît le bonheur de la vie. » (La Mettrie, *Anti-Sénèque ou le Souverain bien*, Potsdam, 1750, p. 3).

2. « Nos organes sont susceptibles d'un sentiment ou d'une modification qui nous plaît et nous fait aimer la vie. Si l'impression est courte, c'est le plaisir ; plus longue, c'est la volupté ; permanente, on a le bonheur : c'est toujours *la même sensation*, qui ne diffère que par la durée et la variété. » (*Ibid.*, p. 4).

3. *Ibid.*, p. 5.

4. « L'illusion même, soit qu'elle soit produite par des médicaments ou par des rêves, est la cause réelle de notre bonheur ou malheur machinal... Telle est l'emprise des sensations. *Elles ne peuvent jamais nous tromper*, elles ne sont jamais fausses par rapport à nous dans le sein même de l'illusion, puisqu'elles nous représentent et nous font sentir nous-mêmes à nous-mêmes, tels que nous sommes au moment même que nous les éprouvons. » (*Ibid.*, p. 15).

5. *Ibid.*, pp. 15-16.

6. « L'Esprit, le Savoir, la Raison sont le plus souvent inutiles à la félicité et quelquefois funestes et meurtriers ; ce sont des ornements étrangers dont l'âme peut se passer. » (*Ibid.*, p. 16).

7. « L'idée de la Vertu nous a été si peu donnée avec l'être, qu'elle n'y est pas même stable quand l'éducation et le temps ont développé et orné nos organes. C'est un oiseau sur la branche, toujours prêt à s'envoler. » (*Ibid.*, p. 45).

8. « Dépendant de tant de causes externes, et à plus forte raison de tant d'internes, comment pourrions-nous nous dispenser d'être ce que nous sommes ? Comment pourrions-nous régler

ni coupable, et La Mettrie suggère dans son *Homme-machine* que les juges soient remplacés par des médecins. Étranger à la vérité, qui cependant existe, le bonheur est à plus forte raison indépendant de la vertu, qui n'existe pas :

« *Le plaisir de l'âme étant la vraie source du bonheur, il est donc très évident que, par rapport à la félicité, le bien et le mal sont en soi fort indifférents et que celui qui aura une plus grande satisfaction à faire le mal sera plus heureux que quiconque en aura moins à faire le bien. Il est un bonheur particulier et individuel qui se trouve et sans vertu et dans le crime même* [1]. »

Si le Bien est une fiction, si l'âme n'existe pas, si la raison est superflue ou nuisible, l'homme-machine n'a plus qu'à chercher son bonheur dans les plaisirs du corps. Il est libre de le concevoir à sa manière : comme une volupté subtile, en imitant l'homme de goût, ou comme un déferlement d'épaisses jouissances, à la façon de la brute, dont les inclinations sont elles aussi légitimes [2]. Les plaisirs de l'âme n'ont pas plus de réalité qu'un « joujou » ou « le bruit que fait une trompette » [3]. La Mettrie ne craint pas de lancer cet hymne effréné :

« Que la pollution et la jouissance, lubriques rivales, se succèdent tour à tour, et te faisant nuit et jour fondre de volupté, rendent ton âme, s'il se peut, aussi gluante et lascive que ton corps. Enfin, puisque tu n'as point d'autres ressources, tires-en parti : bois, mange, dors, rêve, et si tu penses quelquefois, que ce soit entre deux vins et toujours ou au plaisir du moment présent ou au désir ménagé pour l'heure suivante. Ou si non content d'exceller dans le grand art des voluptés, la crapule et la débauche n'ont rien de trop fort pour toi, si l'ordure et l'infamie sont ton partage, vautre-toi comme font les porcs, et tu seras heureux à leur manière [4]. »

des ressorts que nous ne connaissons pas ?... Lorsque je fais le bien et le mal, que, vertueux le matin, je suis vicieux le soir, c'est mon sang qui en est cause, c'est ce qui l'épaissit, l'arrête, le dissout ou le précipite... » (*Ibid.*, pp. 47-48).

1. La société n'a inventé les vertus morales que pour se protéger contre l'agression éventuelle de ces « bonheurs particuliers » : « Plus la détermination naturelle de l'homme a paru vicieuse et comme monstrueuse par rapport à la société, plus on a cru devoir y apporter différents correctifs. On a lié l'idée de générosité, de grandeur, d'humanité aux actions importantes au commerce des hommes, on a donné de l'estime et de la considération à qui ne nuirait jamais, quelque bien qui puisse lui en arriver ; du respect, des honneurs et de la gloire à qui servirait la patrie, l'amitié, l'amour ou l'humanité, même à ses propres dépens ; et par ces aiguillons tant d'animaux à figure humaine sont devenus des héros. » C'est l'éducation qui mystifie l'homme en lui inculquant les tendancieuses chimères de la morale : « L'âme instruite ne veut, ne sait, ne fait plus ce qu'elle faisait auparavant, lorsqu'elle n'était guidée que par elle... Vraies girouettes, nous tournons donc sans cesse au vent de l'éducation. » (*Ibid.*, p. 50).

2. « Songer au corps avant que de songer à l'âme, c'est imiter la Nature qui fait l'un avant l'autre. Quel est le guide plus sûr ? N'est-ce pas à la fois suivre l'instinct des hommes et des animaux ? Disons plus et *prêchons une doctrine que nous avons eu l'honneur de ne pas suivre :* il ne faut cultiver son âme que pour procurer plus de commodités à son corps. » (*Ibid.*, p. 62).

3. *Ibid.*, p. 75.

4. *Ibid.*, pp. 88-89. La Mettrie termine par cette phrase, admirable d'audace et de défi, qui résonne comme du Sade : « Qu'on ne dise point que j'invite au crime, car je n'invite qu'au repos dans le crime. »

Cependant, lorsqu'il choisit son propre bonheur, La Mettrie se sépare des porcs. Dans son opuscule *La Volupté,* il distingue de la débauche vulgaire la volupté épurée. Il dit même : « La volupté est peut-être aussi différente de la débauche que la vertu l'est du crime [1]. » Au lieu d'éloigner l'âme d'un bonheur dont le corps garderait le privilège, il assure : « Le sentiment du plaisir épuré par la délicatesse et la vertu, loin d'exclure la volupté, ne fait que l'augmenter [2]. »

Il n'y a là probablement ni dérobade ni contradiction. La Mettrie veut seulement montrer que les notions morales ne reposent sur aucun fondement naturel. Le bien et le mal sont des conventions, rendues nécessaires par l'ordre social. L'aspiration au bonheur demeure au contraire la plus naturelle de nos tendances. Entre ce désir profond et des entités à la fois utiles et incommodes, aucun rapprochement ne se conçoit. L'homme doit édifier son bonheur sans tenir compte du bien ni du mal. Pour ne pas être mystifié, le plus sûr est de choisir le seul domaine où la nature se révèle à l'état pur : le corps et ses plaisirs.

Ces derniers doivent être aménagés en toute fantaisie. Cela ne veut pas dire qu'il faille opter pour la crapule. La dépravation forcée serait contraire à la liberté du choix, et l'on rend hommage à la vertu en prêchant systématiquement la débauche. La Mettrie invite chacun à suivre sa pente : que l'être grossier se roule dans l'ordure, pendant que l'épicurien raffiné cueillera la fleur du plaisir. Aucun des deux n'a raison contre l'autre : chacun n'a de conseil à prendre que de lui-même. Lorsque La Mettrie exalte la béatitude des porcs, il veut simplement faire entendre que sa doctrine reste ouverte à tous les possibles : le choix du débauché est un choix-limite, aussi justifiable que tous les autres.

Il n'est pas certain toutefois que ce provocant relativisme soit le dernier mot de La Mettrie. Il ne peut s'empêcher de réintroduire entre les divers styles de vie une sorte de hiérarchie qui, si elle n'est pas fondée sur un jugement moral, l'est du moins sur un jugement esthétique. Peut-être même le dédain du vrai voluptueux pour le débauché vulgaire dissimule-t-il une réprobation d'ordre éthique. Sade prouvera l'existence du Bien en choisissant le Mal avec trop de fanatisme. La Mettrie, qui est plus habile et s'abstient de choisir, ne parvient pas à suspendre tout à fait son jugement. Il reporte sur les critères du goût le prestige et le pouvoir qu'il a ôtés à la conscience. Mais ceux-ci ne demeurent-ils pas d'essence morale ?

1. La Mettrie, *Œuvres philosophiques*, Amsterdam, 1753, t. II, p. 327.
2. *Ibid.*, p. 320.

8. — Les contradictions de Diderot.

Les idées des Philosophes sur le bonheur ne sont pas exemptes de contradictions. On l'a constaté pour Voltaire. L'exemple de Diderot est plus significatif encore.

S'agit-il des rapports entre le bonheur et la nature ? Dans le *Supplément au Voyage de Bougainville,* il prend parti pour un naturisme intégral, admire la liberté sexuelle des sauvages, et dénonce cette absurdité, fatale au bonheur, qui consiste à avoir indûment attaché « des idées morales à certaines actions physiques qui n'en comportent pas ». Dans les *Fragments échappés au portefeuille d'un philosophe,* il s'indigne contre le « goût antiphysique des Américains », et déclare tout le contraire : « Il est des actions auxquelles les peuples policés ont avec raison attaché des idées de moralité tout à fait étrangères à des sauvages [1]. »

Même ambiguïté en ce qui concerne les rapports du bonheur et de la vertu. Toute une partie de l'œuvre de Diderot est un enivrement de la vertu. Mais lorsqu'il rend compte — avec quel scepticisme ! — du *Temple du bonheur,* il laisse paraître ses doutes, et reconnaît que l'idée rassurante d'une liaison naturelle entre le bonheur et la vertu est souvent démentie par l'expérience [2]. Dans le *Neveu de Rameau,* l'expédient des idiotismes permet à des morales fort diverses de coexister, à certains bonheurs de se croire légitimes, même s'ils se sont hardiment installés en marge de l'orthodoxie.

Autre contradiction : dans les lettres à Falconet, où se chantent les vertus de la gloire, le bonheur consiste en une expansion de l'être dans le temps et dans l'espace, qui est le propre du génie. Cette morale, inspirée de l'antique, est résolument humaniste : elle commande de prolonger idéalement les dimensions de l'homme. Diderot spécule sur ce que l'esprit humain produit de plus noble et cherche à se donner, par l'alliance du génie et de la gloire, comme une illusion d'éternité. Or il déclare ailleurs qu' « il est tout à fait indifférent d'être homme ou lapin », ajoutant que « le bonheur peut varier entre les individus d'une même espèce », mais « qu'il est le même d'une espèce à l'autre » [3]. Voilà sapée en une phrase toute conception humaniste du bonheur, lequel se trouve ravalé au stade biologique [4].

1. Diderot, *Œuvres complètes,* Assézat-Tourneux, t. VI, p. 453.
2. Cf. *ibid.*, p. 438. Voir également notre chapitre ii : *La conquête du bonheur et ses vicissitudes.*
3. *Ibid.*, p. 439.
4. « Couvrez-vous de poils, mettez-vous à quatre pattes, jouissez sous quelque nom et quelque métamorphose que ce soit de votre conformation animale ; et dédaignant des plaisirs qui ne sont pas faits pour vous, ne les concevant même pas, vous vous en tiendrez à ceux qui vous seront propres. Lorsqu'Ulysse obtint de Circé que ses compagnons soient rendus à leur première

Le choix n'est pas plus clair entre le mouvement et le repos. Selon l'optique de son matérialisme, Diderot imagine le bonheur comme une fidélité au mouvement de la nature, comme jaillissement et métamorphose, flux des émotions et enthousiasme. Mais, dans l'article *Délicieux* de l'*Encyclopédie,* la félicité se fige en une absolue immobilité, en un repos profond comme une extase, que Diderot appelle « quiétisme délicieux », en avouant qu'il a voulu suggérer la « notion du bonheur la plus grande et la plus pure que l'homme puisse imaginer ».

On sait enfin qu'il n'est pas davantage en accord avec lui-même pour régler les relations entre le bonheur et la sensibilité. Tantôt le bonheur est une jouissance que rien ne tempère. Tantôt seul « l'homme froid » est proclamé heureux.

Les contradictions sur la nature du bonheur semblent donc envahir toute la philosophie de Diderot. Dans l'*Essai sur les règnes de Claude et de Néron,* on lit à deux pages d'intervalle : « Point de bonheur sans la *vertu* » et « Qu'est-ce que le bonheur au jugement du philosophe ? C'est la conformité habituelle des pensées et des actions aux lois de la *nature* [1]. »

Pour atténuer ces incohérences ou ces incompatibilités, il faut bien admettre que la pensée de Diderot, comme celle de Pascal ou de Rousseau, distingue plusieurs *ordres*.

Au niveau le plus bas, tournoie le cycle de la nécessité naturelle, qui emporte l'homme, sans liberté ni repos. C'est le stade antihumaniste de la pensée de Diderot. Il ne saurait alors être question de morale : l'homme n'est rien de plus qu'un animal associé au déferlement universel, dont ses instincts tout-puissants lui renvoient l'image. Mais le déterminisme de la matière est transcendé — sans qu'on sache comment [2] — par la liberté de l'homme, qui fonde son ordre propre, nommé *Vertu.* Or à peine constitué, celui-ci se manifeste aussi tyrannique que le précédent. L'homme n'avait pas le pouvoir d'échapper à l'ordre de la nature. Il n'a pas le droit d'esquiver celui de la vertu.

L'ordre universel de la morale est rompu, à son tour, par le génie individuel. L'être hors série, le poète, l'artiste, s'installe au-delà de la vertu, comme la vertu dépasse la nature [3]. Seul le génie peut faire éclater le schéma de l'homme, être vraiment lui-même, inventer ses propres valeurs. Mais que se passera-t-il, s'il est, comme Jean-

forme, il consulta Circé, mais il ne consulta aucun de ses compagnons métamorphosés. Je doute que l'huître eût voulu redevenir pêcheur et le brochet matelot. » (*Ibid*). C'est le thème traité dans les *Dialogues des animaux ou le Bonheur,* œuvre anonyme de 1762 (cf. chapitre I).

1. *Ibid.,* t. III, pp. 312 et 314.

2. Ce point-là, Diderot ne le résout jamais. La liberté humaine n'est pas un objet de démonstration, mais un simple postulat de la sensibilité.

3. Cette deuxième transcendance est aussi peu rationnellement fondée que la première.

François Rameau, un cynique, un homme sans conscience ? Il ne profitera d'une liberté exceptionnelle, qui devrait l'élever encore au-dessus de la vertu, que pour se replonger avec une frénétique volupté, mais de façon *consciente* cette fois, dans le flux de la nécessité naturelle. Le *Neveu de Rameau,* récit d'une transcendance manquée, c'est-à-dire d'une chute, ferme le cercle et nous ramène au point de départ.

A chacun de ces trois ordres correspond une certaine forme d'exaltation : philosophique, morale, poétique. Chaque fois, le bonheur s'incarne en un style particulier : bonheur naturel, bonheur vertueux, bonheur spécifique de l'homme de génie. Mais peut-être est-ce imposer une clarté bien systématique aux mouvantes idées de Diderot. Ne s'est-il pas suffisamment moqué de tous ceux — nombreux en son siècle — qui ont prétendu réduire le bonheur en traités ?

9. — La Philosophie et le siècle du bonheur.

Pour beaucoup de contemporains, la quête philosophique du bonheur constitue la grande innovation, la glorieuse découverte de leur époque. Dans l'histoire de la pensée il reviendra, pensent-ils, au XVIIIe siècle d'avoir mobilisé toutes les ressources de l'esprit au profit de cette capitale entreprise.

L'abbé Pluquet décrit, dans l'avant-propos de son livre *De la Sociabilité,* les trois âges successifs de l'humanité [1]. Le premier est ce long moment de l'histoire où la civilisation se cherchait encore, où la guerre et les conquêtes accaparaient la force des nations, où l'homme n'imaginait d'autre affirmation de lui-même que dans la gloire suspecte des armes ou le faste ignoble de la débauche [2].

La deuxième étape appartient à la civilisation classique. Désormais la force pure est discréditée, et le prestige de l'esprit reconnu. L'art triomphe partout. On invente un idéal humain, où la culture et l'élé-

1. Abbé Pluquet, *De la Sociabilité,* Paris, 1767, 2 vol. in-12.
François-André Pluquet est né à Bayeux en 1716. Il vint à 26 ans à Paris, où il fit ses études de théologie. Il devint précepteur de l'abbé de Choiseul, qui lui fit obtenir une pension de 2.000 livres. Il fut reçu licencié de Sorbonne en 1750, ce qui ne l'empêcha pas d'être l'ami de Fontenelle, d'Helvétius et de Montesquieu. Par la suite, Pluquet fut grand-vicaire de son ancien élève, devenu archevêque d'Albi, puis de Cambrai, et il obtint en 1766 une chaire de philosophie morale au Collège de France. Il en démissionna en 1782, et mourut en 1790. Dans son *Examen du fatalisme,* son premier ouvrage, publié en 1757, Pluquet prend position contre le déterminisme des Encyclopédistes.

2. « Depuis une longue suite de siècles, les hommes sont plutôt entraînés que conduits vers les objets qu'ils croient propres à les rendre heureux. Les préjugés, l'ignorance, le désordre, les guerres produites par l'élévation et par la destruction de l'Empire Romain ont tenu presque tous les esprits hors de la route du bonheur : on croyait que l'homme ne pouvait être heureux que par le luxe, par l'agitation et par le tumulte de la guerre, par les exploits d'une bravoure féroce et par le dérèglement des mœurs. Tel fut l'état des Romains et des peuples dont les incursions successives ont anéanti l'Empire Romain et qui se sont établis dans l'Europe. » (*Op. cit.,* p. III-IV).

gance, la curiosité et l'amour des plaisirs, s'harmonisent agréablement. C'est un progrès immense pour l'humanité. Mais, parmi toutes les sciences qui prennent leur essor, au milieu de tant de chefs-d'œuvre, on oublie l'art du bonheur [1].

La civilisation classique était brillante, mais frivole. La science la plus nécessaire n'y trouvait pas sa place. La philosophie de cabinet, empoussiérée de scolastique, demeurait un jeu parmi tant d'autres. Ce n'est pas d'une morale de docteurs que les hommes ont besoin. Le XVIIIe siècle l'a enfin compris, en inaugurant cette alliance, qui est sa plus belle trouvaille, entre les écrivains, les savants et les philosophes. Désormais l'âge est révolu des purs penseurs ou des purs artistes, ceux-ci n'ayant rien à dire, ceux-là hors d'état de se faire comprendre. La virtuosité gratuite des uns et la rigueur inutile des autres étaient également incapables de faire le bonheur des hommes. Mais voici qu'un pacte est conclu entre l'esprit scientifique et l'amour du beau, par quoi sera fondée une véritable science du bonheur, aussi inattaquable dans ses principes qu'accessible, par son agrément, à l'humanité entière :

« Cette union de la philosophie, de la méthode des sciences exactes et de la littérature est *une révolution de l'esprit humain*. Les hommes de lettres composent une seule famille : leurs travaux et leur gloire sont en commun ; le bonheur de l'humanité est leur objet [2]. »

1. « Lorsque l'Europe s'est calmée, la paix a fait naître l'abondance et les arts ; on a cultivé les lettres, on a passé par degrés du fracas de la guerre et de la chaleur de la débauche à la passion de la chasse, au goût de la table, aux fêtes, aux tournois, à la galanterie, aux spectacles. Les personnes qui cultivaient leur esprit, entraînées par le goût général, ne se sont appliquées qu'à la littérature agréable, à la poésie. Lorsque les talents se sont tournés vers les sciences, on n'en a cultivé que les parties agréables ou utiles aux Arts. C'est par des systèmes ingénieux, par des découvertes importantes et sublimes que Képler, Gassendi, Descartes, Newton se sont rendus célèbres et qu'ils ont formé des partis ; presque personne ne connaissait ce que Bacon et Gassendi avaient écrit sur *le bonheur*. Ainsi, tandis que le luxe, la littérature agréable, la poésie, l'astronomie, la géométrie, les beaux-arts faisaient de grands progrès, la science du bonheur et la morale disparaissaient et s'ensevelissaient dans l'oubli ; ou, semblables à Cassandre qui annonçait la vérité mais que personne ne croyait, parce qu'elle avait dédaigné les lois de l'Harmonie, la philosophie morale, reléguée dans les écoles, ne s'offrait qu'avec un appareil rebutant qui décourageait et qui rendait la vérité inaccessible à des hommes livrés à la passion de la guerre, aux plaisirs, aux affaires, et qu'on ne pouvait instruire qu'en les amusant ou en leur offrant des vérités simples et que l'esprit pût saisir sans effort... » (*Ibid.*, p. IV-VI).

2. « C'est ainsi que s'est achevée, principalement de nos jours, l'union des Belles-Lettres, de la Philosophie et de la méthode des Sciences exactes, tentée tant de fois et principalement depuis le renouvellement des sciences en Europe ; et l'on peut dire avec un philosophe [d'Alembert] qui a peut être plus contribué qu'aucun homme de son siècle à cette union, que l'ordre, la netteté, la précision, l'exactitude qui règnent dans les bons livres pourraient très bien avoir leur source dans l'esprit géométrique qui s'est répandu et qui, en quelque façon, s'est communiqué de proche en proche à ceux-mêmes qui ne connaissaient pas la géométrie... Tous travaillent à ce gra l ouvrage, chacun selon le talent qu'il a reçu, celui-ci en découvrant une vérité nouvelle, c ui-là en corrigeant une erreur... Ce sont les hommes de lettres qui, profitant du loisir ou même de l'oisiveté que le luxe a produits, de la douceur et de la mollesse qu'il a introduites dans les mœurs, de la flexibilité qu'il a donnée aux âmes, des malheurs même qu'il cause, ont ranimé la curiosité et l'activité de l'esprit et l'ont tourné vers l'étude des vérités propres à rendre les hommes heureux et bienfaisants, et la société paisible et florissante. C'est pour rendre cette curiosité utile au bonheur de l'humanité qu'ils font tant d'ouvrages. » (*Ibid.*, pp. VIII et suiv.).

Les pages de Pluquet sont admirables par leur accent triomphant et leur modernité enthousiaste, par un sens assez pertinent de la synthèse et de l'histoire, et aussi par les rapports établis entre l'évolution des formes sociales et les progrès successifs de la pensée. On y retrouve cette passion de l'utile, qui inspire tous les auteurs d'un siècle où il n'était presque pas concevable qu'on écrivît un livre, sérieux ou non, sans l'offrir au bonheur de l'humanité.

Cela suppose que le bonheur s'enseigne, que le manquer ou ne pas y prétendre sont des fautes que la vie sanctionne. Il faut inculquer cette double conviction qu'être heureux est une obligation, et qu'on ne le devient ni par accident ni par fantaisie :

« *Ne disons pas aux hommes : vous n'agissez que pour votre bonheur; mais apprenons-leur que la nature, qui a mis en eux un amour invincible du bonheur, ne les rend pas heureux au hasard et à leur gré, et que l'amour du bonheur a des lois qui ne sont que les besoins et les inclinations de la nature* [1]. »

C'est, en une seule phrase, tout le pessimisme de l'âge classique réfuté. Il n'y a plus d'intervalle entre l'exigence du bonheur et sa réalisation. Le désir n'est plus la nostalgie ou le pressentiment d'un état inexorablement éloigné de la condition actuelle, mais l'indice que tout ce que la nature réclame peut et doit s'accomplir. Celle-ci n'est plus considérée comme le résidu informe d'une totalité perdue ou compromise. Elle devient cette plénitude où l'objet du désir est contenu dans le désir même. Mais une parfaite compréhension de ce dernier ne s'obtient qu'en vertu de *lois*, que la nature élabore et qu'interprète la nouvelle philosophie. En suivant un chemin sans piège et sans surprise, l'homme parvient droit au bonheur. Sans doute la nature veut-elle qu'on renonce à tout ce qu'elle ne comporte ni n'approuve. Mais ce qu'elle exclut n'est pas fait pour l'homme, et elle ne l'exclut justement que pour cela. Elle ne nous prive que de ce que nous rejetterions nous-mêmes, après de malheureux essais et des déchirements [2].

La philosophie du XVIIIe siècle finit par concevoir un homme « surdéterminé ». Tant que l'idéal demeure surnaturel, l'homme trouve sa liberté dans la distance qui l'en sépare : on n'est jamais tenu d'être tout à fait fidèle à un absolu lointain. Mais si l'absolu se loge dans la nature même, comment lui résister ? Sans doute l'homme peut-il alors aisément accéder à la perfection, puisqu'il la porte en lui-même. Il n'en doit pas moins choisir entre la tyrannie immanente de la nature et le désastre de ceux qui, voulant y échapper, tombent dans la catégorie des « monstres », qu'on ne peut plus sauver. Cela explique pourquoi ce siècle, qui a tant revendiqué la liberté, n'a

1. *Ibid.*, t. I, p. 131.
2. *Ibid.*, pp. 238-239.

su élaborer qu'une morale autoritaire, en proposant de l'homme une image plus générale encore que le type forgé par les classiques. La *nature*, telle que ceux-ci la concevaient, ne visait qu'à représenter l'homme tel qu'il est. Elle signifie désormais ce qu'il doit être.

La morale a pour but de façonner l'individu de telle sorte qu'en ne croyant suivre que son « caractère », il se dirige immanquablement vers le bonheur que la nature et la philosophie lui ont préparé [1]. Un autre postulat est que la raison peut toujours apprécier les rapports entre le bonheur et les objets sur lesquels le désir s'arrête [2]. Le bonheur dépend donc à la fois d'une détermination secrète du caractère, informé par la philosophie, et d'une souple activité de l'esprit, qui en toute circonstance évalue souverainement les risques et les chances.

On arrive au point extrême de l'optimisme : l'homme conduit par son caractère à ne convoiter que ce qui le favorise, pratiquant spontanément les vertus sociales ; capable, d'autre part, de toujours étudier la conjoncture de son bonheur, et libre de ne céder aux tentations que s'il prévoit un dénouement heureux [3]. Ce double résultat est la conquête de l'esprit philosophique. C'est lui qui dresse l'homme à bien diriger sa volonté, et qui en fait en même temps un être autonome, doué d'un infaillible jugement. Tel est son prodige : ménager une liberté de détail dans les limites d'une détermination fondamentale.

10. — La Philosophie et les âmes sensibles.

Le bonheur inspiré par la philosophie peut-il se trouver en contradiction avec les exigences ou les dégoûts des âmes sensibles ? On relève là-dessus des témoignages qui ne s'accordent guère. Dans ses *Moments heureux*, Mme d'Épinay raconte « l'orage » qu'elle essuie d'un fâcheux. Celui-ci demande : « Seriez-vous un peu sensible ?...

1. *Ibid.*, t. II, pp. 125-127.

2. « L'esprit humain a le pouvoir de connaître si un objet est ou n'est pas nécessaire à son bonheur... *La connaissance du rapport d'un objet avec le bonheur de l'homme dépend de l'esprit humain, en sorte qu'il est le principe de toutes ses déterminations à son égard...* Je ne prétends pas que l'homme puisse ne pas rechercher un objet qu'il regarde comme un bien pur, mais je prétends que, n'y ayant sur la terre aucun bien pur et sans mélange, l'homme content et heureux pourrait ne pas regarder comme nécessaires à son bonheur tous les avantages qu'il ne possède pas, s'il dépend de lui de comparer les objets, de connaître leurs rapports, soit entre eux, soit avec son bonheur... L'expérience de l'amour que l'homme a pour son bonheur lui fournit à chaque instant une raison suffisante d'examiner si les objets même les plus agréables sont ou ne sont point nécessaires à son bonheur, avant que de les rechercher. L'impression agréable d'un objet est donc toujours contrebalancée par la vue d'un mal qui peut y être attaché et l'esprit se trouve alors comme placé entre deux tableaux qui lui représentent le même objet sous deux faces différentes, comme un bien et comme un mal. » (Pluquet, *Examen du fatalisme*, t. III, p. 193). Cf. *ibid.*, p. 206.

3. Il n'y a, en principe, aucune contradiction entre les deux, le caractère se bornant à indiquer une pente, à marquer une aptitude générale, tandis que le jugement tranche les cas particuliers.

Eh non, vous êtes trop philosophe... [1] » En revanche, un personnage de Marmontel déclare : « Je suis vrai, Madame, et ne suis point philosophe ; *mais si je méritais ce nom, je n'en serais que plus sensible* [2]. »

Il faudrait retracer avec précision l'histoire du mot *philosophe* au XVIIIe siècle. On constaterait qu'il garde assez longtemps son sens traditionnel d'homme spéculatif, avant de prendre son sens nouveau d'homme sociable. Le philosophe apparaît d'abord comme un solitaire assez misanthrope, décourageant d'austérité. Dans *Cleveland* (1732), ce sens subsiste encore : le « philosophe anglais » et l'homme sensible coexistent ou alternent dans l'âme du héros, sans jamais se confondre. Cleveland n'est philosophe que dans la mesure où il se réfugie dans les livres et tâche de se forger une stoïque impassibilité. Tout son comportement humain échappe à la philosophie, quand il ne s'affirme pas contre elle [3].

Avec Voltaire et Diderot, l'opposition n'existe plus. Le philosophe a rompu avec la métaphysique et renoué avec la vie. Il est l'homme bienfaisant et vertueux par excellence, et le modèle de toutes les aptitudes sociales.

A partir de Rousseau, c'est un nouveau décalage qui se manifeste. L'âme sensible croit pouvoir se passer de la philosophie. Quant à Rousseau lui-même, il dissocie raison et raisonnement. Tandis que l'une devient cette faculté totale, profondément immergée dans la sensibilité, qui réalise l'unité de l'homme, l'autre se dégrade en un jeu pervers ou ridicule, abandonné avec dédain aux « philosophes ».

Les mondains euphoriques et les Philosophes, volontiers doctrinaires, ferment les yeux sur les conflits toujours possibles entre la philosophie et la sensibilité. Mme de Puisieux assure que l'idée d'un « philosophe insensible » implique contradiction [4]. Voisenon rêve d'une philosophie qui ne serait que la forme la plus exquise de la sensibilité, l'art de propager délicatement autour de soi le plaisir d'aimer [5]. Les Philosophes ne manquent jamais d'inclure dans leur

1. Mme D'ÉPINAY, *Mes Moments heureux*, p. 69.
2. MARMONTEL, *Contes moraux*, t. I, p. 114.
3. Le *philosophe*, pris en ce sens, s'oppose à la fois, par son indifférence, à l'âme sensible, et au savant, par son goût des vérités abstraites et des systèmes. Lorsque Cleveland, dans son deuxième plan de vie, reprend une activité intellectuelle interrompue depuis la retraite à Saumur, ce n'est plus la philosophie ni la théologie qu'il étudie, mais les sciences de la nature : « Après m'être convaincu plus fortement que jamais par une courte revue du passé que la vérité et la sagesse philosophique sont des chimères de l'imagination, je me figurais que l'étude de la nature ayant du moins un objet réel et sensible, elle pouvait attacher l'esprit avec d'autant plus de satisfaction qu'elle roule sur les objets qui nous environnent. » Non seulement cette philosophie paraît incapable de fournir des règles de vie, mais elle est trop abstraite, trop éloignée de la nature, pour fixer véritablement l'esprit, qu'elle égare parmi d'inutiles concepts. La philosophie, telle que la comprendront les Philosophes, sera au contraire une « morale universelle » et un « système de la nature ».
4. « S'il y a des gens inaccessibles à tous les événements et qui s'imaginent qu'on les regardera pour cela comme des philosophes, ils se trompent. On les prendra pour ce qu'ils sont, pour des stupides ». (Mme DE PUISIEUX, *Caractères*, p. 83).
5. VOISENON, *Histoire de la Félicité*, p. 44.
Dans le même sens, l'auteur de *L'Amour décent et délicat* s'écrie : « Ah ! il y a dans les épan-

système tous les modes du sentiment. De l'amour conjugal à l'amour de l'humanité, la philosophie annexe et explique toutes les formes de la vie affective.

Mais une telle confiance est souvent exposée à de lourdes désillusions. Le drame personnel de Cleveland est significatif. Il avait choisi un double idéal : l'amour et la sagesse [1]. Pendant longtemps, il ne voit aucun moyen de les concilier. Un jour, il décide de résoudre l'antinomie en modifiant son idée de la sagesse [2]. Mais, pas plus que Des Grieux, il ne réussit. Tout le fruit qu'il retire de sa philosophie est une « fermeté extérieure », qu'il parvient à sauver malgré ses « malheurs » et ses « pertes », mais qui ne change rien au fond même de son désespoir :

« A la vérité, le courage et la constance inaltérables que j'ai fait paraître dans toutes mes disgrâces m'a *(sic)* mérité le nom de Philosophe ; on n'a pas cru que ma patience toujours égale et la sérénité apparente de mon humeur, sous les plus rigoureux coups de la Fortune, pussent être l'effet d'une vertu ordinaire. On les a honorés du nom de Philosophe. Superbe nom ! Hélas, qu'il m'a coûté cher ! Ceux qui me l'ont donné n'ont jamais connu le secret de mon âme. J'ai tiré, en effet, de la philosophie tout le secours qu'elle peut donner : elle a éclairé mes entreprises, elle a réglé mes dehors, elle a soutenu ma prudence, elle m'a fourni des consolations contre le désespoir. Mais elle n'a jamais diminué le sentiment intérieur de mes peines, et elle ne m'a point empêché de reconnaître qu'un philosophe est toujours homme par le cœur [3]. »

Texte émouvant et profond, qui découvre le tragique de l'homme sous la sérénité de façade du philosophe. Les tentatives de la raison profitent à la dignité, mais restent sans aucune prise sur les mouvements profonds de l'âme, à quoi l'esprit ne peut porter remède, tant il est désarmé par leur violence étrange et leur totale irrationalité [4].

chements de l'âme, dans ces effusions du cœur des délices inconnues aux âmes vulgaires : *c'est la route de la bonne philosophie.* » (Abbé Chayet, *op. cit.*, pp. 9-10).

1. « J'ai souhaité de devenir heureux par l'amour », avoue Cleveland, et il complète un peu plus loin sa pensée : « J'avais deux buts : quel était l'autre ? C'était de travailler incessamment à me rendre plus sage, par le secours de l'étude et de mes réflexions. » (*Cleveland*, t. II, p. 45).

2. « Ma condition change : j'ai d'autres règles à suivre. Quoique la Sagesse soit toujours la même, elle prend différentes formes dans les différents états de la vie. J'ai déjà eu l'occasion de faire assez de remarques sur cette variété de conditions et de devoirs, pour me former un plan qui convienne à la situation où je vais entrer. Voyons et faisons aller de pair, autant qu'il m'est possible, la Sagesse et l'Amour. » (*Ibid.*, p. 5).

3. *Ibid.*, pp. 2-3.

4. Il est dommage que Cleveland limite la valeur d'une prise de conscience si humaine, en la présentant seulement comme l'illustration d'un destin exceptionnel. Ce n'est pas le seul cas, chez Prévost, où la coquetterie du malheur qu'il prête à ses héros appauvrit ou dénature des intuitions souvent profondes : « Il est donc vrai que j'ai toujours su prendre assez d'empire sur mes peines pour conserver l'usage libre de ma raison, mais il ne l'est pas moins que cette fermeté d'esprit, qui a pu contribuer à la sagesse de ma conduite, n'a jamais servi de rien à la tranquillité de mon âme. Les malheureux peuvent être distingués communément en deux classes : l'une, de ceux qui succombent en quelque sorte sous le poids de leur misère et qui y deviennent quelquefois moins sensibles, par la raison même qu'ils n'y résistent pas ; à peu près comme un arbre est moins blessé par le vent, lorsqu'il cède à l'impétuosité de son souffle. L'autre classe est de ceux qui se raidissent contre le malheur, et qui parviennent

Il semble toutefois que Cleveland parvienne à l'apaisement. Mais ce n'est pas le bonheur qui s'installe dans son âme. La philosophie lui permet tout au plus de substituer au désespoir la « mélancolie », résidu douloureux du malheur maîtrisé par la raison [1]. Une fois de plus, Prévost apparaît comme l'une des consciences les plus lucides de son siècle et l'un des plus efficaces pourfendeurs d'illusions. Il sait que le bonheur prêché par la philosophie n'est pas, pour un passionné, un vêtement aisément endossable. En un temps où l'on se dispose à inventer un être rassurant et mythique, il demeure le sûr témoin de la vérité et des contradictions de l'homme [2].

De nombreuses âmes demeurent apathiques ou méfiantes devant les doctrines et les recettes du bonheur philosophique. Quelques correspondances en apportent d'intéressants témoignages. Au début de l'année 1738, le jeune Mirabeau reproche à son ami Vauvenargues de laisser couler sa vie, sans faire de *plan de bonheur* :

« Il n'est pas d'un philosophe, mon cher ami, de vivre au jour la journée... Eh quoi ! mon cher, vous pensez continuellement, vous étudiez, rien n'est au-dessus de la portée de vos idées, et vous ne songez pas un

aussi de cette manière à en diminuer le sentiment : ne fût-ce que pour cette raison que l'effort qu'ils font pour résister occupe une partie de l'attention et de la force de leur âme ; il lui en reste moins pour sentir ce qui doit l'affliger. Pour moi, *je suis peut-être le seul individu de ma malheureuse espèce. J'ai combattu toute ma vie contre la douleur sans que mes combats aient jamais pu servir à la diminuer; mon âme ayant toujours eu assez d'étendue pour être capable tout à la fois et de l'effort qu'il faut pour résister à l'infortune et de l'attention qui la fait sentir.* » (*Ibid.*, t. III, pp. 54-55).

1. Ultime tentative de la raison : Cleveland essaie de neutraliser cette mélancolie même en l'attribuant à des influences physiques : « Il faut que je le reconnaisse à la gloire de la Philosophie et de la Raison : ces deux guides de ma conduite se trouvèrent encore plus puissants que tous mes maux. Après tant de troubles et de douleurs, ils eurent le pouvoir de rétablir un certain calme dans mon âme et de la mettre dans une situation, d'où je recommençai du moins à envisager le bonheur comme un état auquel il m'était permis d'aspirer. Il me resta bien un fonds de mélancolie, que je n'espérai pas que le temps ni mes efforts fussent jamais capables de surmonter ; mais je m'accoutumai à le regarder moins comme une maladie de mon âme que comme un des changements climatériques qui viennent quelquefois de la différence des âges et dont il y a peu de personnes qui n'éprouvent quelque chose à mesure que les années se multiplient. » (*Ibid.*, t. IV, pp. 61-62).

2. Mme d'Épinay admet que la raison n'est pas sans influence sur les passions, qui sont des états de crise que la philosophie peut amortir. Mais comment pourrait-elle atteindre la sensibilité profonde, qui est la propre qualité de l'âme, sans détruire l'âme elle-même ? Elle explique cela dans une lettre à Tronchin : « Vous m'en avez écrite une dans laquelle vous me dites d'un de vos fils qu'il était né plus sensible que raisonnable : « Je l'ai rendu, ajoutez-vous, plus raisonnable que sensible. Je fais un essai où il ne risque rien. » La raison peut sans doute beaucoup sur les passions ; elle nous apprend à nous modérer, à dompter nos désirs, à fuir les occasions. Mais qu'est-ce qu'on apprend à un cœur sensible ? Rien, en vérité, rien, mon bon ami. Empêcherez-vous une onde pure et tranquille de s'agiter, lorsque j'y aurai jeté la plus petite pierre ? Ce ne sera donc que sur les passions que j'accorderai du pouvoir à l'éducation. » (Mme d'Épinay, *Mes Moments heureux*, pp. 123 et suiv.).

Certains ne se contentent pas de contester le pouvoir de la philosophie. Ils lui dénient radicalement le droit de s'occuper de la vie de l'âme. Vauvenargues est à cet égard bien plus catégorique que Rousseau. Il figure vraiment l'anti-philosophe : « On dit qu'il ne faut pas juger des ouvrages de goût par réflexion, mais par sentiment. Pourquoi ne pas étendre cette règle sur toutes les choses qui ne sont pas du ressort de l'esprit, comme l'ambition, l'amour et toutes les autres passions ? Je pratique ce que je dis : je porte rarement au tribunal de la raison la cause du sentiment ; je sais que le sang-froid et la passion ne présentent pas les choses à la même balance et que l'un et l'autre s'accusent avec trop de partialité. » (Vauvenargues, *Œuvres*, t. I, p. 117).

moment à vous faire un plan fixe vers ce qui doit être notre unique objet : le bonheur [1]. »

Vauvenargues répond : « Je conviens, mon cher Mirabeau, que je suis un homme faible, qui se conduit par sentiment, qui lui soumet sa liberté et qui ne veut que par lui ; ma raison est inutile ; elle est comme un miroir, où je vois mes faiblesses, mais qui ne les corrige point. » D'ailleurs il conteste le caractère « philosophique » de toutes ces poursuites du bonheur qu'on lui cite en exemple : elles sont beaucoup moins le fruit de la raison que du « sentiment intérieur de la misère ». Sans doute éprouve-t-il, comme tout le monde, « cette inquiétude qui est la source des passions ». Il aimerait lui aussi posséder la santé, la force, la gaîté, la richesse. Mais la conscience de son dénuement ne le conduit qu'à l' « indolence ». Au lieu de se cristalliser en une conduite rationnelle, au lieu de susciter une philosophie du bonheur, ses désirs et ses rêves « se concentrent et forment une humeur sombre », qui l'empêche de prévoir et d'agir [2]. Mirabeau, que les passions mettent au supplice (« L'hiver dernier, l'ambition m'a tourmenté comme un forçat » [3]), assure qu'il envie cette « inaction ». Cependant il explique, avec une satisfaction peu discrète, le confortable système de vie que ses « idées philosophiques », travaillant sur le fonds brut de son tempérament, lui ont permis d'élaborer [4]. Mais rien ne peut ébranler Vauvenargues, qui croit à la fatalité des déterminations intérieures, qui n'aperçoit en l'homme aucune faille de liberté, où puisse s'insérer une sagesse : « Il est entre les objets et notre cœur de certaines convenances, que la nature a formées et que l'on ne saurait rompre... » [5] Il s'accrochera donc héroïquement, éperdument, à cette fatalité personnelle, qu'il ne songe même pas à faire fructifier, cultivant simplement sa différence en une contemplation « inquiète et inutile » [6] :

1. Lettres du 7 février et du 30 mars 1739, VAUVENARGUES, *Op. cit.*, t. III, pp. 115 et 122. Voici le plan de bonheur suggéré par Mirabeau : « Cherchez d'abord à corriger votre humeur, à blanchir vos idées, et imaginez toujours que la gaîté est le fondement du bonheur. Je ne m'arrête point aux préjugés sur cela : il faut rectifier ce qu'il peut y avoir de mauvais dans ses inclinations, et puis les suivre, sans s'arrêter aux façons de penser du profane vulgaire » (7 février, *ibid.*, p. 115). Vauvenargues reprend avec ironie : « Rien n'est si sage et si vrai que les conseils obligeants dont vous m'offrez le secours : corriger son humeur, blanchir ses idées, se former un plan de vie, se conduire par principes, se soustraire aux préjugés, épurer ses inclinations, s'y livrer ensuite hardiment et ne pas perdre de vue que la gaîté est le vrai bonheur : voilà, mon cher Mirabeau, l'essence de la morale » (1er mars, *ibid.*, p. 117).

2. 9 avril, *ibid.*, pp. 125-127.

3. 24 avril, *ibid.*, p. 129.

4. « Il faut peu de chose à un homme qui a les idées philosophiques et que sa santé oblige à du régime ; quelques amis, logement gai, facilité de remplir tous ses désirs, ce qui en éteint la virulence ; voilà tout, et ce qu'on ne trouve qu'à Paris. C'est le lieu que j'habiterai désormais, hors des étés, où des devoirs de position me conduiront à mes affaires. J'ai acheté une terre à vingt lieues de Paris ; bien gaie, solitude charmante, le pied dans l'eau au mois d'août, le pied sec au mois de décembre ; *grands cabinets à la ville, petits réduits à la campagne, amis sûrs, recherchés du public, voilà ma vie* » (13 mars 1740, *ibid.*, pp. 198-199).

5. 4 mai, 1739, *ibid.*, pp. 134-135.

6. « Je suis bien loin d'être raisonnable... J'ai toujours été obsédé de mes pensées et de mes

« Je puis bien vous dire... qu'il n'y a ni proportion ni convenance entre mes forces et mes désirs, entre ma raison et mon cœur, entre mon cœur et mon état, sans qu'il y ait plus de ma faute que de celle d'un malade, qui ne peut rien savourer de tout ce qu'on lui présente et qui n'a pas en lui la force de changer la disposition de ses organes et de ses sens, ou de trouver des objets qui leur puissent convenir. *Mais, quoique je ne sois point heureux, j'aime mes inclinations et je n'y saurais renoncer ;* je me fais un point d'honneur de protéger leur faiblesse ; je ne consulte que mon cœur ; *je ne veux point qu'il soit esclave des maximes des philosophes* ni de ma situation ; je ne fais pas d'inutiles efforts pour le régler sur ma fortune ; je veux former ma fortune sur lui. Cela sans doute ne comble pas mes vœux ; tout ce qui pourrait me plaire est à mille lieues de moi ; mais je ne veux point me contraindre, j'aimerais mieux rendre ma vie ! Je la garde à ces conditions ; et je souffre moins des chagrins qui me viennent par mes passions, que je ne ferais par le soin de les contrarier sans cesse [1]. »

A Mme Du Deffand, qui répète lugubrement qu' « il n'y a, à le bien prendre, qu'un seul malheur dans la vie qui est celui d'être né » [2], Voltaire essaie de procurer quelques philosophiques consolations. Il tente de justifier l'existence elle-même, préférable somme toute au néant, même si la vie n'est composée que de souffrances et de rêves déçus. Mme Du Deffand lui répond que le dégoût de vivre ne supprime pas l'angoisse de mourir, que la pensée du néant la révolte plus qu'elle ne l'apaise. Voltaire engage alors sa dolente amie à se divertir, convenant lui-même que « c'est parce qu'on est frivole que la plupart des gens ne se pendent pas » [3]. Il admet que la condition humaine est « une bonne chienne de condition » [4] : les hommes ne sont que de « pauvres machines » [5], mues par des ressorts inconnus. Mais il affirme que « *le courage, la résignation aux lois de la nature, le profond mépris pour toutes les superstitions, le plaisir noble de se sentir d'une autre nature que les sots, l'exercice de la faculté de penser sont des consolations véritables* » [6]. Une réflexion qui prend conscience de la nécessité universelle, la dépasse par là-même et la nie. Voltaire semble se souvenir du *cogito* de Descartes et du « roseau pensant » de Pascal. La pensée est un privilège, qui permet à l'homme de renverser sa condition :

passions ; ce n'est pas là une dissipation, comme vous croyez, mais une distraction continuelle et une occupation très vive, quoique presque toujours inquiète et inutile... Mais que puis-je y faire, mon cher Mirabeau ? Mes goûts, mon caractère, ma conduite, mes volontés, mes passions, tout était décidé avant moi ; mon cœur, mon esprit et mon tempérament ont été faits ensemble sans que j'y aie rien pu et, dans leur assortiment, on aurait pu voir ma pauvre santé, mes faiblesses, mes erreurs, avant qu'elles fussent formées, si l'on avait eu de bons yeux » (30 juin, *ibid.*, pp. 146-147).

1. *Ibid.*, pp. 178-179.
2. 2 mai 1764, *Correspondance de Mme Du Deffand*, t. I, p. 289.
3. 12 septembre 1760, *ibid.*, p. 270.
4. 24 mai 1764, *ibid.*, p. 296.
5. 21 mars 1764, *ibid.*, p. 288.
6. 24 mars 1764, *ibid.*, p. 296.

« Je ne saurais souffrir que vous me disiez que plus on pense, plus on est malheureux... Cela est vrai pour ceux qui pensent mal... Mais vous dont l'âme se porte le mieux du monde, sentez, s'il vous plaît, ce que vous devez à la nature. N'est-ce donc rien d'être guéri des malheureux préjugés qui mettent à la chaîne la plupart des hommes et des femmes ? de ne pas mettre son âme entre les mains d'un charlatan ? de ne pas déshonorer son être par des terreurs et des superstitions indignes de tout être pensant ? d'être dans une indépendance qui vous délivre de la nécessité d'être hypocrite ? de n'avoir de cour à faire à personne et d'ouvrir librement votre âme à vos amis ? »[1]

L'affirmation est importante, quoique banale en ce temps-là : il suffit de penser en « philosophe » pour se délier, en quelque sorte, de la condition humaine, et ne plus éprouver les vicissitudes accablant le commun des mortels. Voltaire insiste, demandant à Mme Du Deffand, aveugle : « N'est-il pas vrai que s'il vous fallait choisir entre la lumière et la pensée, vous ne balanceriez pas et que vous préféreriez les yeux de l'âme à ceux du corps »[2]. « *Non, Monsieur*, répond-elle, *je ne préférerais pas la pensée à la lumière, les yeux de l'âme à ceux du corps*. Toutes mes observations me font juger que moins on pense, moins on réfléchit, plus on est heureux[3]. » C'est évincer catégoriquement tout « bonheur philosophique ». Mme Du Deffand n'entrevoit qu'une alternative : ou l'insensibilité des êtres sans conscience, ou l'exaltation de l'homme de génie, qui sait extraire toutes les voluptés du fonctionnement admirable de sa pensée. Il faut pour vivre ou s'affirmer glorieusement — et les plaisirs de la méditation, de la création, s'augmentent alors des prestiges qui accompagnent le grand homme — ou se retrancher des êtres pensants pour sombrer dans l'obscure et tiède léthargie des choses : « *Il faut être Voltaire ou végéter*. » Le parti intermédiaire est justement celui de la *philosophie*, qui donne à tout être humain le pouvoir de *composer* sa vie. Mme Du Deffand n'en a cure. Dans son ennui de vivre, elle ne veut pas outrepasser ce qui est *donné* à l'homme, et pourtant cela même elle le rejette comme désespérant. Elle s'enferme dans cette impasse aussi peu « philosophique » que possible : refus de la condition humaine ; refus d'une sagesse, qui permettrait de la corriger[4]. Finalement lassée par les disputes inutiles, elle rompt le dialogue : « Ne parlons plus du bonheur, c'est la pierre philosophale qui ruine ceux qui la cherchent[5]. » Et cette âme sensible, pour qui la raison est disqualifiée, n'aura plus qu'à cacher, sous une brillante sécheresse, son besoin immense d'être aimée.

1. 4 juin 1764, *ibid.*, pp. 299-300.
2. 24 mai, *ibid.*, p. 297.
3. 29 mai, *ibid.*
4. A ce double refus, Mme Du Deffand en ajoute un troisième : celui des illusions, du « romanesque », qui pourraient au moins lui donner l'oubli.
5. 17 juin 1764, *ibid.*, p. 300.

Le bon Ducis est aussi une âme sensible, mais qui a su trouver d'instinct la voie d'une sagesse. Seulement cette voie n'est pas celle de la *philosophie* : « Ma grande sagesse est un profond mépris pour la sagesse humaine... J'aime mieux végéter doucement que méditer douloureusement [1]. » L'essentiel de cette philosophie spontanée, de cette philosophie de l'âme, consiste à réprouver toute tension excessive, toute agitation. Ducis ne comprend rien à la « complexion voltairienne », si étrange avec son « inquiétude fiévreuse » et « cette soif de gloire au bord du tombeau » [2]. Il affirme qu'une « certaine modération » constitue « toute notre sagesse humaine » : « C'est une chose étrange que nous forgions à grands frais une sagesse laborieuse qui nous accable, tandis que la véritable sourit à côté de nous [3]. » Encore la modération de l'âme ne suffit-elle pas à voiler les aspects les plus sombres de notre condition :

« Ah ! ma chère sœur Agathe, nous ne vivons qu'une minute ; et dans cette minute que de secondes pour la douleur ! Cela est horrible. Tout le bonheur dont l'homme est susceptible n'est que dans la consolation. Hier nous gémissions chez M. Thomas de notre condition si chétive et si douloureuse [4]. »

Le sort de l'homme n'apparaît donc supportable que par cette double ressource, l'une qu'il trouve en lui-même, l'autre qui lui vient d'autrui : la modération et la consolation [5]. Et ce fade traducteur de Shakespeare trouve une image vraiment shakespearienne pour exprimer à la fois sa sagesse et son désespoir : « Il ne faut qu'une cabane dans un séjour d'apparition, *où nous ne sommes que des ombres occupées à en voir passer d'autres*, et où les mots d'établissement, de projets, de gloire, de grandeurs ne peuvent exciter que la pitié [6]. »

1. Lettre du 23 juillet 1777 à Deleyre, *Lettres* de DUCIS, éd. Albert, Paris, 1879, p. 30. Dans la même lettre, Ducis précise en quoi consiste sa sagesse : « Il y a bien des choses en ce monde qui me seraient agréables, mais je me fais à leur privation. C'est une peine pour moi de ne pas habiter les champs, comme je l'entends et à ma mode. Mais la *tendresse* de ma mère et mes enfants sont les maîtresses jouissances de mon âme. Ajoutez-y le *travail*, quelque amour de la *gloire*, et surtout de l'*indépendance*, voilà bien de quoi se faire un bon lit » (*Ibid.*, p. 29).
2. Lettre à Deleyre, 7 mars 1778, *ibid.*, p. 35.
3. *Ibid.*, p. 39. Ailleurs, parlant de son ami Thomas, il fait allusion à « cet heureux accord entre son cœur et sa tête, qui nous donne tout ce que l'homme peut avoir de sagesse sur la terre ». (*Ibid.*, p. 71).
4. Lettre à Mme Deleyre, *ibid.*, p. 41.
5. La prospérité matérielle n'est pas inutile non plus — beaucoup moins, en tout cas, que la philosophie — pour nous aider à aménager notre condition : « Il nous faudrait à tous deux [à Thomas et à lui], mais surtout à moi, un peu plus de fortune : cela me mettrait à même de couper, par quelques parties agréables, la monotonie d'une existence qui n'a point assez de mouvement pour un homme né penseur, que la vue des mêmes visages et du même horizon ramène trop facilement sur son état et sur la misère des choses humaines ». (Lettre à Deleyre, *ibid.*, pp. 43-44).
6. *Ibid.* La correspondance de Ducis est intéressante, car on n'y voit figurer que des mélancoliques. Deleyre et Thomas sont, à tour de rôle, en proie à la neurasthénie. Quant à Ducis lui-même, il avoue : « Il est plus d'une heure dans chaque journée où le sérieux de la réflexion et des souvenirs vient peser sur mon âme. » (*Ibid.*).

De faibles exigences [1], le travail [2], la retraite dans sa « cabane » [3], sa candeur naturelle [4], permettront à Ducis d'échapper au vertige de l'absurde fantasmagorie. Mais il n'accorde rien à la philosophie de son temps, qui prône avant toute autre chose la sociabilité, et, comme Vauvenargues, il ne demande son bonheur qu'à sa fidélité envers lui-même : « Je ne suis pas du tout triste, ce n'est pas mon caractère, *mais je conserve ma misanthropie et ma façon d'être comme la source de mes jouissances* [5]. »

Pour Bernardin de Saint-Pierre, la raison vantée par les Philosophes n'exprime que les conventions contraires à la nature, ou les intérêts des passions, dont l'existence est un phénomène social. Seul le « sentiment », qui exclut à la fois les passions et la raison, deux inventions complices de l'homme dépravé, retrouve l'authenticité de l'homme naturel [6]. Un « bonheur philosophique » est une absurdité, car le bonheur se trouve dans la nature, alors que la philosophie n'a fait que justifier et mettre en systèmes les aberrations de la société. A supposer d'ailleurs que le bonheur nous soit donné, la raison, qui l'analyse, détruit nos illusions, augmente nos peines, porte la menace de la mort, et manifeste notre néant. Au contraire, le sentiment, qui est un élan de tout l'être, nous délivre de cette lucidité qui retient et divise. Il nous fait tendre aveuglément, mais joyeusement, vers l'objet désiré. Il semble qu'il communique l'ivresse de l'absolu et qu'il soit un affleurement d'éternité dans la condition de l'homme [7].

L'essai de Mme de Staël sur l'*Influence des passions*, qui est de 1796, évoque *Cleveland* par son esprit et ses conclusions. Comparable au héros de Prévost, Mme de Staël a réalisé elle aussi ce dédoublement intérieur qui lui permet de juger les mouvements de son âme, de

1. « On a tant de peine à se croire heureux, mon cher ami, qu'il faut n'être pas difficile. » (A Deleyre, 10 juin 1782, *ibid.*, p. 52.)

2. « Mon travail me devient de plus en plus nécessaire, en ce qu'il me ramène en moi-même et détourne mes regards, que le monde offense plus fortement peut-être que vous ne le pensez. » (Au même, 23 juin, *ibid.*, p. 57.)

3. « Je n'ose plus compter actuellement que sur ma cabane et sur le plaisir de l'habiter. » (A Mme Deleyre, 20 novembre, *ibid.*, p. 64.)

4. « J'oublie tout pour n'être qu'un enfant... » (A Deleyre, 20 mai 1788, *ibid.*, p. 87.)

5. *Ibid.*

6. Cf. Bernardin de Saint-Pierre, *Études de la nature, 12e étude, Œuvres complètes*, 1825-1826, t. V, p. 50.

7. « A la vérité, la raison nous donne quelques plaisirs ; mais si elle nous découvre quelque portion de l'ordre de l'univers, elle nous montre en même temps notre propre destruction, attachée aux lois de sa conservation ; elle nous présente à la fois les maux passés et les maux à venir ; elle donne des armes à nos passions, dans le même temps qu'elle nous démontre notre insuffisance. Plus elle s'étend au loin, plus en revenant à nous, elle nous rapporte des témoignages de notre néant ; et, bien loin de calmer nos peines par ses recherches, elle ne fait que les accroître par ses lumières. Le sentiment, au contraire, aveugle dans ses désirs, embrasse les monuments de tous les pays et de tous les temps ; il se flatte, au milieu des ruines, des combats et de la mort même, de je ne sais quelle existence éternelle ; il poursuit dans tous ces faits les attributs de la divinité, l'infinité, l'étendue, la durée, la puissance, la grandeur et la gloire ; il en mêle les désirs ardents à toutes nos passions, il leur donne ainsi une impulsion sublime ; et, en subjuguant notre raison, il devient lui-même le plus noble et le plus délicieux instinct de la vie humaine. » (*Ibid.*, t. I, pp. 11-12).

résister à l'entraînement des passions, mais qui ne la décharge pas de sa souffrance, et ne la sauve des supplices que pour la livrer à l'amertume des rêves anéantis [1]. Elle a fait l'expérience de la passion totale, qui est le seul vrai bonheur. Elle en est sortie éblouie et brisée, sûre d'avoir à choisir entre le bonheur et la vie. Seules les âmes ardentes, qu'un miracle a sauvées, reconnaissent la nécessité de la sagesse, si bien que celle-ci n'est paradoxalement destinée qu'à ceux-là même pour qui elle fut d'abord chose étrangère. Les cœurs froids et prudents n'en ont pas besoin : leur seul instinct les éloigne des écueils [2]. Mme de Staël définit la philosophie comme l'ensemble des « ressources que l'on peut trouver en soi après les orages des grandes passions » [3]. Elle est un état d'équilibre entre une sensibilité dominée et l'exercice de la raison déclenché par le malheur. La philosophie fixe l'énergie de l'âme retirée des passions, qui ne sont plus que feuilles mortes flottant dans le souvenir. Dans cet état mi-élégiaque, mi-héroïque, le passionné philosophe jouit douloureusement de lui-même et, tout en ayant sacrifié sa raison de vivre, se retrouve tout entier [4]. C'est l'apothéose triste du bonheur : la mélancolie qui demeure au fond de l'âme est à la fois le signe d'une victoire et la dépouille des passions jugulées [5].

Les rapports entre la philosophie et la sensibilité sont donc complexes, les deux mots pouvant prendre des valeurs opposées. Le philosophe traditionnel est cet anachorète de l'esprit, qui nourrit dans le silence une méditation sur les problèmes éternels. C'est ainsi que philosophait Spinoza, et aussi Cleveland à l'abbaye de Saumur. Cette philosophie exclut la sensibilité, puisqu'elle réclame la solitude. Mais la philosophie propre au XVIIIe siècle consiste au contraire à tirer toutes les conséquences d'un fait fondamental : la sociabilité naturelle de l'homme. Or la sensibilité n'est que l'expression immédiate de cette sociabilité. On ne voit pas comment la nouvelle philosophie pourrait lui résister ou la contredire. Voltaire et Rousseau, chacun à sa manière,

1. Cf. Mme DE STAEL, *De l'Influence des passions sur le bonheur des individus et des nations*, p. 249.

2. *Ibid.*, pp. 224-225.

3. *Ibid.*, p. 300.

4. « La philosophie n'est pas de l'insensibilité. Quoiqu'elle diminue l'atteinte de nos vives douleurs, il faut une grande force d'âme et d'esprit pour arriver à cette philosophie dont je vante ici le secours ; et l'insensibilité est l'habitude du caractère et non le résultat d'un triomphe. La philosophie se sent de son origine. Comme elle naît toujours de la profondeur de la réflexion et qu'elle est souvent inspirée par le besoin de résister à ses passions, elle suppose des qualités supérieures et donne une jouissance de ses propres facultés, tout à fait inconnue à l'homme insensible. » (*Ibid.*, p. 307).

5. « Comme il est rare d'arriver à la philosophie sans avoir fait quelques efforts pour obtenir des biens plus semblables aux chimères de la jeunesse, l'âme qui pour jamais y renonce, compose son bonheur d'une sorte de mélancolie qui a plus de charme qu'on ne pense et vers laquelle tout semble nous ramener... Toute la nature semble se prêter aux sentiments qu'ils (les hommes) éprouvent alors. Le bruit des vents, l'éclat des orages, le soir de l'été, les frimas de l'hiver ; ces mouvements, ces tableaux opposés produisent des impressions pareilles et font naître dans l'âme cette douce mélancolie, vrai sentiment de l'homme, résultat de sa destinée, seule situation du cœur qui laisse à la méditation toute son action et toute sa force. » (*Ibid.*, pp. 313-314).

n'ont voulu que fonder un lien nécessaire entre la raison et le sentiment.

Le mot sensibilité est au moins aussi ambigu. Dans *Le Rêve de d'Alembert*, Bordeu ne reconnaît en l' « être sensible » qu' « un être abandonné à la discrétion du diaphragme [1] ». La sensibilité est alors une anarchie organique, une insurrection du corps, hors du contrôle de l'esprit et sans vraie participation du cœur. Ni la philosophie ni même le sentiment n'ont chance de pactiser avec ce trouble purement animal. Mais la sensibilité prend heureusement d'autres formes. Les passions elles-mêmes ne relèvent pas toutes de l'instinct. Souvent l'esprit les prend en charge, et il existe d'ardentes sagesses. La philosophie et la sensibilité se rejoignent enfin doublement : sur le mode enthousiaste, dans cette *vertu* dont le sublime dépasse et étonne la froide raison ; avec une infinie résignation, dans le désenchantement fin de siècle d'une Mme de Staël, où l'on peut voir le dernier état, amorti et pathétique, du bonheur philosophique.

1. Diderot, Assézat-Tourneux, t. II, p. 170.

CHAPITRE VII

LE BONHEUR BOURGEOIS

« Heureux, cent fois heureux, M. Baliveau, capitoul de Toulouse ! »

DIDEROT, *Salon de 1767*.

« ... le négociant, cet Atlas nouveau... »

Le Négociant patriote.

Introduction : Définition du bourgeois. — 1. Images du bourgeois : Le bonheur du bourgeois vu par les autres ; La grandeur du bourgeois vu par lui-même. — 2. Morales bourgeoises : Le bourgeois dans sa famille ; Le bourgeois dans la nation. — *Conclusion :* Évolution du bourgeois.

Si l'on en croit l'admirable livre de Sombart [1], le bourgeois doit être défini comme « l'homo œconomicus ». Il existe deux types d'hommes : l'un qui amasse, l'autre qui dilapide ; l'homme clos et l'homme ouvert ; celui qui se rassemble en lui-même et celui qui se répand au dehors ; l'un qui convertit son énergie en argent, qu'il accumule, l'autre qui la métamorphose en amour, qu'il prodigue. Le tempérament « économique » du bourgeois s'oppose ainsi au tempérament « érotique », qui est son contraire [2].

Le bourgeois est donc l'homme qui a refusé l'amour pour l'économie, qui cherche l'affirmation de son être dans la poursuite et la mise en réserve des biens matériels. Il en émane un rayonnement que le bourgeois sent avec ravissement se propager sur sa vie entière. Car son « économie » a deux aspects, dont l'acquisition des richesses n'est pas le plus important. Sa véritable passion consiste moins à acquérir et amasser, qu'à mettre de l'ordre, d'abord dans sa propre vie. Benjamin Franklin, que Sombart considère comme le bourgeois-type, recense treize vertus morales : la tempérance, le silence, l'ordre, la décision, la modération, le zèle, la loyauté, l'équité, la possession de

1. Werner SOMBART, *Le Bourgeois. Contribution à l'histoire morale et intellectuelle de l'homme économique moderne*, trad. de l'allemand par le Dr. Jankélévitch, Paris, Payot, 1926.

2. Pour Sombart, il s'agit d'un choix que nul ne peut éluder : « On considère comme la principale valeur de la vie ou l'intérêt économique (au sens le plus large du mot) ou l'intérêt érotique. On vit ou pour l'économie ou pour l'amour... Le tempérament bourgeois et le tempérament érotique constituent pour ainsi dire les deux pôles opposés du monde. » (*Ibid.*, pp. 247 et 245). Cf. l'ensemble du chapitre, pp. 243 et suiv.

soi-même, la propreté, l'équilibre moral, la chasteté, l'humilité. Chaque jour, chaque semaine, chaque mois, en faisant un bilan de sa conduite, Franklin note d'un signe sa fidélité ou sa désobéissance à chacune de ces vertus [1]. La vertu économique suppose donc une structure morale des plus strictes, inspirée non par le goût de l'expansion et l'improvisation généreuse, mais par le souci de protéger et de défendre. Comme le dit Rousseau à propos de M. de Wolmar, « homo œconomicus » parfait, le bonheur n'est pas d'accroître ses richesses, mais de mieux posséder ce qu'on a [2]. La façon dont le bourgeois possède le dépeint tout entier : elle est comme une intimité avec l'objet possédé, et c'est là qu'il puise la conscience de sa sécurité et de sa valeur. Pour lui, l'argent acquis demeure toujours le signe d'un mérite. Il est à la fois la preuve et la récompense de sa vertu. Aussi la vocation économique du bourgeois se double-t-elle d'une vocation morale.

I. — Images du bourgeois.

Une lettre de Ducis à Vauchelle, du 17 novembre 1752, confirme l'analyse de Sombart et met en parallèle l'intérêt économique et l'intérêt érotique :

« C'est ainsi, mon cher Vauchelle, que chacun ici-bas exerce sa profession. La mienne est assez gentille [3]. Il est vrai qu'elle n'entraîne point avec elle l'occasion de goûter les douceurs de l'amour entre les bras de mille jolies personnes. Vive la tienne pour cela ; mais n'importe, elle a d'autres charmes. Elle amène ce qu'on appelle de l'argent, des écus, de l'or, *ce qui se manie*, ce qui sonne, *ce qui reste dans le coffre*. Cela vaut bien le plaisir de placer une mouche avec succès, de mettre une jarretière un peu plus haut, de lacer un joli corset et d'en baiser la propriétaire. Ma foi, mon cher ami, Vénus a bien des appas, mais l'argent, mais l'argent... Oh ! l'argent est une bonne chose [4]. »

Au XVIIIe siècle, cet amour bourgeois de l'argent ne dépasse pas certaines limites. On n'est pas encore « capitaliste », et, comme le remarque M. Labrousse, la notion que l'on se fait de la bourgeoisie est purement « urbaine ». D'après l'*Encyclopédie*, « le bourgeois est celui dont la résidence ordinaire est dans une ville » [5].

1. Cf. *ibid.*, pp. 145 et suiv. ; pour l'emploi du temps de Benjamin Franklin, cf. pp. 187 et suiv.

2. Cf. aussi l'essai de Groethuysen sur l'*Encyclopédie*, dans le *Tableau de la littérature française*, Gallimard, 1939 ; Groethuysen explique l'Encyclopédie, non par l'ambition de défricher des terres inconnues et d'élargir les limites du monde, comme au temps de la Renaissance, mais par la passion bourgeoise de recenser les biens déjà acquis.

3. Ducis était alors clerc de procureur.

4. Ducis, *Lettres*, éd. 1879, p. 4.

5. Cf. Labrousse, *Origines et aspects économiques et sociaux de la Révolution française*, Les cours de la Sorbonne, fasc. I, p. 17 : « La bourgeoisie de la fin de l'ancien régime est un groupe urbain de notables — ou plutôt de « cadres » à grille très complexe — plein de contradictions

Si l'on essaie toutefois de situer la bourgeoisie de l'époque par rapport à l'argent, c'est l'idée « d'*aisance* » que l'on doit retenir. On a vu qu'elle est plus morale qu'économique, et qu'elle s'oppose à la fois au dénuement des pauvres et au tourment des riches, également exclus du bonheur pour des raisons opposées [1].

A la différence du noble, le bourgeois n'associe pas l'idée de richesse à l'idée de grandeur. C'est à lui sans doute que pense Trublet, lorsqu'il écrit : « Il y a des riches qui ne souhaitent point de devenir grands [2]. » Cela signifie que le bourgeois n'emploie pas sa richesse à *paraître*, mais qu'elle lui est nécessaire pour *être*. Celle du noble n'est qu'un moyen de signaler avec éclat sa noblesse et de se procurer les plaisirs auxquels sa condition le destine.

Devant les Nobles, le bourgeois du XVIIIe siècle est frappé d'un complexe d'infériorité. L'idéal de « l'honnête homme, » légué par le classicisme, est un idéal aristocratique, qui n'est conçu en aucune façon à l'image du bourgeois, et dans lequel il sait bien que nul ne songe à le reconnaître. C'est cette revendication et cette aigreur qu'exprime Blondel, fils de boulanger :

« C'est la manie des gens d'un rang distingué de croire que ceux qui sont assez malheureux pour manquer de naissance manquent aussi de sentiment. Je suis d'une naissance basse et obscure et je n'ai point de fortune. L'étude des lois fait mon occupation, celle de la philosophie et des lettres mes loisirs. La première me procure le nécessaire de la vie, l'autre les agréments. Voilà tout ce que je dis de moi. Je ne demande point à être connu de ceux qui m'ignorent et je laisse à juger par mes actions à ceux qui me connaissent si j'ai quelque sentiment » [3].

La susceptibilité et l'amertume bourgeoises se traduisent ici. Le bourgeois n'est pas seulement un « refoulé social », comme le dit M. Labrousse, mais un refoulé moral. Ce n'est pas tant, peut-être, sa puissance sociale qu'il n'estime pas suffisamment reconnue, que sa valeur humaine. Et pourtant que de dignité dans cette vie harmonieusement partagée entre des occupations et des plaisirs également nobles ! Le bourgeois n'en est pas moins condamné à rester « ignoré », bien qu'il fasse par des actions la preuve de son mérite, alors que l'ostentation des grands n'atteste que leur nullité [4].

sans doute, mais qui se place face à l'aristocratie, et qui lie fortement, même à son insu, la solidarité du profit et la constitution libérale de l'économie. »

1. « L'aisance » bourgeoise, rappelons-le, dépasse la traditionnelle opposition entre le riche et le pauvre. L'homme aisé n'est pas reconnu par l'Évangile. Il doit se créer lui-même, car il n'est pas de « droit divin ». Plus que le riche et le pauvre, il appartient vraiment à ce monde, l'Église n'ayant pas prévu pour lui, comme elle l'a fait pour eux, une façon particulière de faire son salut. (Cf. GROETHUYSEN, *Origines de l'esprit bourgeois en France. L'Église et la bourgeoisie*).

2. TRUBLET, *op. cit.*, t. I, p. 318.

3. J. BLONDEL, *Loisirs philosophiques*, pp. 31-32.

4. Que représente exactement, du point de vue économique et social, la classe des bourgeois au XVIIIe siècle ? Il faut suivre encore M. Labrousse, lorsqu'il montre (*op. cit.*, p. 16) que la

Lorsque les auteurs parlent du bourgeois, c'est le plus souvent un « négociant » qu'ils évoquent. Mais on cite aussi l'écrivain de profession, qui est placé à côté du commerçant ou confondu avec lui. L'abbé Hennebert se délecte à idéaliser l'heureuse existence de « l'homme de lettres » ou du « commerçant laborieux », les deux étant interchangeables [1]. Il y admire cette précieuse alternance du plaisir et du travail. En développant ce thème, les moralistes restent fidèles à l'idée qui fait de l'ennui le principe de toutes les douleurs morales. La principale condition du bonheur est de travailler pour vivre, et de vivre dans l'aisance du fruit de son travail. Or le bourgeois est seul à la remplir. A cela s'ajoutent toutes les ressources que son activité même fournit à la curiosité de son esprit. Double avantage sur le gentilhomme, qui souffre d'impécuniosité et dont la vie oisive demeure vide de tout intérêt. La rigueur avec laquelle le marchand exerce son métier, la dignité de sa vie, lui valent en outre le lustre discret d'une « bonne réputation », moins vaine que le frivole éclat des gens de cour. Enfin sa probité et sa vertu lui méritent une récompense éternelle et le rassurent sur son salut. Si le bourgeois n'est pas de « droit divin », rien ne l'empêche de conquérir le ciel, et sa prospérité temporelle n'épuise pas nécessairement toute sa félicité [2].

définition économique et la définition sociale de la bourgeoisie ne coïncident pas. Économiquement, on peut définir comme bourgeois tous ceux qui vivent d'un profit, c'est-à-dire de la différence entre un prix de vente et un prix de revient. En ce sens, les bourgeois sont les chefs d'entreprise, les commerçants et négociants. Mais la définition sociale du bourgeois est à la fois plus large et plus étroite. Plus large, dans la mesure où l'on doit considérer comme bourgeois des gens qui ne vivent pas d'un profit : les gens de lettres, les membres des professions libérales, certains officiers de justice. Plus étroite, car bien des gens vivent d'un profit, qui ne sont pas des bourgeois : c'est le cas de la noblesse commerçante, par exemple les maîtres de forges, et de certains chefs d'entreprise ruraux.

1. « Un homme de lettres *(qu'il en soit de même d'un commerçant laborieux)* prouvera encore qu'une vie appliquée procure des moments successifs de plaisir. Au sortir de son cabinet, où ses idées restent consignées, que la promenade lui semble ravissante ! La nature s'empresse de lui ouvrir ses trésors, afin de le rafraîchir et de fortifier ses esprits épuisés. Chacun de ses charmes lui paie un tribut. Y rencontre-t-il des amis : la douceur de leur entretien le délasse. S'il revient un peu fatigué, un nouveau plaisir le suit dans le repos, puis à la table. Je ne cite point toutes les circonstances où le travail soit de l'esprit, soit du corps, prépare les moments du plaisir par le succès qui le couronne. » (Abbé HENNEBERT, *Du Plaisir*, t. II, p. 58).

2. « De tous les états de la vie, le commerce est celui qui a le plus de commodités et peut-être le plus d'agréments ; un marchand qui vit avec honneur dans sa condition, qui ne vend ni à faux poids ni à fausse mesure et qui se contente d'un gain légitime, trouve non seulement dès ce monde la reconnaissance de sa probité, par la bonne réputation qu'il s'acquiert, mais il se prépare un bonheur éternel pour l'autre, où Dieu rendra poids pour poids et mesure pour mesure à chacun, selon le mérite de ses actions. Je dis donc que le commerce est la condition dans laquelle on peut vivre le plus à son aise et où on est le moins borné ; la circulation de l'argent, qui est l'âme de toutes les affaires, entretient chez le marchand l'abondance des choses dont le gentilhomme a bien souvent disette... Cet état convient à celui qui est naturellement curieux de nouveauté, qui a de l'inclination pour le voyage, qui aime à voir différents pays, à savoir les langues étrangères, à connaître les mœurs de chaque nation, et c'est sur les remarques qu'on fait dans les voyages que se forme la prudence. Le gentilhomme et l'officier de judicature ont le pas devant le marchand ; mais, s'il leur cède cet avantage, il semble qu'il soit dédommagé par le gain qu'il fait sur ses marchandises et par l'importance d'une fortune aussi étendue que celle des autres est bornée. » (FORMENTIN, *Traité du bonheur*, p. 124). Dans les *Instructions d'un père à son fils sur la manière de se conduire dans le monde* (1754), Dupuy explique que la conversation des commerçants est particulièrement enrichissante : « Un habile négociant vous informera des avantages que le commerce procure à un état, de ses sources les plus fécondes, des denrées que produisent les climats les plus reculés. » (*Op. cit.*, p. 204).

La présidente Thiroux d'Arconville se représente le monde bourgeois comme une « république » close, figée, aux traditions immuables, rebelle aux influences. Le bourgeois est le seul élément fixe dans un monde en perpétuel changement. Il se reconnaît partout à ses manières uniformes, à un air de famille qui trahit son amour obstiné des principes. Véritable corps étranger dans la vie sociale, la bourgeoisie se maintient avec la sûreté immobile de ses règles ancestrales [1]. Dans leur vie sentimentale, les bourgeois ignorent la passion ou le caprice, toute conduite irrationnelle. Leurs attachements se limitent à l'univers domestique et sont toujours avoués par les mœurs et la religion ; dictés par la nécessité et le devoir, ils ne sont plus compatibles avec cette liberté qui fait le bonheur d'aimer et le charme de la parfaite amitié : un bourgeois ne choisit pas ce qu'il aime [2].

1. « Les bourgeois dans le monde forment un peuple à part, dans quelque nation que ce soit : ses principes, ses préjugés, ses mœurs, ses coutumes, sa conduite, en font une classe particulière, sur laquelle les autres hommes qui les environnent ont peu d'influence. Cette espèce de république est puissante despotiquement par les lois qu'elle s'est prescrites. L'administration diffère dans les formes, le costume change, la mode parcourt un cercle immense pour revenir au point d'où elle est partie, les mœurs et jusqu'à la religion même éprouvent des variations. La bourgeoisie reste inébranlable au milieu de cette inconstance universelle. » (Cf. Mme THIROUX D'ARCONVILLE, *De l'Amitié* (1761), pp. 115-117). La définition de l'ordre et de l'idéal bourgeois par la *stabilité* s'applique surtout à une *bourgeoisie de type ancien*, qui est bien en effet celle à laquelle on pense le plus souvent, au XVIIIe siècle, quand on dit *bourgeois*. Cette bourgeoisie endormie et stagnante se composait de familles aux biens héréditaires, ainsi que de maîtres-artisans ou de marchands sans grand horizon, qui gardaient « beaucoup de l'esprit médiéval : se contentant d'un gain lentement accumulé, ils attendaient le client, répugnaient à la réclame, vendaient peu et cher, ne cherchaient pas à précipiter le roulement du capital. » (G. LEFEBVRE, *La Révolution Française*, Halphen et Sagnac, XIII, pp. 61-62).

Mais, à côté de cette bourgeoisie, qui était sans doute la plus nombreuse, il en existe une autre à laquelle la description de Mme Thiroux d'Arconville ne s'applique nullement, et qui trouvera une expression parfaite dans ce *Négociant patriote* (1784) étudié plus loin. Il s'agit d'une classe infiniment plus dynamique et plus aventureuse, pénétrée déjà par l'esprit du capitalisme « transposant bourgeoisement les penchants du guerrier » (LEFEBVRE, *ibid.*, p. 63). Ce bourgeois d'un autre type se caractérise par l'attrait du profit illimité, le goût de l'entreprise libre et de la concurrence acharnée, l'amour du risque : c'est tout l'esprit du *libéralisme économique*, qui naît alors (SMITH, *Richesse des Nations*, 1776), par opposition à la morale encore médiévale de la stabilité dans l'ordre corporatif, de la médiocrité dans la stabilité.

2. Cf. *ibid.* : « Ils aiment tout ce qu'ils doivent aimer et n'aiment jamais que ce qu'ils doivent aimer. L'instinct et le devoir guident leur choix ; ils n'ont pas besoin d'autres motifs ; leur cœur et leur esprit sont sans art et leur simplicité fait leur bonheur. C'est parmi eux qu'on trouve les familles les plus unies, parce que la vertu y règle tous les sentiments ; où la religion et les mœurs sont les plus respectées ; où la soumission à ceux à qui on doit le jour est la plus entière ; où la probité est la plus exacte et où la véritable amitié devrait être par conséquent la plus commune et la plus exempte d'alliage. Mais la finesse de tact dont les bourgeois sont ordinairement dépourvus ne leur permet guère d'autre préférence que celle qu'un degré de parenté plus ou moins proche semble leur imposer. Le sentiment n'est donc point chez eux une sorte de goût, mais une affaire de calcul. Comme ils vivent dans un cercle étroit, composé de leurs parents et d'un tout petit nombre d'étrangers de même état qu'eux, ils ont rarement de l'ambition. Le luxe en est banni et les passions, manquant d'objet qui puisse les exciter, ne troublent point la paix de leur âme : *les devoirs remplissent la vie de ces heureux habitants du monde*, que la contagion ne saurait corrompre, parce qu'ils ne lui donnent point d'entrée. » — Mme Thiroux d'Arconville était fille de Darlus, fermier général. Elle avait épousé à 14 ans un conseiller au Parlement de Paris, depuis président de l'une des chambres des enquêtes. C'était une épouse et une mère parfaite. Marquée à 23 ans par la petite vérole, elle s'habillait depuis ce temps-là comme une très vieille dame, avec une coiffe et de grands papillons. Elle n'allait jamais au théâtre et menait la vie d'une dévote. Elle adorait les sujets tristes et funèbres, et elle avait fait faire une statue en marbre représentant la Mélancolie. Elle s'occupait beaucoup de sciences, suivait les cours d'anatomie au jardin du Roi, et possédait chez elle un cabinet de physique. Elle était en relation avec Voltaire, Gresset, Sainte-Palaye, Turgot et Malesherbes. Très bien-

Le bonheur bourgeois est le bonheur sans histoire du devoir facilement accompli. Le bourgeois est spontanément vertueux. Faire ce qu'il doit ne lui coûte rien. C'est son mode d'existence habituel, le style de vie qui lui est destiné. La vertu est pour lui de l'ordre et de la nature. C'est dire qu'il est un être simple : aucune dualité ne le divise ; il est également préservé du déchirement des passions et de la contrainte des devoirs. Chacun de ses sentiments se confond avec un lien social légitime, un lien familial sacré. Il est étranger aux élans et aux injustices de la seule élection. Mme Thiroux d'Arconville partage en femme du monde le préjugé qui indignait Blondel : le bourgeois est dépourvu par essence de tout sentiment. Elle trouve sa vie intérieure bien rudimentaire, réglée sans esprit et sans goût, stupidement soumise à de grossières convenances, à des devoirs épais.

C'est par là pourtant, par cette morale un peu courte et cette absence d'imagination, que la conscience bourgeoise réalise le rêve du siècle, qui est d'accorder sans effort l'inclination et la vertu. Le bourgeois devient l' « heureux habitant de ce monde », parce qu'il vit de façon immédiate cette harmonie que tant d'autres n'obtiennent jamais. Ignorant le remords et la nostalgie, il réalise pleinement l'être qu'il porte en lui, en assumant jusqu'au bout sa condition. Il est l'homme qui coïncide avec lui-même, qui se moque de l'impossible, et ne sait pas rêver. Sans chimères et sans faille, il est exactement ce qu'il doit être et paraît exactement ce qu'il est. Mme Thiroux d'Arconville, qui le méprise un peu, l'admire et l'envie en même temps. Ce bourgeois, qu'elle trouve solennel et rustaud, sait mieux qu'elle concilier le plaisir et la bonne conscience, trouver sa volupté dans ses devoirs, et ne rien concevoir au delà. Or elle sent bien que le bonheur y gagne ce qu'y perd la délicatesse du sentiment.

L'épicurien Grimod de la Reynière rend le même hommage aux vertus du bourgeois, surtout à ses vertus domestiques :

« Si les grandes villes sont le centre des vices, elles sont aussi, par une conséquence nécessaire, le domaine des vertus, et nous y connaissons plus d'un ménage parfait. Mais qu'on prenne garde que c'est dans l'état mitoyen qu'ils se rencontrent. Si la bassesse avilit l'âme, la grandeur corrompt les mœurs, et ce n'est jamais que dans la bourgeoisie et surtout dans le commerce que l'on trouve l'exemple des vertus domestiques [1]. »

faisante et généreuse, elle possédait à Meudon une maison charmante, où elle avait fondé un hospice. Elle mourut en 1805, âgée de 85 ans.

1. « Rien n'est plus estimable à Paris que la classe des marchands, et surtout des marchands d'objets utiles : on y retrouve encore toutes les vertus qu'on chercherait en vain dans les hautes classes de la société, et, au physique et au moral, nous ne connaissons pas de femmes qui méritent mieux les hommages et les éloges d'un galant que celles qui font état d'une profession aussi respectable qu'utile. » (GRIMOD DE LA REYNIÈRE, *Réflexions philosophiques sur le plaisir*, pp. 58-59). — Alexandre-Balthazar Grimod de la Reynière est né en 1758. Son père, fils de charcutier, était devenu fermier général et s'était enrichi pendant la guerre de sept ans, comme fournisseur à l'armée du maréchal de Soubise. Le jeune Grimod avait des mains difformes,

L'éloge des vertus bourgeoises est lié au thème de la médiocrité heureuse. Le bourgeois est préservé par sa situation « mitoyenne » contre l'avilissement de la misère et la corruption de la grandeur. Son âme demeure intacte. La bourgeoisie est la seule classe de la société à ne pas être aliénée par le fait même de sa condition. Un bourgeois peut être plus parfaitement *homme* qu'un homme du peuple ou un courtisan. Le visage du premier est défiguré par la pauvreté, la maladie, l'ignorance, l'aigreur. Le cœur du second se durcit ou se dissout dans l'égoïsme ou la futilité. Seul le bourgeois, installé à mi-chemin, est à l'abri de ces deux tares.

Sans doute n'est-il pas fait pour tous les bonheurs : lui qui ne connaît de l'amour que la dévotion conjugale, il serait ébahi si on le lâchait dans le pays du Tendre. Il est le contraire du personnage marivaudien, qui n'existe que par le cœur. Le bourgeois ne semble pas avoir de « cœur », car on ne peut donner ce nom à l'application pompeuse et rigide qu'il met à remplir ses obligations.

Mais cette limite est aussi une force. L'absence d'irrationalité dans le caractère et la conduite du bourgeois est le secret de tant de plénitude. A la différence des héros de Marivaux, qui, une fois tirés du néant par l'amour, doivent travailler au déchiffrement de leur propre cœur, il n'a jamais à se connaître. Ce n'est pas du néant qu'il émerge, et il se connaît avant même d'exister. Ainsi n'a-t-il jamais affronté l'angoisse, ni succombé à la fantaisie. Il peut juger avec la sûreté d'une conscience où ne demeure plus une parcelle de vide. Tel est bien son triomphe : avoir comblé ce *vide*, qui est au centre de l'homme et qui cause son malheur. La condition bourgeoise remplit parfaitement la condition humaine : elle s'y ajuste bord à bord. Toute marge est ainsi supprimée entre le réel et le possible, entra la vie et le rêve, entre l'instinct et la conscience.

Si le siècle n'était pas inconséquent, il devrait saluer le bourgeois comme l'incarnation de son idéal. Mais il est à la fois prosaïque et romanesque. Résolu à ne vivre que dans le possible, à s'y installer de la façon la plus commode, en éloignant les mythes et les tentations trop belles, c'est bien à une apothéose bourgeoise qu'il aspire secrètement. Mais il garde en même temps tant de goût pour les chimères qu'il répugne à se reconnaître dans le bourgeois, qui est le seul pourtant à avoir réalisé à sa manière l'ambition de tous les contemporains.

qui l'obligeaient à se servir de doigts postiches. Il haïssait sa mère de l'avoir fait laid et infirme. Comme il était, d'autre part, spécialiste en bouffonnerie, il se vengeait en ridiculisant les grands airs maternels et en faisant allusion, à tout propos, au grand-père charcutier. A la mort de ses parents, il changea l'ameublement de l'hôtel familial, qu'il décora uniquement avec des emblèmes de la charcuterie. Il avait deux passions : les coulisses des théâtres et la gastronomie. Il organisait chez lui ces festins parfaits qui l'ont rendu célèbre. Il avait un certain goût pour les mises en scène funèbres : à l'un de ses dîners, dans une salle toute tendue de noir, chaque convive avait un cercueil derrière lui. En 1783, il publia ses *Réflexions philosophiques sur le plaisir par un célibataire*, qui eurent un succès foudroyant. Il ne mourut qu'en 1838.

Tout en réhabilitant la nature, on nourrit une faiblesse pour ce qui la dépasse. Le goût du merveilleux et du sublime tourmente sournoisement ces âmes qui ne réclament qu'un bonheur clair et paisible. Le bourgeois Diderot se laisse fasciner par Rameau le bohème, par le poète en délire et l'acteur de génie. En découvrant l'abîme qui sépare le « sens commun » du « génie », « l'homme tranquille » de « l'homme passionné », il tourne en dérision le bonheur de M. Baliveau [1] :

« Heureux, cent fois heureux, M. Baliveau, capitoul de Toulouse ! C'est M. Baliveau qui boit bien, qui mange bien, qui digère bien, qui dort bien. C'est lui qui prend son café le matin, qui fait la police au marché, qui pérore dans sa petite famille, qui arrondit sa fortune, qui prêche à ses enfants la fortune ; qui vend à temps son avoine et son blé ; qui garde dans son cellier ses vins, jusqu'à ce que la gelée des vignes en ait amené la cherté ; qui sait placer sûrement ses fonds ; qui se vante de n'avoir jamais été enveloppé dans aucune faillite ; qui vit ignoré... et pour qui le bonheur inutilement envié d'Horace, le bonheur de mourir ignoré, fut fait [2]. »

Ce qui soulève un peu le cœur de Diderot, c'est aussi ce qu'il admire : la sécurité de M. Baliveau, son infaillibilité dans la conduite de la vie, cette suffisance modeste qui est à la fois au-dessus et au-dessous de la gloire. Diderot ne possède pas la conscience unifiée de M. Baliveau. Lui aussi rêve de plénitude intime, de bonheur domestique, de tranquilles enrichissements. Mais une fringale de gloire le dévore. Les lettres à Falconet révèlent combien cette idée le stimule et l'exalte, avec quel enthousiasme il sacrifierait son bonheur immédiat, pour ce bonheur démesurément étendu dans le temps qui est une sorte d'éternité terrestre. Diderot aime l'étrangeté, le panache, l'héroïsme. Au lieu de cela, M. Baliveau offre ses livres de comptes bien tenus, ses celliers bien garnis et bien rangés, une famille prospère où quelque scène à la Greuze peut faire exceptionnellement passer un souffle de sublime. Pourtant, M. Baliveau est heureux, et cela a son prix.

Le bourgeois sécrète le bonheur. Il s'identifie à lui comme à sa propre essence. Rendu par on ne sait quelle grâce invulnérable au destin, il n'a qu'à demeurer en lui-même, qu'à savourer son existence. La condition du bourgeois est le contraire d'une fatalité. Si elle est fermée à l'héroïsme, elle dissout, en contre-partie, le germe de toute tragédie.

***

Le bourgeois, toutefois, ne manque pas de grandeur. Il est vrai qu'il ne faut pas la chercher dans sa vie personnelle. Considéré dans

1. Personnage de la comédie de Piron, *La Métromanie*.
2. DIDEROT, *Œuvres complètes*, éd. Assézat-Tourneux, t. XI, p. 126.

son cabinet ou sa salle à manger, il n'est qu'un homme heureux. Mais si l'on songe à son rôle dans la nation, si l'on mesure l'efficacité de son travail, si l'on contemple d'un seul regard ce réseau de relations et d'échanges dont le commerçant enveloppe le monde, si l'on oublie la médiocrité de l'homme privé pour songer à cette merveille qu'est le commerce, visage moderne de la civilisation, on verra le bourgeois changer de stature. Sa grandeur n'est pas seulement de parade, comme celle des Nobles inutiles. Elle est active et bienfaisante. Non content de travailler à son bonheur, il est le plus sûr agent du bonheur des autres : il œuvre pour l'humanité.

C'est le thème que développe l'abbé Coyer dans sa *Noblesse commerçante* (1756), en s'efforçant de persuader les Grands que la fonction du commerce n'est pas indigne d'eux. Ils ont autrefois défendu leur souverain par l'épée. Il leur appartient maintenant d'enrichir la nation, en prenant leur part d'une tâche glorieuse [1].

Voilà donc le bourgeois rehaussé d'un immense prestige. En faisant ses affaires, c'est à la grandeur de l'État et au bonheur de ses concitoyens qu'il contribue. Il devient le chevalier des temps modernes. Sa puissance est incalculable et s'étend sur toute la terre. C'est par lui que le monde s'agrandit ou se rapetisse, selon que l'on considère l'ampleur de son champ d'action ou son ardeur à rendre voisins des pays jadis étrangers. Des préjugés n'ont pas encore permis de le reconnaître. Mais il suffit d'éclairer les hommes pour que le bourgeois apparaisse à tous sous les traits de cet homme rayonnant et modeste, tranquille et omnipotent, qui « d'un trait de plume se fait obéir d'un bout de l'univers à l'autre » [2]. Alors que le magistrat et

1. « Oui, oui, pour peu qu'on réfléchisse sur le système actuel de l'Europe, on s'aperçoit aisément que le commerce est devenu l'âme des intérêts politiques et de l'équilibre des puissances. Ce n'est plus une affaire de particuliers, c'est une science d'État. Il est bien anobli, puisque c'est la base de la grandeur des Rois et du bonheur du peuple. » (COYER, *La noblesse commerçante*, p. 107). A la vérité, les efforts pour inciter la noblesse à participer à l'activité économique ne sont pas nouveaux. Cette politique était dans la tradition de la Monarchie, depuis Richelieu et Colbert, qui avaient tâché, sans grand succès, d'intéresser la noblesse au *grand commerce* (le noble négociant ne dérogeait pas). Réticente en ce domaine, celle-ci avait pris, en revanche, une part plus importante au *développement industriel* : des nobles devenaient maîtres de forges, créaient des manufactures. Les tentatives du pouvoir monarchique pour attirer les grands seigneurs vers le circuit économique s'accompagnaient d'initiatives en sens inverse : le Roi anoblissait des négociants, des banquiers, et des manufacturiers. Cf. M. REINHARD, *Élite et noblesse dans la seconde moitié du XVIIIe siècle*, in *Revue d'Histoire Moderne et Contemporaine*, janvier 1956.

2. Sedaine évoque ainsi la puissance du commerçant, dans *Le philosophe sans le savoir :* « M. Vanderk père : Quel état, mon fils, que celui d'un homme qui d'un trait de plume se fait obéir d'un bout de l'univers à l'autre ! Son nom, son seing n'ont pas besoin, comme la monnaie des souverains, que la valeur du métal serve de caution à l'empreinte ; sa personne a tout fait ; il a signé, cela suffit. — M. Vanderk fils : J'en conviens, mais... — M. Vanderk père : Ce n'est pas un peuple, ce n'est pas une seule nation qu'il sert ; il les sert toutes et en est servi ; c'est l'homme de l'univers. — M. Vanderk fils : Cela est peut-être, mais enfin en lui-même qu'a-t-il de respectable ? — M. Vanderk père : De respectable ! Ce qui légitime dans un gentilhomme les droits de la naissance, ce qui fait la base de ses titres : la droiture, l'honneur, la probité. — M. Vanderk fils : Votre conduite, mon père. — M. Vanderk père : Quelques particuliers audacieux font armer les rois, la guerre s'allume, tout s'embrase, l'Europe est divisée ; mais ce négociant anglais, hollandais, russe ou chinois n'en est pas moins l'ami de mon cœur. Nous sommes sur la superficie de la terre autant de fils de soie qui lient ensemble les nations et les ramènent

le guerrier défendent seulement les lois d'un royaume et la sécurité d'un monarque, l'action du commerçant est à l'échelle de l'humanité. Tandis que le gentilhomme trouve son emploi dans les rivalités qui opposent les nations, le bourgeois a pour mission de rapprocher tous les peuples. Par la voie privilégiée des échanges commerciaux, il s'élève à l'idéal de l'amitié universelle.

Grâce à sa moralité profonde, il a changé en outre le sens du mot *honneur*, qui ne désigne plus un asservissement à de vains prestiges, mais le respect des vrais principes [1]. Il a retrouvé l'authenticité du sens moral, que l'orgueil et la futilité aristocratiques avaient dénaturé. C'est lui qui a restauré ces biens absolus que sont la vie humaine, l'obéissance, le travail, le bien-être, la bonne entente des nations. Tout le prestige de la noblesse, tout son « honneur » prétendu, se fondaient sur le mépris de la vie, la révolte contre la loi de Dieu et la loi du Prince, l'oisiveté, le délabrement des fortunes, la misère de l'État, la guerre à l'état chronique. Le bourgeois peut se vanter d'avoir fondé un ordre conforme à la grandeur des rois et au bonheur des hommes. Dans ce siècle éclairé, c'est de lui que vient la lumière. Ce monde, dont il se sent souverain, est bien l'œuvre de ses mains [2].

à la paix par la nécessité du commerce : voilà, mon fils, ce qu'est un honnête négociant. — M. Vanderk fils : Et le gentilhomme donc, et le militaire ? — M. Vanderk père : Je ne connais que deux états au-dessus du commerçant (en supposant encore qu'il y ait quelque différence entre ceux qui font le mieux qu'ils peuvent dans le rang où le ciel les a placés), je ne connais que deux états, le magistrat qui fait parler les lois et le guerrier qui défend la patrie. » (SEDAINE, *Le Philosophe sans le savoir* (1766), pp. 29-31).

1. Un bourgeois, Dupuy, qui fut secrétaire au Congrès de Ryswick, souligne la distance qui sépare ces deux sortes d'honneur : « Le véritable point d'honneur consiste à ne rien dire, à ne rien faire, qui soit contraire à la religion ou à la loi du prince. Le faux point d'honneur est un sentiment qui nous précipite dans les plus grands périls et qui nous détermine à exposer notre vie en des circonstances où Dieu et notre prince nous défendent de l'exposer. Ce faux point d'honneur est un fantôme de pur caprice et qui n'a aucun fondement solide et réel : c'est une espèce de monstre engendré par l'orgueil et la férocité et qui n'a commencé à paraître que vers le XVe siècle. » (DUPUY, *Réflexions sur l'amitié*, pp. 248-250). Il évoque ces étranges carnages, où des hommes, avec une rage absurde, s'entre-dévoraient vivants : « Enfin, la tête avait tellement tourné à la noblesse qu'on trouvait que ce n'était pas assez de risquer sa vie en plein champ ; on se battait dans une chambre, les portes bien fermées ; et l'on a vu des hommes pousser la fureur jusqu'à s'enfermer dans un tonneau et là, corps à corps, le poignard à la main, s'égorger l'un l'autre. » (*Ibid.*, pp. 256-257).

2. Comme le dit M. Labrousse, il est évident que le siècle « pense bourgeois » (*Op. cit.*, pp. 19-20) : « Les problèmes que se posent les écrivains, les pamphlétaires, les libellistes, sont au fond les problèmes de puissance de la classe montante. » C'est d'abord le problème politique, c'est-à-dire « essentiellement celui de la redistribution du pouvoir au bénéfice partiel ou total de la bourgeoisie ». Ensuite le problème économique : « Physiocrates et libéraux prêchent la libération de l'économie : entendez par là la liberté de la fabrication et de la circulation, l'abolition du système réglementaire, l'abolition des droits d'aides, de traite, de marque. En un mot, la fin des contrôles économiques intérieurs et la liberté du profit. » Le bourgeois, qui est tellement conscient de sa puissance économique, de son prestige moral, de sa valeur humaine, se trouve frustré, dans la vie de l'État, du rôle effectif correspondant. Le bourgeois du XVIIIe siècle est, à cet égard, beaucoup plus méprisé et tenu à l'écart par le pouvoir monarchique que ne l'était le bourgeois de Louis XIV. De ce point de vue, les règnes de Louis XV et de Louis XVI sont manifestement rétrogrades. La haute administration, les hauts emplois civils, les hauts grades de l'armée sont interdits aux bourgeois. M. Labrousse conclut : « Le contraste est frappant entre l'ascension économique et intellectuelle de la bourgeoisie et sa régression civile. Confiné dans la masse des moyens et des petits emplois, le bourgeois de Louis XVI est un refoulé social. » (*Ibid.*).

2. — Morales bourgeoises.

Il convient de lire attentivement quelques traités de morale bourgeoise. Si l'on confronte *Le Parfait négociant* de Savary, dont la première édition date de 1675, et *Le Négociant patriote,* œuvre anonyme de 1784, on peut se faire une idée de l'ascension historique et morale du bourgeois. Dès le début du siècle, il existe une sorte d'humanisme bourgeois. La fin du règne de Louis XIV favorise une montée de la bourgeoisie, que ralentira le gouvernement plus aristocratique de Louis XV. Cependant, après une éclipse, la bourgeoisie triomphe de nouveau, grâce à l'essor du commerce. Le bourgeois devient alors « patriote », c'est-à-dire que reposent sur lui tous les destins du peuple et de l'État.

Le Parfait négociant est souvent réédité au début du XVIIIe siècle. Le livre de Savary débute par une justification providentielle du commerce [1]. On est frappé par l'étonnante polyvalence du bourgeois commerçant : il est le délégué de la Providence qui réalise le grand dessein de Dieu de rapprocher les hommes, le bienfaiteur du genre humain qui répand la douceur de vivre, le pourvoyeur des rois et le défenseur des peuples, que son argent soutient et enrichit. Une si noble tâche n'est pas aisée. Le négoce est affaire de vocation ; il exige des qualités d'esprit, en particulier « une bonne imagination » [2], ainsi qu'un tempérament « fort et robuste ». Aussi Savary s'indigne-t-il qu'il soit considéré comme le rebut des autres professions [3].

1. « De la manière que la Providence de Dieu a disposé les choses sur la terre, on voit bien qu'il a voulu établir l'union et la charité entre tous les hommes, puisqu'il leur a imposé une espèce de nécessité d'avoir toujours besoin les uns des autres. Il n'a pas voulu que ce qui est nécessaire à la vie se trouvât en un même lieu, il a dispersé ses dons, afin que les hommes fassent commerce ensemble et que la nécessité matérielle qu'ils ont de s'entr'aider, pût entretenir l'amitié entre eux ; *c'est cet échange continuel de toutes les commodités de la vie qui fait le commerce ; et c'est ce commerce aussi qui fait toute la douceur de la vie, puisque par son moyen il y a partout abondance de toutes choses.* Ce n'était pas assez que le commerce fût nécessaire, il fallait qu'il fût utile pour obliger une partie des hommes à s'y adonner ; car il y a plusieurs provinces, où l'abondance de la plupart des choses nécessaires à la vie aurait produit l'oisiveté, si le profit et le désir de s'élever n'avaient encore été un aiguillon pour obliger de travailler au commerce. On ne peut douter de son utilité, premièrement à l'égard des particuliers qui vendent la marchandise, puisque la plus grande partie du royaume subiste honnêtement dans cette profession et que l'on voit tous les jours les marchands et les négociants faire des fortunes considérables et mettre leurs enfants dans les premières charges de la robe. L'utilité du commerce s'étend aussi sur les royaumes et sur les princes qui les gouvernent : plus on fait de commerce dans un pays, plus l'abondance y est grande. On a vu des États amasser ainsi dans peu de temps des richesses infinies... Tout l'argent comptant étant entre les mains des banquiers et des marchands, c'est de là que les traitants et les gens d'affaires tirent les sommes immenses dont quelquefois les rois ont besoin pour de grandes entreprises. » (J. Savary, *Le Parfait négociant*, éd. de 1713, pp. 1-2).

2. « Elle consiste à inventer de nouvelles étoffes, à être agréable à l'achat, à la vente, et à négocier les affaires ; à être subtil et prompt, à répondre par des arguments naturels, quand l'on y trouve des défauts ; à savoir bien écrire, l'arithmétique et les autres choses nécessaires à la profession mercantile. Tout cela dépend de la faculté imaginative. » (*Ibid.*, p. 29).

3. « Je ne saurais assez m'étonner quand j'entends dire à des pères et à des mères qu'ils sont obligés de faire leurs enfants marchands, parce qu'ils ont l'esprit lourd et stupide, s'imaginant

Cette dignité que le commerçant revendique, nul ne songe à la lui contester en ces premières années du XVIIIe siècle où le bourgeois n'est pas sans prestige. Le *Traité de la gloire* de Sacy se garde de l'oublier :

« C'est une erreur grossière que de s'imaginer que l'espérance du gain puisse seule engager dans le commerce et que l'amour de la gloire n'y puisse entrer par quelque endroit... L'amour de l'honneur ou de la gloire peut seul animer, étendre et perfectionner le commerce... [1] »

Les mondains abandonnent donc au négociant une part de cette *gloire*, qui est l'idée la moins bourgeoise du monde et qu'ils se réservaient naguère orgueilleusement.

A la gloire du bourgeois commerçant répondent tout le sérieux et toute l'austérité du bourgeois « père de famille ». Le bourgeois est un modèle d'humanité, qui joint au rayonnement de sa vie professionnelle la droiture et la piété profonde de sa vie privée. On en trouve une image dans le traité de Lordelot, *Les Devoirs de la vie domestique par un père de famille* (1706) [2].

Les leçons de l'ouvrage sont destinées au bourgeois chrétien, qui veut être heureux dans sa maison et qui confond le Bien avec les vertus domestiques [3]. Tout commence par la crainte de Dieu : non pas l'effroi devant un maître tyrannique et sombre, mais « cette crainte filiale et heureuse qui trouve sa source dans le cœur d'un véritable enfant qui aime tendrement son père [4] ». C'est ce sentiment religieux, paisible et confiant, qui doit servir de « fondement inébranlable à la maison », en révélant à chacun ses devoirs : la douceur à l'époux, la soumission à l'épouse, l'obéissance aux enfants, la fidélité aux domestiques. Par là s'établit « une paix solide et permanente dans les familles » [5].

L'essentiel de la félicité domestique tient à l'harmonie du bonheur conjugal. L'intimité entre le mari et la femme sert de refuge au bourgeois, las de ses entreprises et de ses combats. Sa vie oscille entre

que le négoce ne consiste que d'acheter une chose dix livres pour la vendre douze, ainsi qu'ils n'ont pas besoin de grandes lumières ; ils se trompent fort, car il n'y a point de profession où l'esprit et le bon sens soient plus nécessaires que dans celle du commerce, ainsi qu'il se verra en son lieu dans la suite de cet ouvrage. » (*Ibid.*).

1. De Sacy, *Traité de la gloire* (1715), p. 92.
2. Benique Lordelot est né à Dijon en 1639, et mort à Paris en 1720. Protégé du président de Lamoignon, il était avocat près le grand conseil. Tous ses ouvrages traitent de sujets de morale et de piété.
3. « Ce ne sont point ici les réflexions d'un solitaire, déclare l'*Avertissement aux pères de famille*, ni d'une personne engagée dans la retraite d'un cloître, qui ne peut pas savoir véritablement ce qui se passe dans le monde ; mais d'un père de famille comme vous, qui a plus besoin qu'aucun autre de faire observer exactement dans sa maison les devoirs de la vie domestique. La grande et longue expérience qu'il a eue dans l'état où Dieu l'a placé lui a fait découvrir beaucoup d'abus et de désordres qui se commettent dans plusieurs familles. C'est pour tâcher d'y remédier et de rendre les mariages heureux qu'il a travaillé à cet ouvrage. Il ne prétend pas s'ériger en réformateur, mais en père véritable, qui enseigne ses propres enfants, pour leur insinuer les vérités chrétiennes qui y sont contenues. » (*Op. cit.*, p. 6).
4. *Ibid.*
5. *Ibid.*

deux pôles : ses affaires, qui favorisent son expansion et manifestent ses vertus créatrices ; sa famille, où il vient savourer le repos. En se soumettant à l'idéal chrétien, il l'accorde avec sa vocation, qui exclut le renoncement et la contemplation. En revanche, il n'a que du mépris pour la vie mondaine, aussi incompatible avec ses ambitions qu'avec son rêve d'ordre et d'intimité [1].

Le bonheur du bourgeois n'est pas ailleurs qu'en sa maison. Et sa maison n'est heureuse que si tout y est fondé sur des principes. L'un de ceux-ci astreint l'épouse du bourgeois à prendre en toute chose le contrepied des pensées et des gestes d'une mondaine [2]. Un autre règle les devoirs des maîtres envers les domestiques : on ne doit jamais oublier « l'égalité naturelle qui se trouve entre les hommes » [3]. Les conditions n'ont rien d'absolu. L' « être civil », qui distingue les hommes « ici-bas sur la terre », est par essence inconstant et variable. Dieu peut, quand il lui plaît, changer le serviteur en maître et le maître en serviteur [4].

Tout en proclamant l'égalité naturelle, le bourgeois Lordelot n'en est pas moins résigné à l'inégalité sociale, à laquelle il découvre un fondement surnaturel. Il s'interdit par là d'y rien changer et accepte que « l'espérance » soit la seule ressource du « misérable ». D'autre part, les vicissitudes providentielles ne concernent que les puissants et les humbles. Situé entre les deux, le bourgeois n'est jamais menacé. Il n'a ni à expier le scandale de la « grandeur », ni à quitter une condition heureuse en elle-même. Unique élément stable du plan divin, il échappe à la fois au châtiment et au miracle. Il est trop modeste pour que sa chute soit édifiante, trop satisfait de lui pour demander à Dieu d'intervenir en sa faveur. Le bourgeois se résigne d'autant mieux aux fluctuations de la vie humaine et au bouleversement des destins, qu'il est bien assuré qu'ils ne sauraient l'atteindre. Les « grands » et les « misérables » sont moins

1. « Voilà un grand aveuglement de l'homme : tout le monde veut être heureux et peu de gens cherchent le moyen de l'être. Voulez-vous vivre en paix et être heureux dans votre domestique, rendez-le commode et aisé, travaillez, tâchez de vivre en paix avec celle avec laquelle vous devez toujours vivre, sinon vous serez toujours malheureux ; car, quand vous seriez bien avec tout le monde et mal en votre maison, vous vous trouverez toujours dans un trouble et dans un désordre continuel ; au contraire, si vous vivez en bonne intelligence avec votre épouse et si vous aviez le malheur d'être brouillé avec le monde, vous n'avez qu'à demeurer dans votre maison pour y être heureux. C'est une béatitude anticipée quand un mariage est bien uni ; c'est un enfer quand il ne l'est pas. » (*Ibid.*, pp. 51-52).

2. Cf. *ibid.*, pp. 60-61.

3. *Ibid.*, p. 113 : « Le sang des personnes élevées n'est pas d'une autre couleur que celui des esclaves, leurs corps ne sont pas formés d'une autre matière et la mort des uns et des autres est égale ; tous sont sujets à la corruption et tous seront réduits dans la même poussière, de laquelle ils ont tous été tirés. »

4. « Cette variation est absolument nécessaire pour contenir dans la crainte de tomber ceux qui sont montés au faîte de la fortune et pour exciter par l'espérance ceux qui sont nés dans la bassesse. Si cela était autrement, on pourrait y trouver quelque espèce d'injustice, les grands deviendraient trop violents et trop superbes et les misérables tomberaient dans le désespoir. Pour tempérer les uns et pour encourager les autres, Dieu a permis ces sortes de changement. » (*Ibid.*, pp. 114-115).

des hommes que des symboles. Ils n'existent que pour jouer un rôle dans le grand scénario du monde. Le bourgeois, lui, est un être bien réel. Ce n'est pas pour *signifier* qu'il est sur terre, mais pour vivre, pour travailler, pour être efficace, pour assurer la permanence d'un univers auquel il communique sa paisible énergie.

Cela n'empêche pas le bourgeois d'adorer la Providence, de ne pas s'y sentir étranger. S'il en est oublié dans le déroulement de l'histoire surnaturelle, s'il échappe aux embûches et aux prodiges destinés à tous ceux que Dieu éprouve ou qu'il console, il est la cheville ouvrière de cette autre entreprise divine, qui tend, non à bouleverser le monde pour manifester l'au-delà, mais à le transformer en un confortable séjour.

Le bourgeois remplira donc tous ses devoirs religieux. Il n'a rien à se faire pardonner, mais il fera pieusement l'aumône, par précaution. L'aumône est le meilleur critère pour séparer les justes des méchants. Cette vertu commode devient la pierre d'achoppement de l'éternité [1]. Elle vaut au bourgeois d'autant plus de *mérite* qu'il la pratique par charité pure. Dans l'aumône, il donne gratuitement, alors que le grand *répare*. Le salut du bourgeois repose aussi sûrement entre ses mains que son bonheur temporel.

Assuré de l'essentiel, il doit se résigner aux épreuves :

« Embrassons donc la souffrance avec amour et avec soumission, reconnaissons que nous la méritons justement, humilions-nous devant Dieu, regardons nos maux comme des pierres précieuses dont il formera notre couronne, reconnaissons que ce n'est que par les tribulations que nous pourrons avoir place dans son royaume, qu'il n'y a point d'autre voie pour y parvenir que celle de la croix... Portons généreusement notre croix si nous voulons qu'elle nous porte... [2] »

Il est douteux que le bourgeois soit fait pour porter sa croix. Sa vocation n'est guère compatible avec la souffrance. Mais, tout en escomptant le bonheur et la réussite, il ne veut pas, en cas d'échec, se trouver les mains vides. L'esprit de sacrifice, réservé aux situations exceptionnelles, fait encore partie de cet amour de l'ordre qui est sa passion ou sa fonction dominante. Résolument attaché à un ordre humain aussi longtemps qu'il le peut, il sait se ressouvenir de l'ordre surnaturel, dès que le premier se trouve en péril. De cette façon, il ne perd jamais. La folie des gens du monde consiste justement à

1. « On ne peut donner un signe plus apparent de la prédestination que celui de la charité qu'on fait aux pauvres ; il semble que Dieu oublie tous les péchés de ceux qui la font et qu'il rejette toutes les vertus que pourraient avoir ceux qui ne la pratiquent pas, puisqu'il ne récompense les premiers que pour l'avoir pratiquée pendant leur vie et qu'il ne condamne seulement les autres que pour avoir été sans miséricorde et sans pitié envers les pauvres. Si nous voulons donc que Dieu nous entende, lorsque nous lui demanderons miséricorde, ne fermons donc pas nos oreilles à la clameur des pauvres ; autrement nous aurons beau crier de toutes nos forces, il ne nous écoutera pas. » (*Ibid.*, pp. 165-166).
2. *Ibid.*, p. 209.

ne pas penser à Dieu, même dans le temps de l'épreuve, et à s'obstiner dans une vertu stoïque, qui n'est d'aucun prix pour le salut. A tout prendre, le bourgeois préfère la résignation chrétienne à la résistance héroïque. Il ne fait ainsi que changer d'*ordre*, au lieu de devoir assumer ce qui jure le plus avec sa nature : la révolte et la solitude.

La dignité et la piété de la vie bourgeoise n'excluent pas un usage raisonnable des plaisirs. Le bourgeois chrétien est sensible, en particulier, au plaisir de la société. Les sentiments qu'il voue à son prochain prolongent la sérénité qu'il enferme en lui-même : « Cette charmante douceur qu'on goûte est comme une eau salutaire qui va éteindre le feu de la colère et de la dureté [1]. » Le bonheur du bourgeois se propage de proche en proche [2], et ses relations sont toujours inspirées par la charité : ses visites ne sont pas, comme les visites mondaines, des divertissements ou des expéditions de guerre, mais des témoignages d'amour [3].

La promenade est l'autre plaisir d'élection du bourgeois chrétien [4]. Mais il soumet à d'austères prudences tous les divertissements dont il craint le venin. Le jeu, par exemple, n'est acceptable qu'à certaines conditions : « Il faut jouer tranquillement et avec plaisir, regarder le jeu comme une médecine qu'on donne à un malade. » On doit distinguer le jeu comme délassement, qui peut être salutaire, et le jeu comme passion, dont la violence obsède et anéantit l'esprit. De même il faut en bannir l'intérêt, pour éviter qu'il devienne « une source d'inquiétudes et de chagrins » [5]. Quant aux danses et aux bals, ce sont des plaisirs par essence coupables, dont il faut se priver absolument :

« Les danses sont mauvaises et pernicieuses, mais les bals le sont encore plus, car, pour ne rien laisser perdre au démon, les *gens de distinction* ont cru que, si le *populaire* employait les jours à la débauche, il fallait de leur part lui consacrer la nuit [6]. »

La remarque a du prix : le bourgeois se situe par son égal mépris envers les « gens de distinction » et le « populaire ». La débauche des mondains et la débauche du peuple l'épouvantent également.

1. *Ibid.*, p. 171.
2. « L'homme, qui est né sociable, doit se communiquer pour entretenir la société. » (*Ibid.*, p. 246).
3. *Ibid.*, p. 247.
4. « La promenade est le plus innocent, le plus agréable et le plus nécessaire de tous les divertissements. Elle sert à délasser l'esprit, à guérir les maladies et à entretenir la santé du corps. Il semble qu'elle soit particulièrement destinée pour les gens de lettres, lesquels, après s'être épuisés dans l'application d'une étude pénible et laborieuse, doivent chercher quelque relâche dans les promenades, ou jouir en repos des délices d'une vie privée dans les retraites de la campagne. » (*Ibid.*, p. 322).
5. *Ibid.*, pp. 271-272.
6. *Ibid.*, p. 311. Lordelot continue en ces termes : « Les funestes nuits passées dans des courses vagabondes sont des occasions bien prochaines et presque inévitables de péché. Les ténèbres qui favorisent les méchants desseins donnent des libertés qu'on n'oserait prendre pendant le jour. Une fille ainsi exposée est sur le penchant de sa perte. » (*Ibid.*, pp. 313-314).

En face d'une double turpitude, il est sûr d'incarner la véritable honnêteté.

Tel est le bourgeois chrétien du début du siècle. Sachant déjà l'importance de son rôle dans une société dont il est l'élément nécessaire, il jouit de l'approbation de sa conscience, qu'il doit à son existence vertueuse, pleine de piété. Il place tout son bonheur dans son foyer, monde clos dont il est le souverain et qu'il administre avec une tendresse un peu grave. Sa seule passion est la passion de l'ordre, dont sa vie familiale et ses affaires portent l'empreinte. Peu enclin à l'enthousiasme, aux imprudences généreuses, son génie consiste à savoir maintenir. Scrupuleux, affable, craignant Dieu, il peut se dispenser d'ascétisme et, tout en vivant d'une vie douce, se conduire toujours en homme de devoir.

* * *

Tout au long du siècle le bourgeois évolue. Il est de moins en moins chrétien [1] et se croit de plus en plus le maître du monde. Son ambition ne se limite plus à être heureux au milieu des siens. Il exige qu'on le reconnaisse comme la clé de voûte de l'État. De bourgeois dévot, il devient bourgeois « patriote ». On peut en trouver la preuve dans un traité attribué au négociant Bedos, *Le Négociant patriote, ouvrage utile aux négociants, armateurs, fabricants et agricoles, par un négociant qui a voyagé* [2].

L'ouvrage débute par une exaltation du commerce, par la proclamation d'un véritable *humanisme commercial* [3]. Le négociant est présenté comme un type humain. Essentiel à la vie du pays, dont il est l'âme, il apparaît comme le plus digne des hommes. Il en est en même temps le plus populaire et le plus puissant, parcourant l'univers et semant partout ses bienfaits [4].

1. Cf. le livre, déjà cité, de Groethuysen.
2. L'œuvre, sans nom d'auteur, porte seulement comme indication : Amsterdam, 1784.
3. « Le commerce est la source de l'aisance des peuples et de l'opulence des États ; il fait pour eux ce que le mouvement fait à la nature ; il en est le principe, l'action, le ressort. Le commerce est la profession de l'égalité, de la sagesse, de l'ordre et des richesses acquises par un travail honnête ; rien n'en détruit l'admirable élasticité que l'extrême opulence, parce que l'or attire tout à lui : ce corrupteur brillant séduit, énerve et brise l'âme. Un négociant en France est ce citoyen précieux, dont le coup d'œil porte d'un bout de l'univers à l'autre : par l'industrie, la plus juste combinaison et la bonne foi, il accumule ses richesses, augmente celles de la Patrie, emploie sur mer et sur terre des milliers de bras, se fait chérir au dedans et au dehors par ses ressources et sa franchise ; enfin il est en tout utile et presque inséparable du premier des arts, la respectable agriculture. » (*Op. cit.*, pp. 1-2).
4. Le « négociant patriote » se laisse emporter par le lyrisme de l'expansion commerciale. Il trouve des accents héroïques pour prêcher la conquête du monde par le commerce : « Accourez, enfants de la Patrie, industrieux concitoyens, réunissez vos lumières, vos talents pour faire fleurir et fructifier cet arbre fécond, qui couvrira dans peu de son ombrage l'univers entier ! Que rien n'échappe à votre activité ! Portez le flambeau du talent et la générosité du cœur dans la région que nous offre Franklin pour l'honneur des lys et votre prospérité ! Tout entend cette voix. Nos cités maritimes, pleines de préparatifs et de toutes sortes de marchandises, attendent les convois que la sagesse de notre gouvernement a crus nécessaires. Plus d'entraves

Un métier aussi éclatant, aux responsabilités aussi nobles, réclame une longue préparation. Le second chapitre concerne l'éducation du jeune commerçant. Il est significatif qu'un livre consacré au commerce contienne un traité de pédagogie [1] : le commerce est incorporé à une vision d'ensemble de l'homme, à une éthique qui lui donne tout son sens. Il suppose une culture harmonieuse de toutes les facultés. L'auteur applique à l'apprentissage du jeune « négociant », qu'il divise en étapes progressives, les principes de l'*Émile*. Il distingue en outre une éducation théorique, vaste et profonde, et une formation spéciale d'ordre pratique [2].

Pour s'épanouir et donner sa mesure, le commerçant a besoin d'un climat de liberté : il en est du commerce comme de toutes les formes de génie [3]. Nanti de ces deux privilèges — liberté et culture — il devient un objet d'admiration pour « l'homme pensant » [4]. Les marchands qui se consacrent au commerce extérieur constituent la « classe première des négociants » [5]. On peut leur donner le nom de philosophes et leur conférer un titre idéal de noblesse [6]. L'amour de la patrie et l'amour de l'humanité inspirent également leurs entreprises et se partagent leur ferveur.

Le négociant a observé, mieux que quiconque, les mœurs de tous les pays. Lui seul a découvert le monde. Son savoir est universel. Avec le patriotisme et les vertus morales, cette connaissance exhaustive des peuples de l'univers, perpétuellement parcourus, étudiés et confrontés, achève de constituer l'humanisme bourgeois.

Le chapitre VII du *Négociant patriote* contient une description comparative des nations. De son immense expérience, le négociant sait tirer des remarques « philosophiques », telles que celle-ci : « La différence des mœurs, des usages chez les peuples est autant l'effet

à craindre, plus d'obstacles à combattre... » (*Ibid.*, pp. 2-3). Pour bien comprendre ce texte, il faut se rappeler qu'on est au lendemain de la guerre d'Amérique : traité de Versailles, 1783.

1. Il est vrai qu'il en est de même dans tous les manuels de ce genre, depuis le Moyen Age.

2. Le jeune homme destiné au commerce devra habituer son corps à tous les exercices et se frotter à la politesse mondaine : « Je voudrais que le jeune homme, le soir, libre de toute occupation, fréquentât les sociétés de son rang ; que, respectueux et sensible, il fût assidu à ces cercles de politesse, où les Dames, qui joignent les charmes à la pudeur, adoucissent le caractère de l'homme, inspirent et donnent ce ton dont la Nature les embellit. » (*Ibid.*, p. 12). L'auteur raconte même comment le jeune négociant, marchant toujours sur les traces d'Émile, devient amoureux et se marie. Avant son mariage, il devra voyager à travers le monde pendant trois ans. Après quoi, « il reviendra en France pour être fils respectueux, amant et époux fidèle, commerçant honnête et citoyen vertueux. » (*Ibid.*, p. 14). Il est enfin précisé qu'il « sera bon chrétien et non superstitieux ».

3. *Ibid.*, p. 15.

4. *Ibid.*

5. « Il est une classe première de négociants, qui, par leurs lumières, leurs vues, leurs voyages, leurs réflexions, de l'expérience et de gros capitaux, sont appelés au commerce extérieur. *Ces génies transcendants*, nécessaires à tous les peuples, ont vu les mœurs, les productions et les besoins de l'univers... Le patriotisme brille plus dans eux que dans les autres, il agit en eux, il les consume. » (*Ibid.*, p. 67). « De tels hommes se situent tout en haut de l'humanité : il sera difficile de trouver des hommes plus précieux que ces nobles négociants : tout est chez eux génie, esprit et franchise. » (*Ibid.*, p. 69).

6. « Une tête pensante vaut bien un parchemin héréditaire. » (*Ibid.*).

de la religion et des lois que du climat et de l'habitude. Cette inégalité frappante se justifie par l'éducation. Trente ans de voyages dans plusieurs contrées de l'Europe m'ont mis à portée de connaître cette vérité [1]. » Ailleurs, l'auteur applique sa réflexion à des sujets plus larges, concernant l'homme en général. Il constate que « l'intérêt, cet être corrupteur des hommes, a soufflé dans les âmes », et précise, en un style qui sent son marchand de drap : « Je palpe donc cette vérité que l'intérêt enchaîne tous les hommes du dix-huitième siècle [2]. » Cet intérêt est souvent suspect, quelquefois impur. Mais « il est un intérêt légitime, permis, ordonné même par notre état : c'est l'amour du travail, qui arrache des bras d'une chère épouse le mari laborieux, le commerçant marin, l'artiste et l'ouvrier... » [3]. Ce déchirement est l'image parfaite, quoique pathétique, d'une vie bourgeoise. Le goût du travail et les vertus domestiques sont les deux forces morales de la bourgeoisie, contrastant avec la mollesse et le donjuanisme des grands seigneurs.

On trouve encore dans le *Négociant patriote* cette maxime de la morale bourgeoise : « Le travail fait avec joie est toujours suivi de l'aisance [4]. » La formule rassemble trois idées essentielles : le travail est la justification du bourgeois ; loin d'être accablant ou désagréable, il porte en lui le bonheur de l'activité ; enfin il tend légitimement à un profit modéré. Travail, bonheur, profit : ces trois termes, en s'identifiant, définissent la condition du bourgeois [5].

Évoquant l'heureuse diversité de sa propre existence, l'auteur avoue :

« Je varie ainsi mes occupations à chaque instant ; le travail et l'industrie, ces sources fécondes du commerçant, me font tout prospérer, et tout autour de moi se réjouit... Toujours placé entre le bien général, la nature et l'homme, mon âme prie notre Père qui est aux cieux, d'avoir pitié de ses enfants, qui, ayant travaillé, paraissent dignes de participer aux fruits de la terre [6]. »

Le bonheur et le profit du bourgeois sont donc de droit divin et constituent la récompense de son action. Aussi bien le rôle que le commerçant assume au milieu des hommes justifie-t-il cette récompense : « Le négociant, entouré de tous les besoins, les soulage par l'industrie et le travail [7]. » Son activité, si nécessaire au bonheur des peuples, s'inscrit dans le cours même de l'histoire [8]. Seuls les excès

1. *Ibid.*, p. 89.
2. *Ibid.*, p. 106.
3. *Ibid.*, p. 108.
4. *Ibid.*, p. 65.
5. Ailleurs, l'auteur du *Négociant patriote* résume ainsi la morale bourgeoise : « Trois choses donnent la distinction au négociant : la bonne foi, le travail assidu et le patriotisme. Ramenons toute notre conduite à ces principes, mêlons l'habileté à la modestie, pour mépriser les jalousies et faire le bien. » (*Ibid.*, p. 250).
6. *Ibid.*, p. 289.
7. *Ibid.*, pp. 289-290.
8. « Quand, de Charlemagne à nos jours, les souverains des deux races ont introduit dans leur Empire et protégé le commerce, qu'ils ont attiré et encouragé les talents, c'est qu'ils ont

et les étourderies de la vie mondaine ont retardé le progrès de l'humanité. Le tort des mondains est d'avoir mal compris la valeur de l'argent : aveugles aux vraies richesses, en quoi le travail seul peut le convertir, ils n'y ont vu qu'un moyen commode pour se procurer des objets de parade. Ils ont sacrifié le respect de l'argent à la vanité. En prévalant, l'idéal mondain a ralenti le mouvement naturel des sociétés, qui tend vers le triomphe de l'économie et la prospérité universelle [1]. Il est donc incompatible avec l'éthique bourgeoise, et le négociant doit éviter toute relation avec le monde [2].

Après le négociant « patriote », philosophe et philanthrope, il reste à admirer le négociant stoïcien, magnifique de « fermeté dans l'infortune ». Le bourgeois, dont toute la vie est orientée vers l'acquisition des biens matériels, se montre capable d'une résignation sublime, si ceux-ci viennent à lui être enlevés. Alors il se replie sur lui-même et s'affirme supérieur à son destin. La morale du négociant trouve dans ce renoncement héroïque un prestigieux couronnement [3].

Le négociant est en définitive le plus heureux des hommes : il doit son bonheur à sa lucidité, à son activité et à sa modération, qui sont à la fois les trois qualités des « êtres fortunés » et les trois privilèges du bourgeois [4].

Mais l'auteur du *Négociant patriote* veut exalter la grandeur de son héros, plus encore que sa félicité. Dans le monde moderne, le commerçant apparaît comme un directeur de conscience universel. Non content d'être le souverain des échanges, il dirige toutes les autres formes de la vie économique. Technicien d'une agriculture savante [5], il donne vie à l'industrie, en renonçant à son profit immédiat pour devenir le « nourricier des malheureux ». Il fournit des fonds à l'entretien des manufactures : déjà, sous le commerçant,

senti que les sujets ne pourraient être heureux, riants et riches que par les travaux de la terre, du négoce et de la navigation. » (*Ibid.*, p. 227).

1. « Nous avons peut-être un peu trop suivi la voie qui conduit à l'argent, avec le goût dominant de le prodiguer en festins, fêtes, spectacles, bijoux, meubles recherchés, habits de prix, équipages somptueux, en un mot tout ce qui tient à une représentation frivole, mais éclatante. » (*Ibid.*, p. 228).

2. « Ne nous exposons pas dans ces cercles, où le temps et la fortune se perdent sans être appréciés : que nos spectacles soient l'agriculture, les fabriques et la mer. » (*Ibid.*, p. 226).

3. « On a vu mon négociant juste, généreux, bienfaisant, patriote, voyageur, hardi dans le bien et la vérité aperçue, enfin *renouvelant l'âge d'or*, puisqu'il jette la circulation dans toutes les classes. J'ai à le présenter supérieur aux calamités et à la perte de ses biens. » (*Ibid.*, p. 291).

4. « Où sont donc enfin les êtres fortunés ? Je les aperçois dans la saine philosophie, dans l'occupation ou dans le sentiment des désirs modérés. » (*Ibid.*, p. 206).

5. Lorsqu'il se rend au village, il est accueilli par ces solennelles paroles du bailli : « Négociant philosophe, fais-moi l'honneur d'accepter ma maison pour quelque temps ; mon épouse admirera votre sagesse, tout le corps des cultivateurs aussi : instruisez-les de l'ingénieuse pratique de cette agriculture qui ne laisse rien en friche, qui connaît les saisons, la nature du sol, la plantation, les graines, les germes les plus propres ; qui ne perd pas un instant ; qui sait par une correspondance avec les principales académies d'agriculture ce qui manquera à telle nation, ce qui sera abondant chez une autre... enfin vous les animerez de ce feu créateur qui brille en vous. Nous éduquons trois orphelins : l'un sera laboureur, l'autre marin, l'autre marchand ; ces deux derniers auront besoin de votre protection ; qu'ils apprennent de votre bouche que la nature nous rend frères, que rien ne doit briser cette fraternité ; que la réflexion doit la renouveler et que la philosophie la perpétue. » (*Ibid.*, p. 192).

on voit poindre le capitaliste, mais un capitaliste toujours conseillé par le philanthrope [1].

C'est finalement à une apothéose que l'on assiste. Comme l'Atlas de la légende, qui supportait à lui seul tout le fardeau de l'univers, cet « Atlas nouveau » porte sur ses épaules le monde moderne [2].

Le négociant ne formule en échange que deux exigences : il veut recevoir « quelque distinction » dans l'État et devenir « propriétaire » [3]. Sa revendication se fonde d'ailleurs sur le patriotisme même, car elle est conforme à l'esprit national [4]. A cent lieues d'être rebelle à l'ordre social, il n'aspire qu'à le parachever, à lui donner tout son sens, en respectant les traditions et les mœurs de la France monarchique.

* * *

Du début à la fin du siècle, les traits fondamentaux du bourgeois demeurent les mêmes. On rencontre toujours le même idéal d'ordre, de travail, et de bonheur domestique. Le bourgeois se reconnaît à cette immuable stabilité. Ce qui a changé pourtant, c'est la conscience qu'il prend de son importance. Le bourgeois, selon Savary et Lordelot, n'était pas encore cet « Atlas nouveau » dont parle l'auteur du *Négociant patriote*. Il n'exprimait aucune revendication sociale et se bornait à proclamer la dignité morale de son état. Le bourgeois de la fin du siècle rêve au contraire de se placer à la tête de l'ordre social, qui repose sur son travail et sur ses vertus.

D'un bout à l'autre du siècle, en tout cas, le bourgeois ne cesse d'affirmer et de décrire la réalité de son bonheur, qu'il oppose à la condition frivole des gens du monde, comme à la situation misérable de

1. « Comment serait les manufactures, sans le négociant qui fournit toutes sortes de matières, leur transport et jusqu'aux fonds journaliers ? Il sera payé dans un an, dans dix-huit mois ; il hasarde, il confie partie de sa fortune ; mais quelle est sa satisfaction d'être le nourricier des malheureux ! » (*Ibid.*, p. 210).

2. « Les ateliers étant fournis, il est, pour ainsi dire, l'approvisionneur de toutes les classes de l'État. Les fonctions de sa main sont ennoblies par le commerce ; elle signe des traites sur toutes les places de la France et de l'Europe ; ... son imagination aussi sensible que brillante l'entraîne à veiller aux besoins des villes, des bourgs. Le militaire, l'homme de robe, le bourgeois lui doivent leur subsistance, le vêtement et toutes les choses nécessaires à la vie... L'univers contemple avec admiration le négociant ! Cet Atlas nouveau porte le poids des fabriques, des établissements, des entreprises en marine et des défrichements ; il dit sans cesse aux mains laborieuses : continuez de travailler avec zèle et vous aurez de l'argent... » (*Ibid.*, pp. 210-211). Le mot *bourgeois* dans le texte signifie *habitant d'une ville* vivant de son bien, des revenus de son capital, sans activité directe et personnelle.

3. « Les distinctions iront au-devant du négociant, quand d'injustes préjugés élevés contre lui tomberont, quand enfin on sentira que celui qui nourrit sa patrie a le droit de jouir d'une fortune légitimement acquise. » (*Ibid.*, p. 225). Ces *préjugés* désignent avant tout le reproche « d'âpreté » et « d'usure » que l'on faisait d'ordinaire aux commerçants. Mais l'auteur répond que l'usure ne se pratique qu'à Paris, « cette grande ville, pleine de *marchands* et vide de *négociants* ». Il importe en effet de ne pas confondre les deux. Le marchand ne fait que du commerce de détail et se borne à revendre pour son propre profit, sans rien ajouter aux richesses de la nation. Le négociant se consacre au commerce de gros, surtout au commerce extérieur, et fournit à la vie économique des matières premières et des capitaux, en même temps qu'il procure des débouchés aux produits de l'agriculture et de l'industrie.

4. Cf. *ibid.*, pp. 226-227.

la « populace ». Ce bonheur, il l'éprouve comme un bonheur mérité, justifié à la fois par la rectitude de sa vie personnelle et par l'utilité de son rôle dans l'État. Le bourgeois demeure à cet égard le champion de la bonne conscience. Il réalise, mieux que quiconque, le grand rêve de l'époque, qui tend à concilier la jouissance et la vertu. On peut fort bien en ce sens qualifier le XVIIIe siècle de « bourgeois ». Bien mieux que l'épicurien cynique ou le futile mondain, c'est le bourgeois qui incarne son idéal.

DEUXIÈME PARTIE

LE BONHEUR ET LES FORMES DE L'EXISTENCE

CHAPITRE VIII

LES FORMES IMMÉDIATES DE L'EXISTENCE

« Serait-il possible qu'exister ne fût pas un grand bien ? »
BEAUSOBRE, *Essai sur le bonheur.*

« Vivre, c'est proprement jouir. »
CONDILLAC, *Traité des sensations.*

1. Le sentiment de l'existence. — 2. Le bonheur et le corps : Hygiène et sobriété ; La longévité ; Bonheur et « machine » ; Les *Réflexions sur le bonheur* de La Caze ; Thérapeutiques et magnétisme. — 3. Les sensations et l'âme : L'âme et les choses ; Le « sentiment » de la nature : les saisons, l'univers végétal, les eaux, la montagne.

Le bonheur commence au niveau de l'être. Être au monde est la source délicieuse d'un émerveillement qui devrait rendre inutile ou accessoire tout surcroît de plaisir. Encore en est-il bien peu qui le sachent ou qui s'en souviennent [1].

Montesquieu, pour mesurer exactement la bienfaisance de Dieu envers sa créature, distingue le simple don de l'existence de « ce qui est bien plus : le sentiment de notre existence » [2]. Il s'étonne que certains moralistes aient négligé dans le calcul de nos plaisirs le seul plaisir qui soutienne et accompagne chaque instant de notre vie [3].

Sous le bonheur de l'âme, composé d'émotions un peu vives, végète la conscience confuse d'un bonheur silencieux, qu'on ne peut percevoir qu'en accédant à la nudité et à la plénitude de l'existence. Pour Rousseau, la douceur de cette découverte est telle que toutes les joies du cœur, toutes les impressions des sens, ne peuvent qu'en

1. « Le plaisir d'être, ce plaisir oublié, ignoré même de tant d'aveugles humains, cette pensée si douce, ce bonheur si pur, je suis, je vis, j'existe, pourrait seul rendre heureux, si l'on s'en souvenait, si l'on en jouissait, si l'on en connaissait le prix. » (Mme DE GRAFFIGNY, *Lettres d'une Péruvienne*, t. I, p. 84).

2. MONTESQUIEU, *Mes Pensées*, 615.

3. « M. de Maupertuis ne fait entrer dans son calcul que les plaisirs ou les peines, c'est-à-dire tout ce qui avertit l'âme de son bonheur et de son malheur. Il ne fait point entrer le bonheur de l'existence, la félicité habituelle, qui n'avertit de rien, parce qu'elle est habituelle. » (*Ibid.*, 1007).

compromettre la pureté [1]. Au lieu de s'habituer à son existence, l'homme averti de toute l'étendue de son bonheur devrait admirer à chaque minute ce prodige qui lui donne l'être [2].

I. — LE SENTIMENT DE L'EXISTENCE.

A vrai dire, il n'est guère facile d'isoler le sentiment de l'existence. Montesquieu évite de définir cette « félicité habituelle » et de la rapporter à l'une des facultés de l'âme. Rousseau montre que le sentiment de l'existence ne peut être perçu que dans le vide intérieur et l'engourdissement de tous les sens. La faible conscience qui l'accompagne ne se colore d'aucune image et ne ressemble à aucun état d'âme. Dès que l'on s'extasie devant la merveille, le « phénomène » de l'existence, dès qu'on tire de la conscience d'être un éblouissement, une surprise, on en dissout déjà la pureté dans une émotion étrangère, un commentaire sentimental. Le sentiment de l'existence qui envahit triomphalement la conscience se volatilise. Il se préserve bien mieux en veillant silencieusement au fond de nous-même et en ne se communiquant à l'âme que par l'affleurement d'une présence muette. Aussi l'homme doit-il à la fois, pour son bonheur, savoir qu'il existe et l'oublier.

Lorsque Mme d'Épinay dit de deux amants imaginaires, qu'elle suppose comblés : « ils jouissent du bonheur d'être » [3], il est clair que d'autres prestiges, d'autres ivresses s'ajoutent à la volupté d'exister. L'auteur des *Principes philosophiques* définit le sentiment de l'existence comme la conscience d'une modification particulière [4]. L'existence ne se suffit donc pas à elle-même : elle doit être soutenue ou

1. « Le sentiment de l'existence, dépouillé de toute affection, est par lui-même un sentiment précieux de contentement et de paix, qui suffirait seul pour rendre cette existence chère et douce à qui saurait en écarter toutes les impressions sensuelles et terrestres, qui viennent sans cesse nous en détourner et en troubler ici-bas la douceur. » (ROUSSEAU, *Rêveries, Cinquième Promenade*).

2. « Quel phénomène que notre propre existence ! Comment ne s'étonne-t-on pas, vingt fois par jour, d'exister ? Comment l'habitude nous familiarise-t-elle avec ce sentiment que nous avons reçu involontairement et qui nous échappera de même ? » (L. S. MERCIER, *Mon Bonnet de nuit*, t. II, p. 11).

Le sentiment de l'existence, au lieu de s'en tenir à cette délectation intérieure, peut se répandre sur le monde extérieur pour le transfigurer. Il prend alors une forme résolument extravertie. Cf. SÉNAC DE MEILHAN, *Considérations sur l'esprit et les mœurs*, p. 167 : « Il est un genre de bonheur qui échappe à l'observation, qui n'offre rien de positif, quoiqu'il soit réel et étendu. C'est *le bien-être qui résulte de la plénitude de l'existence*, de l'abondance des esprits de vie. Elle se déverse en quelque sorte sur tous les objets qui nous environnent : *l'homme est heureux par cela seul qu'il existe*... La nature est pour lui un parterre enchanté, dont le spectacle le touche et le ravit. L'air qu'il respire lui semble pur et délié, et porter dans lui à chaque instant une nouvelle vie. C'est dans la jeunesse, dans l'âge de la force, que le bonheur d'existence se fait vivement sentir, sans qu'il soit besoin même d'y joindre des plaisirs vifs. »

3. Mme D'ÉPINAY, *Mes Moments heureux*, p. 186.

4. « Toute existence est modifiée d'une façon ou d'une autre, sous tel ou tel rapport, par telle ou telle propriété particulière. Exister, c'est donc avoir une qualité ou une propriété déterminée. » (*Principes philosophiques*, p. 1).

remplie par des perceptions sensibles. L'âme demande à être « avertie ». L'existence n'est plus un plein, mais un vide. On dira alors : « On cesserait d'être, si on cessait de sentir [1]. » Ou bien : « La jouissance étend l'existence de l'être... Pour l'individu capable de sentiment, être c'est sentir [2]. » Le plaisir et la douleur deviennent des modifications du sentiment de l'existence, qui cesse d'être cet « en-deçà » permanent de tout état d'âme [3]. Dans son *Essai de philosophie morale*, Maupertuis identifie le plaisir à l'être et la douleur au néant. Plaisir et douleur prennent ainsi une valeur non seulement psychologique, mais *existentielle*, sinon métaphysique. Mais tandis qu'ils s'enrichissent, le sentiment de l'existence disparaît en tant que tel, devient une pure virtualité. Il n'est plus cette harmonie constante et profonde de l'être, mais de simples cordes qui restent inertes tant que le plaisir ou la douleur ne les fait pas vibrer.

La même équivoque apparaît lorsqu'on veut définir le sentiment que l'homme naturel doit avoir de son existence. Quelquefois son bonheur est inclus dans le simple fait de vivre [4]. Mais il arrive aussi que le sentiment de l'existence soit lié au contenu de la vie psychique. Passant en revue les besoins de l'homme naturel, Delisle de Sales énumère la nourriture, les vêtements, la sexualité ; et il ajoute : « Il est un dernier besoin qui pèse sur l'homme de la nature : *c'est celui d'avoir un sentiment vif de son existence...* [5] » L'existence s'offre ici sous une forme plus élaborée ; elle n'est plus le simple fait de vivre, mais l'image ou le rythme d'une vie ; le sentiment qui l'accompagne n'est plus la simple conscience d'être, mais l'état où l'homme savoure la joie d'avoir vaincu cette « inquiétude machinale » qui est son angoisse originelle. Ce « sentiment vif de l'existence » équivaut en fait à oublier l'existence elle-même au profit de ce qui la recouvre ou la dissimule. Au lieu de l'assumer et de s'en nourrir, la conscience ne cherche plus qu'à l'oublier.

Le bonheur de l'existence peut donc revêtir des formes différentes. A l'état pur, il devrait exclure toute autre pensée, tout autre senti-

1. P. Estève, *La Toilette du philosophe* (1751), p. 58.
2. Abbé Joannet, *De la connaissance de l'homme dans son être et dans ses rapports* (1775), t. II, p. 379.
3. « Par le premier sentiment, l'individu sent en quelque sorte son existence augmenter et s'étendre, par le second au contraire il la sent en quelque manière s'affaiblir et se resserrer. Par l'un, son être prend de la consistance, par l'autre il s'appauvrit et semble se rapprocher du néant. Un sentiment pénible suppose donc une perfection d'existence de moins dans un être ; un sentiment agréable suppose donc en lui un degré de perfection d'existence en plus : le plaisir a donc son principe dans quelque perfection surajoutée à l'être, la douleur a donc son principe dans quelque nouvelle imperfection survenue à l'être. » (*Ibid.*).
4. « L'homme simple, comme l'animal, ne s'ennuie jamais, il lui suffit de sentir son existence pour être heureux... Vivre c'est jouir pour l'homme qui n'a pas dégénéré. » (De Luc, *Lettres physiques et morales sur les montagnes* (1778), pp. 164-165).
5. « Telle est l'activité des principes qui constituent son être qu'après s'être rassasié et avoir joui, il lui reste *une inquiétude machinale et des désirs vagues*, qui empoisonneraient ses jours, si le travail, en variant les objets de sa pensée, ne perpétuait le plaisir au milieu de sa carrière. » (Delisle de Sales, *Philosophie du bonheur*, t. I, p. 79).

ment : « On existe et rien de plus [1]. » On atteint ainsi ces mystérieux confins qui séparent imperceptiblement l'existence de l'inexistence, ce lieu privilégié et périlleux où Rousseau, dans les *Rêveries*, a su demeurer en équilibre, où l'âme hésite entre le rétrécissement ponctuel et la dilatation infinie, pouvant se rassembler toute en elle-même ou se propager jusqu'aux extrêmes limites de l'univers.

* * *

Le bonheur que Rousseau veut saisir et fixer dans la *Cinquième Promenade* exige que soit suspendu ce « flux continuel » des impressions terrestres, qui ne charrie que des nostalgies ou des espérances, et refuse au cœur humain, qui sent que le présent se pulvérise, la plénitude et le repos. L'homme est alors « toujours en avant ou en arrière de lui-même », irrévocablement exilé de son bonheur [2]. La vraie félicité de l'âme est cet état où elle peut « rassembler tout son être » en se purifiant de toute mémoire et de toute pensée de l'avenir [3]. Le sen-

1. C'est ainsi que Caraccioli conclut la description d'une promenade imaginaire, tellement dépouillée et tellement essentielle qu'elle se fond en une sorte d'extase sans pensée, réduite à la volupté de vivre : cf. *La Jouissance de soi-même*, p. 360.

C'est Rousseau qui a donné sans doute l'idée la plus saisissante de ce que peut être l'existence à l'état pur, dans le texte célèbre de la *Deuxième Promenade*, où il décrit l'état dans lequel il se réveille de son évanouissement, après avoir été renversé par un chien : « La nuit s'avançait. J'aperçus le ciel, quelques étoiles et un peu de verdure. Cette première sensation fut un moment délicieux. *Je ne me sentais encore que par là. Je naissais dans cet instant à la vie*, et il me semblait que *je remplissais de ma légère existence tous les objets que j'apercevais*. Tout entier au moment présent, *je ne me souvenais de rien ; je n'avais nulle notion distincte de mon individu*, pas la moindre idée de ce qui venait de m'arriver ; *je ne savais ni qui j'étais, ni où j'étais ; je ne sentais ni mal, ni crainte, ni inquiétude*. Je voyais couler mon sang comme j'aurais vu couler un ruisseau, *sans songer seulement que ce sang m'appartînt en aucune sorte. Je sentais dans tout mon être un calme ravissant*, auquel, chaque fois que je me le rappelle, je ne trouve rien de comparable dans toute l'activité des plaisirs connus. » (*Rêveries du promeneur solitaire*, éd. Pléiade, p. 661).

On voit tous les éléments qui permettent de définir exactement l'état de Rousseau :

a) Conscience de soi réduite à une sensation : « Cette première sensation fut un moment délicieux. *Je ne me sentais encore que par là.* »

b) Impression d'une *naissance* ; la conscience, émergeant du néant, accède à l'être : « *Je naissais dans cet instant à la vie.* » Mais cette conscience d'être, à peine dégagée du néant, demeure infiniment ténue, impondérable.

c) Projection de cette « légère existence » sur le monde extérieur, qui n'a aucune réalité autonome ; le moi et le non-moi ne se distinguent pas encore : « *Je remplissais de ma légère existence tous les objets que j'apercevais.* »

d) Disparition de la mémoire, de toute intuition du temps et de l'espace ; absence même de tout sentiment d'identité personnelle : « *Je ne me souvenais de rien, je n'avais nulle notion distincte de mon individu ; je ne savais pas qui j'étais ni où j'étais.* »

e) Absence d'émotion ; le vide affectif est total : « *Je ne sentais ni mal, ni crainte, ni inquiétude.* » Insensibilité absolue à la souffrance : « *Je voyais couler mon sang comme j'aurais vu couler un ruisseau, sans songer seulement que ce sang m'appartînt en aucune sorte.* »

f) Dans cette âme vide, qui s'ignore elle-même, s'installe une extase tranquille, une euphorie liée à la seule conscience d'exister : « *Je sentais dans mon être un calme ravissant.* »

2. « Comment peut-on appeler bonheur un état fugitif qui nous laisse encore le cœur inquiet et vide, qui nous fait regretter quelque chose avant ou désirer quelque chose après ? » (ROUSSEAU, *Rêveries du promeneur solitaire, Cinquième Promenade*, éd. Pléiade, p. 701).

3. « Un état où le temps ne soit rien pour elle, où le présent dure toujours, sans néanmoins marquer sa durée et sans aucune trace de succession, sans aucun autre sentiment de privation ou de jouissance, de plaisir ni de peine, de désir ni de crainte, que celui seul de notre existence

timent de l'existence est une sorte de révélation de l'absolu. Mais il s'agit d'un absolu formel, qui est le contraire de l'idéal, car l'idéal est encore exposé aux vicissitudes de l'imagination, qui le forge en s'y transfigurant. L'absolu existentiel est aussi vide qu'il est plein. Il consiste en une négation : la négation du temps, le refus de la vie et de tous les sentiments qui l'accompagnent. Comme dans certaines extases mystiques, le bonheur existentiel élimine tout vestige de la durée intérieure : son contenu psychique est nul. L'état de suffisance intime qu'il procure est comparable à cette plénitude sans motif ni objet qui est celle de Dieu même et qui tient seulement à la permanence dans l'être [1].

L'occasion qui fait naître un tel état ne peut être qu'une rencontre de miracles : à la paix profonde de l'âme [2] doit répondre une certaine qualité des objets. Ceux-ci doivent communiquer à la conscience un rythme régulier, aussi éloigné du repos absolu que d'un mouvement trop vif. Par là Rousseau réintroduit le temps. Si l'âme a perdu tout sentiment de la durée, le mouvement continue à s'inscrire dans une sorte de conscience organique. Pour que l'âme puisse oublier le temps, il faut que le corps s'en souvienne. Ce temps purement sensoriel, qui doit servir d'accompagnement silencieux à la rêverie, est exactement défini [3]. C'est le rythme même que Montesquieu assigne à la conscience heureuse. C'est aussi cet état intermédiaire entre « les convulsions de l'inquiétude » et la « léthargie de l'ennui » que certains personnages de Voltaire convoitent vainement. Montesquieu, Voltaire et Rousseau définissent tous trois le bonheur comme une certaine allure de l'âme esquivant à la fois le risque d'une immobilité menacée par l'enlisement et celui d'une action qui ne serait que halètement et désordre. Mais, alors que Montesquieu et Voltaire introduisent ce rythme dans la conscience, la sensibilité et la pensée même, Rousseau l'incorpore à la pure existence.

Le mouvement que Rousseau recherche dans la *Cinquième Promenade* doit permettre à la conscience d'émerger du néant. Le repos absolu, loin de mettre à nu le sentiment de l'existence, ressemblerait

et que ce sentiment seul puisse la remplir tout entière. Tant que cet état dure, celui qui s'y trouve peut s'appeler heureux, non d'un bonheur imparfait, pauvre et relatif, tel que celui qu'on trouve dans les plaisirs de la vie, mais d'un bonheur suffisant, parfait et plein, qui ne laisse dans l'âme aucun vide qu'elle sente le besoin de remplir. » (*Ibid.*).

1. « De quoi jouit-on dans pareille situation ? De rien d'extérieur à soi, de rien sinon de soi-même et de sa propre existence ; tant que cet état dure, on se suffit à soi-même, comme Dieu. Il y faut des dispositions de la part de celui qui l'éprouve, il en faut dans le concours des objets environnants. » (*Ibid.*, p. 702).

2. « Il faut que le cœur soit en paix et qu'aucune passion n'en vienne troubler le calme. »

3. « Il n'y faut ni un repos absolu, ni trop d'agitation, mais un mouvement uniforme et modéré, qui n'ait ni secousses, ni intervalles. Sans mouvement, la vie n'est qu'une léthargie... Un silence absolu porte à la tristesse. Il offre une image de la mort... Si le mouvement est inégal, ou trop fort, il réveille ; en nous rappelant aux objets environnants, il détruit le charme de la rêverie et nous arrache d'au-dedans de nous, pour nous remettre à l'instant sous le joug de la fortune et des hommes, et nous rendre au sentiment de nos malheurs. » (*Ibid.*).

dangereusement à l'inexistence. Rousseau devine que le rêve du repos n'est, en son essence même, que le rêve de la mort. Mais ce n'est pas le mouvement brut de la vie qui révèle davantage à l'âme la douceur d'exister. Il n'arrache l'homme au néant de l'inexistence que pour le plonger dans celui de la dissolution, dans cette situation paradoxale où l'âme ne coïncide jamais avec elle-même, où elle est incapable de trouver « une assiette assez solide pour s'y reposer tout entière. » Le mouvement de la vie est toujours heurté, discontinu, indéfiniment voué à une accélération vertigineuse. C'est par une suite de spasmes, de sursauts brusques, de hiatus profonds, qu'il conduit l'âme imprudente. Le mouvement parfait doit être unifié, constant, maintenu dans les limites d'un repos fondamental qui le régularise : tel est ce mouvement secret que recèlent les choses, mais qu'elles ne libèrent que rarement. A travers la régularité d'un rythme immuable, elles peuvent communiquer à l'âme leur stabilité profonde. Aussi les sensations sont-elles nécessaires et suffisantes pour soutenir le sentiment de l'existence. La conscience d'exister, que les sentiments ou la pensée risquent de faire éclater, peut s'appuyer sur quelques sensations élémentaires, qui l'immergent dans le grand rythme universel. C'est en s'y fondant que l'homme découvre ce mouvement régulier et profond qui est le véritable repos.

De tous les éléments de l'univers, l'eau est le plus capable de faire sentir le rythme apaisant des choses. C'est pourquoi Rousseau situe au bord d'un lac la plus parfaite de ses rêveries, celle où tout son être intime se défait pour laisser la conscience envahie par le sentiment de l'existence [1]. De temps en temps, l'enchantement est sur le point de se rompre. Au lieu de ne se prêter qu'à la sensation *auditive*, qui suffit à lui transmettre tout le mouvement et tout le repos de la nature, Rousseau, succombant à une habitude d'homme civilisé, cesse d'*entendre* l'eau pour la *voir*. Alors, semblable à l'Adonis de La Fontaine et à tous les bergers de la pastorale, qui ne rencontrent jamais un ruisseau sans comparer son écoulement à celui de la vie humaine, il s'abandonne lui aussi à une « faible et courte réflexion sur l'instabilité des choses de ce monde ». La rêverie cesse d'être existentielle pour devenir intellectuelle et de pure convention : c'est une banale rêverie de poète qui s'amorce. Mais heureusement l'image de l'eau en mouvement, qui a suscité la méditation, s'efface presque aussitôt et se résorbe dans le mouvement même, dont l'ouïe est à nouveau

1. « Quand le soir approchait, je descendais des cimes de l'île et j'allais volontiers m'asseoir au bord du lac, sur la grève, dans quelque asile caché ; là, le bruit des vagues et l'agitation de l'eau, fixant mes sens et chassant de mon âme toute autre agitation, la plongeaient dans une rêverie délicieuse, où la nuit me surprenait souvent sans que je m'en fusse aperçu. Le flux et le reflux de cette eau, son bruit continu, mais renflé par intervalles, frappant sans relâche mon oreille et mes yeux, suppléaient aux mouvements internes que la rêverie éteignait en moi et suffisaient pour me faire sentir avec plaisir mon existence, sans prendre la peine de penser. » (*Ibid.*, p. 700).

la seule avertie. L'extase, définitivement délestée de toute pensée, peut alors renaître et le rêveur se perdre dans l'enivrement quasi organique de l'existence pure [1].

***

Rousseau découvre, dans les *Rêveries, l'existence parfaite,* qui se suffit à elle-même et n'entretient aucune relation avec les facultés de l'âme. A peine liée au corps, pour ne pas sombrer, elle demeure totalement détachée du cœur et de l'esprit [2]. De telles réussites sont rares. Le plus souvent le sentiment de l'existence demeure en complicité avec les organes, l'affectivité ou l'intelligence. Saint-Lambert le définit comme cet état d'harmonie entre le corps et l'âme, dont découle le « bien-être » [3]. Pour d'autres, le sentiment de l'existence dépend uniquement de l'intensité des émotions. L'homme n'en jouit que lorsque ses plaisirs ou ses passions atteignent un degré suffisant pour tenir sans cesse en éveil la conscience qu'il a de son être, tout en évitant les transports et les paroxysmes qui la dissoudraient. Le sentiment de l'existence est essentiellement fugitif. Aussi doit-il être « prolongé » et « vivifié » par les états d'âme [4]. Décantée de la sensibilité, l'existence ne suffit plus au bonheur. Les malheureux qui sont réduits aux biens « attachés à l'existence » constituent la classe des médiocres, par opposition à ceux que « la flamme du génie » rend susceptibles des passions, seules pourvoyeuses de bonheur [5].

Le sentiment de l'existence peut enfin procéder d'un acte de l'esprit, qui rassemble en un état de conscience unique tous les éléments composant la personne : souvenirs, sensations actuelles, images de l'avenir. L'existence n'est plus qu'un autre nom de la conscience de soi. C'est l'idée que s'en fait Buffon : « Plus on a d'idées, plus on est

1. « De temps a autre naissait quelque faible et courte réflexion sur l'instabilité des choses de ce monde, *dont la surface des eaux m'offrait l'image;* mais bientôt ces impressions légères s'effaçaient *dans l'uniformité du mouvement continu* qui me berçait et qui, *sans aucun concours actif de mon âme,* ne laissait pas de m'affecter au point qu'appelé par l'heure et par le signal convenu, je ne pouvais m'arracher de là sans efforts. » (*Ibid.*).

2. C'est ce qui distingue la rêverie de Rousseau de la rêverie romantique.

3. Voulant expliquer l'influence de l'été sur le bonheur de l'homme, il déclare que « la chaleur donnant aux nerfs et aux muscles le même relâchement modéré que le plaisir fait éprouver à l'âme, il s'ensuit un état agréable, un bien-être qu'elle sent et dont elle se rend compte : c'est alors que la simple existence est un bien et qu'on pourrait se dire : je suis bien parce que je suis. » (SAINT-LAMBERT, *Les Saisons,* Notes sur le Chant II, p. 81).

4. « Ah ! s'il est un moment fortuné dans le cours des années de l'homme, c'est le moment où les passions, exemptes de la contrainte qui les dénature et conservant un juste équilibre entre elles, *n'ont que le degré de force qui leur convient pour devenir des instruments de félicité ;* c'est alors que mille esprits de vie circulent, abondent dans ses fibres, et que, *savourant pour ainsi dire toute son existence,* il se sent délicieusement investi du jour qu'il ne voit luire que pour son bonheur... C'est alors que d'innocents plaisirs, que les plaisirs de la nature se multiplient à l'envi sous ses yeux, viennent *prolonger, vivifier le sentiment fugitif de son existence* et embellir à ses yeux les images du présent, sans jamais l'égarer dans un pur lointain sur les scènes trompeuses de l'avenir. » (LOAISEL DE TRÉOGATE, *Dolbreuse,* t. I, p. 13).

5. DELISLE DE SALES, *Philosophie du bonheur,* t. III, p. 123.

sûr de son existence [1]. » Rousseau pense exactement le contraire : moins on a d'idées, plus on est proche de la pure existence. Buffon n'a pas le sens de l'existentiel. Pour lui, la conscience d'exister reste une donnée du *cogito* appliqué à la totalité d'une expérience.

L'existence finit par se confondre avec ce vide de la conscience inoccupée, qu'il faut sans cesse remplir de perceptions ou d'émotions nouvelles. Elle n'est plus une plénitude, mais une angoisse, à laquelle on n'échappe que par le divertissement. Dans la préface de son *Essai sur les jardins*, Watelet expose les progrès accomplis au XVIIIe siècle par « la jouissance réfléchie des arts agréables » et en découvre la source dans le désir qu'a l'homme « d'accroître son existence » [2].

Le sens du mot se renverse complètement. Non seulement l'existence n'est pas le bonheur, mais elle devient ce néant installé en permanence dans le cœur de l'homme, dont on doit conjurer par tous les gestes possibles la fascination et la menace. Pour *être*, l'homme tourne cette fois le dos à l'existence pure et place tout son espoir dans le vertige du plaisir ou l'obsession du travail [3].

2. — Le bonheur et le corps.

Malgré toute l'ambiguïté de l'existence, nul ne conteste que la vie ne soit le premier de tous les biens. Seules quelques âmes d'exception, comme celle de Mlle de Lespinasse, exténuée par la phtisie et la passion, quelques imaginations inquiètes se délectant d'exaltations morbides peuvent, avec plus ou moins de sincérité, revendiquer la mort et la savourer d'avance. En dehors de ces cas extrêmes, jamais le prix de l'existence ne fut aussi largement évalué. On le sent bien à l'ardeur de la lutte contre l'affreux poison qui dévaste l'Angleterre, cette « frénésie » nommée « anglomanie » ou « angloïsme », « véritable maladie » dont les Anglais meurent « comme d'autres d'une maladie ordinaire [4] ».

1. Buffon, *Discours sur les animaux*, *Œuvres complètes*, éd. Sonnini, t. XXI, pp. 299-300.
2. Watelet, *Essai sur les jardins* (1774), pp. 1-2.
3. Marmontel déclare dans son poème sur *Les Charmes de l'étude* (1761), pp. 5-6 :

« L'homme veut être et ne peut résister
Au sentiment de sa propre durée ;
L'heure où l'on vit se passe à s'éviter ;
La peine active est souvent préférée
Au froid loisir de se voir exister ; »

et il ajoute : « *L'on se dérobe à la triste existence.* »

On retrouve le thème de l'ennui : l'homme, isolé de toutes les impressions extérieures, n'éprouve en lui-même que du vide. Tout l'art du bonheur consiste à savoir le combler : « Un des plus grands bonheurs, c'est de savoir se suffire à soi-même. La vie est remplie de moments vides ; il faut s'en épargner autant que l'on peut et le vrai moyen c'est de savoir les remplir. » (Mme de Puisieux, *Conseils à une amie*, p. 15).

4. Formey, *Mélanges philosophiques*, t. I, pp. 228-229.

L'attitude du XVIIIe siècle devant le problème du suicide n'est pas simple. Les trois

***

Cette vie précieuse ne procède d'aucune qualité occulte : son principe est dans le corps. La médecine et l'hygiène devront être considérées comme le premier chapitre de toute morale.

En 1701, de La Bonodière traduit les traités d'hygiène alimentaire de Lessius et de Cornaro sous le titre : *De la sobriété et de ses avantages, ou le vrai moyen de se conserver dans une santé parfaite jusqu'à l'âge le plus avancé*[1]. Il déclare que l'obligation de conserver la santé est un devoir imposé par Dieu et qu'elle vient immédiatement après celle de travailler à son salut. L'auteur anglais Cheyne, traduit en 1725, affirme qu'abréger ses jours par l'intempérance, c'est se rendre indigne de la qualité d'homme et refuser à l'auteur de notre être l'hommage que nous lui devons[2]. Le Bègue de Presle, docteur-régent de la

textes classiques contenant une apologie du suicide, ceux que les auteurs de l'époque citent le plus souvent en les considérant comme dangereux, sont : 1) La lettre LXXIV des *Lettres Persanes* ; 2) La fameuse lettre de Saint-Preux dans *La Nouvelle Héloïse* ; 3) Un fragment du *Système de la Nature* de D'HOLBACH. Il faut dire que l'intention du premier texte est paradoxale, que Rousseau réfute lui-même les arguments du second, et que la portée du troisième est avant tout polémique, car il s'agit d'un argument contre la doctrine chrétienne de l'immortalité de l'âme. Parmi les réfutations, qui condamnent le suicide, on peut citer FORMEY, *Dissertation sur le meurtre volontaire de soi-même*, dans le tome I des *Mélanges philosophiques* ; Jean DUMAS, *Traité du suicide ou du meurtre volontaire contre soi-même* (1773) ; et d'un auteur anonyme, *Les Moyens propres à garantir les hommes du suicide* (1779). On peut se reporter aussi à l'épisode du suicide manqué de Cleveland et à cette curieuse apologie du suicide épicurien par BOUREAU-DESLANDES : *Réflexions sur les grands hommes qui sont morts en plaisantant* (1712). Voir également des condamnations catégoriques du suicide dans DIDEROT, *Œuvres complètes*, éd. Assézat-Tourneux, t. XVI, p. 252 ; DENESLE, *Les Préjugés du public*, t. III, p. 423, etc...

Les Philosophes sont quelquefois tentés de défendre le suicide, simplement parce que la morale chrétienne le réprouve. Si l'homme est dépourvu d'âme, disent les matérialistes, quelle importance y a-t-il à rendre un peu plus tôt à la Nature ces quelques atomes pareils à tous les autres, dont l'enchaînement des causes a constitué, pour quelques instants, un corps humain avant de les soumettre à d'autres avatars ? Les grands philosophes de l'Antiquité n'ont-ils pas, d'autre part, exalté le suicide comme le signe éclatant de la liberté humaine et le remède légitime à tous les maux ?

Mais cette philosophie moderne qui s'ingénie à montrer aux hommes que l'univers conspire à leur bonheur, que la terre est un jardin de délices, pouvait-elle justifier et déclarer « naturel » l'appétit de la mort ? Comment concilier le suicide avec cet « amour de soi », dont on affirme qu'il emplit le cœur humain, qu'il en est l'instinct le plus profond et le moteur unique ? Enfin, s'il y a place pour le suicide dans l'harmonie du monde, c'est que l'homme est exclu de cette harmonie et qu'il échappe seul au finalisme universel.

Aussi la condamnation du suicide prévaut-elle largement sur la tentation inverse. L'optimisme philosophique et la morale chrétienne se trouvent finalement d'accord : le bonheur terrestre et le bonheur éternel excluent l'un et l'autre la tentation de la mort volontaire.

1. Louis Cornaro, né à Venise en 1467, avait détruit sa santé par une vie de débauches. Il se « ressuscita » vers la quarantaine en appliquant un régime particulièrement strict, et mourut à Padoue, en 1566, presque centenaire. Son traité sur la sobriété fut très souvent traduit. Le Père jésuite Léonard Lessius, théologien et philosophe, était né dans le Brabant en 1554. Condamné par les médecins, il avait lui-même rétabli sa santé en étudiant et en mettant en pratique les principes de l'hygiène alimentaire. Il avait exposé ses découvertes dans un traité intitulé *Hygiasticon*, déjà traduit en français au XVIIe siècle.

2. *Essai sur la santé et sur les moyens de prolonger la vie*, traduit de l'anglais et de M. Cheyne (1725). — Médecin écossais, né en 1671, spécialiste des fièvres et des vapeurs, George Cheyne était devenu, par ses débauches de cabaret, tellement énorme qu'il ne pouvait plus monter un escalier. Il changea alors brusquement de vie, devint sobre, fit des cures aux bains de Bath, se mit au lait et aux mets végétariens, et, en dépit de quelques rechutes dans ses anciens excès, vécut jusqu'à 72 ans.

Faculté de Médecine de Paris, se déclare effrayé, en tête de son ouvrage *Le Conservateur de la santé* [1], par le nombre des dangers auxquels on expose, par ignorance ou imprudence, sa santé et sa vie. Il se propose de « rendre les hommes sages, prudents, sobres, tempérants, vertueux, vigoureux, pour remplir leurs devoirs [2] ». Se référant au « discours du célèbre Formey sur l'obligation où l'on est de se procurer toutes les commodités de la vie », il conclut : « La vie et la santé étant des dépôts que nous a confiés la Divinité, leur conservation doit être mise au nombre des devoirs les plus sacrés et les plus indispensables [3]. »

La santé, qui est le premier de nos devoirs, est en même temps la source de nos plaisirs. Condition nécessaire du bonheur, elle suffit à le constituer lorsque tout le reste vient à manquer. En 1752, Préville, commence ainsi sa *Méthode aisée pour conserver sa santé jusqu'à une extrême vieillesse* : « La santé est préférable à tout, plaisirs, honneurs, richesses : sans elle tout n'est rien dans la vie ; c'est elle qui fait le prix de nos douceurs et qui nous console dans les adversités ; on ne peut donc par trop de moyens chercher ceux de se la conserver ou de se la procurer [4]. » Dans le livre de Le Camus, *Abdeker ou l'Art de conserver la beauté*, Fatmé, la belle odalisque, demande au médecin Abdeker, qui est épris d'elle, de lui dévoiler tous les secrets de beauté dont il a connaissance : joints à ceux de la santé, au moins aussi nécessaires, ils la rendront heureuse [5].

L'*Essai sur les moyens de rendre les facultés de l'homme plus utiles à son bonheur* [6] du médecin écossais Gregory, traduit en 1775, établit ainsi la hiérarchie des facultés : d'abord les aptitudes physiques, qui sont le fondement de toutes les autres, puis, en s'élevant par degrés, la raison, le « principe social », le goût, la religion. L'œuvre débute par un traité d'hygiène « animale », dans lequel l'auteur considère

1. *Le Conservateur de la santé, ou Avis sur les dangers qu'il importe à chacun d'éviter pour se conserver en bonne santé et prolonger sa vie* (1763). Le rêve de Le Bègue de Presle était d'apprendre aux gens du monde à se passer des médecins, en leur fournissant des conseils d'une application facile pour toutes les maladies.

2. *Op. cit.*, Préface, p. XIX.

3. *Ibid.*, p. XXI.

4. PRÉVILLE, *Méthode aisée pour conserver sa santé jusqu'à une extrême vieillesse, fondée sur les lois de l'économie animale et les observations pratiques des meilleurs médecins tant anciens que modernes* (1752).

5. « C'est moins par curiosité que je vous fais cette demande que par le désir qu'ont tous les êtres d'être heureux. Je ne pense pas que le bonheur soit fondé sur un principe chimérique, lorsqu'il a pour base la santé et la beauté. La santé forme notre bonheur intime et actuel, et par la beauté notre amour-propre est convaincu que nous sommes bien dans l'opinion d'autrui ; ce qui forme le ressort le plus puissant de notre bonheur relatif. » (LE CAMUS, *Abdeker ou l'Art de conserver la beauté* (1754), p. 26). — Né en 1722, Antoine Le Camus était docteur-régent de la Faculté de Médecine de Paris. Doué de séduction personnelle, de talents littéraires et d'une grande habileté pratique, il possédait une très brillante réputation. Il mourut en 1772.

6. *Essai sur les moyens de rendre les facultés de l'homme plus utiles à son bonheur*, traduit de l'anglais de M. Jean Grégory, professeur de médecine à l'Université d'Edimbourg et premier médecin de S. M. en Écosse (1775). — Jean Grégory était né à Aberdeen en 1724. Il étudia la médecine à Édimbourg, Leyde et Paris. Il avait un penchant pour la philosophie, qu'il entendait faire servir au bien-être de l'humanité.

ce que l'homme a de commun avec les animaux : le corps et ses instincts. Il montre comment une connaissance des lois de l'hérédité peut contribuer à accroître le bonheur et estime qu'il serait possible d'améliorer la race des hommes, comme on l'a fait pour celle des chevaux.

Les principes de l'hygiène et les conseils de la médecine concourent au bonheur et à la vertu. Une fois encore l'intérêt et le devoir coïncident. Exigence absolue aux yeux de la morale naturelle et de la religion, la conservation du corps et le souci d'une parfaite santé, loin d'imposer une règle de vie ascétique, indiquent le chemin facile du bonheur. Le Bègue de Presle pense que ce double enseignement doit surtout se répandre à l'intérieur de deux sphères : le peuple et les riches. Les conseils de santé sont même le seul présent que l'on puisse faire au peuple, sans risquer de le pervertir : ils suffisent à le guérir de ses « seuls maux réels » [1]. Quant aux riches, la multiplicité et la diversité de leurs tentations sont telles qu'elles excluent la lucidité et la prudence et les rendent malades à coup sûr [2]. Comme le privilège du bonheur, celui de la santé est accordé plus facilement à ceux qui vivent dans la médiocrité et ne sont exposés ni à la détresse du besoin, ni au vertige de la corruption.

Il n'est donc pas de bonheur sans perfection physique. Ariste, l' « heureux citoyen », embaume son corps à force d'attentions, dont il s'acquitte avec une volupté méthodique. Dire qu'il prend soin de lui n'est pas assez. Il se divinise :

« Ariste, par sa sobriété, entretient en lui l'équilibre et l'harmonie de toutes les parties de son être, équilibre et harmonie qui sont pour ainsi dire l'essence de la santé. Il se baigne souvent et se frotte d'huile pour entretenir la souplesse de ses nerfs, pour faciliter la transpiration, pour empêcher les humeurs de se fixer trop abondamment en aucune partie de son corps et d'y causer des douleurs aiguës, souvent mortelles, qu'il eût été facile d'éviter. Il recueille le miel avec tout le soin que mérite cette liqueur céleste, il le recueille dans toute sa pureté ; il en a d'exquis. Il en mange souvent et croit y trouver une espèce d'immortalité [3]. »

1. Les « ordres supérieurs de l'État » qui se sentent pris de pitié et se reconnaissent envers lui des devoirs n'ont qu'à « le soulager et le défendre contre les suites de l'indigence, *moins en lui donnant de l'argent qui le rend paresseux et vicieux*, qu'en lui fournissant en nature ce qui lui est nécessaire, la nourriture et le vêtement, en lui apprenant ce qui peut lui nuire et *en éloignant de lui la douleur et les maladies, ses seuls maux réels.* » (LE BÈGUE DE PRESLE, *op. cit.*, p. XI).

2. Cf. *ibid.*, p. XII.

3. GUILLARD DE BEAURIEU, *L'Heureux citoyen*, pp. 21-22. Pour ce chef-d'œuvre qu'est un corps heureux, il n'est pas de petites précautions. Ariste n'en néglige aucune : « Il a soin de n'avoir jamais la tête fort couverte étant couché et le reste du temps point du tout, ou du moins ce n'est que quand il est obligé de sortir pendant qu'il pleut ; encore s'expose-t-il souvent en pleine campagne, la tête nue au vent et à la pluie, pour s'accoutumer, dit-il, à toutes les températures de l'air et n'en craindre aucune. Mais il s'y est accoutumé peu à peu et a eu soin de s'y accoutumer en été. Il n'approche jamais trop près du feu, parce qu'il a observé que si, après avoir eu chaud au visage ou à la tête, on passe immédiatement dans un lieu froid, on court risque d'un rhume de cerveau ou d'une migraine. » (*Ibid.*, pp. 28-29).

De tous les principes d'hygiène, le plus important et le plus simple est celui de la sobriété. Le traité de Lessius, traduit par de La Bonodière, en formule les sept « règles » capitales. L'abbé de Saint-Pierre, dont l'infatigable imagination est à l'œuvre dans tous les domaines, écrit en 1735 ses *Observations sur la sobriété*. Entre autres bénéfices [1], il reconnaît à la sobriété le mérite d'entretenir une « humeur gaie », ce qu'il juge « un très grand avantage pour le bonheur du total de la vie [2] ». Ayant remarqué que les cahots d'une voiture de poste, en activant les fonctions digestives, constituent un « excellent remède contre beaucoup de maux qu'on attribue à la mélancolie [3] », il conçoit un fauteuil mécanique, mobile sur un « châssis », et impriment au corps de bienfaisantes secousses. Pour se maintenir en parfaite santé, il suffit « d'user de cette machine deux ou trois jours d'une semaine, durant deux ou trois heures [4] ». L'ingénieur Duguet avait réalisé l'étrange machine, sur la suggestion de l'abbé. Le *Mercure* de décembre 1734 raconte le succès de la première exposition et la façon dont les curieux pouvaient, au prix de 12 sols, essayer les « trémoussements » du fauteuil, réglés selon divers rythmes. Certains même, paraît-il, auraient souhaité un rythme encore plus vif, pour atteindre le « point où il leur eût causé un peu de douleur » [5].

1. Voici « les avantages de la sobriété », tels que les énumère l'abbé de Saint-Pierre : « 1) Vie très longue : or combien une longue vie a d'avantages sur une vie courte. — 2) Vie plus saine, moins de maladies et moins aiguës. — 3) Moins de maux de et douleurs, moins longs et moins sensibles. — 4) Une vie plus disposée à la gaîté et à sentir les plaisirs innocents. — 5) Une vie moins exposée aux excès des passions et par conséquent moins injuste. — 6) Une vie plus laborieuse pour l'utilité de sa famille, de ses amis et de sa patrie et, par conséquent, plus bienfaisante et plus digne du paradis. — 7) Les hommes conservent plus longtemps de la vigueur dans le corps et dans l'esprit, du courage dans l'âme, et les femmes conservent plus longtemps ce qu'elles prennent pour leur grand mérite, c'est-à-dire tous les agréments extérieurs ; elles conservent plus longtemps leur santé et du goût pour les plaisirs innocents et surtout pour les récompenses de la vertu. » (*Op. cit.*, p. 15).
2. Abbé de SAINT-PIERRE, *op. cit.*, p. 41.
3. *Ibid.*, p. 24.
4. *Ibid.*, p. 29.
5. Extrait du *Mercure de France* de décembre 1734, cité par l'abbé de SAINT-PIERRE, *op. cit.* : « Nous avons vu le 31 de ce mois le premier fauteuil de poste. Ce fauteuil se met à trois endroits différents : l'un vers le bout, là où le châssis mobile, qui soutient le fauteuil, est appuyé sur un pivot au centre de son mouvement. C'est là que le trémoussement est le moins fort. En faisant couler le fauteuil un pied de plus vers le milieu de ce châssis, on sent le trémoussement sensiblement plus fort, et lorsque le fauteuil est à un pied plus près de la circonférence de l'arc de son mouvement, le trémoussement est encore plus fort. A l'égard de la promptitude du trémoussement, cela dépend du plus de vitesse avec lequel on fait tourner la roue qui tient à la manivelle... Location à domicile : 3 livres pour le premier jour et 25 sols pour chacun des jours suivants » (pp. 36-37). « On peut par le moyen de cette machine, dont la construction est simple et le mouvement aisé, faire un exercice raisonnable. Car d'ailleurs toutes les parties du corps et surtout les viscères du bas-ventre se trouvent successivement exposées à des trémoussements, des compressions et des secousses fréquemment répétées, dont on peut régler la vivacité à son gré, qui sont assez brusques et assez promptes pour procurer les mêmes effets que la chaise de poste, qu'on peut varier à l'infini selon le besoin et qu'on peut enfin se procurer avec facilité, à peu de frais, et sans se déranger du soin de ses affaires, auxquelles on peut vaquer dans le même temps qu'on est dans le fauteuil » (pp. 55-56).

***

Ces méticuleuses prudences, ces bizarres inventions n'étaient que l'expression d'un grand rêve : prolonger la vie humaine. Avec la pierre philosophale, la longue vie obsédait depuis longtemps l'imagination des hommes. A cette vieille espérance de la magie, le XVIIIe siècle donne une forme rationnelle. L'esprit de sérieux et l'optimisme des Philosophes, les plus aberrantes chimères et les plus cyniques impostures se rencontrent en cette tentative passionnée pour métamorphoser l'homme en un magicien devenu totalement maître de son destin. L'idée d'une humanité éternelle ne se contente pas d'éclore dans le climat, évidemment propice, des systèmes mystiques. Elle trouve également sa place dans cette perspective de progrès illimité que la pensée rationaliste aime à confondre avec l'histoire. Parvenir à prolonger démesurément la vie apparaît, de façon plus ou moins confuse, comme le terme de l'évolution humaine, et Condorcet lui-même l'indique comme une hypothèse vraisemblable.

Sur la page de garde du *Conservateur de la santé*, Le Bègue de Presle inscrit comme profession de foi : « La médecine n'est pas seulement l'art de guérir les maladies, elle est aussi l'art de conserver l'homme en bonne santé, de retarder les infirmités de la vieillesse et de prolonger la vie. » A la conviction mesurée des médecins s'oppose l'audace imperturbable des apprentis-sorciers. Cagliostro prétendait être âgé de deux mille ans, et Mme du Hausset raconte [1] de quelle façon il éblouissait Mme de Pompadour en lui expliquant nonchalamment comment il avait joué auprès de François Ier l'inutile rôle d'une Cassandre.

Dans la *Lettre sur l'art de prolonger la vie*, Maupertuis dresse la liste de ces quelques sujets d'émerveillement et de torture qui hantent l'imagination des hommes : le « secret de prolonger la vie ou même de parvenir à l'immortalité » est cité le premier [2]. Pour résoudre l'énigme de la longévité, Maupertuis ne croit ni à la médecine empirique, ni aux sortilèges. Il propose une solution plus philosophique, inspirée des sciences de la vie et de ces analogies mystérieuses dont toute la nature est tissée [3]. La prudence critique de l'homme de science fait

1. *Mémoires de Mme du Hausset*, pp. 148-152.

2. « Plusieurs fameux problèmes flattent et tourmentent bien des esprits. Pour les ranger selon leur importance plus que dans l'ordre de leur possibilité, on doit citer : 1° *le secret de prolonger la vie ou même de parvenir à l'immortalité*; 2° la pierre philosophale ou le secret de faire de l'or ; 3° la découverte des longitudes ; 4° le mouvement perpétuel ; 5° la quadrature du cercle. » (MAUPERTUIS, *Œuvres* (1756), t. II, p. 307).

3. « Le corps est une machine végétante, c'est-à-dire dont les parties sont susceptibles de développement et d'augmentation et qui, dès qu'elle a été une fois mise en mouvement, tend continuellement à un certain point de maturité. Cette maturité n'est point l'âge de la force, n'est point l'âge viril, c'est la mort... le dernier effort de la végétation et de la vie est la mort. Le seul moyen donc par lequel on pourrait peut-être prolonger nos jours serait de suspendre

équilibre à un espoir irrationnel. Buffon est plus brutal. Il traite de « visionnaires » tous ceux qui parlent de rendre l'homme éternel. A la rigueur, il croit possible de prolonger un peu la vie en la ménageant, mais, en dépit de cette relative concession, c'est sur un scepticisme absolu qu'il arrête sa pensée [1].

Peu importe d'ailleurs le verdict des savants. Les bons esprits sont toujours réticents devant les griseries collectives. Un fait n'en demeure pas moins : le « siècle des lumières » a tant aimé la vie et le bonheur d'être au monde qu'il a pu laisser doucement refluer son âme jusqu'à l'enfance de l'esprit humain et reformer, un siècle après Descartes, le rêve magique de l'homme éternel. [2]

Si l'homme du XVIIIe siècle est à ce point attentif à son corps, ce n'est pas seulement que celui-ci recèle les sources de la vie. C'est surtout que s'y trouvent déposés les germes du bonheur moral. Montaigne l'avait déjà remarqué : « Notre condition est merveilleusement corporelle [3]. » Montesquieu dit à son tour : « L'âme est dans notre corps

ou de ralentir cette végétation. Et ce qui se passe dans les plantes et dans quelques animaux paraît confirmer cette idée... Je serais aussi chimérique que ceux qui cherchent le secret de l'immortalité, si je donnais ceci comme des moyens actuellement applicables pour prolonger la vie humaine : mais je ne suis pas non plus si timide que je n'ose croire possible quelque chose de plus que ce qui s'observe dans le cours ordinaire. La Nature donne à tous moments des preuves qu'elle observe dans toutes les opérations une grande analogie et qu'elle a traité l'espèce humaine et celle des animaux avec assez d'égalité. » (*Ibid.*, et p. suiv.).

1. BUFFON, *Histoire de l'homme, de la vieillesse et de la mort. Œuvres complètes*, t. XIX, pp. 18-19.

2. Le prestige exercé sur les imaginations par le mythe de la longévité est à mettre en rapport avec la *révolution démographique*, qui est l'un des faits sociaux les plus importants du XVIIIe siècle. Jusque-là, l'homme n'avait guère songé à agir sur la mort : celle-ci était entièrement abandonnée à la fatalité naturelle, qu'il eût été inutile, et peut-être sacrilège, de vouloir contrarier. Mais, dès le début du XVIIIe siècle, on put avoir l'illusion que la mort reculait. M. Labrousse a montré, en particulier, l'atténuation de la mortalité exceptionnelle due aux années de crise. Le progrès de la médecine et de l'hygiène joue également un rôle dans cette diminution de la mortalité. Celle-ci constitue le premier fait capital de la révolution démographique, le second étant le contrôle et la limitation rationnelle des naissances, qui n'interviendra qu'à la fin du siècle (le décalage entre les deux explique l'accroissement de la population française au XVIIIe siècle).

L'abaissement de la mortalité se fait surtout sentir aux deux extrémités de la vie humaine : chez l'enfant et le vieillard. L'un et l'autre ne tenaient guère de place dans la société et la sensibilité du XVIIe siècle. Désormais, si l'avènement de l'enfant suscite un renouvellement de l'idée de famille, celui du vieillard modifie la structure de la société. Au XVIIe siècle, un homme renonçait à la vie active autour de cinquante ans et attendait la fin de ses jours dans une zone neutre, qui n'était ni la vie ni la mort. On commence au XVIIIe siècle, selon une formule de Philippe Ariès, à qui l'on emprunte cette analyse, « à répugner à la mort sociale qui précédait la mort physiologique ». Voltaire est un « patriarche ». Richelieu se rend célèbre par ses amours tardives. Personne ne se moque plus des barbons, et bientôt les vieillards de Greuze et de Bernardin de Saint-Pierre seront les plus respectables des hommes.

Cet allongement de la durée moyenne de la vie humaine développe l'idée qu'il est possible de retarder la mort : d'où le double appel à la médecine et à la magie. M. Ariès assure que le recours au médecin précède l'efficacité de la médecine. C'est parce que l'on demande au médecin une protection contre la mort, que celui-ci s'applique à faire progresser sa science et sa technique. (On pourra se reporter à l'ouvrage, très brillant, de Philippe ARIÈS, *Histoire des populations françaises et de leurs attitudes devant la vie depuis le XVIIIe siècle*, Paris, Éditions Self, 1948).

3. MONTAIGNE, *Essais*, L. III, chap. VIII, *De l'art de conférer*.

comme une araignée dans sa toile [1]. » Le secret du bonheur se trouve donc bien souvent dans la « machine ». Le plaisir même de sentir fonctionner la machine est peut-être la joie fondamentale de l'âme, qui jouit « de son union avec le corps » [2]. L'âme « sent un plaisir secret de voir la machine reprendre, pour ainsi dire, son mouvement et sa vie » [3].

Mais toutes les machines ne sont pas construites de la même façon [4]. Les différentes dispositions organiques ne sont pas également favorables au bonheur [5]. Falconnet de la Bellonie déclare : « La machine fait en grande partie nos esprits, nos caractères et nos vertus ; elle ne contribue pas moins à notre bonheur... La constitution du corps souvent tient lieu de philosophie [6]. » Dans son *Essai sur le bonheur*, Gourcy cite l'abbé du Bos, pour qui le privilège d'un organisme sain l'emporte sur celui de la royauté [7]. Claude-Nicolas Lecat insiste dans son *Traité des sensations et des passions* (1767) sur les fondements physiologiques du bonheur [8]. En deçà de toute philosophie, de toute ascèse personnelle, de toute technique de la vie heureuse, l'homme reste déterminé par le fonds irréductible et indéchiffrable de son tempérament : « Le bonheur consiste principalement à être d'un

1. MONTESQUIEU, *Essai sur les causes qui peuvent affecter les esprits et les caractères*, *Mélanges inédits* (1892), p. 124.
2. *Ibid.*, p. 130.
3. MONTESQUIEU, *Lettres persanes*, XXX.
4. « Les observations anatomiques nous font voir une prodigieuse variété d'un sujet à un autre. Elle est telle qu'il n'y a peut-être jamais eu deux hommes dont les parties organiques aient été disposées, à tous égards, de la même façon. » (MONTESQUIEU, *Essai sur les causes*, *ibid.*, p. 120).
5. « Le bonheur ou le malheur consiste dans une certaine disposition d'organes, favorable ou défavorable. » (MONTESQUIEU, *Mes Pensées*, 549). Il est vrai que Montesquieu corrige, dans la « pensée » 996, le caractère absolu de son affirmation : « Quoi que j'aie dit du bonheur fondé sur la machine, je ne dis pas pour cela que notre âme ne puisse aussi contribuer à notre bonheur par le pli qu'elle lui donne. » Il admet donc la possibilité d'influences réciproques entre le corps et l'âme. Si notre condition est « corporelle », ce n'est pas parce qu'elle dépend exclusivement du corps, c'est parce que l'âme et le corps sont étroitement mêlés l'un à l'autre.
6. FALCONNET DE LA BELLONIE, *La Psycantropie, ou Nouvelle théorie de l'homme* (1748), t. III, p. 102.
7. GOURCY, *op. cit.*, p. 23.
8. « Quoiqu'il y ait grand nombre de gens dont la vie n'est presque qu'un tissu d'occasions de plaisirs, d'événements heureux, il est cependant peu de personnes heureuses, parce que cet état de l'âme dépend beaucoup de la façon de penser et celle-ci à son tour dépend extrêmement pour le bien-être de la vie de cette disposition de la machine qui constitue la joie de tempérament, la bonne humeur. » (*Op. cit.*, t. I, p. 231).
Voici, d'après Lecat, la description physiologique du bonheur : « La disposition de la machine qui fait le plaisir est un certain état de la santé, un certain ton des plexus précardiaux et des nerfs, qui donne une grande liberté de mouvement aux fluides, mouvement qui produit dans les plexus précardiaux une sorte de chatouillement léger et vague, plus aisé à sentir qu'à bien définir. Il semble qu'on se sente vivre et que l'on soit chatouillé intérieurement par l'harmonieux mouvement des fluides, comme l'oreille a coutume de l'être par les cadences perlées d'un excellent violon. Ce chatouillement vague ou ce bien-être, qu'il n'est pas aisé de déterminer, est opposé à ce certain mal-être que sentent les mélancoliques, et c'est ce bien-être qui produit la joie de tempérament, comme le mal-être, qui lui est opposé, fait l'homme de mauvaise humeur par tempérament. » (*Op. cit.*, t. I, pp. 168-169). — Claude-Nicolas Lecat (1700-1768) était l'un des plus célèbres chirurgiens du siècle. Il exerçait à Rouen, où il avait établi un amphithéâtre de dissection et où il donnait un cours public d'anatomie. Il reçut des lettres de noblesse en 1764.

tempérament tranquille et gai ; le malheur à être d'un tempérament contraire [1]. » Tous les désirs comblés peuvent fort bien ne pas l'apporter, « faute de ce bien aise qui vient de la joie naturelle » [2].

L'homme se heurte donc sans cesse à ce mystère qu'est l'union de son âme et de son corps. Il le rencontre partout et ne peut que le reconnaître sans l'élucider. Ainsi les rêves ne sont qu'une intrusion des humeurs dans l'imagination [3]. Les émotions et les passions se manifestent toujours par des effets physiques et, réciproquement, certaines causes physiques suscitent ces états d'âme [4]. Il peut même arriver que « les mouvements des muscles et des nerfs, qui sont d'ordinaire les effets d'une certaine passion, étant excités sans le secours de cette passion, en reproduisent en nous les sentiments » [5]. Saint-Lambert démontre qu'un certain degré de chaleur, « donnant aux nerfs et aux muscles le même relâchement modéré que le plaisir », favorise une voluptueuse dilatation de l'âme [6].

Ce qui est vrai des sentiments l'est aussi de la vie morale. Le corps atténue souvent la responsabilité de la conscience : « Tous les méchants que je connais, dit Trublet, sont mélancoliques [7]. » En sens inverse, on peut concevoir une sorte de moralité instinctive, inscrite dans les organes, qui permettrait de faire l'économie de la vertu. Il semble que la nature ait déposé la révélation de nos devoirs jusque dans notre chair : « Les mouvements physiques de la machine, quoique dirigés par une âme automate, sont toujours susceptibles de moralité [8]. » De la prolifération inconsciente des images du rêve aux plus hautes instances de la vie morale, jamais l'âme ne se libère tout à fait du corps.

1. TRUBLET, *op. cit.*, t. III, p. 383.
2. TRUBLET, *ibid.*, p. 380.
3. « Les songes des bilieux sont de feux, d'incendies, de guerres, de meurtres ; ceux des mélancoliques, de cimetières, d'enterrements, de sépulcres, de spectres, de fosses, de toutes choses tristes ; ceux des pituiteux, de lacs, de fleuves, d'inondations, de naufrages ; ceux des sanguins, de vols, d'oiseaux, de courses, de festins, de concerts, de choses même que l'on n'ose nommer. » (LESSIUS, traduit par LA BONODIÈRE, *op. cit.*, p. 117). — Le fait que des textes anciens soient repris, traduits et commentés prouve bien que tous ces thèmes concernant les relations entre l'âme et le corps ne sont pas neufs. Le XVIIIe siècle n'a pas dit seulement des choses nouvelles. Mais c'est souvent avec des intentions nouvelles, comme on le verra par la suite, qu'il exploite les fonds traditionnels.
4. On peut trouver une véritable théorie physiologique des émotions dans PRÉVILLE, *op. cit.*, p. 449.
5. SAINT-LAMBERT, *Les Saisons*, Notes sur le chant II, pp. 80-81.
6. « C'est alors qu'à l'ombre des arbres sur un gazon frais, près des eaux qui tempèrent la chaleur sans empêcher de la sentir, l'esprit abandonné à la rêverie, le cœur content, les sens tranquilles, on jouit d'un repos délicieux et semblable à celui qui succède aux plus grands plaisirs. » (*Ibid.*).
7. *Op. cit.*, t. III, p. 405.
8. DELISLE DE SALES, *Philosophie du bonheur*, t. I, pp. 80-81.

***

Il n'est donc pas absurde de proposer du bonheur une explication physiologique. Un médecin de Louis XV, La Caze, l'a tenté dans ses *Réflexions sur le bonheur* et ses *Dialogues sur les causes et les effets de l'état de sécurité nécessaire au bonheur* [1]. Il y définit le bonheur comme un équilibre de forces, qui se réalise dans un organe privilégié du corps humain : le diaphragme, « principal point d'appui et de détermination de tout le jeu de l'économie animale ». Le diaphragme sépare la vie de l'âme de la vie organique. C'est là que les organes exercent leur plus forte « poussée » et que les impressions du monde extérieur, déjà changées par le cerveau en sensations, se transforment en sentiments [2]. Le bonheur est cet état d'immobilité du diaphragme où la poussée des organes se trouve exactement équilibrée par l'énergie que libère une telle transformation.

Lorsque le cerveau n'a pas reçu des impressions assez vives ou que les sensations sont trop violentes pour se transmettre jusqu'au diaphragme, la poussée des organes n'est plus retenue par une force antagoniste : le diaphragme s'élève sous la pression de la masse intestinale et suscite des troubles dans tout le corps.

Le bonheur est donc lié à une double condition : une parfaite santé, assurant aux organes le degré de flexibilité convenable, qui évite toute poussée excessive sur le diaphragme [3] ; un « sentiment favorable de l'existence », grâce auquel les sensations se métamorphosent en sentiments selon un rythme modéré et constant, capable d'équilibrer la pression des organes.

Dans l'état de nature, le sentiment de l'existence était suffisamment vif lorsque tous les besoins se trouvaient satisfaits. En créant des besoins supplémentaires, la société a rendu l'homme plus exigeant [4]. Le sentiment de l'existence ne se limite plus à la conscience de notre

1. Dans *Mélanges de physique et de morale* (1763. Les deux essais ont été reproduits dans le premier tome du *Temple du bonheur* (1769). — Louis de La Caze était né dans le Béarn en 1703. Après des études de médecine à Montpellier, il vint à Paris en 1730. Il fut médecin ordinaire de Louis XV et mourut en 1765. Il avait un goût très vif pour les systèmes philosophiques et s'était associé aux travaux de Bordeu, son parent.

2. « Aucune sensation faite dans le cerveau ne devient un sentiment qu'autant que ses vibrations se sont étendues jusqu'au centre diaphragmatique ; il en faut nécessairement conclure que c'est principalement de l'état du diaphragme que dépend l'effet des sensations et par conséquent le sentiment plus ou moins favorable que nous éprouvons de notre existence. On voit à quel point la bonne disposition de cet organe est essentielle à notre bonheur et combien il nous importe de savoir ménager cette bonne disposition. » (*Temple du bonheur*, t. I, p. 221).

3. « A mesure que les organes de la région diaphragmatique perdent de leur flexibilité et que, pour déterminer et soutenir le juste degré de leur action, il faut des sensations plus vives et plus fréquentes, ils exagèrent à l'âme tout ce qui l'affecte, ils fascinent ou détruisent l'esprit de justesse, ils dégoûtent même de l'esprit de retenue, selon qu'ils rendent l'instinct plus contraire à cet esprit... de là naissent tant de sensations et d'affections erronées, tant de jugements précipités et de méprises de toutes les espèces. » (*Ibid.*, p. 225).

4. *Ibid.*, p. 228.

être. Il se confond avec l'assouvissement des tendances sociales, et dépend beaucoup plus des choses que de la conscience elle-même. Ce sont les sentiments qui ont à charge de prouver à l'homme son existence. Sans l'action des objets sur l'âme, celle-ci ne libérerait pas assez d'énergie pour soutenir au niveau du diaphragme la poussée viscérale [1].

Un sentiment complet de notre existence exige donc la synthèse d'un grand nombre d'éléments : sentiment de force et de sécurité, plaisir de l'activité, et une « somme de sensations » de nature diverse [2]. L'existence à l'état brut n'est pas une plénitude, mais la conscience d'un vide intérieur et d'une menace obscure, venue du dehors. L'homme, réduit à lui-même, ne se sent pas assez protégé : « Nous sommes tout naturellement dans un état craintif, parce que nous ne renfermons point en nous ni les causes de notre sûreté ni celles de notre subsistance. » L'angoisse est devenue le mode habituel de notre être, et le bonheur le palliatif le plus propre à la masquer. Mais celui-ci n'est plus concevable que comme un retour aux choses : « Telle est notre malheureuse condition que nous sommes toujours portés à douter de notre existence, si nous manquons d'objets qui nous la fassent favorablement éprouver. » Le sentiment favorable de l'existence ne peut naître qu'au point de rencontre entre l'âme et le monde, d'où surgit la double impression d'une plénitude intérieure et d'une protection contre l'univers étranger.

Il faut beaucoup de choses pour faire un homme heureux, et le sentiment de l'existence ne se laisse pas décanter à bon compte de l'angoisse originelle. Les passionnés sont à cet égard d'une avidité terrible. L'ambitieux, par exemple, « avide de tout ce qui peut augmenter le sentiment de son existence, voudrait y faire servir l'univers entier » [3]. Mais au lieu d'apaiser son inquiétude, il ne fait que la nourrir, « sous le prétexte d'augmenter ou d'étayer son « existence ». L'homme véritablement heureux ne place pas le sentiment de son existence dans la voracité éperdue d'un unique appétit, mais dans un ensemble harmonieux d'exigences correspondant à toutes les tendances [4] : besoins physiques, goûts intellectuels, devoirs moraux

1. *Ibid.*, p. 230.
2. « Pour éprouver un sentiment complet de notre existence, il faut que nous sentions une telle confiance dans nos forces, notre position, nos moyens, que nous nous trouvions par là bien munis de tout ce qui peut faire notre sûreté, ainsi que le soutien et l'emploi agréable de notre vie : de là se forme en nous un tel concours de *sécurité* et d'*activité*, une telle force de *stabilité*, qu'il en résulte nécessairement une *somme de sensations* très préférables à tout ce que les objets des sensations les plus agréables peuvent séparément nous faire éprouver. C'est cette somme de sensations qu'il faut toujours avoir en vue quand on se propose d'être heureux. » (*Ibid.*, p. 232).
3. *Ibid.*, p. 235.
4. Portrait de l'homme heureux : « Un homme de sens droit, bien éclairé et par là éloigné de tout excès, et aussi sain que sa complexion peut le permettre ; instruit des devoirs de son état, son premier soin est de les remplir ; il s'en acquitte avec un plaisir et un succès qui ne peuvent manquer de s'accroître l'un par l'autre ; de là un fond de satisfaction qui flatte et rem-

et professionnels, tendances sociales, besoins affectifs. Cet équilibre procure à la conscience un sentiment favorable de l'existence, qui permet au diaphragme, auquel il se transmet, de balancer exactement le « ressort de l'estomac ». On obtient ainsi la définition du bonheur : « Être heureux, c'est avoir le sentiment le plus complet et le plus favorable de son existence ; ce sentiment ne peut résulter que de l'accord parfait du jeu des organes et par conséquent d'un équilibre exact entre le ressort de la tête et celui de l'estomac, qui, par leur antagonisme continuel, sont comme les modérateurs de la machine [1]. »

***

Puisque l'âme et le corps ont ainsi partie liée, pourquoi ne pas guérir l'âme par le corps et le corps par l'âme ? La médecine et l'art du bonheur n'y trouveraient-ils pas également leur plus précieux secret ? Le médecin Gatti avait une curieuse méthode pour soigner la petite vérole : « Il ne connaît que deux points essentiels : de tenir le malade gai et de l'exposer le plus possible au froid [2] ». C'est ainsi qu'il guérit la vérole de Mme Helvétius, en faisant ouvrir les fenêtres de sa chambre en plein mois de janvier, et en se livrant à des « cabrioles » ainsi qu'à « mille polissonneries » pour la faire rire.

Ne peut-on pas de même agir sur l'âme par des causes purement physiques ? Le prince de Ligne se le demande : « Je voudrais savoir s'il n'y aurait pas de moyens physiques qui puissent améliorer l'âme et régler l'esprit [3]. » Il envisage les influences possibles du régime alimentaire et des bains froids ou chauds [4]. Les passions, qui sont l'exemple le plus singulier de l'union entre l'âme et le corps, relèvent

plit bien autrement que les plus agréables sensations de toute autre espèce ; libre des soins de son état, il s'occupe, selon ses talents et ses goûts, d'objets de science, de littérature, de beaux-arts, ressources précieuses pour tous les temps, et surtout pour l'âge avancé. Après avoir employé le temps convenable à ces diverses occupations, cet homme se rend aux devoirs de la société, qu'il sait remplir avec les attentions qui conviennent ; à plus forte raison sait-il s'acquitter des devoirs de l'amitié ; il finit sa journée bien moins content des amusements et des plaisirs qu'il y a trouvés, que de l'avoir remplie selon toute l'étendue de ses devoirs. Cet homme a été heureux, et il est à présumer qu'il continuera de l'être. » (*Ibid.*, p. 236).

1. LA CAZE, *Mélanges de physique et de morale*, Préface, p. XVIII. Cf. *Idée de l'homme physique et moral*, p. 224 : « Le bonheur, considéré comme il doit l'être, n'est qu'un sentiment favorable de notre existence, toujours produit ou renouvelé par cette somme ou cette harmonie de sensations qui résulte de l'usage bien réglé des causes de la durée de la vie. »

2. *Correspondance littéraire*, mai 1767, t. VII, p. 320.

3. Prince DE LIGNE, *Mélanges*, t. XII, p. 90.

4. « Il y a peut-être un régime à tenir ; qui sait s'il n'y aurait pas une nourriture qui influât sur la manière de penser ? Il me semble que celle d'un auteur ne devrait pas être la même que celle d'un guerrier. Des choses spiritueuses et douces, des boissons simples ou actives, pourraient donner de l'aptitude au genre de travail auquel on se livrerait ; les occupations gaies exigeraient peut-être une méthode particulière, les profondes en exigeraient une autre. Ce qui affaiblirait trop et pourrait nuire au nerf qu'il faut à la guerre serait banni pour les militaires. Les bains froids seraient peut-être conseillés. Et des bains chauds pour celui qui, n'ayant pas de raisons pour se donner la peine d'avoir de l'énergie, recevra mieux dans son équilibre les idées philosophiques dont il a besoin dans son travail et dans sa conduite dans le monde. » (*Ibid.*, pp. 90-91).

certainement de la médecine [1] : en réglant convenablement les humeurs, le médecin peut en diriger certaines à sa guise [2]. Antoine Le Camus publie en 1753 une *Médecine de l'esprit, où l'on traite des dispositions et des causes physiques qui, en conséquence de l'union de l'âme avec le corps, influent sur les opérations de l'esprit ; et des moyens de maintenir ces opérations dans un bon état ou de les corriger quand elles sont viciées* [3]. Le corps s'y trouve chargé de toutes les fonctions de la vie psychologique, tandis que l'âme, désincarnée, n'est plus qu'une abstraction métaphysique [4]. Tous les phénomènes d'ordinaire attribués à l'âme ou à l'esprit, deviennent des modifications physiques. En agissant sur le corps, il doit donc être possible de modeler l'esprit. On ne fait en cela qu'imiter la nature : l'homme est entièrement déterminé par son milieu physique et subit de la part des éléments comme une imprégnation qui le constitue [5]. En outre, Le Camus envisage six causes principales qui ont une influence sur « l'esprit » : l'hérédité, le sexe, le climat, les passions, l'éducation, le tempérament, le régime de vie. En imitant ces causes naturelles, on peut influer sur l'âme de façon systématique, donner artificiellement du génie ou de l' « enthousiasme ». Les femmes scythes ne se procurent-elles pas à volonté des extases « en se balançant sur une poutre suspendue ou une corde [6] ? » De même les yogis hindous « se mettent en état d'avoir des visions en tournant et en comprimant leurs yeux de terrible manière » [7]. Sans choisir des exemples aussi exotiques, le simple fait de ronger ses ongles suffit à procurer à l'esprit un surcroît d'activité [8]. Des

1. Préville, *op. cit.*, p. 443.
2. « Lorsque les passions viennent d'un penchant naturel ou que la trop grande quantité des humeurs cause quelques émotions dans le cerveau, c'est au médecin à les corriger ou à les diminuer par des alternants ou des évacuations convenables ; l'augmentation de la transpiration ou toute autre sécrétion pareille peut affaiblir l'excès de la mélancolie ; un régime échauffant peut ensuite ranimer et réveiller les esprits, et l'on parvient au but qu'on se propose, en éloignant insensiblement tous les objets qui pourraient y être contraires. » (*Ibid.*, p. 444).
3. Préface : « Après avoir attentivement réfléchi sur les causes physiques qui, modifiant différemment les corps, variaient aussi les dispositions des esprits, j'ai été convaincu qu'en employant ces différentes causes ou en imitant avec art leur pouvoir, on parviendrait à corriger par des moyens purement mécaniques les vices de l'entendement et de la volonté. Cette certitude n'était que l'aurore d'un plus grand jour. Tous les hommes qui réfléchissent sur la nature de leur être auraient pu en penser autant, mais il restait encore le plus difficile à faire. Il s'agissait de tracer une méthode par laquelle on pût déraciner les défauts que l'on pense appartenir à l'âme, de la même manière que les médecins guérissent une fluxion de poitrine, une dysenterie, une fièvre maligne ou toutes les autres maladies qui n'attaquent ou ne paraissent attaquer que le corps. »
4. « Il y a une chose qui nous paraît certaine, c'est que par l'idée que nous avons de l'âme elle n'est point susceptible de vicissitudes comme le corps, et qu'elle est inaltérable dans son essence. Ce n'est donc qu'à une certaine disposition du corps, qui doit modifier l'âme d'une manière quelconque que l'on doit rapporter ce changement. » (*Op. cit.*, t. I, p. 161).
5. « Il n'est rien de désuni dans la nature. Tout y est lié à tout, et l'homme, cet être que son orgueil voudrait séparer des autres, y est tellement uni à l'air, à l'eau, au feu, à la terre, qu'il cesse d'être si on le sépare de ces éléments qui lui conservent la vie, qui contribuent à sa santé et qui, modifiant différemment son corps, doivent modifier nécessairement son esprit. » (*Ibid.*, p. 179).
6. *Ibid.*, t. II, p. 149.
7. *Ibid.*
8. *Ibid.*, pp. 150-151.

perspectives infinies s'offrent ainsi aux individus et aux nations, permettant de modifier le moral de l'homme en disposant à volonté des causes physiques qui le façonnent [1].

L'explication des phénomènes mitoyens entre la vie de l'âme et la vie du corps trouve son terrain le plus favorable dans le magnétisme. Le système des « sympathistes » permet d'élucider la nature des sentiments par l'intervention d'une matière subtile qui se répand autour du corps et suscite des états d'âme nés d'invisibles et impalpables sensations. Après avoir vainement interrogé Platon, Aristote et Descartes, l'auteur de *L'Amour dévoilé, ou le Système des sympathistes* affirme avoir « rencontré des gens » qui « ont parlé net » : « Ils m'ont dit qu'il se répand autour des hommes et des femmes des parcelles d'une matière invisible appelée matière sympathique ; que ces parcelles agissent sur nos sens et que cette influence produit l'inclination ou l'aversion, la sympathie ou l'antipathie [2]. » Cette matière sympathique n'est autre que ce que les médecins appellent la « matière transpirante » [3]. Elle est odorante, ce qui explique que chaque être humain possède une odeur particulière [4]. En humant simplement la matière sympathique des filles, Démocrite devinait si elles étaient vierges [5]. Et s'il lançait quelquefois son rire fameux, c'est qu'il avait découvert, en flairant bien, le mensonge de certaines paternités. Quand la matière sympathique de quelqu'un « chatouille les fibres » de quelqu'un d'autre, ce chatouillement cause du plaisir au cerveau qui conçoit aussitôt une inclination en faveur de la personne responsable de son plaisir. Au contraire, si la matière sympathique déchire les fibres, « cette lacération occasionnera au cerveau un reflux violent, qui cause de la douleur » [6]. C'est le principe de l'aversion. Les sentiments favorables ou hostiles se ramènent ainsi aux différents modes d'action de la matière sympathique.

1. *Ibid.*, p. 311.

2. TIPHAIGNE DE LA ROCHE, *L'Amour dévoilé, ou le Système des sympathistes, où l'on explique l'origine de l'amour, des inclinations, des sympathies, des aversions, des antipathies*, etc. (1751), p. 45. — L'auteur était né près de Coutances en 1729. Il était très obscur comme médecin, et un peu moins comme littérateur. Il écrivit des œuvres très nombreuses dans des genres très variés. Il mourut dans son pays natal en 1774.

3. Le phénomène décrit se confond avec la transpiration : « Nous pouvons regarder la matière sympathique comme une espèce de vapeur et de poussière subtile et invisible, qui se répand autour de chacun des hommes et des animaux. » (*Ibid.*, p. 55).

4. « M. d'Olois, dans ces diverses leçons, fait mention d'un étranger qui communiquait une odeur de civette à la main qui le touchait ; et M. de S... parle de quelqu'un qui sentait merveilleusement bon quand il était malade. » (*Ibid.*, p. 60).

5. « Un jour il rencontre une Abderitaine qui était mariée du jour précédent : il la salue et lui dit : « Dieu vous garde pucelle » ; et réellement elle l'était. » (*Ibid.*, p. 71).

6. *Ibid.*, p. 114.

***

En voulant réduire le mystère de l'âme, on se heurte à un autre mystère : l'union de l'âme et du corps, la « matière subtile », l'élaboration de la pensée à partir des sensations. Si l'on rejette les dogmes du spiritualisme, il ne reste plus qu'à choisir entre les secrets de la magie et les illusions de la science positive. Mais l'essentiel est qu'on puisse effacer toute trace de rupture entre l'homme et l'univers physique, les proclamer tous deux de même nature. L'extraordinaire attrait pour le corps humain n'est qu'un aspect de cet effort pour naturaliser l'homme, lui contester sa qualité d'étranger, oublier qu'il est venu d'ailleurs, que son royaume n'est pas de ce monde. Les inventions des philosophes, des médecins, des « sympathistes » et des thaumaturges ne sont pas le jeu d'une virtuosité gratuite. Il s'agit de consacrer l'annexion de l'homme par le monde, de le relier par une infinité de fils à l'univers des objets et des autres créatures. Avec ses nostalgies d'éternité, l'encombrant souvenir de sa patrie perdue, l'âme n'y a plus sa place, et on la renvoie, non sans ironie, vers l'empyrée de ses rêves. Une fois délivré d'elle, qui ne lui apprenait qu'à mentir et à se renier lui-même, l'homme pourra enfin découvrir la vérité de son existence et la savourer pleinement. L'homme du spiritualisme *n'existait* pas. Il n'était qu'une pure essence, déplorablement incarnée et mal satisfaite de sa condition. L'homme physique, au contraire, ne fait qu'exister, mais il épuise cette existence, s'enivre d'elle, fait jouer toutes les harmonies qui l'accordent à ce qui l'entoure. Cessant d'être une terre d'exil ou une prison, ce monde devient véritablement son *milieu*. Exister pour l'homme du XVIIIe siècle, c'est d'abord *être en relation*, se sentir solidement rivé aux choses et façonné par elles, gorgé d'elles. Aussi trouvera-t-il la preuve et le contenu même de son existence dans les *sensations*.

3. — Les sensations et l'âme.

La sensation se trouve investie de fonctions multiples. D'abord une fonction de révélation : elle annonce à l'homme l'existence du monde extérieur, en même temps que la sienne propre, car la conscience que l'homme prend de lui-même passe nécessairement par le monde [1].

1. « Les sensations font sortir l'âme hors d'elle-même, en lui donnant l'idée confuse d'une cause extérieure qui agit sur elles... nos sensations sont la preuve la plus convaincante que nous ayons de l'existence de la matière. C'est par elles que Dieu nous avertit de notre existence. » (Diderot, *Œuvres complètes*, éd. Assézat-Tourneux, t. XVI, p. 119). Diderot prend vivement parti contre les « idéalistes » qui veulent réduire la sensation à une « perception intime », en refusant de croire à l'existence d'une réalité extérieure : « Nos sentiments nous donnent une

Bernardin de Saint-Pierre renouvelle ainsi le *cogito* cartésien : « Je substitue à l'argument de Descartes celui-ci, qui me paraît plus simple et plus général : je sens, donc j'existe. Il s'étend à toutes nos sensations physiques, qui nous avertissent bien plus fréquemment de notre existence que la pensée »[1].

A cette fonction presque métaphysique, les sensations ajoutent une fonction morale ; elles servent à construire le bonheur : « Y aurait-il dans les choses, demande Diderot, quelque analogie nécessaire à notre bonheur[2] ? » Il semble qu'il en soit ainsi, si l'on observe la plasticité infinie de l'âme en présence du monde : la conscience se modifie sans cesse, à mesure que se renouvellent les sensations qui l'affectent et que changent les objets qui l'entourent. Sans répit le monde informe l'âme, qui est prisonnière des choses[3]. Saint-Lambert remarque dans son *Discours préliminaire* des *Saisons* : « Il y a de l'analogie entre nos situations, les états de notre âme, et les sites, les phénomènes, les états de la nature[4]. » C'est ainsi qu'une « grande étendue » suscite « des idées de solitude, de privation, de danger, comme la vue de la mer », ou des « idées de destruction, de chaos, d'absence de vie, comme la vue des glaciers répandus sur les sommets des Alpes ». Lorsque l'étendue se divise et se diversifie en se meublant d'objets variés, l'âme éprouve une « admiration douce, dans laquelle entrent l'amour, l'espérance et plusieurs sentiments qui la rendent délicieuse »[5]. La sécurité des sentiments dépend de la variété des perceptions, qui permet à l'âme d'échapper à l'angoisse de l'espace et au vertige du vide[6].

certitude évidente de quelque chose de plus que d'une simple perception intime. » (*Ibid.*, p. 121). Cf. *Lettre sur les aveugles* : « On appelle idéalistes ces philosophes qui, n'ayant conscience que de leur existence et des sensations qui se succèdent au dedans d'eux-mêmes, n'admettent pas autre chose ; système extravagant qui ne pouvait, ce me semble, devoir sa naissance qu'à des aveugles ; système qui, à la honte de l'esprit humain et de la philosophie, est le plus difficile à combattre, puisque le plus absurde de tous. » (*Ibid.*, t. I, p. 304).

1. BERNARDIN DE SAINT-PIERRE, *Études de la Nature, Étude 12e*, *Œuvres complètes*, t. V, p. 8.

2. DIDEROT, *op. cit.*, t. XI, p. 123.

3. « Nous promenons-nous dans une vaste forêt, nos idées semblent s'agrandir et dominer avec ces chênes majestueux, dont le sommet va se cacher dans les nues. Parcourons-nous des bosquets, des jardins symétriques, nous nous rapetissons avec ces arbustes modifiés par le ciseau de l'art et nos pensées prennent, sans que nous nous en apercevions, la contrainte de ces grâces concertées, si inférieures aux beautés fortes et libres de la nature... *C'est une expérience démontrée que nous dépendons de ce qui nous environne et que le physique a de l'emprise sur l'intellectuel.* » (BACULARD D'ARNAUD, *Lettre sur Euphémie*, *Œuvres*, 1775, t. III, p. 156).

4. C'est de ce principe que Saint-Lambert tire toute sa poétique : « Placez un malheureux dans un paysage hérissé de rochers, dans de sombres forêts, auprès des torrents, etc.... ; ces horreurs feront une impression qui se confondra dans celle de la pitié. Placez des jeunes gens amoureux sous de riants berceaux, sur des fleurs, dans un pays heureux, sous un ciel pur et serein, etc. Les charmes de la nature ajouteront au sentiment voluptueux qui inspire les tableaux de l'amour... Vous pouvez quelquefois faire contraster la situation du personnage et le lieu de la scène, placer le plaisir au milieu des horreurs, la tristesse dans ce jardin de délices et vous ferez alors de ces tableaux qui agitent l'âme au sens contraire, qui la touchent et la font rêver. » (*Op. cit.*, pp. XXII-XXIII).

5. SAINT-LAMBERT, *Les Saisons*, Notes sur le chant II, p. 78.

6. « Les pelouses, les gazons, les mousses, les eaux, les herbages de différentes espèces doivent servir à remplir et à varier les espaces et les vides. D'ailleurs la vue qui s'étend a besoin d'être

A chaque type de paysage correspond ainsi un état d'âme, imputable, non à une vague « communion » sentimentale, mais à l'influence des sensations sur la vie intérieure. Devant un décor préromantique, composé de « rocs noircis » et de torrents qui grondent dans les « ravines profondes », Parny avoue : « Je frissonne et j'admire [1]. » Dans les montagnes de Savoie, « trois collines en amphithéâtre où sont répandues de loin en loin quelques cabanes de pasteurs » inspirent aux voyageurs une « douce mélancolie » [2]. En méditant devant une « petite chapelle », qui émerge à peine du crépuscule pyrénéen, Ramond observe le cheminement jusqu'à son âme des sensations apaisantes, tout pénétré de « ce charme qui naît de l'approche du soir » [3]. La contemplation d'un ciel étoilé entraîne l'imagination à travers l'univers, dont elle s'empare en une enivrante possession, à moins qu'elle ne s'y perde pour ne plus vivre que de la vaste vie du monde : « L'homme éclairé qui médite dans le calme d'une belle nuit s'associe à tous les êtres de l'univers ». Une telle extase n'est le fruit d'aucune magie, ne renferme aucun mystère. Il suffit d'en chercher la cause dans les modifications du cerveau, sous l'empire des sensations. L'âme, qui s'était assoupie avec le crépuscule, se dilate démesurément dans l'espace profond de la nuit. Dès que brillent les premières étoiles, son angoisse s'apaise et se remplit de toutes les présences du monde [4].

Les relations entre l'âme et les choses peuvent être d'une nature encore plus subtile. Certaines sensations privilégiées, certains parfums ont le pouvoir étrange de réveiller tout un univers endormi. Dans une admirable page, qu'on pourrait intituler « parfum et mémoire », Ramond a l'intuition de ces affinités mystérieuses [5]. L'odeur du tilleul

soulagée dans son effort, et la couleur verte des gazons et des eaux est amie des regards. » (WATELET, *Essai sur les jardins* (1774), pp. 70-71).

1. PARNY, *Élégie VI*, *Œuvres complètes*, t. I, p. 95.

2. MARMONTEL, *La bergère des Alpes*, *Contes moraux*, t. II, p. 43.

3. « C'est alors que l'immense nature adopte cette unité de couleurs et cette régulière disposition d'ombres, qui simplifient les formes, les lient aux grandes masses et leur donnent cet ensemble, cette harmonie, cette gravité, *qui reposent à la fois l'œil et l'âme.* » (RAMOND, *Voyage dans les Pyrénées*, p. 115).

4. Cf. P. ÉTIENNE, *Le Bonheur rural*, t. I, p. 241.

5. « Je quittai le torrent et le fracas de ses flots pour aller respirer encore l'air de la vallée et son parfum délicieux. Je remontais lentement le chemin que j'avais descendu et je cherchais à me rendre compte de la part que mon âme avait dans la sensation douce et voluptueuse que j'éprouvais. Il y a je ne sais quoi dans les parfums qui réveille brusquement le souvenir du passé. Rien ne rappelle à ce point des lieux chéris, des situations regrettées, de ces minutes dont le passage laisse d'aussi profondes traces dans le cœur qu'elles en laissent peu dans la mémoire. L'odeur d'une violette rend à l'âme la jouissance de plusieurs printemps. Je ne sais de quels instants plus doux de ma vie le tilleul en fleur fut témoin, mais je sentais vivement qu'il ébranlait des fibres depuis longtemps tranquilles, qu'il excitait d'un profond sommeil des réminiscences liées à ces plus beaux jours. Je trouvais entre mon cœur et ma pensée un voile qu'il m'aurait été peut-être doux, peut-être triste de soulever. Je me plaisais dans cette rêverie vague et voisine de la tristesse qui excitait les images du passé ; j'étendais sur la nature l'illusion qu'elle avait fait naître, en lui alliant, par un mouvement involontaire, les temps et les faits dont elle suscitait la mémoire ; je cessais d'être isolé dans ces lieux sauvages ; une secrète et indéfinissable intelligence s'établissait entre eux et moi ; et seul, sur le bord du torrent de Gédro, seul, mais sous le ciel qui voit s'écouler tous les âges et qui conserve tous les climats,

qu'il y évoque et qui porte en elle un monde de souvenirs n'est pas indigne de la pervenche de Rousseau, du « vieux flacon qui se souvient » de Baudelaire, et de la madeleine de Proust. Mais la sensation n'est pas seulement chargée de significations personnelles. Le mystère des liens invisibles qui relient l'âme aux choses et font tenir dans une perception unique tout un monde de suavité et de nostalgie coïncide avec le mystère divin de la nature entière. L'unité entre la nature et l'homme donne l'illusion d'une unité intérieure à l'homme. La sensation restaure entre le cœur et l'esprit le fil qui s'était brisé. Un simple parfum devient une prise de conscience de soi. Celle-ci a pour effet d'associer au moi la nature, jusque-là étrangère. Ramond ne sent plus la sauvagerie des montagnes. Une « secrète et indéfinissable intelligence » lui fait éprouver un sentiment de « *co-existence* ». Une vaste complicité s'installe entre le monde assoupi des souvenirs, la conscience mélancolique et l'ensemble des choses. Le passé et le présent, le moi et le monde se fondent dans l'unité du Tout. Le mystère du souvenir révèle un autre mystère. Cette obscurité, qui vient d'être rendue transparente, c'est la « secrète obscurité » dont Dieu s'enveloppe et qui s'éclaire soudainement. Une seule sensation a apporté à Ramond, en même temps que la jouissance de son existence, une révélation de l'absolu.

Les relations entre l'âme et les choses peuvent s'établir, non plus au niveau de la mémoire, mais par le truchement de l'imagination. Au lieu d'évoquer des émotions depuis longtemps ensevelies, les sensations créent alors, en vertu de « rapports secrets », des émotions nouvelles. En présence d'un ciel d'orage, Diderot identifie inconsciemment l'effervescence de la nature à l'effervescence d'une âme. Il reconnaît dans ces éclairs « qui semblent s'allumer et s'éteindre dans ces ténèbres » le délire poétique de son ami Dorval, illuminant de son génie la nuit de la convention et de la stérilité [1]. L'extase de Dorval est déclenchée par ce qu'il perçoit de la nature. Avant de l'entendre formuler de façon un peu grandiloquente la doctrine de l'enthousiasme, Diderot a surpris sur son visage les signes du bouleversement provoqué par les seules sensations [2]. Il n'a pas besoin,

je me livrais avec attendrissement à cette sécurité si douce, à ce profond sentiment de co-existence qu'inspirent les champs de la patrie... Invisible main, qui répands quelques doux moments dans la vie, comme des fleurs dans un désert, sois bénite pour ces heures passagères où l'inquiet esprit se repose, où le cœur s'entend avec la nature et jouit. Car jouir est à nous, êtres frêles et sensibles que nous sommes, et connaître est à celui qui, en livrant la terre à nos partages et l'univers à nos disputes, étendit entre la création et nous, entre nous et nous-même, la sainte obscurité qui le couvre. » (RAMOND, *Voyage dans les Pyrénées*, pp. 74-75).

1. « Mon imagination, dominée par des rapports secrets, me montrait, au milieu de cette scène obscure, Dorval tel que je l'avais vu la veille dans les transports de son enthousiasme, et je croyais entendre sa voix harmonieuse s'élever au-dessus des vents et du tonnerre. » (DIDEROT, *Dorval et moi, 3e Entretien*, Assézat-Tourneux, t. VII, p. 134).

2. « Dorval était arrivé le premier. J'approchais de lui sans qu'il m'aperçut. Il s'était abandonné au *spectacle* de la nature. Il avait la poitrine élevée. Il respirait avec force. *Ses yeux attentifs se portaient sur tous les objets*. Je suivais *sur son visage* les impressions diverses qu'il en

pour comprendre Dorval, que celui-ci ait parlé. Il lui suffit de poser son regard sur les mêmes objets et d'observer leur retentissement sur les traits de son ami. S'il s'écrie, « presque sans le vouloir » : « Il est sous le charme », c'est qu'il s'y trouve lui aussi. Le double envoûtement s'est opéré, sans qu'une seule idée, un seul mot ait été échangé. Les sensations sont plus aptes que le langage à transmettre le mystère des choses [1].

Si l'âme subit passivement l'empreinte des sensations qui modifient son être, il devient possible de créer le bonheur en choisissant des situations et des habitudes dont la teneur sensorielle soit suffisamment riche en virtualités heureuses. Il faut éliminer toute tentation qui conduirait l'âme à se nourrir exclusivement d'images et la détournerait du monde sensible. La première règle de la conscience heureuse consiste à bannir tout sentiment du passé et de l'avenir, qu'aucune sensation ne peut étayer. Une fois assurée cette tension de l'esprit et des sens vers le seul présent, la seconde règle est d'accueillir les impressions les plus immédiates, celles que la nature offre spontanément, et de faire commencer là le bonheur [2]. On peut même concevoir une science des sensations, une technique du bonheur seulement fondée sur le choix et la disposition des objets. C'est l'un des grands rêves de Rousseau, ce qu'il appelle le « matérialisme du sage » et qui consiste à changer la plasticité naturelle et dangereuse de l'âme en une construction systématique du bonheur. L'art des jardins s'inspire du même secret [3]. Watelet explique comment le décor d'un jardin

éprouvait, et je commençais à partager son *transport*, lorsque je m'écriai, presque sans le vouloir : « Il est sous le charme. » (*Ibid.*, *2e Entretien*, *op. cit.*, p. 102).

1. « Comme il est certain que tous les hommes reçoivent toutes leurs idées par les sens et ensuite par la mémoire et le raisonnement les combinent, les rapprochent, les divisent et se composent chacun un cercle qui leur appartient de notions plus ou moins générales, d'expériences plus ou moins étendues, suivant son plus ou moins de force de capacité d'esprit ; ainsi peut-on dire que les penseurs lettrés ont un plus grand nombre que les autres hommes de sens ouverts à toutes les impressions étrangères, qui, réunies à ce que la nature leur avait donné, leur forment une habitude de penser, de sentir et de s'exprimer, qui est leur, quoique en partie de sources empruntées. » (CHÉNIER, *Essai sur les causes et les effets de la perfection et de la décadence des lettres et des arts*, *Œuvres complètes*, éd. de la Pléiade, p. 646.)

2. « J'ai un moyen bien plus simple pour ne pas rider la surface tranquille de l'élément du bonheur, c'est de mettre au rang des biens toutes les jouissances de la nature, que le vulgaire dédaigne ; de sourire au site pittoresque que je contemple, à l'air pur que je respire, au gazon émaillé de fleurs que je foule aux pieds, au soleil qui m'éclaire. » (DELISLE DE SALES, *Philosophie du bonheur*, t. II, pp. 127-128).

3. « Si je savais comment des objets hors de l'homme agissent sur lui, comment des êtres insensibles et souvent immobiles mettent ses sens en mouvement et comment ensuite de pures sensations produisent des sentiments, si je pouvais calculer jusqu'à quel point l'éducation et l'habitude, qui forment les mœurs générales et déterminent les opinions particulières, influent sur ses jours, ses jugements, et modifient ses affections, de ces connaissances physiques et morales j'en déduirais aisément les causes de la convenance et de la découverte qui font que les objets, selon la manière dont ils lui sont présentés, l'attirent ou le repoussent, l'égayent ou l'attristent, en un mot lui plaisent ou lui déplaisent. Sans doute que ces principes bien développés et appliqués à l'art des jardins répandraient un grand jour sur la matière que j'ai à traiter, mais cette tâche est trop au-dessus de mes forces ; il n'appartient qu'à cette partie de la philosophie qui sonde les profondeurs de la métaphysique d'arriver jusqu'à ces premiers éléments. » (MOREL, *Théorie des jardins*, pp. 369-370). — Jean-Marie Morel, né à Lyon en 1728, était un architecte célèbre, spécialiste de l'art des jardins. Il était attaché au prince de Conti. Sa *Théorie des jardins* est de 1776. Il mourut à Lyon en 1810.

peut remplir le vide de l'âme, menacée par l'ennui, et lui restituer dans toute sa fraîcheur le sentiment de son existence. La sensualité n'est plus une avidité de l'instinct, mais l'art des « relations les plus parfaites entre les objets extérieurs, les sens et l'état de l'âme »[1]. L'art des jardins permet d'en épuiser tous les aspects, d'en exploiter toutes les résonances, soit en suscitant des sentiments nouveaux, soit en amplifiant des états d'âme[2].

Le même principe est le fondement le plus solide de l'éducation. Selon Helvétius et son livre *De l'Homme*, celle-ci n'est que le résultat des sensations successives dont chaque individu s'est trouvé affecté. Pour élucider un être, il suffirait de connaître la nature des objets qui ont frappé ses sens, et les dispositions intérieures qui ont accueilli leur impression[3]. Condillac le dit à propos de sa statue : « Son moi n'est que la collection des sensations qu'elle éprouve et de celles que la mémoire lui rappelle[4]. » Les impressions de la première enfance sont à elles seules décisives. En disposant convenablement les choses autour d'un berceau, on peut créer le bonheur de toute une vie[5].

L'influence des sensations sur l'âme constitue la clé du « sentiment » de la nature au XVIIIe siècle, qui n'est pas une exaltation gratuite, un pur élan de la sensibilité, mais une expression particulière du sen-

1. WATELET, *Essai sur les jardins*, p. 13.

2. « C'est pour parvenir à cette perfection de jouissance qu'on distingue des nuances dans l'agrément des lieux où l'on trouve plaisir à s'arrêter. On s'y prépare des repos commodes, on cherche des aspects qui attachent ; il faut que les arbres entrelacés et transformés en berceaux rendent l'ombre plus épaisse ; leurs formes, leur choix, leurs variétés ajoutent un prix à leur usage. Les fleurs qui avaient arrêté la vue dans les champs et dans les prairies, où la nature les sème au hasard, sont rassemblées pour ne plus échapper aux regards, qui les quittaient avec peine. On veut, par des soins nouveaux, leur donner des perfections que la nature leur avait refusées. C'est alors que l'homme, occupé des sentiments si doux que l'amour, la tendresse filiale ou l'amitié produisent, trouve à ces sentiments un surcroît de charmes : il s'y abandonne dans les lieux solitaires où les oiseaux mêlent aux impressions de sa sensibilité celle de leur bonheur ; où l'eau qui tombe et roule prolonge par la continuité de son trait une rêverie qui plaît ; où la verdure et les fleurs choisies, sur l'émail desquels la vue se repose, font jouir les regards et l'odorat, sans causer à l'âme une trop grande distraction. » (WATELET, *op. cit.*, pp. 13-15). C'est par une triple progression que l'art, selon Watelet, parvient à embellir la nature : de la simple « utilité » à la « commodité » (« l'ombrage des forêts paraît trop éloigné ; l'eau qui coule dans des grottes écartées donne trop de peine à puiser à sa source : il faut que le nécessaire prévienne le besoin ; que l'agréable aille au-devant des désirs ») ; de la commodité à la jouissance « sensuelle » ; et de celle-ci aux émotions de l'âme.

3. Cf. *op. cit.*, éd. 1773, t. I, pp. 16-18, un passage étonnant, dont l'inspiration semble préfigurer la psychanalyse.

4. CONDILLAC, *Traité des sensations*, *Œuvres*, t. III, p. 119.

5. Dans *L'Heureuse Famille*, Lezay-Marnesia met en scène un père « tendre et éclairé », qui n'ignore pas cette ressource fondamentale : « Attentif aux plus petites choses, il fit reblanchir l'intérieur de la maison, il l'ornait de fleurs et de verdure ; il y rassemblait les plus jolis enfants du village ; il animait leurs jeux pour que la joie fût toujours peinte sur leurs visages. Il voulait que le premier spectacle qui s'offrirait aux yeux de son fils fût celui du contentement, et que la première impression qu'il recevrait fût celle de la gaîté. C'est peut-être des premières impressions qui ont frappé nos organes que dépend la tournure de notre caractère. Pourquoi ne pourrait-on pas parvenir à lui en donner une plus heureuse en multipliant les images riantes autour de nos berceaux ? » (LEZAY-MARNESIA, *L'Heureuse Famille*, pp. 204-205).

timent de l'existence. Il s'élabore presque toujours à partir d'impressions *physiques*, et la nuance affective dont il se colore dépend de la disposition matérielle des objets, de la manière dont les sensations se transmettent à l'âme. Quatre exemples le prouveront : les saisons, l'univers végétal, les eaux et la montagne.

La succession des saisons est un des éléments fondamentaux de l'équilibre humain, car elle imprime à l'âme un certain rythme, nécessaire à son mouvement. Au cours de son voyage à l'île Bourbon, Parny écrit à son père à quel point il est las de cet éternel printemps, qu'aucun hiver ne vient interrompre pour en faire espérer le retour [1].

Dans les commentaires en prose de son poème, Saint-Lambert explique l'influence des saisons sur l'homme. Le printemps suscite le réveil de l'être [2]. L'existence émerge, avec une acuité et une fraîcheur nouvelles, de l'engourdissement hivernal : une naissance et une métamorphose tout à la fois. A cela s'ajoute une « multitude de sensations » [3], qui font de l'âme un carrefour de toutes les voluptés. Le tout est couronné par l'espérance, tonalité du printemps. Cette espérance printanière est exempte « d'inquiétudes », car elle porte sur une « multitude d'objets » et reflète toutes nos « jouissances nouvelles, les odeurs, la beauté des fleurs, le chant des oiseaux, et partout le spectacle du plaisir ». C'est ainsi que la joie de chacun se fortifie du sentiment de la « joie universelle » [4].

L'été marque la perfection de la nature et la plénitude de l'homme. L'humidité qui s'évapore, en affaiblissant la végétation des plantes, apaise la « fermentation des êtres » [5]. A l'exaltation du printemps succède une jouissance tranquille. Au lieu de convoiter, l'homme heureux se contente de vivre en paix avec lui-même.

L'automne s'annonce par l'évanouissement des plaisirs des sens. Plus de couleurs : la terre est jaune et grise, envahie par le limon

1. « Je ne sais pourquoi les poètes ne manquent jamais d'introduire un printemps éternel dans les pays qu'ils veulent rendre agréables : rien n'est plus maladroit. La variété est la source de tous nos plaisirs et le plaisir cesse de l'être quand il devient habitude. Vous ne voyez jamais ici la nature rajeunie ; elle est toujours la même ; un vert triste et sombre vous donne toujours la même sensation. Les orangers, couverts en même temps de fruits et de fleurs, n'ont pour moi rien d'intéressant, parce que jamais leurs branches dépouillées ne furent blanchies par les frimas. J'aime à voir la feuille naissante briser son enveloppe légère ; j'aime à la voir croître, se développer, jaunir et sombrer. Le printemps plairait beaucoup moins s'il ne venait après l'hiver. » (PARNY, Lettre à son frère, de l'île Bourbon, janvier 1775, *Œuvres complètes* (1808), t. I, pp. 221-228).

2. « Le retour de la chaleur nous donne une activité physique, une tendance au mouvement, plus de force et de vie, et le besoin de faire usage de nos facultés. » (SAINT-LAMBERT, *Les Saisons*, Notes sur le chant I, p. 34).

3. *Ibid.*, p. 39. Saint-Lambert distingue des nuances pénétrantes entre les différents ordres de sensations : « L'odeur nous donne des sensations plus intimes, un plaisir plus immédiat, plus indépendant de l'esprit que le sens de la vue ; nous jouissons profondément d'une odeur agréable, au premier instant de son impression ; le plaisir de la vue tient plus aux réflexions, aux désirs qu'excitent les objets aperçus, aux espérances qu'ils font naître. » (*Ibid.*, p. 35).

4. *Ibid.*

5. « Nos liqueurs coulent dans leurs canaux avec plus de tranquillité, mais les muscles ont plus de souplesse, d'élasticité et de force. C'est le moment de l'année où l'homme jouit le plus de la santé. » (*Ibid.*, Notes sur le chant II, p. 40).

détrempé, et elle a perdu « ce certain poli, cet uni que les blés, les herbes et les feuilles répandaient sur les surfaces étendues »[1]. Les oiseaux ont fini de chanter. On n'entend plus que le bruit des eaux et celui des vents, « bruit monotone, continu et grave, qui donne une sensation forte et triste ». Les fleurs étant fanées, « la campagne n'a plus de parfums ». On ne respire que l'odeur de l'humidité, « qui n'est point agréable, quand elle ne succède point à la sensation de chaleur »[2]. Comme l'espérance était la dominante du printemps, une terreur secrète s'empare de l'âme automnale, la fait glisser jusqu'à l'horreur d'elle-même et jusqu'au désespoir. L'homme, qui trouvait dans le printemps une révélation de la vie, ne reçoit de l'automne que la tentation de la mort[3]. L'absence de plaisirs et le sentiment de frustration qui l'accompagne rendent fatalement misanthrope. Le désespéré de novembre n'est pas seulement un être accablé, mais un être malfaisant, « disposé à l'envie, à la haine, à la colère, à la parcimonie, à la paresse, à la dureté de cœur »[4].

Avec l'hiver, la crainte s'accentue. Mais elle est en même temps neutralisée par l'habitude et, « comme cette crainte n'est pas excitée par des dangers imminents, elle est mêlée quelquefois d'une sorte de plaisir »[5]. A l'angoisse de l'automne se substitue la léthargie de l'hiver. L'âme perd le sentiment de son existence et s'enfonce doucement dans le néant, cependant que le froid la réveille de la stagnation dangereuse où l'avait plongée la désolation de la nature. L'âme hivernale perd toute aptitude à la tendresse, mais elle retrouve une sorte de force brutale et de dureté tonique, qui lui permettent de survivre. Lorsque la crainte se conjugue avec cette force et qu'il s'y ajoute la conscience d'une menace, l'homme peut s'emporter jusqu'aux pires excès de la colère et de la haine : « Des grands crimes dont l'histoire fait mention, la plupart ont été commis dans le temps des fortes gelées[6]. »

1. *Ibid.*, Notes sur le chant II, p. 77.
2. *Ibid.*, Notes sur le chant III, p. 125.
3. *Ibid.*, p. 126. — Le parfait législateur devra tenir compte de la dépression automnale, qui peut être fatale au bonheur de l'homme, et lui trouver un certain nombre de palliatifs : « Si jamais il tombe dans la tête d'un honnête homme despote de s'occuper sérieusement du bonheur de ses humbles esclaves, si le bon Despote a quelquefois des vapeurs à la fin de l'automne et qu'il en conclut que cette saison inspire la mélancolie, je suis persuadé qu'il instituera des jeux pour égayer ce triste moment de l'année et que la fin de l'automne deviendra, dans les campagnes comme dans les villes, le temps des affaires, des fêtes, des festins et des mariages. » (*Ibid.*, pp. 126-127).
4. *Ibid.*, pp. 127-128.
5. *Ibid.*, Notes sur le chant IV, p. 162.
6. *Ibid.* — Pour l'auteur du *Bonheur rural*, l'hiver provoque des effets bien différents et plus pacifiques : « C'est ici, Monsieur, la saison de la réflexion ; tout y respire une mélancolie philosophique qui tourne l'esprit vers les grandes vérités. Quels moments pour une âme sensible ! Mille et mille idées se succèdent avec rapidité. » (*Le Bonheur rural*, t. II, p. 66). Une « âme sensible » n'est donc pas seulement une âme qui « sent », mais aussi une âme qui pense : exactement, une âme qui a besoin de sentir pour penser. Cf. dans LE CAMUS, *Médecine de l'esprit*, t. I, pp. 248-253, la description des quatre états d'âme correspondant aux quatre saisons.

C'est ainsi qu'aux deux saisons heureuses (enivrement du printemps, plénitude de l'été) succèdent les deux saisons tragiques (dépression morbide de l'automne, férocité agressive de l'hiver). Les données du bonheur varient profondément selon les moments de l'année, ainsi que les remèdes ou les secrets susceptibles d'aider les dispositions euphoriques ou d'étouffer les sombres tentations.

***

L'univers végétal, comme le cycle des saisons, enveloppe l'âme de certaines résonances. Il est le monde de l'immobilité. Après avoir nommé les trois catégories de végétaux, herbes, arbrisseaux et arbres, l'auteur du *Bonheur rural* ajoute : « Tous passent leur vie dans la plus parfaite immobilité ; c'est leur caractère distinctif [1]. » De ces êtres figés et pourtant vivants, les sens et l'âme savent extraire toutes les nuances du repos : repos majestueux, presque surnaturel, des forêts ou repos voluptueux des bocages. Mais ce repos ne sombre jamais dans l'uniformité, car la vie végétale revêt des formes innombrables et se diversifie à l'infini [2]. Bernardin de Saint-Pierre remarque : « Le charme des harmonies végétales s'étend à tous les temps, à tous les lieux, à tous les âges [3]. » Ces harmonies ont tellement d'affinités avec notre nature que l'amour des arbres suffit à témoigner de notre humanité [4].

La forêt est le lieu de l'univers végétal où l'homme ressent les émotions les plus profondes, celles qui pénètrent d'effroi son âme religieuse [5]. La vue d'un grand arbre fait naître à elle seule le sentiment

1. P. Étienne, *Le Bonheur rural*, t. I, pp. 111-112.
2. Cf. Morel, *Théorie des jardins*, pp. 152-154.
3. Bernardin de Saint-Pierre, *Harmonies de la nature*, *Œuvres complètes*, t. VIII, pp. 124-125.
4. « Danton, complice des massacres du 2 septembre, s'écriait en soupirant dans son cachot : « Ah ! si je pouvais voir un arbre ! » Malheureux, puisque ce sentiment naturel subsistait encore dans ton cœur, tu n'étais donc pas tout à fait dépravé. » (*Ibid.*).
5. « La fraîcheur éternelle de ces voûtes sombres saisit et glace les sens. La vétusté des arbres, aux troncs chargés de mousse, en rappelant des temps reculés, *nous conduit, sans nous en apercevoir*, à méditer sur l'instabilité des choses humaines. Un jour sombre et mystérieux, une solitude profonde, un silence d'autant plus morne qu'il n'est interrompu que par les lugubres accents des oiseaux qui fuient la lumière, tout cet ensemble porte l'âme au recueillement et lui fait éprouver une sorte de terreur religieuse... Telle est la magie des grands effets que nous présente le spectacle de la nature : eux seuls, revêtus d'un caractère véritablement imposant, *remuent puissamment l'âme par le secours des sens*. Les objets dont ils se composent, quoique insensibles et inanimés, en agissant sur la faculté intellectuelle, parviennent à élever notre esprit jusqu'aux plus sublimes méditations. » (Morel, *op. cit.*, pp. 155-156). — Cf. *Le Bonheur rural*, t. I, p. 206 : « Vous éprouverez qu'il n'est point d'endroit plus propre à la méditation... l'agréable obscurité, le silence profond qui y règnent portent à une douce mélancolie, impriment un saint effroi ; l'âme y rentre naturellement en elle-même et y puise les plus sublimes pensées. Les jardins majestueux plantés par la nature sont le véritable temple de la méditation. » — Cf. Saint-Lambert, *Les Saisons*, p. 56 :

« Et vous, forêt immense, espaces froids et sombres,
Séjour majestueux du silence et des ombres...
Vous m'inspirez d'abord *une douce terreur*,
Du respect, du plaisir, *une agréable horreur* ;

de l'infini. Bernardin en détaille toutes les « correspondances »[1]. Il s'agit à vrai dire d'une transposition morale ou d'une interprétation littéraire, plus que d'un témoignage purement existentiel. L'esprit brode autour des sensations plus qu'il n'en élabore spontanément le contenu. Néanmoins le souci de rattacher chaque thème à une sensation particulière indique bien qu'on ne conçoit pas de méditation indépendante des choses. Même si l'esprit *traduit* les impressions que les sens lui transmettent, celles-ci n'en demeurent pas moins l'indispensable prétexte de la réflexion et le support de tout état d'âme.

L'univers végétal ne se borne pas à réveiller par sa solennité mystérieuse le sentiment du divin. Il dispense aussi une protection fraîche et douce, apportant à la conscience cette sécurité qui est l'essentiel du bonheur. C'est ainsi qu' « on ne peut goûter les plaisirs du véritable bonheur que sous un dais de verdure » et que l'on découvre, devant certains spectacles, le « doux plaisir d'exister sans inquiétude, sans agitation et sans ennuis »[2]. Aussitôt après avoir évoqué l'ombre imposante des forêts, Morel décrit « un bocage frais et riant, où le goût a réuni tout ce que la végétation a de plus agréable ». Dans un climat d'apaisement et de détente, l'âme, par le truchement des sens, baigne voluptueusement. Il suffit de confronter les deux images pour mesurer l'amplitude sensorielle et la richesse affective de l'univers végétal, qui tantôt élève l'âme vers les plus hautes pensées, tantôt la rassemble dans la jouissance d'elle-même[3].

Les nuances de la végétation peuvent se dérouler à l'infini et les prestiges du mouvement alterner avec ceux du repos[4]. L'univers végétal épouse ou suscite toutes les formes d'exaltation ou d'abandon[5]. Il est facile, en aménageant de façon concertée ses divers

> Je ne sais quoi de grand s'imprime à mes pensées ;
> Ce dôme ténébreux, ces ombres entassées,
> Ce tranquille désert, ce calme universel
> Leur donne un caractère et grave et solennel ;
> Tout semble autour de moi plein de l'Etre suprême. »

Les tenants du préromantisme interprètent les expressions « douce terreur », « agréable horreur » comme un sentiment morbide, une volupté de la douleur ou de la mélancolie. En réalité, il n'y a dans de telles formules que la conjonction de deux impressions objectivement différentes, liées l'une et l'autre à la perception directe du monde sensible, hors de toute délectation morose. La solitude, l'obscurité, le silence des forêts peuvent inspirer la terreur ou l'horreur. Mais, en même temps, l'ordre et le calme qui règnent dans « ces jardins majestueux plantés par la nature », les rêveries religieuses qu'ils suscitent, nourrissent en secret le sentiment d'une sécurité profonde. C'est pourquoi la « terreur » devient « douce », et « l'horreur » « agréable ».

1. BERNARDIN DE SAINT-PIERRE, *Œuvres complètes*, t. V, pp. 36-37.
2. P. ÉTIENNE, *Le Bonheur rural*, t. I, pp. 125-127.
3. « Dans ces deux légères ébauches on voit que, quoique les scènes qu'elles présentent tirent leurs effets des seuls matériaux de la végétation, leur impression est diamétralement opposée, et qu'entre ces deux extrêmes il existe une immensité de modifications possibles et d'expressions différentes. » (MOREL, *Théorie des jardins*, pp. 157-158).
4. WATELET, *Essai sur les jardins*, p. 67.
5. La transposition des impressions sensorielles en états de conscience peut même se prolonger en un véritable symbolisme moral. Chaque fleur possède une personnalité : « Contemplez à vos pieds l'humble violette... ne reconnaissez-vous pas dans tous ses traits le caractère du vrai mérite ? » Et l'auteur du *Bonheur rural* s'explique ainsi sur la moralité des fleurs : « Tout

éléments, de n'offrir à la conscience que des idées dont elle ne manquera pas de composer son bonheur. Aussi Morel a-t-il raison d'appeler l'art des jardins, auquel incombe précisément ce soin, « un art charmant, qui n'est point indifférent à notre bonheur » [1].

***

L'eau symbolise surtout le mouvement : son influence majeure est celle d'une *animation* [2]. On peut la tenir pour le miroir du monde. En réfléchissant toutes choses, elle multiplie leur existence à l'infini. En déformant et en reformant chaque objet, elle entoure de prosaïques formes d'un magique halo et construit un univers en perpétuelle métamorphose. L'air, qui n'a pour lui que sa « fraîcheur », procure simplement des sensations tactiles. Les sensations dynamiques restent le privilège de l'eau, qui transporte et enivre l'âme en l'enlevant à elle-même pour l'entraîner dans son tourbillon [3].

L'influence de l'eau ne se réduit pas aux « effets frappants » [4]. Le ruisseau qui court sur les cailloux, entre les herbes et les fleurs, incline à la rêverie. Quand le « gazouillement » succède au « murmure », le même élément qui nous endormait nous réveille. A mesure qu'elles sont plus « agitées » et plus « bruyantes », les eaux inspirent une « sorte d'activité ». Lorsqu'elles revêtent leur aspect le plus dramatique pour devenir torrent ou cascade, « ou elles nous réjouissent

ce qui frappe nos regards dans l'ordre physique conduit naturellement à la moralité. Tout ce qui s'offre à nos yeux dans la nature est capable de nous suggérer les plus sublimes idées, quand nous savons méditer sur tous ces objets. » (*Le Bonheur rural*, t. I, p. 40).

1. *Ibid.*, p. 2. Voici un exemple d'aménagement psychologique, qui permet de préciser l'esprit dans lequel Morel conçoit l'art des jardins : « Toute clôture apparente déplaît parce qu'elle produit toujours une certaine inquiétude qui fait désirer de la franchir, soit que cette inquiétude naisse du sentiment si universel de la liberté, ou qu'on suppose que les objets que de telles clôtures cachent sont plus agréables que ceux qu'elles renferment. » (*Ibid.*, p. 17).

2. « Les eaux sont au paysage ce que l'âme est au corps ; elles animent une scène, donnent de l'éclat à une perspective et répandent la fraîcheur et la vie dans tous les lieux où elles se trouvent. » (MOREL, *Théorie des jardins*, pp. 116 et suiv.).

3. En retrouvant le mouvement à l'état pur, l'âme réalise l'un de ses rêves les plus profonds. Watelet confirme la description de Morel : « La beauté principale » des eaux tient à « la liberté du mouvement ». Aussi faut-il leur donner « le plus de mouvement libre qu'il est possible ». (WATELET, *op. cit.*, p. 68). L'un des personnages de la fantaisie romanesque et moralisante intitulée *La Retraite de la marquise de Gozanne* déclare : « Je ne connais rien parmi les choses inanimées qui soit plus amusant que les eaux, surtout lorsqu'elles sont en action : leur mouvement a quelque chose qui remue agréablement l'imagination. » (*Op. cit.*, t. I, p. 304).

4. « Les eaux nous inspirent des sentiments très variés et tel est leur empire que, secondées du site qui les environne, elles mettent l'âme dans les situations les plus opposées. Agréables ou importunes, tranquilles ou agitées, silencieuses ou bruyantes... elles nous font éprouver dans leurs différents états... depuis le calme le plus parfait jusqu'à la plus vive émotion et même jusqu'à l'effroi. » (MOREL, *op. cit.*, p. 120). Là encore, l' « effroi » n'est pas un sentiment « préromantique », ou alors il faut que le « calme » le soit aussi. Il s'agit toujours de décrire les effets contradictoires des sensations sur la vie de l'âme. Dans la littérature « préromantique » les évocations du repos alternent régulièrement avec la peinture « horrible » des bouleversements naturels. Là où l'on rencontre le torrent furieux, le bocage n'est pas loin. C'est forcer les choses que de retenir systématiquement les descriptions du premier type, en négligeant celles qui leur font pendant.

par leur éclat et leur pétulance, ou elles jettent l'alarme dans tous nos sens par leur fracas et leur rage ».

Tels sont les miracles de l'eau, si l'on ne considère que sa masse, son bruit et son mouvement. Mais il faut aussi tenir compte de sa situation. Sa présence rend plus mystérieux les paysages d'ombre, plus transparents les visages heureux de la nature, plus horribles les gouffres montagnards où les torrents se précipitent. Quelquefois elle devient même un instrument de supplice : un lac lourd et glauque porte toute la tristesse d'un monde en stagnation ; une rivière exténuée, qui se perd dans les sables, offre un « aspect mélancolique et dégoûtant qui nous repousse ». Chargée d'émotions diverses, l'eau n'est jamais une étrangère pour l'âme [1].

***

La montagne recèle un registre d'impressions au moins aussi vaste. Elle n'est pas seulement le domaine de l'horreur et des émotions violentes. Sans doute les torrents et les rochers raniment-ils les sentiments d'angoisse cachés au fond de l'âme. Il ne s'agit pas seulement d'un thème préromantique. On trouve des paysages affreux dans les traités d'Helvétius, qui n'était ni une âme tendre ni une conscience morbide. L'heureux prince de Ligne, exemple parfait de santé morale, s'abandonne lui aussi à de vertigineuses évocations [2]. De telles visions ne sont pas des délectations sombres. Elles n'expriment que le plaisir du mouvement porté à ses extrêmes limites, jusqu'au point où l'âme, entièrement renouvelée par des sensations insolites, croit franchir les confins d'un autre monde et savoure l'enivrement anxieux d'une découverte qui la dépayse et la métamorphose.

Mais la montagne peut apparaître comme le royaume du pur repos. Il y a dans *La Nouvelle Héloïse* une révélation non pas *sentimentale*, mais *existentielle* de la montagne. Au cours de sa promenade dans le Valais, Saint-Preux perd littéralement son âme. Il se sent délivré

1. « Si l'on mesure la distance immense qu'il y a du sentiment pénible qu'une semblable perspective nous fait éprouver à l'aimable gaîté qu'inspire la vivacité d'un joli ruisseau, dont les eaux cristallines coulent sur un sable argenté, entre des bords riants et qui, libres dans leur course, semblent ne se détourner sans cesse que pour porter de tous côtés l'abondance et la fraîcheur, l'*on comprendra ce que peuvent sur l'âme les matériaux de la nature heureusement combinés ; on sentira quelle force ils ont, quel empire ils exercent sur nos sentiments, puisque celui-ci seul nous affecte de tant de manières et nous remue si puissamment.* » (MOREL, *op. cit.*, pp. 123-124).

2. « Si vous voulez de l'agitation, grimpez les monts Helvétiens. Et si le bruit des sublimes cascades n'intercepte pas toutes vos facultés, regardez autour de vous. L'œil et l'esprit aiment à se confondre dans le sombre de ces creux immenses et pierreux que la terre semble ouvrir aux curieux. On dirait qu'elle veut faire confidence de ses secrets. L'imagination aime à se laisser entraîner avec un torrent, avec qui elle va se perdre sans savoir jusqu'où elle le suivra. » Toute à la sensation d'effroi provoquée par la révélation imminente de ces secrets terribles, l'âme imagine quel serait son vertige, « si dans l'égarement de ses vastes et vagues réflexions que ces objets présentent, on se précipitait avec ses idées dans ces abîmes effrayants. » (Prince DE LIGNE, *Mélanges*, t. VIII, pp. 148-149).

de lui-même, décanté des passions, de toutes ses affections, au point qu'arrivé au sommet, il ne pense plus à cette Julie dont l'idée l'obsédait au moment de se mettre en route. Il ne s'agit donc pas d'une modification, mais d'un anéantissement de la sensibilité. La transparence de l'air glacé purifie l'âme, la dépouille de ce bagage humain qui constitue habituellement son *être*. Saint-Preux est heureux parce qu'il a renoncé à toute forme de sentiment et découvert l'*existence*, sans altération ni ornement. La conscience, libérée du cœur, tire toute sa volupté d'elle-même et se risque à élaborer enfin une pensée autonome, qu'aucune nostalgie, aucun désir, aucun rêve ne peut plus envahir [1].

La sérénité de Saint-Preux augmente à mesure qu'il gravit les monts du Valais. Dans sa *Médecine de l'esprit*, Le Camus conduit selon le même esprit une « analyse des idées qui naissent sur le haut d'une montagne, au milieu et au bas de la montagne » [2]. Il accomplit, en imagination, le même voyage que Saint-Preux, mais en sens inverse. A chacun des trois niveaux correspond une disposition d'esprit particulière :

« Suis-je sur le haut d'une montagne, je suis philosophe. Il me semble régner sur toute la nature et lui dicter des lois, prévoir tous les événements qui arrivent parmi les hommes, sur lesquels je domine, et découvrir toutes les marches pour parvenir à leurs desseins... Je deviendrais alors poète épique ou tragique, si ma nature fournissait assez d'aliments au torrent de feu qui m'embrase [3]. »

A mi-hauteur, on se sent plus près des hommes : on découvre leurs « ridicules ». Tout en s'en préservant, l'esprit est déjà contaminé, car il ne peut s'empêcher de les juger et de les pourfendre, idée qui ne l'aurait pas effleuré sur les sommets. L'inspiration épique ou tragique se dégrade en inspiration comique, équivoque parce que trop humaine. « Ce changement d'atmosphère, note Le Camus, me rend moins juste et moins compatissant. »

Au bas de la montagne, on est tout à fait noyé dans l'humanité, dont il faut assumer les faiblesses et les rêves maladroits. Le bonheur absolu, dont on jouissait, là-haut, sans y penser, on y pense maintenant sans en jouir : on imagine des ruisseaux et des bergeries, des baisers sous les ombrages, toute la gamme des félicités pastorales. Mais bientôt le repos paraît insipide et se laisse attaquer par les passions [4].

1. Cf. *Nouvelle Héloïse*, 1re Partie, Lettre XXIII, éd. Mornet, t. II, pp. 75 et suiv.
2. *Op. cit.*, t. II, pp. 172-174.
3. Ce feu ne symbolise pas la force des émotions. Il est, au contraire, le feu qui les consume et qui communique à l'esprit la pureté issue de cette combustion.
4. « Je détourne les yeux et je porte mes regards sur des jardins enchantés, couronnés d'un superbe édifice et marqués au coin de l'opulence et du bon goût. Sans m'en apercevoir, je deviens ambitieux, je désire posséder des biens dont la jouissance me paraîtrait contribuer au bonheur de la vie et je médite des moyens propres à me procurer de pareils avantages. » (*Ibid.*).

Le changement progressif d'atmosphère a, peu à peu, avili et banalisé l'âme. Du détachement de toute affection humaine, de la pureté philosophique, on glisse d'abord à l'observation désabusée des autres, qui est déjà une façon de se compromettre. Il ne reste plus alors qu'un degré à descendre pour redevenir la proie des désirs et se laisser alternativement tenter par les charmes illusoires du repos pastoral et les envoûtements impurs des richesses ou de la grandeur. Cette descente imaginaire est l'histoire d'une réincarnation.

Dans son *Voyage dans les Pyrénées* (1789), Ramond dépeint le bonheur de la montagne comme un repos ineffable et surhumain. Il évoque cette impression insolite d'allègement, la volupté du mouvement que la matière n'alourdit plus, la libération de la pensée [1]. Décrivant les alentours du Pic du Midi de Bigorre, il avoue à quel point la sérénité du monde qui l'entoure contraste avec le terrible chaos et l'aspect désolé des paysages préromantiques [2]. Il s'étend sur le « gazon parfumé » et engage la conversation avec deux jeunes montagnards « beaux et bien faits », qui « marchent pieds nus, avec cette grâce et cette légèreté qui distinguent éminemment les habitants des Pyrénées » [3]. Il est aussitôt rempli d'admiration par l' « essor élevé de leurs idées ». Découvrant la vallée de Campan, il y devine une « apparition anticipée du monde futur » : « Elle présente cet état de calme si bien annoncé et si bien décrit par ce physicien philosophe, digne de prévoir tout ce que l'humanité peut attendre de la perfectibilité de la terre [4]. »

Ce « physicien philosophe » est Jean-André de Luc, auteur des *Lettres physiques et morales sur les montagnes* [5], où l'on trouve un commentaire passionné de *La Nouvelle Héloïse* [6]. Mais de Luc interprète mal la

1. « Je sentais ce charme que j'ai tant connu, tant goûté sur les montagnes, ce contentement vague, cette légèreté du corps, cette agilité des membres, cette sérénité de la pensée, si doux à éprouver, si difficiles à peindre. » (*Op. cit.*, p. 35). — Ramond de Carbonnières est l'un des premiers Français à s'être occupé sérieusement de géologie. Il naquit en 1755 à Strasbourg, où son père était trésorier de l'extraordinaire des guerres. Il avait la passion des montagnes, où il étudiait les plantes et les pierres. Attaché au cardinal de Rohan, il fut compromis avec lui dans l'affaire du collier et l'accompagna en exil. Il fit une carrière politique sous la Révolution et dut se réfugier dans les Pyrénées. Il séjourna à Barèges, puis devint professeur d'histoire naturelle à l'école centrale de Tarbes. En 1800, il fut élu député au Corps législatif, et Napoléon en fit par la suite un préfet. Toujours en place sous la Restauration, qui le nomma maître des requêtes, il mourut en 1827.

2. *Ibid.*, pp. 37-38.

3. *Ibid.*, p. 41.

4. *Ibid.*, p. 28. Mais Ramond envisage ensuite l'hypothèse contraire, celle d'un cataclysme qui bouleverserait tout. C'est encore l'oscillation entre la tentation du mouvement et celle du repos, entre l'idylle pastorale et la rêverie « préromantique ».

5. Jean-André de Luc est né en Genève en 1727. Son père, François de Luc, horloger et magistrat de la république, était lié avec Rousseau. Jean-André devint lui aussi par la suite l'ami de Rousseau, s'occupa de mathématiques, de physique, d'histoire naturelle, et eut une activité publique. Il résida en Angleterre, où il fut nommé en 1773 lecteur de la Reine, ainsi qu'en Allemagne, où il enseigna la géologie. Spécialiste des montagnes, il publia ses *Lettres physiques et morales* en 1778. Il mourut à Windsor en 1817.

6. « Quand l'amant de Julie ose lui avouer qu'il a supporté jusqu'à son absence sur les montagnes, il a tout dit pour exprimer combien l'âme s'y détache des sens. Je ne saurais en effet comprendre d'aucune autre manière ce que j'ai éprouvé tant de fois sur les sommets isolés des montagnes, quand l'air y est calme et serein. Il n'est aucune situation que je me rappelle avec plus de délices. M. Rousseau a senti exactement comme moi, et j'ai eu même le bonheur

plénitude d'existence qui constitue le bonheur de Saint-Preux. Au lieu de laisser à l'extase son contenu sensoriel, il la spiritualise. Il croit y reconnaître une sorte de décantation mystique [1]. Il transpose même la volupté de la montagne en un plaisir moral : « Ce plaisir, Madame, est le même que le plaisir des gens de bien [2]. » Il est, en revanche, beaucoup plus proche de son maître, lorsqu'il explique le bonheur de l'altitude par la qualité de l'air montagnard, cette substance impalpable, ce « rien » qui suffit à raviver le sentiment de l'existence [3].

De Luc aime les montagnes à la fois comme peintre, comme « naturaliste » et comme « ami de l'humanité, car on y trouve plus que nulle part du bonheur sans mélange » [4]. Aussi juge-t-il bien fades, en comparaison, ces bergeries où les bergères ont la taille fine et portent chaussure élégante, où l'on barbouille « la belle écorce des hêtres » d'éternelles phrases d'amour, où l'on compose de jolies guirlandes de fleurs, « qu'il ne faudra pas que le soleil fane ». Ces mignardises champêtres ne sont que le naïf déguisement d'un rêve citadin de confort bourgeois. Aussi les bergers sont-ils toujours assoupis sous les ombrages, cachés « au fond des grottes obscures, partout, en un mot, où nous nous trouverions bien » [5]. La félicité des montagnards est bien éloignée de ces artifices. Elle tient à cette « santé profonde... qui fait pour eux de la vie seule un bonheur... »

Un tel bonheur devrait être le modèle de tous les autres. Fruste et immédiat, il est plus solide, en tout cas, que le bonheur laborieux des mondains, que décompose sourdement l'ennui, « la plus sensible de toutes les maladies et la source de mille autres » [6]. Mais les mondains expient leur faute, qui est de vouloir *vivre* en oubliant d'*exister*.

Les formes immédiates de l'existence comprennent toutes les composantes physiques du bonheur, tous les éléments qui pré-

d'en jouir une fois avec lui. Il me transporte encore sur les montagnes, quand je relis ces paroles magiques : « Les plaisirs y sont moins ardents, les passions plus modérées... A mesure qu'on approche des régions éthérées l'âme contracte quelque chose de leur inaltérable pureté... On est grave sans mélancolie, paisible sans indolence, *content d'être et de penser...* » Content d'être et de penser ! Ah ! que ces mots retentissent au fond de mon âme ! Combien ils me frappèrent lorsque je les lus ! C'était ainsi réellement que je m'étais toujours expliqué mon état à moi-même ; tous mes organes sont alors dans un calme si entier qu'ils disparaissent ; je ne les aperçois plus. Je suis *moi*, un être incompréhensible, *mais qui sent son existence et pour qui toute seule elle est un bien.* » (*Op. cit.*, p. 193-194).

1. L'extase de la montagne fournit même une preuve de la spiritualité de l'homme : cf. *ibid.*, pp. 204-205.
2. Cf. *ibid.*, pp. 205-206.
3. *Ibid.*, p. 123.
4. *Ibid.*, p. 153.
5. *Ibid.*, pp. 166-167.
6. *Ibid.*, pp. 163-164 ; cf. p. 168 : « C'est cette jouissance simple, facile, de tous les jours, de tous les moments, qui met le bonheur de l'homme rustique si fort au-dessus de celui des gens du monde. »

existent à l'intervention de l'esprit, de la sensibilité et de la conscience morale. Ils se réduisent essentiellement à trois : l'existence proprement dite ou le simple fait de vivre, les relations entre l'âme et le corps, les relations entre l'âme et les choses. Sans doute la raison et le cœur pourront-ils en tirer de multiples ressources. Mais toute entreprise de leur part devra commencer par un aveu d'humilité : la matière du bonheur est contenue dans l'existence brute, et il n'incombe aux facultés de l'âme qu'un travail de discernement et de mise en forme. Être au monde, « sentir » son propre corps, percevoir les choses, cela constitue le fond permanent de toute vie heureuse.

Ce minimum ou ce nécessaire, spontanément offert à la félicité de l'homme, peut se transformer, si la raison le systématise, en une méthode de sagesse comme en une thérapeutique pour purifier l'âme de ses souffrances. Ce que l'on nomme le mal moral trouve un remède efficace dans le retour aux voluptés élémentaires, consistant à jouir de la vie et de son corps, à s'enivrer des choses sans le désir de les posséder. Les sensations remplissent une fonction privilégiée. Attestant la réalité du monde, révélant l'homme à lui-même, elles composent et façonnent notre âme, fournissent l'étoffe dans laquelle se taille le bonheur.

Mais le bonheur n'est pas seul engagé dans cette glorification de l'existence, qui suppose une conception nouvelle de la vie et du monde. Il faut réhabituer l'homme à son séjour terrestre, le convaincre qu'il n'a pas d'autre patrie, insinuer que sa destination surnaturelle est devenue bien hasardeuse. Cet univers tangible et visible, où s'enracine son existence, n'est pas fait pour accueillir une âme immatérielle. Mais si l'âme n'est que le lieu d'une relation entre le corps et les choses, l'homme retrouve naturellement sa place dans l'immense harmonie du monde.

La réhabilitation de l'existence n'est pas seulement une arme contre les systèmes théologiques. Elle s'oppose à la philosophie même, à l'impérialisme d'une raison qui veut tout construire. Elle joue ainsi un double rôle. Elle permet aux tenants du sensualisme de renverser le spiritualisme traditionnel, en montrant que l'homme s'explique entièrement à partir de la nature. Mais elle aide, en même temps, un Rousseau à disqualifier le rationalisme pur, et elle offre à l'âme sensible le moyen de se recueillir en elle-même tout en restant en relation avec les choses, de se dissoudre et de renaître sans cesse sur ces confins mystérieux entre le moi et le monde, où l'homme découvre une nouvelle béatitude.

CHAPITRE IX

L'IMMOBILITÉ DE LA VIE HEUREUSE

« Il faut du repos pour le bonheur. »
Mme DE LAMBERT,
Réflexions sur les richesses.

« On pourrait définir le bonheur un repos joyeux. »
Abbé TRUBLET, *Essais sur divers sujets de littérature et de morale.*

1. Le repos : aspects et limites. — 2. Repos et sagesse : Sagesse et vie mondaine ; Sagesse et vie chrétienne ; Sagesse et Philosophie. — 3. Les thèmes du repos : Le loisir ; L'étude ; Le bonheur domestique ; L'amitié ; La vie champêtre ; Les jardins. — 4. Le repos imaginaire : La pastorale ; Le refuge poétique ; L'âge d'or.

A partir des rapports physiques, qui rattachent l'homme à lui-même et aux choses, le bonheur s'élabore et devient véritablement l'œuvre de l'âme. Dans cette élaboration idéale, le *repos* apparaît comme l'une des tonalités fondamentales. « Il faut du repos pour le bonheur »[1], dit Mme de Lambert, et l'abbé de Gourcy confirme : « Le repos surtout est l'objet de tous les mortels qui le regardent comme la base du bonheur[2]. »

Cette notion du repos se compose de quelques éléments fort simples. Elle implique d'abord l'absence, ou du moins la ténuité discrète, le feutrage des passions[3]. Mme de Puisieux parle de « cette paix profonde que laissent les passions douces[4] » et avertit de craindre « les extrêmes »[5] qui font éclater l'âme.

Le repos suppose, en second lieu, une intervention constamment attentive de la raison, qui le dispose, le ménage, le surveille, en écarte

1. *Œuvres*, 1748, p. 226.
2. *Essai sur le bonheur*, p. 254.
3. MARMONTEL, *Contes moraux*, t. II, p. 35 : « Je courais après les illusions et je fuyais après le bonheur même : il est dans le silence des passions, dans l'équilibre et le repos de l'âme. »
4. *Histoire de Mlle de Terville* (1768), p. 9.
5. *Conseils à une amie*, p. 65.

les « transports » et en prévient les ruptures : « Le bonheur est le fruit de la raison ; c'est un état tranquille, permanent, qui n'a ni transport, ni éclats [1]. »

A la sécurité affective, à l'ordre imposé par l'esprit, s'ajoute un élément moral : le repos est cet état d'unité intérieure, lié à la bonne conscience. Être heureux, « c'est être bien avec soi-même » [2], et Saint-Hyacinthe définit le bonheur comme « un sentiment d'approbation de l'état où je sens que je suis [3] ».

Il faut aussi tenir quelque compte du plaisir, car un repos que rien n'animerait ne se distinguerait pas de l'ennui : « On pourrait définir le bonheur, dit Trublet, un repos joyeux [4]. »

Enfin le repos ne se sépare pas d'un sentiment d'orgueil et de liberté, qui le fortifie et lui donne un air de grandeur : « La modération et le repos ont quelque chose de grand qui marque l'indépendance [5]. »

La définition du repos se réduit à ces quelques traits essentiels. Pour l'enrichir, il faut la confronter aux divers modes de l'expérience et du rêve, la replonger dans les âmes, considérer quelle sagesse en découle, les images symboliques dans lesquelles elle se transpose, évoquer toutes les nostalgies ou les impatiences qui s'y rattachent.

I. — LE REPOS : ASPECTS ET LIMITES.

Lorsque son mari fut chassé du ministère, la duchesse de Choiseul reçut les témoignages compatissants de quelques amitiés fidèles. Mais elle les éludait avec une résolution douce et tranquille [6]. Tant que M. de Choiseul était ministre, son bonheur et sa gloire, toujours en devenir, demeuraient impliqués dans les vicissitudes de l'histoire. Maintenant qu'il a quitté le pouvoir pour la retraite, les voilà devenus des choses définitives, une manière d'*essence*. Le repos les a fixés, mis à l'abri des périls. M. de Choiseul se repose dans sa gloire, au

1. Mme de Choiseul à Mme du Deffand, 5 septembre 1772, *Correspondance de Mme Du Deffand*, t. II, pp. 242-243.

2. DELISLE DE SALES, *Philosophie du bonheur*, t. II, p. 126 : « L'harmonie intérieure du sage fait disparaître toutes les dissonances de l'univers. »

3. SAINT-HYACINTHE, *Recherches philosophiques*, p. 241. Cf. *Le Bonheur rural*, t. I, p. 11 : « L'harmonie et la candeur : voilà l'unique source du vrai bonheur. »

4. TRUBLET, *op. cit.*, t. III, p. 313. Cf. *ibid.*, pp. 242-243 : « Le bonheur est la quiétude et la paix de l'âme, assaisonnées et réveillées par le plaisir. » Cf. GOURCY, *op. cit.* : « Le bonheur est un état de paix et de contentement parsemé de plaisirs sans amertume et sans remords qui en égayent le fond. »

5. Mme DE LAMBERT, *op. cit.*, p. 250.

6. Le 6 février 1771, elle écrit à Lady Chattam : « Quoi ! ma chère Milady, vous auriez songé à vous inquiéter pour moi ? Vous auriez cru devoir me plaindre ? Vous me faites injure » ; et elle corrige cette compassion mal éclairée en une juste appréciation de son nouvel état : « Ne me plaignez donc point, chère Milady... Songez plutôt à partager mon bonheur... Tant que M. de Choiseul a été dans le ministère, j'ai craint la perte de sa gloire, aujourd'hui, je ne songe plus qu'à en jouir. Tandis que l'Europe retentit de son nom, il coule ici des jours tranquilles, exempts de remords et de craintes ; je les partage avec lui... est-ce là ce que vous croiriez devoir plaindre ? » (*Correspondance de Mme du Deffand*, t. I, pp. 336-337).

lieu de la supporter ou de la faire sans cesse. Mme de Choiseul se repose dans son bonheur, au lieu d'en épier craintivement les altérations toujours possibles. Loin d'apparaître comme un amer renoncement, comme une mort historique, le repos confirme et porte à l'absolu le destin officiel et le bonheur intime de ces deux rescapés du monde, qui ont abandonné les sables mouvants de la durée pour la sécurité du refuge et qui jouissent enfin de leur *être* dans toute sa perfection.

Ce repos, dont une grande dame, épouse d'un ministre, mesure la calme profondeur, une nature agitée et ardente, comme celle de Diderot, en savoure la douceur indolente. Dans la *Dédicace à Naigeon*, qui précède l'œuvre, il affirme que le moment où il composa son *Essai sur les règnes de Claude et de Néron* fut « un des plus doux intervalles de sa vie ». Son oisiveté était alors si tranquille, l'harmonie de son âme si parfaite, qu'il se croyait chaque soir, en évoquant sa journée, sur le seuil, à peine franchi, d'un songe délicieux [1].

Également préservé des passions et de l'ennui, délivré par la douce sérénité de l'âge de ses derniers penchants pour les « frivolités », « assez voisin du terme où tout s'évanouit », il n'avait conservé, pour soutenir son repos, que l' « approbation de (sa) conscience » et le « suffrage de quelques amis » [2]. Ce philosophe de la vie impulsive et de la matière en mouvement nourrit ainsi voluptueusement le rêve d'une immobilité substantielle, d'un repos absolu, libérant une sorte de plénitude métaphysique. Méditant devant un tableau de Vernet, pétrifié de silence et embaumé de lumière, il a, pendant quelques instants, l'illusion d'exister « à la façon de Dieu » [3] et il découvre, à travers sa rêverie, la révélation de l'éternité [4]. Lorsqu'il tente, pour un article de l'*Encyclopédie*, de convertir en images toutes les résonances enfermées dans le mot *Délicieux*, c'est encore un état de repos, proche de l'extase, qu'il imagine. Il en décrit toutes les conditions. Il faudrait posséder des « organes sensibles et délicats », une « âme tendre », un « tempérament voluptueux », être « à la fleur de son âge », n'avoir l'esprit « troublé d'aucune image », l'âme « agitée d'aucune émotion ». Il faudrait encore émerger lentement d'une « fatigue douce et légère » et sentir une volupté diffuse inonder tout le corps sans élire aucun organe particulier. Dans ce « moment d'enchantement et de faiblesse », l'âme perdrait toute mémoire, toute pensée de l'avenir, ne tiendrait plus au présent par aucun lien. On penserait juste

1. « J'étais à la campagne, presque seul, libre de soins et d'inquiétudes, laissant couler les heures sans autre dessein que de me trouver le soir, à la fin de la journée, comme on se trouve quelquefois le matin, après une nuit occupée d'un rêve agréable. » (Diderot, *Œuvres complètes*, Assézat-Tourneux, t. III, p. 9).

2. *Ibid.*

3. Diderot, *Salon de 1767*, *ibid.*, t. XI, p. 113.

4. « Je ne vous dirai point quelle fut la durée de mon enchantement. L'immobilité des êtres, la solitude du lieu, son silence profond suspendent le temps : il n'y en a plus. Rien ne le mesure ; l'homme devient comme éternel. » (*Ibid.*, p. 106).

assez pour « sentir la douceur de son existence », et l'on en jouirait « d'une jouissance tout à fait passive, sans y être attaché, sans y réfléchir, sans s'en réjouir, sans s'en féliciter ». Tel est le secret d'une telle béatitude : la conscience noyée dans l'existence, la réflexion suspendue, toute émotion éteinte. C'est là qu'on atteindrait sans doute les confins du bonheur absolu [1].

L'extase du repos consiste en un évanouissement de la durée : le temps et l'espace s'abolissent. Si le repos cesse d'être cette euphorie plus qu'humaine pour prendre simplement l'allure d'une *vie tranquille*, alors le temps, réintroduit, exige en compensation un resserrement de l'espace. On s'installe à l'intérieur d'un monde clos converti en refuge. C'est ainsi que Cleveland passe toute son enfance, aux côtés de sa mère, dans une grotte dissimulée au fond d'un désert, qui le protège de la contamination du monde, tout en lui offrant de quoi nourrir son esprit et assouvir son cœur : un petit nombre de livres et l'expérience maternelle servent d'instrument ou de prétexte aux premiers cheminements de sa pensée, tandis que quelques êtres précieux, rencontrés là par miracle, lui permettent de découvrir et d'épuiser les divers sentiments de la nature. Lorsque Cleveland doit abandonner sa grotte pour entrer dans le monde, où son destin sera tumultueux, c'est un profond regard, lourd déjà de toutes les nostalgies futures, qu'il pose « en soupirant » sur ce « lieu tranquille », « semblable à un matelot qui est obligé de quitter le port dans un temps orageux et qui jette un œil tendre vers le rivage, avant de se tourner vers l'espace immense des mers, où il peut être attendu par un triste naufrage [2] ».

L'étendue et la nature du refuge peuvent varier. Le mystérieux domaine de Cleveland, profondément creusé dans les sombres rochers de Ramney Hole, devient, pour Julie et M. de Wolmar, cette terre ensoleillée et cette claire demeure, où tout est joie, ordre et pureté. Voltaire lui-même possède son refuge, à la mesure de ses instincts de propriétaire : « Je me suis fait, écrit-il à Mme Du Deffand, une petite retraite de deux lieues de pays à moi appartenants [3]. »

Si le refuge demeure inaccessible, le repos consistera en une économie attentive des forces de l'âme. La Péruvienne de Mme de Graffigny écrit à son soupirant Deterville, qui est un être de feu : « Venez apprendre de moi à économiser les ressources de votre âme. Renoncez aux sentiments tumultueux, destructeurs imperceptibles de notre

1. « Si l'on pouvait fixer par la pensée cette situation de pur sentiment, où toutes les facultés du corps et de l'âme sont vivantes sans être agissantes, et attacher à ce *quiétisme délicieux* l'idée d'immutabilité, on se formerait la notion du bonheur le plus grand et le plus pur que l'homme puisse imaginer. » (DIDEROT, *ibid.*, t. XIV, pp. 277-278).

2. PRÉVOST, *Cleveland*, t. I, pp. 226-228.

3. Voltaire à Mme du Deffand, 3 décembre 1759, *Correspondance de Mme du Deffand*, t. I, p. 252.

être [1]. » Le bonheur sera alors donné dans cette substitution de doux sentiments aux passions violentes, de goûts faciles à assouvir à de trop exigeantes ardeurs.

Le repos peut tenir simplement à un certain tour de l'imagination. Dans la *Huitième Promenade,* Rousseau ne le conçoit que comme une compensation idéale à des angoisses vécues. En lui offrant des êtres favorablement disposés, en mettant à sa portée les objets qu'il convoite, le bonheur l'oblige à sortir de soi, ce qui suffit à rendre le repos impossible. S'il se découvre, au contraire, isolé dans un univers où tout le menace et lui échappe, il peut se retirer en lui-même et y construire, par la grâce de ses chimères, ce rêve parfait, inspiré par un « amour de soi » tout à fait épuré. Si bien que le repos, né du rêve intérieur, peut fort bien se concilier avec les agitations malheureuses d'une destinée. Le véritable repos de l'âme surgit même pour Rousseau au point le plus dramatique de ses conflits avec le monde.

Le repos devient ainsi l'une des routes de l'évasion et le prétexte de bien des magies poétiques. C'est à lui que la pastorale doit son sens et son charme, et non à ces attributs rustiques, qui ne tiennent pas à l'essence du genre et n'en constituent que l'ornement. Fontenelle le remarque : « Entendre parler de brebis et de chèvres, des soins qu'il faut prendre de ces animaux, cela n'a rien par soi-même qui puisse plaire ; ce qui plaît, c'est l'idée de tranquillité attachée à la vie de ceux qui prennent soin des brebis et des chèvres [2]. »

Le rêve du repos se cristallise autour d'une image qui, de Prévost à Chénier, conserve, tout au long du siècle, une remarquable fixité. C'est l'image d'une retraite campagnarde, avec une petite maison, un jardin, une société choisie. Dans ce refuge idéal, Des Grieux place une bibliothèque, car il a la passion de l'étude et ses tentations champêtres n'effacent pas les exigences de l'esprit :

« Je formai d'avance un système de vie paisible et solitaire. J'y faisais entrer une maison écartée, avec un petit bois et un ruisseau d'eau douce au bout du jardin, une bibliothèque composée de livres choisis, un petit nombre d'amis vertueux et de bon sens, une table propre, mais frugale et modérée [3]. »

Émile reprendra à son tour le même rêve, en installant « sur le penchant de quelque colline bien ombragée » sa petite maison rustique,

1. Mme de Graffigny, *Lettres d'une Péruvienne*, t. I, p. 83.
2. Fontenelle, *Discours sur la nature de l'églogue*, dans *Poésies pastorales* (1708), p. 155. Cf. pp. 161-162 : « Si l'on pouvait placer ailleurs qu'à la campagne le lieu d'une vie tranquille et occupée seulement par l'amour, de sorte qu'il n'y entrât ni chèvres, ni brebis, je ne crois pas que cela en fût plus mal, les chèvres et les brebis ne servent de rien... l'agrément de l'églogue n'est pas attaché aux choses rustiques mais à ce qu'il y a de tranquille dans la vie de la campagne. »
3. Prévost, *Histoire du Chevalier Des Grieux et de Manon Lescaut*, éd. Maurice Allem, Garnier, 1952, pp. 43-44.

« une maison blanche avec des contrevents verts »[1]. Mais la bibliothèque disparaît pour faire place à une « basse-cour ». Le maniement des « gliaux » et du « rateau des faneuses », « le panier des vendangeurs » se substituent aux jeux de l'esprit et à cette correspondance, chargée des parfums du monde, que Des Grieux voudrait entretenir encore avec quelques amis restés à Paris. Un élément pourtant ne varie pas : le « petit nombre d'amis vertueux et de bon sens » de Des Grieux annonce la « société plus choisie que nombreuse » d'Émile. Si le rêve du repos exclut le monde, il n'est que très rarement un rêve de solitude. A peu près inconcevable sans un décor humain, il n'élimine la société dans son ensemble qu'au profit d'une petite société idéale.

A la fin du siècle, Chénier module encore le même thème :

> « Oh ! oui je veux un jour, en des bords retirés
> Sur un riche coteau ceint de bois et de prés
> Avoir un humble toit, une source d'eau vive
> Qui parle, et dans sa fuite et féconde et plaintive
> Nourrisse mon verger, abreuve mon troupeau...[2] »

Mais le rêve se complique, combine des éléments contradictoires, comme s'il allait se dissoudre bientôt. La tonalité pastorale se trouve rehaussée ou avilie d'un élément bourgeois. Chénier installe à ses côtés des enfants imaginaires, ainsi qu'une « épouse belle et sage ». Mais en même temps il évoque la lumière dorée et la splendeur calme du temps des Patriarches, comme si tant de simplicité naturelle réclamait, pour se disculper, une caution savante. Surtout, après avoir chanté la paisible et pleine sagesse de son ménage champêtre, le voilà qui s'en va errer rêveusement, « un livre en main, de bocage en bocage ». Brusquement, une « mélancolie », bizarrement surgie, l'enveloppe, l'immerge pendant quelques instants au fond d'une torpeur sans pensée, puis attaque son imagination en redonnant vie et présence aux « fantômes si beaux » de Julie et de Clarisse, ces touchantes amoureuses livresques. C'est alors un étrange emportement, qui le fait s'enfuir, éperdu, à la recherche d'un semblable visage, dont tout son être éprouve le torturant besoin. Le repos n'était qu'une halte provisoire avant la quête passionnée, un repliement sur soi précédant la ferveur consumante, ou seulement un fragile mirage, aussitôt brouillé par l'irruption de plus profonds désirs.

Le rêve du repos glisse souvent vers son contraire, révélant sa secrète ambivalence. Jamais le repos ne s'épure tout à fait du risque de la platitude ou de l'ennui. Il se donne comme un refus de la passion. Mais la passion, qui permet d'épuiser l'existence, n'est-elle pas *aussi* le bonheur ? Le repos soustrait l'âme à l'aventure, aux ivresses impré-

1. ROUSSEAU, *Émile*, Livre IV.
2. CHÉNIER, *Élégies*, *Œuvres complètes*, éd. de la Pléiade, p. 57.

vues, aux voluptés envoûtantes. Une âme toujours en repos peut fort bien devenir confinée et léthargique, ou facilement inquiète, étant inassouvie. Voltaire reconnaît que le repos favorise un rassemblement et un approfondissement de l'énergie intérieure. Mais cette énergie ne s'exaspère-t-elle pas de se sentir à la fois si inutile et si forte ? Au lieu de vivre et de se dépenser, on ne fait que « s'acharner » sur soi-même [1].

Le repos n'est pas la passion abolie, mais la passion simplement différée, secrètement accrue et vivifiée dans le silence d'une fausse paix. Jamais, d'autre part, son prestige idéal ne parviendra à émousser tout à fait le prestige de son antagoniste, le plaisir. Le rêve du repos n'empêche donc pas des sensibilités oscillantes de refluer vers l'autre pôle de la vie de l'âme : celui du mouvement, où l'on rencontre, côte à côte, la passion et le plaisir.

Dans ses *Réflexions sur le goût de la campagne*, Bernis décrit avec ravissement, « en amant de la simple nature », le paysage de rochers et de torrents qu'il contemple au coucher du soleil. S'animant, il risque un aveu : « J'ai la sottise de croire qu'assis sur mon rocher je goûte plus de plaisirs que dans le salon le plus délicieux de Paris. » Le voilà qui savoure profondément sa solitude campagnarde : « Je suis donc à moi, je puis même sentir renaître au fond de mon cœur cette paix, compagne de l'innocence, dont je commençais à perdre le souvenir. » Son bonheur touche à l'extase. Aucun ennui ne l'effleure. L'âme captivée par les choses, il envisage de loin la comédie des hommes avec humour : « Ah ! ç'en est fait : je demeure éternellement dans ces lieux, tout concourt à m'y fixer. » Il y fera venir ses livres, pour ne pas « rompre entièrement commerce avec les hommes ». Lorsqu'il sera fatigué de lire, il « amusera son cœur » avec les « gentilles bergères », dont l'une justement vient de lui faire, « en ramenant son troupeau, une révérence si naturelle et si profonde ». Il en est là de ses projets idylliques, lorsqu'un bruit de carrosse l'en distrait brusquement et précipite la débâcle d'un si beau rêve :

1. « Il me semble que la retraite rend les passions plus vives et plus profondes. La vie de Paris éparpille toutes les idées ; on oublie tout ; on s'amuse un instant de tout dans cette grande lanterne magique, où toutes les figures passent rapidement comme des ombres ; mais *dans la solitude, on s'acharne sur ses sentiments.* » (Voltaire à Mme du Deffand, 31 décembre 1774, *Œuvres complètes*, éd. Moland, t. XLIX, p. 186). Dans les rêves de Voltaire, peut-être faut-il faire une large place au *thème de l'évasion*, opposé au *thème du refuge*, qui est au centre des rêves de Rousseau. Cf. R. Pomeau, *Voltaire par lui-même*, p. 94 : « Voltaire se fait du bonheur une idée toute différente de celle de Rousseau. Le citoyen de Genève rêve de séjourner dans un lieu aimable et bien clos, peuplé de quelques « êtres selon son cœur ». Mais *le bonheur de Voltaire est de s'échapper.* En imagination, il fend les airs avec la princesse de Babylone, il sillonne les espaces intersidéraux en compagnie de Micromégas. Le ciel de Newton le comble d'aise. Vidé des tourbillons cartésiens, l'univers de la gravitation est immense et simple. La lumière y rayonne d'astre en astre, à l'infini, cette lumière qui répand la vie, et qui est, aux yeux de Voltaire, l'image la moins inadéquate de la divinité. Le bonheur parfait serait de traverser l'espace avec elle. Ah ! si Voltaire pouvait, comme le saint Denis de sa *Pucelle*, voyager à cheval sur un rayon de soleil ! Il y a dans la vie de Voltaire une dimension d'évasion... »

« Mais quel est le carrosse qui traverse la plaine ? Je crois le connaître. Les armes, la livrée, tout enfin me donne la curiosité de voir de plus près ; il s'avance vers moi. Dieu ! C'est Thémire, oui Thémire, la plus aimable de toutes les femmes ; c'est elle-même, elle me reconnaît, elle m'appelle. Quel souper ce soir nous ferons ensemble à Paris ! Adieu mon rocher ! Adieu ma bergère ! Adieu mes prés, mes fontaines ! *Vous pouvez émouvoir un cœur qui n'a point de passions ;* mais j'aime mieux renoncer à vos délices que d'étouffer le goût qui m'entraîne. Et d'ailleurs, je crois que la vie champêtre, si elle dure plus de huit jours, n'est belle qu'en peinture [1]. »

Tel est le thème du repos à travers ses chatoiements et ses contradictions. Bien loin de réaliser l'unité de la conscience, il apparaît comme élément d'une dualité. Le besoin profond qu'il exprime ne triomphe jamais du besoin contraire. Le repos compense plus qu'il n'abolit la tentation des passions et des plaisirs. Des êtres complexes, comme Prévost ou ce Des Grieux conçu à son image, sont divisés de la même manière que Bernis, Parny et les épicuriens futiles. Deux aspirations incompatibles les sollicitent. Les personnages de Prévost vivent jusqu'à l'angoisse ce déchirement de l'âme. Épris d'ordre, de sérénité, de vertu paisible, ils sont en même temps harcelés par les exigences d'un cœur qui les voue constamment à la torture des paroxysmes. Sur un mode moins tragique, Diderot éprouve une semblable ambiguïté. Après avoir perdu toute conscience de la durée devant cette toile de Vernet, dont il n'a d'abord perçu que l'immobilité et le silence, il sort tout à coup de son extase en sentant le tableau idéal s'animer : au lieu de regretter un paradis perdu, le voilà délicieusement métamorphosé, réincarné par cette irruption soudaine de la vie. Il cesse d'être Dieu, mais il s'agit moins d'une chute que d'une voluptueuse naissance à l'humanité : « Adieu mon existence divine ! Mais, s'il est doux d'exister à la façon de Dieu, il est aussi quelquefois assez doux d'exister à la façon des hommes [2]. »

Cependant le rêve du repos inspire un certain nombre de formes stables. Il contribue à édifier une sagesse systématiquement orientée vers le refus de l'exaltation. Il explique certains goûts, une certaine

1. BERNIS, *Réflexions sur le goût de la campagne*, *Œuvres complètes*, t. II, pp. 102-104. Au cours d'un voyage au Brésil en 1773, Parny écrit à son frère qu'il a découvert près de Rio de Janeiro une île au nom fascinant : l'île du Repos : « Que ce nom flatte agréablement l'oreille et le cœur ! Bonheur, aimable tranquillité, s'il était vrai que vous fussiez renfermés dans ce point de notre globe, il serait le terme de ma course ; j'irais y ensevelir pour jamais une existence ; inconnu à l'Univers, que j'aurais oublié, j'y coulerais des jours aussi sereins que le ciel qui les verrait naître ; je vivrais sans désirs, et je mourrais sans regrets. C'est ainsi que je m'abandonnais aux charmes de la rêverie et mon âme se plaisait dans ces idées *mélancoliques*, lorsque, reprenant tout à coup leur cours naturel, mes pensées se retournèrent vers Paris. Adieu tous mes projets de retraite ; *l'île du Repos ne me parut plus que l'île de l'ennui ;* mon cœur m'avertit que le bonheur n'est pas dans la solitude ; et l'espérance vint me dire à l'oreille : « Tu les reverras, ces Épicuriens aimables qui portent en écharpe le ruban gris de lin et la grappe de raisins couronnée de myrte ; tu la reverras cette maison, non pas de plaisance, mais de plaisir, où l'œil des profanes ne pénètre jamais, tu la reverras. » (PARNY, Lettre à son frère, Rio de Janeiro, septembre 1773, *Œuvres complètes* (1808), t. I, pp. 207-208).
2. DIDEROT, *Salon de 1767*, Assézat-Tourneux, t. II, p. 113.

façon de concevoir et d'aménager l'existence, ses ressources et ses plaisirs. Il constitue enfin la tonalité poétique la plus riche en ce siècle où la poésie ne songe guère à éclore.

2. — Repos et sagesse.

Le repos est le couronnement idéal de cette sagesse qu'élaborent par des voies parallèles les mondains, les moralistes chrétiens et les Philosophes. Les premiers ne rêvent que de la liberté d'un cœur parfaitement maître de ses désirs. Les seconds spéculent sur cette vie de l'âme, unie au véritable bien, dont elle fait ses délices. Les derniers croient en la souveraineté d'une raison toujours capable d'informer la nature. Mais tous tendent vers ce même idéal de plénitude intérieure et d'équilibre, qui est la transposition morale du rêve du repos. Les prestiges et les périls des passions, l'attirance des plaisirs, loin de disqualifier cette sagesse immobile, ne font qu'en accuser davantage la nécessité.

***

Par delà les vertiges du monde, les mondains ne convoitent vraiment que le bonheur de cette « paix intérieure » dont Mme Thiroux d'Arconville évoque délicatement les harmoniques infinies, où l'âme apaisée semble se refléter dans la sérénité de l'univers [1].

Le frivole abbé Voisenon termine son *Histoire de la Félicité* par une image des plus conformistes : le bonheur est dans la retraite, l'estime réciproque de deux époux réconciliés, la satisfaction d'avoir échappé aux perversions de la vie mondaine, la jouissance de soi. Bernis lui-même, le parfait épicurien, le méthodique ambitieux, qui semble n'être jamais las de tout dévorer — pouvoir, honneurs, plaisirs — imagine un refuge où l'esprit retrouverait, hors de toute convoitise, la liberté de connaître et de juger [2].

Les plus pures, les plus émouvantes de ces sagesses mondaines sont peut-être des sagesses féminines. Mme de Lambert poursuit avec

1. « C'est cette paix intérieure qui fait jouir avec délice de la clarté d'un jour serein. Et lorsque la nuit a déployé ses voiles sombres, l'azur d'un beau ciel paré par ce globe argenté, dont la tendre lueur répand tant de grâces et de volupté sur tous les objets qu'elle éclaire, plonge l'âme dans une douce rêverie et prépare à un sommeil tranquille. » (Mme Thiroux d'Arconville, *Des Passions*, p. 126).

2. « Je suis ennuyé d'être perpétuellement entraîné par ce que j'appelle le tourbillon du jour, je veux dire cet enchaînement perpétuel de plaisirs, de devoirs, de jeux, de spectacles, qui laissent à peine le temps d'être un moment avec soi-même et qui, communiquant à notre âme ce trouble qui règne dans le monde, la rend incapable de saisir les ridicules et d'approfondir ses erreurs. Il faut que tout homme d'esprit ait son observatoire où, tranquille et n'entendant que de loin le tumulte séduisant de Paris, il s'accoutume à connaître les hommes en étudiant son propre cœur. » (Bernis, *Réflexions sur les passions*, *Œuvres complètes*, t. II, p. 13).

une douce fermeté une opiniâtre chasse aux passions, qui a pour but, non d'éteindre la vie de l'âme, mais de détacher ses plaisirs des accidents pour les rassembler en son essence même [1]. La passion suppose une cruelle et absurde division de l'être [2]. Elle arrache l'homme à lui-même, le déchire, l'amène à se confondre avec des objets qui ne sont pas lui. Lorsque a cessé l'illusion de cette identité impossible, l'âme, forcée de rentrer en elle-même, ne sait plus se reconnaître et croit désormais habiter un désert. Après les affres du désir vient l'insipidité du dégoût. Aussi Mme de Lambert multiplie-t-elle ses adjurations maternelles : « Je vous l'ai dit, ma fille, le bonheur est dans la paix de l'âme... Il faut fermer toutes les avenues aux passions [3]. » « Il faut craindre ces grands ébranlements de l'âme, qui préparent l'ennui et le dégoût [4]. » Au contraire, si « l'on ménage ses goûts », en les empêchant de dégénérer en passions, si l'on a le « cœur sain » [5], toutes choses se convertissent en plaisirs [6]. Il faut préserver le cœur et l'esprit de tout commerce excessif avec l'imagination, préférer « les plaisirs modérés » aux « plaisirs vifs », la solitude aux divertissements, la « santé et l'innocence » à « aucune passion ardente » [7]. Il faut seulement « se prêter aux choses qui plaisent », « n'attendre pas trop des hommes », « être son premier ami à soi-même » [8]. Surtout on doit renoncer à la « possession » pour la « jouissance » [9] et comprendre que celle-ci n'est rien d'autre que « l'attention » à tout ce qui nous entoure. L'attention au présent, qui est plénitude, vaut mieux en effet pour le bonheur que l'évasion dans l'avenir, qui est angoisse. Mais, plus que l'attention aux choses, importe l'attention à soi-même, fruit du recueillement [10]. En cas d'épreuve, le danger est d'irriter le mal en s'appliquant trop à chercher le remède [11]. Le repos intérieur n'est en définitive qu'une juste perception de l'ordre du monde : « Les choses sont en repos lorsqu'elles sont à leur place... La soumission et l'ordre nous donnent la paix que notre révolte nous avait ôtée [12]. » C'est ainsi qu'une sagesse simplement profane et mondaine

1. « Ne nous croyons heureuses, ma fille, que lorsque nous sentons les plaisirs naître au fond de notre âme. » (Mme DE LAMBERT, *Avis d'une mère à sa fille*, *Œuvres*, 1748, p. 59).

2. « Dans les passions, l'âme se propose un objet : elle est plus intimement unie à lui par le désir ou par la jouissance qu'elle ne l'est à son être. » (*Ibid.*, p. 95).

3. *Ibid.*, p. 89.

4. *Ibid.*, p. 73.

5. *Ibid.*

6. « Tout est presque plaisir pour un esprit sain. » (*Ibid.*, p. 89).

7. *Ibid.*, pp. 72-73.

8. *Ibid.*, p. 89.

9. *Ibid.*, p. 77.

10. « Faites usage de la solitude. Rien n'est plus utile ni plus nécessaire pour affaiblir l'impression que font sur nous les objets sensibles. Il faut donc, de temps en temps, se retirer du monde, se mettre à part. » (*Ibid.*, p. 88).

11. « Il faut céder aux malheurs. L'attention aux malheurs les rapproche et les tient présents à l'âme » (*Ibid.*, p. 51). « La paix ne consiste pas à ne pas souffrir, mais à se soumettre doucement à ses souffrances. » (*Ibid.*, p. 172).

12. *Ibid.*

se parachève dans cet abandon à la Providence, qui n'est ni une molle effusion, ni un apitoiement sur soi-même, mais la reconnaissance tranquille de l'ordre universel.

Mme de Puisieux tient à peu près le même langage, mais avec plus d'âpreté d'accent. La mesure dans les plaisirs et la méfiance envers les passions constituent la double condition du bonheur [1]. Il faut aussi savoir « vaincre son humeur », se « travailler » sans relâche pour forger, coûte que coûte, cette « modération » et cette « douceur » qui servent quelquefois de masque à des âmes « violentes » [2]. Devant le malheur, Mme de Puisieux ne se contente pas, comme Mme de Lambert, de prêcher la résignation. Elle exige une révolte de l'âme héroïquement tendue contre la souffrance [3]. La technique de la vie heureuse devient une véritable ascèse. Au lieu de suggérer seulement le recours périodique à la solitude, Mme de Puisieux choisit, en cas d'échec du bonheur mondain, un parti plus radical : « toutes les femmes qui ne peuvent vivre tranquilles avec leur mari » n'ont qu'à se retirer au couvent [4].

C'est encore un contrôle ascétique de la sensibilité que prône Mme de Benouville dans ses *Pensées errantes*. Pour assurer le repos de l'âme, il ne faut pas hésiter à stériliser le cœur [5]. Sans doute peut-on redouter que ce « détachement général » ne frôle de très près la « stupidité » [6]. Mais « l'absence de désir vaut mieux que la jouissance de tous les biens » [7]. Si l'on se risquait à aimer, il faudrait alors conserver « une grande pureté de mœurs » comme garde-fou de la tendresse : « Pour ceux à qui il faut quelque chose de plus que la délectation intérieure de l'âme, ah ! vraiment ils doivent s'interdire tout et prévenir ce mal en détruisant la racine [8]. » Mme d'Épinay pense de même que le cœur est chose trop fragile pour qu'on le remette entre les mains d'autrui [9].

Dans ses *Réflexions sur le bonheur*, Mme du Châtelet offre la plus

1. « La joie immodérée est courte ; les sentiments violents ne durent pas et le corps s'en ressent : *craignez les extrêmes*. On goûte mieux les plaisirs quand ils ne sont pas si vifs et la joie prise modérément laisse à l'esprit la liberté de sentir son bonheur dans toute son étendue. » (Mme DE PUISIEUX, *Conseils à une amie*, p. 65).

2. *Ibid.*, p. 45.

3. « Il ne faut jamais s'abandonner à la douleur ; le chagrin est une maladie de l'âme. » (*Ibid.*, p. 65).

4. « La plupart regardent le couvent comme l'endroit du monde où l'on s'ennuie le plus et elles se trompent... Ici une femme ne rend compte de ses actions à personne et, pour peu qu'elle observe de ne blesser en rien les règles, elle peut y vivre heureuse et surtout tranquille. » (*Ibid.*, p. 126).

5. « Le bonheur ne consiste pas dans l'accomplissement de tous nos vœux, mais dans un détachement réel et parfait de toutes choses ; en sorte qu'un homme qui ne craindrait rien, ne désirerait rien, qui verrait tout d'un œil très égal et très indifférent, serait tout justement dans ce degré de félicité que tout le monde cherche et que personne ne trouve. » (Mme DE BENOUVILLE, *Les Pensées errantes*, p. 80).

6. *Ibid.*, p. 111.

7. *Ibid.*

8. *Ibid.*, pp. 159-160.

9. « Ma devise est liberté. Tout ce qui aurait l'air de dépendance bouleverserait si fort ma pauvre machine que tous les soins de M. Tronchin seraient en pure perte. » (Mme D'ÉPINAY, *Mes Moments heureux*, p. 91).

parfaite image de cette double sagesse de femme sensible et de femme du monde. Sa philosophie est moins âpre que celle de Mme de Puisieux, plus chaleureuse que celle de Mme de Lambert. Le repos n'est plus cet apaisement glacé d'une âme acharnée à se vaincre, mais une stylisation des sentiments, décantés de l'inquiétude. L'insensibilité pure serait moins le repos qu'une apathie ennuyeuse et désenchantée. Mieux vaut l'amertume provisoire des renoncements nécessaires, dont le cœur peut toujours tirer de nouvelles raisons de vivre. Le bonheur tient à cette difficile alliance entre la prudence, la dignité et l'amour. Tout l'art d'une âme exquise consiste à ne sacrifier aucun des trois.

***

C'est aussi vers le repos que tend cette sagesse chrétienne, où se mêlent les résidus du spiritualisme classique et les thèmes conventionnels d'une morale bourgeoise. Dans ses *Conseils de l'amitié*, l'abbé Pernetti affirme que le « bonheur est le fruit de l'ordre de nos pensées et de la tranquillité de nos passions » [1]. L'abbé Jacquin veut montrer, dans les *Lettres parisiennes sur le désir d'être heureux*, que la « véritable félicité consiste dans la modération et dans la tranquillité d'une âme innocente » [2]. Pour Trublet, le bonheur est cette « sérénité d'âme », ce « fonds de gaîté » qui imprègne doucement et transfigure tous les moments d'une vie, « émousse les traits de la plus vive douleur » et grâce auquel, « dans les plus courts intervalles qu'elle laisse, on reprend sa joie et sa tranquillité ordinaires » [3]. Quant au « Philosophe bienfaisant », il envie les « naturels doux et paisibles » [4], les « caractères modérés et tranquilles » [5], découvre le bonheur dans la « tranquillité de l'esprit » et « l'égalité de l'âme » [6], et célèbre comme la perfection de la vie morale cette « apathie heureuse » que composent la « simplicité », « l'innocence » et la « tempérance » [7].

Le bonheur des bien-pensants et des âmes chrétiennes apparaît, non comme une ascèse ou un dépassement de soi, mais comme un

1. *Op. cit.*, p. 16. Après avoir remarqué qu' « il y a partout un ordre, une symétrie, un rapport dont l'assemblage fait la beauté et la perfection des objets », l'auteur s'est demandé : « Ne serait-ce pas quelque chose de semblable à l'ordre, à la tranquillité, qui fait le bonheur ? »

2. *Op. cit.*, p. 78. Le héros du livre finit ses jours dans une paisible retraite campagnarde, où il fonde son bonheur sur la « modération des passions », le « calme de la cupidité » et la « tranquillité de l'âme ». Il ne lui manque plus que la béatitude éternelle : « Je goûte enfin, dans le port, un repos qui, tout agréable qu'il est, ne peut cependant passer pour un bonheur absolu. » (*Ibid.*, pp. 204-206).

3. TRUBLET, *op. cit.*, t. I, p. 313. Trublet ajoute même que le désespoir absolu vaut mieux pour le bonheur qu'une « faible espérance », car « il produit une sorte de tranquillité ». (*Ibid.*, t. III, pp. 280-281).

4. STANISLAS LECZINSKI, *Œuvres du Philosophe bienfaisant*, t. I, p. 315.

5. *Ibid.*, p. 318.

6. *Ibid.*, p. 338.

7. *Ibid.*, p. 339. Cf. pp. 340-341 : « Le vrai bonheur de la vie ne consiste donc point à être toujours heureux. *Tout plaisir vif est un danger.* »

état d'équilibre. Selon le *Journal de Trévoux* de septembre 1735, rapportant les paroles de l'abbé Trublet, il est le fruit d'une adéquation entre les désirs et les moyens de les satisfaire [1].

Les romans de Prévost expriment une curieuse morale des passions, qui rejoint en partie ce conformisme. La culpabilité des passions dépend, non de leur nature, mais de leur intensité. Tout sentiment violent est un sentiment coupable, quelle que soit son innocence essentielle. Dans les *Mémoires d'un homme de qualité,* le héros explique à son jeune élève que pousser, comme il le fait, jusqu'au désespoir frénétique le chagrin d'avoir perdu son épouse, suffit à convertir une honorable douleur en de honteux excès [2]. Le mal se confond d'ailleurs avec le malheur, toute passion démesurée étant source de catastrophes. Si Milady M. se fait assassiner dans des circonstances dramatiques, c'est pour n'avoir jamais su « prendre d'empire sur ses passions » et s'être toujours laissé conduire par « les caprices de l'amour et de la haine » [3].

Les sentiments ne doivent jamais être de purs élans du cœur, non contrôlés par l'esprit. Il faut qu'ils fassent corps avec des « principes », qu'ils se laissent informer ou modérer par eux. Le contraire d'un irrationnel abandon aux passions voraces est une vertu, capitale pour le bonheur, qui se nomme la « probité » [4]. Elle désigne la sensibilité, lorsque celle-ci est épurée et réglée par des principes. Elle est un compromis entre le cœur et la raison. C'est elle seule qui confère aux actes humains leur véritable moralité. C'est d'elle enfin qu'émanent le repos de la conscience et celui de l'âme, qui constituent ensemble le bonheur [5].

Pour Caraccioli, le bonheur du repos emprunte un autre nom et devient la « jouissance de soi-même ». C'est l'apaisement qui découle d'une lucidité totale, lorsqu'on a su faire de son âme un univers trans-

1. « Le bonheur consiste en ce que les désirs et les besoins ne soient pas plus étendus que les moyens de les satisfaire... Tout ce qui rompt cette espèce d'équilibre, tout ce qui diminue cette proportion, en sorte que les désirs soient plus étendus que les moyens, diminue essentiellement le bonheur. »

2. « Sachez qu'il faut mettre beaucoup de différence entre le juste regret que cause la perte d'une chère épouse et le désespoir où vous dites que votre passion est capable de vous faire tomber... Tous les excès sont des vices, mais s'il y a quelque chose qui puisse les justifier, c'est l'innocence de leur cause. Or un attachement comme le vôtre cesserait d'être innocent, s'il s'écartait le moins du monde des bornes de la raison. » (Prévost, *Mémoires d'un homme de qualité*, t. III, p. 211).

3. *Ibid.*, t. VI, p. 77.

4. « Notre cœur est une espèce de théâtre où toutes les passions représentent tour à tour. Il ne demeure jamais indifférent entre le bien et le mal, parce qu'il est de sa nature de former toujours des désirs ; il est sollicité différemment selon les différences des objets et il aime à se laisser entraîner par ce qui le flatte le plus. Ainsi l'homme qui s'accoutume à céder sans résistance aux premières impressions est capable successivement de l'excès du mal ou du bien, à proportion de la peine ou du plaisir qu'il trouve à se satisfaire. Le seul remède est de former des principes solides de vérité et de sagesse qui puissent régler dans l'occasion les penchants indélibérés du cœur. C'est là précisément en quoi la probité consiste. » (Prévost, *Mémoires d'un homme de qualité*, t. III, p. 80).

5. Cf. *ibid.*, t. VI, pp. 89-91.

parent, où ne demeure plus aucune zone d'ombre, aucun mystère [1]. Or, au fond de son être élucidé, l'homme trouve autre chose que lui-même. Découvrant son essence, il accède à un nouvel ordre de vérité ; une simple méthode d'analyse intérieure le conduit jusqu'à ce niveau de pensée où le mot d'*âme* change de sens. Un spiritualisme vague est le point euphorique auquel aboutit la connaissance de soi [2]. Jouir de soi, c'est à la fois « savoir s'aimer et renoncer à soi-même » [3].

L'homme qui jouit de lui-même n'a plus rien à craindre de ses passions et « trouve le moyen d'en faire des vertus » [4]. On peut dire « qu'elles se spiritualisent et qu'elles prennent un degré d'héroïsme qui les fait changer de nature » [5]. Les jouissances des sens retrouvent elles-mêmes leur vraie place et se vident de leur poison. Les sens redeviennent ce qu'ils doivent être : les « sentinelles » qui veillent à la conservation de notre être [6], des instruments qui nous révèlent la beauté du monde [7]. La jouissance de soi-même procure un certain nombre de situations voluptueuses, où le repos prend différents visages. C'est essentiellement cette « gaîté » qui « fait de nos cœurs l'asile de l'innocence et de la tranquillité [8] » : elle apparaît à la fois comme un « épanchement » de l'âme sur les objets fascinants dont la nature est pleine [9], et comme une harmonie intérieure [10]. La gaîté,

1. « Jouir de son être, c'est posséder son âme en paix, en connaître les effets et les suivre, c'est se faire un système d'ordre, qui nous avertit de nos pensées et qui nous en rappelle la succession. C'est se rendre compte chaque jour de ses penchants, de ses désirs, de ses actions. C'est enfin sonder les replis de son cœur, se représenter tel que l'on est, se lire, si l'on peut parler de la sorte, comme on lit un ouvrage. » (Caraccioli, *La Jouissance de soi-même*, p. 32).

2. « Jouir de soi, c'est s'arracher à la matière, ranger son corps dans la classe des atomes, son âme dans le rang des intelligences ; c'est n'estimer de titre que celui d'être homme, de richesses que celles de l'esprit, de dignité que celle de la vertu, mépriser toutes les prudences du siècle... Qu'est-ce que jouir de soi, en effet, sinon se sentir existant, se sentir tel que l'on est, se contempler dans sa propre essence, s'admirer dans sa propre grandeur, se représenter dans sa véritable faiblesse, se regarder dans celui qui nous fait voir et respirer dans celui qui nous fait respirer. » (*Ibid.*, p. 176).

3. Le contraire de la jouissance de soi-même consiste à vivre « hors de soi », dans la torture d'un émiettement infini, d'un mouvement désordonné, qui écartèlent la conscience et volatilisent le bonheur. (*Ibid.*, p. 32). En revanche, le véritable repos procède d'un rassemblement de l'âme en elle-même, tel que l'opèrent certains moments privilégiés du souvenir : « On ne saurait croire combien il est agréable de ramener le passé et de reproduire en soi-même des faits accompagnés de leurs dates et de leurs circonstances, de la même manière qu'ils sont arrivés. Les années de cette manière ne sont plus stériles et les jours ne sont point ennuyeux. On porte avec soi une histoire qu'on peut lire à tout moment... » (*Ibid.*, p. 33). « Le souvenir, chez les véritables philosophes, n'est que l'action de l'âme se repliant sur elle-même, tandis que pour les gens du monde la mémoire n'est qu'un jeu machinal qui semble retourner en arrière. » (*Ibid.*, p. 37).

4. *Ibid.*, p. 58.

5. *Ibid.*, p. 61.

6. *Ibid.*, p. 63.

7. *Ibid.*, p. 66.

8. Caraccioli, *De la Gaîté*, p. 11.

9. « On ne doit entendre par la gaîté que l'épanchement d'une âme philosophe sur des biens innocents que l'imagination embellit. Et quels sont ces biens ? Tantôt l'aspect d'une prairie, tantôt la lecture d'un ouvrage amusant, tantôt l'entretien d'un ami, parce que la véritable joie fait des trésors de ce qui paraît indifférent et souvent insipide aux yeux du misanthrope et du libertin. » (*Ibid.*, p. 3).

10. « Il n'y a plus de dissonance entre l'entendement et la volonté, plus de trouble dans l'ima-

sorte de repos doucement animé [1], demeure la composante nécessaire du bonheur [2]. Mais elle s'associe un autre sentiment, qui achève de constituer une conscience heureuse : le sentiment de la vraie liberté, consistant, non à se laisser « tyranniser par la débauche », mais à « tenir son cœur entre ses mains » [3].

Enfin la jouissance de soi-même apporte une révélation de la Divinité, qu'il est absurde de vouloir, à la façon des déistes, confiner dans cet univers qui n'est pas la plus parfaite de ses œuvres. C'est au plus profond, au plus intime de lui-même que l'homme doit trouver Dieu, car l'âme est immortelle, alors que la scintillation des étoiles n'annonce que leur fragilité [4].

Dans le *Philosophe chrétien* (1752), Formey définit le bonheur comme la forme la plus complète de la « joie » [5]. Il distingue quatre sortes de joies : la « joie de tempérament » [6], la « joie artificielle » [7] des mondains, la joie « intérieure et extatique que les enthousiastes vantent comme le plus haut période de la félicité temporelle et le plus sûr acheminement à la félicité éternelle [8] », enfin la vraie joie, qui est la souveraine acceptation de toutes choses par une âme comblée. La première constitue l'élément le plus précieux du bonheur naturel [9] ; les deux suivantes ne sont que des aberrations inspirées par la futilité et le fanatisme, la dernière figure l'apogée du bonheur chrétien, « ce vrai contentement » qui est l'état permanent du plus heureux des hommes, le « philosophe chrétien » [10]. Il ne s'agit pas d'une suite ininterrompue de transports et de joies vives, d'un tissu de sensations agréables ou « ravissantes », mais d'un abandon, libre d'angoisse,

gination, mais une heureuse harmonie qui tient l'âme comme suspendue entre les passions et les sens. » (*Ibid.*, p. 6).

1. « Telle qu'un de ces doux zéphyrs qui répandent leur haleine sur les ondes, elle remue le corps sans le troubler, elle réveille l'esprit sans l'agiter, elle promène l'imagination sans l'égarer. » (*Ibid.*, p. 4).

2. « On aura beau chercher le bonheur ; ce ne sera jamais que son ombre qu'on poursuivra, si l'on n'acquiert cette gaîté raisonnée dont le sage fait ses délices et qu'il préfère à tous les trésors. » (*Ibid.*, p. 44).

3. *La Jouissance de soi-même*, p. 43.

4. « C'est ainsi qu'en jouissant de soi-même on considère la Divinité... Loin de la chercher au milieu des globes lumineux, on la cherche dans son propre cœur, persuadé que Dieu a beaucoup plus d'intimité avec l'âme, qui ne doit pas périr, qu'avec des astres qui s'éclipsent. » (*Ibid.*, p. 77).

5. Jean-Henri-Samuel Formey est né à Berlin en 1711, d'une famille de réfugiés français. Pasteur de son état, il fut professeur d'éloquence et de philosophie au collège français. Il devint membre, puis secrétaire perpétuel, de l'Académie des Sciences et Belles-Lettres de Berlin. Très laborieux, auteur d'ouvrages innombrables, il ne se désintéressait pas pour autant de sa fortune et connaissait à fond l'art d'amadouer les puissants par des dédicaces, qui l'enrichirent. Il eut des différends avec Voltaire, et mourut en 1797.

6. *Op. cit.*, p. 265.

7. *Ibid.*, p. 267.

8. *Ibid.*, p. 269.

9. « Après la santé, je regarde le penchant à la joie comme le meilleur présent de la Nature. Ce n'est point là une vertu, je l'avoue ; la philosophie ni la religion n'y entrent pour rien, mais il y a bien des cas où l'on en tire des secours plus présents que de la vertu même. » (*Ibid.*, pp. 265-266).

10. *Ibid.*, pp. 224-225.

à la Providence, d'une « totale confiance en Dieu »[1], se manifestant par le « calme profond qui règne dans nos cœurs, théâtre ordinaire des passions »[2]. Tout comme l'être idéal, immergé dans un « quiétisme délicieux », décrit par Diderot, le vrai chrétien parvient à une plénitude qui fait de lui une manière de Dieu[3]. Telle est peut-être l'ultime ambition que dissimule toute morale de la sagesse et du repos.

La joie du chrétien n'en est pas moins le contraire de l'extase mystique[4]. Elle demeure d'essence rationnelle, et loin d'être attachée à un état second de l'âme, elle consiste en une continuité d'humeur sous la lumière froide de l'esprit : à la fois prise de conscience d'une sécurité intérieure et dilatation voluptueuse d'une raison qui se nourrit d'idées agréables et prometteuses[5].

Tous ces « repos » chrétiens ne sont que des états *naturels*, la simple mise en œuvre d'un pacte conclu entre la raison et la nature, et dont le christianisme sert seulement à garantir la qualité, ainsi que la stabilité. La « probité » de Prévost, la « jouissance de soi-même » de Caraccioli, la « joie » de Formey en sont les noms divers. Les états qu'ils désignent se composent toujours des deux mêmes éléments : épanouissement naturel et permanence rationnelle. Un tel compromis permet de fixer les passions et les plaisirs dans un état rassurant d'innocence. Cette épuration s'opère à l'aide de « principes », qui ne seraient pas assez prestigieux, si la raison seule entreprenait de les définir. Les lumières surnaturelles, venant par surcroît, les dotent d'un rayonnement qui les transfigure et les protège, en les rendant assez forts pour endiguer certaines poussées dangereuses de la nature. La sagesse chrétienne peut apparaître alors comme la forme la plus pure et la plus substantielle du repos.

1. *Ibid.*, p. 253.
2. *Ibid.*, pp. 230-231.
3. « Un homme de ce caractère s'approprie en quelque sorte un des plus beaux caractères de la divinité : celui d'être suffisant à lui-même. » (*Ibid.*, p. 231).
4. « Jamais un homme sensé ne trouvera dans les livres des mystiques le moyen d'être toujours joyeux. C'est la *raison* qu'il faut consulter pour trouver l'idée de la véritable joie. C'est l'Écriture qu'il faut ouvrir pour en découvrir la véritable source... » (*Ibid.*, p. 270). « Être toujours joyeux, ce n'est pas avoir un tempérament porté à la joie, car cela ne dépend pas de nous ; ce n'est pas se livrer aux joies mondaines, car elles ne sont qu'apparentes et l'amertume est au fond du calice ; ce n'est pas donner dans les rêveries du fanatisme, car la véritable joie ne démonte pas le cerveau ; mais c'est tendre sans cesse à la perfection de notre être, parce que chaque pas qu'on fait dans cette noble carrière est non seulement un plaisir actuel, mais une source de plaisir pour l'avenir, continuellement ouverte, toujours à notre portée et dont rien ne saurait nous défendre l'accès. O l'heureux état d'un homme qui porte le plaisir dans son sein et qui, indépendant de toutes les circonstances étrangères, n'a qu'à jeter un coup d'œil sur son état intérieur pour y goûter les plus pures délices ! » (*Ibid.*, p. 274).
5. « Pourrait-on à présent méconnaître l'homme toujours joyeux ? C'est et ce ne saurait être que le vrai chrétien parce qu'il n'y a que la profession et la pratique du christianisme qui tiennent continuellement à nos yeux l'idée de ce qu'il y a de plus grand et de plus parfait... » (*Ibid.*, pp. 276-277).

***

La sagesse philosophique n'est pas tellement différente. Voulant définir le bonheur dans son *Essai sur l'amour-propre,* Frédéric II affirme : « Il n'y en a point d'autre, je le répète, que la tranquillité de l'âme [1]. » Cette tranquillité est le fruit d'un équilibre intérieur. Ladvocat distingue trois « principes » en l'homme : le corps, l'âme, et « un principe de mouvement, qui est la cause formelle de toutes ses actions ». Or « c'est de la parfaite union de ces trois parties et de la juste et mutuelle correspondance qu'elles doivent avoir ensemble que dérivent son bonheur et sa misère » [2]. Le bonheur n'est rien d'autre que « la santé du corps et la tranquillité de l'esprit » [3], et toutes les maladies de l'âme dérivent d'une même source : « l'inquiétude ». Être heureux, c'est être libéré de l'inquiétude.

La modération des désirs est nécessaire à la sauvegarde de l'harmonie intérieure. Pour d'Argens, « savoir modérer ses désirs, c'est être bien avancé dans la carrière qui conduit au véritable bonheur » [4]. Le bonheur n'est pas dans l'objet des désirs, mais dans « la tranquillité de l'esprit et la santé du corps » [5]. Ceux des philosophes qui prennent parti contre la « grandeur » et « l'opulence », ne les réprouvent que parce qu'elles sont incompatibles avec le repos : elles ne procurent que des « plaisirs par secousses et non une continuité de bonheur » [6].

Dans son *Essai d'une philosophie naturelle,* l'abbé Desfourneaux veut donner l'image, non d'une « haute félicité », mais d'un « bonheur assez simple » [7], consistant en un usage modéré des biens que la nature et le monde mettent à notre portée. C'est un bonheur qui, à l'inverse de cette liberté chimérique conçue par des philosophes ivres de leur puissance, n'est nullement séparé des objets. Il dépend beaucoup de « choses étrangères à l'homme ». Il suppose en particulier « quelque bien de fortune, sans lequel on ne peut jouir de certaines choses qui sont peut-être nécessaires au bonheur des hommes les plus philosophes » [8]. Être heureux, c'est essentiellement *jouir des*

1. *Op. cit.*, p. 25.
2. LADVOCAT, *op. cit.*, p. 53.
3. *Ibid.*, p. 57. Cf. *ibid.*, p. 60, toujours à propos du bonheur : « C'est bien plutôt un état fixe et constant, qui se trouve exempt d'inquiétude, de peine et de douleur, sans lequel tous les plaisirs sont mêlés d'inquiétude. »
4. D'ARGENS, *Sur la vie heureuse*, § 10, *Sur la modération des désirs*. Cf. BOUDIER DE VILLEMERT, *Andrométrie*, pp. 114-115.
5. *Ibid.*
6. DELISLE DE SALES, *Philosophie du bonheur*, t. I, 32. — La tranquillité heureuse revêt un caractère moral, en se confondant avec l'état euphorique d'une conscience que rien ne divise. Dans les *Entretiens de Phocion*, Mably déclare : « Le bonheur dans chaque individu, c'est la paix de l'âme, et cette paix naît du témoignage qu'il se rend de se conduire par les règles de la justice. » (*Op. cit.*, p. 84).
7. Abbé DESFOURNEAUX, *Essai d'une philosophie naturelle applicable à la vie, aux besoins et aux affaires, fondée sur la seule raison et convenable aux deux sexes* (1724), p. 84.
8. *Ibid.*

choses : beautés de la nature, vérité et variété des mœurs humaines, joies esthétiques, plaisirs de la société, « exercices agréables », voyages, chasse, amusements, jeux, « agréable badinage » et « belle galanterie », spectacles, musique, « belles voix », « plaisirs de la table », etc... [1]. Mais ces jouissances n'ont de prix que dans la mesure où elles n'engagent pas le repos de l'âme. Les *goûts* qu'elles impliquent se justifient surtout parce qu'ils ne sont pas des *passions* : ils se fixent sur des « objets diversifiés, dont la considération occupe l'esprit et le cœur sans inquiétude et d'une manière bien différente dont il est occupé par les passions tumultueuses » [2]. Les plaisirs ne sont destinés qu'à « ceux qui ont l'âme tranquille et que les grandes passions ou l'indolence n'empêchent point de vivre d'une manière qui convienne à leur tempérament ou à leur goût » [3].

Le repos voluptueux, préconisé par la philosophie naturelle, consiste à éviter les deux périls inverses que sont l'indifférence léthargique et l'aliénation passionnelle. Le bonheur conquis sur la misère ou les tentations de notre nature vise à établir avec les objets agréables un certain nombre de relations claires et stables, qu'on pourrait définir comme un moyen terme entre l'appropriation et le détachement, et que représentent justement ces *goûts* précieux, destinés à prendre la place des passions révoquées ou de l'ennui résorbé.

Pour Montesquieu, le repos est un état intermédiaire entre l'agitation des passions et la stagnation de l'ennui, un rythme mixte où l'intérêt et l'indifférence, la quête et le recueillement, se concilient sans s'annuler. Un tel bonheur appartient aux êtres « dont la machine est tellement construite qu'elle est doucement et continuellement ébranlée » et auxquels suffit une « lecture » ou une « conversation » [4]. A défaut de ces exigences tranquilles, le repos consiste à savoir reprendre haleine entre deux désirs vifs, rapidement assouvis. Au lieu d'un repos linéaire, les heureux de cette seconde sorte savourent un repos cyclique : « Ils désirent vivement, ils espèrent, ils jouissent, et bientôt ils recommencent à désirer [5]. »

L'importance privilégiée du repos apparaît encore dans « ce refus simultané de l'ambition de gloire et de l'ambition d'argent », dans le choix d'un « dépassement vers le prochain et non vers le lointain » [6].

1. Cf. *ibid.*, pp. 87-95.
2. *Ibid.*, p. 89.
3. *Ibid.*, p. 87.
4. MONTESQUIEU, *Mes Pensées*, 549.
5. *Ibid.*, 551. Encore ne suffit-il pas de s'adapter. Il faut également *prévoir*, surtout en cas de passion. C'est le calcul des conséquences qui permet alors de sauver le repos : « Avez-vous une passion naissante ? Comparez-lui la suite du bonheur et la suite du malheur qui en peut naturellement résulter... Il est très rarement vrai que le cœur ne soit fait que pour un seul et qu'on soit fatalement destiné à un seul et qu'un peu de raison ne puisse nous destiner à un autre. » (*Ibid.*).
6. J. STAROBINSKI, *Montesquieu par lui-même*, p. 54. Cf. p. 57 : « Tel est donc ce bonheur calme — Paul Hazard l'appelle un « bonheur de sécheresse » — où Montesquieu a résolu de vivre. Ce bonheur lui a été aisément praticable, puisque, d'emblée, il a renoncé à l'inacces-

Limité au possible, à l'immédiat, aux alentours de l'âme, le bonheur de Montesquieu refuse d'être une conquête, un saut dans l'inconnu, une tentative magique pour apprivoiser l'inconnaissable, un héroïque élan pour affronter le périlleux. Convenablement établi en lui-même, ayant mis de l'ordre dans son « intérieur », naturellement préservé des nostalgies et des chimères, Montesquieu pose autour de lui un regard calme et actif, qui laisse ou rend aux choses leur transparence et leur facilité. Tout son bonheur tient à la qualité de ce repos, à la qualité de ce regard.

Un savant comme Buffon se fait du repos une idée nettement plus intellectuelle, plus détachée encore des émotions de l'humanité commune. Dans le cas de l'animal, le bonheur, si l'on peut dire, est immédiatement donné, car l'adéquation y est parfaite entre la sensibilité physique et le principe de l'existence [1]. L'animal ne possède pas de conscience pour provoquer un décalage entre les deux et le mesurer ensuite douloureusement. Dans le cas de l'homme au contraire, « le plaisir et la douleur physique ne sont que la moindre partie de ses peines et de ses plaisirs » [2]. Normalement le principe de l'existence devrait se partager de façon harmonieuse entre les deux parties de la nature humaine : le corps, destiné à recueillir et à transmettre les sensations ; l'âme, exclusivement vouée aux tâches spéculatives. Mais le plus souvent cet équilibre se rompt. Le sentiment de l'existence, débordant la sensibilité physique, est annexé par l'imagination. L'âme, aliénée, oublie sa fonction naturelle, qui est de connaître et de juger, pour s'abandonner à une vertigineuse course après des « fantômes » [3]. Telle est la cause de toutes ses souffrances [4]. Au lieu de demeurer en lui-même, pour savourer simultanément les jouissances attachées à la double réalité qui le constitue, l'homme s'en détourne, dédaigne à la fois son corps et son âme, et se torture à pourchasser le néant [5].

Buffon ne conçoit que deux formes de bonheur ou d'équilibre :

sible. Ni le dieu lointain, ni le moi profond, ni la mystérieuse distance de l'être aimé, ne lui font éprouver leur appel » ; et p. 59 : « Montesquieu trouve son bonheur en lui-même, mais il le trouve dans la mesure exacte où il s'occupe d'autre chose que de lui-même ; il trouve son bonheur dans la contemplation du monde, mais dans la mesure exacte où l'engagement du regard n'entraîne pas l'engagement du sacrifice. Montesquieu a résolu de vivre pour la compréhension, pour la sagesse, et non pour un héroïsme ou une sainteté qui l'entraînerait à rompre avec la vie. »

1. Cf. Buffon, *Discours sur la nature des animaux*, *Œuvres complètes*, édition Sonnini, t. XXI, p. 287.

2. *Ibid.*, p. 288.

3. *Ibid.*

4. « Pourquoi ne sommes-nous pas convaincus que la jouissance paisible de notre âme est notre seul et vrai bien... *Il y a dans le physique infiniment plus de bien que de mal* : ce n'est donc pas la réalité, c'est la chimère qu'il faut craindre ; ce n'est ni la douleur du corps, ni les maladies, ni la mort, mais l'agitation de l'âme, les passions et l'ennui qui sont à redouter » (*Ibid.*). Le mot « physique » ici veut dire « naturel ». Il désigne ce qui, dans l'homme, est *réel* (son corps et son âme contemplative), par opposition au néant de l'imagination et des passions.

5. « Le bonheur est au-dedans de nous-mêmes ; il nous a été donné », alors que « le malheur est au dehors », où « nous l'allons chercher. » (*Ibid.*, p. 289).

le bonheur physique des animaux, dont l'existence s'épuise entièrement dans les instincts ; le bonheur contemplatif du sage, qui ajoute au bonheur physique, commun à l'homme et à l'animal, un usage convenable de son âme : le sage sent avec son corps et abandonne son âme à l'unique soin de connaître. Les passions viennent souvent brouiller cette répartition naturelle. L'hérésie ou la démence de l'homme passionné consiste à vouloir se servir de son âme pour *sentir* [1] : le réel est aboli ou masqué par une infinité d'illusions, dont l'âme croit se nourrir. Si elle retrouve, dans les moments de repos, son véritable pouvoir, ce ne sera que pour *connaître* toute l'étendue de sa folie, et la conscience de ses aberrations, loin d'atténuer son malheur, ne fera que le rendre plus tragique [2]. Seul le vrai sage, dont l'âme est décantée des passions, peut jouir en paix du double bonheur de l'homme [3].

La conception de Buffon est dirigée contre l'imagination, véritable ennemie du repos. Celle-ci n'est rien d'autre que l'âme, lorsqu'elle s'emploie à sentir au lieu de connaître. Alors que toute la philosophie du XVIIIe siècle est un immense effort pour expliquer la nature humaine comme une *unité*, Buffon reste attaché à la dualité cartésienne. Il va même plus loin que Descartes en niant la légitimité des rapports entre l'âme et le corps. La vie contemplative ne doit jamais communiquer avec la vie physique. Le bonheur réside dans cette dualité étanche, qui est sentie par la conscience comme un parfait état de repos, donc en définitive d'unité : « Le bonheur de l'homme consiste dans l'unité de son intérieur [4]. »

1. « Dans cet état d'illusions et de ténèbres, nous voudrions changer la nature même de notre âme : elle ne nous a été donnée que pour connaître, nous ne voudrions l'employer qu'à sentir ; si nous pouvions étouffer en entier sa lumière, nous n'en regretterions pas la perte ; nous envierions volontiers le sort des insensibles. » (*Ibid.*, p. 290).

2. « Une passion sans intervalle est l'état de démence, c'est pour l'âme un état de mort. De violentes passions avec des intervalles sont des actes de folie, des maladies de l'âme, d'autant plus dangereuses qu'elles sont plus longues et plus fréquentes. La sagesse n'est que la somme des intervalles de santé que les accès nous laissent : cette somme n'est point celle de notre bonheur ; car nous sentons alors que notre âme a été malade ; nous blâmons nos passions, nous condamnons nos actions. La folie est le germe du malheur et c'est la sagesse qui le développe. La plupart de ceux qui se disent malheureux sont des hommes passionnés, c'est-à-dire des fous, auxquels il reste quelques intervalles de raison, pendant lesquels ils connaissent leur folie et sentent par conséquent leur malheur. » (*Ibid.*, pp. 290-291).

3. « Détournons les yeux de ces tristes objets et de ces vérités humiliantes, considérons l'homme sage, le seul qui soit digne d'être considéré. Maître de lui-même, il l'est des événements ; content de son état, il ne veut être que ce qu'il a toujours été, ne vivre que comme il a toujours vécu ; se suffisant à lui-même, il n'a qu'un faible désir des autres, il ne peut leur être à charge ; occupé continuellement à exercer ces facultés de son âme, il perfectionne son entendement ; il cultive son esprit, il acquiert de nouvelles connaissances et se satisfait à tout instant sans remords, sans dégoût ; *il jouit de tout l'univers en jouissant de lui-même. Un tel homme est sans doute l'être le plus heureux de la Nature ;* il joint aux plaisirs du corps qui lui sont communs avec les animaux, les joies de l'esprit qui n'appartiennent qu'à lui. Il a deux moyens d'être heureux qui s'aident et se fortifient. » (*Ibid.*, p. 292).

4. *Ibid.*, p. 326.

***

La morale des mondains, la morale des chrétiens, et celle des Philosophes sont fondées sur une commune sagesse : ce sont des morales du repos. Essentiellement inspirées par la crainte des passions, elles conçoivent le bonheur comme un état de calme, d'unité et de plénitude. L'accent peut se déplacer et porter tantôt sur la gloire de se sentir libre — les mondains demeurent toujours hantés par la nostalgie de l'héroïsme — tantôt sur la joie de l'âme, enivrée de la paix qu'elle a découverte en Dieu, tantôt sur la contemplation du sage, qui sait poser un regard tranquille et pénétrant sur toutes choses. Mais dans les trois cas on aboutit à peu près à la même éthique.

L'idéal du repos ne se limite pas toutefois à une sagesse de principe. Il implique toute une série de démarches et d'entreprises, destinées à aménager une vie heureuse. C'est d'une telle vie qu'il convient maintenant de tracer le profil.

3. — Les thèmes du repos.

Les thèmes du repos sont en petit nombre : loisir et retraite, étude, bonheur domestique, amitié, qui s'organisent dans un décor presque immuable : la nature. Celle-ci hésite entre deux visages : visage spontané de la nature à l'état brut, fortement idéalisée cependant par la présence d'un être presque mythique, le paysan ; visage élaboré d'une nature transfigurée par l'art : les jardins.

Dans son *Discours sur l'emploi du loisir* (1739), Pecquet définit les conditions du loisir idéal. Il ne s'agit pas d'un sujet futile, mais d'une préoccupation essentielle à la découverte du bonheur [1]. Ce n'est que dans le loisir que l'homme jouit vraiment de sa propre existence et l'épuise. Les devoirs et les divertissements mondains l'enlèvent à lui-même, s'opposent à toute prise de conscience approfondie de soi, à tout progrès moral [2]. Le loisir permet seul cette prise de conscience et ce progrès, qui empêchent le repos d'être stérile et le distinguent de la simple oisiveté [3]. Il appartient à chacun de faire fructifier son loisir, en le rendant utile non seulement à lui-même, mais à tous les

1. « Une des occupations qui me semble la plus importante au bonheur de l'homme, c'est l'étude de l'emploi des loisirs. » (*Op. cit.*, p. 1).

2. « L'homme bien loin d'exister lui-même, tant qu'il est plongé dans l'ivresse des grandeurs ou emporté dans le tourbillon des occupations, semble ne devoir compter les jours de sa vie que du moment que, rendu à lui-même, il peut sans trouble et sans distraction réfléchir sur ses actions passées, pour réformer sa conduite et se rendre meilleur. » (*Ibid.*, p. VII).

3. « Quatre conditions font connaître avec certitude que le loisir est avantageux à celui qui l'embrasse : c'est lorsqu'il le rend heureux, qu'il lui apprend à se connaître, qu'il opère sa réformation et qu'il le perfectionne. » (*Ibid.*, p. 40).

hommes, en travaillant au bonheur de ses semblables [1]. Ne pas profiter du loisir pour accomplir tout le bien qu'on peut faire, ce serait manquer « à toutes les parties de sa vocation » [2].

Un loisir harmonieux et plein, faisant la part du repos personnel et de la vocation sociale, se compose de trois éléments : les « amusements tranquilles », c'est-à-dire ceux « dans lesquels les passions n'entrent pour rien », la « société d'amis choisis », enfin l'étude, qui offre le double avantage de maintenir l'esprit en éveil et de « rendre son loisir utile à la patrie » [3]. Un tel loisir, studieux et fécond, apparaît comme le couronnement de toute vie mondaine. *Qu'une vie est heureuse quand elle commence par le monde et qu'elle finit par le repos !* serait une maxime résumant assez bien l'opinion du siècle. Après avoir évoqué les tribulations éternelles de l'incorrigible passionné, Pecquet imagine la retraite sereine d'un mondain qui, au terme d'une « carrière honnête », ayant épuisé les prestiges du monde, s'enfoncerait dans une vie tranquille [4].

***

Le loisir ne se conçoit pas sans l'étude. Évidemment transposé de la morale antique, le loisir studieux apparaît comme le contraire de la frivolité et de l'ennui. Il est l'antidote nécessaire à toute vie mondaine. Voltaire écrit à Mme du Deffand : « L'étude a cela de bon qu'elle nous fait vivre tout doucement avec nous-mêmes, qu'elle nous délivre du fardeau de notre oisiveté et qu'elle nous empêche de courir hors de chez nous pour aller dire et écouter des riens d'un bout de la ville à l'autre [5]. » Cependant l'étude et le monde ne sont pas forcément ennemis. Ils peuvent s'harmoniser dans l'équilibre d'une vie parfaite

1. « Pour jouir d'un loisir heureux, il faut pouvoir se former un objet d'occupation réelle quoiqu'arbitraire. » (*Ibid.*, p. 21). « Il faut pour agir conséquemment et remplir sa vocation, rendre les occupations de son loisir analogues avec la profession qu'on a exercée. Or on en peut distinguer de deux espèces : ou de simple artiste, ou de travail de tête. Et dans l'une et l'autre espèce, il y a deux façons de rendre son loisir utile à sa patrie, ou en écrivant sur ce qui a fait l'objet de sa profession, ou en conversant avec ceux qui ont du goût et de la disposition pour les mêmes talents que l'on a eus. » (*Ibid.*, pp. 128-129).

2. *Ibid.*, p. 11.

3. *Ibid.*, p. 156. Le repos est presque toujours distingué de l'oisiveté. Cf. TRUBLET, *op. cit.*, t. III, p. 392 : « Il y a bien de la différence entre le repos et l'oisiveté. On est en repos quand on travaille doucement et sans être agité par les passions, ni inquiété par les besoins. Le repos n'exclut donc pas le travail ; il n'exclut que la peine, l'inquiétude, et une agitation excessive. » Seuls les épicuriens qui veulent faire scandale exaltent cyniquement la paresse. Cf. RÉMOND DE SAINT-MARD, *Nouveaux dialogues des dieux* (1711), t. I, p. 113 : « La paresse est la seule qualité qui mérite le nom de vertu et qui renferme de la perfection. La situation où nous met la paresse marque que nous sommes tels qu'il faut pour être heureux. »

4. « Il me semble que c'est à ce dernier tableau qu'il faut s'adresser pour trouver la vraie image du bonheur solide et réel. Le bonheur n'est dans aucun des états de la vie dont on a parlé, puisqu'il n'y a dans ces états que trouble et agitation. Il y a cependant des hommes heureux : ce sont donc ceux qui savent et peuvent se donner au repos et en faire bon usage. » (PECQUET, *op. cit.*, pp. 58-59).

5. Lettre du 19 février 1766, *Correspondance de Mme Du Deffand*, t. I, p. 338.

ou le programme d'une parfaite éducation. C'est ce qu'affirme Blondel [1] et qu'admet un être aussi peu mondain que Vauvenargues [2].

L'étude n'est donc pas seulement la justification de la retraite. Elle installe aussi un refuge au sein même de la vie mondaine, qu'elle transforme en un art de vivre. Le repos de l'étude compense plus qu'il n'abolit l'enivrement des futilités brillantes. En étudiant, on prend par rapport au plaisir une saine distance. Mais point n'est besoin d'aller se terrer dans un désert ou, comme Cleveland, dans une abbaye. A celui qui a quitté le monde, l'étude apprend à l'oublier. Au mondain éclairé qui ne renonce pas, elle apprend à le juger. Le laissant jouir de tout, elle le protège et le délivre.

L'étude n'est pas seulement faite pour informer le jugement, l'étayer prudemment d'une sagesse apprise. Elle est aussi cet asile où le cœur, dans les moments tragiques, va guérir ses blessures. Pour Mme du Châtelet, si « l'amour de l'étude est la passion la plus nécessaire à notre bonheur », ce n'est pas seulement parce qu'elle est une « source de plaisirs inépuisables », mais surtout « parce qu'elle est une ressource sûre contre le malheur ». Le bonheur de l'étude peut même n'être qu'un bonheur virtuel, un recours toujours possible pour les cas de détresse [3].

Au bout de quelques semaines de lectures et de travail, Des Grieux parvenait à oublier Manon. Un autre personnage romanesque, le héros des *Erreurs instructives*, sortant dégrisé d'une grande passion dont l'objet s'est révélé indigne, achève de se retrouver en étudiant [4]. Le remède agit même de façon préventive. Non content d'apaiser après coup les crises de l'âme, l'étude les rend impossibles, en assurant un calme permanent. Comme le dit Trublet, « pour que le cœur soit

1. « Deux choses sont nécessaires pour former un jeune homme : les livres et le monde. Tel qui n'a vu que des livres est souvent un sauvage ; tel qui n'a vu que du monde, un sot. Le premier est un homme toujours grave, quelquefois stupide, grossier par habitude, poli par distraction, et que toutes les plaisanteries du monde ne peuvent dérider. L'autre est un joli homme qui sait faire sa pirouette en entrant chez une femme, mettre dans sa tête un répertoire de fadeurs et les débiter, raconter la nouvelle du jour et rire à tout propos. Sont-ce là des gens aimables à votre avis ? Ne rien dire, c'est stupidité ; rire de tout, c'est sottise. » (BLONDEL, *Loisirs philosophiques*, pp. 15-16).

2. « Rarement l'étude est utile lorsqu'elle n'est pas accompagnée du commerce du monde. Il ne faut pas séparer ces deux choses : l'une nous apprend à penser, l'autre à agir ; l'une à parler, l'autre à écrire ; l'une à disposer nos actions et l'autre à les rendre faciles. L'usage du monde nous donne encore de penser naturellement et l'habitude des sciences de penser profondément. » (VAUVENARGUES, *Œuvres*, t. I, p. 46).

3. « Il n'est pas nécessaire d'étudier pour être heureux ; mais il l'est peut-être de sentir en soi cette ressource et cet appui. » (Mme DU CHÂTELET, *Réflexions sur le bonheur*).

4. « L'étude contribua beaucoup à ma guérison. L'excellent remède contre les passions ! Il les tempère sans les anéantir ; nous apprenons jusqu'à quel point nous pouvons nous y livrer ; les plaisirs auxquels l'étude nous arrache en deviennent plus vifs et plus fréquents par cette suspension nécessaire à l'entretien de leur durée, et l'habitude de réfléchir que nous contractons nous sert à ne compter nos peines que pour ce qu'elles valent et à nous en éviter. Mes jours coulèrent pendant plus de trois ans dans une paix délicieuse, toutes mes occupations étaient des amusements, et mon âme, qui se trouvait accrue à chaque nouvelle connaissance que j'acquérais, regardait le travail comme un trésor dans lequel elle se plaisait à fouiller. La volupté dont je jouissais n'avait pas, il est vrai, la vivacité de l'amour, mais elle était douce, égale et sans inquiétudes. » (JONVAL, *Les Erreurs instructives*, t. I, pp. 154-155).

tranquille, il faut que l'esprit ou le corps soient un peu agités » ; et il ajoute : « Le travail ne nous délivre pas seulement de l'ennui, mais encore de la tristesse, de la mélancolie, de l'inquiétude [1]. »

L'étude possède encore une fin plus pure. Recours précieux contre les accidents du cœur, elle est en même temps l'apothéose de l'esprit. La raison humaine, libérée des tentations, des compromissions ou des entraves, s'y retrouve et s'y savoure pleinement, en faisant l'essai de tous ses pouvoirs. Dans sa *Lettre sur le véritable usage de la retraite et de l'étude* (1752), Bolingbroke y voit « un état de liberté sous les lois de la Raison » [2].

De tous les objets d'étude, aucun n'a plus de charmes et ne contribue plus au bonheur que la physique [3]. Pendant toute la première moitié du siècle, avant d'être éclipsée par les sciences de la vie, la physique est la science à la mode. On la préfère à la philosophie parce qu'elle est plus concrète, moins incertaine, et surtout parce qu'elle peut se convertir plus facilement en images. Dans leurs traités, Regnault et Morin parlent beaucoup plus en visionnaires qu'en hommes de science [4].

1. TRUBLET, *op. cit.*, t. I, pp. 356-357. D'Argens est du même avis : « Il est impossible que nous jouissions de cette tranquillité d'âme qui fait le véritable bonheur si nous n'avons pas le soin de cultiver notre esprit et de le remplir de tout ce qui peut le rendre éclairé. » (*Sur la vie heureuse*, § XIII, *op. cit.*, t. III, p. 68). Cf. *ibid.*, p. 69 : « Les connaissances qu'on acquiert sont non seulement utiles, mais encore agréables. Elles donnent à l'âme une double satisfaction et la garantissent des atteintes de l'ennui, poison funeste à la tranquillité de l'esprit et qui corrompt les biens les plus précieux » ; et p. 70 : « L'étude nous fournit mille moyens pour nous dissiper les chagrins qui nous rendraient malheureux. » Évoquant le bonheur d'une vieillesse consacrée à l'étude, d'Argens ajoute en exemple : « C'est ainsi que vieillit aujourd'hui l'illustre Fontenelle. » (*Ibid.*, p. 71).

2. BOLINGBROKE, *op. cit.*, p. 13.

3. Dans ses *Entretiens physiques d'Ariste et d'Eudoxe* (1732), le Père Regnault affirme : « Le plaisir qui accompagne cette connaissance vaut à lui seul, à mon avis, tous les autres ensemble. La physique, dès le temps de Cicéron, était regardée comme la nourriture de l'esprit la plus douce, la plus délicieuse, la plus convenable » (p. 5) ; cf. *ibid.* : « Quels attraits ne doit-elle point avoir aujourd'hui qu'elle est enrichie d'une infinité de nouvelles découvertes ? A la lumière de cette science, l'esprit pénètre dans le secret de la terre ; il y démêle comment la nature s'y prend à former le diamant, l'argent et l'or pour nous enrichir ; il y découvre l'origine des vents et des feux souterrains ; il voit ces feux s'allumer, ces vents se former, ébranler la terre et répandre une salutaire horreur. Il aperçoit la force qui fait monter les eaux par mille canaux insensibles jusqu'à la cîme des montagnes pour y fournir ces sources si propres à nous rafraîchir... Du milieu des airs il s'élève jusqu'aux Planètes. Que dis-je ? Il s'élance de tourbillons en tourbillons jusqu'aux extrémités du monde ; et des astres les plus reculés, il revient considérer, avec plus d'agrément encore, la circulation rapide qui porte le sang et la vie dans toutes les parties du corps humain » (pp. 5-7).

4. Cf. abbé MORIN, *Abrégé du mécanisme universel en discours et questions physiques* (1735), pp. 1-3 : « Je dis en premier lieu que la Physique a beaucoup de charmes. Quels attraits, en effet, n'a pas une science qui est enrichie d'une infinité de découvertes ? Non, point d'occupation plus douce pour le physicien que de contempler la beauté, la structure charmante de cet univers. Si les hommes plongés dans les ténèbres d'une profonde ignorance ne considèrent jamais la nature qu'avec admiration, si les hommes qui n'aperçoivent, pour ainsi dire, que les dehors de ce bas-monde, ne se lassent point de le voir et ne le quittent qu'à regret, ah ! que sera-ce d'un physicien qui pénètre jusque dans le monde de la Nature, qui contemple ce grand et universel mouvement qui a arrangé et disposé tout cet univers ; *ce grand et universel mouvement qui allume et éteint les étoiles*, qui a suspendu les orbes célestes et leur a affecté différentes demeures, qui par des lois certaines et invariables diversifie à l'infini tous les phénomènes, qui affermit l'univers sur le néant. La Nuit enveloppée de ténèbres et d'horreur pour les autres hommes est une occupation des plus douces pour le physicien... Vous diriez que le ciel, attentif à ses connaissances, à ses lumières, attend, pour ainsi dire, les ordres du physicien pour faire apparaître à nos yeux tant de merveilles... A la lumière de cette science, il pénètre jusque dans le sein de la terre pour y voir opérer la Nature dans la

Ce qui plaît dans la physique, ce n'est pas sa qualité de science exacte, mais la possibilité qu'elle offre à l'esprit de parcourir l'univers, en se transportant tour à tour aux ultimes confins du monde des étoiles et dans les profonds embrasements du monde souterrain. Tel est le plaisir que donne cette science, pourtant austère : un plaisir d'imagination, qui met l'esprit en mouvement, et par voie de conséquence, le cœur en repos.

Lorsque Cleveland renonce à son premier plan de vie, de style purement mondain, pour tenter d'établir son bonheur sur un fondement plus solide, il élabore un nouveau plan, dans lequel la satisfaction des besoins de l'esprit occupe la première place. Mais ce n'est pas à la philosophie qu'il s'adresse. Il sait que la « vérité et la science philosophiques » ne sont que des « chimères de l'imagination »[1]. Il pense que l'étude de la nature, « ayant du moins un objet réel et sensible », a plus de chances de fixer l'esprit et aussi de le mieux captiver, puisqu'elle « roule sur les objets qui nous environnent ». A cette sécurité s'en ajoute une autre, c'est que « les erreurs où elle peut conduire ne sont jamais assez importantes pour altérer notre tranquillité ni celle d'autrui ». Ces différentes raisons engagent Cleveland à limiter à la physique son programme d'étude[2].

Lorsqu'il y aura joint l'exercice méthodique de la bienfaisance[3], il pensera avoir découvert le véritable repos. Tous les besoins du cœur et de l'esprit ne sont-ils pas remplis ? Il suffit de laisser surnager quelques plaisirs épisodiques, comme délassement nécessaire. Mais le héros prévostien n'est pas au bout de ses expériences amères : le repos ne suffisant pas à fermer tout à fait l'horizon de l'âme, son nouveau bonheur n'exclut pas un résidu d'angoisse. Il n'est pas encore à l'abri des vicissitudes terrestres[4], et la sagesse individuelle demeure perpétuellement exposée aux emportements et aux injustices de tous ceux qui n'ont pas renoncé aux passions[5]. Sans doute Cleveland a-t-il

conformation des différents corps qui s'engendrent dans ses entrailles. Là il voit des feux s'allumer, creuser des abîmes, ébranler la terre jusque dans ses fondements, lancer jusqu'aux cieux des torrents de flammes, des fleuves de feu, des rochers fondus, des cendres brûlantes, et répandre partout l'épouvante et l'effroi. »

1. *Op. cit.*, t. VIII, p. 134.

2. « Je ne me proposai point d'autre objet pour l'esprit ; et si je ne donnai point d'exclusion absolue au reste des sciences et des arts, ma résolution fut de ne les admettre qu'à la même condition que les plaisirs, c'est-à-dire par intervalles et comme simples délassements. » (*Ibid.*, p. 135).

3. Cf. *ibid.*, pp. 135-137.

4. « *Mais ce bonheur même que je fais consister dans la modération est-il sans trouble et sans mélange ?*... Pour moi je confesse que dans un état où je voyais effectivement peu de choses à désirer, il me restait des craintes, et je ne donne pas seulement ce nom à mes inquiétudes pour Cécile en qui je découvrais, au travers de tous les voiles, *un cœur perpétuellement agité*; mais avec assez de raison pour réfléchir sur ce qui se passait autour de moi, pouvais-je voir quantité de gens moins heureux sans être averti par leur exemple que *le bonheur qui m'était accordé dépendait de mille biens* qui leur manquaient et dont je pouvais être privé comme eux, puisque je les devais au seul *hasard* et qu'il ne les avait pas attachés nécessairement à ma personne. » (*Ibid.*, pp. 235-236).

5. « Quoi, nous appelons tranquille et heureuse une vie qui est dépendante à tous moments

beaucoup gagné à quitter les frivolités mondaines, à vider son cœur de tout sentiment excessif. Mais un long chemin lui reste à parcourir, avant d'atteindre le stade définitif du bonheur, qu'il trouvera dans la foi, le renoncement à tout ce qui n'est pas éternel. La dialectique du bonheur dans *Cleveland* est déjà celle qu'incarnera la destinée de Julie dans *La Nouvelle Héloïse.*

On se heurte à la deuxième limite du repos. La première était de nature psychologique : le repos ne risque-t-il pas de se changer en une oisiveté morose, plus ou moins voisine du spleen ? Celle-ci est d'ordre moral ou métaphysique : permet-il d'effacer les risques inscrits dans la nature humaine, d'oublier la précarité de toute chose ? Le repos n'est pour l'homme que le meilleur aménagement possible de sa condition. En aucun cas il ne lui permet d'y échapper.

***

Le bonheur domestique est à la vie de l'âme ce que l'étude est à l'esprit : un état d'épanouissement et de calme, qui conduit à la vraie plénitude. La famille apparaît ainsi comme l'une des harmoniques les plus larges et les plus riches du repos [1]. Dans ses *Réflexions sur les femmes,* Thomas imagine une société épurée où « la vie inquiète et turbulente » du monde serait remplacée par la vie de famille : « Dans cet état, la société serait moins active sans doute, mais l'intérieur des familles serait plus doux ; il y aurait moins d'ostentation et plus de plaisir, *moins de mouvement et plus de bonheur* [2]. » Pour

des passions déréglées d'autrui, et l'on prendra la moindre confiance dans un calme trompeur, où l'on ne serait jamais sans crainte, si l'on en connaissait tous les dangers... » (*Ibid.*, p. 154). « Eh ! quoi ! m'écriai-je, il ne suffit pas à un honnête homme de n'avoir plus à combattre contre la Fortune et de travailler à établir la paix dans son propre cœur ? Il est en guerre avec les passions d'autrui, lorsqu'il se flatte de pouvoir calmer les siennes ; et pour vivre tranquille, il faudrait qu'après s'être réglé lui-même, il vînt à bout de communiquer le même goût d'ordre et de tranquillité à toutes les créatures de son espèce. » (*Ibid.*, p. 217).

1. Sur la vie de famille au XVIIIe siècle, consulter PILON, *La vie de famille au XVIIIe siècle,* et surtout l'excellente étude de X. LANNES, *Le XVIIIe siècle : l'évolution des idées. Renouveau des idées sur la famille,* I.N.E.D., Travaux et Documents, n° 18, 1953. Cf. en particulier p. 38 : « Dans le siècle qu'on se représente comme une époque de dissolution morale et qui le fut en effet par certains côtés, le mariage et les vertus domestiques eurent d'ardents défenseurs. Mieux même, la pensée philosophique dans son ensemble verra la famille comme la première et la plus naturelle des sociétés. La convergence sur ce point de tous les courants du siècle est remarquable : du pessimisme voltairien à l'optimisme des encyclopédistes, de l'objectivité scientifique de Buffon au naturalisme de parti pris des âmes sensibles, l'accord est unanime pour placer l'union conjugale sur le piédestal réservé aux institutions conformes au vœu de la nature. » L'auteur explique en particulier de quelle façon la conception de la famille « s'humanise ». Pour l'ancienne société, la famille était une « lignée », une « personne morale investie d'une sorte de souveraineté, dont le père était l'instrument ». A partir du XVIIIe siècle, elle n'est plus que le « groupe formé d'un homme, d'une femme et des enfants nés de leur union ». Autrement dit, on passe de la famille *patriarcale* à la famille *conjugale* : « A l'ancienne conception religieuse, autoritaire et patriarcale, que dans l'ensemble les mœurs avouaient encore », l'esprit nouveau « entendit substituer une conception naturaliste, individualiste et contractuelle, à laquelle le législateur révolutionnaire devait tenter de donner une forme juridique ». (*Ibid.*, p. 34).

2. THOMAS, *Réflexions sur les femmes,* p. 206 ; cité par GOURCY, *Essai sur le bonheur,* pp. 189-191.

Rousseau, la famille représente la seule forme sociale de ce « rapprochement de soi » qui est l'essence du bonheur [1]. Les sentiments familiaux ont sur tous les autres un double avantage : ils sont plus durables, « puisque la mort seule peut les éteindre » et plus purs, « puisqu'ils tiennent de plus près à la nature ». C'est dans la famille, non dans les étourdissements du monde et la violence des passions qu'il faut chercher la félicité [2].

L'amour de la vie familiale suffit à révéler la perfection d'une âme. Seuls les êtres raisonnables et vertueux en sont susceptibles. Cette leçon se dégage de toute *La Nouvelle Héloïse,* et L. S. Mercier affirme de son côté : « C'est une preuve d'esprit et de raison que d'aimer ainsi la vie domestique [3]. » C'est aussi la preuve d'une grande richesse intérieure, car une âme ordinaire ne peut éprouver le repos familial que comme une insipide monotonie [4].

En un siècle où les intrigues mondaines, la tranquillité dans l'adultère, la convention ou la contrainte d'unions conjugales qu'il eût été intolérable d'assumer fidèlement, faisaient des mariages heureux une exception en même temps qu'un ridicule, il est naturel que l'existence familiale n'apparaisse pas comme un mode de vie habituel et facile, mais comme une promotion de l'être moral, qui donne toute la mesure d'une âme d'élite et lui apporte le bonheur en récompense. Aussi la félicité conjugale, qui est décrite comme un bonheur simple et calme, est-elle célébrée paradoxalement sur le ton de l'exaltation vertueuse [5] ou du lyrisme sentimental [6], dont la tension et la maladresse accusent

1. « L'habitude la plus douce qui puisse exister est celle de la vie domestique, qui nous tient plus près de nous qu'aucune autre ; rien ne s'identifie plus fortement, plus constamment avec nous que notre famille et nos enfants. » (ROUSSEAU, Lettre à Mme B., du 17 janvier 1770, *Œuvres,* Hachette, 1865, t. XII, p. 181).

2. « J'ai beau chercher où l'on peut trouver le vrai bonheur, s'il est sur la terre, ma raison ne me le montre que là. » (*Ibid.*).

3. L. S. MERCIER, *Contes moraux,* p. 6.

4. « Il faut avoir l'âme très riche pour ne pas y trouver l'ennui et s'être formé un cœur bien sensible pour voir toujours avec intérêt les mêmes personnes et s'amuser toujours avec les mêmes objets. » (*Ibid.*).

5. Cf. la tirade du « Père de famille » de Diderot : « O lien sacré des époux, si je pense à vous, mon âme s'échauffe et s'élève ! O noms tendres de fils et de fille, je ne vous prononcerai jamais sans tressaillir, sans être touché ! Rien n'est plus doux à mon oreille, rien n'est plus intéressant à mon cœur... » (*Le Père de famille,* II, 2, *Œuvres complètes,* Assézat-Tourneux, t. VII, p. 211).

Cf. d'Holbach : « Heureuse médiocrité ! C'est souvent dans ton sein que se trouvent les époux fortunés. C'est là que l'on voit un père vigilant et laborieux jouir, à côté d'une épouse vertueuse, de la récompense des soins qu'il a donnés à sa famille. C'est là qu'entourés d'enfants respectueux et tendres, des parents bienfaisants exercent l'empire si juste que donne *(sic)* la bienfaisance et la bonté paternelle. C'est là qu'une vie sagement occupée détourne les esprits des idées vicieuses et des plaisirs bruyants qui trop souvent sont les écueils de l'innocence et de la fidélité domestique. » (*Système social,* t. III, p. 140).

6. Dans *Des hommes tels qu'ils sont et doivent être,* BLONDEL énumère et détaille les petites voluptés conjugales : « Le charme du recueillement pendant lequel deux époux, lassés des plaisirs bruyants, sont abandonnés à eux seuls et semblent oublier l'univers ; ces instants de solitude où l'on se donne mutuellement tous ces petits noms qui disent tant de choses ; ce silence enchanté qui succède aux expressions passionnées ; ces bagatelles qui deviennent intéressantes, ces innocentes agaceries, ces caresses naïves, ce badinage si aimable où le cœur et l'esprit semblent se disputer la palme ; ces larmes de repentir lorsqu'on s'est légèrement offensé ; ces soupirs si séduisants, lorsqu'on s'est demandé pardon, ces larmes de tendresse

la distance entre le prestige d'un idéal lointain et la difficulté de faire entrer dans les mœurs ce qui demeure un rêve édifiant. La vie familiale, la joie intime de deux époux, se revêtent même d'un tel éclat idyllique qu'on les chante en poésie et qu'on assiste quelquefois à un embourgeoisement de la pastorale [1].

Le fond du bonheur domestique, c'est l'innocence. L'amour entre époux est le seul à ne pas comporter d'amertume, car il est le seul que n'entache aucune faute, que ne compromet aucune violence. Un tel bonheur s'enrichit et se rehausse de tous les pouvoirs de l'ordre moral et de l'ordre social qu'il symbolise. D'autre part, il est au niveau d'une vie moyenne, également éloignée de l'ascétisme et du libertinage, et s'insère parfaitement dans une morale de la « médiocrité ». C'est ce caractère « médiocre » qui en fait un bonheur solide et stable. Assuré une fois pour toutes, il fournit pour d'éventuelles disgrâces un refuge toujours sûr. Enfin, la plus haute vertu y coïncide avec la plus grande économie des moyens [2]. Le repos qui en émane

lorsqu'on s'est embrassé, cette sérénité de l'âme lorsqu'on a oublié la faute, cette voix tremblante et affectueuse, ces mains l'une dans l'autre, ces deux têtes penchées l'une vers l'autre, ces regards si tendres et si éloquents, cette langueur attrayante, ce doux sourire, ce serrement de cœur qui ne s'exprime point, ce trouble, ce désordre, ces promesses de ne plus se fâcher, ces serments de s'aimer toujours, ces baisers pendant lesquels on ne respire plus parce que le cœur s'est placé sur les lèvres, ces transports où l'âme semble ne pas se suffire à elle-même à force qu'elle sent trop à la fois, etc... » (*Op. cit.*, pp. 81-82). Sous la mièvrerie et la convention, c'est un climat d'allègement et de profond repos que l'auteur veut suggérer. Dans ce texte maladroit, tout est significatif. Deux amants pourraient faire les mêmes gestes que ces deux époux heureux. Mais leur bonheur ne serait pas de même qualité, car il ne serait pas *innocent*. L'exaltation et le trouble se substitueraient à ce parfait épanouissement de l'âme.

Le bonheur conjugal est encore plus riche et plus émouvant lorsque des enfants viennent aimablement s'ébattre autour des époux. Dans *L'Heureux citoyen*, on assiste à la promenade familiale d'Ariste et de « l'aimable et charmante Aldegonde, sa chère épouse ». Tous les thèmes du repos se trouvent ici réunis : tendresse conjugale, famille, nature, plaisirs de l'esprit (on notera le caractère fort éclectique des lectures) : « De quelque côté qu'ils tournent les yeux, ils ne voient rien qui ne contribue à leur félicité. Les jardins, les vergers où ils se promènent, où ils goûtent mille plaisirs auraient pu servir de modèle au charmant et délicieux Eden de Milton. Qu'il est beau de les y voir accompagnés de leurs chers enfants ! Tandis que ceux-ci jouent et folâtrent ensemble, ce couple heureux se nourrit d'une lecture sérieuse et utile ou s'amuse d'une lecture agréable qu'ont précédée d'innocentes caresses, des propos badins, tendres et spirituels. De la morale toute divine des livres saints, ils passent à la morale plus humaine mais très belle de Platon, de Sénèque, de Cicéron. Tantôt ils s'amusent avec un plaisir infini des aimables naïvetés de Chloé et de Daphnis, de leurs pèlerinages et de leurs sacrifices dans la grotte des Nymphes. Tantôt ils parcourent le superbe et délicieux temple de Gnide ; ils s'y reconnaissent dans les amants constants et fidèles qui y sont peints. Tantôt ils font répéter aux échos attendris les plaintes touchantes, les reproches amoureux de la tendre et infortunée Zilia à son cher Aza. Quand ils ont fini leur lecture, ils permettent à leurs enfants de venir les caresser. » (GUILLARD DE BEAURIEU, *op. cit.*, pp. 36-38).

1. Cf. les œuvres poétiques de Ducis consacrées à l'exaltation du bonheur conjugal et domestique, en particulier l'*Épître contre le célibat* (*Œuvres complètes*, 1826, t. III, p. 34), qui expose combien l'amour conjugal diffère, par l'apaisement heureux qui l'accompagne, de la frénésie et des tortures de la passion. Cf. également l'*Épître à ma femme* et l'*Épître à ma sœur* (p. 75), qui contient la description d'un repas familial dans le style de Chardin. Sur le mode majeur, le lyrisme plat et ampoulé de Lefranc de Pompignan célèbre le bonheur conjugal dans un décor de pastorale bourgeoise. Il oscille entre le moralisme le plus solennel et la plus ridicule mièvrerie : cf. *Œuvres*, 1784, t. I, pp. 327-328, et t. II, pp. 257-266.

2. « Sur quels plaisirs peut-on compter plus sûrement que sur ceux de la vie domestique, lorsqu'on sait se les procurer ? Ce sont des plaisirs de tous les jours et de tout âge : plaisirs toujours prêts, indépendants des combinaisons sans nombre de la société plus étendue ; plaisirs sans agitation ni remords ; plaisirs surtout qui ne demandent point la tranquillité de l'esprit ni même la santé pour en jouir, puisqu'au contraire ils sont un des remèdes les plus doux contre

est donc un mélange de pureté, de permanence et de facilité [1].

Le bonheur familial ne tient pas seulement à la *qualité* des sentiments dont il se compose. Il est lié à une certaine *structure*. C'est un bonheur de *groupe*, un état moyen entre la sociabilité étendue au « monde », où l'on risque de se perdre, et la solitude, insupportable à toute âme sensible. Le milieu familial se dessine ainsi comme une société restreinte, un petit monde parfait, où l'on peut jouir du bonheur d'être avec les autres sans s'exposer aux dangers de l'aliénation. A l'intérieur du groupe, des relations de nature différente s'établissent. Le bonheur domestique suppose une *polyvalence du cœur*, dont il remplit et épuise les besoins, grâce aux divers liens — conjugal, paternel, maternel, filial, fraternel — qui tissent la trame de l'univers familial.

Le thème de la société parfaite s'épanouit dans *La Nouvelle Héloïse*. A l'intérieur du groupe de Clarens, des rapports subtils se nouent entre les cœurs. Chacun fixe simultanément ses sentiments sur plusieurs êtres, sans pour autant se diviser. Tel est le bonheur de Julie, au centre de ce petit monde domestique. Il est si insolite et si absolu qu'on se croit en présence d'un mystère : Julie existe en plusieurs personnes. Son être intime reste parfaitement unifié, bien qu'il soit réparti entre tous [2].

les souffrances du corps et les peines de l'âme. » (DE LUC, *Lettres physiques et morales sur les montagnes*, p. 13).

1. D'Holbach souligne : « La possession d'une femme aimable ou vertueuse est sans doute la plus douce des possessions... Est-il sur la terre de félicité plus pure que celle que peut donner le commerce habituel de deux époux ? » (*Système social*, t. III, p. 139). Commentant une page extraite du *Discours sur les mœurs* de SERVAN, qui contient un « tableau ravissant » du bonheur conjugal, Gourcy s'émerveille : « Voilà véritablement des plaisirs et des mœurs de l'âge d'or ». Mais il a peine à croire que la réalité soit exactement à l'image de l'idéal. Si elle l'était, « la condition des célibataires serait trop malheureuse » (GOURCY, *op. cit.*, pp. 193-195).

Certains célibataires, pourtant, ne s'estiment pas tellement à plaindre. Cf. les *Réflexions philosophiques sur le plaisir par un célibataire* (1783) de GRIMOD DE LA REYNIÈRE : « On compte en cette capitale 100.000 célibataires, ce qui fait environ 1 /7e de la population» (p. 65). D'autres auteurs soulignent l'absurdité et l'hypocrisie du mariage tel qu'il se pratique dans le monde : « Je vous avoue que le mariage, quoique fort respectable, m'a toujours paru un tant soit peu indécent : on oblige une fille de recevoir publiquement dans son lit quelqu'un qu'elle ne connaît pas et elle est déshonorée d'y recevoir en secret quelqu'un qu'elle adore. » (VOISENON, *Histoire de la Félicité*, p. 32). Cf. également le traité *De l'Éducation des femmes* de LACLOS, qui n'est probablement pas, contrairement à ce que dit X. LANNES (*op. cit.*), « le seul anti-conjugal de son temps ».

2. De ce bonheur du groupe familial, voici, évoqué par Julie, l'enivrant apogée : « Je n'oublierai jamais un jour de cet hiver, où, après avoir fait en commun la lecture de nos voyages et celle des aventures de votre ami, nous soupâmes dans la salle d'Apollon et où, songeant à la félicité que Dieu m'envoyait en ce monde, je vis autour de moi mon père, mon mari, mes enfants, mes cousins, Milord Edouard, vous, sans compter la Fanchon, qui ne gâtait rien au tableau, et tout cela rassemblé pour l'heureuse Julie. Je me disais : « Cette petite chambre contient tout ce qui est cher à mon cœur et, peut-être, tout ce qu'il y a de meilleur sur la terre ; je suis environnée de tout ce qui m'intéresse ; tout l'univers est ici pour moi ; je jouis à la fois de l'attachement que j'ai pour mes amis, de celui qu'ils me rendent, de celui qu'ils ont l'un pour l'autre ; leur bienveillance mutuelle ou vient de moi ou s'y rapporte ; *je ne vois rien qui n'étende mon être et rien qui le divise ;* il est dans tout ce qui m'environne, il n'en reste aucune portion loin de moi ; mon imagination n'a plus rien à faire ; je n'ai rien à désirer ; sentir et jouir sont pour moi la même chose ; je vis à la fois dans tout ce que j'aime ; je me rassasie de bonheur et de vie. O mort ! viens quand tu voudras, je ne te crains plus, je t'ai

Ce thème du groupe familial dont Rousseau tire de si profondes résonances, apparaissait déjà dans les romans de Prévost [1]. Dans les deux cas, le bonheur domestique a pour fonction de dépasser l'amour, de l'insérer dans un contexte humain plus large, de l'harmoniser avec d'autres sentiments, qui le complètent ou en tempèrent les excès possibles. Dans l'idéal du repos, où le bonheur se définit non par l'intensité, mais par l'équilibre, l'amour ne suffit pas à épuiser la vie du cœur : jamais il ne se donne pour un absolu. Le repos exige des relations humaines plus complexes. Le cœur de l'homme heureux doit contracter des liens de différente nature. Sa sensibilité ne trouve à s'assouvir que dans la variété de ses attachements. Voilà pourquoi l'amour conjugal réclame toujours, comme corollaire, l'amitié [2]. Le plus souvent, on rencontre une sorte de triptyque du repos : famille, amitié, campagne. Dans son *Essai sur la nature champêtre*, Lezay-Marnesia s'écrie : « Comme ma vie était douce dans le calme des occupations champêtres, dans les épanchements de l'amitié et dans les transports de l'amour paternel [3] ! »

***

L'amitié occupe une place importante parmi les composantes affectives du repos. Elle est le sentiment apaisant par excellence. Elle rassure cette crainte fondamentale qui est dans le cœur de l'homme, cette panique qui fige secrètement chaque conscience devant la nécessité de vivre [4]. Un ami est comme une image sublimée de nous-mêmes ; l'amitié un état idéal de protection, le meilleur remède contre l'angoisse [5], le refuge de l'âme [6].

prévenue ; je n'ai plus de nouveaux sentiments à connaître, tu n'as plus rien à me dérober. » (ROUSSEAU, *La Nouvelle Héloïse*, IVe partie, Lettre VIII).

1. Cf. *Mémoires d'un homme de qualité*, t. I, p. 30 ; *Cleveland*, t. IV, pp. 125-126 ; *Le Doyen de Killerine*, t. III, p. 232.

2. Malgré son optimisme, Gourcy reconnaît que « le mariage, à moins qu'aux plaisirs de l'union conjugale il ne réunisse les ressources de l'amitié, est bien loin de suffire pour le bonheur de l'homme, pour remplir ses désirs et ses besoins. » (GOURCY, *op. cit.*, p. 189).

3. LEZAY-MARNESIA, *Essai sur la nature champêtre*, p. 21.

4. « La présence, l'idée d'un ami vertueux qui a nos goûts, nos opinions, notre manière de vivre, nous délivre de cet état de crainte et d'inquiétude si pénible pour l'homme. » (PLUQUET, *De la sociabilité*, t. I, p. 143).

5. « Nous ne pouvons envisager notre ami, nous ne pouvons nous rappeler son idée sans être parfaitement contents de nous-mêmes ; la vue d'aucun objet ne nous procure autant de plaisir et de joie ; sa présence est une espèce de vision béatifique. » (*Ibid.*).

6. Dans *Le Bonheur rural*, l'amitié est ainsi présentée : « C'est de cette source que découlent les plus touchantes consolations ; c'est dans cette liaison formée par le penchant et fondée sur une mutuelle estime qu'on éprouve un charme délicieux bien plus facile à saisir qu'à expliquer. Ce sentiment aide l'âme à se détacher de tous les autres intérêts ; et dans les plus grands revers il colore même à nos yeux appesantis le spectacle de la vie et nous le fait chérir. Heureux, mille fois heureux, celui qui jouit d'un si précieux trésor ! Dans tous les événements de la vie, appuyé sur le sein de son ami, l'homme le voit à ses côtés disposé à recevoir les sentiments les plus secrets de son cœur. C'est à cette source pure qu'il trouve un remède assuré contre les inquiétudes de son âme. » (P. ÉTIENNE, *Le Bonheur rural*, t. I, p. 74).

Cf. PERNETTI, *Conseils de l'amitié*, pp. 89-91 ; MONTENAULT, *Essai sur les passions*, t. I, pp. 154-164 ; HENNEBERT, *Du Plaisir*, t. I, p. 153 ; D'HOLBACH, *Système social*, t. III, pp. 147-

Elle est également un repos en un sens plus précis : elle permet de faire l'économie de l'amour. Il est d'usage d'établir entre les deux sentiments un parallèle qui est presque toujours à l'avantage de l'amitié. L'amour n'est qu'égarement, désordre, violence et fureur. Il consume l'âme plus qu'il ne l'assouvit, et rend indisponible pour toutes sortes d'engagements, de curiosités ou de devoirs. Instrument du malheur, il est en outre l'ennemi de la conscience, car il peut fort bien subsister sans la vertu. L'amitié au contraire est un sentiment dont l'excès n'est pas concevable ou, du moins, pas dangereux. La modération s'inscrit en elle, qui demeure toujours égale et n'a presque jamais de crise à affronter. D'autre part, elle est liée par nature à la vertu : plus *morale* que l'amour, elle n'entame pas l'intégrité de l'âme. Sans doute est-elle moins vive que lui, moins capable de susciter des émotions extrêmes, dont certaines sont chargées de délices. Mais elle compense cette relative tiédeur par le calme profond qu'elle apporte, le rayonnement discret qui l'accompagne. C'est donc à l'amitié qu'est attaché le plus grand bonheur [1].

Une fois conclu ce pacte fondamental entre l'amitié et le repos, une fois admise l'idée que l'amitié est l'apanage des âmes vertueuses, qu'elle suffit à révéler la qualité d'une conscience, au point que les amis parfaits constituent un clan aristocratique au sein de l'humanité, on peut la considérer avec confiance, l'autoriser à l'abandon ou à l'outrance, et l'on assiste alors à certains enthousiasmes, nés de l'amitié et nourris par elle, qui sont tout à fait comparables à la véhémence amoureuse. Comme le dit Voltaire, l'amitié est le « seul mouvement

148 ; MARMONTEL, *Contes moraux*, t. III, p. 75 ; Mme DE LAMBERT, *Traité de l'amitié*, dans SAINT-HYACINTHE, *Recueil de divers écrits sur l'amour et l'amitié*, p. 50.

1. « Celui qui a dit qu'il n'y avait pas de véritable bonheur sur la terre, sans doute qu'il ne connaissait pas l'amitié, ou il ne la crut pas possible parmi les hommes. L'amitié n'offre pas les plaisirs de l'amour, il est vrai ; elle seule cependant peut nous assurer le bonheur. Si elle n'a pas la vivacité et les transports de l'amour, elle n'en a pas non plus les tourments, les regrets, les dégoûts, les faiblesses, les remords, les caprices et les fureurs. » (GOURCY, *op. cit.*, p. 197). « L'amitié ne consiste pas dans ces démonstrations excessives et dans cette ardeur effrénée qui n'appartient qu'à l'amour. C'est un feu doux mais toujours égal qui nous échauffe sans nous consumer... Le sentiment qu'il excite dans les cœurs *dignes de la ressentir* est actif quoique sage et prudent ; il est quelquefois même supérieur à l'amour ; il n'est sujet ni à l'inconstance, ni au dégoût, et la satiété lui est inconnue. Ce n'est que dans les cas extrêmes, lorsqu'il s'agit de se porter au secours d'un ami, que l'amitié abandonne *cette sage modération qui la distingue de l'amour... Que les hommes ne disent plus qu'ils sont nés pour être malheureux ; s'ils connaissent l'amitié, ils peuvent tous aspirer au bonheur.* » (Mme THIROUX D'ARCONVILLE, *De l'Amitié*, pp. 7-9). « L'amour est une passion aveugle et tumultueuse, qui s'empare de l'âme par la voie des sens, qui, sous l'attrait du plaisir, cause les plus violents chagrins, énerve le cœur, abrutit l'âme et plonge le malheureux qui en est attaqué dans un état de crise dont il ne sort pas quand il veut... L'amitié, au contraire, est un sentiment doux et tranquille, qui remplit l'âme sans trouble, console des maux de la vie, aide à les supporter et soulage en quelque sorte du fardeau qu'ils imposent ; c'est la passion des cœurs vertueux ; elle fait naître, elle entretient un épanchement secret, source de mille félicités inconnues ; elle prolonge la vie, en double le prix et soutient l'homme dans ses malheurs comme elle le réjouit dans le cours de ses prospérités. Les transports de l'amour sont des illusions passagères que le retour de la raison anéantit et dissipe ; les jouissances de l'amitié sont des plaisirs réels, dont le temps affermit la durée et dont rien ne peut altérer la constance. » (GRIMOD DE LA REYNIÈRE, *op. cit.*, pp. 19-20).

de l'âme où l'excès soit permis »[1]. On n'oppose plus alors l'amitié à l'amour. On restitue à l'amitié tous les prestiges de l'amour et on l'affecte des mêmes transports. L'amitié n'est plus le sentiment antagoniste de l'amour. Si elle en expulse les dangers, elle en conserve toutes les ivresses[2].

Le thème du bonheur par l'amitié envahit la littérature. Il donne à certaines correspondances l'accent d'une pénétrante humanité[3]; il fournit à la poésie lyrique des vibrations plus originales que les frémissements érotiques traditionnels[4]; il favorise le renouvellement de certaines intrigues romanesques[5] et demeure l'un des

1. *Œuvres*, éd. Moland, t. IX, p. 405.

2. « L'amitié, qui ne diffère de l'amour que par quelques nuances de plaisir physique et qui n'en est pas elle-même privée, qui a comme lui des désirs, des caresses, des larmes, des sourires, des battements de cœur, une volupté et de délicates inquiétudes et jusqu'à la jalousie, cet assaisonnement un peu trop âcre, de qui la pointe néanmoins est peut-être nécessaire à tous les attachements humains... » (DUPONT DE NEMOURS, *Philosophie de l'Univers*, pp. 95-96).

« L'amitié s'enrichit des pertes de l'amour ; elle en devient plus tendre, plus vive et plus empressée. Toutes les délicatesses de l'amour se trouvent dans les engagements dont je parle... Nous jouissons dans l'amitié de tout ce que l'amour a de plus doux... » (Mme DE LAMBERT, *Traité de l'amitié*, *op. cit.*, pp. 52-53). Mme de Lambert renverse même la proposition : ce n'est plus l'amitié qui se définit par l'amour, mais l'amour qui se définit par l'amitié. L'amitié apparaît ainsi comme l'apogée ou le couronnement du parfait amour : « La récompense de l'amour vertueux, c'est l'amitié, mais ce n'est pas l'amour ordinaire qui vous y conduit, c'est l'amour épuré. » (*Ibid.*, p. 61).

3. Cf. l'abbé Galiani évoquant douloureusement la mort de Mme d'Épinay : « Mme d'Épinay n'est plus ! J'ai donc cessé d'être !... J'ai tout perdu ! On ne survit point à ses amis ! » (Lettre à Mme du Bocage, 10 juin 1783, *Correspondance*, t. II, pp. 332-333) ; et les multiples allusions à l'amitié dans les lettres de Mme Du Deffand : « Y a-t-il un autre plaisir, un autre bonheur, que d'épancher son cœur avec un ami sur lequel on compte uniquement ? » (Lettre à Walpole, 1er novembre 1766, *Correspondance*, t. I, p. 390). « Vous prévenez, vous sollicitez tous mes désirs ; vous remplissez toutes mes idées sur l'amitié, vous m'aimez comme je prétends qu'on doit m'aimer, en un mot comme j'aime, c'est le *nec plus ultra*. Voltaire a dit de l'amitié : « Change en biens tous les maux où le ciel m'a soumis... » Je jouis d'un bonheur que j'ai toujours désiré et que j'ai été prête à croire une pure chimère : je suis aimée ». (Lettre à la duchesse de Choiseul, 20 janvier 1771, *ibid.*, t. I, p. 319). Cf. également la très belle lettre de la duchesse de Choiseul à Mme Du Deffand (3 février 1771, *ibid.*, t. I, pp. 332-333).

4. Cf. RAMOND, *Hymne à mon ami*, *Élégies*, pp. 19-22, où le thème de l'amitié se trouve exquisement associé, dans un admirable lyrisme en mineur, au thème de la nuit, du silence et du sommeil, à travers la conscience d'un apaisement, voisin de l'inexistence ou de l'extase, qui favorise la confusion entre la réalité et le rêve ; DUCIS, *Épître à l'amitié*, *Œuvres*, t. III, p. 23.

5. Cf. CHASTENET DE PUYSÉGUR, *Histoire de Mme de Bellerive* (1780). Mme de Bellerive, comme tant d'autres personnages de la littérature romanesque, est à la poursuite du bonheur. Or son éducation l'a mise en garde contre l'amour. A cette méfiance inculquée s'ajoute la peur instinctive de souffrir, ainsi que la dignité et le respect de soi d'une femme profondément honnête. A l'amour Mme de Bellerive décide donc de substituer l'amitié, qu'elle confond avec le bonheur. Elle recherche la parfaite amitié avec la même passion, le même sentiment d'absolu, que d'autres mettent à pourchasser l'amour. Toute sa vie sera employée à distinguer soigneusement, au moyen d'une méthode et d'une ascèse rigoureuses, l'amour de l'amitié, ou à métamorphoser l'un en l'autre. C'est le sens des trois expériences que Mme de Bellerive tente avec ses amants successifs. Ses deux premières liaisons seront des échecs, parce qu'à l'amour succède l'indifférence. Au contraire, Mme de Bellerive découvre le bonheur lorsque son dernier amant, M. de Lérac, lui annonce qu'il n'est plus amoureux d'elle et qu'il a converti sa passion en amitié : « Félicitez-moi, ma chère comtesse, je viens de faire une connaissance qui assure mon bonheur. L'amour m'a aveuglé jusqu'à ce jour ; à force de chercher à pénétrer au fond de mon cœur, j'y sens, de la façon la moins équivoque, qu'enfin l'amitié que j'ai pour vous est tout aussi tendre, mais plus puissante que l'amour. Si votre bonheur pouvait dépendre de la possession d'un amant qui ne fût pas moi, j'irais vous le chercher au bout du monde pour vous voir heureuse et jouir de votre reconnaissance. » (*Op. cit.*, pp. 227-228). Paroles décisives qui apportent à Mme de Bellerive la réalisation de son rêve de toujours. C'est sur le point d'orgue de la pure amitié que se termine le roman : « Il y a aujourd'hui quinze à seize ans

sujets favoris des moralistes qui s'interrogent sur la nature des sentiments [1].

***

Le bonheur domestique et l'amitié constituent le décor humain du repos. Mais le repos n'est complet que s'il possède aussi un décor naturel : la vie champêtre ou les jardins.

On a maintes fois décrit les symptômes de l'engouement du siècle pour la vie champêtre. Les contemporains sont les premiers à les avoir signalés. Diderot et l'auteur du *Bonheur rural* expliquent par la nostalgie de la campagne l'habitude qu'ont les mondains de décorer leurs salons de scènes pastorales [2]. De même, toute la poésie se fait champêtre pour répondre à l'attente des âmes [3]. Les plus audacieux, las de se repaître de rêves, n'hésitent pas à fuir aux champs, après s'être munis des « ustensiles nécessaires à un berger » [4]. Pour se préparer à ces nouvelles tâches, on fait alterner la lecture des agronomes

que son attachement pour moi n'a pas souffert la plus légère altération et que je lui dois le bonheur le plus constant que jamais femme ait goûté. »

1. Cf. les principaux traités consacrés, totalement ou en partie, à l'amitié : de Sacy, *Traité de l'amitié* ; Mme de Lambert, *Traité de l'amitié* (conception héroïque, mondaine et vertueuse de l'amitié ; l'amitié dans ses relations avec l'honnêteté, la vertu et la gloire) ; Dupuy, *Réflexions sur l'amitié* (réfutation de Mme de Lambert : l'amitié est fondée non sur la vertu, mais sur le plaisir) ; P. Buffier, *Traité de la société civile* (l'amitié, forme élaborée et nécessaire de l'amour-propre bien compris) ; Caraccioli, *Les Caractères de l'amitié* (description surtout morale) ; Pluquet, *De la sociabilité* (l'amitié, sentiment naturel reposant sur la ressemblance et sur la sympathie) ; Mme Thiroux d'Arconville, *De l'Amitié* (conception à la fois mondaine et morale : l'amitié est un libre choix qui doit être fondé sur la vertu) ; Père Aubry, *L'Ami philosophique et politique, ouvrage où l'on trouve l'essence, les espèces, les principes, les signes caractéristiques, les avantages et les devoirs de l'amitié ; l'art d'acquérir, de conserver, de regagner le cœur des hommes* (conception « politique », empirique et pratique de l'amitié). D'une façon générale, c'est le débat commencé dans le salon de Mme de Sablé qui se prolonge et s'enrichit : l'amitié est-elle un sentiment dérivé de l'amour-propre ou un pur élan vers autrui ? Sur cette question fondamentale se greffe une double nouveauté : 1) l'amitié peut se déduire de l'amour-propre de deux façons : par l'intérêt bien compris et le calcul ; par la sympathie et le plaisir, fondés sur une attirance ou une ressemblance naturelle ; 2) les deux pôles (intérêt ou plaisir, vertu) tendent à se rapprocher ou à se confondre. L'intérêt devient naturellement vertueux ; la vertu n'est que le meilleur des calculs.

2. Cf. Diderot, *Salon de 1767*, Assézat-Tourneux, t. XI, p. 112 : « Nous sommes des malheureux autour desquels le bonheur est représenté sous des formes diverses. » Cf. *Le Bonheur rural* t. I, p. 213. Le titre complet de ce dernier ouvrage se présente ainsi : *Le Bonheur rural, ou Lettres de M. de *** à M. le Marquis de ***, qui, déterminé à quitter Paris et la Cour pour vivre habituellement dans ses terres, lui demande des conseils pour trouver le bonheur dans ce nouveau séjour*, 1788. L'auteur en est sans doute Pierre Étienne, cordelier de Nantes.

3. « Les poètes de notre siècle semblent préférer la douceur des peintures champêtres à la force et aux grâces des travaux guerriers... Peut-être entraînés par l'attrait des images champêtres, les hommes sensibles s'arracheront des villes, où leur âme est sans cesse froissée et quelquefois flétrie. *Ils viendront jouir de la tranquillité, de la liberté et surtout de leur propre bonté*, parmi les laboureurs qu'ils rendront plus intelligents et plus heureux. » (Lezay-Marnesia, *Essai sur la nature champêtre* (1787), *Discours préliminaire*). — Le marquis Claude-François-Adrien de Lezay-Marnesia est né à Metz en 1735, d'une vieille famille de Franche-Comté. Il démissionna de la carrière militaire, pour se retirer avec sa femme dans sa terre de Saint-Julien, près de Lons-le-Saulnier. Il y partagea ses loisirs entre la littérature, l'embellissement de ses jardins, et la philanthropie. Il écrivit en 1784 *Le Bonheur dans les campagnes*. Député aux États Généraux, il quitta la France en 1790, pour fonder un établissement en Pensylvanie. Rentré en Europe en 1792, il fut emprisonné jusqu'à la chute de Robespierre. Il mourut en 1800.

4. Guillemain, *La Solitude* (1787), *Bibliothèque des théâtres*, t. IV, pp. 13-14.

avec celle des poètes bucoliques [1]. Surtout on conjugue cette double initiation livresque avec la fréquentation familière des paysans [2]. A l'intention des dames, que la bienséance retient au château, les merveilles rustiques se déplacent et viennent à portée de leurs regards. Racontant à Mme du Deffand l'arrivée de quinze vaches suisses à Chanteloup, l'abbé Barthélemy précise : « On les fera peut-être promener aujourd'hui devant les salons pour les montrer aux dames [3]. »

Dans les traités de morale [4], les utopies [5], les romans [6] et les contes moraux [7], la vie champêtre est constamment donnée comme une vie exemplaire. L'existence campagnarde offre l'image de la paix et de la plénitude de l'âme. Elle s'oppose à la vie mondaine, qui réduit le bonheur à la menue monnaie des plaisirs. En délivrant l'homme du monde de ce vertige, la retraite pastorale lui restitue son unité intérieure, lui rend son être oublié ou compromis. Le contact de la nature suffit à opérer ce rassemblement intime, en même temps qu'il provoque une décantation des passions, auxquelles il substitue la jouissance extatique d'un calme permanent [8]. Citant une page de d'Aguesseau, qui décrit la vie d'un magistrat retiré pour quelque temps à la campagne, Gourcy ne croit pouvoir rendre compte d'une telle qualité de bonheur qu'en évoquant le Paradis Terrestre. C'est le souvenir confus de l'Eden qui pousse les gens des villes à se rapprocher de la nature. Au lieu d'accuser une mode épisodique ou un factice entraînement, il faut reconnaître dans l'amour de la campagne l'éveil secret d'une mémoire métaphysique, un retour symbolique au Paradis perdu [9].

Plus profondément le repos champêtre apparaît comme la révélation de la seule réalité authentique. Il réintroduit la conscience dans un ordre moral retrouvé. L'auteur du *Bonheur rural* annonce : « Vous allez

1. Cf. *Le Bonheur rural*, t. I, pp. 78-79 et pp. 81-82.
2. Cf. MARMONTEL, *Contes moraux*, t. I, pp. 109-111.
3. Lettre du 24 septembre 1772, *Correspondance de Mme Du Deffand*, t. II, p. 256.
4. Cf. GOURCY, *op. cit.*, p. 162 : « C'est dans la vie champêtre, loin des orages et de l'enchantement des passions, que l'âme se nourrit, s'élève, se fortifie par de solides et sublimes méditations. »
5. Cf. D'HUPAY, *Généralif, maison patriarcale et champêtre* (1790).
6. Cf. LECH, *Mémoires du chevalier de Berville ou les Deux amis retirés du monde* (1763), dont le héros, après une existence qui fut un étourdissant imbroglio d'épisodes romanesques, se retire à la campagne en compagnie d'un ami ; en particulier t. II, pp. 201-207 ; cf. aussi *Marianne ou la Paysanne de la forêt des Ardennes*, en particulier pp. 275-276 et 289-295.
7. Cf. SAINT-LAMBERT, *Contes, Sara Th.*, image d'un couple heureux retiré à la campagne et y menant une vie pastorale, familiale et philosophique ; p. 222 : « Nous avons raisonné et simplifié le bonheur. »
8. « Je ne sais quel *calme* se répand dans l'âme à la vue de ces hameaux que les passions des villes semblent respecter. Malheur à qui n'éprouve pas ce plaisir. L'imagination s'abandonne à ces douces rêveries et paraît nous dire que c'est le bonheur auquel nous sommes appelés. » (MABLY, *De la législation*, p. 38). Dans le roman de *Dolbreuse*, Loaisel de Tréogate décrit le bonheur pastoral de l'un de ses personnages qui s'est retiré à la campagne, dans une « maison riante » où il étudie les merveilles de la nature, tout en pratiquant la bienfaisance : « Son âme repliée voluptueusement sur elle-même jouissait de l'accomplissement de ces respectables vœux, du charme attaché à l'exercice des vertus et *reposait en silence, appuyée sur son bonheur.* » (*Op. cit.*, t. I, pp. 75-76).
9. GOURCY, *op. cit.*, pp. 157-159.

vous trouver comme dans un autre univers ; un nouvel ordre de choses va se présenter à vos regards [1]. » A la campagne, l'humanité a conservé son pur visage, les vertus demeurent dans leur intégrité, les sentiments gardent leur vérité et leur fraîcheur [2]. Aimer la campagne, comme aimer sa famille ou posséder un ami, suffit à prouver l'excellence d'une âme. Ce qui semble un simple goût devient le critère du bien moral [3]. Il suffit donc de quitter la ville pour constater une métamorphose, une régénération de l'être. Dans sa retraite, Mélise, héroïne de Sébastien Mercier, devient *une autre* : « Elle s'était fait un cœur tout neuf et la nature avait reparu dans ses pensées comme dans ses actions [4]. » A une existence qui avait perdu presque tout son sens, le repos champêtre restitue sa véritable signification.

Le citadin retiré à la campagne compense la perte de ses innombrables plaisirs par l'exercice d'une seule vertu : la bienfaisance. Le repos champêtre ne ressemble en rien à l'oisiveté. Il pourrait se définir au contraire comme la conscience d'une totale efficacité. Au sein même de son bonheur tranquille, l'âme retrouve un mouvement qui l'enivre et la justifie tout à la fois [5]. La bienfaisance transforme une simple retraite en une conduite morale : elle lui assigne une place dans l'ordre universel. En même temps elle lui évite de s'engluer dans la torpeur vide de l'ennui, elle l'anime constamment d'émotions généreuses et douces. La bienfaisance ne détourne pas du repos : elle en est la plus exquise saveur.

L'idéalisation morale de la campagne prend souvent la forme d'un recul imaginaire dans le passé : la pureté de la vie champêtre devient la pureté de l'âge d'or ou se prête à l'évocation d'une époque à la fois réelle et mythique, celle des « aïeux » [6]. Mais elle se présente toujours comme un diptyque. D'un côté, la *philanthropie* rayonnante et suave du châtelain ou du citadin devenu campagnard. De l'autre,

1. *Op. cit.*, t. I, pp. 15-16.
2. « On parle d'amour à la ville, on ne le fait qu'aux champs. » (MARMONTEL, *Contes moraux*, t. I, p. 108).
3. « Il faut être vertueux pour aimer la campagne. » (MERCIER, *Contes moraux*, p. 17). « La campagne est mère des sentiments honnêtes. » (MERCIER, *Mon Bonnet*, t. II, p. 77).
4. *Contes moraux*, p. 104. Cf. LEZAY-MARNESIA, *Le Bonheur dans les campagnes*, p. 196 : « Nous avons presque tous le besoin de renaître et nous ne le pouvons qu'au hameau. »
5. C'est ainsi qu'à la campagne on vit plus *pour soi*, parce qu'on vit plus *pour les autres*. L'être intérieur s'accroît et s'enrichit d'une dimension nouvelle, et par là s'intensifie la *jouissance de soi*. C'est ce qu'éprouve l'héroïne des *Contes moraux* de L. S. MERCIER, Mélise, mondaine retirée à la campagne : « Mélise oublia facilement ses anciens plaisirs, ses anciennes connaissances et jouissait avec délices de la joie qu'elle pouvait se procurer ; sa fille, les paysans, ses voisins étaient son univers ; mais quoique resserré en apparence, il s'agrandit beaucoup pour elle, parce qu'elle le voyait par son cœur ; car exerçant sa sensibilité, en ayant les occasions, voyant qu'on lui en tenait compte, *elle vivait plus pour elle, en vivant beaucoup pour les autres;* au lieu que dans le monde où elle était toute pour soi, la place qu'elle y avait occupée était bien bornée, puisqu'elle ne pouvait y voir que son individu : ce qui rend encore le sentiment de l'amour-propre beaucoup plus sensible qu'il est plus délicat, parce qu'il est plus exercé et plus exposé à être blessé, parce que la plus légère piqûre fait une plaie considérable. » (MERCIER, *Contes moraux*, pp. 111-112).
6. *Le Bonheur dans les campagnes*, p. 55. Cf. P. ÉTIENNE, *Le Bonheur rural*, t. II, p. 41.

l'*innocence* fondamentale des paysans, qui transparaît à travers un petit nombre de vertus constantes. Certaines sont le fruit d'une sagesse : le paysan maîtrise aisément ses désirs naturels, se distingue par sa sobriété et sa tempérance. D'autres émanent d'une profonde richesse de cœur, qui dote ces êtres frustes des sentiments les plus subtils ou les plus nobles (amour délicat, piété familiale, sens de l'hospitalité, dévotion raisonnable). D'autres enfin témoignent d'une inépuisable joie de vivre, qui transforme l'existence en une sorte d'allègement miraculeux ou d'éclatante euphorie : en toutes circonstances, le paysan se reconnaît à sa « gaîté » [1]. A des êtres si parfaitement doués, le bonheur est spontanément offert : il est leur destination naturelle. Mais le même bonheur est à la portée des mondains et des riches, s'ils viennent à la campagne faire leur salut [2].

L'idéalisation de la vie champêtre s'accompagne de déformations ou de contaminations curieuses. Pour sauver le symbolisme moral propre à chaque saison, tel auteur n'hésite pas à placer, contre toute vraisemblance, la moisson en automne, parce que l'automne est la saison de la fécondité [3]. Après avoir affirmé que l'homme rustique est différent par nature du mondain, on s'ingénie à retrouver « au hameau » les sentiments et les subtilités qui appartiennent au rituel du monde. Tel ce jeune moissonneur, qui a choisi « le sillon le plus voisin de sa bergère » et qui concilie si bien l'accomplissement de ses tâches rustiques avec les calculs les plus élaborés de la galanterie [4]. Sans doute ne veut-on point paraître naïf au point d'admettre que les

1. Voici un texte de LEZAY-MARNESIA dans *Le Bonheur dans les campagnes*, contenant à peu près toutes les notions morales qui se cristallisent autour du mythe du bon châtelain, du bon paysan et de la campagne idyllique. Le thème du bonheur familial s'y allie au thème de la bienfaisance et à celui de l'innocence champêtre : « Quel tableau ! Une épouse pénétrée d'estime et de tendresse pour son époux ; un mari tendre et heureux des vertus de sa femme ; de nombreux enfants élevés dans leur sein et formés par leur exemple ; une famille toujours occupée d'objets utiles où *l'ordre* fait régner l'*abondance*, que la *gaîté* n'abandonne jamais et que la *piété*, la *bienfaisance* animent toujours ! De ce château que le bonheur habite, il se répand sur les villages qui l'environnent. Secondé par les dignes pasteurs que la religion a donnés pour guides depuis longtemps à ses vassaux, il en a banni les vices ; il les a remplacés par l'*activité*, l'*industrie* et la *sagesse*. Juge, médecin et père, par l'autorité de l'amour et du respect, il arrange les procès et visite les malades. Un chirurgien envoyé par lui donne des soins, prévient quelquefois les maladies et souvent les guérit ou les soulage. *Tout est en mouvement autour de lui :* tantôt par un *travail* plus actif, mais devenu moins pénible parce qu'il est plus *industrieux*, tantôt par la *joie* qui suit toujours l'abondance. Chacun de ses jours, rempli par des *bienfaits*, est terminé par des *bénédictions* ; et ses douces soirées se passent à recevoir les caresses de sa femme et de ses enfants, et à former de nouveaux projets pour le lendemain. Languissants habitants des villes, vous goûtez peut-être quelques plaisirs, mais vous ne connaissez pas la véritable volupté. » (*Op. cit.*, pp. 55-57).

2. « Riches, votre désir est le désir universel. Vous voulez être heureux, mais ce n'est pas dans le trouble, dans le vide, au milieu des faux plaisirs, parmi les vices et les regrets qui les suivent, que vous trouverez le bonheur ; c'est loin des villes opulentes et perverties ; c'est au sein de la nature que votre imagination vous l'a cent fois montré. Elle vous a tracé le ravissant tableau de la vie que vous pouvez mener dans les hameaux et vous avez soupiré sans avoir le courage de briser vos chaînes ! Ayez enfin la force de les rompre et de jouir enfin de la paix au sein de l'innocence. Quand nous l'avons perdue, cette précieuse innocence, nous la respectons, nous la chérissons encore dans les autres, si nous ne sommes pas entièrement dépravés. » (*Ibid.*, pp. 206-207).

3. *Le Bonheur rural*, t. II, p. 13, note.

4. *Ibid.*, pp. 15-16.

habitants des campagnes sont exactement semblables aux bergers de la pastorale. Mais à cette image trop idéalisée, on en substitue d'autres qui ne le sont pas moins. A défaut de rubans, de houlettes et de guirlandes, c'est d'une couronne de vertus qu'on entoure ces fronts trop purs [1]. En outre, l'ordre moral qu'on fait régner à la campagne se rapproche étrangement d'un ordre social. Dans sa préface aux *Saisons*, Saint-Lambert explique que l'on doit exclure des poèmes pastoraux les paysans misérables, parce que « leurs mœurs ne sont pas pures » et que « la nécessité les pousse à tromper » [2]. Aussi estime-t-il qu'on ne devrait choisir comme personnages que de « riches laboureurs » et des « paysans aisés », parce que « ceux-là ont des mœurs », et il suggère le remplacement des bergers par de nobles châtelains, tout auréolés de leurs bienfaits [3].

Faut-il tenter d'expliquer ces enthousiasmes et ces naïvetés champêtres ? Le rêve du repos rustique répond certainement aux deux aspirations les plus profondes des âmes du XVIIIe siècle : désir du bonheur et besoin d'innocence. Il prend tout son sens par opposition à la vie mondaine, ressentie à la fois comme malheureuse et coupable. Mais peut-être les contemporains accentuent-ils systématiquement le contraste entre ces deux modes d'existence. Il serait plus juste d'y voir les deux aspects d'une ambivalence essentielle. Le goût démesuré du mouvement, qu'assouvissent à peine les vives séductions du monde, se dissimule probablement, beaucoup plus qu'il ne se nie, sous cette aspiration non moins éperdue au repos. Aussi n'est-ce pas une sagesse qui prend le contrepied d'un excès réprouvé, mais deux réponses opposées à une même inquiétude, qui tentent assez vainement de se compenser.

Quoi qu'il en soit, le séjour champêtre rassemble l'âme insatisfaite

1. « S'imaginer que les habitants des campagnes sont tels que Virgile, Fontenelle et Gessner nous les ont dépeints dans leurs ouvrages immortels, ce serait flatter le portrait et non les rendre au naturel. Ces grands hommes ont voulu sans doute nous peindre des modèles et nous apprendre que le bonheur ne germe que sur les pas de la nature. C'est ce qui nous inspire en les lisant le désir de ressembler à leurs bergers. Mais quoique les accessoires de leurs tableaux soient le fruit de leur imagination brillante, le fond en est toujours dans la nature et à chaque pas vous en découvrirez les traits. Les principaux sont l'*ingénuité*, la *candeur*, la *bonne foi*, la *bonhomie* et la *simplicité*. » (*Ibid.*, t. I, pp. 28-29).

2. SAINT-LAMBERT, *Les Saisons*, *Discours préliminaire*, p. XX.

3. « Il y a un ordre d'hommes dont les poètes champêtres n'ont jamais parlé : ce sont les Nobles, dont les uns vivent dans le château et régissent une terre et dont les autres habitent de petites maisons commodes et cultivent quelques champs. Je suis étonné qu'on ne les ait point mis à la place de ces bergers d'Arcadie, de Sicile, des bords du Lignon : personnages fantastiques, aussi loin de nous que les Sylphes et les Salamandres. M. de Fontenelle, en choisissant les acteurs de ses églogues dans la noblesse, aurait pu leur donner sa délicatesse et son esprit, sans blesser la vraisemblance. Ils auraient pu être galants sans être ridicules. Ils seraient intéressants pour les lecteurs parce qu'ils sont des hommes plus fiers d'eux et de leur état. On peut aujourd'hui donner des vertus et des lumières aux nobles de la campagne ; ils s'éclairent de jour en jour et n'en sont que plus heureux ; le tableau du bonheur dont jouissent ceux d'entre eux qui ont l'esprit sage, pourrait charmer les âmes honnêtes, que blesse dans les villes le spectacle des succès du vice... Combien d'habitants des villes, s'ils voyaient le tableau du gentilhomme champêtre, ne se diraient-ils pas : Je ne suis pas aussi heureux que lui et je pourrais l'être. » (*Ibid.*, pp. XX-XXI).

dans un état de repos, qui lui apporte l'illusion d'un soulagement. Mais un tel bonheur a besoin d'une justification. D'autre part, il risque de frôler l'ennui et de ramener sous une autre forme la hantise même qu'on veut fuir. La bienfaisance permet de répondre à cette condition et d'éviter ce risque. Elle valorise et innocente le repos, en même temps qu'elle l'empêche de se figer dans une accablante stagnation. Seulement elle doit être facile pour ne rien enlever à la sécurité du bonheur convoité. Simple tonalité du repos, elle ne saurait se changer en un combat contre un donné informe ou des libertés qui se refusent. Le milieu dans lequel s'épanouit la bienfaisance doit être allégé, épuré de toute résistance, de toute opacité. A la bienfaisance de l'homme heureux répondront spontanément la bonté, l'ingénuité, la franchise, la moralité du paysan, qui n'apparaîtra plus tel qu'il est, mais tel que son bienfaiteur a besoin qu'il soit pour tirer de sa propre vertu la plus grande volupté et cette bonne conscience qui justifie son bonheur. Aussi n'est-ce pas seulement le repos que l'on découvre aux champs, mais la véritable nature de l'homme, les vrais sentiments, décantés des perversions et des mensonges.

Dès lors, il n'y a plus de limite dans la convention. Les contradictions même s'accumulent. Le paysan devait en principe figurer l'homme naturel, aussi différent que possible de l'homme social. Mais insensiblement l'image que l'on a construite reflue vers le pôle contraire. On retrouve sous le chaume toutes les petites ingéniosités que peut seul inventer un cœur sachant son monde. On affecte d'y découvrir cette « aisance » sans laquelle il n'est pas de sentiments honnêtes, quitte à fermer les yeux sur la foule misérable des ouvriers ruraux, qui gagnent à peine leur pain. En même temps que les nostalgies du bourgeois et du mondain, se manifeste leur incapacité à imaginer *l'autre*. Tout en proclamant le paysan *idéalement* différent des gens de la ville, on ne voit pas leur différence *réelle*. La contradiction n'est d'ailleurs pas gratuite. Le paysan doit être *un autre* pour que soit assouvi cet immense besoin d'évasion, de purification, le rêve d'un monde où tout serait limpide et parfait. Mais il faut en même temps qu'il soit *semblable* pour qu'on puisse communiquer aisément, et que l'élan de la bienfaisance ne se brise pas sur une incompréhension craintive ou un farouche refus. Le mythe qu'est l'idée de *nature* est commode à cet égard ; c'est la nature qui distingue l'homme des champs de l'homme des villes, mais c'est elle aussi qui les réunit.

Il n'est pas douteux que ces fictions et ces états d'âme sont l'expression détournée d'une mauvaise conscience sociale. Tout au long du XVIIIe siècle, la pensée politique dégage, de façon plus ou moins claire, le scandale de l'inégalité. Mais elle cherche à le dissimuler en même temps qu'elle le révèle. Or il n'existe que deux moyens pour cela :

ou déclarer que l'inégalité est un mal nécessaire au bon ordre et au progrès de la société [1], ou la faire disparaître de façon symbolique, faute de pouvoir la supprimer en réalité. Le thème du citadin aux champs fournit l'un de ces symboles : puisqu'il est impossible d'accorder au paysan une promotion bourgeoise, le bourgeois se métamorphose en paysan [2]. L'inégalité se trouve ainsi magiquement conjurée, sans que la société soit pour autant en péril.

C'est donc à de multiples exigences que le thème du séjour champêtre apporte une réponse. Dans cette campagne imaginaire, les mondains retrouvent leur unité, la jouissance de soi, un état de paix qui les guérit de leur fièvre, un état d'innocence qui met leur conscience en repos. Dans cet univers lumineux, euphorique, nul ne se sent plus inutile. Chacun retrouve une âme et une justification. On protège, sans qu'il en coûte, des êtres malheureux et rassurants tout ensemble ; on est aimé de tout ce qui vous entoure ; on recueille à longueur de journées de ferventes bénédictions. Au calme qu'a laissé la fuite des passions s'ajoute la satisfaction d'une conversion flatteuse. L'émotion de la bienfaisance compense et couronne la volupté du repos.

Beaucoup n'aiment, ne tolèrent que la nature brute et haïssent les jardins comme une invention frelatée de l'art. « L'ami des hommes » préfère à la contemplation des plus beaux parcs le frais spectacle des coteaux de Montreuil et de Bagnolet [3]. Pour d'autres, les jardins, qu'on peut disposer à sa guise, ont plus de chance d'être en harmonie avec les besoins de l'âme. L'art y met à sa portée les choses de la nature, selon les perspectives et sous les apparences désirées. Dans son *Essai sur la nature champêtre* (1797), Lezay-Marnesia tente une philosophie et une histoire de l'art des jardins. Celui-ci lui apparaît comme l'un des aboutissements de la civilisation, le terme d'une longue évolution de la sensibilité et de l'esprit [4]. Après les sinistres

1. Cf. le chapitre *Bonheur et condition sociale.*

2. « Il n'y a de vifs attachements qu'entre égaux ; Mélise le sentait, c'est ce qui la fit se résoudre à se rendre parfaitement semblable à toutes les femmes de son village ; elle se gagna par là leur amitié : « Mes amies, leur dit-elle en s'attendrissant, je veux vivre avec vous, c'est pour cela que je veux vivre comme vous ; je vous assure que c'est seulement depuis que j'habite vos campagnes que je commence à espérer le bonheur, et vous voudriez que je fusse sans estime et sans reconnaissance pour ceux qui me le font goûter. *Mais nous sommes tous égaux.* Des avantages, que le hasard distribue aveuglément, changeront-ils le sort fixe que la nature donne à tous ? Vous vivez sans distinctions, et vous vivez contents ; troublerai-je par des prétentions folles votre félicité et si vous êtes heureux en vivant ainsi, ne le serai-je pas de même ? Si je puis me distinguer par ma vertu, si je puis vous être utile par mes talents, je toucherai au vrai bonheur... » Jamais elle n'avait goûté un bonheur aussi pur. » (MERCIER, *Contes moraux*, pp. 100-101).

3. MIRABEAU, *L'Ami des hommes*, t. I, p. 156.

4. *Op. cit.*, p. 14. Lezay-Marnesia donne une définition précise du jardin : « Par le mot jardin, on n'entend pas seulement comme autrefois les lieux destinés à la culture des plantes

châteaux du Moyen Age, les inventions maniérées de la Renaissance italienne, l'ordonnance glacée des parcs de Le Nôtre, et la composition un peu baroque des jardins anglais, l'Élysée de *La Nouvelle Héloïse* est le type même du jardin idéal restituant « la volupté pure, la touchante innocence et toute la félicité du Paradis Terrestre »[1].

Les jardins se définissent relativement à l'art et à la nature. Ils se présentent comme un ensemble plastique, un tableau exécuté à l'aide de véritables objets, au lieu de formes et de couleurs. Mais alors qu'une peinture est isolée du monde extérieur par son cadre, le tableau naturel qu'est un jardin demeure lié à l'ensemble d'un paysage. Quels que soient les effets d'invention et de composition de l'artiste, un jardin continue d'appartenir à la nature[2].

Les jardins réalisent un autre prodige. Ils sont destinés « à faire jouir tous les sens à la fois »[3], à éveiller une foule d'idées et d'émotions, suscitant des transports, des langueurs, des ferveurs religieuses, de suaves ou de déchirants souvenirs[4]. Mais en même temps ils procurent à l'âme un repos très profond, car la présence des objets sensibles suffit à la délivrer des passions. On peut s'attendrir et pleurer dans un jardin : on ne saurait y éprouver d'état violent. Les sentiments ne s'y manifestent qu'avec une sorte de recul dans le passé ou dans le rêve, qui les atténue, les émousse, les idéalise. A l'équilibre entre l'art et la nature se joint une harmonie entre le sentiment et le repos. C'est surtout dans un jardin qu'il devient doux de souffrir, comme si la douleur y conservait sa forme, tout en perdant son contenu[5].

Watelet présente son *Essai sur les jardins* comme une réponse

nourricières, mais *tout l'ensemble d'un terrain* qui dépend des châteaux ou des maisons de campagne considérables et qui rend leur habitation agréable, intéressante et même délicieuse, lorsque le génie et le goût en ont lié toutes les parties pour produire de *grands tableaux.* » (*Ibid.*, p. 19).

1. *Ibid.*, p. 25.
2. Cf. *op. cit.*, pp. 19-20.
3. *Ibid.*
4. Lezay-Marnesia décrit ainsi l'état d'extase et de ravissement de l'âme dans un jardin : « Qui n'a pas vu, ou plutôt qui n'a pas imaginé de sites enchantés, où l'œil se promène sur des tableaux variés et ravissants, où les parfums de mille plantes se confondent pour embaumer les airs de l'encens le plus voluptueux ; où les oiseaux mêlent leurs voix aux gazouillements des ruisseaux, aux flûtes et aux chansons lointaines des bergers ; où les arbres tentent et satisfont la vue, le goût et l'odorat, en leur offrant les fruits les plus frais, les plus magnifiques, les plus savoureux ? Qui n'a pas senti ses paupières mouillées et son cœur s'attendrir au milieu de ces jouissances ? Qui n'a pas regretté les jours de son innocence, ne s'est pas rappelé ses premières amours, n'a pas fait errer à ses côtés l'aimable fantôme de son ami ? Qui n'a pas évoqué et ne s'est pas entouré d'ombres chéries ? Qui n'a pas songé à devenir meilleur ? Qui enfin n'a pas adressé des hymnes de reconnaissance et d'amour et ne s'est pas élevé à l'éternel dans ces retraites fortunées ? » (*Op. cit.*, p. 23).
5. Young, le poète des *Nuits*, chante ce double aspect du bonheur dans les jardins : éveil des facultés de l'âme et paix profonde de l'être purifié : « Que faut-il à l'homme pour le rendre heureux et sage que la réflexion et la paix ? Ces deux biens sont la production naturelle d'un jardin qu'on aime à cultiver... Tout ce que nous voyons dans un jardin réveille notre reconnaissance pour l'Être suprême. C'est un paradis terrestre qui reste encore à l'homme vertueux... On n'y rencontre point d'objets qui portent dans l'âme le trouble des passions. Tout y instruit la raison ; tout y charme le cœur et les sens. » (Fragment de YOUNG, édité par Le Tourneur à la suite de sa traduction des *Nuits*, t. II, pp. 377-378).

au rêve du repos, surtout vivace lorsque le retour du printemps fait surgir une sensibilité nouvelle [1]. Un jardin est cet endroit privilégié où le rêve s'accomplit. On peut y vivre sur un mode intermédiaire entre la *clôture* et la *communication*. Pour « s'assurer une jouissance tranquille », on « dresse des palissades », on « élève des murs », et « l'enclos s'établit ». Le jardin délimite ainsi une zone précieuse, un domaine étroit et fermé, protégé contre l'invasion du monde, où l'existence devient conscience d'une sécurité, où l'on se trouve heureux parce qu'on économise ses forces en restreignant ses désirs : « Emblème de la personnalité, c'est le royaume d'un être qui ne peut augmenter sa puissance sans accroître les soins qui le troublent [2]. » Mais, pour éviter le risque de l'ennui, à cette « jouissance personnelle » doit s'ajouter une « jouissance communicative » [3]. L'hospitalité permet d'entr'ouvrir la clôture et d'accorder l'entrée au sentiment, qui est l'âme du repos.

D'autres jouissances, qui dépendent cette fois du décor, soutiennent et rehaussent le repos des jardins. Elles « doivent être un tissu de désirs excités sans affectation et de satisfactions remplies sans effort » [4]. Il faut surtout que le ton soit donné par l'imagination : dès qu'on se transporte dans la nature, elle se trouve « montée sur le mode pastoral » [5], qui est un « mélange d'utile et d'agréable adroitement combinés ». Précieux mélange ! L'utile sans l'agréable n'est pas un plaisir ; l'agréable sans l'utile laisse flotter un trouble dans la conscience. L'art s'ingéniera donc à imiter la nature. Tout ce que l'on aura minutieusement arrangé prendra l'air d'être « venu au hasard » [6].

Plus l'art des jardins s'éloigne de l'utile et du pastoral pour tendre au factice et aux inventions conjuguées du *pittoresque*, du *poétique*

1. Cf. *op. cit.*, pp. 6-7. — Claude-Henri Watelet, né à Paris en 1718, hérita à 22 ans de son père la charge de receveur général des finances près la généralité d'Orléans. Très riche, il possédait des talents multiples, s'intéressait à tous les arts, protégeait les artistes. Sa propriété du Moulin-Joli, au bord de la Seine, près de Paris, était devenue le modèle des jardins dits « anglais ». C'est en 1774 qu'il composa son *Essai sur les jardins*, qui eut une influence considérable. Vivant en sage au milieu d'une société brillante, Watelet était, selon Marmontel, l'homme heureux par excellence. Il mourut en 1796.

2. *Ibid.*, p. 15.

3. *Ibid.*

4. *Ibid.*, p. 22.

5. *Ibid.*, p. 23.

6. *Ibid.*, p. 25. « Il faut engager et non contraindre ; voilà l'art de tous les arts agréables. » (*Ibid.*, p. 27). Jamais la recherche ne doit masquer la fonction naturelle. Le seul luxe de la « ferme ornée » sera « l'ordre et la propreté ». Toute « opulence affectée » en ce lieu, dont l'utilité est la raison d'être, ne ferait qu' « affaiblir l'idée pastorale ». (*Ibid.*, pp. 29-32). En revanche, la « laiterie », qui est « ce qu'un établissement champêtre produit de plus délicat et de plus agréable », admet fort bien quelques enjolivements discrets. Derrière la fonction rustique s'y profile le souvenir idéal de « cet âge heureux dont les poètes ne retracent jamais sans nous plaire les charmantes images ». (*Ibid.*, p. 32). Toutefois le principe reste le même : « Il faut que les voluptés, pour ne pas blesser la raison, aient un point d'appui ou du moins un prétexte dans la nature ». (*Ibid.*, p. 34). Certaines parties du domaine n'ont aucune utilité : le parc n'est conçu que pour un plaisir de convention. Watelet ne croit pas qu'on puisse fonder l'art sur le factice : « L'industrie qui n'est pas appliquée à des objets utiles peut obtenir quelques moments l'admiration, mais l'impression en est peu durable. » (*Ibid.*, p. 52). S'il en avait le pouvoir, il supprimerait les parcs et les remplacerait par des jardins de culture. Il faut

et du *romanesque* [1], plus le repos est menacé [2]. Dans la plupart des « lieux de plaisance », le « mécanique » l'emporte sur le « libéral », la « vanité offensive » masque l'authentique rêve de l'âme, le bon goût cède à « l'artifice industrieux », qui s'épuise à « rassasier des désirs vagues » et à « remplir des intentions bizarres » [3].

Le repos des jardins est le fruit d'un équilibre complexe. L'architecte donne au spectacle naturel le mouvement, « cet esprit de la nature, ce principe inépuisable de l'intérêt qu'elle inspire » [4]. Des objets que l'on plie « aux usages commodes, agréables, sensuels », fournissent les accessoires d'un certain repos : le repos du corps, simple confort obtenu en transportant un salon en pleine nature : « Les gazons formeront des sophas et des lits, les arbrisseaux et les fleurs des festons, des couronnes, des chiffres, des guirlandes [5]. » Mais il est un repos plus discret, plus subtil : l'état d'une âme pure. Aucun artifice n'en délivre la clé. Simple fidélité intérieure à la nature,

pourtant se prêter à l'usage, ce qui engage à résoudre une difficile contradiction : « Démêlons les éléments d'un problème qui consiste à s'approcher le plus près possible du factice, en abandonnant le moins possible la nature. » (*Ibid.*, p. 53).

1. La décoration des parcs combine ces trois caractères. Le pittoresque consiste à faire œuvre plastique en disposant un parc comme un tableau. Mais, à la différence du peintre, l'artiste est ici limité dans ses moyens par la résistance des facteurs physiques, climat ou nature du terrain. D'autre part, alors qu'un tableau demeure le même, quel que soit l'endroit d'où on le regarde, l'aspect d'un jardin change, à mesure que l'observateur se déplace. Aussi pourrait-on parler, plutôt que de tableaux, de scènes dramatiques, qui auraient pour acteurs des « objets ». C'est à eux qu'il revient de donner une âme aux jardins ; c'est au « chant des oiseaux », au « frémissement des feuillages », et surtout aux eaux, qui symbolisent la vie et le mouvement : « plus elles sont animées, plus elles corrigent le caractère silencieux et morne des aspects même les plus artistement composés. » (*Op. cit.*, p. 58).

Le pittoresque demeure un caractère en partie naturel. Le poétique et le romanesque sont composés d' « objets absolument artificiels ». Le poétique « s'emprunte des mythologies, des usages et des costumes anciens ou étrangers ». Il consiste en un dépaysement dans l'espace ou dans le temps, dont l'illusion repose sur des « édifices », des « fabriques », des « figures » et des « inscriptions ». C'est l'effet le plus malaisé à atteindre, car les moyens sont peu nombreux, l'exactitude dans les reconstitutions assez périlleuse, et les imaginations bien souvent engourdies ou incultes. En outre, par rapport aux « scènes simplement pittoresques et pastorales », les scènes poétiques demeurent plutôt froides, par « manque de mouvement et d'action ». Aussi ne produisent-elles qu'une « impression légère et fugitive ». (*Ibid.*, pp. 78-82).

Le domaine du romanesque est infiniment plus vaste et plus riche : « Il embrasse tout ce qui a été imaginé et tout ce qu'on peut inventer. » Sans aucune relation avec une civilisation ou une époque particulière, il se compose de toutes les rêveries humaines, de toutes les fantaisies ou nostalgies individuelles. Aussi est-il susceptible de résonances plus profondes, mais qui peuvent favoriser un « dérèglement de l'imagination ». Plus envoûtantes, les illustrations romanesques sont également plus dangereuses. (*Ibid.*, p. 86).

2. *Ibid.*, pp. 90-91.

3. *Ibid.*, pp. 95-96. Sans doute faut-il varier le dosage entre l'art et la nature. Dans les asiles purement campagnards, l'utile doit prévaloir absolument sur l'agréable et constituer tout le plaisir qu'on y savoure. Dans les parcs, « l'utile doit prêter des secours à l'agrément et l'Art doit être subordonné généralement à la Nature ». Dans les « lieux de plaisance », l'art peut s'arroger le droit de se montrer avec moins de réserve. Enfin « dans les jardins destinés à des sensations plus délicates et plus recherchées, l'artifice et la richesse employés à des effets surnaturels et à des prodiges s'efforcent de l'emporter sur la nature ». Cependant quel que soit ce dosage, un principe demeure constant : il s'agit dans tous les cas de réaliser un équilibre entre le mouvement et le repos : « Pour revenir encore un instant à des notions primitives et simples, dans quelque disposition de promenades et de jardins que ce soit, le premier principe est d'entremêler sans cesse les motifs de curiosité, qui engagent à changer de place, aux objets qui attachent et qui invitent à s'arrêter. » (*Ibid.*, pp. 104-105).

4. *Ibid.*, p. 109.

5. *Ibid.*, p. 118.

il ne se distingue pas de la qualité d'un être. L'art n'a pour but que de la préserver, en resserrant l'âme dans un petit espace, pour lui permettre de se recueillir toute en elle-même et de trouver son bonheur dans ce recueillement [1].

Il est intéressant de comparer deux jardins célèbres, l'un réel, l'autre imaginaire, que tout oppose en apparence : le Belœil du prince de Ligne et l'Élysée de *La Nouvelle Héloïse.*

Ultime et secrète retraite à l'intérieur d'un domaine clos, l'Élysée est un refuge au second degré. On l'a conçu comme un coin de nature à l'état absolu. Il semble à M. de Wolmar que les campagnes habitées par ses paysans sont moins « naturelles » que cette portion de terre où les secrets d'une magie discrète ont ressuscité la luxuriance, la liberté, la vie spontanée et pure du jardin de l'Eden. Saint-Preux, étonné, s'y croit au bout du monde, dans un pays inconnu. L'art qui a permis ce miracle demeure invisible et n'est gâté par aucune contamination sociale : on n'a payé la peine d'aucun ouvrier, on a dédaigné les ornements fabriqués, exclu toute œuvre d'art ; M. de Wolmar et Julie ont tout fait eux-mêmes, à leurs heures de loisir, sans rien dépenser. Le prodige de l'art, qui se cache sous la profusion naturelle, dissimule lui-même une stricte économie des moyens.

L'Élysée est un endroit mystérieux dont quatre personnes seulement possèdent la clé. Aucun étranger n'est jamais admis. L'être collectif de Clarens se resserre ici dans son essence la plus pure. C'est le symbole de la solitude délicieuse de l'âme innocente et comblée. Plus encore que les autres parties du domaine, l'Élysée est le lieu privilégié du bonheur. Les Wolmar n'ont plus aucune fonction domestique à assumer. Ils peuvent y déposer le masque du bon maître, qu'ils ne quittent guère autrement. Ici la vertu est tout à fait naturelle et n'exige ni effort, ni mensonge. Dans cet étroit univers de la limpidité et de la fraîcheur, le plaisir physique des sensations se confond avec le plaisir moral de la bonne conscience en un allègement de l'être tout entier.

La signification de l'Élysée comme témoin d'une nature en partie mythique n'exclut pas la recherche de la commodité. L'aménagement de ce jardin parfait procède également d'un amour épicurien du repos. Vouloir tirer de ce lieu symbolique une volupté sensuelle ne fait qu'en accentuer le caractère « naturel ». Il ne s'agit pas d'un musée où seraient inutilement conservés les vestiges d'un monde aboli. L'Élysée demeure un lieu de plaisir. Aussi apparaît-il finalement comme un compromis entre une imitation et une adaptation de la

1. « L'âme qui s'étend avec les regards jouit à la vérité, mais d'une manière vague, des beautés qui l'égarent trop loin d'elle. Il faut qu'elle soit entourée de plus près pour être inspirée ; il faut que, moins distraite, elle éprouve, dans une douce rêverie, des sensations dont elle prenne plaisir à se rendre compte. » (*Ibid.*, p. 155).

nature. L'imitation est le résultat d'un principe. L'adaptation, la réponse à un besoin spontané. Les deux sens du mot nature se confondent. Peut-être est-ce le secret de tant de plénitude.

Les jardins de Belœil sont aussi différents que possible de l'Élysée. Le prince de Ligne se moque de ces bâtisseurs de jardins qui cherchent à simuler le naturel [1]. Il veut que les jardins « soient parés et meublés comme un salon » [2]. Son Belœil est un microcosme baroque, où il jette une profusion d'ornements, d'accessoires et de symboles. Il a mis toute la nature à contribution en réunissant les échantillons les plus rares du monde physique et du monde idéal. On distingue deux zones à Belœil : la zone artificielle des « jardins philosophiques », où sont représentés, par des édifices et des statues, les vertus morales, les grands hommes et les grands faits de l'histoire, les plus brillantes époques de la civilisation ; la zone naturelle des « jardins rustiques », qui montre en abrégé tous les animaux et toutes les productions de la terre [3].

Si le prince de Ligne a besoin de tant de choses, c'est que son âme est « ouverte à toutes les jouissances ». Il lui faut accumuler les curiosités et les plaisirs, pour vivre, au sein de cet univers en raccourci, une existence parfaite [4]. La description du bizarre domaine se termine par un défi :

« Que l'on s'amuse, que l'on s'instruise, qu'on admire, qu'on s'intéresse, qu'on pense ou qu'on soit ravi. *Que Belœil enfin retrace à la postérité le bonheur et la douceur dont je jouis.* Que les gens qui ne me ressemblent point se corrigent ou meurent de colère de ce qu'il y a quelqu'un de parfaitement heureux et que ceux qui me ressemblent partagent, même lorsque je n'y serai plus, la félicité de l'auteur et du possesseur de ces jardins tranquilles. » [5]

Car ce village tartare, ces troupeaux de « moutons de barbarie » et de « chevaux à crinière blanche », ces temples allégoriques, ces bosquets que le prince a dédiés à ses soldats, à ses paysans, à ses ouvriers, à Virgile, à Ovide, à ses amis, ces berceaux voluptueux, ces « canaux déguisés en rivières », ces pièces d'eau peuplées de galères avec une « frégate de trente pièces de canons », cette colonne de Marathon qui porte les noms des grands capitaines, les statues des « trois plus grands philosophes » (le « divin Voltaire », La Fontaine et Molière) qui ornent le salon de la philosophie, tandis que Rousseau est laissé ostensiblement à la porte, tout cet amoncellement de mer-

1. « Pour avoir le plaisir d'être naturel, on est pauvre et insignifiant. » (*Mélanges*, t. VIII, p. 44).
2. *Ibid.*
3. « En récapitulant tout ceci, on verra la gradation des jardins artificiels, ornés, allégoriques, philosophiques, pittoresques, et des fabriques barbares, turques, grecques, égyptiennes, chinoises, gothiques et champêtres. » (*Ibid.*, p. 54).
4. « Se livrer à l'amour, à l'amitié, à l'étude de ses devoirs, au beau spectacle de la création, au bien de l'humanité et à la poésie enchanteresse. » (*Ibid.*, p. 88).
5. *Ibid.*, p. 55.

veilles[1] n'est pas destiné à alimenter une fièvre, à figurer un chaos. Au milieu de ces inventions naïves, étranges ou saugrenues, qui sont un défi à la nature, Ligne n'aspire qu'au repos, comme Julie en son Élysée. Mais le prince est plus exigeant que Rousseau. Au lieu d'une petite maison dans le pays de Vaud et d'un petit bateau, il lui faut une représentation symbolique de l'univers, un répertoire vivant de toutes les jouissances, pour atteindre à la tranquillité, son ultime but. A la façon de Rousseau toutefois, il moralise quand il parle des jardins. Ce n'est pas un épicurien extravagant qui a conçu cette voluptueuse magie, mais un homme vertueux, qui n'a désiré que la paix au milieu d'un décor rêvé par son imagination [2].

Ainsi s'achève le cycle du repos : loisir, étude, famille, amitié, campagne, jardins, sont les principaux thèmes dont l'entrelacement compose une vie idéale, à l'abri du monde et des passions. Mais le repos vécu n'est jamais tout à fait à la mesure du repos rêvé. La poésie seule peut remplir l'intervalle. Si elle n'est pas morte en ce siècle de pensée, c'est là qu'il faut la chercher. Le rêve du repos cristallise probablement ce qu'il y a de plus profond et de plus parfait dans les aspirations et les inspirations poétiques de l'époque.

4. — Le repos imaginaire.

Le repos imaginaire, lorsqu'il sert de prétexte à la poésie, dispose de trois moyens d'expression conventionnels : un genre bien défini, *la pastorale* ; un lieu commun éternel de la poésie lyrique : le rêve de la solitude ou de l'intimité dans un *refuge* ; enfin un mythe qui s'est enrichi, au cours de sa longue histoire, de prolongements infinis : *l'âge d'or*.

On s'interroge beaucoup au XVIIIe siècle sur la signification de la pastorale. Dans son *Discours sur la nature de l'églogue*, Fontenelle n'hésite pas, on l'a dit, à la vider de tout son contenu rustique, pour n'en conserver qu'une sorte de schéma affectif [3]. La poésie pastorale

1. Cf. *ibid.*, pp. 17 et suiv.

2. « Je voudrais échauffer tout l'univers de mon goût pour les jardins. Il me semble qu'il est impossible qu'un méchant puisse l'avoir... Il n'est point de vertu que je ne suppose à celui qui aime à parler et à faire des jardins. » Pour se rendre encore plus persuasive, la passion conquérante du prince s'apaise en une édifiante prédication : « Pères de famille, inspirez la jardinomanie à vos enfants. Ils en deviendront meilleurs. Que les autres arts ne soient cultivés que pour embellir celui que je prêche. » (Ligne, *Mélanges*, t. IX, pp. 5-7).

3. « L'agrément de l'églogue n'est pas attaché aux choses rustiques, mais à ce qu'il y a de tranquille dans la vie de la campagne. » (Fontenelle, *Discours sur la nature de l'églogue*, dans *Poésies pastorales*, 1708, p. 162.)

n'est que la représentation d'une vie idéale, définie par la facilité, le repos, le refus des passions, l'abolition de l'inquiétude, et une oisiveté sans veulerie, simple façon gracieuse d'assumer la « paresse naturelle ». Il s'agit d'un bonheur sans éclat, sans mouvement, sans risque, dont la trame est unie et l'écho monocorde, qui semble spontanément tenir dans l'absence de tension intérieure et la jouissance immédiate de toutes choses [1]. Univers de l'allègement et de la transparence, la pastorale recompose l'homme selon le plus profond de ses instincts, la plus tenace de ses nostalgies. Certains sentiments comme l'ambition en sont bannis, car ils divisent et déchirent lorsqu'ils entrent en conflit avec la « paresse naturelle ». Tous les sentiments y sont épurés, traités sur un mode mineur. La grâce et l'indolence y tempèrent les emportements du cœur, la brutalité des désirs, l'aigreur du désespoir. L'amour, surtout passionné, est peu compatible avec le repos. Mais pour que l'oisiveté ne se change pas en ennui, il faut l'animer de quelque manière. A ce titre, l'amour est permis : un amour paisible et tendre qui n'altérera pas l'euphorie du loisir. Seuls les bergers, êtres charmants et irresponsables, savent accorder la paresse et l'amour [2].

1. FONTENELLE, *op. cit.*, pp. 155, 157. « Je conçois donc que la poésie pastorale n'a pas de grands charmes, si elle est aussi grossière que le naturel et si elle ne roule précisément que sur les choses de la campagne. Entendre parler de brebis et de chèvres, des soins qu'il faut prendre de ces animaux, cela n'a rien par soi-même qui puisse plaire ; *ce qui plaît, c'est l'idée de tranquillité attachée à la vie de ceux qui prennent soin des brebis et des chèvres.* Qu'un berger dise : « Mes moutons se portent bien, je les mène dans les meilleurs pâturages et ils mangent de la bonne herbe », et qu'il le dise dans les plus beaux vers du monde, je suis sûr que votre imagination n'en sera pas beaucoup flattée. Mais qu'il dise : « Que ma vie est exempte d'inquiétude ! Dans quel repos je passe mes jours ! Tous mes désirs se bornent à ce que mon troupeau se porte bien ; que les pâturages soient bons et il n'y a point de bonheur dont je puisse être jaloux », vous voyez que cela commence à devenir plus agréable. C'est que l'idée ne tombe plus précisément sur le ménage de la campagne, mais sur le peu de soin dont on y est chargé, sur l'oisiveté dont on y jouit, et ce qui est le principal, sur *le peu qu'il en coûte pour être heureux.* Car les hommes veulent être heureux, et ils voudraient l'être à peu de frais. Le plaisir, et le plaisir tranquille, est l'objet commun de toutes leurs passions et ils sont tous dominés par une certaine paresse. Ceux qui sont les plus remuants ne le sont pas précisément par l'amour qu'ils ont pour l'action, mais par la difficulté qu'ils ont à se contenter... »

2. « Ce n'est pas que les hommes puissent s'accommoder d'une paresse et d'une oisiveté entière, il leur faut quelque mouvement, quelque agitation ; mais un mouvement et une agitation qui s'ajuste *(sic)*, s'il se peut, avec la sorte de paresse qui les possède et c'est ce qui se trouve le plus heureusement du monde dans l'amour, pourvu qu'il soit pris d'une certaine façon. Il ne doit pas être ombrageux, jaloux, forcené, désespéré, mais tendre, simple, délicat, fidèle, et, pour se conserver dans cet état, accompagné d'espérance. Alors on a le cœur rempli et non pas troublé, on a des soins et non pas des inquiétudes, on est remué, mais non pas déchiré, et ce mouvement est précisément tel que l'amour du repos et la paresse naturelle le peut souffrir... Ainsi dans l'état que nous venons de décrire il se fait un accord des deux plus fortes passions de l'homme, de la paresse et de l'amour. Elles sont toutes deux satisfaites en même temps et, pour être heureux autant qu'on le peut être par les passions, il faut que toutes celles que l'on a s'accommodent les unes avec les autres... » (*Ibid.*, pp. 158-160). Cf. LA MOTTE, *Discours sur l'églogue*, *Œuvres complètes*, 1754, t. III : « L'églogue doit prendre les bergers dans cet état fortuné où leurs travaux s'accordaient encore avec le loisir et où leur esprit, en repos du côté des besoins, tournait son activité du côté des passions agréables : elle doit les prendre dans cet état où nous les imaginons heureux et moins bergers, pour ainsi dire, que souverains de leur héritage et de leurs troupeaux » (p. 286). Dans l'article *Poésie pastorale* de l'*Encyclopédie*, le chevalier de Jaucourt propose une définition semblable : « L'objet ou la matière de l'églogue est le repos de la vie champêtre, ce qui l'accompagne, ce qui le suit. Ce repos renferme une juste abondance, une liberté parfaite, une douce gaîté. Il admet des passions modérées qui peuvent produire des plaintes, des chansons, des combats

La pastorale est ce monde idéalisé, où les hommes ont délégué les bergers pour y vivre à leur place le rêve de la facilité et du repos. *Issé*, pastorale de la Motte, s'ouvre par ces mots, que dit une Hespéride, heureuse en son jardin : « Nous jouissons ici d'une douceur profonde. » Pour préserver la sécurité qui est la condition de ce bonheur, un dragon veille sur les fruits merveilleux que les humains convoitent sans pouvoir les atteindre. L'amour, qui pourrait menacer cette paix, est exclu. Mais comme un repos absolu serait insipide, les « jeux » brodent leurs improvisations chatoyantes sur la trame uniforme d'une existence immuable [1]. Les rapports entre l'amour et la pastorale demeurent ambigus. Le repos exige en principe l'exclusion de l'amour. Pourtant il existe une complicité, une harmonie secrète entre le monde pastoral et lui. Le décor pastoral ressemble souvent à un rêve d'amour incarné dans les choses :

> « Les doux plaisirs habitent ce bocage,
> Des plus longs jours ils nous font des moments.
> Les rossignols, par leurs conseils charmants,
> Le bruit des eaux, le zéphyr et l'ombrage,
> Tout sert ici l'amour et les amants [2]. »

Cette contradiction sera résolue par l'*inconstance*, qui conserve tous les sortilèges de l'amour, sans ses dangers. Des ferveurs limitées et successives éviteront le naufrage d'une exaltation unique et totale. L'amour ne sera jamais tragique, mais seulement voluptueux. L'inconstance allège la passion et anime le repos. Elle parcourt d'un flux amoureux l'univers pastoral, en substituant un charme vivant à ses prestiges immobiles [3].

Dans le roman pastoral de Léonard, *Alexis*, le bonheur est une suite ininterrompue de plaisirs modérés. Aucune joie trop vive ne déchire la continuité du repos : « Leur vie était une suite de plaisirs simples, uniformes et répétés, dont le charme naissait de ce retour même et de l'habitude, ce doux état de l'âme qui fait ressembler le bonheur

poétiques, des récits intéressants... Les bergeries sont à proprement parler la peinture de l'âge d'or mis à la portée des hommes... C'est le règne de la liberté, des plaisirs innocents de la paix, de ces biens pour lesquels tous les hommes se sentent nés, quand leurs passions leur laissent quelques moments de silence pour se reconnaître. Il faut en exclure la grossièreté, les choses dures, les menus détails qui ne sont que des images oisives et muettes. En un mot tout ce qui n'a rien de piquant et de doux. À plus forte raison les événements atroces et tragiques ne peuvent y entrer ; un berger qui s'étrangle à la porte de sa bergerie n'est point un spectacle pastoral, parce que dans la vie des bergers on ne doit point connaître les degrés des passions qui mènent à de tels emportements... » Florian souligne enfin que la bergerie est incompatible avec l'esthétique théâtrale, parce que dans l'une « tout est calme et doux », alors que l'autre n'exploite que des passions violentes : « Les fureurs de la tragédie n'ont rien de commun avec les chagrins de l'idylle. Le rire de la comédie ne ressemble point à la gaîté douce des bergers. Ceux-ci ont leur langue à part. On ne l'entend point hors de leur vallon. » (Florian, *Essai sur la pastorale*, en tête d'*Estelle*, roman pastoral, 1788, pp. 6-7).

1. Houdar de la Motte, *Issé* (1708), Prologue, pp. 7-8.
2. *Ibid.*, p. 10.
3. Cf. *ibid.*, pp. 18 et 41.

à un sommeil paisible, embelli de songes flatteurs [1]. » Les pastorales de Florian vibrent des mêmes résonances. Mais le goût de la vertu a renouvelé le genre, qui est devenu plus moral. Le repos n'apparaît plus comme une succession tranquille de plaisirs, mais comme une plénitude située en deçà du désir [2].

L'inspiration pastorale n'est pas forcément liée à une forme fixe. Elle peut s'exprimer dans une poésie plus personnelle. Certains poètes ne se contentent pas d'évoquer les bergers. Ils veulent devenir bergers eux-mêmes. Le sage Ducis se complaît à l'idée d'une telle métamorphose :

> « O comme avec plaisir j'aurais pris le matin
> Ma panetière, ma houlette !
> Et sans doute vous pensez bien
> Que je n'aurais jamais oublié ma musette.
> J'aurais eu mes moutons, ma maîtresse, mon chien.
> On aurait dit Ducis comme on dit Timarette [3]. »

Peu de jours avant sa mort, Ducis médite les mots de saint Bernard : « O beata solitudo », et compose des stances à la solitude, où il s'imagine retiré dans sa « grotte », symbole du refuge parfait [4].

1. LÉONARD, *Œuvres*, 1798, t. I, pp. 150-153. — Né à la Guadeloupe en 1744, Nicolas-Germain Léonard vint jeune en France. Il entra d'abord dans la carrière diplomatique et fut chargé d'affaires à Liège. C'est pendant son séjour dans cette ville qu'il écrivit les *Lettres de deux amants habitants de Lyon*. Doué d'une nature instable, Léonard renonça brusquement à la diplomatie et partit pour la Guadeloupe. Il en revint en 1787, date de son roman *Alexis*. Il y fit un nouveau séjour comme lieutenant-général de l'amirauté et vice-sénéchal. Revenu définitivement en France en 1792, il mourut à Nantes en 1797. C'était un être mélancolique et doux, d'une extraordinaire paresse. Ses œuvres poétiques sont parmi les meilleures du XVIIIe siècle.

2.
> « Dans cette aimable solitude,
> Sous l'ombrage de ces ormeaux,
> Exempt de soins, d'inquiétudes,
> Mes jours s'écoulent en repos.
> Jouissant enfin de moi-même,
> Ne formant plus de vains désirs,
> J'éprouve que le bien suprême
> C'est la paix et non les plaisirs. »
>
> (FLORIAN, *Estelle*, livre II, p. 81).

3. DUCIS, *Épître à ma mère sur sa convalescence*, *Œuvres*, t. III, pp. 60 et suiv. Il est si content de sa formule qu'il la répète dans l'Épître à Gérard de 1805 (*Ibid.*, p. 139) :

> « J'étais né pour les champs. Oui, mon cœur le répète,
> *On aurait dit Ducis comme on dit Timarette.* »

4.
> « Heureuse solitude,
> Seule béatitude,
> Que votre charme est doux.
> De tous les biens du monde,
> Dans ma grotte profonde,
> Je ne veux plus que vous. »
>
> (DUCIS, *op. cit.*, t. III, p. 388).

***

Le thème du refuge est l'un des plus constants dans la poésie lyrique du XVIIIe siècle. *L'Hermitage* décrit par Léonard en est un modèle. Le poète s'y devine

« Heureux et jouissant d'un tranquille repos [1]. »

Il décrit la cueillette des fruits, les colombes et les ramiers qui trempent leur bec dans une eau limpide, les chevreaux qui bondissent parmi les rochers, les promenades sur les « côteaux fleuris » parfumés des « vapeurs du matin », la sieste aux heures accablantes dans les « forêts profondes », les étreintes d'amour sur le « rivage », le sommeil sous un toit battu de la tempête, les libations d'un « nectar doux et frais » dans une « coupe de fougère ». Dans son poème *Le Bonheur*, Léonard n'a pas besoin de thème nouveau. Le bonheur, c'est de posséder un « hermitage » et d'y vivre :

« Heureux qui des mortels oubliant les chimères
Possède une campagne, un livre, un ami sûr,
Et vit indépendant sous le toit de ses pères [2]. »

L'oisiveté, la réflexion et le vagabondage poétique y composent une harmonieuse alternance. Tantôt le poète, « éveillé par le chant des fauvettes », s'en va « par le vent frais du matin », au milieu des « prés semés de violettes ». Quelquefois il médite, « un La Bruyère en mains », sur les « vanités humaines », et « le regard fixé vers les cieux », il tente de « remonter aux causes premières ». Ou bien il court après sa Muse « errante sur les fleurs », à moins qu'il ne promène sa « douce rêverie » sur « un feuillage épais et d'ombre enveloppé ».

Pourtant Léonard est, à ses heures, un exalté. *La Nouvelle Clémentine* révèle un disciple de Rousseau, poussant l'admiration jusqu'à la hantise. Le rêve du repos lui sert à compenser ses inquiétudes morbides ou ses transports éperdus. Aux élans passionnés, aux terribles désespoirs, aux malédictions et aux suicides, dont son roman fait un emploi sans mesure, répondent les thèmes de sa poésie, qui tracent l'image idyllique d'un bonheur apaisé.

La poésie amoureuse de Parny construit plusieurs variations sur le thème du repos. Le poète se retire avec la bien-aimée dans un séjour secret et inaccessible :

« Non loin de ce rivage en une île ignorée
Interdite aux vaisseaux et d'écueils entourée [3]. »

1. Léonard, *L'Hermitage*, *Œuvres*, t. II, p. 207.
2. Léonard, *Le Bonheur*, *ibid.*, pp. 154-159.
3. Parny, *Projet de solitude*, *Poésies érotiques*, Livre I, *Œuvres*, t. I, p. 36. — Évariste-Désiré

Dans une nature luxuriante, où l'on respire « l'ananas parfumé » et « l'oranger touffu », au sein de cette « île fortunée » que l'océan « resserre », le poète et l'aimée sentiront couler « leurs paisibles journées », qui leur « laisseront peu de gloire et beaucoup de bonheur ». Ailleurs, Parny chante une « solitude heureuse et champêtre, séjour du repos le plus doux ». Sur un simple lit de feuillage, en écoutant « dégoutter la pluie », il serrera pendant de longues nuits sa « craintive amie » entre ses bras. De cet amour, tenu précieusement caché, Parny ne chante pas seulement les bouillantes ivresses, mais le « long calme » qui « succède au tumulte des sens », une fois le désir assouvi :

> « L'âme sur son bonheur se repose en silence
> Et la réflexion fixant la jouissance
> S'amuse à lui prêter un charme plus flatteur [1]. »

Cependant le repos n'est pas toujours la forme parfaite de l'amour. Il peut aussi bien en être le refus. Le poète célèbre alors le repos de l'indifférence succédant au délire de l'amour. Lorsque le couple amour-repos se défait, le repos l'emporte sur l'amour, le récuse, achève de le dissoudre. C'est un des moments traditionnels de l'élégie : après la rupture, le désespoir ou le dépit, la délivrance [2]. La lucidité revenue, Parny retrouve le « calme des vers », la « paisible indifférence » ; il demande à « l'amitié », aux « beaux-arts », à la « raison » d'occuper la place désertée ; sans aucune nostalgie, il accueille « la paix dans le fond de son cœur » :

> « Ton air serein ressemble à la sagesse
> Et ton repos est presque le bonheur [3]. »

Reprenant les thèmes de l'épicurisme, il conçoit le repos comme une alliance permanente entre la raison et le plaisir [4]. Il est vrai qu'une fois consolé par l'amitié et guéri par la philosophie, le poète envisage de ramener l'amour dans le concert. Il construit ainsi son

de Forges, chevalier, puis vicomte de Parny est né à l'île Bourbon en 1753 et mort à Paris en 1814. Ses *Poésies érotiques* constituent le meilleur de son œuvre. Comme Léonard, il oscillait entre la passion et la paresse.

1. *Ibid.*, pp. 63-64 et 67.

2.
> « Toi que ma voix implorait chaque jour,
> Tranquillité si longtemps attendue,
> Des cieux enfin te voilà descendue
> Pour remplacer l'impitoyable amour. »
>
> (*Ibid.*, pp. 91-92).

3. *Ibid.*, pp. 105-106.

4.
> « Disciple du sage Épicure,
> Je veux que la raison préside à tous mes jeux,
> De rien avec excès, de tout avec mesure
> Voilà le secret d'être heureux.
> La sensibilité n'est qu'un tourment de plus ;
> Une indifférence paisible
> Est la plus sage des vertus. »
>
> (*Ibid.*, p. 68).

ultime rêve de bonheur, qui rassemble en un partage harmonieux toutes les tentations et les séductions d'une vie douce [1].

L'ambivalence du repos poétique semble de règle dans l'élégie antique : le repos est tantôt apogée, tantôt exclusion de l'amour. Une troisième attitude demeure possible : aimer l'amour pour sa violence même, prendre parti contre le repos confondu avec l'ennui ou l'inexistence. Ces différents thèmes composent dans la poésie lyrique d'André Chénier un cycle qu'il est aisé de parcourir.

Le poète semble ne rêver d'abord que d'étreintes furtives, de ferveurs douces et discrètes, d'un refuge partagé avec quelques êtres chers, d'un farniente épicurien, égayé seulement d'intermèdes sensuels. Le bonheur est une euphorie paisible, diluée dans la tendresse ou animée par le plaisir. Chénier chante ces heures miraculeuses, faites de silences et d'enivrements, ces parties fines où les « ris et les jeux » suspendent l'angoisse de vivre. Tous les visages du repos sont tour à tour évoqués : la volupté des banquets entre amis, où la futilité du divertissement est voilée par l'union profonde des âmes [2] ; la retraite pastorale avec ses tâches rustiques, ses rêveries parfois mélancoliques, ses émois poétiques quand il faut poursuivre la Muse à travers les fleurs ; le bonheur de se confiner ensuite dans une immobilité studieuse [3] ; le refuge amoureux surtout, où la nature et l'amour, échangeant leurs prestiges, se transfigurent mutuellement [4].

Mais voici que l'équilibre entre le repos et l'amour se rompt brusquement. L'amour se libère avec violence, s'affirme comme une exigence absolue, réclame des frénésies et menace de tout dévaster. Le poète, subjugué, cède à la tempête. Reniant le rêve aboli, il déifie la passion, l'acceptant même comme souffrance. Ce n'est plus la paix intérieure qu'il convoite, mais l'intensité des émotions, fussent-elles cruelles. Au comble du délire, il s'écrie dans *Camille* : « Moi, je hais le repos ! [5] »

Il ne tardera pas en réalité à haïr l'amour, maudissant ce qu'il vient de magnifier. L'enivrant martyre se dénoue bientôt dans l'épuisement, l'aigreur, le désespoir. La jalousie a renversé et détruit au fond de

1. « Ah ! si les dieux me laissaient le pouvoir
De dispenser la nuit et la lumière...
De mes instants l'agréable partage
Serait toujours au profit du plaisir.
Dans un accord réglé par la sagesse
A mes amis j'en donnerai un quart,
Le doux sommeil aurait semblable part,
Et la moitié serait pour ma maîtresse. »
(*Ibid.*, p. 19).

2. Cf. Chénier, *Œuvres complètes*, éd. de la Pléiade, pp. 90, 107, 156.
3. *Ibid.*, pp. 56, 57, 133, 150, 156, 532.
4. *Ibid.*, pp. 105, 134, 146-147, 155, 526-527.
5. *Ibid.*, p. 101 ; cf. pp. 61, 136, 152.

l'âme cette fausse apothéose. Au bout de sa saison en enfer, Chénier se retrouve anéanti [1]. Après avoir renoncé à la platitude du repos pour l'aventure de l'amour, il lui faudra renoncer à la folie de l'amour pour rejoindre le hâvre du repos. Il trouvera un refuge dans l'amitié, dont les fonctions sont multiples : communion d'âmes [2], baume pour les blessures [3], ascèse morale [4], encouragement à l'étude [5], et illusion de survie aidant à soutenir calmement la pensée de la mort [6]. Surtout il reste au poète la Poésie, qui ne lui servira plus à chanter l'amour, mais à le consoler de sa perte. Parti du repos comme d'une volupté immédiate, Chénier revient au repos comme au terme d'une douloureuse conquête. Entre ces deux moments, il a connu le vertige et les déchirements de la passion. Entre le dilettantisme épicurien et l'ultime apaisement, le poète aura souffert. Mais aussi il aura vécu.

Des œuvres poétiques moins riches se réduisent à un seul thème immuable : l'oisiveté, la solitude, la retraite. Gresset est fermé à toute autre inspiration [7]. La dignité du métier poétique ne lui paraît pas une justification suffisante pour renoncer à la paresse. Il refuse l'effort, le travail, la tyrannie de l'art, se moque d'être « auteur ». Il dérobe à la « rime » des jours qu'il doit au bonheur. S'il écrit des vers, ce ne sera qu'à la façon de La Fare et de Chaulieu, pour célébrer sans art la volupté et l'indolence. Plein de mépris pour la gloire, il envie seulement

« L'art d'être aimable et le don d'être heureux [8]. »

La vie dont il rêve n'est qu'une union paisible « de la sagesse et de la volupté [9] », où la tranquillité, même teintée d'ascétisme, a plus de prix que la jouissance, souvent compliquée d'embarras. Réfugié dans un grenier délabré, il se félicite d'être à l'abri des fâcheux qui peuplent le monde [10].

Qu'elles soient de simples refuges naturels — grottes ou vallons —

1. *Ibid.*, pp. 62-63, 83, 97, 107, 108, 517.
2. *Ibid.*, pp. 67-68, 533.
3. *Ibid.*, p. 141.
4. *Ibid.*, p. 145.
5. *Ibid.*, pp. 69-70.
6. *Ibid.*, p. 76.
7. Né à Amiens en 1709 d'une bonne famille, Jean-Baptiste Gresset fut d'abord jésuite. A 24 ans, il écrivit son chef-d'œuvre, *Vert-Vert*, qui fit quelque scandale. A 26 ans, il se défroqua et vint à Paris, où il fut accueilli dans le grand monde. Il fit carrière au théâtre, d'abord dans la tragédie, puis, avec plus de bonheur, dans la comédie. Il entra à l'Académie Française en 1748. Par la suite, il vécut assez retiré à Amiens. Il mourut en 1777, confit en dévotion. C'était un homme paisible et bon, pourvu des plus bourgeoises vertus.
8. GRESSET, *A ma muse*, *Œuvres*, t. I, p. 96.
9. *Ibid.*, p. 104.
10. « Calme heureux ! loisir solitaire !
Quand on jouit de la douceur
Quel antre n'a pas de quoi plaire ?
Quelle caverne est étrangère
Lorsqu'on y trouve le bonheur ? »
(GRESSET, *La Chartreuse*, *ibid.*, p. 44).

ou bien de somptueuses demeures, de nombreuses retraites, vécues, poétiques ou romanesques, abritent des bonheurs tranquilles. Le marquis de Lassay, retiré dans son château de Madaillan, fait inscrire ces vers sur la cheminée de son cabinet :

> « Enfin dans cette retraite
> Las et rebuté des cours
> Je passe de paisibles jours
> Et jouis d'une paix parfaite [1]. »

Dans les *Voyages de Cyrus*, le sage Aménophis, jadis « élevé à la cour des rois », achève ses jours dans des « grottes champêtres », qu'il a creusées de ses propres mains au flanc des collines, tout près d'un ruisseau « dont le doux murmure était le seul bruit que l'on entendait dans ces lieux tranquilles ». Sur son visage, « une joie naïve et paisible [2] » révèle l'euphorie bienfaisante et discrète où s'épanouit son âme. Les Mages des bords de l'Arosis ont construit leur retraite dans « un large vallon entouré de hautes montagnes ». Ce lieu naturellement protégé a pris l'aspect d'un miraculeux jardin, où l'on entend une « musique harmonieuse » s'échapper des bocages. Comme Aménophis, les Mages, loin d'être des « hommes sévères, tristes et rêveurs », vivent comme un « peuple aimable et poli [3] ». Toujours la politesse et la grâce humanisent le repos. Rien de moins farouche que ces anachorètes qui ont transporté dans un agréable désert leurs manières exquises de mondains accomplis. La solitude imaginaire n'anéantit jamais ce monde qu'elle éloigne. Elle le reconnaît au contraire et témoigne pour lui, dans la mesure où elle s'en approprie les prestiges. Des voluptés mondaines, le plus souvent frelatées, elle extrait l'essence pure d'une mondanité et d'une humanité parfaites, dont elle imprègne les images trop crues de l'idylle rustique.

Si le repos imaginaire se définit par rapport au monde, qu'il récuse et exploite à la fois, il entretient avec la nature une double relation. Ami des lieux tièdes et des doux horizons, il s'oppose à toutes les forces violentes de l'univers. C'est même contre elles qu'il remplit le mieux sa fonction de refuge. Vis-à-vis du monde, il n'existe que comme *distance* ou, tout au plus, comme *clôture symbolique*. Devant les tempêtes et les orages, il devient un *abri*, au sens le plus matériel du mot. C'est le vieux thème du « *Suave mari magno* », dominante affective de tous les rêves de refuge. Le repos s'enrichit de l'agressivité

1. LASSAY, *Recueil de différentes choses*, t. IV, p. 188.
2. RAMSAY, *Voyage de Cyrus*, t. I, pp. 137-138. — Né en Écosse en 1686, le chevalier André-Michel de Ramsay descendait d'une très vieille famille. Détaché très tôt de la religion anglicane, il fut pendant un certain temps une sorte de chevalier errant de la foi. C'est Fénelon qui le fixa, en le convertissant au catholicisme. Il s'installa en France, devint intendant du prince de Turenne, puis du duc de Bouillon, et mourut en 1743. Il resta toujours plus ou moins captivé par les religions et les systèmes ésotériques.
3. *Ibid.*, pp. 66-68.

rendue vaine des éléments extérieurs. Il est alors vraiment une *protection*. Dans la saison des frimas, Dolbreuse et sa femme se blottissent « dans un appartement bien clos » et sont ravis d'entendre « les aquilons se déchaîner avec furie contre les pavillons et les tours du château » [1].

Le repos rustique représente donc autre chose qu'une rupture avec le monde et une fusion avec la nature. L'univers idéal du repos est un univers mixte, qui conserve à la fois quelque chose des agréments mondains et des charmes de la nature, en confondant l'élégance des uns et la pureté des autres. Le rêve qui s'y déploie mêle dans une même image deux styles de vie contradictoires, épurés l'un et l'autre de ce qui les défigure et les rend dangereux : la frivolité ou la corruption des sociétés, et la brutalité des choses.

***

C'est dans le mythe de l'âge d'or qu'il faudrait chercher l'ultime aboutissement du repos. Sa valeur est sans doute beaucoup plus collective qu'individuelle. Toutefois il est d'usage au XVIIIe siècle, où tant de méditations et de systèmes s'élaborent autour de lui, de recourir au sentiment individuel pour démontrer que l'âge d'or n'est pas une chimère. Chaque conscience peut témoigner de sa réalité, car elle y reconnaît son bonheur : « L'âge d'or, Alexis, est un terme figuré, sous lequel vous entendez avec moi, je compte, l'état d'un être quelconque qui jouit de tout le bonheur dont sa nature et sa façon d'être actuelle sont susceptibles [2]. »

L'âge d'or est bien un rêve du repos, puisqu'il suppose une réalisation immédiate et naturelle de tous les désirs. Les habitants d'Arcadie se trouvent allégés de l'effort et même du *vouloir*, n'étant plus séparés par la moindre distance de l'objet convoité. Le paradoxe des bergers est de prétendre incarner l'homme parfait en échappant à la condition humaine. Le repos rencontre toujours la même limite. Au delà de la détente et de l'allègement, il se dissout dans la vacuité et l'inexistence. Un repos absolu n'est pas un état que l'on puisse vivre. La rêverie qui se prolonge se décolore et se fige dans la clarté abstraite de l'utopie.

1. LOAISEL DE TRÉOGATE, *Dolbreuse*, t. II, pp. 109-110.
2. HEMSTERHUIS, *Alexis ou de l'Age d'or* (1787), p. 134. — François Hemsterhuis, archéologue et philosophe hollandais, naquit à Groningue en 1720 et mourut en 1790. Il écrivit en français des ouvrages au style non dépourvu de charme, mais singulièrement imprécis : *Lettre sur les désirs* (1770), *Lettre sur l'homme et ses rapports* (1772). Idéaliste épris de beauté, il se réclamait de l'école socratique et tâchait de retrouver quelque chose du souffle poétique de Platon.

***

Le rêve du bonheur par le repos prend sa source dans les profondeurs de l'âme humaine, dont il est l'une des nostalgies permanentes. Réponse spontanée à l'angoisse de vivre, il représente l'état idéal d'une conscience immobile, unifiée et absolument pleine. Si l'on tentait une phénoménologie du repos, sans doute faudrait-il le décrire à la fois comme *évasion* et comme *plénitude*. Dans le repos, l'homme se sent libéré de cette part de son existence qui le divise et l'accable. En même temps il découvre qu'il existe plus intensément qu'au moment où il croyait vivre. En échappant à la vie, il a trouvé la véritable vie. L'accession au repos se présente toujours comme une conversion, un renversement des valeurs.

Mais le repos n'est pas seulement chargé de cette signification éternelle. L'histoire achève de lui donner son vrai visage. Contre le christianisme, la philosophie du XVIIIe siècle renoue avec l'Antiquité. En face de l'ascétisme chrétien, la morale des Anciens apparaît comme une morale du repos. Les moralistes et les poètes se bornent souvent à paraphraser Cicéron et Horace, à travestir Épicure et Sénèque. Il ne faut pas que l'apparent modernisme du « siècle des lumières » voile l'importance de ce retour aux sources. Déchue de son monopole en matière d'art et de beauté, l'Antiquité regagne tout son prestige comme inspiratrice d'un art de vivre et de sentir. Son influence s'explique sans doute par des affinités instinctives : les deux époques ont en commun l'amour de la volupté, tempéré par le goût de la mesure, l'inaptitude à concevoir l'infini, la même façon d'envisager la vie comme un champ limité mais fertile, qu'il faut exploiter sagement pour le plus grand bien-être possible. Mais à ces rencontres fortuites s'ajoutent des intentions calculées : l'apologie de la morale antique tend à montrer que l'homme peut penser, agir et vivre heureux dans un autre climat que celui de christianisme. L'attaque sera si forte et si juste que les défenseurs de la morale chrétienne en seront réduits à répondre que la religion conduit aussi au repos, qu'elle ne fait qu'approfondir les règles de vie enseignées par les Anciens.

Le rêve antique, spontanément repris et systématiquement cultivé, se colore d'une nuance particulière : il devient moral. Pour rendre le christianisme tout à fait inutile, pour apaiser les exigences et les scrupules qu'il a depuis longtemps déposés au fond des consciences, le nouvel idéal de vie doit fixer simultanément toutes les aspirations de l'âme : il faut à la fois qu'il *ravisse* et qu'il *justifie*. Le repos n'est donc pas donné seulement comme un état agréable, mais comme un état vertueux. Une âme capable de l'atteindre et de le savourer fait du même coup la preuve de son excellence. La volupté tranquille est le signe d'une conscience pure. C'est le repos qui réalise le mieux la grande ambition du siècle : « Etre heureux et innocent tout ensemble. »

Toutefois le repos n'est pas un état stable. Des tentations contraires le menacent sans cesse d'éclatement. Son prix lui vient moins de sa propre nature que de son opposition avec le mouvement. Certaines âmes inquiètes le soupçonnent de n'être que le masque de l'ennui et ceux-là même qui le prônent doivent admettre qu'il a besoin du sentiment et des plaisirs pour ne pas se volatiliser ou s'aigrir. D'abord plénitude, lorsqu'on vient grâce à lui d'échapper aux orages du cœur ou à la cohue du monde, le repos devient rapidement *disponibilité*. Arrivé à ce stade, il doit être enrichi, rehaussé ou assumé par autre chose. Il faut l'animer par la jouissance, le transfigurer par la passion, dépasser l'égoïsme qu'il suppose par un élan vers autrui. Se disqualifiant lui-même, le repos réclame l'ivresse, à moins qu'il n'exige qu'on le rationalise, qu'on le durcisse en une méthodique sagesse. Semblant clore définitivement le cycle du bonheur, le repos inaugure un cycle nouveau. Voulant combler l'horizon de l'âme, il l'ouvre au contraire démesurément.

CHAPITRE X

LE MOUVEMENT ET LES PLAISIRS

« Il est certain que les plaisirs innocents font la félicité de la vie... Je conseille l'usage des plaisirs, mais je ne veux pas qu'on s'en enivre. »

LE MAÎTRE DE CLAVILLE,
Traité du vrai mérite.

Introduction : Plaisir et Bonheur. — 1. Technique du plaisir : Plaisirs et diversité ; Plaisirs et modération ; Plaisirs et vie intérieure. — 2. Ethique du plaisir : Plaisirs et morale chrétienne ; Plaisirs et morale philosophique ; Deux destinées romanesques ; La classification des plaisirs. — 3. Esthétique du plaisir : la Volupté. — *Conclusion :* L'arithmétique des plaisirs ; Plaisir et Vertu.

Le plaisir détourne la menace d'enlisement que le repos fait peser sur l'âme. Plus encore que le bonheur, il est la découverte du siècle. Il n'est personne qui n'en souligne ou n'en exalte l'importance [1]. Prenant en pitié ceux qui passent près du plaisir sans le connaître, Mme de Puisieux se demande : « Ont-ils vécu comme des hommes ? C'est ce que je n'ose croire [2]. » Elle précise que l'amour du plaisir est doublement universel, parce qu'il existe en chaque homme et qu'il est la clé de tout [3]. Dans la préface aux *Dialogues sur les plaisirs, sur les passions et sur le mérite des femmes* (1717), Dupuy assure que l'homme n'est jamais semblable à lui-même, sauf en ce qui concerne la quête du plaisir, qui est son seul point fixe [4].

Le plaisir apparaît d'abord comme un *moteur universel,* comme l'élément le plus actif de l'âme humaine. Il devient par là même

1. La courtisane Éléonore, personnage de roman, s'est fait sur ce point une opinion définitive : « Je vous l'ai déjà dit et vous ne m'entendrez jamais dire autre chose : du plaisir, mes enfants, du plaisir, je ne vois que cela dans le monde. » (JONVAL, *Les Erreurs instructives,* t. II, p. 101).

2. Mme DE PUISIEUX, *Le Plaisir et la volupté,* p. 120.

3. « L'amour du plaisir est dans tous les hommes. C'est pour s'en procurer qu'on fait tout. » (Mme DE PUISIEUX, *Les Caractères,* p. 39).

4. « A peine peut-on saisir un moment dans lequel il soit ce qu'il était le moment précédent ; mais malgré sa légèreté et son inconstance, *il est toujours le même par rapport à l'amour du plaisir.* » (*Op. cit.,* p. 1).

un principe nécessaire, une sorte de rempart contre le néant [1]. L'abbé Hennebert, auteur d'un traité *Du Plaisir, ou du Moyen de se rendre heureux* (1764), estime que l'absence de plaisir se confondrait avec l'inexistence. Un univers sans plaisir ressemblerait à un monde mort, où toute vie serait éteinte, toute âme dissoute, tout mouvement aboli [2]. Dans son poème *Le Bonheur,* Helvétius reprend le même thème :

> « Sans le plaisir enfin, père du mouvement
> L'esprit est sans ressort et l'univers stagnant [3]. »

Le marquis de Lassay considère comme un grand malheur d'être désabusé sur la valeur des biens terrestres, car c'est retrancher bien des occasions de se rendre heureux [4]. Moteur universel, principe nécessaire, le plaisir met en cause tout le système du monde et va jusqu'à prendre une valeur métaphysique. Voltaire y voit la preuve la plus sûre de l'existence de Dieu [5]. Pour Rétif de la Bretonne, il n'est plus la marque laissée par Dieu sur la création, mais une sorte de flux mystérieux qui circule à l'intérieur des êtres et les conduit à leur perfection : « Le plaisir est le développement parfait de l'existence de tout être vivant [6]. »

Si tout le monde s'accorde à faire du plaisir, selon la formule d'Helvétius, « l'âme de l'univers » [7], la même unanimité se retrouve à peu près pour le distinguer du bonheur. Certains tentent, sans doute, de rapprocher ou de confondre les deux termes. Dans son conte *Le Plaisir et la volupté,* Mme de Puisieux veut montrer comment, dans l'amour même, le plaisir est indispensable au bonheur [8]. A l'article *Plaisir,* l'*Encyclopédie* contient une formule équivoque : « Le plaisir est un sentiment de l'âme qui nous rend heureux, du moins pendant tout

1. « Les plaisirs sont aussi nécessaires à l'âme que les aliments le sont au corps... Sans eux, tout languirait dans l'inaction et dans l'assoupissement. » (*Ibid.*, p. 3).

2. « Un être sans aucun plaisir serait un être de raison, un être totalement dépouillé de passions... *Le désirer, le sentir, le goûter, c'est exister.* Aussi est-il le vœu, l'idole de tout ce qui respire. Il est le mobile de nos pensées et le terme de nos actions... S'il était possible de concevoir un monde où son empire serait inconnu, l'ennui en aurait bientôt flétri les habitants, les ressorts qui mettent l'âme en activité se rouilleraient ; l'engourdissement et la langueur s'empareraient des esprits : la société nécessairement dissoute n'offrirait que la masse énorme d'un corps sans mouvement. » (*Op. cit.*, pp. 1-3).

3. *Op. cit.*, chant IV.

4. « Il n'y a point d'état plus triste que celui d'être las et dégoûté du plaisir... On devrait pleurer la perte d'un goût. » (*Recueil de différentes choses*, t. III, pp. 32-33).

5. En envoyant, en juin 1738, au prince royal de Prusse son *Cinquième Discours sur l'homme*, consacré à la « nature du plaisir », il fait cette profession de foi : « Je m'étonne que parmi tant de démonstrations alambiquées de l'existence de Dieu, on ne se soit pas avisé d'apporter le plaisir en preuve ; car physiquement parlant le plaisir est divin, et je tiens que tout homme qui boit du vin de Tokai, qui embrasse une jolie femme, qui, en un mot, a des sensations agréables, doit reconnaître un Être suprême et bienfaisant. Voilà pourquoi les anciens ont fait des dieux de toutes leurs passions ; mais comme toutes nos passions nous sont données pour notre bien-être, je tiens qu'elles prouvent l'unité d'un dieu, car elles prouvent l'unité du dessein. » (VOLTAIRE, *Œuvres complètes*, éd. Moland, t. XXXIV, p. 512).

6. *La Découverte australe par un homme volant* (1781), t. II, pp. 244-245.

7. *Le Bonheur*, chant V.

8. « L'amour avait pris depuis longtemps sous sa protection deux amants dont il avait résolu de faire le bonheur ; et il ne pouvait rien pour eux sans l'aide du plaisir. » (*Op. cit.*, p. 111).

le temps que nous le goûtons. » Maupertuis est plus catégorique dans son *Essai de philosophie morale*, en définissant le bonheur comme la somme des moments de plaisir.

Mais le plus souvent on s'attache à établir entre les deux une différence de nature. Le bonheur est un état permanent, le plaisir une prise de conscience fugitive ; l'un se reconnaît à sa durée, l'autre à son intensité. Surtout le bonheur est une sorte de synthèse intérieure, alors que le plaisir reste un sentiment partiel, limité, périphérique. Boudier de Villemert insiste sur ces différences [1]. Delisle de Sales proteste contre « l'absurdité de la rêverie philosophique qui définit le bonheur une continuité de plaisirs » [2]. Une succession ininterrompue de plaisirs est inconcevable, car elle aboutirait à une destruction de l'âme [3]. Il n'est d'ailleurs pas nécessaire que le plaisir se déroule dans le temps : son essence s'épuise dans l'instant, tandis que l'essence du bonheur implique la durée [4]. Trublet présente les choses de façon différente, en jouant un peu sur les mots : le plaisir se confond bien avec le bonheur, mais alors il faut distinguer *le plaisir*, état constant d'une âme comblée, et *les plaisirs*, sensations agréables et de faible durée [5].

L'opinion des moralistes se partage entre deux propositions. La première consiste à définir le plaisir de façon immédiatement restrictive, comme l'une des composantes du bonheur [6]. La seconde consent à faire du plaisir l'essence du bonheur, mais en laissant entendre qu'il reste à choisir, parmi les différents plaisirs, ceux qui sont vraiment en mesure de donner ce bonheur que tous semblent promettre. On combine dans ce cas un fait d'observation psychologique — le bonheur est dans le plaisir — et un principe moral : il faut distinguer les plaisirs permis des plaisirs coupables [7]. Deux raisons s'opposent à l'identification du plaisir et du bonheur : la nécessité de préserver le repos et le respect de la loi morale. Les plaisirs empêchent en effet d'*intérioriser* le bonheur, lui ôtent sa plénitude,

1. *Andrométrie*, pp. 95-97.
2. *Philosophie du bonheur*, t. I, p. 85.
3. *Ibid.*, pp. 85-86.
4. « Un instant du plaisir le plus vif peut être mis en parallèle avec plusieurs années de bonheur. La première fois qu'Ovide jouit de Corinne ou lorsqu'Archimède découvrit le problème de la couronne d'Hyéron, ils vécurent peut-être cent ans. » (*Ibid.*, t. II, p. 113).
5. « Ce ne sont pas *les plaisirs* qui rendent heureux, c'est *le plaisir*. Il y a la même différence entre les plaisirs et le plaisir qu'entre les honneurs et l'honneur. Les honneurs ne font point d'honneur sans le mérite. De même les plaisirs ne font point de plaisir sans le consentement du cœur. *Les plaisirs rendent heureux* : c'est une proposition morale et fausse ; *le plaisir rend heureux* : c'est une proposition métaphysique et exactement vraie. » (TRUBLET, *op. cit.*, t. III, p. 349).
6. On dira avec Delisle de Sales : « Le plaisir entre dans la composition du bonheur, mais il n'en fait pas l'essence. » (*Philosophie du bonheur*, t. II, p. 115).
7. On choisira alors une formule semblable à celle de Hennebert : « Si le plaisir est le fondement du bonheur, le bonheur n'est pas dans tous les plaisirs. » (*Du Plaisir*, Avant-propos, p. XII), — ou à celle du poète Young : « Convenons que le plaisir est le souverain bien de l'homme, mais apprenons à distinguer le faux du véritable. » (*Les Nuits*, Traduction Le Tourneur, t. II, p. 82).

sa valeur de *recueillement*. Ils sont non seulement fugitifs et discontinus, mais *extérieurs* à l'âme. L'âme qui éprouve un plaisir jouit d'autre chose que d'elle-même. Or le bonheur consiste à jouir de soi. D'autre part, si la morale naturelle accrédite l'idée de la légitimité du plaisir, et si la morale chrétienne la tolère, ce n'est pas au point d'effacer toute distinction entre les plaisirs légitimes et les plaisirs réprouvés, entre les plaisirs du corps, toujours suspects, et ceux de l'âme, où se trouvent déposés les germes du bonheur. Il est bien rare que la réhabilitation du plaisir entreprise par tout le siècle ne soit assortie d'aucune prudence, tempérée d'aucun moralisme.

I. — Technique du plaisir.

Réhabilité, le plaisir apparaît nécessaire à une parfaite acceptation de la condition humaine. Le *divertissement* cesse d'être une aberration ou un châtiment. Il devient la façon la plus naturelle de s'accommoder de la vie. Pourtant ses ressources sont limitées et précaires. Quelles que soient son intensité ou sa qualité, le plaisir n'échappe jamais à sa nature, qui en fait *un état d'âme de l'instant*. L'homme est donc forcé de renouveler perpétuellement ses impressions agréables. La première condition du plaisir est la *diversité*. Mais si elle devenait un vertige, cette diversité ne ferait qu'épuiser l'âme, au lieu de la combler. La deuxième condition du plaisir sera donc la *modération*. Enfin le plaisir ne doit pas rester un effleurement extérieur, mais être savouré par l'âme elle-même. Il n'y a donc pas de plaisir sans *intériorité* : c'est la troisième condition. Tel est le plaisir simple. Mais il existe des états complexes où la volupté s'allie à la douleur. Les impressions ambiguës qui en résultent sont encore des impressions agréables. Avec la *complexité* du plaisir, on découvre l'existence des « sensations mixtes ».

Les philosophes du XVIIIe siècle se font les avocats du divertissement, auquel ils s'efforcent de restituer sa dignité et sa valeur. Pascal formulait contre le divertissement deux arguments majeurs : il nous met dans la dépendance des biens extérieurs et par là nous oblige à souffrir ; d'autre part, en nous éloignant de nous-même, il nous fait négliger l'essentiel, c'est-à-dire le salut. Dans ses *Remarques sur les Pensées de Pascal*, Voltaire réplique de trois façons : le divertissement est bienfaisant, car il est le seul remède contre la douleur ; il est la manifestation la plus spontanée de notre nature, qui est faite pour l'action, non pour la contemplation ; enfin le besoin de sortir de soi est la source de toutes les activités sociales, il constitue le lien même de la société.

En dépit de cette réfutation de Pascal, que d'échos pascaliens ne perçoit-on pas dans certains jugements sur la condition humaine ! M. Pomeau l'a montré à propos de Voltaire. Montesquieu, dans *Mes Pensées*, retrouve non seulement les thèmes, mais quelquefois l'accent de Pascal [1]. Helvétius explique toutes les passions, tous les sentiments, par la nécessité de fuir une hantise fondamentale : l'ennui. Tous soulignent l'incapacité où est l'homme de soutenir la nudité de sa condition. Le plaisir cesse d'être une dérobade coupable pour devenir un légitime accomplissement. Mais il n'en demeure pas moins le palliatif nécessaire de l'angoisse ou du « mal de vivre ».

Le plaisir reste un état de conscience essentiellement fugitif. Cette limitation du plaisir dans la durée tient à sa nature. En se prolongeant, il cesse d'être lui-même pour se changer en son contraire, alors que la peine, fût-elle éternelle, ne se métamorphose pas en plaisir. C'est le paradoxe que souligne Mérian, dans son *Mémoire sur la durée et l'intensité du plaisir et de la peine* [2]. Il en tire les conclusions les plus sombres sur ce pitoyable et salutaire amour de la vie, dont l'illusion permet à l'homme de ne pas mesurer toute l'étendue de son malheur. Pourtant sa destinée est bien triste. Le plaisir seul l'aide à la supporter. Mais il ne mérite son nom qu'au moment où il éclôt. En durant, il se dénature. En somme le plaisir n'est jamais rien d'autre

1. Cf. Pascal : « L'homme, quelque heureux qu'il soit, s'il n'est diverti ou occupé par quelque passion ou quelque amusement, qui empêche l'ennui de se répandre, sera bientôt chagrin et malheureux. Sans divertissement il n'y a point de joie ; avec le divertissement il n'y a point de misères. » (*Pensées*, 139) et Montesquieu : « Pour être heureux, il faut avoir un objet, parce que c'est le moyen de donner de la vie à nos actions. Elles deviennent même plus importantes selon la nature de l'objet et, par là, elles occupent plus notre âme ». (*Mes Pensées*, 551). « La raison pourquoi ceux qui ne pensent à rien ou qui pensent à leur être sont tristes, c'est que, dans ces occasions, l'âme ne sent que sa petitesse et n'est point portée aux idées extérieures de grandeur. » (*Spicilège*, pp. 407-408). Montesquieu reprend également le thème pascalien du *roi sans divertissement* : « Un roi sans divertissement est un homme plein de misères » (Pascal, *Pensées*, 142). « Tous les princes s'ennuient ; une preuve de cela, c'est qu'ils vont à la chasse. » (Montesquieu, *Mes Pensées*, 1282). « Je pense que les rois sont malheureux parce qu'ils ne peuvent faire cour, car il me semble que le goût des grands est plutôt de la faire que de la recevoir. » (*Ibid.*, 1284) ; et toujours à propos des rois : « Leur grandeur leur ordonne de s'ennuyer. Il leur faudrait des conquêtes pour leur amusement, mais leurs voisins leur défendent de s'amuser. » (*Ibid.*, 551). Pour Montesquieu, l'activité spirituelle la plus haute est encore un « divertissement » : « Si quelques chrétiens sont heureux, ce n'est sûrement pas parce qu'ils sont tranquilles, c'est parce que leur âme est mise en activité par de grandes vérités. » (*Ibid.*).

2. Mémoire de l'Académie de Berlin, reproduit dans *Le Temple du bonheur* (1769). — Jean-Bernard Mérian, fils de pasteur, est né en 1723 dans le canton de Bâle. Il devient pasteur lui-même, séjourne à Lausanne et à Amsterdam. En 1750, Maupertuis l'appelle à l'Académie de Berlin. Il est l'auteur de très nombreux mémoires philosophiques, le plus souvent dirigés contre Wolf. Presque toutes ses œuvres sont dispersées dans les différents recueils de mémoires de l'Académie de Berlin. Mérian était un homme sain, équilibré, heureux, sans aucune inquiétude. Il mourut en 1807.

que la naissance du plaisir : son essence est le jaillissement. Le plaisir que l'on prend pour un *état* n'est en réalité qu'une succession continue de moments toujours dissemblables. Seules la diversité et la métamorphose donnent au plaisir sa pleine existence et le sauvent de l'engloutissement par l'instant.

***

Montesquieu note dans son *Essai sur le goût* : « L'âme ne peut soutenir longtemps les mêmes situations, parce qu'elle est liée à un corps qui ne les peut souffrir [1]. » Mais elle ne peut s'accommoder non plus d'une léthargie qui la dissout. Forcée de *sentir* et incapable d'accueillir longtemps une même sensation, elle ne peut trouver son rythme que dans un renouvellement, un rafraîchissement sans fin de ses impressions [2]. La littérature romanesque évoque souvent le désenchantement de ces personnages, qui se dégoûtent des plaisirs, parce qu'ils ne savent pas ou ne peuvent pas les varier [3]. Théophé, la « grecque moderne » de Prévost, est d'abord éblouie par les prestiges du sérail. Pendant deux mois elle s'enivre des sensations exquises qui caressent ses sens et agitent son imagination : la chaude opulence qu'elle respire, la foule des serviteurs empressée autour de ses caprices, les bijoux, les voiles et les parfums l'investissent délicieusement. Elle se croit heureuse. Peu à peu, sans que rien soit changé, la volupté s'émousse : son âme s'alanguit, se prend à rêver de la seule chose qui ne soit pas à sa portée et dont elle ignore le nom. Il ne s'est rien passé pourtant. Théophé n'est victime d'aucune crise, aucun mal ne la consume. Elle subit seulement le plus banal de tous les accidents : la satiété, que traînent toujours après eux les plaisirs immuables. Elle déclare en soupirant : « Rien ne se présentait plus à moi sous la forme que j'y avais trouvée d'abord [4]. » Elle formule ainsi la grande loi du plaisir : si le plaisir ne change pas, c'est la façon de le goûter qui change [5]. Bien loin d'être une faiblesse ou un crime, l'inconstance apparaît comme la plus sûre pourvoyeuse de nos plai-

1. *Essai sur le goût*, *Œuvres*, éd. Laboulaye, t. VII, p. 127 ; cf. lignes suiv. : « Tout nous fatigue à la longue et surtout les grands plaisirs : on les quitte toujours avec la même satisfaction qu'on les a pris ; car les fibres qui en ont été les organes ont besoin de repos ; il faut en employer d'autres plus propres à nous ravir et distribuer pour ainsi dire le travail. »

2. « Notre âme est lasse de sentir ; mais ne pas sentir, c'est tomber dans un anéantissement qui l'accable. On remédie à tout en variant ses modifications ; elle sent et ne se lasse pas. » (*Ibid.*, p. 128).

3. Dans l'*Histoire de Mme de Bellerive* de Chastenet de Puységur, M. de Lérac dit à l'héroïne : « Croyez que la vie uniforme est de toutes la plus dangereuse, non seulement contre les véritables plaisirs, mais contre nos caractères qu'elle change et notre santé qu'elle perd... » (p. 222).

4. Prévost, *Histoire d'une grecque moderne*, t. I, pp. 63-64.

5. Trublet dit judicieusement : « J'ai été bien aise de dîner aujourd'hui chez M. N... et je serais très fâché d'y souper », et il ajoute : « Le cercle des plaisirs ne saurait être trop étendu. Il vaut mieux avoir plus de plaisirs que d'en avoir de plus vifs. » (Trublet, *op. cit.*, t. III, pp. 354-355).

sirs, la plus conforme surtout à la nature de notre âme. C'est sans aucun cynisme, sans aucune volonté de paradoxe que Trublet désigne dans l'inconstant l'homme heureux [1]. Il faut toujours revenir à l'image d'une vie où des émotions douces et des curiosités fines se succèdent sans vide et sans heurt. Tel est le type même de la vie heureuse, par opposition à ces existences dramatiques où les instants de passion et de vertige alternent avec des repos nauséeux, quand l'âme épuisée, vide de sensations et morte à tout intérêt, semble se défaire [2]. Le dilettantisme, qui peut être fatal au bonheur, reste la loi suprême du plaisir. Les plaisirs dépendent moins des *sensations* qui les transmettent que des *goûts* qui les accueillent. L'art de jouir est essentiellement l'art de cultiver des goûts variés et de les soumettre aux lois délicates d'une heureuse harmonie.

Il serait injuste de ne voir là que la justification intelligente d'un épicurisme dépourvu de conscience. Le digne et conformiste Trublet est déjà une caution suffisante du sérieux que l'on met à développer un tel thème. L'abbé de Saint-Pierre lui-même, âme généreuse et naïve, touche-à-tout de la philanthropie, n'a pas jugé indigne d'y consacrer l'un de ses *Rêves d'un homme de bien*. Il y définit le plaisir comme une différence, comme le passage d'un état à un autre [3]. La sagesse ne consiste donc pas à étouffer les plaisirs, mais à les varier ; le sage n'est pas un ascète, mais un voluptueux méthodique et, si l'on peut dire, polyvalent [4]. Cette diversité de goûts n'exige pas nécessairement l'invention d'une existence rare, une tension constante de l'imagination vers les voluptés insolites. Les jouissances les plus variées se cueillent au niveau de la vie la plus « commune » [5].

La variété des plaisirs que l'abbé de Saint-Pierre recommande au

1. « Quelquefois un goût cesse simplement par le dégoût. Quelquefois il est chassé aussi par un autre goût ; c'est ce qui s'appelle proprement l'inconstance et cette inconstance est un bien. En prévenant le dégoût, elle fournit des plaisirs continuels et toujours vifs. L'inconstant ne prend que la fleur des choses. Il écrème les objets. Rien ne s'use pour lui et il ne s'use pour rien. *L'inconstant qui change souvent de goûts est toujours heureux.* » (*Ibid.*, pp. 359-360).

2. « Une vie agitée, mais diversifiée, un mouvement doux, mais continuel et varié, vaut mieux que ces vives secousses auxquelles succède une ennuyeuse langueur. » (*Ibid.*, p. 356). Montesquieu dit de même : « Former toujours de nouveaux désirs et les satisfaire à mesure qu'on les forme, c'est le comble de la félicité. L'âme ne reste pas assez sur ses inquiétudes pour les ressentir, ni sur la jouissance pour s'en dégoûter. *Ses mouvements sont aussi doux que son repos est animé*, ce qui l'empêche de tomber dans cette langueur qui nous abat et semble nous prédire notre anéantissement. » (MONTESQUIEU, *Mes Pensées*, 997).

3. « Tels que nous sommes faits, le sentiment agréable est causé en nous par quelque disposition différente de celle où nous étions. Or il n'y a que des objets divers ou nouveaux qui puissent causer en nous cette disposition différente... La nouveauté et la diversité étant les principales sources du plaisir, elles doivent être les bases du bonheur de la vie. » (Abbé de SAINT-PIERRE, *Rêves d'un homme de bien*, p. 480 et p. 475).

4. « L'homme, tel qu'il est construit, ne peut pas subsister heureux avec un seul goût... Le sage est donc obligé, s'il veut bâtir sur la nature, de se procurer, par des dispositions différentes, une vie suffisamment diversifiée. » (*Ibid.*, pp. 481 et 480).

5. « Il y a cet avantage dans la vie commune : c'est que, sans que nous y pensions, elle nous présente beaucoup de choses fort différentes à goûter : plaisir de gloire, de distinction, de curiosité, plaisir des sens, plaisir de la conversation, plaisir des spectacles. Or de tout cela, il se forme une espèce d'équilibre entre nos goûts, qui fait qu'il n'y en a point d'assez dominant pour nous ôter tous les autres. » (*Ibid.*, pp. 481-482).

sein d'une existence médiocre, Diderot la transpose dans un climat de luxe et de merveilles. On ne peut rêver d'opposition plus parfaite : d'une vie mesurée et unie, d'allure un peu grise, on passe à un fiévreux tourbillon d'enthousiasmes, de splendeurs et de richesses. Mais c'est le même principe qui inspire les deux rêves : le bonheur n'est pas le fruit d'une exaltation fixée sur un objet unique ; il se confond avec le chatoiement des plaisirs [1].

L'équilibre entre les différents goûts n'est rendu possible que par l'absence ou le silence des passions. Une passion partage rarement avec une autre. Elle revendique le gouvernement absolu de l'âme. Alors que les goûts pactisent entre eux, les passions s'annulent ou se dévorent. Plaisir et bonheur s'accordent ainsi pour exiger leur exclusion [2]. Après la diversité, la modération est la seconde condition du plaisir heureux.

***

Un plaisir trop vif attaque et relâche l'âme, qui se ferme à toutes les autres jouissances et s'anémie lentement. Le plaisir qui devient passion du plaisir finit par s'anéantir lui-même [3]. Au lieu de prêter aux sybarites, comme le veut la légende, une sensibilité particulièrement aiguë, Montesquieu imagine, dans le *Temple de Gnide*, quelle doit être leur incapacité à sentir. Émoussés par les jouissances excessives, leurs sens ne perçoivent plus le plaisir et ne sont plus affectés que par les peines. Les romans voluptueux de Montesquieu consistent ainsi paradoxalement en une analyse de l'insensibilité à la volupté. La multiplicité et l'intensité des plaisirs détruisent également la « machine », et le comble de l'aberration est de vouloir

1. Évoquant les jouissances de l'homme riche, Diderot explique : « Quelles sont ces jouissances ? Celles de tous les sens. J'aurais donc des poètes, des philosophes, des peintres, des statuaires, des magots de la Chine ; en un mot tout le produit d'un autre luxe, tous ces vices charmants qui font le bonheur de l'homme en ce monde-ci, et sa damnation éternelle dans l'autre. » (Tourneux, *Diderot et Catherine II*, p. 238). Et il répète ailleurs : « Si l'on ne mange pas l'or, à quoi servira-t-il, si ce n'est à multiplier les jouissances ou les moyens infinis d'être heureux, la poésie, la peinture, la sculpture, la musique, les glaces, les tapisseries, les dorures, les porcelaines et les magots ? » (DIDEROT, *Œuvres complètes*, Assézat-Tourneux, t. II, p. 86).

2. « Là où il n'y a point de passions, tous les goûts dominent tour à tour », et inversement « cette espèce d'équilibre sauve le sage du ridicule des passions et des malheurs qui les suivent. » (Abbé de SAINT-PIERRE, *op. cit.*, p. 482). Cf. *ibid.*, pp. 483-484 : « Les passions sont à craindre pour la santé de l'âme... Une passion est un goût si fort et si supérieur qu'il fait disparaître tous les autres goûts... Un goût si fort est dangereux pour cette vie : 1° parce qu'il est souvent injuste ; 2° parce qu'il ne nous permet pas de remplir nos devoirs dans la société ; 3° parce que nos injustices nous causent de grands malheurs ; 4° parce qu'ils nous laissent une partie de notre vie sans goût pour les plaisirs innocents. » L'abbé de Saint-Pierre en vient même assez curieusement à prendre la défense de la frivolité du siècle. La frivolité offre au moins l'avantage d'être un rempart contre les passions : « On reproche aux hommes et aux femmes de ce siècle à Paris de n'avoir pas de passions véritables ; c'est leur reprocher d'avoir plus de raison que leurs pères et que leurs mères. Ils attendent moins des plaisirs de l'amour ; ils les croient moins grands et moins durables que leurs ancêtres le croyaient. » (*Ibid.*, pp. 486-487). Par rapport au repos, le plaisir est mouvement. Par rapport aux passions, il est lui-même repos.

3. TRUBLET, *op. cit.*, t. I, p. 355.

les réunir [1]. L'article *Plaisir* de l'*Encyclopédie*, qui n'est qu'un résumé de la *Théorie des sentiments agréables*, définit le plaisir, à chacun des étages de la vie individuelle, comme un équilibre entre le repos et le mouvement.

L'absence de modération dans la poursuite des plaisirs est la conséquence naturelle de la liberté et de l'imagination humaines. Le bonheur parfait serait celui d'un être *plein*, dépourvu de conscience et semblable à cette « plante sensitive » dont parle Delisle de Sales [2]. L'homme a le tort de vouloir plus qu'il ne lui est donné et d'établir sans cesse des comparaisons [3]. Le plaisir imaginaire stérilise le plaisir réel. Un homme sans liberté et sans imagination serait toujours heureux. A défaut de cette impossible existence végétative, la plus sûre approche du bonheur consiste en une coïncidence spontanée entre une parfaite modération et une très vive sensibilité [4].

La modération dans les plaisirs n'est concevable qu'au prix d'une intervention de l'âme. Les plaisirs se tempèrent d'eux-mêmes en devenant intérieurs. Telle est la troisième des conditions qui rendent compatibles les plaisirs et le bonheur.

Volupté, fortune, gloire ne sont que des plaisirs. Notre âme seule, inlassable et mystérieuse alchimiste, est à même de transmuer, par la vertu de quelque formule magique, ce scintillement de plaisirs en une trame uniforme de bonheur. Les plaisirs du corps, en particulier, ne sont source de joie que dans la mesure exacte de la conscience que nous en prenons. Toute possession, domination, obsession de l'âme par le plaisir est extinction du plaisir de l'âme. L'excès du plaisir, au même titre que son absence, est principe de séparation de soi. Au contraire, si les plaisirs sont assumés et approfondis par l'âme, si elle se repose en eux, les élabore et s'en nourrit, s'ils se

1. « La joie même fatigue à la longue ; elle emploie trop d'esprit ; et il ne faut pas croire que les gens qui sont toujours à table ou au jeu aient plus de plaisir que les autres... Ce sont des gens qui ont demandé à leur machine des choses incompatibles : des plaisirs continuels et des plaisirs vifs... Mais à force de donner à leurs fibres de grands ébranlements, ils les ont rendues lâches et se sont ôté la ressource des ébranlements médiocres. » (MONTESQUIEU, *Mes Pensées*, 989).

2. « Ce n'est peut-être pas un paradoxe de dire qu'un être qui ne connaîtrait qu'un seul plaisir ne s'en dégoûterait jamais ; il est assez probable que la plante sensitive ne connaît d'autre plaisir que celui de l'existence et ce plaisir unique suffit pour la lui conserver. Pour nous qui courons sans cesse de jouissance en jouissance, nous ne les goûtons pas, parce que nous en faisons la comparaison. » (DELISLE DE SALES, *Philosophie du bonheur*, t. II, pp. 113-114).

3. « Notre imagination suppose toujours des plaisirs plus grands que ceux dont nous jouissons et cela nous empêche d'en sentir la pointe ; nous ne sommes pas heureux par cela seul que nous désirons toujours l'être. » (*Ibid.*).

4. « L'homme que les plaisirs rendraient le plus heureux serait peut-être celui qui joindrait la plus grande modération dans les désirs à la plus grande sensibilité ; qui, avec de grandes passions, ne se procurerait que de petites jouissances ; qui aurait les organes du plus fort des hommes et la raison d'un demi-dieu. » (*Ibid.*, p. 115).

fondent dans le déroulement de la vie intérieure, si les jouissances qu'on en tire se chargent d'émotions et d'intelligence, si l'on est sûr enfin de pouvoir les dominer toujours et même les quitter sans souffrance, alors tout hiatus s'efface entre le plaisir et le bonheur. Lorsque le plaisir devient à la fois un objet de réflexion et un état d'âme, il est vrai de dire que les plaisirs composent le bonheur. Là réside sans doute le secret de l'heureux Montesquieu, qui sut si bien accueillir les plaisirs au plus profond de lui-même, sans y admettre jamais aucune passion.

De nombreux auteurs définissent le vrai plaisir comme un épanouissement intérieur [1]. Dans ses *Réflexions sur l'origine du plaisir* [2], Kaestner entreprend de « prouver l'idée de Descartes » : « Le plaisir naît toujours du sentiment de la perfection de nous-même. » Wolf avait répondu à Descartes que le plaisir pouvait surgir de la découverte d'une « perfection étrangère ». Kaestner démontre que si nous savons découvrir la perfection dans les objets, c'est à cause d'une perfection que nous portons en nous-même. Il faut que l'âme ait pris conscience d'une telle perfection pour se dilater dans un sentiment de plaisir [3]. On peut donc poser comme principe que « la perfection de ces objets ne nous cause du plaisir qu'autant qu'elle nous fait sentir la perfection que nous portons en nous-mêmes » [4]. Dans sa *Théorie des sentiments agréables*, Lévesque de Pouilly assigne au plaisir une double origine, la première étant « l'idée de notre perfection » [5]. Le plaisir dépend donc beaucoup moins de l'objet qui le suscite que de la conscience qui le savoure. A la limite, il devient pure subjectivité : il n'est jamais jouissance des choses, mais jouissance de soi. Du reste le plaisir a-t-il une autre réalité qu' « intellectuelle » ? C'est ce qu'affirmait Bayle, dans sa querelle contre Arnauld, lorsqu'il tentait d'établir que toute hiérarchie des plaisirs est vaine, puisqu'ils ne sont tous que des états de conscience, même si certains tirent leur origine des sens. La même thèse est soutenue dans la *Théorie générale du plaisir* [6] de Sulzer : « Dans tout ce qui

1. Déjà le moraliste Alleaume notait au début du siècle : « Les personnes qui jouissent des plaisirs, qui ne se refusent rien, ont ordinairement le cœur bon ; ils sont commodes et indulgents, une grande douceur se répand dans toutes leurs manières ; au lieu que ceux qui vivent mortifiés, qui se refusent tout, sont presque toujours sévères et inexorables. » (ALLEAUME, *Suite des Caractères de Théophraste* (1700), pp. 40-41).

2. Mémoire de l'Académie de Berlin, reproduit dans *Le Temple du bonheur*, t. III, p. 191. — Abraham Kaestner, né à Leipzig en 1719, était surtout connu comme mathématicien et astronome.

3. « Celui qui connaît les astérismes regarde le ciel avec plus de plaisir que celui qui ne les connaît pas. Ce n'est pas parce qu'il découvre un ciel plus parfait. C'est parce qu'il se réjouit de sa propre perfection. Ce n'est pas sans doute parce qu'il voit plus d'ordre dans le ciel même, mais parce qu'il se plaît à posséder une méthode de compter toute cette armée céleste, que l'autre ne regarde que comme un amas confus de flambeaux innombrables. » (*Op. cit.*, p. 194-195).

4. *Ibid.*, p. 199.

5. Cf. LÉVESQUE DE POUILLY, *Théorie des sentiments agréables*, p. 195.

6. Mémoire de l'Académie de Berlin, reproduit dans *Le Temple du bonheur*, t. III, p. 65. —

doit nous amuser longtemps, il faut quelque chose d'*intellectuel.* » Le plaisir devient donc l'œuvre de l'âme. On pourrait le définir comme *une prise de conscience de la diversité dans l'unité* [1]. Deux conditions sont nécessaires pour éprouver du plaisir : la *vivacité* ou « le degré de la force primitive de l'âme qui fait son essence », et l'*habitude de réfléchir*. Loin d'être le résultat brut de la sensation, le plaisir éclôt au point de rencontre d'une *nature*, d'une *expérience* et d'une *pensée*. Si l'un de ces éléments vient à manquer, le plaisir ne peut être complet. La nature donne à l'âme sa « force primitive », sa sensibilité profonde, son ressort et ses ressources. L'expérience suscite accidentellement tel goût, nous rend plus sensibles à certaines choses, nous empêche de l'être à d'autres. La première enferme les virtualités de tous nos plaisirs. La seconde détermine ceux qui nous définissent. Mais c'est la pensée qui *compose* le plaisir. C'est elle qui en est l'essence [2].

La conscience humaine approfondit ainsi son besoin de la diversité, son goût si vif de la surprise, son amour pour tout ce qui change et miroite. Il ne lui suffit pas de découvrir de la variété entre les différents objets ; elle veut en trouver aussi à l'intérieur de chacun d'eux. La diversité devient alors *complexité*. L'objet du plaisir doit être complexe pour que l'esprit parvienne à s'y glisser, car il serait sans prise devant un objet simple, qui ne lui promettrait rien de plus que sa seule apparence. L'âme est si exigeante et si habile qu'elle parvient à tirer son plaisir des choses indécises et des situations confuses, où les impressions agréables et désagréables demeurent étroitement mêlées. C'est ce qu'affirme un traité reproduit dans *Le Temple du bonheur* : *De la nature des sensations mixtes composées de plaisir et de déplaisir*, par M. Mosès. Les sensations mixtes sont ces états de conscience où l'âme, incapable de « distinguer deux sensations qu'elle éprouve en même temps », « s'en compose une particulière qui diffère de toutes deux [3] ». Tel est le plaisir de la compassion, où l'intérêt porté à autrui et la peine de voir souffrir s'amalgament en un sentiment unique [4]. L'auteur cite encore l'affliction, la colère,

Jean-Georges Sulzer était né, le dernier de 25 enfants, à Winterthur, dans le canton de Zurich, en 1720. Il avait été l'élève de Gessner et se spécialisa dans la philosophie et l'histoire naturelle. Il écrivait dans un périodique de Zurich ses *Essais de physique appliqués à la morale* (cf. le chapitre *Bonheur et Raison*), traduits par Formey dans ses *Mélanges philosophiques* (Leyde, 1754). Tour à tour instituteur de campagne, précepteur à Magdebourg, professeur de mathématiques, il fut nommé par Frédéric II professeur de philosophie à l'académie des nobles de Berlin. Il était l'ami de d'Argens et de Formey. Il mourut à Berlin en 1779.

1. « La condition essentielle requise pour tout sentiment agréable est que l'âme soit en état de développer aisément une multitude d'idées liées ensemble dans un seul objet. » (SULZER, *op. cit.*, p. 82).

2. Son rôle dépend toutefois de la nature de l'objet. La pensée ne peut élaborer du plaisir ou de la peine qu'à partir d'un objet complexe, où l'esprit peut saisir de multiples rapports : « Tout objet qui doit affecter l'âme, soit agréablement, soit désagréablement, ne peut être simple : il faut nécessairement qu'il soit composé, c'est-à-dire qu'il renferme de la variété. » (*Ibid.*, p. 87.)

3. *Op. cit.*, t. I, p. 349.

4. Les sensations mixtes ont l'avantage sur les sensations pures de reculer la satiété : « Les

la vision de l'immensité, les larmes et le rire. Soulignant la part que prend l'âme à la création du plaisir, et l'impossibilité où elle se trouve de demeurer passive devant les choses, de ne pas combiner et transfigurer toutes les sensations qu'elle reçoit, il conclut : « On peut affirmer qu'à la rigueur il n'y a point de plaisir pur pour les êtres bornés. Cependant il est encore moins vrai qu'il existe des peines pures [1] ».

***

Les théories du plaisir oscillent entre deux pôles. Une première conception, de type humaniste, fait du plaisir l'œuvre même de l'âme. Montesquieu représente parfaitement une telle attitude. La conception opposée, d'inspiration sensualiste, recherche le plaisir dans l'abandon pur et simple à la sensation : les choses informent et façonnent l'âme, distribuant souverainement peines et plaisirs. C'est la position systématique d'un Helvétius ou d'un Condillac [2]. Si l'on faisait minutieusement l'histoire de la théorie des plaisirs au cours du siècle, peut-être constaterait-on une évolution progressive de la première conception à la seconde. Mais rien n'est moins certain, car la définition du plaisir ne relève pas seulement d'une connaissance objective de la nature humaine. Elle pose également un problème moral. Aussi le passage de l'humanisme au sensualisme est-il constamment freiné par les scrupules qui tourmentent la conscience et les préjugés qui la retiennent, quand il n'est pas remis en cause par certaines exaltations qui contredisent la « philosophie ». L'autonomie de l'âme ne sera donc jamais tout à fait compromise, malgré les prestiges toujours plus envoûtants des choses.

2. — Éthique du plaisir.

Il est difficile à la conscience de rester indifférente devant le plaisir. Qu'elle l'assume ou le réprouve, elle se trouve toujours contrainte de prendre parti. Mme de Lambert cultive le paradoxe lorsqu'elle reprend le mythe de Psyché avec l'intention de démontrer que

sensations mixtes sont à la vérité moins agréables que le plaisir pur, mais elles pénètrent plus avant dans l'âme et y retentissent longtemps. Ce qui n'est que simplement agréable amène bientôt la satiété et enfin le dégoût. Au contraire, le désagréable, en se mêlant à l'agréable, captive l'attention, retarde et quelquefois même empêche la satiété. » (*Ibid.*, p. 351).

1. *Ibid.*, p. 353. — L'auteur de ce traité est-il Ismaël Mosès, mathématicien juif persécuté, dont Moïse Mendelssohn, lié lui-même avec Mérian et Sulzer, devint l'ami à Berlin vers 1740 ? La *Biographie universelle* de Michaud n'en parle, sans aucune précision, qu'à propos de ces derniers et se borne à le qualifier d'« homme de génie » en ajoutant qu'il mourut dans la misère.

2. Mais on a vu, en étudiant les relations entre le bonheur et le sentiment de l'existence, qu'une telle doctrine pouvait inspirer ou justifier un style de sensibilité remarquable par sa richesse et son originalité : celui-là même que l'on a qualifié de *préromantique*.

« l'âme est mise dans le corps pour jouir et non pas pour connaître »[1]. Une attitude également extrême, quoique opposée, est celle de Vauvenargues, pour qui il n'y a pas de morale des plaisirs, parce qu'une vie de « frivolités » se confond avec l'inexistence, et que la conscience, qui peut encore résister au mal, se trouve désarmée devant le néant[2]. Il est rare pourtant que l'amour des plaisirs se refuse au contrôle de la conscience morale. Même l'heureux « célibataire » qu'est Grimod de la Reynière parsème ses *Réflexions philosophiques sur le plaisir* de considérations édifiantes[3]. L'opinion communément admise est une opinion de juste milieu, telle que la formule Pernetti dans ses *Conseils de l'amitié* : « Vouloir s'y soustraire absolument, c'est une chimère ; lui obéir en esclave, c'est se dégrader... Il y a plus de danger à se livrer entièrement au plaisir qu'à s'en priver tout à fait, mais l'un et l'autre sont contre la raison[4]. » Au moyen de justifications différentes, morale chrétienne et morale naturelle aboutissent à cette conclusion.

***

Dès 1685, dans sa querelle contre Arnauld, Bayle tentait de réhabiliter les plaisirs au nom d'une conception nouvelle du christianisme. Les *Dialogues entre MM. Patru et d'Ablancourt sur les plaisirs*, parus en 1701, opposaient à un rigorisme borné une morale aimable et souple, réconciliant les prestiges du monde avec les exigences essentielles d'une conscience chrétienne. Pour d'Ablancourt, qui se fait le défenseur de cette morale, « Dieu est notre père et nous sommes ses enfants... Dieu nous chérit tendrement »[5]. L'amour de Dieu demeure donc la grande règle du bonheur terrestre : « Nous ne pou-

1. « Les sens, ce sont les portes et les canaux par lesquels elle se répand, se communique et se mêle avec tous les objets sensibles ; ce sont les ministres de ses plaisirs... La volupté la sert... Tout est pour elle, dès qu'elle ne voudra que jouir, tout se refuse à elle, dès qu'elle voudra connaître... Les plaisirs, l'amour même, ne veulent pas être examinés et l'on est forcé à leur passer bien des choses. » (Mme de Lambert, *Œuvres*, p. 229.)

2. « La frivolité, mon ami, anéantit les hommes qui s'y attachent ; il n'y a point de vice peut-être qu'on ne doive lui préférer ; car encore vaut-il mieux être vicieux que de ne pas être. Le rien est au-dessous de tout, le rien est le plus grand des vices ; et qu'on ne dise pas que c'est être quelque chose que d'être frivole : c'est n'être ni pour la vertu, ni pour la gloire, ni pour la raison, ni pour les *plaisirs passionnés* ». (Vauvenargues, *Œuvres*, t. II, p. 37). A la *frivolité*, Vauvenargues oppose donc les *plaisirs passionnés*, qui font partie de cette « grandeur » dont il rêve. Mais entre les deux, une place subsiste pour une troisième catégorie de plaisirs : les plaisirs raisonnables, qui se distinguent nettement, eux aussi, des plaisirs frivoles : « Aimez donc, mon aimable ami ; suivez les plaisirs qui vous cherchent et que la raison, la nature et les grâces ont faits pour vous. Encore une fois, ce n'est pas à moi de vous les interdire ; mais ne croyez pas qu'on rencontre d'agrément solide dans l'oisiveté, la folie, la faiblesse et l'affectation. » (*Ibid.*).

3. « On n'est pas sur terre pour n'y trouver que des plaisirs ; et puisque chacun doit payer sa dette à la société, il est beau de se sacrifier pour elle et d'immoler les plaisirs de l'homme volage aux devoirs du citoyen. » (*Op. cit.*, p. 74).

4. L'auteur précise : « J'ai vu ceux qui voulaient vivre sans plaisirs tourner à la folie et ceux qui s'y livraient s'abrutir et devenir méconnaissables. » (*Op. cit.*, pp. 126-127).

5. Baudot de Juilly, *op. cit.*, t. II, pp. 218-220.

vons, ce me semble, être heureux dans ce monde que par la chose même qui nous rendra heureux dans l'autre. » Or le plaisir nous est donné par Dieu, qui veut rendre plus agréable notre séjour ici-bas. Il est légitime et son essence est pure. La façon d'en user nous est simultanément prescrite par la loi divine, la loi naturelle et l'intérêt bien compris, qui coïncident parfaitement. C'est ainsi que les débauchés sont voués tout à la fois au mépris, à l'épuisement et au remords [1]. D'autant que l'excès dans le plaisir émousse plus qu'il n'aiguise la conscience du plaisir [2]. Un « pur effet d'amour-propre » suffit donc à immuniser l'âme contre la débauche, et à préserver cette conscience qu'étouffent les déchaînements voluptueux. Mais si l'on doit observer une morale des plaisirs, ce n'est pas seulement en vertu du calcul de l'amour-propre, « c'est parce que Dieu nous l'ordonne, c'est parce que nous ne pouvons sans crime nous abandonner à des voluptés immodérées qui tuent l'âme et le corps ». A cette règle de modération s'en ajoute une autre : celle de la rareté relative des plaisirs [3]. Enfin le plaisir chrétien se reconnaît à un troisième critère : c'est un plaisir facile, qui doit naître à l'improviste, selon les rencontres heureuses qui égaient notre vie, et non faire l'objet d'une recherche qui bousculerait l'ordre de la nature et s'épuiserait en inventions frelatées [4]. Pourvu que ces trois règles — modération, rareté, facilité — soient respectées [5], les plaisirs ne sont nullement réprouvés par la morale chrétienne : « La joie produite par des plaisirs innocents n'a pas mauvaise grâce sur un front chrétien et ne gâte rien à sa conscience » [6] *(sic)*.

1. « Tout cela fait très bien voir que le christianisme est non seulement divin, mais très conforme à la droite raison ; le vrai bon sens consiste à s'y conformer... et il est difficile de décider si les débauchés sont ou plus mauvais chrétiens ou plus fous. » (*Ibid.*, p. 223).

2. « L'âme ne veut pour ainsi dire qu'être effleurée, les transports violents l'agitent trop... en bonne politique voluptueuse on devrait au moins se laisser autant de raison qu'il en faut pour s'apercevoir qu'on est bien aise. » (*Ibid.*, pp. 264-268).

3. « Ce n'est pas même assez de ne prendre que des plaisirs modérés, on ne les doit pas goûter toujours... C'est qu'il y a une sorte d'intempérance à ne passer les jours que dans les plaisirs, quelque légers qu'ils soient. C'est se faire une occupation et comme un état de vie d'une chose qui n'est qu'un jeu et dont on ne doit user que comme du sommeil et des autres nécessités ordinaires, seulement pour soulager la nature. » (*Ibid.*, pp. 269-272).

4. « Je vais même plus loin, je crois qu'on ne doit pas chercher avec trop de soin et d'empressement les plaisirs, j'entends les plus réglés et les plus purs. Il faut se contenter de prendre ceux qui se trouvent naturellement sur notre route, sans nous écarter à droite, ni à gauche. Il faut encore moins troubler l'ordre des saisons, comme quelques-uns, qui n'en font point de scrupule, sous prétexte que ce n'est que pour des fleurs ou des légumes. On peut innocemment sentir les roses au mois d'avril, mais il n'est pas de même si on affectait d'en faire autant au mois de décembre : ce serait alors une trop grande délicatesse. » (*Ibid.*).

5. L'auteur des *Dialogues* ne justifie guère que la première règle, celle de la modération, à la fois au nom de la « loi naturelle », de la « loi divine », et de « l'amour-propre ». Les deux autres ne sont nullement requises par la nature et l'intérêt. Les prescriptions qu'elles édictent sont purement morales.

6. *Ibid.*, p. 279. D'Ablancourt critique les dévots trop austères, qui « deviennent barbares peu à peu et perdent leur politesse, aussi bien que cette félicité et cette douceur d'esprit, sans quoi les plus belles qualités deviennent haïssables » : « Un peu de commerce du monde et quelques divertissements raccommoderaient tout cela : car les plaisirs ramollissent les humeurs les plus farouches et la joie produit ordinairement cette douceur et cette sérénité

D'ailleurs on constate, à propos de chaque plaisir, que les interdictions formulées par la religion s'accordent toujours avec notre intérêt. En amour, par exemple, la religion permet les tendresses platoniques, qui sont les plus exquises, et autorise les jouissances charnelles sous le couvert de l'union conjugale, qui rend « heureux et innocent tout ensemble [1] ». Seul l'amour débauché est exclu [2]. Les voluptés purement sensuelles, comme celles de la table, loin d'être condamnables, peuvent être savourées dans un esprit chrétien, si l'on songe que « toute la nature est un festin », si, « dans le mouvement d'un cœur simple, droit et reconnaissant, au moment où (on) se laisse chatouiller par la douceur des viandes, (on) se sent pénétré d'admiration des bontés du Seigneur » [3]. Se refuser par principe à la joie de la musique, ce serait « faire le procès aux rossignols et aux serins, comme à des oiseaux de mauvaise vie [4] ». Si la conversation est un plaisir, c'est parce que les conventions mondaines, en accord avec la morale chrétienne, en ont banni la malignité [5]. Les spectacles n'ont jamais été rejetés par l'Écriture, ni par les conciles. Ils n'ont contre eux que l'autorité des Pères de l'Église, qui ne visent qu'une « comédie sale, impie et impertinente », et non celles que l'on peut voir d'habitude dans les théâtres de Paris, « d'où l'impiété et le libertinage sont bannis » [6]. Quant au jeu, d'Ablancourt dit à Patru : « Je vous l'abandonne de tout mon cœur » ; il y voit « la peste de la société, la ruine des familles, l'écueil de la vertu, la source de la mauvaise foi, des jurements, etc... » Mais il ajoute aussitôt que certains jeux demeurent « nobles » et « exercent agréablement l'esprit », comme les échecs et le tric-trac [7].

Pour parachever la doctrine chrétienne des plaisirs, il ne reste qu'à

qui enchantent. C'est dans le commerce des honnêtes gens qu'on devient plus humain, plus affable et plus accessible et, si j'osais parler poétiquement, je dirais que ces fronts chargés d'une humeur noire ne peuvent être éclairés que par les mains des Grâces. De cette sorte, la piété étant rendue plus charmante par des manières douces et polies ferait plus de progrès et plus d'impression sur les esprits. Le monde est fait comme cela, il lui faut des dehors attirants et la vertu qui n'est pas un peu parée ne lui plaît pas. » (*Ibid.*, pp. 277-278).

1. *Ibid.*, p. 46.
2. « En vérité, on ne saurait trop rendre grâce à la religion qui ne nous a retranché que ce qui pouvait nous nuire et nous perdre. » (*Ibid.*, p. 54).
3. Cf. *ibid.*, pp. 73 et suiv. : « Toute la nature est pour ainsi dire un festin, où Dieu nous convie, par une bonté inépuisable ; il nous dit : « Buvez et mangez : j'ai mis dans tous les mets de quoi flatter votre goût, et dans mes lois des règles pour fuir l'excès. Goûtez l'un et évitez l'autre ; mais souvenez-vous, quand vous jouirez de tant de choses délicieuses, que c'est de moi que vous les tenez ». Si, après cela, nous en jouissons en effet en bénissant la main du Seigneur, pensez-vous qu'il s'en puisse offenser ?... Ce sentiment est, si on peut s'exprimer ainsi, une délicatesse de la piété chrétienne. »
4. C'est d'Ablancourt qui ironise ainsi, non sans grâce, aux dépens de l'austère Patru : « Je crains même que vous ne vous obligiez de fermer l'oreille au murmure des eaux et au sifflement des vents ; car ce sont des espèces d'harmonies qui flattent et qui endorment agréablement ; mais peut-être que c'est péché à des chrétiens de dormir ainsi. » (*Ibid.*, pp. 99-100).
5. « Il semble que pour rendre les entretiens tout à fait charmants selon le monde, il ne faut précisément qu'en exclure ce qu'il y a de criminel selon Dieu. » (*Ibid.*, p. 113).
6. *Ibid.*, p. 152.
7. *Ibid.*, pp. 158-159.

préciser les limites du bonheur terrestre [1]. La nature du plaisir, fragile et fugitive, est par trop différente de la nature de l'homme. Les plaisirs ne sont pas à sa mesure. La destination de l'homme le contraint d'aspirer à cette félicité éternelle, dont aucune des voluptés terrestres ne peut donner l'idée [2].

Les *Dialogues sur les plaisirs* mettent déjà en œuvre les deux thèmes exploités, durant tout le siècle, par les moralistes chrétiens. On commence par affirmer qu'il existe un compromis aisé entre la vie mondaine et la vie chrétienne, entre les voluptés mesurées et l'esprit même d'un certain christianisme, qui n'est qu'une façon de jouir du monde en rendant grâce à Dieu [3]. Toutefois le chrétien ne doit pas oublier que son bonheur n'est pas de ce monde. Tout au long de ses expériences mondaines, à travers les péripéties souvent amères de sa poursuite des plaisirs, une nostalgie l'habite constamment, portant le pressentiment d'un inévitable échec. Jamais l'âme, terriblement exigeante et profondément accordée à sa destinée éternelle, ne peut s'assouvir de jouissances médiocres. Les *Lettres parisiennes sur le désir d'être heureux* de l'abbé Jacquin racontent l'histoire d'un chrétien égaré, qui cherche anxieusement et vainement le bonheur dans les plaisirs, en promenant partout son désenchantement [4]. Le *Système du vrai bonheur* de Formey décrit les cinq étapes successives que le chrétien doit franchir pour se dégager peu à peu des voluptés sensuelles et parvenir au véritable bonheur, qui est d'essence contemplative.

1. « Quand j'ai dit que les plaisirs, étant réglés, pouvaient être goûtés sans crime, je n'ai pas prétendu pour cela qu'ils fissent notre félicité ; rien ne la peut faire en ce monde, pas même la vertu. » (*Ibid.*, p. 291).

2. « Quelle raison de croire qu'on puisse trouver son bonheur ici-bas, pendant que notre visage et nos yeux, tournés vers le ciel, semblent demander tout autre chose pour nous que la terre ? Comment des plaisirs fragiles, qui s'écoulent ou qui s'évanouissent d'abord, des plaisirs superficiels et sans consistance, pourraient-ils faire notre bonheur ? Pour qu'une chose puisse rendre un sujet heureux, il faut qu'il y ait de la proportion ou du moins une égalité d'excellence entre celui qui jouit et l'objet de la jouissance. Or il n'y a rien dans le monde qui ne soit infiniment au-dessous de l'homme, je n'en excepte pas même les cieux et les astres. De plus, il faut que le souverain bien soit une chose qui remplisse tout le cœur et surtout qui ne nous puisse jamais être ôtée. Cependant tout ce qu'il y a sur la terre est périssable et passager. Il échappe, il finit au moment même qu'on pense en jouir et l'on sent assez par expérience que tout cela ne remplit pas le vide de notre cœur. Enfin, l'on ne peut être heureux que par la chose pour laquelle l'on a été fait. Or Dieu ne peut nous avoir faits que pour lui seul. C'est donc lui qui est notre souverain bien. Tout notre bonheur, tout notre repos consistent à être unis pour jamais avec lui, ce qui sera d'autant plus doux qu'il remplira tous nos désirs et que nous ne pourrons le perdre. » (*Ibid.*, pp. 291-294).

L'auteur des *Dialogues* se sert ici de trois arguments, dont les deux premiers sont de l'ordre de la nature : 1) Un argument objectif : il n'y a pas identité de nature entre l'homme et le plaisir. — 2) Un argument subjectif : l'homme éprouve un vide intérieur immense, que les plaisirs ne comblent pas. Il sent qu'aucun bonheur limité dans le temps ne peut complètement l'assouvir. — 3) Un argument surnaturel : Dieu est la seule fin, l'unique destination de l'homme.

3. Le *Traité du vrai mérite* de LE MAÎTRE DE CLAVILLE expose en détail cette morale ambiguë, qui convient également à l'honnête homme et au chrétien, ou plutôt confond les deux en un même personnage. (Cf. le chapitre *Bonheur mondain et vie chrétienne*).

4. « Au milieu de ces amusements frivoles, dont l'inconstante jeunesse se nourrit, je sentis au-dedans de moi un vide que je n'osais sonder... Une ombre de félicité voltigeait sans cesse autour de moi... Un désir dont j'ignorais l'objet m'accompagnait partout et mettait le comble à mon supplice. » (*Op. cit.*, t. I, p. 16).

Les deux thèmes s'accordent souvent assez mal. Il est difficile de réhabiliter et de dévaloriser simultanément la même chose. Selon les tempéraments et les circonstances, les moralistes mettent l'accent sur l'un ou l'autre de ces aspects. Surtout il semble que les deux démonstrations soient faites dans un esprit d'opportunisme. Il s'agit à la fois d'accorder assez aux mondains pour qu'ils ne se lassent pas du christianisme et de les retenir dans le droit chemin pour ne pas compromettre l'essentiel. Entreprise difficile et qui n'évite pas la contradiction. Le plus souvent elle aboutit à une solution de facilité. On se borne à diviser les plaisirs en deux catégories : les « vrais » et les « faux ». C'est le parti que prend l'abbé Hennebert dans son livre *Du Plaisir ou du Moyen de se rendre heureux*, qui développe cette proposition simpliste : « Le plus heureux est celui qui a le plus de plaisirs vrais et le plus malheureux celui qui a le plus de plaisirs faux » [1]. Les plaisirs faux sont les plaisirs « imaginaires » et les plaisirs « chimériques », ceux dont on rêve et ceux qu'on ne goûte que par préjugé ou passion ; les plaisirs vrais se confondent avec les plaisirs « naturels » [2]. Hennebert célèbre aussi le « plaisir simple » [3]. Jouant un peu sur les mots, il choisit comme exemples de jouissances permises des actions solennelles et des situations édifiantes : la volupté consiste à « recueillir les doux fruits du travail, de l'industrie, de la science et de la vertu » [4].

L'abbé Marchadier compose en 1749 une comédie en un acte, *Le Plaisir*, où le vrai plaisir se distingue du faux selon des critères aussi conventionnels. Le vrai plaisir

« Jamais à la Pudeur ne fait baisser les yeux.
C'est ce plaisir décent que la sagesse éclaire
Ce plaisir de l'esprit que produit le talent
Ou ce plaisir du cœur qui naît du sentiment [5]. »

Ces prudentes formules suivent un début triomphal, dont la convention est de toute autre sorte et rappelle certaine poésie épicurienne [6].

1. *Op. cit.*, p. 47.
2. Ceux-ci sont de deux sortes : la contemplation de la nature « livre harmonieux qui offre à tout le monde le spectacle ravissant de ses merveilles » (*Ibid.*, p. 52) — et les plaisirs des sens pris avec modération : « J'entends encore par plaisir naturel celui que le Créateur a attaché à l'usage honnête des sens. (*Ibid.*, p. 59).
3. « Il effleure l'âme sans l'égratigner, il la caresse sans la fatiguer, il l'épanouit sans la troubler : c'est un vent alisé qui frise la surface de l'onde sans la rider, un ruisseau qui roule lentement son cristal argenté sur un sable immobile. » (*Ibid.*, p. 63).
4. *Ibid.*, p. 55 ; cf. *ibid.* : « Veut-on connaître plusieurs de ces moments favorables au plaisir ? Lorsque la sobriété ou l'exercice a précédé le repas ou le sommeil que vous allez prendre ; lorsque les consolations que vous avez fait passer de votre âme dans celle d'un ami affligé commencent à opérer salutairement ; lorsque l'occasion se présente d'étouffer votre haine dans les bras d'un ennemi ; lorsqu'un pauvre est menacé d'expirer de froid ou d'inanition sur le seuil de votre porte ; lorsqu'un honnête homme dans la détresse implore votre crédit et sollicite votre secours. »
5. *Op. cit.*, p. 4.
6. Cf. *ibid.*, p. 3.

Dans *La Jouissance de soi-même*, Caraccioli s'indigne, en évoquant certains plaisirs, des « froissements d'une chair corrompue »[1]. Cependant il proteste aussitôt qu'il n'entend pas parler du plaisir en général[2]. C'est Dieu qui donne à l'homme le plaisir, « mais à condition qu'il ne sera pas notre fin, qu'il ne sera pris que dans telle circonstance et qu'il ne troublera pas l'harmonie de l'univers ». On peut même trouver du plaisir à se priver des plaisirs. Les saints qui ont refusé les voluptés les plus bénignes « s'en abstinrent par plaisir »[3]. La philosophie chrétienne consiste à « s'épanouir au dedans de soi-même », à se « resserrer à la vue des objets extérieurs et périssables ». Mais ce resserrement intérieur n'implique ni renoncement, ni pénitence. Le chrétien y découvre sa félicité : « Nos plaisirs sensuels, tels qu'on les suppose, ne sont que le masque du bonheur[4]. » L'abbé de Gourcy, dans son *Essai sur le bonheur*, prône également une solution moyenne[5]. La religion, selon lui, ne fait que confirmer les enseignements de toute sagesse profane : « Tout particulier, ne fût-il qu'un sage Épicurien, sera donc aussi modéré dans le choix de ses plaisirs que circonspect dans le choix[6]. » Il n'hésite pas à citer Maupertuis et Voltaire, en chicanant un peu le second pour avoir fait du plaisir le seul ressort de notre nature[7].

1. *Op. cit.*, p. 314.
2. « Ce serait vouloir changer la nature de l'homme et le priver de ce que la Nature lui offre de plus doux et de ce qui fait essentiellement l'objet de nos recherches et de nos travaux. » (*Ibid.*, p. 315).
3. Cf. *ibid.*, pp. 315 et suiv.
4. *Ibid.*, p. 319.
5. « Ne calomnions point les sens, ne leur contestons pas les agréments et les avantages sans nombre dont l'Auteur de la Nature a voulu qu'ils fussent pour nous les canaux : l'outrage retomberait sur lui. Mais ne nous aveuglons pas non plus jusqu'à croire qu'ils puissent faire notre bonheur : ils seraient bien plutôt capables de faire notre malheur. » (GOURCY, *Essai sur le bonheur*, pp. 66-67) ; cf. *ibid.*, pp. 81-82 : « Renfermés dans de justes bornes, ils ne sont pas inutiles pour le bonheur, quoique jamais ils ne puissent en faire la base. En user modérément, c'est entrer dans les vues de l'auteur de la Nature, dont la main compatissante les a versés si libéralement sur notre triste demeure. Pris à propos, ils contribuent à réparer et à remonter les ressorts de notre machine, à jeter de l'agrément et de la variété dans le commerce de la vie, à suspendre pour quelques instants le cours des travaux et des soucis, à dérider le front de la vertu qui paraîtrait trop austère et rebuterait à coup sûr la jeunesse et l'enfance. Et presque tous les hommes ne sont-ils pas un peu enfants à cet égard ! ».
6. *Ibid.*, p. 80.
7. « Partout d'un Dieu clément la bonté salutaire
Attache à nos plaisirs un plaisir nécessaire.
Les mortels, en un mot, n'ont point d'autre moteur. »

C'est ce qu'affirmait Voltaire dans le *Discours sur la nature du plaisir*. Gourcy proteste : « Il ne faut pas confondre avec l'appas du plaisir l'attrait du Bonheur, qui effectivement nous accompagne et nous meut en tous lieux et dans tous les temps. Il n'est pas rare que la voix austère du devoir et la voix enchanteresse du plaisir nous appellent en des lieux tout opposés... Prétendre que le plaisir est le seul ressort qui remue le cœur humain, c'est frapper, *pour ne pas employer les armes que fournit la théologie*, c'est frapper la morale par ses fondements, dépouiller l'homme de son plus beau privilège, la liberté ; c'est ôter aux lois toute leur énergie..., c'est confondre le vice et la vertu, ouvrir la porte à tous les désordres, étouffer jusqu'au remords et à la honte, les seuls freins et les seuls supplices qui puissent arrêter le crime caché ou triomphant, le venger ou l'effacer. » (*Ibid.*, p. 72).

Malgré cette solennelle envolée, où l'on ne sait plus très bien si l'auteur défend la Révélation chrétienne ou l'ordre social, Gourcy ne demande qu'à être rassuré. Il constate avec satisfaction que Voltaire a apporté des atténuations à sa pensée : « L'illustre écrivain que je viens de

Les moralistes chrétiens se gardent donc bien de lancer de foudroyants anathèmes. Ils ne font guère que reprendre, avec plus d'onction ou d'éloquence, les justifications de la morale naturelle. Ils prêchent rarement l'ascétisme et l'idée de pénitence leur est étrangère. Tout au plus parle-t-on de la destination de l'homme, qui le rend indigne des jouissances fragiles ou frelatées. Si on le détourne des plaisirs, c'est au nom du « vrai bonheur », qui passe infiniment les voluptés terrestres. En lui-même, le plaisir n'est pas déclaré coupable, et personne ne conteste à l'homme le droit à la jouissance. Le tout est de fixer le sens du mot de manière à apaiser sans décevoir. Si l'on met à part quelques prédications pesantes et conventionnelles [1], la morale chrétienne s'en tient à ce compromis. Rencontrera-t-on plus d'énergie et d'audace du côté des Philosophes ?

***

Des professions de foi aussi scandaleuses que celles du *Mondain* ne sont pas monnaie courante. La portée du *Mondain* lui-même reste assez limitée. Une note de Voltaire, ajoutée en 1748, précise qu'il s'agit d'un « badinage dont le fond est très philosophique et très utile » et ajoute que son « utilité se trouve expliquée dans la pièce suivante » [2]. Sans doute, le *Mondain* est-il une provocation contre les tenants de « l'âge d'or » et les partisans du bonheur par la frugalité. Mais il importe moins à son auteur de provoquer la débâcle des règles morales et de donner le signal d'une ardente chasse aux plaisirs, que de poser une équation fondamentale entre le *bonheur* et la *civilisation*. Aucun élément subjectif n'entre dans la composition du bonheur dessiné par Voltaire. Il s'agit d'un état impersonnel, qui ne dépend que de la situation dans le monde. On est bien loin de cette alchimie secrète chère à Montesquieu. Le bonheur du *Mondain* est beaucoup plus collectif qu'individuel. Il est l'expression d'un certain moment de la société [3]. Il suppose un immense flux de richesses, capté par le luxe et les beaux-arts [4]. La *Défense du Mondain* (1737), destinée

citer s'explique lui-même ou se réforme ailleurs » ; et citant le *Quatrième discours sur l'homme*, consacré à « la modération dans l'usage des plaisirs », il en accepte chaque mot, laissant entendre qu'il n'aurait pu lui-même dire mieux.

1. Cf. LACROIX, *Traité de morale* (1767).

2. VOLTAIRE, *Œuvres*, t. X, p. 83 ; cf. *ibid.*, p. 88 : « Ce badinage non seulement très innocent, mais dans le fond très utile... »

3. On pourrait préciser en ajoutant que le *Mondain* coïncide avec un certain moment de l'évolution économique, plus ou moins confusément perçu par Voltaire : aux difficultés et aux contraintes, qui ont marqué le règne de Louis XIV, succède, par delà l'épisode trouble, mais prometteur, de la Régence et du Système, vers la fin du premier tiers du XVIIIe siècle, cette « prospérité », cette « grâce économique », selon la formule de M. Labrousse, qui va se maintenir jusqu'au début du règne de Louis XVI.

4. Cette profusion de l'argent est une réalité historique très concrète du XVIIIe siècle, « qui produit à lui seul autant d'or et d'argent qu'on en a extrait jusque-là depuis la découverte de l'Amérique » (Labrousse).

à préciser cela, ne contient rien de plus qu'une justification du luxe [1]. On n'y parle plus de quelques êtres privilégiés, mais des avantages que la nation peut tirer d'une situation économique nouvelle.

En 1770, Voltaire compose une pièce en vers *Sur l'usage de la vie*, « pour répondre aux critiques qu'on avait faites du *Mondain* » [2]. Il y est dit à quelles conditions la conscience individuelle peut s'accommoder, sans péril ni conflit, d'un certain style de vie, né de la profusion de l'argent. Toutes les insolences du *Mondain* disparaissent, et Voltaire reprend, avec l'accent le plus conformiste, le thème habituel du bonheur par la modération. Celle-ci se décompose en trois préceptes : il faut varier les plaisirs ; il ne faut pas désirer à trop longue distance et savoir que l'on a son bonheur « près de soi » ; il est prudent de détacher son bonheur des situations particulières et de se convaincre de l'égalité des conditions. Rien de plus raisonnable que ces conseils. La sincérité de Voltaire y est-elle insoupçonnable ? On peut l'admettre à propos de la règle épicurienne qui commande de varier les plaisirs, pour n'émousser la saveur d'aucun et conserver une âme disponible. Mais lorsque Voltaire affirme que toutes les situations sont équivalentes, il prend le contrepied du *Mondain*, qui consistait à privilégier la condition des gens riches et frivoles.

Malgré les assagissements, les amertumes et les prudences, le thème du *Mondain* ne disparaît jamais de l'œuvre de Voltaire. Il déclare sans cesse à ses correspondants qu'il fait tenir tout son bonheur dans la santé et les plaisirs des sens [3]. En 1777, il écrit ses *Dernières remarques sur les Pensées de Pascal*. A cinquante ans de distance, sa démonstration anti-pascalienne n'a pas varié. Les prestiges de la vie sociale, l'éblouissement des plaisirs du monde suffisent à prouver le bonheur de la condition humaine. A Pascal affirmant que les hommes sont en quête du bonheur, mais que nul, sans la foi, ne peut l'atteindre, Voltaire réplique ce qu'il répliquait dans le *Mondain* aux défenseurs de la frugalité fénelonienne. Son témoignage repose, une fois de plus, sur une expérience immédiate. Son seul argument, son unique preuve, c'est le spectacle du monde et des plaisirs [4], et

1. Cf. *ibid.*, p. 90.
2. Cf. *ibid.*, p. 94.
3. A M. de Chenevières, qui lui parlait de gloire, il répond en janvier 1762 : « Je ne compte pas sur la gloire dont vous me bercez, mais bien sur les plaisirs... » (VOLTAIRE, *Œuvres*, t. XLII, p. 1). Quand il s'adresse, malade et à demi aveugle, à Mme Du Deffand, aveugle et vieillissante, il dénombre les sens qui leur restent à tous deux, pour qu'ils soient bien sûrs de ne laisser échapper aucun plaisir.

4. « Je sais qu'il est doux de se plaindre ; que de tout temps on a vanté le passé pour injurier le présent ; que chaque peuple a imaginé un âge d'or d'innocence, de bonne santé, de repos et de plaisir qui ne subsiste plus. Cependant j'arrive de ma province à Paris. On m'introduit dans une très belle salle où douze cents personnes écoutent une musique délicieuse ; après quoi, toute cette assemblée se divise en petites sociétés qui vont faire un très bon souper, et après ce souper elles ne sont pas absolument mécontentes de la nuit. Je vois tous les beaux-arts en honneur dans cette ville, et les métiers les plus abjects bien récompensés, les infirmités très soulagées, les accidents prévenus ; tout le monde y jouit ou espère jouir ou travaille

le ton est plus enthousiaste que dans la pièce *Sur l'usage de la vie.*

Il est évident que Voltaire n'est pas même effleuré par l'idée d'une culpabilité du plaisir. Mais il est trop soucieux de sa santé, de son équilibre, de sa liberté morale aussi, pour acquiescer à la débauche. La modération qu'il conseille n'est qu'un art de mieux jouir, beaucoup plus que la réserve d'une conscience alarmée. Cela suffit toutefois à lui faire tenir des propos raisonnables, et il n'est pas nécessaire de l'accuser de fausseté. On doit le croire, lorsqu'il parle de mesure dans l'usage des plaisirs. En cela, comme en tout le reste, tout son être répugne à l'excès, et les fanatiques du plaisir n'ont pas plus de chances de lui plaire que les autres. On peut être plus sceptique, quand il assure que toutes les conditions sont égales. S'il réprouve l'intempérance, il aime la possession et l'argent. Il est né pour être riche, et l'on peut être sûr qu'il aurait bien du mal à concevoir le bonheur d'un homme pauvre. Voltaire juge la volupté en « capitaliste ». Tous les plaisirs sont licites. Ils recèlent une bonne part du bonheur de ce monde. Mais il n'est pas convenable de s'en gorger, pas plus qu'il n'est convenable de dilapider l'argent, qui n'est pas fait pour cela. Chez ce bourgeois, l'esprit d'économie équilibre exactement l'esprit de jouissance.

Le point de vue de Maupertuis, dans son *Essai de philosophie morale*, est sensiblement différent, mais aussi ambigu. Maupertuis est le plus froid représentant de l'*arithmétique des plaisirs* [1]. Il refuse d'établir toute hiérarchie fondée sur les valeurs morales. Reprenant l'argument de Bayle, il affirme qu'il « n'existe pas de plaisirs nobles : plaisirs des sens et plaisirs de l'âme ont même prix » [2]. Cependant il convient d'examiner de façon positive, en se gardant de toute appréciation d'ordre éthique, la nature de chaque sorte de plaisirs. Ceux du corps révèlent aussitôt une triple tare. Ils sont émoussés par la simple durée, alors que les souffrances ne font que s'aggraver en se prolongeant. Quelques parties du corps seulement sont sensibles au plaisir, tandis que toutes ressentent également la douleur. Enfin l'homme ne peut éprouver qu'une faible quantité de plaisirs, mais sa capacité à souffrir est infinie. Le décalage entre le plaisir et la peine physique mesure le malheur de la condition humaine. Il est un des éléments de ce « mal de vivre » que Maupertuis aime à dénoncer.

pour jouir un jour, et ce dernier partage n'est pas le plus mauvais. Je dis alors à Pascal : Mon grand homme, êtes-vous fou ? » (VOLTAIRE, *Œuvres*, t. XXXI, pp. 23-24).

1. « Après avoir lu Maupertuis, vous voudriez être mort », écrit Mme de Puisieux, qui l'accuse de vouloir « soumettre tout le monde à une arithmétique morale qui lui est propre et appliquer à tous les hommes un calcul qui ne convient qu'à ceux de sa classe ». (*Caractères*, p. 173).

2. MAUPERTUIS, *Essai de philosophie morale*, chap. 3, *Réflexions sur la nature des plaisirs et des peines*. Tous les plaisirs ont en effet leur siège dans l'âme. Un plaisir n'est rien d'autre qu'un état de conscience, et le fait que cet état soit « excité par l'entremise des objets extérieurs », ou « puisé dans l'âme même », ne change rien à sa nature. Dans l'évaluation du bonheur, que Maupertuis définit comme *la somme des moments heureux*, les plaisirs des sens et les plaisirs de l'âme doivent donc compter à égalité.

Il révèle à quel point l'homme raisonnable est contraint de ne pas fonder son bonheur sur des voluptés que cernent tant de limites, et qui portent en elles-mêmes leur propre contradiction.

Ces trois critères, qui disqualifient les plaisirs des sens, jouent en faveur des plaisirs de l'âme. Ceux-ci « se réduisent à deux genres de perceptions : l'un qu'on éprouve par la pratique de la *justice*, l'autre par la vue de la *vérité* »[1]. De telles voluptés s'accentuent par leur « durée » ou leur « répétition » ; en outre, « l'âme les ressent dans toute leur étendue ; enfin « la jouissance de ces plaisirs, au lieu d'affaiblir l'âme, la fortifie »[2]. Le résultat de la confrontation est évident. Pour qui veut être heureux, les plaisirs de l'âme sont plus précieux que les plaisirs du corps. Le cynisme apparent de Maupertuis se résorbe dans un honnête conformisme. Bien loin d'inviter à la débauche, ce philosophe sans préjugés, plein de dédain pour la morale pure, conclut à une sélection des plaisirs, qui fait prévaloir le goût de la justice et de la vérité sur les tentations d'une vie voluptueuse.

La *Théorie des sentiments agréables* aboutit également, au terme d'une analyse positive, à fonder une hiérarchie des plaisirs[3]. Là encore, la morale philosophique rejoint la morale traditionnelle. L'audace consiste à réhabiliter le plaisir comme principe de la vie morale, beaucoup plus qu'à le charger de contenus frelatés ou inquiétants. Il semble quelquefois qu'on se serve du mot « plaisir », comme d'un mot à la mode, pour désigner des réalités ou des attitudes qui portaient naguère des noms plus austères, mais qui n'ont pas fondamentalement changé. Le chant III du *Bonheur* d'Helvétius, tout palpitant d'intentions et d'émotions voluptueuses, s'achève par

1. « J'entends par pratique de la justice l'accomplissement de ce qu'on croit son devoir, quel qu'il soit. J'entends par vue de la vérité cette perception qu'on éprouve lorsqu'on est satisfait de l'évidence avec laquelle on voit les choses. » (*Ibid.*).

2. *Ibid.*

3. Effaçant d'emblée tout hiatus possible entre la recherche du bonheur et l'obligation morale, Lévesque de Pouilly affirme qu' « il y a un plaisir attaché à l'accomplissement de nos devoirs envers Dieu, envers nous-mêmes et envers les autres ». Il suffit de rapporter tous nos « sentiments agréables » à l'être souverainement intelligent et souverainement bienfaisant qui nous les destine, pour que cette idée « épure nos plaisirs, porte le calme dans le cœur et en écarte l'inquiétude et le chagrin ». Les plaisirs se trouvent donc purgés du moindre germe de culpabilité, dès qu'ils sont replongés dans le système parfait de l'univers. Le voluptueux découvre ses justifications non dans sa conscience, mais dans l'ordre du monde. L'innocence fondamentale du plaisir est, en quelque sorte, objectivement démontrée.

C'est de façon tout aussi objective que l'on peut établir un ordre dans les différents plaisirs. Aux plaisirs du corps, la douleur, fût-ce en quantité infime, se trouve presque toujours mêlée. Ceux du cœur et de l'âme, en revanche, ne sont jamais « altérés par ce mélange impur ». D'autre part, « ce que la volupté a de délicieux, elle l'emprunte de l'esprit et du cœur ». Sans le secours de l'âme les jouissances du corps sont plates et courtes : c'est toujours à la conscience d'élaborer ce que les sensations fournissent. En outre, les plaisirs physiques s'aigrissent, dès qu'ils vont au-delà de l'assouvissement des besoins. Ils sont donc prisonniers d'une durée étroite et ne peuvent « remplir le vide de la vie ». Telle est bien, au contraire, la fonction des plaisirs de l'esprit et du cœur, qui peuvent accompagner et soutenir, sans interruption, notre existence. Entre les plaisirs de l'esprit et ceux du cœur, c'est la notion de perfection qui permettra de trancher. De même que les perfections d'un esprit ont plus de prix que celles d'un visage, les perfections de l'âme, plus riches que celles de l'esprit, investissent la conscience d'un plaisir plus pur et plus profond.

d'excellentes résolutions, bien éloignées sans doute de l'ascétisme, mais tout autant du libertinage [1].

La philosophie de la nature, issue dans la seconde moitié du siècle de l'idéalisme moral de J. J. Rousseau et de la doctrine sensualiste, ne frappe pas d'un ostracisme plus rigoureux les voluptés des sens, tout en faisant une plus large part à la morale, qui formule désormais ses exigences au nom d'un nouvel absolu. Dans sa *Philosophie du bonheur*, Delisle de Sales fait procéder le bonheur et la conscience de la vie sensorielle [2]. La première étape vers le bonheur consiste à perfectionner les organes et à éclairer l'homme sur ses besoins [3]. Ce n'est pas une entreprise facile, car il faut opérer une séparation entre les vrais besoins de la nature et les faux, inventés par la société. Pour cela le plaisir sert de critère : « *Il semble qu'il faudrait décomposer l'homme physique avec le prisme de la philosophie, pour le suivre dans sa gravitation vers le plaisir, comme Newton avec le prisme des artistes décompose les rayons solaires pour connaître la lumière* [4]. » Cette double comparaison empruntée à deux découvertes newtoniennes (la gravitation universelle et la décomposition de la lumière) n'est pas le fruit d'une recherche littéraire ou d'un pédantisme de savant. Delisle veut suggérer l'unité du monde. La nature humaine et la nature matérielle sont régies par les mêmes lois : le plaisir est à l'âme humaine ce que la gravitation est à l'univers cosmique. C'est dire que la nature, qui possède le secret de la gravitation, détient également celui du plaisir.

La morale des plaisirs revient donc à s'attacher à la mesure exacte fixée par la nature [5]. La morale tout entière ne se distingue plus

1. « Du monde, dis-je alors, j'éviterai l'ivresse :
Dans le sentier fleuri que m'ouvre la sagesse
Je veux porter mes pas, résolu d'y chercher
Des plaisirs que le sort ne pourra m'arracher,
Trop doux pour me troubler, vifs assez pour me plaire,
De passer tour à tour du Parnasse à Cythère
Et d'être en mon printemps attentif à cueillir
Les fruits de la raison et les fleurs du plaisir. »
(HELVÉTIUS, *Le Bonheur*, chant III).

Ces quelques vers contiennent, malgré leur pauvreté poétique, de suggestives indications. Tout d'abord, il s'agit d'exclure l'ascétisme : la « sagesse » d'Helvétius est un « sentier fleuri ». Surtout, elle est moins morale que pragmatique ; il faut choisir et contrôler les plaisirs, non pour qu'ils soient *purs*, mais pour qu'ils soient *solides* (« des plaisirs que le sort ne pourra m'arracher ») et *modérés* (« trop doux pour me troubler »). La vie heureuse se composera d'une harmonieuse alternance entre la création poétique (le « Parnasse ») et l'amour (« Cythère »). La « raison » d'Helvétius peut, sans crainte, avouer une telle sagesse, profane sans doute, mais bien peu démoniaque.

2. « Nos sens nous instruisent de nos besoins et nos besoins de nos rapports avec tout ce qui nous environne : ainsi c'est sur la base des sens que reposent en partie la science des mœurs et, par elle, le principe de notre félicité. » (DELISLE DE SALES, *La Philosophie du bonheur*, t. I, p. 76).

3. *Ibid.*

4. *Ibid.*, p. 77.

5. « L'art de jouir consiste, comme je l'ai déjà fait pressentir, à n'être ni en deçà ni au delà de la Nature ; et, d'après cet axiome, la morale de l'Homme physique se réduit peut-être à conserver ses organes dans toute leur intégrité. » (*Ibid.*, p. 133).

d'une sorte d'hygiène. Le parfait équilibre du corps se substitue au témoignage de la conscience ou au verdict de la raison. Il est d'ailleurs aussi efficace pour exclure les outrances d'un épicurisme dissolu. L'erreur des débauchés vient justement de leur ignorance des lois objectives de la sensibilité physique [1]. Comme il arrive souvent, c'est le physique qui se révèle bon et l'imaginaire qui recèle tous les poisons. La vérité et le bien sont inscrits dans notre nature, dans notre corps. L'esprit qui s'abandonne à lui-même ne peut que les trahir ou les dissoudre dans son vertige. Les jouissances effrénées ont aussi pour effet de tarir la sensibilité morale, de compromettre en l'homme la part la plus humaine [2]. Les plaisirs peuvent donc tuer à la fois le corps et la conscience. Mais il suffit de savoir ce que réclame et tolère la nature pour être à l'abri de ce double péril [3].

La Philosophie du bonheur est le contraire d'un livre austère. Delisle a le génie de ces équivoques où la sensualité et la vertu se font étrangement complices, lorsqu'elles ne se substituent pas l'une à l'autre. Les tableaux humains qu'il met en scène dans ses œuvres morales se terminent toujours par de curieux renversements. Tantôt une scène de viol s'achève par une élévation religieuse [4]. Tantôt un grave dialogue philosophique se change en une étreinte d'amour [5]. L'œuvre est ainsi chargée d'un bout à l'autre de scènes capiteuses. L'exposé de la morale naturelle s'y estompe au profit de détentes romanesques. Si le cynique Maupertuis se montre sur le chapitre des plaisirs conventionnel et raisonnable, en revanche le vertueux Delisle se complaît aux plus langoureuses évocations. Toujours la même ambiguïté demeure, qui est l'expression paradoxale ou maladroite d'une morale du juste milieu.

1. « Nos élèves de l'Arétin, qui prennent l'art de se blaser pour l'art de jouir, ne savent pas que les sensations les plus vives s'affaiblissent par leur continuité et que les jouissances où l'imagination vient à l'appui des organes, détruisent à la fois l'imagination et les organes. » (*Ibid.*).

2. « Le plus grand danger de cet abus des plaisirs est de détériorer le cœur, de l'endurcir au spectacle des malheurs de l'homme et de fermer son âme criminelle à la voix des remords ! » (*Ibid.*).

3. Quelquefois, Delisle de Sales ne se contente pas d'évoquer la « nature ». Il en appelle également à la loi positive, dans la mesure où elle ne contredit ni les exigences ni les défenses originelles. L'idéalisme naturel semble contaminé par un simple conformisme social. A propos du plaisir amoureux, Delisle déclare : « Les plaisirs du sixième sens ne deviennent un instrument de bonheur que *quand la Nature les avoue et que la loi sociale les autorise* : sans ces deux sauvegardes la jouissance perd son charme, parce que la paix de l'âme disparaît. » (*Ibid.*, 119).

4. « Je te remercie, être céleste, de ce qu'en me laissant descendre aux plaisirs des sens, tu as su m'élever jusqu'à toi. » (Cf. *ibid.*, pp. 151-152).

5. « *La Thessalienne* : « Platon, me dit-elle, tu m'as promis de m'éclairer sur la nature de cette félicité dont hier nous épuisâmes la coupe ; je viens entendre tes leçons enchanteresses ; j'aime à vivifier ainsi les entr'actes de nos amours : *donne-moi ta philosophie aujourd'hui, à condition que tes caresses m'aideront demain à l'oublier.* » (Cf. *ibid.*, pp. 71-72).

***

Tandis que les traités de morale usurpent maints prestiges littéraires, les romans aiment à moraliser. Le thème du bonheur et des plaisirs est le prétexte de nombreuses intrigues et la clé de bien des destins. On s'en tiendra à deux exemples significatifs, à deux héros « sensibles » : Cleveland, qui appartient à la première génération des âmes inquiètes, et le « préromantique » Dolbreuse, que son inventeur, Loaisel de Tréogate, nomme pompeusement « l'homme du siècle ».

Après d'effroyables épreuves, Cleveland s'est forgé lentement une sérénité, avec l'aide de la philosophie. Mais, aussitôt guéri, il oublie sa consolatrice et décide de ne plus chercher son bonheur que dans les plaisirs. Non qu'il choisisse, comme tant d'êtres futiles, la simple frivolité. Le but qu'il poursuit n'est pas le divertissement, mais la jouissance d'un bonheur authentique, qu'il compte partager avec les deux êtres qu'il aime : sa femme et sa fille [1]. Seulement il donne étourdiment à sa quête du bonheur la forme la plus immédiate, celle que lui suggèrent des penchants mal élucidés, l'état brillant de sa fortune et sa situation mondaine [2]. Confondant de bonne foi plaisirs et bonheur, il décide d'épuiser « les agréments de Paris », et, dissimulant au prix de quelques sophismes cette « étrange faiblesse du cœur », il cède à toutes les « vaines passions », favorisées par le « repos » et la « prospérité ». Au lieu de reconnaître en ceux-ci l'accomplissement d'une vie heureuse, il n'y voit que les moyens de conquérir des voluptés nouvelles [3]. Cleveland demande à un épicurien éclairé, Briand, de lui tracer l'image d'une vie exemplaire, où chaque plaisir sera représenté. Briand énumère alors ce qu'il appelle les « principales ressources du bonheur » ; outre la maison et l'équipage, il conseille les voluptés de la table, la musique, le jeu, les spectacles, la promenade, la chasse, la lecture, les conversations, les visites, et le suprême plaisir de régner au milieu d'une cour innombrable de clients et de flatteurs [4]. En exigeant d'être instruit de tous les plaisirs, Cleveland avait précisé : « Je les demande honnêtes, délicats, mais vifs et qui ne laissent rien à désirer au cœur [5]. » Illusion sans doute plutôt que mauvaise foi :

1. « Je voulais être heureux et partager mon bonheur avec deux personnes qui m'étaient chères. » (*Cleveland*, t. VII, p. 243).
2. « Comme emporté par l'ascendant du plaisir qui régnait dans mon cœur, je conclus qu'il n'y avait rien de plus important pour moi que de m'en assurer la durée et rien ne m'y parut si propre que de tirer des circonstances de ma fortune tout ce qui pouvait servir à me composer une existence pleine de charmes. » (*Ibid.*).
3. « Je pensai à me procurer une maison magnifique, un équipage et une suite dignes de mes richesses, enfin à ne rien épargner pour faire oublier toutes les peines à mon épouse et à ma fille, dans le sein de l'abondance et des plaisirs. » (*Ibid.*, p. 245).
4. Cf. *ibid.*, pp. 288-290.
5. *Ibid.*, p. 288.

Cleveland ne sait pas encore que les plaisirs, quels qu'ils soient, ne sont jamais à la mesure du cœur. Le voilà donc qui se voue méthodiquement à leur poursuite. Fort de ce principe que « la bonne chère est le vrai fondement des autres plaisirs », il consacre la plus grande part de ses soins à élaborer une gastronomie artistique. Tous les mets servis à sa table se signalent par leur insolite origine [1]. A ces « délicieux festins » succèdent, en bonne règle, jeux, promenades, bals et spectacles. En pleine ivresse, Cleveland se croit heureux. Trop occupé pour sonder le « fond de son cœur », il est assez captivé pour s'imaginer qu'il n'a plus « de vide à remplir ». Désarmant de bonne conscience, il se persuade qu'aucun mobile impur ne l'inspire et qu'il songe seulement au bonheur des deux femmes qu'il aime plus que lui-même. S'il lui arrive de surprendre des « traces d'ennui et de lassitude dans les yeux de Fanny et de Cécile », il en conclut qu'il n'a pas fait assez bonne mesure et il accélère jusqu'à l'épuisement le déroulement de ces voluptés dont il n'a pas encore soupçonné l'imposture [2]. Cleveland a commis une erreur grave : il a dissocié la sagesse et l'amour, pour tenter d'assortir l'amour et les plaisirs. Mais son instinct moral est si fort qu'il l'a contraint, malgré lui, à recouvrir sa frivole existence du masque de la tendresse et du dévouement [3].

Un jour Fanny et Cécile, lassées par tant de futilités, décident de ne plus assister aux festins et aux jeux. A son grand étonnement, Cleveland ne leur trouve plus alors aucun charme. La vérité commence à lui apparaître : il croyait aimer les plaisirs pour eux-mêmes, il n'aimait en réalité que la compagnie de Fanny et de Cécile et ce qu'il croyait être leur bonheur. Après quelque temps d'un malaise, auquel il ne sait pas donner de nom, un éclair de conscience l'illumine [4]. Il annonce à Fanny que tous les plaisirs dont il s'était fait une « douce idée » ne lui paraissent plus qu'une « honteuse illusion » [5]. Fanny répond par une leçon de morale. Elle attendait depuis longtemps la conversion de son mari. Faut-il donc être surpris, en découvrant que les plaisirs ne suffisent pas à composer le bonheur [6] ? Pourtant

1. « Tandis que le Nord me fournissait les poissons les plus exquis, je tirais du Midi mon gibier et mes vins du Levant. Je n'aurais pas souffert qu'on eût fait paraître devant moi un plat ou un flacon qui n'eût pas porté un caractère extraordinaire et que mon maître d'hôtel n'eût pas recommandé par un éloge. » (Cf. *ibid.*, pp. 317-318).

2. « J'avais poussé le désir de les rendre heureuses jusqu'à perdre alors toutes sortes de ménagements pour ma santé. » (Cf. *ibid.*, pp. 320-321).

3. Cf. *ibid.*, t. VIII, pp. 117-118. Cleveland avoue lui-même : « Je n'ai jamais si bien reconnu que dans cette occasion combien nous devenons obscurs et impénétrables à nous-mêmes, aussitôt que l'imagination se livre à de frivoles amusements qui ôtent à l'esprit le pouvoir de s'exercer par ses réflexions. » (*Ibid.*, p. 127).

4. « Plaisirs frivoles ! Amusements sans force ! m'écriai-je en portant de plus près mes réflexions sur moi-même ; vous n'êtes pas faits pour remplir mon cœur. » (Cf. *ibid.*, pp. 127-130).

5. *Ibid.*, p. 131.

6. « On n'entendrait pas tant de plaintes sur la misère de notre condition, si des biens qui dépendent de la fortune et que tout le monde peut se procurer avec un peu d'industrie et de bonheur, étaient capables de faire régner dans le cœur une véritable paix. » (*Ibid.*).

Fanny concède qu'ils méritent d'être considérés comme un bien, car leur privation s'accompagne de trop de peines :

« *Mais savez-vous, ajouta-t-elle, en quoi je m'imagine que l'erreur consiste ? C'est précisément dans les deux excès dont il me semble que vous ne reconnaissez l'un que pour vouloir déjà vous précipiter dans l'autre. Se faire un objet unique des biens sensibles ou les croire si méprisables qu'il n'y ait rien à se promettre d'eux pour la douceur de la vie, je crois que c'est ignorer également leur nature et la nôtre* [1]. »

La conclusion à laquelle Fanny aboutit confirme celle des moralistes bien-pensants et des Philosophes. Cleveland, comme Saint-Preux, est toujours exposé à des excès contradictoires. La douce sagesse un peu prêcheuse de son épouse le rappelle à cette vérité du juste milieu, qui n'est banale que pour de plus médiocres que lui. Son seul tort est d'avoir cédé à la tentation de l'immédiat, de n'avoir pas su contrôler des appétits imaginaires, d'avoir cru qu'on pouvait traiter rationnellement des impulsions irrationnelles. Ni la profonde sensibilité de Cleveland ni sa haute philosophie, qui l'avaient naguère sauvé de tant de désastres, ne lui ont épargné des illusions, aussitôt éventées par le simple bon sens d'une femme.

Il est vrai que la philosophie morale du siècle est quelquefois un peu plate. Mais la médiocrité du bonheur, tel qu'on le définit alors, procède davantage d'une conquête sur les tentations extrêmes que d'une inaptitude à les concevoir. Chaque fois qu'il s'assagit, Cleveland ne se diminue pas : il se dépasse. Après son apogée philosophique, au moment de la retraite de Saumur, il se dirige, au travers d'expériences difficiles mais nécessaires, vers un apogée surnaturel. Il ne restera rien, en définitive, que Cleveland n'ait connu, épuisé, rejeté. Toutes les grandeurs et toutes les détresses l'acheminent sûrement vers les splendeurs d'un autre monde.

La destinée de Dolbreuse est moins émouvante et moins vraisemblable. Trop coupable et trop innocent à la fois, il s'enfonce trop profondément dans la chute et son remords parle trop tôt. On ne découvre pas en lui ces abîmes d'inconscience, ces sophismes saisissants de sincérité ou de mauvaise foi naïve. Jamais, comme Cleveland, il n'est « obscur et impénétrable » à lui-même. Au lieu d'un être humain attachant et plausible, on n'a qu'une figure édifiante, illustrant laborieusement la moins inattendue des leçons.

Dolbreuse est un « jeune homme né avec un cœur sensible et des organes vigoureux » [2]. Obligé de quitter pour quelque temps son

1. *Ibid.*
2. LOAISEL DE TRÉOGATE, *Dolbreuse*, t. I, p. 107. — Joseph-Marie Loaisel de Tréogate est né en 1752 au château de Beauval, en Basse-Bretagne. Avant la Révolution, il servit dans les gendarmes du roi. C'était un écrivain très prolixe. Ses *Soirées de mélancolie* ont fait de lui un des plus saisissants représentants du spleen préromantique. Il mourut en 1812.

épouse Ermance, il se sent irrésistiblement entraîné vers les voluptés illicites : « L'homme moral ne pouvait plus triompher de l'homme physique [1]. » Entièrement livré aux plaisirs, il savoure le remords de sa déchéance : « Cette inquiétude, cette tristesse intérieure, dégénérant en une sorte de langueur inséparable de mes fausses jouissances, m'y attachaient davantage [2]. » Reniant tout un passé de tendresse et de vertu, Dolbreuse, devenu la proie des frivolités mondaines, est désormais un autre homme : « Dès cet instant, ma métamorphose fut complète. Les petits besoins de la vanité, les fantaisies ardentes, la fureur des bonnes fortunes remplacèrent les mœurs pures, les goûts honnêtes et la plus noble des passions [3]. »

Le voluptueux est partagé entre deux états : l'anéantissement stupide, qui n'est « ni un mode de la douleur, ni un mode du plaisir » et se réduit au « sentiment vague et confus de la non-existence » ; et d'autre part, le désespoir que suscite, avec le déchirement aigu du remords, le réveil de la conscience : « L'homme alors pense moins avoir joui qu'avoir fait l'épreuve de la misère [4]. » Pour qui est gravement exposé à la tentation du plaisir, il n'est qu'un remède : « la présence continuelle d'un objet qui s'empare de ses facultés. » Une passion unique, profonde et totale, encore que vertueuse et tranquille, peut seule « remonter assidûment le ressort de son âme, toujours prêt à se détendre », et le conduire insensiblement à la sagesse, « jusqu'à ce qu'une longue habitude des plaisirs qu'elle procure ait fait prendre une forme à son caractère et lui ait enfin donné une âme à lui [5]. » Telle sera la destinée de Dolbreuse, qui s'ouvre finalement sur le salut. La « raison » et le « sentiment » parviendront conjointement à opérer le miracle. Mais, tout au long d'une existence ardente et confuse, parmi tant d'ivresses et tant d'épreuves, Dolbreuse n'aura pas connu de plus chaude alarme que ce vertige des plaisirs. C'est sur cet écueil que « l'homme du siècle » aura manqué se briser.

***

L'auteur des *Dialogues entre MM. Patru et d'Ablancourt* ne classe pas encore les plaisirs de façon systématique. Il se borne à énumérer sans ordre douze plaisirs différents : l'amour, la table, la musique, la conversation, la lecture, les spectacles, le jeu, la campagne, la vertu, l'amitié, l'étude, la rêverie. Mais, par la suite, un principe de classification s'établit, conventionnel et immuable : les plaisirs se

1. *Ibid.*, p. 106.
2. *Ibid.*, pp. 116-117.
3. *Ibid.*, p. 127 ; cf. *ibid.*, p. 131.
4. Cf. *ibid.*, t. II, p. 2.
5. Cf. *ibid.*, t. I, pp. 147-148.

divisent en trois catégories, selon qu'ils relèvent des sens, de l'esprit ou du cœur. On trouve cette division tripartie dans les *Dialogues sur les plaisirs* de Dupuy, en 1717 [1]. Hennebert, dans son traité *Du Plaisir*, conserve le même schéma. Les plaisirs des sens apparaissent sous une lumière assez crue, qui transforme les épicuriens voluptueux en silhouettes démoniaques ou grotesques, dignes d'un peintre baroque [2]. Les plaisirs de l'esprit n'offrent pas ces hideux visages : « L'étude et la conversation sont les sources principales du plaisir de l'esprit... La première est l'occupation la plus agréable que l'on puisse avoir [3]. » Mais l'une et l'autre n'en restent pas moins décevantes, « sans un vif intérêt de la part du cœur [4] ». Hennebert pense qu'un « homme heureux sans aucun plaisir du cœur offrirait à la nature un rare phénomène [5] ». Le cœur, dissocié de l'esprit, est plus à même de contribuer au bonheur que l'esprit, séparé du cœur. Les jouissances du cœur sont surtout les jouissances morales :

« Le plaisir du cœur est la satisfaction intérieure que l'on ressent en aimant ce qui est utile et honnête... Est-il plaisirs plus nobles, plus satisfaisants que de soulager les pauvres, protéger les innocents opprimés, foudroyer le vice, exalter le mérite, jouir de l'estime et de l'amitié des honnêtes gens par des vertus sociales ? [6] »

La hiérarchie est assez claire entre les catégories du plaisir. Mais les trois étages peuvent communiquer entre eux de diverses manières, ce qui fournit au cheminement des plaisirs plusieurs itinéraires possibles : « Parmi les choses faites pour plaire au cœur, les unes, avant d'y pénétrer, passent par les sens ; d'autres vont droit de l'esprit au cœur ; d'autres enfin gagnent d'abord les sens, puis successivement l'esprit et le cœur [7]. »

Le marquis de Lassay, après avoir sondé la source de chaque volupté,

1. *Op. cit.*, p. 28. Les plaisirs des sens et de l'esprit peuvent, doivent se combiner le plus souvent. C'est ce qui arrive lorsqu'on aime à se repaître de la vue des objets naturels, à découvrir et contempler le monde : « Les ouvrages admirables de la nature, la beauté des cieux, leur immense étendue, la vicissitude des saisons, la variété des plantes et des fruits, le chant des oiseaux, le nombre infini d'animaux qui peuplent la terre, l'air et l'eau, le cours des rivières, leur constante régularité à se rendre à la mer, les différentes mœurs des nations, leurs lois, leurs habillements, ne sont-ce pas des sources inépuisables de plaisir pour des personnes qui aiment à réfléchir et à faire quelque usage de leur raison ? » (*Ibid.*, p. 24). Les plaisirs du cœur sont essentiellement *moraux* : « J'entends par les plaisirs du cœur la satisfaction que l'on ressent dans la pratique de *certaines maximes naturellement gravées dans notre âme.* C'est un plaisir du cœur, par exemple, de secourir les faibles, de protéger l'innocence, de consoler un ami dans son affliction, de l'aider dans ses besoins, d'humilier les orgueilleux, d'élever les humbles, de récompenser le mérite et la vertu, de punir le vice. » (*Ibid.*, p. 28).

2. « L'un, traînant partout son enfer dans ses membres, se dessèche comme l'herbe sous les ardeurs du soleil ; un autre, affaissé sous le poids d'une table délicieuse, fait de son ventre un égoût incommode d'aliments et de breuvages. » (HENNEBERT, *Du Plaisir*, t. I, p. 89).

3. *Ibid.*, p. 96.

4. *Ibid.*, p. 106.

5. *Ibid.*, p. 132.

6. *Ibid.*, p. 134.

7. *Ibid.*, p. 135. Hennebert ajoute : « Il est nécessaire de se méfier de tout ce qui passe vivement des sens au cœur. » (*Ibid.*, p. 137).

déclare : « Pour mener une vie souhaitable, il ne faut pas ne rien faire, mais il faut n'avoir rien à faire et que ce que l'on fait divertisse l'*esprit*, exerce le *corps*, et n'agite le *cœur* que médiocrement [1]. » Sulzer fait suivre sa *Théorie générale du plaisir* de trois théories particulières : *Des plaisirs intellectuels, Des plaisirs des sens* et *Des plaisirs moraux* [2]. Les plaisirs sensuels aboutissent aux passions et aux excès, qui dégradent. Ils sont immédiats, mais fugitifs. Les plaisirs intellectuels portent en eux la sérénité et la douceur. Il faut pour les goûter un difficile apprentissage, mais on peut en jouir à volonté. Les premiers ne visent qu'à la conservation de l'être, bien qu'ils provoquent quelquefois sa destruction. Les autres travaillent au perfectionnement de l'esprit [3]. Quant aux plaisirs moraux, ils sont liés à l'exercice de la vertu [4]. Ils dépendent, comme les autres, de « l'action naturelle de l'âme » et tendent nécessairement au bonheur. Eux seuls procurent à l'homme l'occasion de remplir sa vocation, d'épuiser son essence : « Les plaisirs moraux l'emportent de beaucoup sur les plaisirs intellectuels. Ils sont ce qu'il y a de plus délicieux dans l'existence d'un être pensant [5]. »

Reprenant à son tour la division des plaisirs en trois paliers, Gourcy précise que les plaisirs des sens peuvent se spiritualiser : « Pour les épurer, pour leur donner de la délicatesse et de la solidité, pour les rendre dignes de l'homme, il faut les associer aux plaisirs de l'esprit et du cœur... Les plaisirs même de la table, au milieu de ses amis, dans une société choisie, changent de nature [6]. » Pour Caraccioli,

1. LASSAY, *Recueil de différentes choses*, t. III, p. 33.

2. Cf. *Le Temple du bonheur*. En dépit de cette distinction, Sulzer retrouve dans chaque catégorie la même structure fondamentale, c'est-à-dire la perception d'une multiplicité de rapports ou de détails à l'intérieur d'un objet unique. A propos des plaisirs des sens, il déclare : « Voilà donc les plaisirs des sens réduits au même principe d'où se déduisent les plaisirs de l'imagination et de l'entendement. » D'ailleurs « tous les plaisirs, ceux des sens même, se rapportent à la faculté intellectuelle de l'âme » et « les plaisirs sensuels sont pour ainsi dire le corps dont les plaisirs intellectuels sont les ombres ». (*Op. cit.*, t. III, pp. 134 et suiv.).

3. « Cependant, comme ces deux espèces de plaisirs tirent leur origine de la même source, on peut dire qu'ils sont également nobles et que ceux de l'entendement ne sont préférables qu'en ce que leurs avantages sont plus grands. » (*Ibid.*, pp. 143-144).

4. « Indiquer l'origine du plaisir moral, c'est autant que d'assigner le véritable fondement de la vertu même. » (*Ibid.*, p. 145).

5. LE MAITRE DE CLAVILLE souligne également dans *Le Traité du vrai mérite* que les plaisirs de la vertu dépassent et parachèvent tous les autres : « Je vous ai placé au milieu de vos amis et vous goûtez avec délicatesse le plaisir de la table... Tantôt je vous ai fait rire avec Molière ; tantôt j'ai varié vos plaisirs avec le secours de Lulli ; tantôt je vous ai fait, sur le haut d'une colline, un fauteuil de gazon... mais dans toutes ces situations vous n'avez vécu que pour vous. L'homme affligé, le malheureux, ne jouissait pas de vous et par là vous avez perdu la mère-goutte de la volupté. Songez que vous ne sauriez être heureux qu'autant qu'on vous verra attentif au bonheur des autres. » Les plaisirs les plus doux sont ceux que l'esprit et l'âme savourent ensemble : « Quand l'âme est de pair dans les plaisirs de l'esprit, quelle volupté ! » Le Maître de Claville distingue trois niveaux dans les plaisirs (si on met à part les plaisirs des sens, qui sont dangereux) : les plaisirs de l'esprit seul, les plaisirs de l'esprit et de l'âme, les plaisirs vertueux qui tendent au bonheur d'autrui : « Pensons bien, voilà les fonctions de l'esprit ; sentons bien ce que nous avons pensé, voilà le premier plaisir de l'âme ; mais trouvons notre bonheur dans celui des autres, voilà le dernier période de la volupté. » (*Op. cit.*, pp. 239 et suiv.).

6. GOURCY, *op. cit.*, p. 84.

les jouissances sensuelles se laissent aisément absorber par les autres : « Le sage ne connaît que trois sortes de plaisirs : l'*étude*, qui consiste à s'instruire, à se ressouvenir, à imaginer ; la *conversation*, qui renferme les visites, le repos, les douceurs de l'amitié ; la *promenade* enfin, qui comprend les voyages et les satisfactions qu'on goûte à voir les merveilles de la nature et les chefs-d'œuvre de l'art [1]. »

Dans *Le Prince, les délices du cœur*, Morelly distribue les plaisirs de son héros selon qu'ils relèvent de l'esprit, de l'imagination ou des sens. Les plaisirs de l'esprit consistent en lectures et en conversations. Ceux de l'imagination sont renfermés dans un « univers artificiel », composé d'objets rares et réunissant tous les prestiges de la nature, de l'art et de l'histoire [2]. Enfin le Prince trouve des délassements dans la promenade, la chasse, les jeux, les spectacles et les repas, « agréables autant par la délicatesse des mets que par la rareté et l'enjouement spirituel des convives [3]. »

Dans un climat tout différent, Bernardin de Saint-Pierre s'en tient à une simple opposition entre les plaisirs des sens et les plaisirs de l'âme. Il énumère ces derniers : l'innocence, la pitié, l'amour de la patrie, l'admiration, le merveilleux, le plaisir du mystère, le plaisir de l'ignorance, le plaisir de la mélancolie, le plaisir des ruines, le plaisir des tombeaux, le plaisir de la solitude, l'amour et la vertu [4].

On essaie quelquefois de classer les plaisirs selon les conditions sociales. C'est ainsi que Mme Thiroux d'Arconville, dans son traité *Des Passions*, décrit les plaisirs des bourgeois [5], ou que l'abbé Hennebert évoque successivement les plaisirs de la « populace », les plaisirs du laboureur, ceux du bourgeois et ceux du rentier [6]. Mais ces tentatives font seulement apparaître des préjugés ou des images toutes faites et ne posent, en aucune manière, les prémisses d'une sociologie des plaisirs.

On pourrait résumer et nuancer ces différents efforts de classification en dressant le tableau suivant :

1. *De la Gaîté*, p. 158.
2. « L'imagination trouvera dans un cabinet, orné de tout ce que la Nature produit de chefs-d'œuvre, de quoi se délasser de l'application aux affaires. Un autre lui offrira en petit toutes les merveilles de l'industrie humaine, tableaux, estampes, sculptures, machines, plans en relief, bijoux, etc... Elle pourra même s'exercer à travailler à quelqu'un des arts qui enfantent ces productions. De là cette imagination se verra comme par enchantement transportée au milieu des plus précieux monuments de l'antiquité et des riches trésors de l'histoire. Un prince doit trouver un plaisir infini à faire rassembler et ranger toutes ces raretés, à les considérer, à les examiner, en parler en homme de goût et amateur de choses que leur beauté rend toujours nouvelles. Au sortir de cet *univers artificiel*, il peut aller voir ses bâtiments, ses jardins, ses académies les plus belles et ses plus riches manufactures, les édifices qu'il fait élever, tous les ornements et les commodités d'une capitale ou d'autres villes. » (MORELLY, *Le Prince, les délices du cœur*, pp. 73-74).
3. *Ibid.*, p. 74.
4. Cf. BERNARDIN DE SAINT-PIERRE, *Œuvres complètes*, éd. Aimé-Martin, 1825-1826, t. V.
5. Cf. le chapitre *Le bonheur bourgeois*.
6. HENNEBERT, *Du Plaisir*, t. II, pp. 31-33, 56-57, 58-60.

— Plaisirs moraux et sentimentaux : vertu, amitié, amour.
— Plaisirs esthétiques et intellectuels : musique, lecture, étude.
— Plaisirs naturels : campagne, promenade, chasse, exercices, jeux de plein air.
— Plaisirs sociaux : conversation, repas, spectacles, jeux.

A propos de chacun de ces plaisirs, la conclusion des moralistes est toujours la même : *un plaisir est disqualifié relativement au bonheur dans l'exacte mesure où il risque de se transformer en passion* [1]. L' « innocence » des plaisirs est moins une qualité tenant à leur essence que la modération dans leur usage. Et celle-ci désigne moins, à son tour, une quantité, une mesure objective, qu'une attitude intérieure du voluptueux. Légitimes comme divertissement, comme une trêve dans l'esprit de sérieux dont l'homme s'arme devant le monde, les plaisirs ne doivent jamais prévaloir sur l'essentiel. Le joueur criminel et malheureux est celui pour qui le jeu est devenu une obsession, son unique affaire. En matière de plaisir, monomanes et exaltés sont toujours des coupables : « Je conseille l'usage des plaisirs, dit Le Maître de Claville, mais je ne veux pas qu'on s'en enivre. »

3. — Esthétique du plaisir : la volupté.

Pour conserver au plaisir la mesure et la qualité qui le rendent compatible avec le bonheur, il n'est pas nécessaire de se forger une « morale ». Le seul moyen de l'épurer n'est pas de le soumettre à des principes étrangers. Il suffit de le transformer de l'intérieur, de le *penser* suffisamment pour changer sa nature. La volupté est le nom qu'on donne au plaisir transfiguré par l'esprit. Il ne s'agit pas d'une différence de degré ; la volupté n'est pas un plaisir plus grand, mais un plaisir autre. Dans son *Agathon, dialogue sur la volupté* (1719), Rémond le Grec assure que la volupté est aussi éloignée de la débauche que le blanc l'est du noir [2]. La volupté se reconnaît à ce « goût de l'esprit », à cette « réflexion » qui informent chaque plaisir. Elle n'est pas à la portée des âmes vulgaires. Seul « l'homme parfait est voluptueux » [3]. Ces « honnêtes gens », dont la volupté est le privilège, peuvent tailler leur bonheur dans l'étoffe des plaisirs ordinaires. Le prix de la volupté n'est pas dans l'objet, mais dans l'attitude de l'âme qui la construit et la savoure. On peut définir la volupté comme « l'art d'user des plaisirs avec délicatesse et de les goûter avec sentiment [4] ». Un tel

1. On l'a montré à propos du jeu ; cf. Robert Mauzi, *Écrivains et moralistes du XVIII*e *siècle devant les jeux de hasard*, *Revue des Sciences Humaines*, avril-juin 1958.
2. Saint-Hyacinthe, *Recueil de divers écrits* (1736), p. 124. — Rémond dit *le Grec* était le frère de Rémond de Saint-Mard.
3. Cf. *ibid.*, p. 125.
4. *Ibid.*, p. 130.

raffinement de goût suffit à fonder un art de vivre, car il exprime toute la nature de l'homme [1]. L'art de la volupté prend ainsi une valeur éthique. La finesse du goût et la vivacité du sentiment, l'empire de la raison maîtrisant les impulsions de la nature, non contents d'aboutir à une esthétique du plaisir, dessinent une image idéale de l'homme.

Saint-Hyacinthe définit la volupté comme la pure action de l'âme : « Les plaisirs ne sont que dans les sens ; la volupté seule appartient à l'âme [2]. » Elle est le couronnement d'une ascèse, car il faut s'être purgé « des passions qui ne regardent que les plaisirs ». Il y a même dans la volupté une exaltation, une dilatation de l'âme, heureuse d'exercer tous ses pouvoirs, qui en font une sorte d'extase platonicienne ; la jouissance voluptueuse, à son point suprême, devient une contemplation [3]. Aussi Saint-Hyacinthe donne-t-il de la volupté cette ultime et concise définition : « La volupté est un sentiment de perfection [4]. »

Mme de Puisieux se garde de confondre volupté et plaisir : « La volupté vient de l'âme, le plaisir vient des sens ; aussi tout le monde prend-il du plaisir, parce que tout le monde a des sens. Mais la volupté étant un sentiment délicat dépendant de l'esprit et du goût, il y a donc les trois quarts du monde qui n'ont jamais senti la volupté [5]. » La volupté est donc un accord parfait entre les sens, l'esprit et le goût : « Si ce que j'aime est laid, c'est du plaisir sans volupté. » D'autre part, la volupté exige une *conscience* du plaisir, portée à son plus haut degré d'acuité et de délicatesse : « Il n'en est point dans la jouissance, puisqu'alors on est hors d'état de raisonner. *Tout ce qui nous ôte la faculté de sentir notre bonheur ne peut mériter ce nom.* » C'est pourquoi la volupté la plus pure est peut-être celle qui « vient de l'imagination » [6]. Elle pourrait même être tout à fait subjective, si l'esprit ne devait pas rester éveillé pour apprécier froidement la conformité entre chaque plaisir et un idéal permanent de beauté. La volupté est cette rencontre entre le beau absolu et les plus intimes délectations.

L'inquiétant La Mettrie, qui recommande volontiers à ceux qui aiment la fange de s'y vautrer sereinement, semble se réfuter lui-même

1. « Pourvu que la raison conserve son empire, tout est permis et, l'homme ne cessant pas d'être l'homme, l'action est juste et louable, puisque le vice n'est que dans le dérèglement. » (*Ibid.*, p. 132).

2. SAINT-HYACINTHE, *Conversation sur la volupté*, dans *Recueil de divers écrits*, p. 107. Cf. p. 115 : « Les plaisirs ne sont en effet qu'une impression des sens où l'âme n'est que passive et, pour ainsi dire, esclave, et ce n'est pas en quoi consiste la dignité de l'âme ; c'est dans son activité propre, lorsqu'elle sent qu'elle fait un bon usage de sa puissance, et les sentiments de volupté qu'elle éprouve alors supposent la conscience et la réflexion. »

3. Cf. *ibid.* : « On peut avoir du plaisir dans la jouissance des choses imparfaites... Mais l'amour où l'âme s'élève jusqu'à la volupté ne suppose point d'indigence ; il est dans la plénitude des biens ; il nage dans la joie et dans l'admiration, à la vue des perfections qu'il découvre... et auxquelles il s'attache ; il fait ainsi à lui-même sa jouissance et son bonheur. »

4. *Ibid.*, p. 117.

5. Mme DE PUISIEUX, *Caractères*, p. 41.

6. *Ibid.*, p. 42 ; cf. le conte allégorique de Mme DE PUISIEUX, *Le Plaisir et la volupté*, 1762.

dans son essai *La Volupté* : « On confond trop communément le plaisir avec la volupté et la volupté avec la débauche [1]. » Seul le voluptueux ne s'y trompe pas : il « distingue la volupté du plaisir, comme l'odeur de la fleur qui l'exhale, ou le son de l'instrument qui le produit [2] ». Les plaisirs ne relèvent que des sens, sans aucune complicité de l'esprit. Dans la volupté, l'imagination « met le prix à tout ». Elle dissout le plaisir en miettes, dont elle examine chacune au « microscope » [3]. Peut-être cet art de jouir, minutieux et subtil, n'est-il que « l'art de se tromper » [4]. Mais cela importe peu. Pour La Mettrie, la vérité n'est pas le critère du bonheur. Il a voué au plaisir une sorte d'adoration [5] et il ne conçoit pas d'autre bonheur que d'assouvir « tous les caprices de l'imagination » [6]. Cependant les exigences naturelles de l'esprit et du goût finissent par se substituer aux absurdes interdictions de la morale et rétablissent, à l'intérieur même du plaisir, la séparation entre le bien et le mal : « La volupté est peut-être aussi différente de la débauche que la vertu l'est du crime [7]. »

Le mot « volupté » peut revêtir un autre sens, moins riche, mais tout aussi rassurant. C'est celui que lui donne d'Argens, en déclarant qu'il « est une volupté qui s'accorde avec la vertu et qui même lui donne un nouveau lustre ». La volupté n'est plus une métamorphose des plaisirs, mais cette assiette de l'âme qui n'a plus besoin de jouissances, parce qu'elle a trouvé repos et plénitude, habitant un corps qui ne l'envahit ni ne la trahit jamais [8]. Selon Batteux, Épicure lui-même n'entendait pas autre chose, lorsqu'il parlait de volupté [9]. Bien loin d'exalter, comme ses adversaires l'en accusent, le déchaînement des instincts, il n'a fait que prôner le repos de l'âme. Dans son traité *Du Plaisir*, Hennebert donne la volupté pour le « sentiment réfléchi du plaisir [10]. » Il rejoindrait ainsi La Mettrie s'il n'introduisait aussitôt un *distinguo* capital. La volupté qui ne comprend que des plaisirs physiques est une volupté « criminelle » : « Elle prend les épithètes de *corporelle*, *charnelle*, *sensuelle*, *terrestre*, *grossière*,

1. La Mettrie, *Anti-Sénèque ou Discours sur le bonheur*, éd. 1753, p. 314.
2. *Ibid.*, p. 325.
3. *Ibid.*, p. 314.
4. *Ibid.*
5. Cf. *ibid.*, p. 330 : « Plaisir, maître souverain des hommes et des dieux, devant qui tout disparaît, jusqu'à la raison même, tu sais combien mon cœur t'adore et tous les sacrifices qu'il t'a faits. »
6. Cf. *ibid.*, p. 334 : « Pour être aussi heureux qu'il est possible de le devenir, il n'y a qu'à s'appliquer à connaître son tempérament, ses goûts, ses passions et savoir en faire un bon usage ; agir toujours en conséquence de ce qu'on aime, satisfaire tous ses désirs, c'est-à-dire tous les caprices de l'imagination. Si ce n'est pas là le bonheur, qu'on me dise donc où il est. »
7. *Ibid.*, p. 327.
8. « Nous entendons par la *volupté* la tranquillité de l'esprit et la santé du corps. C'est dans ces deux choses qu'elle consiste ; et c'est par les mêmes choses qu'elle fait toute notre félicité. » (D'Argens, *Philosophie du bon sens*, t. III, p. 43).
9. Cf. Batteux, *La Morale d'Épicure tirée de ses propres écrits* (1758).
10. « Plus onctueuse que lui, précise-t-il, elle pénètre l'âme d'un profond sentiment. On pourrait l'appeler *plaisir assaisonné* dans le sens qu'on appelle l'esprit *raison assaisonnée* ». (Hennebert, *op. cit.*, t. I, p. 13).

brutale, etc. [1]. Elle débouche infailliblement sur la démence, la stupidité ou le désespoir [2]. Mais il est une autre sorte de volupté dont les « principes sont saints », parce qu'ils « dérivent de la vertu ». Elle a pour signes « la modération et le calme de l'âme », la « délicatesse dans le cœur et l'esprit » ; pour effets, « de rajeunir l'âme sans la rendre inconsidérée, de l'attendrir sans l'amollir, de l'ébranler sans la déplacer de son assiette, de l'élever au-dessus d'elle-même sans l'affoler, de l'unir étroitement à l'objet de ses désirs sans l'ennuyer ni la dégoûter ». La gravité tranquille du savant, la bonne conscience de l'homme généreux, l'euphorie glorieuse du bon roi, le bonheur de l'époux fidèle, les profondes méditations du « philosophe chrétien » en sont les images exemplaires [3].

Rien n'est plus équivoque, on le voit, que ce mot de volupté. Par rapport au plaisir, il signifie à la fois plus et moins. La volupté est tantôt l'habile surenchère d'une philosophie hédoniste attachée à rendre plus vives ou plus douces les banales jouissances de la nature, tantôt un discret ascétisme ou une sagesse déguisée, qui enseigne à ne plus croire *les plaisirs* nécessaires pour donner à l'âme sa plus grande mesure de *plaisir*.

A cette volupté idéale — quelle qu'en soit l'ambiguïté — le voluptueux du siècle est rarement fidèle. Denesle n'est pas dupe de ces sophismes qui font du voluptueux le contraire du débauché : « Le voluptueux est un peu plus poli que le débauché ; voilà toute la différence [4]. » Pour lui, « le vrai voluptueux est celui qui aime la santé et la longue vie [5]. » Or le mondain ordinaire ressemble peu à un apôtre de la longévité ou à l'homme de plaisir réfléchi et délicat, dont on aime à tracer le modèle. L'homme du siècle confond *volupté* et *frivolité*. Ce faux voluptueux est un affamé de sensations agréables, qui ne considère que la profusion des plaisirs et s'y exténue. Certains s'amusent de ce vertige, feignant de le justifier. Dans son *Apologie de la frivolité* (1750), Boudier de Villemert défend l'insignifiance aimable des Français, qu'il préfère aux sombres spéculations des Anglais : « Il est, ce me semble, plus sage de se contenter de connaître les surfaces des objets, qui sont seules perceptibles, que d'essayer inutilement d'en sonder les profondeurs [6]. » Il se réjouit qu'on sache si joliment peupler d'agréables riens des cervelles vides : « Nous sommes enfin parvenus à ces jours fortunés où l'on ne raisonne plus et nous

1. *Ibid.*, pp. 13-14.
2. Cf. *ibid.*, p. 16 : « Elle rend imprudent, déraisonnable, aveugle. Elle tient l'âme absorbée dans de sales idées, quelquefois jusqu'à une stupide insensibilité, ne donnant qu'une faible lueur de son existence » ; p. 18 : « Les dégoûts, les troubles, les syndérèses, le désespoir, sont les suites affreuses de la volupté ».
3. Cf. *ibid.*, pp. 19-21.
4. Denesle, *Les Préjugés du public*, t. III, p. 294.
5. *Ibid.*, p. 302.
6. Boudier de Villemert, *op. cit.*, p. 2.

voilà entièrement guéris des vapeurs philosophiques [1]. » L'homme frivole n'observe qu'une règle : s'agiter le plus possible. Sa philosophie consiste à croire que la « multiplicité des actes » est « ce qui doit mesurer le temps » et qu'en conséquence « celui dont la vie en fournit un plus grand nombre a plus vécu que celui qui s'est appesanti sur un seul objet [2]. »

Mais tous n'ont pas cette ironique indulgence. Le « Philosophe bienfaisant » décèle, derrière la frivolité, cette « fureur » qui est le signe d'une crise de l'existence [3]. Aussi le mot voluptueux a-t-il changé de sens. Il ne désigne plus l'homme sachant cueillir le plaisir « avec ce choix de sentiment qui l'épure, ni avec cette délicatesse de goût qui ne fait que s'y prêter ». Le voluptueux contemporain est un être sans « principes », « vicieux par air et débauché par oisiveté », qui se recherche éperdument, tout en ne cessant pas de se fuir, oscillant entre le dégoût des plaisirs simples et le remède — vite devenu poison — des jouissances alambiquées [4]. Alors que la vraie volupté consiste à réfléchir sur le plaisir, il ne cherche qu'à tuer la réflexion, qu'à endormir la conscience. Futile et malheureux, il traverse des étourdissements sans fin, où sombre sa raison, mais jamais son angoisse. Mme de Lambert souligne le rythme vertigineux des plaisirs du siècle : « A présent, que ne faut-il pas pour l'emploi du temps, pour l'amusement d'une journée ? Quelle multitude de goûts se succèdent les uns aux autres ! La table, le jeu, les spectacles... [5] » La recherche du plaisir n'est plus ce qu'elle doit être — un choix et un approfondissement — mais l'infatigable quête d'excitations superficielles, innombrables. N'étant plus contrôlée par l'esprit, elle se change en obsession. Un personnage de roman, évoquant ses débuts dans le monde à dix-sept ans, commence ainsi le récit d'une adolescence typique : « L'idée du plaisir fut à mon entrée dans le monde la seule qui m'occupât... [6] »

A lire pourtant la littérature romanesque, le climat de la volupté semble bien différent d'un tourbillon. Rien de mieux organisé que les scènes voluptueuses des romans. La volupté littéraire est le résultat d'un compromis. De la volupté philosophique, elle conserve l'idée d'une élaboration nécessaire, d'un système du plaisir. Aux expériences mondaines, elle emprunte, avec quelques complications ou

1. *Ibid.*, p. 13.
2. Cf. *ibid.*, pp. 12-14.
3. « C'est le goût du siècle de se livrer avec fureur à toutes les sensations agréables. » (Stanislas Leczinski, *Œuvres du Philosophe bienfaisant*, t. I, p. 336.)
4. Cf. *ibid.*, pp. 310-312. Le philosophe bienfaisant vitupère « ce rétrécissement, cette petitesse, cet avilissement des âmes d'à-présent qui, accablées du poids de leur existence, se fuient, s'évitent, s'éloignent d'elles-mêmes, n'osant se chercher dans le vide des jours qu'elles perdent ni dans un amas d'idées sans objet, qui se confondent les unes dans les autres et qui tombent et disparaissent à mesure que d'autres viennent leur succéder. »
5. Mme de Lambert, *Réflexions sur les femmes*, Œuvres, 1748, p. 181.
6. Abbé Chayer, *L'Amour décent et délicat*, p. 1.

enjolivements, les plaisirs eux-mêmes. Le roman de La Morlière *Angola* (1746) est une saisissante fantasmagorie du plaisir [1]. En expliquant les conventions, les chiffres et les mystères qui composent la vie des courtisans, La Morlière dévoile tous les arcanes de la volupté. *Angola* est à la volupté mondaine ce que les *Cent-vingt journées de Sodome* sont à la volupté clandestine : une sorte de manuel du savoir-jouir. Dans l'univers d'*Angola,* tout est faux et truqué, même le désir. Tout s'accomplit selon la décence, y compris la débauche. Les impulsions stéréotypées s'assouvissent toujours selon les mêmes rites. Lorsqu'un sentiment vrai s'avise de poindre dans ce monde du trompe-l'œil, il est immédiatement refoulé. La Reine enlève dans son char magique la princesse coupable d'avoir inspiré un amour véritable, tandis qu'Angola, chaque fois qu'il est sur le point d'atteindre la bien-aimée, tombe pour son châtiment dans une espèce de catalepsie. Tenu constamment éloigné du bonheur par un charme, il est choyé par la fée Lumineuse, qui l'emmène dans ses « petits appartements » : « Tout y respirait la volupté... C'était une enfilade de petites pièces charmantes, qui semblaient avoir été imaginées pour donner une idée naturelle de toutes les différentes gradations de la volupté [2]. » La première de ces pièces est consacrée aux plaisirs de la table, la suivante aux plaisirs de la musique, la dernière, qui « pouvait être regardée comme le sanctuaire », aux plaisirs de l'amour [3]. Mais l'univers voluptueux d'Angola est un univers de carton, où tout menace de se défaire. En tombant, le masque ne révèle que des figures hideuses, vulgaires et fatiguées. Telle cette fin de bal où la cire des bougies et le fard des visages s'écoulent, au petit jour, en une écœurante débâcle [4].

Il est rare pourtant que la volupté se décompose ainsi et ne défende

1. Charles-Louis-Auguste de la Rochette, chevalier de La Morlière, né à Grenoble en 1719, avait d'abord été mousquetaire. Puis il ne fit que commander le camp volant de Voltaire, en se signalant avec éclat dans les petites guerres de théâtre. Il était une puissance du parterre et faisait tomber toutes les pièces qu'il voulait : sa manière de bâiller, en particulier, contaminait toute la salle. Terrorisant les auteurs, il s'instituait leur parasite. Il se livrait également à des spéculations financières sur les billets de parterre et sans doute mouchardait pour le compte de la police. Ses escroqueries le firent enfermer à Saint-Lazare pendant plusieurs mois. Il se retrouva dans la misère et finit sa vie en mendiant. Son roman d'*Angola*, qu'on avait attribué à Crébillon, eut un grand succès. En 1769, il publia un recueil d'histoires sinistres, *Le Fatalisme*, dédié à Mme Du Barry, dont personne jusque-là n'avait osé vanter les vertus. La Morlière mourut à Paris en 1785.

2. Cf. La Morlière, *Angola*, t. I, pp. 119-121.

3. « L'ameublement, inventé par la mollesse, portait un caractère de volupté difficile à rendre ; beaucoup de glaces, de peintures tendres et sensuelles, une duchesse, des bergères, des chaises longues semblaient facilement désigner l'usage auquel elles étaient destinées. Les tabourets, enfants du respect, étaient bannis de ce lieu charmant, où l'amour égalisait tout. » (*Ibid.*).

4. « Le bal était prêt à finir ; les bougies diminuaient, les musiciens ivres ou endormis ne faisaient plus usage de leurs instruments, la foule était dissipée, tout le monde était démasqué ; le blanc et le rouge coulaient à grands flots sur les visages récrépis et laissaient voir des peaux livides, flasques et couperosées, qui offraient aux yeux le spectacle dégoûtant d'une coquette délabrée : déjà on entendait parler de soupes à l'oignon et de chapons au gros sel. » (La Morlière, *Angola*, t. II, pp. 142-143).

pas mieux l'intégrité de ses prestiges. Sa subtilité est telle qu'elle mobilise toutes les inventions mécaniques. Tantôt c'est un lit à ressorts qui s'élève et s'abaisse alternativement pour le plaisir de deux amants [1]. Tantôt un gazon qui se déchire, au moment où l'on y tombe, en découvrant une profonde ottomane [2]. Des musiques invisibles accompagnent toutes les phases de l'amour [3]. Bien loin d'être une délectation intime, c'est dans les machines, les accessoires de théâtre, les échos et les parfums artificiels que la volupté réside. Le plaisir se met en scène à la façon d'un opéra. Ce n'est plus sur les sentiments que l'on travaille, mais sur les objets. La volupté quitte l'âme pour s'installer dans les choses. Mais la part de réflexion, de calcul qu'elle exige ne fait paradoxalement que s'accroître. En cessant d'être intérieure, la volupté cesse d'être naturelle.

Dolbreuse fait un imprudent voyage au pays de la volupté, pays de cocagne de l'artifice. Il vaut la peine d'en suivre les étapes. Le domaine de la volupté est un royaume de plus en plus secret. Les plaisirs d'une certaine sorte ne se goûtent que dans des endroits clos, situés de préférence aux confins du monde, comme ces terribles montagnes où se déchaînent les héros de Sade. Pareille en cela à l'idylle, la volupté, frivole ou démoniaque, a le goût des refuges. Au début de son itinéraire, Dolbreuse pénètre dans des « bosquets ». La musique commence à investir son âme, puis elle est suivie de somptueuses visions, annonçant tous les plaisirs de la bouche :

« Des chœurs de musiciens placés aux extrémités du jardin remplissent tout à coup l'air de sons éclatants. Cent lustres suspendus aux arbres et soudain illuminés font disparaître l'éclat des astres et laissent voir une tente de taffetas incarnat enrichi de parfilures d'or et parsemé d'étoiles d'argent. Des gradins chargés de fruits glacés, de rafraîchissements de toute espèce, sont placés sous le pavillon ; des faisceaux de verdure et de

1. Dans le roman des *Erreurs instructives*, le chevalier de Blainvert raconte son aventure avec Dona Rosaura : « Jamais faucon ne s'élança avec autant d'ardeur sur sa proie ; mais, aux premiers efforts que je fis pour le plaisir, quelle fut ma surprise ! Dona Rosaura et moi fûmes tout à coup enlevés jusqu'au ciel de lit. « Ne crains rien, me dit-elle, tu vas chérir ce qui t'effraie et tu aimeras ce qui as causé ton étonnement. » Ah ! mon ami l'aimable invention ! lorsque les premiers transports furent passés, j'eus la curiosité d'examiner la structure de ce lit singulier ; vingt lames d'acier, larges et minces comme des ressorts de pendule, se croisant en lignes obliques, occasionnaient un mouvement délicieux. J'applaudis du fond de mon âme à l'invention de cette aimable machine et je lui souhaitais des imitateurs : en effet ne serait-il pas plus raisonnable que l'art sublime des Archimède et des Loriot fût employé à servir la volupté qu'à faire des catapultes ? » (Jonval, *op. cit.*, t. III, p. 88).

2. « La Marquise après avoir dansé, après... après avoir fait bien des choses, suivit le Duc qui la conduisit dans son cabinet de verdure, lieu magique. La Marquise voulut s'asseoir et croyait tomber sur le gazon : le gazon s'entr'ouvrit, c'était une ottomane et de larges carreaux ; un dais de fleurs la surmontait... » (*La Fête des sens*, anecdote, *Bibliothèque des romans*, octobre 1784, p. 190.)

3. « Le Duc avait placé dans le lointain un chanteur et une chanteuse, qui devaient exécuter une scène passionnée ; une autre voix placée à distance devait imiter l'écho, tandis qu'une flûte adoucirait les tendres finales. Les chanteurs recommencèrent, la flûte soupira, l'écho répéta ; le ton était si doux, les paroles si tendres, la situation si neuve, le Duc si pressant... » (*Ibid.*).

fleurs destinés à servir de sièges et disposés autour d'une table délicatement servie invitent à prendre un souper délicieux [1]. »

Par un « pont en ruines », Dolbreuse se glisse dans « l'île enchantée ». Le champ de la volupté se circonscrit. Qu'on soit dans le registre de la nature ou dans celui de l'artifice, l'île demeure le séjour idéal. Dolbreuse subit une nouvelle attaque, celle des parfums : « Les esprits aromatiques, émanés des plantes et des ruisseaux limpides et formant autour de nous une atmosphère de parfums, les sons d'une musique lointaine, le spectacle varié de mille objets complices de mes projets séducteurs, ouvrent les sens et l'âme de la jeune comtesse à toutes les impressions de la volupté [2]. » C'est là qu'il faudra en venir : la féérie n'est que le décor nécessaire d'un viol langoureux. Il est mille moyens de provoquer l'abandon d'un corps, la chute d'une âme. D'Abélard à Saint-Preux, beaucoup d'amants ont eu à séduire. Mais le propre de la volupté est de ne séduire qu'à l'aide d'*objets*, sournoisement chargés d'amorces.

L'île est un terrain trop vaste pour l'ultime plaisir qui se prépare. L'espace doit se resserrer encore. Une tour paraît, remplie d'accessoires dont la fonction est assez explicite. La volupté procède avec méthode : elle conduit doucement du luxe esthétique au luxe instrumental :

« Nous entrons dans la tour. La richesse et le goût moderne avaient présidé aux ornements de l'intérieur. Tout autour régnaient des arcades dont le fond, rempli par des glaces, réfléchissait des rideaux pourpre et argent, relevés en festons, des girandoles de cristal, et des figures en marbre, représentées dans une attitude galante. Le prononcé moelleux de leurs contours et le fini de leur exécution, l'expression voluptueuse que l'artiste avait su leur donner, aidaient à séduire l'imagination par les yeux et semblaient conseiller et justifier en même temps les douces faiblesses de l'amour [3]. »

Le but de la volupté est toujours le même : elle veut forger des sortilèges. Porté au dernier degré du raffinement, le plaisir se revêt d'un halo surnaturel, il devient prodige. Par la machinerie ou l'enchantement, la volupté entend créer ce dont elle se nourrit. Telle est sa trahison vis-à-vis du plaisir. Procédant, comme lui, d'une réhabilitation de la nature, elle aboutit à l'artifice ou à la magie, qui en sont la négation. Toutefois la magie voluptueuse n'est jamais éche-

1. Loaisel de Tréogate, *Dolbreuse*, t. I, 173.
2. *Ibid.*, p. 174.
3. *Ibid.*, 179. Le scénario voluptueux touche à son dénouement. C'est encore à la musique, factotum de toutes les jouissances, de lancer la vague décisive du plaisir : « Nous étions assis sur des sièges à la Turque, n'ayant plus l'un et l'autre qu'un langage muet et passionné. La plus tendre symphonie s'élève tout à coup d'un bosquet voisin. Tantôt une voix flexible se marie avec une harpe sonore et charme l'oreille par des airs pleins de fraîcheur ; tantôt l'on n'entend que des flûtes et des hautbois mélodieux. Ces sons, capables de ramener les prodiges opérés autrefois par les lyres d'Athènes et les cistres dorés de Memphis, réalisent, en ce lieu, tous les enchantements que la poésie prodigue dans ses descriptions et, si l'on peut s'exprimer ainsi, communiquent au fluide des airs, qu'ils ébranlent doucement, tous les atomes de la volupté. » (*Ibid.*, pp. 180-181).

velée. Elle organise le plaisir de façon claire et stricte. C'est l'autre façon qu'elle a de tromper la nature : par la géométrie.

Au cours de son voyage au Brésil — la volupté s'allie volontiers au dépaysement — Parny fait la rencontre d'un curieux indigène, qui vit dans une sorte de camp volant du plaisir, où les objets se présentent invariablement par quatre :

« Nous y trouvâmes *quatre* tentes bien dressées. La première renfermait une chapelle dont les meubles étaient d'or et d'argent massif et travaillés avec un goût exquis. La seconde contenait *quatre* lits : les rideaux étaient d'une étoffe précieuse de Chine peinte dans le pays, les couvertures de damas enrichi de franges et de glands d'or et les draps d'une mousseline brodée, garnie de dentelle. La troisième servait de cuisine et tout y était d'argent. Quand j'entrai dans la quatrième, je me crus transporté dans un de ces palais de fée bâtis par les romanciers. Dans les *quatre* angles étaient *quatre* buffets chargés de vaisselle d'or et de grands vases de cristal qui contenaient les vins les plus rares ; la table était couverte d'un magnifique surtout et de fruits d'Europe et d'Amérique [1]. »

Le possesseur des quatre tentes est qualifié de « charmant épicurien ». La volupté qu'il poursuit est exclusivement gastronomique. La bonne chère et l'amour constituent les deux pôles ordinaires de la volupté. Le plus souvent la première n'est qu'un acheminement à la seconde, qui reste le couronnement du chef-d'œuvre voluptueux. Pour l'épicurien brésilien, elle est une fin en soi. La volupté, telle qu'il la conçoit, offre un deuxième trait remarquable ; c'est une volupté ambulante : « Il fait transporter ses tentes partout où il croit pouvoir s'amuser et il décampe aussitôt qu'il s'ennuie. » D'ordinaire, le séjour voluptueux est un séjour fixe. La volupté apparaît moins comme une aventure que comme un repos. Elle ralentit le plaisir plus qu'elle ne l'accélère. Son point d'équilibre consiste à introduire une diversité prévisible à l'intérieur d'une invariable stabilité. Elle récuse le caractère vertigineux des plaisirs, tels que les poursuivent les gens du monde. C'est en cela qu'elle demeure une philosophie du plaisir.

Les inventions voluptueuses ne sont pas le privilège des romans licencieux ou de la poésie érotique. Elles n'ont nulle part une si grande place que dans le climat bourgeois et sentimental de la fin du siècle. En 1797, Lesuire écrit *Le Secret d'être heureux ou Mémoires d'un philosophe qui cherche le bonheur* [2]. Sa philosophie se résume en un

1. PARNY, Lettre à son frère, de Rio de Janeiro, septembre 1773, *Œuvres*, t. I, pp. 213-215.
2. Robert-Martin Lesuire, né à Rouen en 1737, vint tôt à Paris, où il obtint la place de lecteur de l'infant duc de Parme. Il voyagea en Italie et en Angleterre. Il écrivit, aux gages des libraires, des livres innombrables. Pendant la Révolution, il fut professeur à l'école centrale de Moulins. Il mourut en 1815. Doué d'imagination, il n'avait guère de goût. Sa vanité était insupportable : il se regardait, de son propre aveu, comme « un homme d'un génie extraordinaire ».

précepte fort simple : « Vivez d'abord chez vous, à la bourgeoise [1]. » Cela ne l'empêche pas d'imaginer un « club des heureux », installés dans un couvent dont ils font un « lieu de délices [2]. » Les jouissances dont on s'y repaît ne sont pas toutes sensuelles : on trouve une bibliothèque, un cabinet d'histoire, un cabinet de physique, un cabinet d'estampes et de tableaux, une salle de concerts, un « joli théâtre », des salles ou des terrains pour les « jeux d'exercice ». Mais, à côté de ces plaisirs sains et sévères, s'épanouit une bizarre fantasmagorie. Ces bourgeois cultivés et sages ne conçoivent pas la volupté sans un immense concours de machines et d'automates :

« Nos appartements furent meublés d'une manière voluptueuse qui semblait réaliser toutes les fictions de la féerie. On y est servi quand on le veut par des figures automates, ou bien les tables s'élèvent du parquet. Il suffit d'un coup de baguette pour produire, comme à l'Opéra, des enchantements qui étonnent et qu'on a de la peine à expliquer [3]. »

La bonne chère est pour les « heureux », indifférents à l'amour, l'apogée de la volupté. Mais, chose surprenante après tant de subtilités, la cuisine dont ils se délectent est une cuisine « bourgeoise », préparée par le « concierge » [4].

Aldomen, personnage de Senancour, qui cherche son bonheur dans « l'obscurité » [5], ne renonce pas pour autant au concours des machines et aux prestiges du trompe-l'œil. Cet homme de la nature imagine, pour se donner l'illusion d'un éternel été, d'étranges artifices :

« Pour jouir de la campagne dans toutes les saisons et dans toutes les températures, j'ai placé des lits de gazon, des bosquets de verdure et des cabinets fermés dans plusieurs sites et dans diverses expositions. J'ai une sorte de grotte ronde, dont le fond est un mur blanc et le devant un vitrage circulaire tournant sur un pont, et dans les plus beaux froids de l'hiver, le soleil l'échauffe quelquefois au point que je suis obligé de baisser un rideau pour en rompre les rayons... *Quand le ciel est nébuleux et triste, j'ai une autre grotte, fermée de vitrages, dont le banc regarde le mur du fond, sur lequel j'ai peint la réverbération des feux d'un couchant éclairé mais nuageux, afin que l'illusion soit plus facile* [6]. »

1. Cf. *op. cit.*, chap. 23, pp. 126-128.
2. Cf. *ibid.*, chap. 29, pp. 154-156.
3. La nature elle-même doit se prêter à d'artificielles métamorphoses. C'est ainsi qu'un système ingénieux de chauffage transforme l'hiver en printemps : « Ce lieu de plaisir étant consacré à l'hiver a un jardin couvert de vastes châssis. Des poêles bien distribués y entretiennent une chaleur douce qui fait tout éclore. Jusque dans les appartements on voit naître les fruits et les fleurs. Les tuyaux qui y portent la chaleur serpentent insérés dans le mur et y font circuler la température du plus doux printemps. » (*Ibid.*).
4. « Nous avons un concierge qui nous fournit les vins les plus délicieux et nous faisons, à peu de frais, une chère excellente, qui tient toujours de la cuisine bourgeoise et qui n'en est que meilleure. » (*Ibid.*).
5. SÉNANCOUR, *Aldomen ou le Bonheur dans l'obscurité* (1796).
6. *Ibid.*, pp. 47-48.

La volupté romanesque, sensiblement différente de la volupté philosophique, conserve toujours un petit nombre de traits constants. Elle réclame d'abord un certain dépaysement et un endroit clos. Le séjour de la volupté doit être un lieu séparé du reste du monde, soigneusement cerné et protégé. A l'intérieur de ce refuge règne l'organisation la plus stricte. Le plaisir est systématiquement préparé, distribué, gradué. Comme toutes les utopies, l'utopie voluptueuse ne se départ jamais d'un caractère géométrique.

Mais le plus significatif est que l'élaboration voluptueuse porte non sur les états d'âme, mais sur les objets. La volupté n'est pas une technique de la vie intérieure. Elle s'aménage exclusivement de l'extérieur. L'âme reste passive devant les choses, qui la façonnent et la conduisent selon leur propre nature et les principes cachés qui ont présidé à leur mise en place. La volupté exploite le même secret que le *bonheur existentiel,* qui est pourtant son contraire. Pour l'un comme pour l'autre, l'âme n'est que ce que les sensations la font être. Seulement, dans le premier cas, les sensations ne sont jamais truquées ni même choisies, mais simplement accueillies dans une large ouverture de tout l'être à la nature. Dans le second, elles sont artificiellement provoquées. Aux grandes forces de l'univers se substituent ornements et accessoires, inventés par l'art le moins spontané. L'essentiel de la volupté est bien ce refus de la nature au profit de l'artifice. L'univers voluptueux est un univers de machines et de magies : lits ou tables qui surgissent du sol, pelouses qui s'entr'ouvrent, automates qui font le service, soleils couchants peints sur le mur, sans compter tout l'arsenal des musiques et des parfums. La volupté est une sorte de mécanique du plaisir.

Il suffit de peu de chose pour changer les instruments de plaisir en instruments de torture. Il est difficile d'assigner à la volupté des limites. On sait jusqu'où Sade la conduit, sans la dépouiller jamais de ce caractère géométrique qui subsiste jusque dans les paroxysmes. Le XVIIIe siècle a la réputation d'être riche en jouissances perverses. Rien ne prouve qu'on y ait commis plus de monstruosités qu'en d'autres temps. Le fait notable n'est pas qu'on s'abandonne à des plaisirs inquiétants, mais qu'on les commente, qu'on les justifie, qu'on les mette en systèmes [1].

1. En 1788, DOPPET publie un *Traité du fouet et de ses effets sur le physique de l'amour, ou aphrodisiaque externe,* avec ce sous-titre : « *Ouvrage médico-philosophique suivi d'une dissertation sur tous les moyens capables d'exciter aux plaisirs de l'amour.* »

Le ton de l'œuvre n'est nullement égrillard. Il s'agit d'un témoignage d'homme de science. L'auteur explique gravement : « Il est intéressant pour le bien de la population et la satisfaction de chaque individu que la médecine s'applique à trouver les moyens les plus propres à nous faire longtemps jouir des charmes que procure l'amour » (*Op. cit.*, p. 76). En fait, Doppet déconseille la pratique du fouet et recommande plutôt l'usage des aphrodisiaques, dont il donne la liste, à la fin de son livre, sous forme de dictionnaire. Tout en démontant le mécanisme du plaisir produit par la flagellation, il en dénonce les abus. Son propos médical est quelque peu éclipsé par la malignité, lorsqu'il prétend les avoir surtout constatés chez des

Le plus souvent, la volupté se garde de provoquer une accélération morbide du plaisir. Par rapport au plaisir ordinaire, elle représente un état de repos. Elle élimine cette fièvre, qui exténue les mondains dans leur poursuite des divertissements. Elle implique toujours une certaine langueur, qui ne s'accommode pas indifféremment de toutes les sortes de jouissance. Il est rare que la danse ou le jeu figurent dans les rêves voluptueux. Deux autres plaisirs, en revanche, sont constamment privilégiés : la bonne chère et l'amour, avec leur accompagnement nécessaire : la musique.

On peut mesurer l'écart qui sépare la volupté philosophique de la volupté romanesque. D'une philosophie du plaisir, d'une technique de la vie intérieure, on passe à un art de la mise en scène. Plus on avance dans le siècle, plus la volupté romanesque a tendance à se substituer à la volupté philosophique. On rencontre de moins en moins de théories de la volupté et de plus en plus d'évocations voluptueuses. Peut-être est-il possible d'expliquer cette évolution. Dans la première moitié du siècle, la frivolité voluptueuse peut encore passer pour une *morale*. La recherche méthodique du plaisir est un style de vie reconnu et légitime. Satisfaites par les réalités permises, les imaginations n'ont pas à forger des fictions pour s'assouvir. Dans la deuxième moitié, au contraire, la morale voluptueuse se trouve discréditée. La philosophie sentimentale et vertueuse réinvente la suspicion du plaisir. Les romans auront pour fonction de résister à cette oppression nouvelle et d'offrir un champ libre à des imaginations frustrées. Plus la morale se fera vertueuse, plus ils deviendront voluptueux. L'exemple prouve qu'il est utile de confronter le témoignage de la littérature d'idées et celui des œuvres de fiction. On comprend mieux l'âme et l'unité du siècle, si l'on constate qu'à mesure que la littérature morale incline sans dissonance du côté de la vertu, la littérature romanesque, baignée elle aussi des plus vertueuses larmes, favorise sournoisement et toujours davantage une revanche, à la fois saine et maladive, du plaisir.

Il est exagéré de prétendre que le XVIIIe siècle fut l'apothéose du plaisir. Débarrassé de la malédiction chrétienne, le plaisir, devenu légitime, n'en reste pas moins un état dangereux, contre lequel on ne peut inventer assez de prudence. Rares sont ceux qui recommandent sans méfiance un total abandon à la volupté. Le *Traité mathématique sur le bonheur* de Benjamin Stillingfleet, dit Irénée Krantzovius,

religieux. Il affirme même avoir recueilli les confidences d'une prostituée « qui avait eu l'honneur de donner le fouet à tout ce qu'il y avait de mieux dans le clergé, la robe et la finance. » (*Ibid.*, p. 31).

est traduit en 1741 par Silhouette [1]. Il expose une doctrine agressive du bonheur sensuel, se réclamant d'Aristippe. Ses paradoxes, qui prennent le contre-pied des préceptes ordinaires, sont trop systématiques ou trop peu sérieux pour paraître inquiétants [2]. On a considéré ailleurs le cas de La Mettrie, qui ne mérite pas l'excès d'indignité dont l'ont accablé ses contemporains. Celui de Sade est trop exceptionnel pour rien prouver. Et si la volupté des poètes est à elle-même sa propre fin, si Parny affirme, sûr de lui :

« Vas, crois-moi, le plaisir est toujours légitime [3] »,

il faut convenir que les licences poétiques s'étendent aussi à la morale.

D'ailleurs la « morale » du plaisir est beaucoup moins une morale qu'un art de vivre. Il s'agit de distribuer et de mesurer les plaisirs, de manière à en extraire plus de joies que de peines : simple affaire d'économie ou d'arithmétique, où n'intervient jamais l'idéal moral, en tant qu'absolu. Selon Trublet, « on a eu raison de dire qu'en matière de plaisir il faut calculer, peser, et que la sagesse doit toujours avoir les jetons, la balance à la main [4]. » Trois principes fondamentaux

1. Né à Londres en 1702, Benjamin Stillingfleet fut pendant vingt ans précepteur chez un propriétaire campagnard. Bienveillant et modeste, il consacra toute son existence à l'étude, à la poésie, à la musique et aux sciences naturelles. Le bonheur de sa vie fut exactement le contraire de celui qu'il prône dans son traité. Il mourut en 1771.

2. Cf. par exemple proposition II : « La connaissance ou la science est incompatible avec le bonheur » (p. 39) ; proposition III : « Penser est une opération incompatible avec le bonheur » (p. 60) ; proposition IV : « La bienveillance ne peut rendre un homme heureux » (p. 41) ; corollaire de la proposition XIV : « Plus un homme prend du plaisir à boire et à manger, plus il est sage » (p. 51) ; proposition XVI : « L'homme est destiné par la nature à se coucher, à s'appuyer et à s'asseoir », avec son corollaire : « Il suit de cette proposition qu'un homme sage doit toujours se tenir dans une chambre où il y a un lit » (p. 54). L'auteur de ce plaisant traité n'accorde d'ailleurs pas tout aux plaisirs sensuels. Au-dessus d'eux, il ménage la place d'une sorte d'ascétisme du « farniente » ; cf. le corollaire général : « Il résulte des propositions précédentes que le bonheur consiste à se mettre à son aise, puisque tous les plaisirs n'ont de prix qu'autant qu'ils conduisent à cette fin ; et par conséquent ils y sont subordonnés. Il s'ensuit qu'un homme sage négligera même les plaisirs sensuels, lorsqu'on ne peut en jouir sans beaucoup de difficultés ; et que par conséquent il méprisera dans un cas semblable tous les moyens qui pourraient les lui procurer... Cette morale concilie d'une manière admirable la pauvreté avec la luxure, ce qu'on avait regardé jusqu'à présent comme un secret qui n'était connu qu'à de certaines confréries de cafards » (p. 57). Voici les exhortations finales : « Apprenez à vous étendre élégamment et avec une noble assurance dans un fauteuil commode, sur un canapé moelleux ou sur un lit de duvet. Apprenez de là à vous envelopper en hiver dans des robes fourrées, et, en été, à vous allonger nonchalamment sur des couches de roses et de violettes, à l'ombre des ormeaux. Et lorsque vous changerez de place, car l'homme, hélas ! doit quelquefois se remuer, ressouvenez-vous d'avoir des ressorts à votre carrosse et de longs bâtons à votre chaise, etc... » (p. 62).

3. Parny, *Poésies érotiques*, *Œuvres complètes*, t. I, p. 32. Cf. *ibid.*, p. 51 :

« Rions, chantons ô mes amis !
Occupons-nous à ne rien faire.
Laissons murmurer le vulgaire :
Le plaisir est toujours permis. »

4. Le même, Trublet résume ainsi sa pensée : « Fuyez tout plaisir qui pourrait être suivi de repentir ; n'en goûtez aucun jusqu'à la satiété. Ce sont là les deux règles du sage dans le choix et dans l'usage des plaisirs. » (Trublet, *op. cit.*, t. I, p. 363). A cette règle générale, il ne prévoit qu'une exception : « Il y a un cas où, *à ne considérer les choses que du côté du bonheur et abstraction faite de la morale*, on pourrait chercher à se procurer un plaisir, quoiqu'on sût bien qu'il sera suivi d'une peine plus profonde que n'est ce plaisir. C'est lorsque la peine de la privation de ce plaisir est plus grande à tous égards que celle qui en suivra la jouissance. » (*Ibid.*, t. III, pp. 360-361).

conduisent le « calcul » : le plaisir, en s'accentuant, devient souffrance, car il est dans la nature de l'homme de n'en tolérer qu'une faible mesure ; l'intempérance dans le plaisir atténue la conscience du plaisir et, par conséquent, le diminue ; le remords, qui accompagne ou suit les jouissances impures, leur enlève leur qualité de plaisirs. Un plaisir immodéré attaque donc à la fois le corps, la conscience intellectuelle et la conscience morale, qui constituent justement le triple siège de la volupté. Cela revient à dire qu'il se détruit lui-même [1].

La justification du plaisir, relativement au bonheur, est d'animer le repos de l'âme et de permettre l'économie des sentiments violents, qui risqueraient de la ravager. Les plaisirs représentent un état intermédiaire entre le repos et le mouvement. Ils sont mouvement par rapport au repos — forme parfaite, mais chimérique, du bonheur — et repos par rapport aux passions. C'est ce caractère mixte qui les autorise à entrer, pour une part limitée mais nécessaire, dans le grand œuvre de la vie morale.

Il existe toutefois entre le plaisir et le bonheur, du moins entre celui-ci et les plaisirs des sens, une différence de nature [2]. A l'analyse objective des conditions du plaisir se mêle un dogme naïf, une illusion qui fait disparate. Alors que l'arithmétique des plaisirs n'est nullement *morale*, on pose en même temps, à titre d'axiome, l'équivalence entre le plaisir et la vertu. Les deux perspectives se croisent souvent ou se recouvrent. Il est vrai que les Philosophes, Voltaire ou Maupertuis, penchent surtout vers l'arithmétique des plaisirs, tandis que les précurseurs et les fervents de Rousseau célèbrent plus volontiers la vertu comme le suprême plaisir. Il arrive cependant qu'on se contredise. Après avoir livré la clé de son économie des plaisirs, Trublet ajoute aussitôt : « C'est précisément parce que le bonheur consiste dans le plaisir qu'on ne le trouve pas toujours dans les plaisirs et qu'on le trouve toujours plus ou moins dans la vertu. Les plaisirs peuvent être sans aucun plaisir ; la vertu ne peut pas être sans quelque plaisir [3]. »

La *Nature* est responsable d'une telle équivoque. Dans la mesure

1. « Tous les hommes ne savent pas jouir », note l'auteur des *Erreurs instructives* (t. II, p. 38), et Mme de Puisieux constate avec une discrète amertume : « Les plaisirs n'apprennent qu'une chose, l'art de les bien choisir. » (*Caractères*, p. 56). L'art de jouir ne consiste pas seulement à *choisir* les plaisirs, mais à les *créer* en se formant des goûts nouveaux : « C'est souvent le hasard qui nous découvre nos goûts ; mais il ne faut pas s'en tenir à des rencontres fortuites, il faut s'essayer sur tous les objets de plaisir permis : ne pas s'en tenir à une première expérience, ne pas se rebuter, ne pas se décider incapable d'une certaine espèce de plaisir, parce que d'abord on n'y aura pas été sensible. » (TRUBLET, *op. cit.*, t. III, p. 339).

2. « Les bornes étroites que la Nature a prescrites aux plaisirs des sens, tandis qu'elle donne à l'homme un amour insatiable pour le bonheur, ne prouvent-elles pas que ce n'est point dans les sensations et dans les objets qui les produisent que l'homme doit chercher le bonheur, mais au dedans de lui-même, dans les sentiments et dans les affections de son âme ? » (PLUQUET, *De la sociabilité*, t. I, p. 106).

3. TRUBLET, *op. cit.*, t. III, p. 150.

où elle est à la fois la source du plaisir et le fondement des valeurs éthiques, il n'est pas étrange que des confusions surgissent. Pour trouver la vertu désagréable, ou du moins difficile, il ne faut pas croire que le bien prend ses racines dans l'homme même, mais admettre plutôt que les inclinations naturelles ont toujours partie liée avec le mal. A penser le contraire, on conclut tôt ou tard que la vertu consiste à suivre nonchalamment ou impétueusement sa propre pente, qu'elle est, non pas le plus grand effort, mais la plus grande jouissance de l'homme. Les critères de la volupté et ceux du bien moral deviennent exactement les mêmes : « Si des plaisirs doux et tranquilles, sans suites fâcheuses, faciles à trouver et indépendants d'autrui, sont de plus utiles à soi et aux autres, il ne leur manquera rien pour être vraiment philosophiques et même *vertueux* [1]. » Le poète Young donnera de cette phrase de Trublet un étonnant raccourci : « Qu'est-ce que le plaisir ? C'est la vertu sous un nom plus gai [2]. »

1. *Ibid.*, p. 336.
2. YOUNG, *Les Nuits*, trad. Le Tourneur, t. II, p. 69.

CHAPITRE XI

LE MOUVEMENT ET LA VIE DE L'ÂME

« Ce serait quelque chose de bien triste que d'avoir un cœur qui ne fît rien. »

RÉMOND DE SAINT-MARD, *Nouveaux dialogues des dieux ou Réflexions sur les passions* (1711).

« L'amour, quand il est une passion, porte toujours à la mélancolie... Tous ces traités avec la passion sont purement imaginaires. »

Mme DE STAËL, *De l'Influence des passions sur le bonheur des individus et des nations* (1796).

Introduction : Bonheur et mouvement. — 1. Le problème des passions. — 2. Le sentiment de l'amour : Découverte critique de l'amour ; Renaissance des mythologies. — 3. Le sentiment de la gloire. — 4. L'imaginaire et les mystères du monde.

Les réflexions sur le bonheur sont fondées, on l'a dit, sur la découverte de la dualité qui partage le cœur humain : mouvement et repos.

Le besoin du mouvement trouve à s'assouvir de plusieurs manières. Pour se procurer ce sentiment aigu de l'existence, sans lequel toute vie est insipide, l'homme a le choix entre une marqueterie d'aptitudes et d'occupations diverses, et un petit nombre d'impressions ou d'émotions constantes, cultivées jusqu'au paroxysme [1]. Un tel choix ne peut être fait qu'en fonction des natures individuelles. Les êtres futiles ou raisonnables opteront pour la première solution, les passionnés pour la seconde. On aboutit ainsi à deux styles de vie : dilettantisme éclairé ou engagement total ; harmonie ou exaltation ; morale du plaisir ou de la grandeur. Dans l'équilibre d'une vie heureuse, le sentiment joue donc à peu près le même rôle que la diversité des tâches et des plaisirs. L'âme sensible et l'épicurien aimable peuvent fort bien s'inspirer d'une même conception de la vie, que chacun tâche d'accorder avec son tempérament. Voltaire ou Montesquieu, en variant méthodiquement leurs plaisirs, s'efforcent de satisfaire la même

1. « Nous sommes donc forcés pour être heureux, déclare le « physicien de Nuremberg », ou de changer continuellement d'objet ou d'outrer les sensations du même genre. » (*Op. cit.*, p. 190).

exigence que tel héros au cœur fragile, qui ne croit pas vivre s'il n'est la proie de quelque ivresse. En divisant le siècle entre Philosophes et « âmes sensibles », on oublie trop cette unité fondamentale.

Les moralistes d'alors ont su élucider une vérité que plus d'un critique n'hésiterait pas à qualifier de proustienne. L'homme n'est pas un être unique, toujours identique à lui-même. Son existence est *successive* : à chaque instant de sa vie, il sent, pense et agit comme s'il était un autre. Les philosophes matérialistes ne sont pas les seuls à le dire. Un auteur très chrétien et très conventionnel, Gamaches, déclare : « Nous nous succédons continuellement à nous-mêmes [1]. » Montesquieu estime que le bonheur est dans l'instabilité, contre laquelle s'acharnent naïvement et vainement les moralistes sévères qui veulent forger l'homme à l'image de la Divinité, éternelle et inaltérable [2]. Il avoue que cette instabilité fut le secret de son propre bonheur [3]. Le désir est bon par lui-même, car c'est là que réside le mouvement de l'âme. Sans doute peut-il devenir douloureux. Mais l'absence de désir exténue le bonheur, comme son déchaînement le dissout. Le bonheur se situe à égale distance de l'indifférence glacée et d'une insatiable avidité [4].

Il réclame même que l'instabilité soit poussée jusqu'à l'*inconstance*.

1. GAMACHES, *Système du cœur* (1704), p. 249. — Étienne-Simon de Gamaches était chanoine-régulier de Sainte-Croix de la Bretonnière. Né à Meulan en 1672, il avait été l'élève de Fontenelle. Vulgarisateur pour mondains, il essaya de faire pour la métaphysique ce qu'avait fait son maître pour les sciences exactes. Il mourut à Paris en 1756.

2. « Notre âme est une suite d'idées. Elle souffre quand elle n'est pas occupée, comme si cette fuite était interrompue et qu'on menaçât son existence... ceux qui par leur état n'ont pas des occupations nécessaires, doivent chercher à s'en donner. » (*Mes Pensées*, 551). « Quand le grand seigneur est fatigué de ses femmes, il faut qu'il sorte de son sérail. Quand on n'a pas d'appétit, il faut quitter la table et aller à la chasse. » (*Ibid.*, 995). « La vie heureuse qui veut fuir tout risque d'uniformité, doit être une alternance d'*affaires*, de *plaisirs* et de *divertissements*... Il ne faut pas se mettre dans la tête d'avoir toujours des plaisirs, cela est impossible, mais le plus qu'on peut... Il faut que chacun se procure dans toute la vie le plus de moments heureux qu'il est possible. Il ne faut point pour cela fuir les affaires ; car souvent les affaires sont nécessaires aux plaisirs, mais il faut qu'elles en soient une dépendance, non les plaisirs d'elles. » (*Ibid.*). « On est plus heureux par les amusements que par les plaisirs. C'est que les amusements délassent également et des peines et des plaisirs. » (*Ibid.*, 551).

3. « Ce qui fait que je ne puis pas dire avoir passé une vie malheureuse, c'est que mon esprit a une certaine action qui lui fait faire comme un saut pour passer d'un état chagrin dans un autre état, et de faire un autre saut d'un état heureux à un état heureux. » (*Mes Pensées*, 9).

4. « Bien que le désir soit la privation d'un bien, cependant on ne peut le désirer, sans s'en faire une idée agréable, et cela forme un plaisir. » (*Spicilège*, p. 520). « Le simple désir de faire fortune, bien loin de nous rendre malheureux, est au contraire un jeu qui nous égaie par mille espérances. » (*Mes Pensées*, 551). « L'attente est une chaîne qui lie tous nos plaisirs. » (*Ibid.*, 998).

Voltaire veut de même qu'on fournisse toujours à l'âme un nouvel aliment, qu'on l'occupe sans cesse :

« S'occuper, c'est savoir jouir
L'oisiveté pèse et tourmente
L'âme est un feu qu'il faut nourrir
Et qui s'éteint s'il ne s'augmente. »

(VOLTAIRE, *Stance à la princesse Ulrique de Prusse*, *Œuvres*, t. VIII, p. 518).

Dans un *Impromptu* « fait à un souper dans une cour d'Allemagne », lors de son second voyage à Berlin en 1750, il énumère les activités et les plaisirs, dont le déroulement varié constitue la trame d'une vie heureuse : cf. *ibid.*, pp. 521-522.

Il existe tout un courant, au XVIIIe siècle, pour justifier l'inconstance, précieuse aptitude de l'âme [1]. Seule l'inconstance permet à l'âme de se mouvoir, de se renouveler, de progresser, au lieu de rester figée dans une désespérante uniformité. Comme les personnages de Marivaux, les héros de roman qui trahissent un amour pour un autre, ne se sentent jamais coupables. L'auteur des *Erreurs Instructives* déclare : « Je ne ferai un crime à personne d'être inconstant ; comme l'on n'est pas le maître de ne point aimer, on ne l'est pas non plus d'aimer toujours [2]. » Mme de Puisieux écrit en 1762 *Alzarac ou la Nécessité d'être inconstant*. Les moralistes viennent au secours des romanciers. Pour Rémond de Saint-Mard, « la constance n'a rien de si délicieux... L'inconstance, par l'agitation qu'elle donne, est le supplément du bonheur » [3]. Le sage Trublet avoue lui-même que l'inconstant est, par excellence, l'homme heureux [4]. Les *Contes moraux* de Marmontel justifient ou exaltent l'inconstance presque à chaque page [5]. Bien loin d'être tenue pour crime, l'inconstance apparaît comme une facilité offerte à l'homme par la nature, pour satisfaire cette exigence du mouvement dont dépend au moins la moitié de son bonheur.

Toutefois la même exigence peut s'assouvir autrement. Au lieu d'éparpiller la vie en une scintillation de plaisirs et d'expériences, on peut la rassembler dans une tension unique. L'action permet de cristalliser le besoin du mouvement. Rarement une existence dépourvue d'action est une existence heureuse : « Une vie extrêmement paresseuse et, si cela se peut être, vide d'action, dit Trublet, n'est qu'une demi-vie ; cela ressemble au sommeil, à la mort même [6]. » Opinion que Mme de Puisieux partage : « Les personnes indolentes ne vivent point ; il semble qu'elles ne soient nées que pour dormir [7]. » L'auteur de l'*Andrométrie* assure lui aussi : « L'homme est ici pour

1. Cf. *Encyclopédie*, article *Inconstance*.
2. JONVAL, *op. cit.*, t. II, p. 92.
3. RÉMOND DE SAINT-MARD, *op. cit.*, t. I, pp. 72-73 et 99.
4. « L'inconstant ne prend que la fleur des choses. Il écrème les objets. Rien ne s'use pour lui et il ne s'use pour rien. L'inconstant qui change souvent de goûts est toujours heureux. » (TRUBLET, *op. cit.*, t. III, 360).
5. Cf. *Alcibiade*, t. I, pp. 24-25 ; *Soliman II*, *ibid.*, pp. 61-62 : « Delia changea de ton une seconde fois pour célébrer l'inconstance. Tout ce que la mobile variété de la nature a d'intéressant et d'aimable fut retracé dans ses chants. On croyait voir les papillons voltiger sur les roses et les zéphirs s'égarer parmi les fleurs. « Écoutez la tourterelle, disait Delia, elle est fidèle, mais elle est triste. Voyez la fauvette volage : le plaisir agite ses ailes ; sa brillante voix n'éclate que pour rendre grâce à l'amour. L'onde ne se glace que dans le repos. Un cœur ne languit que dans la constance. » (Cf. surtout *Le Scrupule*, *ibid.*, pp. 119-120 et 123-125).
6. TRUBLET, t. III, pp. 260-261 ; cf. *ibid.*, p. 326 : « Imaginons que chacun se livrât à un bonheur oisif, dès qu'il aurait ce nécessaire aisé qui dans la vérité suffirait pour le rendre heureux, s'il consultait plus la raison que les passions ; le monde languirait et n'irait plus. Il ne faut donc pas, ni pour les autres ni peut-être pour nous-même, être trop philosophe de cette sorte de philosophie dont le principe est de se borner à ce qu'on a, pour mieux en jouir. Dès qu'on le serait trop en cette manière, on ne le serait plus. »
7. Mme DE PUISIEUX, *Conseils à une amie*, p. 54 ; cf. *ibid.* : « Il ne faut négliger ni ses amis, ni sa réputation, ni sa fortune. Je ne blâmerais pas d'aller un peu au-devant de ces choses ; elles en valent bien la peine. »

le mouvement et pour le travail [1]. » L'activité, le travail ne sont plus un châtiment, ni une dérobade devant l'évidence douloureuse de la condition de l'homme. C'est par eux que la nature humaine s'accomplit. Ils sont l'acheminement le plus sûr vers ces prestiges que tout être convoite : le bonheur et la gloire.

La pensée du XVIIIe siècle s'insurge contre l'explication chrétienne, qui prétend réduire toute activité à une *inquiétude*. Faisant la part des choses, Trublet convient au moins que cette inquiétude nous est donnée par la Providence, pour nous forcer à agir et à travailler à notre bonheur [2]. Vauvenargues, poussant plus loin l'analyse, découvre que l'inquiétude de l'avenir se déduit simplement de la condition humaine et d'une philosophie du temps. De l'écoulement irréversible du temps, dont l'homme est prisonnier, résulte la nécessité de l'action, qui est la pente naturelle de tout être et la seule dimension possible de son existence :

« On ne peut condamner l'activité sans accuser l'ordre de la nature. Il est faux que ce soit notre inquiétude qui nous dérobe au présent ; le présent nous échappe de lui-même et s'anéantit malgré nous... *Nous ne pouvons retenir le présent que par une action qui sort du présent.* Il est tellement impossible à l'homme de subsister sans action que, s'il veut s'empêcher d'agir, ce ne peut être que par un acte encore plus laborieux que celui auquel il s'oppose [3]. »

C'est aussi au nom de l'*action* et de ses exigences que Voltaire entreprend de réfuter Pascal : « L'homme est né pour l'action comme le feu tend en haut et la pierre en bas. N'être point occupé et n'exister pas est la même chose pour l'homme [4]. »

Il existe enfin une troisième manière d'entretenir ce mouvement, nécessaire au bonheur : les passions. « Vivre sans passions, écrit Mme de Puisieux, c'est dormir toute sa vie et rêver que l'on boit, que l'on mange, que l'on marche, que l'on parle. *Il faut être remué par quelque affection pour être* [5]. » Dans les *Nouveaux dialogues des dieux ou Réflexions sur les passions* (1711), Rémond de Saint-Mard fait dire à Apollon : « C'est toujours un plaisir d'aller, on n'aime point le repos [6]. » Pour Mme de Lambert, deux sentiments conduisent le

1. « C'est là son état naturel, qui bien loin de l'avilir est le fondement de toute sa gloire... C'est donc avoir méconnu l'homme que d'avoir placé son bonheur, comme ont fait quelques sectes, dans le repos et dans l'exemption de tous désirs. » (BOUDIER DE VILLEMERT, *Andrométrie*, p. 37).
2. Cf. TRUBLET, t. III, 326.
3. VAUVENARGUES, *Œuvres*, t. I, pp. 117-118 ; cf. *ibid.* : « Toutes nos pensées sont mortelles, nous ne les saurions retenir ; et si notre âme n'était secourue par une activité infatigable qui répare les écoulements perpétuels de notre esprit, nous ne durerions pas un instant ; telles sont les lois de notre être. Une force secrète et inévitable emporte avec rapidité nos sentiments ; il n'est pas en notre puissance de lui résister et de nous reposer sur nos pensées ; il faut marcher malgré nous et suivre le mouvement universel de la nature. »
4. VOLTAIRE, *Remarques sur les Pensées de Pascal*, § XXIII.
5. Mme DE PUISIEUX, *Caractères*, p. 126.
6. Et le porte-parole mythologique explique que la Nature, travaillant dans « l'intérêt de

cœur humain : l'amour et l'ambition. Ils suffisent, à eux deux, à faire le bonheur et la grandeur de l'homme [1]. Le sentiment n'est pas un piège tendu par notre cœur à notre esprit. Au contraire, « il fournit de nouveaux esprits... Nous allons aussi sûrement à la vérité par la force et la chaleur des sentiments que par l'étendue et la justesse des raisonnements ». Tout élan du cœur relève moins de la liberté humaine, avec ses possibles égarements, que d'une infaillible visée de la nature [2]. La duchesse de Choiseul, attribuant à l'exaltation tout ce qui s'est fait de grand dans le domaine de l'amour, de la gloire, de l'honneur et du bien, conclut : « La vie est dans le feu [3]. » Les moralistes ne jugent pas toujours imprudent de se prêter à l'enthousiasme des mondains. Estimant chimérique l'insensibilité prônée par les Stoïciens, Pecquet avoue que « le cœur ne peut pas rester vide [4]. » Il concède même que « le sentiment est partout la base nécessaire du bonheur des humains » [5], et démontre qu'en toutes circonstances, les êtres sensibles jouissent d'une « satisfaction supérieure... à toutes celles que peuvent donner les événements de la vie » [6]. Trublet proteste lorsqu'on oppose les passions à la nature : « Cette distinction est juste dans un sens ; mais dans un autre elle ne l'est pas, car la passion fait partie de la nature. » Il ne s'agit, il est vrai, que de la « nature présente », qui est « altérée, corrompue » [7]. Mais cela revient à dire qu'on ne peut condamner la passion que dans une perspective surnaturelle.

Vers la fin du siècle, l'apologie de la sensibilité revêt un accent plus intense, un ton plus éloquent. Mais un Sébastien Mercier ne met rien de nouveau, si ce n'est la chaleur et la verbosité, dans son frémissant plaidoyer en faveur de la vie, telle qu'il l'entend [8]. Son

son ouvrage », a fait en sorte que les hommes « soient dans un mouvement continuel ». A quoi Vénus répond : « A mon égard, je suis fort contente qu'elle ait donné du mouvement au cœur : *ce serait quelque chose de bien triste que d'avoir un cœur qui ne fît rien.* » (RÉMOND DE SAINT-MARD, *op. cit.*, pp. 61 et suiv.).

1. « Les sentiments du cœur font la félicité de l'homme ; l'amour de la gloire en fait la dignité. » (Mme DE LAMBERT, *Œuvres*, p. 225).

2. « C'est à notre imagination et à notre cœur que la Nature a remis la conduite de nos actions et de ses mouvements. » (Mme DE LAMBERT, *Réflexions sur les femmes*, pp. 187-188).

3. Lettre de la duchesse de Choiseul à Mme Du Deffand, *Correspondance de Mme Du Deffand*, t. I, pp. 19-20).

4. PECQUET, *Discours sur l'emploi du loisir*, pp. 115-116.

5. PECQUET, *Parallèle du cœur et de l'esprit*, p. 28.

6. *Ibid.*

7. TRUBLET, *op. cit.*, t. III, p. 307.

8. « Qu'est-ce que la vie ? Est-ce de respirer l'air, de prendre des aliments, de recommencer les mêmes fonctions pendant quinze ou vingt lustres. Non ! Cette vie animale n'est qu'une végétation. La vie est d'avoir le sentiment des plaisirs de l'imagination ; *la vie est une jouissance vive et profonde de l'âme...* La vie est de connaître l'amour et l'amitié, de sentir les idées de compassion, de bienfaisance, de charité ; la vie est d'être doué d'un sentiment actif et vigoureux. Il faut de l'amour pour le bien général et de l'enthousiasme pour les grandes choses ; il faut une méditation attachante et continuelle ; il faut des entreprises, des plans vastes, des journées remplies ; alors disparaît la monotonie de la vie qui apporte l'ennui et la stupeur ; alors toutes les puissances de l'homme, éveillées par de fortes espérances, le font tenir à l'univers par tous les points ; *l'homme existe en effet*, et l'empreinte de sa vie durera après lui. » (L. S. MERCIER, *Mon Bonnet de nuit*, t. IV, p. 67). — Louis-Sébastien Mercier, né en 1740, appartenait à

enthousiasme exalte indifféremment toutes les manifestations extrêmes de la sensibilité. Il aboutit à une sorte d'apologie de l'*intensité*. Plaisir, amour, action, ambition, gloire, philanthropie, sacrifice, permettent à l'homme d'accéder à la véritable existence. Celle-ci suppose que l'on épuise les virtualités de l'âme, que l'on en exploite toutes les ressources, que l'on en dépense toute l'énergie, que l'on renonce à choisir et à mesurer pour s'abandonner passionnément à toute chose. La conscience d'exister est liée à la profusion et à la violence des émotions. Elle ne perçoit pas les demi-teintes, s'étiole si on la limite, si on ne la laisse pas jouir de tout. Le bonheur ne réside plus dans l'équilibre, mais dans la tension vers les sommets. Il n'est plus un repos, mais un élan : le mouvement à l'état pur.

I. — Le problème des passions.

Le mot de *passion* change de signification au cours du siècle, passant de son sens classique à son sens moderne. Dans ses *Pensées philosophiques*, Diderot l'emploie encore à la façon de Descartes. Citant des exemples de passions, il nomme la « crainte », l' « espérance » et l' « amour de la vie ». Le mot désigne donc, de manière fort large, tous les états affectifs. Par la suite, les « passions » revêtent peu à peu leur sens actuel et désignent surtout des sentiments violents et exclusifs, qui obsèdent l'âme et l'attachent à un seul objet. C'est ainsi qu'on opposera les *passions*, principe de tourments et de division intérieure, au *sentiment*, qui réalise, dans une douce euphorie, l'unité de la conscience.

Le problème des passions constitue l'achoppement le plus grave de toute expérience et de toute doctrine du bonheur. La tradition antique et la tradition chrétienne s'accordaient à rendre les passions responsables de toutes les douleurs humaines. La morale de Descartes pouvait passer pour une tentative de rupture avec ce double pessimisme. Les épicuriens du début du XVIIIe siècle semblent souvent s'en inspirer.

Rémond de Saint-Mard déclare : « Toutes les passions ont les mêmes caractères et deviennent estimables dès qu'elles sont capables de nous rendre heureux [1]. » En mettant des passions dans le cœur

une famille de commerçants. Il fut professeur de rhétorique au collège de Bordeaux, puis travailla pour le théâtre et devint spécialiste du drame. Il eut une carrière accidentée, remplie de conflits et de procès. Sous la Révolution, il fut député à la Convention ; sous l'Empire, il résista à Napoléon. C'était un touche-à-tout bizarre, inconstant, paradoxal. Il s'était nommé lui-même « le plus grand livrier de France ». Son chef-d'œuvre est le *Tableau de Paris* (1781), qui eut un prodigieux succès. Mercier mourut, membre de l'Institut, en 1814.

1. Rémond de Saint-Mard, *Nouveaux dialogues des dieux ou Réflexions sur les passions*, t. I, p. 150. — Toussaint Rémond de Saint-Mard, né à Paris en 1682, était le frère de Rémond le Grec, auteur du *Dialogue sur la volupté*. Il avait une frêle santé et une grande fortune : il

des hommes, la nature « ne consulte point l'intérêt de leur bonheur... Elle ne travaille jamais que pour elle [1]. » Mais cette prétendue indifférence de la nature n'est qu'une clause de style : l'ouvrage auquel elle travaille est justement le bonheur de l'homme. Aussi les passions tendent-elles vers le bonheur infailliblement [2]. A vrai dire, tout dans l'homme est passion : la sagesse est une passion, l'héroïsme en est une autre [3]. Aux passions du cœur s'opposent et répondent les passions de l'esprit. Jamais l'homme ne s'est rien donné : surtout pas la raison. Tout en lui est l'œuvre de la nature. Le bonheur tient en une totale passivité devant les accidents et les impulsions du cœur, dont l'esprit ne doit jamais être informé [4].

La justification de la passion confine au paradoxe. L'homme est dépossédé de lui-même. La nature l'a pourvu d'obscurs mouvements, et le bonheur consiste à s'y abandonner. Le recours à la nature ne sert qu'à masquer le refus de toute explication psychologique. Rien n'est plus révélateur que l'opposition entre le *bonheur* et la *connaissance*. Une véritable théorie des passions n'est possible que si l'on en cherche la source dans l'homme lui-même, non dans une mythique « nature ». C'est ce que tente le « physicien de Nuremberg », qui trouve l'origine des passions dans le « besoin d'un sentiment vif de l'existence ». L'homme n'est satisfait d'exister que dans les situations extrêmes où sa conscience puise quelque vigueur. Faute d'atteindre un certain seuil d'exaltation, il languit et semble retourner au néant : « Ce qui est renfermé dans les termes de la raison ne peut pas être longtemps pour nous le point fixe du bonheur [5]. » Seule la passion donne la vraie mesure de l'homme [6].

Pour Vauvenargues, le principe des passions est « l'amour de l'être ou de la perfection de l'être [7] ». Elles ne sont donc pas des accidents,

ne se maria pas, ne prit aucun état et passa toute sa vie à cultiver les lettres et à fréquenter les beaux-esprits. Indolent et paisible, il vécut jusqu'en 1757. Il appartenait à l'école de Fontenelle. Ses principales œuvres sont les suivantes : *Nouveaux dialogues des dieux* (1711), *Examen philosophique de la poésie* (1729), *Réflexions sur la poésie* (1729-1733), *Réflexions sur l'Opéra* (1741).

1. *Ibid.* ; cf. *ibid.*, pp. 61-66.

2. Apollon rassure Vénus : « Je puis vous dire que toutes les passions sont bonnes. Elles sont trop précieuses pour en rien laisser perdre, il faut les mettre à profit, il faut oser se plaindre de n'en point avoir assez. » (*Ibid.*).

3. Cf. *ibid.*, pp. 103-104.

4. « *Calliope :* Sur ce pied-là, ce n'est pas un grand avantage d'avoir de l'esprit.
Mercure : Vraiment non, et surtout de celui qui s'occupe à examiner les passions. Il faut se contenter d'en sentir les mouvements, on est perdu quand on vient à les connaître. Nous sommes tous faits comme Psyché, il ne nous suffit pas d'être heureux, nous voulons savoir encore comment nous le devenons. On dirait que nous avons peur que la Nature ne nous égare ; nous voulons éclairer ses démarches ; n'est-il pas juste que nous en soyons punis et que la perte de nos plaisirs la venge de notre défiance ? » (*Ibid.*, pp. 107-108).

5. *Lettres du physicien de Nuremberg sur l'homme*, dans ARNAUD et SUARD, *Variétés littéraires*, t. III, p. 214.

6. « Pour savoir tout ce dont l'homme est capable, il faut le voir lorsqu'il est passionné. » (*Ibid.*, p. 180).

7. « Nous tirons de l'expérience de notre être une idée de grandeur, de plaisir, de puissance que nous voudrions toujours augmenter ; nous prenons dans l'imperfection de notre être une

ni d'anormales excroissances dans la vie d'un être humain. Elles ne sont pas davantage des impulsions étrangères que la nature, selon son bon plaisir, introduirait dans notre cœur, à la façon d'un insecte qui gâte un fruit en le piquant. Les passions sont entées sur *l'être* même. Elles ne sont rien d'autre qu'une certaine façon d'être présent à soi-même [1]. Aussi est-il absurde de concevoir une sagesse qui voudrait les retenir ou les faire disparaître. Les passions peuvent tout au plus s'équilibrer entre elles, « se servir de contrepoids ». Mais rien n'est possible contre la « passion dominante », qui mobilise toutes les forces de l'âme et exprime ce qu'un homme a de meilleur, ce qui le fait être lui [2].

Il est difficile de trouver un équilibre entre ces deux conceptions opposées. La passion est-elle le mystérieux résultat d'un dynamisme dépassant l'homme, ou le moi porté à son point suprême ? Les opinions se divisent sur ce point, mais tout le monde convient que la passion n'est pas une maladie de l'âme, ni un déchaînement à coup sûr dangereux, mais le principe de grandes choses et la source de bien des jouissances.

***

« Il n'y a que les passions et les grandes passions qui puissent élever l'âme aux grandes choses [3]. » C'est au nom du « sublime », dans les « mœurs » et dans les « ouvrages », que Diderot entreprend la réhabilitation des passions dans ses *Pensées philosophiques*, l'année même où Vauvenargues, dans l'*Introduction à la connaissance de l'esprit humain*, expliquait les passions par « l'amour de l'être ». Pour l'un comme pour l'autre, l'absence ou la mort des passions se confond avec la médiocrité, et Diderot pense comme Vauvenargues que la seule morale consiste à fixer toutes les passions autour d'un thème dominant [4].

Dans l'*Encyclopédie*, la pensée de Diderot se tempère [5]. Il n'y est plus question de l'apologie des « passions fortes ». A l'article *Chagrin*,

idée de petitesse, de sujétion, de misère, que nous tâchons d'étouffer ; voilà toutes nos passions. » (VAUVENARGUES, *Introduction à la connaissance de l'esprit humain* (1746), *Œuvres*, t. I, p. 37).

1. « Nos passions ne sont pas distinctes de nous-même ; il y en a qui sont tout le fondement et toute la substance de notre âme. » (*Ibid.*, pp. 60-61).

2. *Ibid.* : « La passion dominante ne peut se conduire que par son propre intérêt, vrai ou imaginaire, parce qu'elle règne despotiquement sur la volonté, sans laquelle rien ne se peut. »

3. DIDEROT, *Œuvres complètes*, Assézat-Tourneux, t. I, pp. 127-128.

4. « Ce serait donc un bonheur, me dira-t-on, d'avoir des passions fortes. Oui, sans doute, si toutes sont à l'unisson. Établissons entre elles une juste harmonie et n'en appréhendons point de désordres. » (*Ibid.*).

5. La paternité des articles de l'*Encyclopédie* n'est pas encore définitivement établie. Il faut donc continuer à citer Diderot d'après l'édition Assézat-Tourneux, bien qu'une grande partie des fragments de l'*Encyclopédie* qui y figurent ne soient certainement pas de lui. Ne peut-on du moins admettre qu'ils s'accordent, en tout état de cause, avec un certain aspect de sa pensée ?

Diderot va jusqu'à admettre que l'insensibilité prêchée par les Stoïciens, si elle n'était pas chimérique, serait « assez conforme au bonheur d'une vie telle que nous sommes condamnés à la mener, où la somme des biens ne compense pas à beaucoup près celle des maux »[1]. Pourtant, à l'article *Insensibilité*, il ne trouve pas d'image assez affreuse pour peindre l'état d'une âme qui aurait banni tout sentiment[2]. Contre certains dangers des passions, il autorise une défense : l'« indifférence », qui « chasse du cœur les mouvements impétueux, les désirs fantastiques, les inclinations aveugles ». Mais il faut la distinguer de l'« insensibilité ». L'une est une épuration ou une stylisation du sentiment, qui dissout les passions en préservant la sensibilité. L'autre frappe jusqu'aux « sentiments les plus forts et les plus légitimes ». Elle détruit « l'homme lui-même » et rompt tous les liens qui « l'attachaient au reste de l'univers ». Pour tout dire, « l'indifférence fait des sages et l'insensibilité fait des monstres »[3]. L'article *Passion* ressemble fort à l'article *Plaisir*, ce qui n'est pas surprenant, l'un et l'autre se bornant à démarquer la *Théorie des sentiments agréables*. Pourtant, dans la deuxième partie de l'article, la pensée se révèle pleine de nuances. Les passions arrachent le monde à l'inertie et à la mort[4]. Mais ce mouvement bienfaisant ne doit pas se changer en un incoercible déferlement. Les passions se voient assigner de « justes bornes ». Leur pur élan finit même par s'annuler au profit d'un « parfait équilibre », rappelant Shaftesbury, entre les passions « qui se rapportent à nous-mêmes » et celles qui « servent au bien et au maintien de la société ». Le dynamisme des passions, loin de travailler à l'assouvissement de l'individu ou de manifester l'aveugle puissance de la nature, se laisse détourner au profit de l'ordre social et culmine dans l'action « vertueuse », qui concilie, par on ne sait quel miracle, l'épanouissement de l'individu et l'avantage du plus grand nombre. La complicité, l'identité même qui s'établit entre la nature et la vertu finit par escamoter les passions, telles du moins que les avaient décrites les *Pensées philosophiques*[5]. Cessant d'inspirer les grandes pensées et les grandes entreprises, les passions, mal surveillées, deviennent responsables de toutes les aberrations de l'esprit. Elles brouillent les idées distinctes, mélangent l'essentiel et l'accessoire,

1. *Œuvres complètes*, Assézat-Tourneux, t. XIV, p. 72.

2. « Elle est semblable à ces mers glaciales qu'un froid excessif engourdit jusque dans le fond de leurs abîmes et dont il a tellement durci la surface que les impressions de tous les objets qui la frappent y meurent sans pouvoir percer plus avant et même sans y avoir causé le moindre ébranlement ni l'altération la plus légère. »

3. Cf. *op. cit.*, t. XV, pp. 221-222.

4. « Ce sont les passions qui mettent tout en mouvement, qui animent le tableau de cet univers, qui donnent, pour ainsi dire, l'âme et la vie à ses différentes parties. » (*Op. cit.*, t. XVI, p. 217).

5. Cf. *ibid.*, p. 219 : « Rien ne paraît plus digne de nos désirs que l'amour même de la vertu. C'est ce qui entretient les plaisirs du cœur ; c'est ce qui nourrit *les passions les plus légitimes*. Vouloir sincèrement le bonheur d'autrui, se lier d'une tendre amitié avec des personnes de mérite, c'est s'ouvrir une abondante source de délices. »

inventent de faux rapports à la place des rapports naturels qu'elles bousculent, prétendent concilier les contraires, suscitent des fantômes, appuient sur des exemples fictifs des principes erronés, exploitent à des fins intéressées « jusqu'aux règles de raisonnement les mieux établies, jusqu'aux maximes les mieux fondées, jusqu'aux preuves les mieux constatées, jusqu'à l'examen le plus sévère [1]. » Les passions n'expriment plus l'ordre infaillible de la nature, mais le désordre d'un esprit anarchique, asservi aux exigences dangereuses de l'instinct.

Tel est Diderot, lorsqu'il moralise ou lorsqu'il s'astreint à une certaine prudence. La passion n'est plus un élan sublime, mais un miroir déformant et un écueil dangereux pour la vertu — à moins qu'elle ne soit cette vertu même. Mais à la conception un peu simple de l'homme moral, qui conserve en équilibre les passions égoïstes et les passions sociales, se juxtapose bientôt celle de l'homme naturel et de l'homme en expansion. Déjà l'article *Indépendance* affirmait : « Tout se tient dans l'Univers [2]. » A l'ordre de l'univers cosmique, qui rend solidaires les plus infimes parties de la nature, répond l'ordre de l'univers social qui enchâsse chaque individu dans un vaste ensemble. Cette notion de « dépendance » est peut-être celle qui assure le mieux à la pensée de Diderot cette unité tant cherchée. Si « tout se tient dans l'univers », l'homme est autorisé à tous les élans, à toutes les conquêtes, il peut se propager à travers toutes choses ou, inversement, contenir en lui-même le monde entier. Les passions seront le ressort de cette dilatation infinie. Mais, si l'homme est inséparable de toutes choses, il l'est aussi de ses semblables. Une conduite vertueuse est, à l'échelle humaine, l'indice que l'on a compris et accepté de vivre cette connexion universelle, qui est la structure du monde [3]. La gloire, en particulier, fait vivre à l'homme une sorte d'éternité. Si sa mémoire renferme tout le passé, si l'espérance ou la certitude d'une survie prolonge indéfiniment son existence, il est bien vrai qu'il n'a plus ni commencement ni fin. La passion de la gloire dissipe l'illusion du temps.

L'ivresse du mouvement semble conduire Diderot à poser des thèmes contradictoires. En même temps que l'homme éternel, il célèbre l'homme éphémère. Dans le *Salon de 1767*, il médite sur les ruines, qui révèlent la fragilité de l'animal humain dans un univers où tout se dissout : « Je vois le marbre des tombeaux tomber en pous-

1. *Ibid.*, p. 220.
2. Cf. *op. cit.*, t. XV, p. 198.
3. Écrivant en 1766 à Falconet, Diderot s'exalte : « Mon ami, ne rétrécissons pas notre existence, ne circonscrivons point la sphère de nos jouissances. Regardez-y bien. Tout se passe en nous. Nous sommes où nous pensons être. Ni le temps ni la distance n'y font rien... Qu'il y ait hors de nous quelque chose ou rien, c'est toujours nous qui nous apercevons et nous n'apercevons jamais que nous... *Nous sommes l'univers entier.* » (Lettre du 29 décembre 1766, *op. cit.*, t. XVIII, p. 224).

sière et je ne veux pas mourir [1] ! » Mais la nature éphémère de l'homme ne constitue pas une limite. Elle est une victoire sur l'espace, comme la mémoire et la pensée de la gloire sont une victoire sur le temps. Au lieu d'être rivé à cette petite portion d'espace que remplit son corps, provisoire réunion d'atomes, l'homme, redevenu poussière, est immergé, emporté dans le grand mouvement de la nature, si bien qu'il n'existe plus ici ou là, mais partout. Le thème chrétien de l'homme-poussière, qui livrait au néant la matière, se transfigure en un hymne à l'homme-univers et à l'homme-éternel. Sans doute l'homme perd-il sa qualité d'homme en se transformant. Mais il ne perd pas sa réalité, si la seule réalité est la matière et si la matière est déjà la vie [2].

L'univers est en perpétuel mouvement. Le mouvement est donc aussi l'état naturel de l'homme. Le repos n'est qu'une fiction créée par l'esprit : rien n'est en repos dans la nature et dans l'homme [3]. Voilà donc les passions implicitement justifiées, sinon par la morale, du moins par la physique. En mettant l'âme en mouvement, les passions ne font que suivre l'unique loi de la nature. Le repos de l'âme serait un état chimérique, anti-naturel. Dans le *Supplément au Voyage de Bougainville,* Diderot reprend le thème du changement nécessaire, du mouvement comme essence de l'âme, de l'absurdité des conventions qui tendent à falsifier le sentiment, au lieu de l'abandonner aux libres métamorphoses de la nature. Il montre encore une fois que la dissolution de toutes choses souligne assez l'incongruité naïve d'une prétendue permanence de l'homme [4].

1. Cf. *op. cit.*, t. II, pp. 229-230. « Qu'est-ce que mon existence éphémère, en comparaison de celle de ce rocher qui s'affaisse, de ce vallon qui se creuse, de cette forêt qui chancelle, de ces mousses suspendues au-dessus de ma tête et qui s'écroulent ? Je vois le marbre des tombeaux tomber en poussière et je ne veux pas mourir ! et j'envie un faible tissu de fibres et de chair à une loi générale qui s'exécute sur le bronze ! Un torrent entraîne les nations les unes sur les autres au fond d'un abîme commun ; moi, moi seul, je prétends m'arrêter sur le bord et fendre le flot qui coule à mes côtés. »

2. « Tous les êtres circulent les uns dans les autres, par conséquent toutes les espèces... *tout est un flux perpétuel...* tout animal est plus ou moins un homme ; tout minéral est plus ou moins plante ; toute plante est plus ou moins animal. Il n'y a rien de précis en nature. » (*Rêve de d'Alembert, op. cit.*, t. XI, pp. 138-139) ; cf. *ibid.*, p. 140 : « Vivant, j'agis et je réagis en masse... mort j'agis et je réagis en molécules... Je ne meurs donc point ? Non, sans doute, je ne meurs point en ce sens, ni moi, ni quoi que ce soit... Naître, vivre et passer, c'est changer de formes... Et qu'importe une forme ou une autre ? Chaque forme a le bonheur et le malheur qui lui est propre. Depuis l'éléphant jusqu'au puceron, depuis le puceron jusqu'à la molécule sensible et vivante, l'origine de tout, pas un point dans la nature entière qui ne souffre ou ne jouisse. » Tout est si peu « précis en nature » que Diderot se divertit à brouiller les registres. Prêtant la sensibilité à la pierre et à la plante, il mécanise l'homme, qu'il compare à un clavecin : « Nous sommes des instruments doués de sensibilité et de mesure. Nos sens sont autant de touches qui sont pincées par la nature qui nous environne et qui se pincent souvent elles-mêmes. » (*Entretien entre d'Alembert et Diderot, op. cit.*, t. II, p. 916).

3. « Voici la vraie différence du repos et du mouvement. C'est que le repos absolu est un concept abstrait qui n'existe point en nature et que le mouvement est une qualité aussi réelle que la longueur, la largeur, la profondeur. » (*Principes philosophiques sur la matière et le mouvement, ibid.*, p. 66).

4. « Rien en effet te paraît-il plus insensé qu'un précepte qui proscrit le changement qui est en nous ; qui commande une constance qui n'y peut être et qui viole la liberté du mâle et de la femelle, en les enchaînant pour jamais l'un à l'autre ; qu'une fidélité qui borne la

Toutefois ce perpétuel changement n'empêche aucun individu d'être une personne. L'homme, qui n'est jamais le même, n'est pas réduit pour autant à une succession d'existences. Aucun avatar nouveau n'efface les traces de l'avatar précédent. Les expériences déposent au fond de l'âme humaine des sédiments qui s'accumulent. Chaque être finit par porter en lui-même l'ensemble des univers qu'il a traversés. Toutes les feuilles de la forêt, toutes les notes de toutes les musiques demeurent présentes en nous. Diderot parle de la « mémoire immense », qui est « la liaison de tout ce qu'on a été dans un instant à tout ce qu'on a été dans le moment suivant » [1]. Le mouvement finit donc par se rassembler, s'immobiliser sous la forme d'une expérience totale. Les métamorphoses de l'homme n'entament jamais son être fondamental, ce capital immuable, cette histoire qu'il porte en lui-même, ces choses dont il est riche, même à son insu. Au lieu de se dissoudre dans un vertige, l'homme, qui change et s'agite sans cesse, ne cesse pas de se constituer.

De cette philosophie de la nature, il est aisé de déduire une morale des passions. Les passions expriment, à l'état pur, ce *mouvement* en quoi Diderot reconnaît la loi et l'âme de l'univers. On pourrait en conclure que les passions ne doivent être ni retenues, ni contrôlées. Pourtant il est facile de voir que le déchaînement passionnel revient à trahir l'essence même de la passion. Le libre mouvement de l'âme exige en effet une perpétuelle disponibilité. Or un certain degré ou une certaine qualité de passion, au lieu de mouvoir l'âme, la paralyse, l'englue dans une seule obsession, l'aliène à un unique objet. Une telle passion aboutit à rompre la solidarité de chaque être avec toutes choses. Certains passionnés ne sont plus en relation avec l'univers, mais seulement avec eux-mêmes ou avec cela à quoi ils s'identifient. La passion tend en outre à offusquer la « mémoire immense », qui est le véritable moi, au profit d'une mémoire systématique et partielle, comparable, dans l'ordre du cœur, à ce qu'est, dans l'ordre de l'esprit, l'appauvrissement du langage. Une apologie de la passion, conforme à l'esprit de Diderot, devrait exalter celle-ci comme un élan jamais arrêté, comme une expansion sans limite, non comme l'attachement tenace à une seule chose.

Cela ne lève pas toute contradiction entre le naturisme et l'humanisme de Diderot. Le « sentiment » tel qu'il apparaît dans les lettres à Falconet, sous un revêtement cicéronien, et soutenu par l'idée très noble de la gloire, est fort différent de l'instinct à l'état pur, que Diderot met en scène dans le *Supplément*. Entre deux conceptions

plus capricieuse des jouissances à un même individu ; qu'un serment d'immutabilité de deux êtres de chair, à la face d'un ciel qui n'est pas un instant le même, sous des arbres qui menacent ruine, au bas d'un rocher qui tombe en poudre, au pied d'un arbre qui se gerce, sur une pierre qui s'ébranle ? » (*Ibid.*, p. 224).

1. *Éléments de physiologie*, *op. cit.*, t. IX, pp. 366-367 et 370.

aussi dissemblables de la vie affective, la notion de « mouvement » est la seule commune mesure. Mais le mouvement communiqué à l'âme est bien différent selon qu'il s'applique au sentiment élaboré ou au sentiment brut.

Ici doit intervenir la distinction capitale entre la vraie et la fausse sensibilité. La sensibilité naturelle consiste à n'être que ce clavecin construit par la nature, ou ce diaphragme que le moindre choc fait vibrer. Un « être sensible » n'est, en ce sens, qu'un « être abandonné à la discrétion du diaphragme ». Dans le *Paradoxe sur le Comédien*, Diderot définit une telle sensibilité comme « cette disposition compagne de la faiblesse des organes », qui peut atteindre des paroxysmes sans que l'on ait « aucune idée précise du vrai, du bon et du beau ». A cette sorte d'être sensible, il refuse ce qu'il accordait sans distinction aux passions fortes dans les *Lettres philosophiques* : la grandeur et le bonheur. Dans le *Rêve de d'Alembert*, Bordeu évoque devant Mlle de Lespinasse le malheur et l'absurdité d'une vie déchirée entre « des peines et des plaisirs violents » et passée alternativement « à rire et à pleurer » ; il l'assure qu'à s'obstiner à sentir ainsi, elle ne sera jamais qu'une « enfant ». Le *Paradoxe* précise que cette sensibilité purement physiologique est le signe de toute médiocrité [1].

La vie du sentiment se déroule à trois niveaux différents : « Mon ami, il y a trois modèles, l'homme de la nature, l'homme du poète, l'homme de l'acteur [2]. » A l'homme de la nature correspond la simple « sensibilité », qui n'est qu'une faiblesse d'organisation, une trop grande vulnérabilité aux impressions extérieures, une perméabilité, une passivité de l'âme, voisines de l'inexistence. Une telle sensibilité n'est qu'une faculté réceptive, qui ne possède aucun pouvoir créateur. C'est pour savoir trop bien *imiter* que le Neveu de Rameau est incapable de *créer*. L'être « sensible » ne peut ni produire une œuvre de génie, ni trouver son propre bonheur. A « l'homme du poète » répond l'enthousiasme, qu'on pourrait définir comme une solidarité organique avec les mouvements de la nature. L'enthousiasme consiste à vibrer au rythme de l'univers, à avoir le corps et l'âme secoués par les ondes mystérieuses qui parcourent et agitent le monde. « L'homme de l'acteur » enfin possède le plus haut privilège, celui du génie. Le génie est l'enthousiasme assumé et dépassé par l'esprit, qui transpose et recompose sur un mode rationnel des inspirations le plus souvent anarchiques. Cette division du sentiment en trois étages reste un « paradoxe ». A la prendre au pied de la lettre, il faudrait conclure

1. « L'homme sensible est trop abandonné à la merci de son diaphragme pour être un grand roi, un grand politique, un grand magistrat, un homme juste. » (*Op. cit.*, t. VIII, p. 393).
2. *Ibid.*, p. 419.

que le comédien est supérieur au poète, puisque celui-ci peut en rester au stade de l'enthousiasme, alors que l'autre doit reconstruire de sang-froid et ordonner selon un « modèle idéal » les données de l'inspiration. D'autre part, dans ses œuvres critiques sur la poésie, Diderot confond, plus qu'il ne les distingue, génie et enthousiasme [1]. Dans l'article *Génie* de l'*Encyclopédie*, il insistait même uniquement sur l'aspect réceptif du génie, qui n'était guère qu'une « sensibilité » exaspérée [2]. Mais il faut retenir du *Paradoxe*, comme du *Rêve de d'Alembert*, la volonté de dépasser le sentiment pur, en tant que réaction immédiate, quasi organique, aux impressions extérieures. C'est l'esprit, en définitive, qui doit régler la sensibilité et surtout lui donner un contenu. C'est à l'esprit qu'il appartient de définir le vrai, le beau, le bien. C'est à lui d'informer les passions, de transformer une simple défaillance physiologique en une exaltation philosophique.

Il serait donc inexact d'extraire de l'œuvre de Diderot une apologie brutale des passions. On a raison de voir dans les *Pensées philosophiques* une outrance agressive, que leur auteur ne fait ensuite qu'atténuer et nuancer. D'abord la société exige le sacrifice de certaines passions individuelles, qui feraient de l'homme, en l'opposant à ses semblables, un être malfaisant. Le sacrifice de ces passions égoïstes n'est d'ailleurs pas un sacrifice du bonheur. L'enthousiasme vertueux qui l'accompagne peut être regardé, au contraire, comme le bonheur parfait.

Lorsque Diderot substitue une perspective naturelle à la perspective morale, il n'est pas sûr qu'il soit beaucoup plus libéral. Vivre au rythme de la nature implique que l'homme s'accepte comme une succession de métamorphoses. Or, si la passion est bien mouvement par rapport à l'indifférence, elle n'en risque pas moins, en devenant obsession, de pétrifier l'âme. Diderot ne s'est pas nettement prononcé. Mais toute fixation passionnelle devait lui apparaître comme une dissonance, une rupture dans sa conception d'un univers et d'un homme en perpétuel mouvement. L'être passionné, en refusant de changer comme en refusant de mourir, tente de s'opposer à l'immense flux de la nature.

Enfin les passions doivent se garder de toute complicité avec les organes de la sensibilité physique. Céder aux faiblesses du diaphragme, c'est être malade, médiocre ou puéril, non passionné. Le vrai passionné est l'artiste, le poète de génie, le comédien, qui recomposent selon les directives de l'esprit les impulsions du sentiment et les impressions qui affectent leur corps.

1. Cf. *De la poésie dramatique*, *op. cit.*, t. VII, pp. 370-372.
2. Cf. *op. cit.*, t. XV, p. 39.

*
* *

Pour d'Holbach, comme pour Diderot, le mouvement est l'essence de l'âme et celle de la nature. Le « sentiment » est l'équivalent humain des forces qui travaillent l'univers [1], l'impulsion que les « objets naturels » communiquent aux « corps animés » [2]. Le mécanisme des passions reste entièrement commandé par des lois physiques [3], et il est inutile, donc absurde, de supposer l'existence d'une âme. Le monde moral n'implique aucun secret, aucun principe, aucun ressort qui serait inconnu au reste de la nature : « Toutes les facultés intellectuelles, toutes les façons d'agir que l'on attribue à l'âme se réduisent à des modifications, à des qualités, à des façons d'être, à des changements produits par le *mouvement* dans le cerveau... [4] » Si le mouvement est la clé de la nature humaine, il en résulte que le bonheur de l'homme est d'être constamment « remué » ; il réside dans l'action, dans le désir, dans l'espérance, dans la passion [5].

La pensée de d'Holbach tourne un peu sur elle-même. Tantôt il affirme que le désir est un état heureux, parce qu'il a décidé que l'homme est fait pour le mouvement. Tantôt il déduit de l'existence du désir la nécessité d'être remué. Le désir, fait d'observation psychologique, et le mouvement, principe d'explication, s'engendrent ainsi et se justifient à tour de rôle. Mais en décrivant l'homme comme une nature en mouvement, d'Holbach se débarrasse de la vieille antithèse chrétienne, qui en faisait un être double et séparait en lui le vide et le plein. Le principe du mouvement permet de fondre les deux,

1. « La première faculté que nous voyons dans l'homme vivant et celle d'où découlent toutes les autres, c'est le *sentiment*... Elle est une suite de l'essence et des propriétés des êtres organisés, de même que la gravité, le magnétisme, l'élasticité, résultent de l'essence ou de la nature de quelques autres. » (D'Holbach, *Système de la nature*, t. I, p. 112).

2. « Sentir est cette façon particulière d'être remué, propre à certains organes des corps animés, occasionnée par la présence d'un objet matériel qui agit sur ces organes, dont les mouvements et les ébranlements se transmettent au cerveau. » (*Ibid.*). « La sensibilité est une qualité qui se communique comme le mouvement... » (*Ibid.*, p. 114).

3. « De là naissent des passions plus ou moins fortes, qui ne sont que des *mouvements* de la volonté, déterminés par les objets qui la remuent en raison composée de l'analogie ou de la discordance qui se trouve entre eux et notre propre façon d'être et de la force de notre tempérament. D'où l'on voit que les passions sont des façons d'être ou des modifications de l'organe intérieur, attiré ou repoussé par les objets et qui, par conséquent, est soumis à sa manière aux lois physiques de l'attraction et de la répulsion. » (*Ibid.*, p. 126).

4. *Ibid.*, p. 127.

5. « L'action est le véritable élément de l'esprit humain ; dès qu'il cesse d'agir, il tombe dans l'ennui... L'homme, étant par son organisation un être à qui le mouvement est toujours nécessaire, doit toujours désirer... Si tous les hommes étaient parfaitement contents, il n'y aurait plus d'activité dans le monde ; il faut désirer, agir, travailler pour être heureux... Parce que le cœur de l'homme ne cesse de former des désirs, ne concluons pas qu'il est malheureux. Il en faut conclure qu'il a besoin à chaque instant d'être remué, que les passions sont essentielles au bonheur... L'homme est fait pour sentir, pour désirer, pour avoir des passions et pour les satisfaire en raison de l'énergie que son organisation lui donne... Interdire les passions aux hommes, c'est leur défendre d'être hommes. » (*Ibid.*, pp. 354-355, 356, 381, 383, 384).

en révélant que le vide est toujours plein et le plein toujours vide. La vie de l'homme n'est plus partagée entre l'inquiétude et le repos, entre une détresse naturelle et un accomplissement surnaturel. Le repos est dans l'inquiétude elle-même — moins dissolvante que l'ennui — et l'inquiétude dans le repos, simple halte brève entre deux désirs. Au lieu de diviser l'homme, la passion l'unifie, car elle est à la fois élan vers un objet absent et promesse, bientôt réalisée, de jouissance. Le bonheur de l'homme réside en cette ambivalence, qui n'est jamais une dualité. En faisant de la psychologie une dynamique, d'Holbach annexe l'homme à la nature, dissipe le mythe chrétien de l'homme divin accidentellement déchu. La réhabilitation des passions conserve toujours pour lui une valeur polémique et anti-religieuse. Réduire la vie de l'âme au mouvement revient surtout à escamoter la distinction entre l'âme et le corps. Cela explique la froideur un peu sèche de d'Holbach, qui est bien loin de trouver, pour célébrer la passion et la vie, des accents comparables à ceux de Diderot.

A ces passions, qui sont l'homme tout entier, d'Holbach se garde bien de lâcher la bride. Il a recours à l'habituel subterfuge. On ne dit pas : il faut tempérer les passions par la raison ; cela rappellerait trop la morale conventionnelle et plate du rationalisme chrétien. On dit : il faut équilibrer les passions entre elles. Les passions restent ainsi leur propre arbitre, sans que le bonheur et la morale courent aucun danger. Les passions destinées à faire contrepoids sont les « passions sociales » — éternel et rassurant abus du langage — et la raison se borne à contrôler l'équilibre du système [1]. La réhabilitation des passions aboutit ainsi à un irréprochable moralisme : « Toutes nos passions sont louables, quand elles sont réglées par la justice ; toutes nos passions sont des vertus, quand elles ont pour objet le bien de la société » [2]. La solution n'est que formelle, contradictoire même. Des passions strictement épurées par l'esprit de justice et si facilement orientées vers le bien public sont-elles encore des passions ? N'y a-t-il pas là quelque mauvaise foi, ou un bien naïf optimisme ? Les passions qu'on tolère, qu'on approuve, qu'on exalte, sont d'abord exorcisées en quelques formules, et le mot « passion » finit par désigner le contraire de la passion véritable. Il ne s'agit plus d'un instinct ravageur, absolu, égoïste par nature, inapte à tout compromis, mais d'un chef-d'œuvre irréel d'harmonie, qui réconcilie des forces ennemies

1. « Les passions sont les vrais contrepoids des passions ; ne cherchons point à les détruire, mais tâchons de les diriger : balançons celles qui sont nuisibles par celles qui sont utiles à la société ; la raison, fruit de l'expérience, n'est que l'art de choisir les passions que nous devons écouter pour notre bonheur. » (*Ibid.*, p. 386). L'ambition devient une passion légitime, quand « elle a pour objet de travailler à la félicité publique ». L'amour des richesses est « naturel », « quand on a l'art d'en faire un bon usage ». Le désir de la gloire est louable, quand il incite à « mériter les suffrages de nos concitoyens par des qualités vraiment utiles à leur bonheur ». (*Système social*, t. I, p. 143).

2. *Ibid.*

en un pacte si spontané et si juste qu'il est un émerveillement pour l'esprit.

Dans ses *Principes de morale*, Mably considère les passions d'une manière aussi ambiguë. Il commence par faire confiance à la nature, qui a si providentiellement façonné le cœur de l'homme [1]. Ses intentions sont si délicates et ses mystères si subtils qu'elle a prévenu tout risque de déchirement. On peut écouter sans méfiance l'amour-propre, qui nous engage à poursuivre notre bonheur, car ce même amour-propre saura nous dire, au moment opportun, qu'il faut cesser de « se préférer à tout », pour penser aux autres et s'unir à eux « avec le plus de force ». Mably souligne ingénument ce qu'il y a de suspect ou de factice dans cette harmonie préétablie entre l'amour de soi et l'amour des autres : « C'est précisément dans cet *artifice admirable* de la composition de l'homme qu'il faut admirer la sagesse infinie de la Providence [2] » ; ou encore : « Telle est la magie de l'amour-propre qu'il paraît quelquefois s'oublier lui-même [3]. » Un autre trait de « magie » réside en la vertu thérapeutique des sentiments, dont chacun est à la fois poison et antidote. L'homme n'a qu'à jouer avec ses passions pour devenir l'heureux souverain de lui-même. A l'aide de quelques manipulations intérieures, il peut être le maître de son bonheur, sans avoir à déclencher la censure d'une volonté ou d'une raison toute négative. Il lui suffit, en gonflant certains sentiments, de susciter des passions antagonistes, qui veilleront d'elles-mêmes à sa sécurité [4]. Inversement, les passions « ardentes » seront contenues par la crainte de leurs possibles ravages. En définitive, « toute la morale humaine ne se trouve que dans de sages tempéraments qui concilient la subtilité de notre raison et la folie de nos passions » [5]. Mably se moque du stoïcisme, qui « nous suppose tout différents que nous sommes » : « Avec des arguments, on ne nous rendra pas insensibles. » Selon lui, toute morale réaliste doit d'abord pactiser avec les passions. Ce qui est facile, en effet, si les passions portent déjà en elles le germe de toute morale.

Pour Delisle de Sales, « les passions sont l'âme du monde sensible [6] ». Il qualifie de « froides statues » ceux que n'ont jamais enflammés

1. « Personne n'est plus persuadé que moi que (les passions) nous ont été données pour notre bonheur ; et si j'étais le maître de les bannir de notre cœur, je me garderais bien de le faire. Je connais trop les bornes de mes lumières pour oser me croire plus habile que la nature ; elle me paraît souvent enveloppée de mystères et je les adore respectueusement. Je sens que sans le secours des passions, ma raison se glacerait et serait réduite à n'être qu'un instinct grossier. » (MABLY, *Principes de morale*, p. 253).

2. *Ibid.*, p. 254.

3. *Ibid.*, p. 256.

4. « En cherchant le bonheur, si je sens en moi de ces passions molles et lâches qui dégradent l'homme, j'appellerai à mon secours ma vanité, qui, se nourrissant de sages réflexions, pourra devenir un orgueil noble et généreux. » (*Ibid.*, p. 309).

5. *Ibid.*, p. 298.

6. « La raison ne fait rien sur la terre : ce sont les passions qui la font mouvoir et qui la bouleversent. » (DELISLE DE SALES, *Philosophie du bonheur*, t. III, p. 91).

l'amitié, le patriotisme ou l'amour. De « pareils êtres » sont à peine des hommes. Ils méritent d'être abandonnés aux naturalistes, pour être rangés « dans la classe des zoophytes [1] » !

Il n'existe que « deux passions primitives » [2], l'amour et l'ambition, qui prennent elles-mêmes leur source dans une seule passion fondamentale : la « passion de l'être » [3]. Exister, c'est vouloir agrandir son être [4]. Les convoitises ou fantaisies particulières ne font que traduire, de façon contingente, ce nécessaire appétit. Le cénobite, le guerrier, le caraïbe, Alexandre, poursuivent, à travers des ambitions diverses, le même but obscur [5]. Le besoin qu'a l'âme de s'étendre est le propre de la condition humaine, qui se distingue ainsi à la fois de la matière et de la divinité [6]. Tout l'être de l'homme est dans le devenir, dans l'élan ambitieux, dans le besoin d'expansion ou de conquête, dans la recherche de l'intensité.

Delisle de Sales divise les passions en deux sortes : les passions douces et les passions violentes. Les premières, comme l'espérance, la pudeur, la reconnaissance et la pitié, libèrent spontanément le bonheur facile qui les accompagne. Elles ne réclament aucune intervention de la sagesse. L'homme qui a la chance d'en jouir est à l'abri de l'inquiétude [7]. Les secondes ne sécrètent pas un bonheur aussi immédiat. Mais, si elles s'allient à la raison, elles engendrent la grandeur [8]. Il ne faut pas croire une telle harmonie impossible : « C'est une erreur de ceux qui n'ont jamais étudié la nature [9]. » En réalité « un homme qui est doué de la plus grande sensibilité est souvent plus maître de soi que celui dont le tempérament est aussi froid que la raison » [10]. Les « passions impétueuses » cachent cependant un secret : elles proviennent, non de la force, mais de la faiblesse de l'âme [11]. Toute violence est le signe d'une inquiétude. La « passion de l'être » craint de ne pas trouver à s'assouvir. La raison qui veut tempérer les passions violentes, peut leur porter remède en inspirant plus de confiance en la nature.

1. *Ibid.*, p. 83.
2. *Ibid.*, p. 92.
3. *Ibid.*, p. 109.
4. « La nature nous dit d'agrandir notre être... Il est aussi essentiel à l'âme de s'étendre que d'exister. » (*Ibid.*, pp. 110 et 113).
5. *Ibid.*, pp. 109-110.
6. « L'atome semble ne pouvoir rien acquérir parce qu'il n'a rien et Dieu parce qu'il a tout. » (*Ibid.*, p. 113).
7. « Les passions douces répandent une heureuse sérénité sur l'horizon de la vie, elles font mouvoir l'homme sans le fatiguer ; elles l'échauffent sans l'embraser et le tiennent également éloigné des grands plaisirs et des grandes douleurs qui détruisent la machine. » (*Ibid.*, p. 121).
8. « Les passions violentes caractérisent une âme forte, et quand elles se rencontrent avec une raison droite et lumineuse, il en résulte un grand homme. » (*Ibid.*, p. 125).
9. *Ibid.*, p. 126.
10. *Ibid.*
11. « Un des plus singuliers phénomènes que je découvre dans le cœur humain, c'est que le sentiment de notre misère est plus propre à produire les passions véhémentes que le sentiment de nos forces. » (*Ibid.*, p. 125).

On ne doit pas craindre que les passions se livrent entre elles des batailles. Chaque âme est organisée à la façon d'un système d'étoiles, les passions secondaires gravitant en bon ordre autour d'une passion dominante [1]. A celle-ci, la raison délègue ses pouvoirs. Le fait même qu'elle ait pu prendre la conduite de l'âme prouve qu'elle n'est pas seulement instinct, mais esprit. Il n'y a pas de passion dominante tout à fait irrationnelle, ni de conscience divisée lorsqu'une telle passion s'y est rendue triomphante [2]. Enfin la passion dominante ne peut être que vérité : elle est « incompatible avec l'artifice ». Elle réunit les prestiges de la raison à l'authenticité de la nature.

La conception des passions selon Delisle de Sales suppose une double finalité : la passion exprime l'essence de l'homme, et elle le conduit à son accomplissement. Mais, une fois de plus, les passions ne sont jamais montrées sous leur plus inquiétant visage. « Douces », elles embellissent l'âme, délivrant un bonheur tout préparé. « Violentes », elles acceptent de composer avec la raison, qui les détourne vers un noble but ou les purge de tout virus. Jamais elles ne détruisent un être, ne ravagent une vie. Jamais aucun instinct de mort ne les inspire. Même lorsqu'elles jouent d'oppositions faciles entre le « sentiment » et la « raison », les théories « philosophiques » reposent toujours sur une illusion dogmatique, qui consiste à admettre l'unité de l'homme. Pas plus que les autres disciples de Rousseau, Delisle n'a compris la véritable leçon de son maître, qui avait expliqué dans son œuvre et revécu dans son destin [3], contre l'optimisme des Philosophes, l'éternelle dualité humaine.

Buffon est un des rares à n'avoir pas succombé à l'idéalisation euphorique des passions. Il reste fidèle à ce salubre principe : « Distinguons dans les passions de l'homme le physique et le moral [4]. » Le physique des passions, que l'homme possède en commun avec les animaux, se limite à l'impression des objets sur les sens. A ce stade, les passions ne sont pas dangereuses. Elles ne le deviennent que lorsque le « moral » se superpose au physique, lorsque l'ébranlement des sens se prolonge en une systématisation affective et intellectuelle. C'est alors que le délire se construit, et c'est ce délire, brusque possession de l'âme par les sens, qui change les passions en désastres. Il ne s'agit pas d'une apologie de la débauche, mais d'une mise en garde contre les ruses

1. « L'homme en recevant la vie porte en lui-même le germe d'une passion qui doit un jour dominer dans son âme et entraîner toutes les autres dans la sphère de son activité. » (*Ibid.*, p. 127).

2. « Quand la passion est à son dernier terme de maturité, elle force toutes les puissances de l'âme à se mouvoir suivant une direction régulière ; les contradictions disparaissent et le cœur humain est reconnu. » (*Ibid.*, pp. 127-128).

3. En ce qui concerne l'attitude de Rousseau devant les passions, on ne peut mieux faire que de renvoyer à l'ouvrage de P. BURGELIN, *La philosophie de l'existence de J.-J. Rousseau*, en particulier pp. 263-268 et 350-355.

4. BUFFON, *Discours sur la nature des animaux*, *Œuvres complètes*, éd. Sonnini, t. XXI, p. 332.

de l'imagination, qui transforme en un faux idéal les besoins que la nature nous a simplement donnés pour notre conservation et notre plaisir.

*
* *

Les moralistes d'inspiration traditionnelle témoignent encore d'un bien moindre optimisme et s'ingénient à entourer les passions de minutieuses prudences [1]. Au début du siècle, certains auteurs les stigmatisent encore et en dépeignent les effets avec un accent presque janséniste [2].

L'abbé Prévost reste sans doute le meilleur psychologue des passions. Il est le seul à en comprendre les souffrances, à deviner qu'elles sont à la fois exaltation et écrasement, à en mesurer l'irresponsabilité tout en les jugeant coupables. Il sait percevoir les égarements passionnels comme des états *humains*, où l'on peut être aliéné à soi-même tout en restant soi pour souffrir, et jamais il ne schématise les violences du passionné, au point d'en faire, comme tant d'autres romanciers, de caricaturales agitations. Mais en même temps il se garde, comme tant d'autres aussi, de diluer son inquiétude dans une euphorie de commande, en affectant de croire que le cœur et la raison n'ont entre eux que des brouilles légères et que les passions conduisent naturellement au bonheur [3]. Ce sont des forces mystérieuses qui saisissent l'homme corps et âme, le déchirent, le laissent anéanti [4]. Certains êtres semblent ainsi voués à de perpétuelles catastrophes. Cleveland a la chance d'être « philosophe », mais que dire de ce duc de Monmouth qui « ne se proposait rien qui ne devînt aussitôt pour son esprit une loi invariable et dans son cœur une passion violente [5] » ? En principe,

1. Si elles ne sont pas formellement réprouvées, c'est que le mot garde souvent son sens édulcoré, qui le rend synonyme de *sensibilité*. L'abbé Terrasson résume assez bien l'opinion moyenne, lorsqu'il déclare en une image plus qu'usée : « Les Passions sont les vents qui font aller notre vaisseau et la Raison est le pilote qui le conduit. Le vaisseau n'irait point sans les vents et se perdrait sans le pilote. » (*La Philosophie applicable à tous les objets de l'esprit et de la raison* (1754), p. 41).

2. « Dans la passion un obscur nuage se répand dans notre âme ; la lumière de la raison ne luit presque plus ; on ne sent vivement qu'une fausse lueur ; une agitation violente et tumultueuse met en nous le désordre et la confusion. Les sages maximes, les lois sacrées de l'honneur et de l'équité disparaissent, ou ne se montrent que faiblement et toutes délabrées. » Reprenant lui aussi l'image du vaisseau, l'auteur n'aperçoit que de terribles naufrages : « L'homme le plus sage, devenu fol dans cet état, ne sait quelle route tenir : le pilote cherche le port dès qu'il voit le danger ; l'homme passionné, plein d'aveuglement, semble forcer les voiles pour donner dans les écueils. » (DUPUY, *Dialogues sur les plaisirs, les passions* (1717), p. 37).

3. Le jeune Cleveland répond à sa mère, qui se plaint de ne plus trouver la paix et qui, retirée du monde, porte encore des traces de blessures pour avoir naguère trop bien accueilli les passions : « Supposez des hommes sans passions sur la terre, vous aurez une société de personnes heureuses. » (*Cleveland*, t. I, pp. 85-86).

4. Elles sont toutes plus ou moins « ces tempêtes de l'âme qui ébranlent la raison jusque dans ses fondements et qui agissent sur le corps avec plus de furie que tous les maux extérieurs. » (*Ibid.*, t. VI, p. 1).

5. *Ibid.*, t. VII, p. 8.

les passionnés se divisent en deux catégories : ceux qui accordent tout à l'amour, ceux qui ne vivent que pour l'ambition. Les deux frères du Doyen de Killerine, Patrice et Georges, symbolisent chacun de ces deux types. Le duc de Monmouth semble seul échapper à cette loi et vouloir cumuler toutes les folies [1].

Le « bon naturel » est une faible barrière contre de tels emportements. Aucune lucidité n'entrave leur fatale énergie [2]. Même si le Ciel le conduit (on rencontrera plus loin la passion providentielle), tout passionné devient un autre que lui-même. Témoin l'excellent Gelin, dont la passion fait un autre Iago, avant d'en faire presque un assassin, et qui plaide l'irresponsabilité devant Cleveland, sa victime : « De quoi n'est-on pas coupable, ajouta-t-il en baissant les yeux, avec ma vivacité naturelle et la funeste passion qui me dévore ? J'aurais massacré mon père dans les mêmes circonstances [3]. »

Tous les personnages de Prévost sont divisés de la même manière. Vertueux par essence, la passion les détourne fatalement de leur nature et les voue au déchirement. L'œuvre entière porte une condamnation des passions, au nom de l'unité intérieure et du bonheur. Entraîné à la violence et au crime, tout en gardant le souvenir de ses devoirs, le passionné se sent contraint de vouloir et d'accomplir ce qui lui fait horreur. Sans cesse écartelé entre l'impulsion et le remords, il n'est jamais libre de résister à sa passion, jamais libre non plus d'étouffer sa conscience. Tout son drame est dans cette dualité.

La littérature bien pensante respire la crainte des passions. En 1764, Mme Thiroux d'Arconville publie un traité *Des Passions* : son opinion,

1. Cf. *ibid.*, p. 162.

2. Le jeune Marquis des *Mémoires d'un homme de qualité* vient d'entendre son précepteur proférer d'éloquentes « déclamations contre l'amour ». (*Op. cit.*, t. VI, p. 128). On le suppose ébranlé, peut-être convaincu. Mais la morale de son maître n'aura porté que de maigres fruits : il enlève du couvent où on croyait l'avoir mise à l'abri la jeune Nadine dont il est épris jusqu'au délire. Lorsqu'il se retrouve en présence de « l'homme de qualité », il se justifie à la façon de tous les passionnés : « Je me rends justice, Monsieur, je suis coupable, je l'avoue, mais si vous ne pardonnez pas cette faute à la violence d'une passion dont je ne suis pas le maître, il faut que vous m'ôtiez la vie sur-le-champ. » (*Ibid.*, p. 170). Après quoi, fou de rage, il injurie son maître, lui arrache Nadine des bras et jure qu'il mourra plutôt que de la rendre. Mais « l'homme de qualité », qui sait que la passion la plus violente n'est qu'un état second, ne perd pas son calme : « Il a le cœur excellent, disais-je en moi-même : ne désespérons de rien. » (*Ibid.*, p. 182).

3. *Ibid.*, p. 53. Gelin assure pourtant qu'il n'a pas fait « un seul outrage » à la vertu sans en éprouver des remords. Mais il explique : « Tel est mon malheureux naturel qu'une passion, qui s'allume une fois dans mon sang, agit sur moi avec la même force et que n'étant point capable de résister à l'une ou l'autre impression, c'est toujours la plus vive et la plus présente qui me détermine à la suivre. » (*Ibid.*, t. VII, p. 27). Un autre indice qui permet de suspecter un peu la sincérité de Gelin, c'est le cynisme avec lequel il expose sa « connaissance du cœur humain » et la façon dont il sait infailliblement susciter une passion dans le cœur qu'il veut surprendre : « Ayant beaucoup de connaissance du cœur humain, il avait toujours conçu, poursuivit-il, que la nature a des ressorts infaillibles pour faire naître et pour enflammer les passions. « En effet, me dit-il, je suis persuadé que sur une âme commune, à qui je suppose un corps bien constitué, la victoire d'un homme qui sait attaquer n'est jamais incertaine. *Les impressions du plaisir sont toujours dominantes* ; et qui connaît assez le caractère et le tempérament d'une femme pour lui présenter continuellement ce qui est capable de lui plaire, a trouvé le chemin infaillible de son cœur. » (*Ibid.*, p. 51). Ceci prouve bien que la fatalité des passions peut être une fatalité *dirigée*. Gelin est peut-être ligoté par sa propre passion ; ce n'en est pas moins avec une liberté patiente et froide qu'il ourdit ses trames.

puisée aux sources, est résolue et sans nuance [1]. Mme de Benouville compare deux situations douloureuses : combattre une « grande passion » et s'y abandonner. Dans les deux cas, « on est fort misérable ». La passion est une maladie que l'on ne peut extirper qu'au prix d'un « long régime ». Mais si l'on refuse de guérir, elle devient « un ennemi qui vit à discrétion chez nous ». Entre ces deux souffrances, il reste un « troisième parti, qui serait bien le meilleur s'il dépendait de nous [2] » : l'indifférence. Selon Pluquet, « tous les instants du passionné sont malheureux : tantôt il souffre pour ne pas posséder ce qu'il aime ; tantôt il se dégoûte de l'avoir atteint et se livre aussitôt à d'autres désirs » [3].

L'*Essai sur les passions* de Montenault ne montre pas, à l'égard du cœur, une défiance systématique. La sensibilité y est tenue pour le bien le plus précieux : « Tous les plaisirs en découlent : c'est par elle que (l'homme) est soulagé du sentiment de sa misère, qu'il goûte le plaisir de la vie, les douceurs de l'amitié et les charmes de la société [4]. » C'est pour la préserver que l'on doit exclure les passions, qui se changent vite en indifférence pour tout ce qui n'est pas leur objet [5]. Loin d'accroître les ressources de l'âme, elles ne font que les appauvrir. Le sentiment, tout autant que la raison, doit les traiter en ennemies. Par leur violence et leur partialité, elles émoussent la délicatesse de l'âme, en font une obsédée ou une infirme. Elles sont une usure du cœur [6]. En outre, le passionné est perdu pour la société. Il s'enferme pour toujours dans le cercle enchanté des désirs égoïstes et, hanté par lui seul, oublie tout ce qui l'entoure. Or « un homme qui n'est utile ni à l'État, ni à ses amis, qui n'aime que soi et qui ne travaille que relativement à soi, est un monstre » [7].

1. « Suivant la définition des philosophes les plus célèbres, *tout sentiment excessif est une passion*, quelque estimable qu'il puisse être dans son principe, parce que la raison, qui est seule digne de nous gouverner, n'admet point d'excès. Ainsi, dès que nous passons les bornes qu'elle nous a prescrites, nous secouons le joug qui nous avait été imposé par la nature, *nous ne sommes plus dans l'ordre, nous ne méritons plus d'être heureux, nous ne le sommes pas en effet ;* et, livrés sans frein à l'impétuosité de nos penchants, notre vie n'est plus qu'un cercle d'erreurs, que les circonstances où nous nous trouvons rendent plus ou moins dangereuses par leurs effets, mais que le trouble accompagne toujours. » (Mme THIROUX D'ARCONVILLE, *Des Passions*, pp. 3-4).

2. *Les Pensées errantes*, pp. 187-188.

3. « L'état d'une âme livrée à des passions violentes n'est pas différent de l'état d'un homme alternativement brûlé par les ardeurs de la fièvre ou enseveli dans l'ivresse. » (*Examen du fatalisme*, t. III, p. 192).

4. *Op. cit.*, t. I, p. 337. — Charles-Philippe Montenault d'Egly est né à Paris, en 1696, d'une famille assez pauvre. Il fut avocat et secrétaire de M. de Baussan, intendant de Poitiers et d'Orléans. Il écrivit surtout des œuvres historiques et collabora au *Journal de Verdun*. Il devint aveugle en 1745 et mourut en 1749. *L'Essai sur les passions* fut publié en 1748.

5. « Quand le cœur ou l'esprit se nourrissent d'une passion violente, l'habitude qu'ils contractent de s'y livrer aveuglément les fait bientôt devenir indifférents pour les autres biens que cette même passion leur rend nécessairement moins précieux. » (*Ibid.*, p. 338).

6. « Faute d'arrêter son cœur dans l'abus des désirs, de l'empêcher de s'en rassasier en lui laissant confondre sans soin et sans délicatesse le plus avec le moins dans les objets qui lui font impression, nous l'usons comme nos habits ; c'est un meuble qui se détériore, qui se dégrade insensiblement. En sacrifiant ainsi le ressort de notre bonheur et de notre plaisir, nous parvenons, par degrés, au point de ne plus rien sentir. » (*Ibid.*, p. 347).

7. *Ibid.*, p. 342.

Les personnages des romans se lamentent sur les malheurs où les plongent les imprudences et les emportements d'un cœur trop faible. Mme de Bellerive écrit à sa fille pour la préparer à la vie : « Si vous n'êtes pas née tendre et aussi sensible que moi, vous mènerez peut-être une vie plus heureuse. Si vous tenez de moi par le penchant, toutes les règles, tous les préservatifs imaginables ne vous garantiront pas des égarements où le besoin d'aimer vous entraînera [1]. » Quant à Dolbreuse, il dégage ainsi le sens de sa propre histoire : « Né sensible et bon, je devais cependant éprouver toutes les passions avec fureur, en être subjugué, tyrannisé jusqu'à l'avilissement, pour attester peut-être la fragilité des vertus et motiver la tolérance du philosophe. [2] »

Une contradiction semble apparaître. Les passions provoquent à coup sûr le naufrage du bonheur. Mais le secret du bonheur n'est-il pas cependant enfermé dans le cœur ? Comment donc extraire des passions, tout en les rejetant, cette sensibilité qui demeure si nécessaire ? Le sage Philoclès développe, dans *Les Voyages du jeune Anacharsis*, les résultats de son expérience. Il a découvert, au cours de ses périples et de sa longue vie, que l'homme est déchiré par une double exigence : remplir ses devoirs envers la société et « calmer l'inquiétude » qu'il sent « au fond de son âme » [3]. Comment concilier ces devoirs et cette inquiétude ? Le vénérable sage a cru trouver le mot de l'énigme : « C'est dans le cœur que tout l'homme réside [4]. » *Tout l'homme*, c'est-à-dire à la fois l'homme naturel, défini par ses besoins, et l'homme social, défini par ses devoirs [5]. Philoclès résume en un mot le bilan de ses aventures et de ses réflexions : « O mortels, ignorants et indignes de votre destinée ! Il n'est pas nécessaire de traverser les mers pour découvrir le bonheur : il peut exister dans tous les temps, dans tous les lieux, dans vous, autour de vous, *partout où l'on aime* [6]. » Cet amour qui exprime et assouvit l'homme tout entier n'est pas l'amour-passion, mais l'amour-bienfaisance. La métamorphose du sentiment égoïste en sentiment généreux constitue la première condition du bonheur. L'homme bienfaisant et pieux partage l'exaltation du passionné sans en vivre les déchirements, car il satisfait dans un même élan sa nature et sa conscience [7].

1. CHASTENET DE PUYSÉGUR, *Histoire de Madame de Bellerive*, p. 119. — Le marquis Chastenet de Puységur, né en 1716 à Paris, s'illustra comme colonel à la bataille de Fontenoy, puis devint lieutenant général. Sa *Discussion intéressante sur la prétention du clergé à être le premier ordre de France* faillit, en 1767, le faire mettre à la Bastille. Il mourut en 1782.

2. LOAISEL DE TRÉOGATE, *Dolbreuse*, t. II, pp. 13-14.

3. Abbé BARTHÉLEMY, *Voyages du jeune Anacharsis*, t. IV, p. 259.

4. *Ibid.*, p. 279.

5. « C'est en resserrant de plus en plus les liens qui nous unissent avec les dieux, avec nos parents, avec la patrie, avec nos amis, que j'ai trouvé le secret de *remplir à la fois les devoirs de mon état et les besoins de mon âme.* » (*Ibid.*, pp. 262-263).

6. *Ibid.*, p. 261.

7. « Des philosophes éclairés, d'après de longues méditations, ont conclu que le bonheur était tout action, tout énergie ; il ne peut se trouver que dans une âme dont les mouvements, dirigés par la raison et la vertu, sont uniquement consacrés à l'utilité publique. Conformément

Telle est la différence entre la passion et le sentiment. L'une divise l'homme. L'autre réalise son unité. Encore faut-il que le sentiment se coule de lui-même dans le moule des devoirs sociaux. Son absorption par la morale n'est ni chimérique, ni même difficile, puisque la nature a inventé ce moyen, non pour nous contraindre, mais pour nous « soulager ».

L'exaltation conjuguée de l'instinct et de la conscience est cette émotion parfaite que Mercier nomme l' « attendrissement » [1]. Il appartient lui-même à cette heureuse élite des « âmes tendres » : « Mon cœur fait pour sentir ne peut vivre sans sentiment [2]. » De telles âmes sont plus vulnérables que d'autres, mais elles sont aussi plus largement ouvertes aux vraies jouissances [3]. L'âme tendre sait conserver toutes vives les puissances du sentiment, en les purgeant des tentations et des violences inséparables des passions. Alors que le passionné se montre injuste, anarchique, indifférent aux autres, elle est douce, sociable et bienfaisante.

Pourtant, rien n'est vraiment résolu. Comme la passion, la tendresse finit aussi par se changer en fatalité [4]. Résultat d'une décantation des passions, elle menace à chaque instant de redevenir passion, car elle court le risque de se détacher de la conscience pour ne plus dépendre que de l'impression des sens. Faudra-t-il donc aussi sacrifier la tendresse ?

C'est à cette conclusion désenchantée que parvient Mme de Staël dans son livre *De l'Influence des passions sur le bonheur des individus et des nations* (1796). On peut y voir la liquidation du problème des passions, tel que le siècle l'avait posé. Mme de Staël récuse simultanément la thèse des âmes sensibles et celle des Philosophes. Il est faux que les passions pures rendent l'homme heureux. Mais il est aussi faux qu'on puisse les maintenir sous le contrôle de la raison. Contre les consciences euphoriques, Mme de Staël souligne une confusion : « Quand on vante les charmes que les passions répandent sur la vie, c'est qu'on prend ses goûts pour des passions. » Pourtant, la

à leur opinion, je dis que nos liens avec les dieux, nos parents et notre patrie ne sont qu'une chaîne de devoirs qu'il est de notre intérêt d'animer par le sentiment et *que la nature nous a ménagés pour exercer et soulager l'activité de notre âme.* » (*Ibid.*, pp. 271-272).

1. « C'est le sentiment le plus heureux dont l'âme humaine soit susceptible ; *ce sentiment délectable est mixte ;* point de plus grande volupté que celle de s'attendrir. Un attendrissement perpétuel serait l'état le plus voluptueux pour l'homme. » (L. S. MERCIER, *Mon Bonnet*, t. I, p. 8).

2. *Contes moraux*, p. 81.

3. « Tout fournit des sujets de distraction aux âmes tendres et, si elles sont les plus aisées à sentir le chagrin, elles sont aussi les plus faciles à consoler. » (*Ibid.*, p. 69).

4. « Il est bien difficile d'avoir un cœur tendre sans le laisser aller à la tendresse ; un coup d'œil en dispose souvent, toutes les puissances de l'univers ne pourraient alors en effacer les impressions. » (*Ibid.*, p. 71).

différence est grande, car les goûts s'attachent aux plaisirs réels, aux objets accessibles, alors que les passions ne sont que le désir d'impossibles jouissances [1]. Elles demeurent par essence accordées à un au-delà, que l'intensité des désirs est impuissante à faire apparaître en ce monde. Toute passion suppose une nostalgie métaphysique, et aucune n'est à la mesure de notre existence terrestre [2]. Les compromis tant vantés entre la raison et les passions sont des inventions absurdes. La passion est un absolu, qui ne pactise avec rien. Il faut qu'elle triomphe ou qu'on l'écrase. Toute la morale philosophique devient par là même sans fondement [3]. Il est vain également de vouloir briser les grandes passions, pour les fragmenter en une multitude de goûts et de sentiments raisonnables. Mieux vaut encore l'empire absolu d'une passion unique, qui, dans les intervalles de nos désastres, nous procure des instants de vrai bonheur. On a même le droit de considérer chaque passion comme une alternative tragique entre la suprême félicité et la suprême détresse, et d'accepter le pari pour la beauté de l'enjeu [4].

Mme de Staël ne comprend pas davantage les minuties des Philosophes pour mesurer la moralité d'une passion et ses chances de coexister avec la vertu. Toute passion fondée sur une relation avec un être humain est bonne. Sont mauvaises seulement les passions « personnelles », qui ne regardent que soi ou ne tendent qu'à la possession d'objets. Jamais les excès de la passion amoureuse ne parviennent à défigurer l' « humanité », à trahir la moralité profonde que renferme l'amour en soi [5]. Les seules passions stériles sont le jeu, l'avarice, l'ivresse, où les « affections morales » dégénèrent en « impulsions physiques ». Les libertins, les avares, les « ambitieux en tout genre » ne manifestent jamais, à travers leurs passions, que « deux espèces de mouvements » : « le besoin d'émotion et la per-

1. « Les goûts font mettre un nouveau prix à ce qu'on possède ou à ce qu'on peut obtenir ; mais les passions ne s'attachent dans toute leur force qu'à l'objet qu'on a perdu, qu'aux avantages qu'on s'efforce en vain d'acquérir. » (*Op. cit.*, p. 344).

2. « Les passions sont l'élan de l'homme vers une autre destinée, elles font éprouver l'inquiétude des facultés, le vide de la vie ; elles présagent peut-être une existence future, mais en attendant, elles déchirent celle-ci. » (*Ibid.*).

3. « Mais, dira-t-on, c'est à diriger les passions, non à les vaincre, qu'il faut consacrer ses efforts ; *je n'entends pas comment on dirige ce qui n'existe qu'en dominant;* il n'y a que deux états pour l'homme : ou il est certain d'être le maître au dedans de lui et alors il n'y a point de passions ; ou il sent qu'il règne en lui-même une puissance plus forte que lui et alors il dépend entièrement d'elle. *Tous ces traités avec la passion sont purement imaginaires* : elle est, comme les vrais tyrans, sur le trône ou dans les fers. » (*Ibid.*, p. 50).

4. « Une idée unique est ce qui cause à l'homme le plus grand bonheur ou la folie du désespoir. Rien ne fatigue l'existence comme *ces intérêts divers dont la réunion a été considérée comme un bon système de félicité...* Ce qu'il y a de moins malheureux encore, c'est de s'abandonner entièrement à une seule passion. » (*Ibid.*, p. 150).

5. « Dans quelque situation qu'une profonde passion nous place, jamais je ne croirai qu'elle éloigne de la véritable route de la vertu : tout est sacrifice, tout est oubli de soi dans le dévouement exalté de l'amour, et la personnalité seule avilit ; tout est bonté, tout est pitié dans l'être qui sait aimer, et l'inhumanité seule bannit toute moralité du cœur de l'homme. » (*Ibid.*, p. 155).

sonnalité »[1]. De telles passions « dégradent l'homme en resserrant son égoïsme dans les sensations »[2]. Au contraire, tout sentiment d'amour, quelles que soient sa nature et sa force, appartient à la classe des « passions morales »[3].

Ce n'est donc pas au nom de la vertu que l'on peut prononcer la condamnation de l'amour. Mais on doit le faire au nom du bonheur : « *Le sentiment, de quelque nature qu'il puisse être, n'est jamais une ressource que l'on trouve en soi ; il met toujours le bonheur dans la dépendance de la destinée, du caractère et de l'attachement des autres*[4]. » Partie en guerre contre les Philosophes, Mme de Staël, après avoir ardemment traversé « les chimères de sa jeunesse » et reconnu la vérité amère de ses désillusions, tâche de devenir plus philosophe qu'eux. Mais quel laborieux parcours pour une âme exaltée ! Il vaut mieux recourir aux moyens extrêmes, préférer le renoncement au compromis. Douloureusement, Mme de Staël cherche tous les substituts possibles de la sensibilité : l'étude[5], puis la gloire, ce « deuil éclatant du bonheur ». Sa sagesse se nuance de « mélancolie ». Ce résidu des passions éteintes, cette vibration humaine ajoutée à la « philosophie », l'aide à concevoir un nouveau style de bonheur doux et triste, mais riche encore d'émotions secrètes[6].

***

Des « passions fortes » de Diderot à la « mélancolie » de Mme de Staël, faut-il voir là le signe d'un échec ? On pourrait conclure à l'échec si les âmes du siècle n'avaient cherché leur bonheur que dans la passion. Or que de précautions, au contraire, et de réticences ! Les passions ne sont justifiées que dans la mesure où elles entretiennent le mouvement de l'âme, la sauvant de l'indifférence, de la léthargie. Leur prix est surtout négatif : elles évitent l'ennui, dont la terreur est universelle. Nécessaires comme moyen, il est rare qu'elles soient acceptées comme unique destin. Peu d'époques ont autant redouté

1. *Ibid.*, p. 179.
2. *Ibid.*, p. 187.
3. « Dans les passions morales, on ne peut être ému que par les sensations de l'âme et ce qu'on a d'égoïsme n'est satisfait que par le rapport des autres avec soi, tandis que le seul avantage de ces passions physiques, c'est l'agitation qui suspend le sentiment et la pensée ; elles donnent une sorte de personnalité matérielle, qui part de soi pour revenir à soi et fait triompher ce qu'il y a d'animal en l'homme sur le reste de sa nature. » (*Ibid.*, p. 179).
4. *Ibid.*, p. 275.
5. « C'est surtout en combinant, en développant des idées abstraites, en portant son esprit chaque jour au-delà du terme de la veille, que la conscience de son existence morale devient un sentiment heureux et vif. » (*Ibid.*, p. 319).
6. « Comme il est rare d'arriver à la philosophie sans avoir fait quelques efforts pour obtenir des biens plus semblables aux chimères de la jeunesse, l'âme qui pour jamais y renonce compose son bonheur d'une sorte de mélancolie, qui a plus de charme qu'on ne pense et vers laquelle tout semble nous ramener. » Mme de Staël nomme cette mélancolie le « vrai sentiment de l'homme, résultat de sa destinée, seule situation du cœur qui laisse à la méditation toute son action et toute sa force. » (*Ibid.*, pp. 313-314).

de souffrir, et la passion, c'est la souffrance, le désir de l'impossible, le déchirement. En un temps où l'on est soucieux d'économiser les forces de l'homme, elle fait figure d'un épuisement de l'âme follement prodiguée. A ceux enfin qui voient un absolu dans le privilège de la raison, elle devait apparaître comme une faillite.

Des passions menaçantes, il importe toutefois d'isoler le « sentiment », qui conserve leur mouvement sans impliquer, comme elles, aliénation et déchéance. Le sentiment demeure l'une des voies d'accès au bonheur : sentiment de l'amour, sentiment de la gloire, sentiment religieux. Les deux derniers échappent, par leur essence même, à tous les périls des passions : ils sont les deux formes sublimes du renoncement. Seul l'amour garde jusqu'au bout une inquiétante ambivalence.

2. — Le sentiment de l'amour.

On peut dire qu'au XVIIe siècle l'amour était tantôt plus, tantôt moins que lui-même. La mythologie héroïque et précieuse l'enveloppait d'un brouillard d'idéalisation et d'absence, qui le transfigurait en le rendant insaisissable. La dialectique chrétienne, en revanche, le réduisait à l'instinct et l'abandonnait au néant de la nature. Il était rare qu'on eût alors de l'amour une vision complexe et totale, qu'on tentât d'y démêler, sans les séparer, la réalité et l'idéal. Peu d'œuvres de cette époque posent aussi clairement que *La Princesse de Clèves* le problème concret des rapports entre l'amour et le bonheur. Quelquefois chargé d'une ivresse plus qu'humaine, l'amour passait le plus souvent pour l'illusion ou le tourment de l'âme. Entre ces deux thèmes contradictoires, il n'y avait guère de place pour une intégration de l'amour à la vie.

Au XVIIIe siècle, l'amour devient, selon le mot de Julie à Saint-Preux, « la grande affaire de la vie »[1]. La découverte des liens profonds entre l'amour et l'existence est la révélation qu'apportent tous les romans. Cleveland reconnaît que l'amour épuise toutes ses aspirations et répond à toutes ses exigences : « Raison, devoir, penchant naturel d'un cœur infiniment sensible, tout s'accordait à rendre l'amour nécessaire à mon bonheur[2]. » Le héros des *Lettres parisiennes*

1. Cf. Boudier de Villemert : « C'est l'affaire la plus importante de la vie. » (*L'Ami des femmes*, p. 113).

2. Au sixième tome de *Cleveland*, Fanny, faisant le portrait de son cœur, déclare qu'elle a refusé « avec dédain toutes les passions qui n'engagent que la cupidité ou la vanité ». Elle ajoute : « La place qu'elles occupent dans le cœur des autres est remplie dans le mien par un désir insatiable d'aimer et d'être aimée. Tout y prend naissance de cette source : inclinations, plaisirs, amusements, dégoûts, aversions ; figurez-vous, ma sœur, que tous mes sentiments n'ont d'autre mesure ni d'autre règle que le droit de chaque chose à se faire aimer. » (*Op. cit.*, p. 286 ; cf. *ibid.*, t. IV, p. 188).

sur le désir d'être heureux, après avoir promené à travers les futilités mondaines une opiniâtre tristesse, vient enfin de découvrir dans l'amour la résolution de ses angoisses : « Lui seul était capable de remplir le vide affreux que je trouve au-dedans de moi-même [1]. » L'auteur des *Mémoires de M. de* *** est plus catégorique : « Il ne faut qu'envisager un moment quelles sont les délices qui règnent dans un amour parfait... pour être forcé de convenir qu'il n'y a point d'état où, *mathématiquement même*, le bonheur soit plus réel [2]. » Ermance, la fiancée, puis l'épouse de Dolbreuse, a lu de nombreux livres sur « la destination de la vie et le souverain bien ». Mais ses lectures lui en ont moins appris que son cœur [3]. Et le triste Orabel croit avoir deviné que le bonheur « réside tout entier dans les charmes de l'amour » [4].

Ces enthousiasmes romanesques ne sont pourtant pas d'un accent absolument pur. Les justifications de l'amour, au nom du bonheur, dissimulent souvent un secret désenchantement. L'amour n'est pas tant le souverain bien, que le philtre magique grâce auquel on oublie tous les maux. Son apothéose se profile ainsi sur fond de désespoir. Il apparaît moins comme la vocation naturelle de l'homme que comme le plus sûr expédient pour dénouer sa condition douloureuse. En outre, la plupart des personnages qui parlent ainsi — c'est le cas d'Orabel et du héros des *Lettres parisiennes* — sont dans « l'illusion ». Toute la suite du roman servira justement à les détromper, à leur prouver que l'évasion par l'amour n'était qu'un trompe-l'œil et que le véritable bonheur se situe bien au delà, dans la sagesse ou la religion.

Les traités de morale accordent cependant à l'amour une large part dans l'élaboration du bonheur. Le marquis d'Argens donne gravement pour titre à l'un des paragraphes de son essai *Sur la vie heureuse* : « Le choix d'une femme ou d'une maîtresse influe sur toutes nos actions et par conséquent sur notre bonheur [5]. » Dans son *Essai sur le bonheur*, Beausobre célèbre l'amour avec un véritable

1. Abbé Jacquin, *op. cit.*, t. I, p. 90. — L'abbé Armand-Pierre Jacquin, né en 1721 à Amiens, était chapelain de la cathédrale de cette ville. Ses *Lettres parisiennes* ont été publiées à Genève et à Paris en 1758 et en 1761.

2. Grandvoinet de Verrière, *Mémoires et aventures de M. de* *** (1735), t. II, p. 83.

3. « Il ne m'a point appris en quoi consiste le plus haut degré de félicité dont la nature humaine est susceptible ; mais il m'a dit que mon bonheur était en moi, que je ne serais heureuse que par l'amour, que l'amour seul pouvait adoucir, transformer en plaisirs les peines de la vie. » (Loaisel de Tréogate, *Dolbreuse*, t. I, p. 25).

4. « Je l'ai trouvé le vrai bonheur, le seul moyen d'être heureux. Il ne consiste point à pâlir sur des in-folio poudreux, à faire une étude continue des lois, à se rendre l'exemple et l'oracle du Barreau ; il réside tout entier dans les charmes de l'amour, dans l'union intime de deux cœurs faits l'un pour l'autre. Oui, voilà l'unique félicité, elle seule adoucit les peines de la vie. » (Nougaret, *Les Méprises ou les Illusions du plaisir*, t. I, p. 5). — Pierre-Jean-Baptiste Nougaret, compilateur infatigable né à La Rochelle en 1742, écrivit de multiples ouvrages dans tous les genres. Il mourut besogneux et la plume à la main en 1823.

5. D'Argens, *La Philosophie du bon sens*, t. III, p. 74.

lyrisme [1]. Sur un ton moins noble, Maupertuis déplore, dans sa *Vénus physique*, le sort de tous ceux qu'un fâcheux accident a rendus inaptes au bonheur d'aimer :

« Ah ! malheureux qu'un couteau mortel a privés de la connaissance de cet état, le ciseau qui eût tranché le fil de vos jours vous eût été moins funeste. En vain vous habitez de vastes palais, vous vous promenez dans des jardins délicieux, vous possédez tous les trésors de l'Asie. Le dernier de vos esclaves qui peut goûter ces plaisirs est plus heureux que vous [2]. »

Les plus riches témoignages sont ceux qui découlent de l'expérience intime. Lorsqu'ils renoncent à s'exprimer par des fictions, à donner à leurs sentiments une tournure morale, tous les contemporains reconnaissent combien l'amour est nécessaire à leur vie. Pour Mme de Lambert, il reste encore une « métaphysique » : l'amour qui rend heureux n'est pas celui qu'offre la nature, mais celui que l'esprit élabore [3]. L'aveu de Mme du Châtelet est plus simple, plus émouvant : « Cette passion est peut-être la seule qui puisse nous faire désirer de vivre et nous engager à remercier l'auteur de la nature, quel qu'il soit, de nous avoir donné l'existence [4]. » Mme de Puisieux souligne l'heureuse fatalité de la tendresse [5], et elle conclut : « Aimez de tout votre pouvoir et vous sentirez le bonheur [6]. »

En ce siècle réputé pour son libertinage, que de tendresses émouvantes et de tenaces fidélités ! Jamais l'amour ne fut plus loin peut-être de l'ostentation ou de la perversité [7]. L'exemple du marquis

1. « Tout l'agrément des beaux jours du printemps, tout le bonheur de ceux que la fortune caresse, toute la joie d'un homme qui échappe à la mort, tout le plaisir d'une tendre mère qui retrouve un enfant qu'elle croyait perdu, ne valent pas cette secrète joie que produit l'assurance d'être aimé de ce que l'on chérit. Toute notre âme est occupée et ces moments pleins de volupté, que les regrets ne suivent jamais, sont des délices pour tous les instants de notre vie. » (BEAUSOBRE, *Essai sur le bonheur*, p. 173). Le lyrisme de Beausobre n'en est pas moins tempéré par une importante recommandation morale. Après l'exaltation, l'enthousiasme, viennent la prudence et le « distinguo » capital : « Cœurs sensibles à ce doux sentiment, que vous êtes heureux, lorsque ne confondant point la rage effrontée d'une passion aveugle avec le tranquille sentiment d'une amitié bien vive, vous savez aimer et préférer ces plaisirs du cœur à ces plaisirs grossiers qui ne contentent que les âmes ordinaires ! » (*Ibid.*).

2. MAUPERTUIS, *Vénus physique*, *Œuvres*, 1756, t. II, p. 9.

3. « L'amour est le premier plaisir, la plus douce et la plus flatteuse de toutes les illusions : puisque ce sentiment est si nécessaire au bonheur des humains, il ne faut pas le bannir de la société ; il faut seulement apprendre à le conduire et à le perfectionner. » (Mme DE LAMBERT, *Métaphysique de l'amour*, *Œuvres*, 1748, p. 196).

4. Mme DU CHÂTELET, *Réflexions sur le bonheur*.

5. « Quand une fois le cœur s'est accoutumé à la tendresse, il ne peut plus s'en passer. L'amour est la nourriture d'une âme sensible, ses mouvements sont presque les seuls qui lui soient doux. » (*Conseils à une amie*, p. 132).

6. Mme DE PUISIEUX, *Le Plaisir et la volupté*, p. 50.

7. Que l'on songe à la tremblante adoration de Mme de Choiseul pour son mari, telle que l'évoque avec humour, à l'intention de Mme Du Deffand, l'abbé Barthélemy : « La grand-maman est au clavecin et y restera jusqu'à l'heure du dîner. Elle s'y remettra à sept heures et y restera jusqu'à onze heures. C'est la vie qu'elle mène depuis deux mois et qui lui plaît infiniment. Elle a un grand objet, celui de se mettre en état de jouer devant le grand-papa sans avoir de battements de cœur. Il lui faut, pour le remplir, quatorze ans encore, et elle sera contente si, à cinquante ans, elle peut exécuter deux ou trois pièces sans faute. » (*Correspondance de Mme Du Deffand*, t. II, p. 316).

Prié par Catherine II de se rendre en Russie, Diderot expose à Falconet la raison pour de Lassay, ce charmant épicurien, est significatif. Un amour heureux constitue pour lui l'apogée du bonheur [1]. Parmi les « différentes choses », Lassay a glissé un recueil de ses lettres amoureuses. « Cette passion, avoue-t-il, a toujours réglé ma vie [2]. » A travers chaque aventure, elle prend des tonalités différentes, mais conserve toujours la même gravité, implique le même engagement absolu.

Après la mort de Marianne Pagot, sa seconde femme, Lassay divinise son désespoir [3]. Devant la « princesse romaine », son troisième amour, il n'éprouve qu'extase et tremblement [4]. Avec Mlle de Chateaubriant, il déplore longuement la malédiction qui pèse sur son destin [5]. Douloureusement, il s'acharne, essaie de convaincre (« Apprenez à vous connaître »), désespère (« Je n'espère plus de vous faire changer »), avoue sa faiblesse (« J'ai les yeux si pleins de larmes que je ne vois qu'à peine le papier sur lequel je vous écris »), rappelle sa ténacité (« Que n'ai-je point fait pour vous avoir ? »), accuse celle qui a trompé sa bonne foi, méconnu son dévouement [6]. Pour finir,

laquelle il n'ira pas. Sans doute y a-t-il dans cette évocation de son amour pour Sophie quelque déclamation. Mais pouvait-on mieux donner l'idée de ces profondeurs de l'âme où un sentiment absolu plonge ses racines ? « Que vous dirai-je donc ? Que j'ai une amie ; que je suis lié par le sentiment le plus fort et le plus doux avec une femme à qui je sacrifierais cent vies si je les avais. Tenez, Falconet, je pourrais voir ma maison tomber en cendres sans en être ému ; ma liberté menacée, ma vie compromise, toutes sortes de malheurs s'avancer sur moi sans me plaindre, pourvu qu'elle me restât. Si elle me disait : « Donne-moi de ton sang, j'en veux boire », je m'en épuiserais pour la rassasier. Entre ses bras, ce n'est pas mon bonheur, c'est le sien que j'ai cherché ! Je ne lui ai jamais causé la moindre peine, et j'aimerais mieux mourir, je crois, que de lui faire verser une larme. A l'âme la plus sensible, elle joint la santé la plus faible et la plus délicate. J'en suis si chéri, et la chaîne qui nous enlace est si étroitement commise avec le fil délié de sa vie que je ne conçois pas qu'on puisse secouer l'une sans risquer de rompre l'autre. Parle, mon ami, parle. Veux-tu que je mette la mort dans le sein de mon amie ? Voilà ce dont il s'agit, voilà le grand obstacle et mon Falconet est bien fait pour en sentir toute la force. J'ai deux souveraines, je le sais bien, mais mon amie est la première et la plus ancienne. C'est au bout de dix ans que je te parle comme je fais. J'atteste le ciel qu'elle m'est aussi chère que jamais. J'atteste que ni le temps, ni l'habitude, ni rien de ce qui affaiblit les passions ordinaires n'a rien pu sur la mienne ; que, depuis que je l'ai connue, elle a été la seule personne qu'il y eût au monde pour moi. Et tu veux qu'un jour, que demain, je me jette à son insu dans une chaise de poste ; que je m'en aille à mille lieues d'elle, et que je la laisse seule, désolée, accablée, désespérée. Le ferais-tu ? Et si elle en mourait ? Cette idée me trouble la tête... Je ne suis point ingrat. Je ne le fus jamais ! Mais j'aime et rien au monde ne me doit paraître comparable au bonheur, à la tendresse, à la vie de mon amie, si je sais bien aimer. » (DIDEROT, *Œuvres*, Assézat-Tourneux, t. XVIII, p. 245).

1. « Un homme qui est aimé d'une femme qu'il aime, jouit de ce qu'il y a de plus heureux dans le monde. » (*Recueil de différentes choses*, t. III, p. 73).

2. *Ibid.*, p. 56.

3. « J'aime si fort ma douleur que c'est encore un moindre malheur de la souffrir que de la perdre... J'aime ma douleur plus que tout ce qu'il y a au monde, parce que c'est tout ce qui me reste de ma chère Marianne. » (Cf. *ibid.*, t. I, pp. 51-63). — Marianne Pagot mourut en 1675. Par les dates de sa vie (1652-1738), Lassay appartient à la fois au XVIIe et au XVIIIe siècle. Mais c'est dans les dernières années de son existence qu'il rassembla ou rédigea les « différentes choses ».

4. « Je ne saurais vivre un moment sans vous, cependant je n'oserais quasi aller dans les lieux où vous êtes... Je tremble en vous regardant... Il est impossible que mon corps résiste longtemps au trouble extraordinaire de mon âme... L'état où je me trouve ressemble à un enchantement. » (Cf. *ibid.*, pp. 256 et suiv.).

5. « Vous ne serez jamais heureuse et vous ne sauriez me le rendre ; cependant je sens que je ne le peux être sans vous. Je devrais souhaiter de ne vous avoir jamais connue et de ne vous avoir point aimée ; et c'est la suite d'une étoile empoisonnée, qui me persécute depuis que je suis né et qui ne m'a laissé voir que des lueurs de bonheur. » (*Ibid.*, t. II, p. 89).

6. « Ce n'est point une femme que j'ai cherchée : Dieu qui voit le fond de mon cœur m'en

c'est l'abandon, l'accablement sans remède [1]. Avec Mme de ***, l'horizon semble s'éclairer. Lassay veut faire table rase [2]. Mais il conserve de son passé une inquiétude, qu'il mêle à sa tendresse [3]. Désormais, plus rien ne le changera. Un amour tel que le sien est à la mesure de l'éternité : « Je sens que la passion que j'ai pour vous durera autant que moi et j'imagine plus aisément le bouleversement du monde que sa fin [4]. » Il aime jusqu'à l'obsession : « J'aurais beau vouloir penser à autre chose qu'à vous, je ne le pourrais pas ; je suis sans cesse occupé de vous, je n'ai que vous dans le cœur [5]. » Pourtant le soupçon, la jalousie ne tardent pas à surgir. Lassay comprend qu'il n'est plus aimé, qu'on l'abandonnera bientôt : « C'est vous, que j'aime plus que ma vie, qui me faites mourir. Qui l'aurait pu imaginer ? [6] » Quelque temps après, Mme de *** redemande ses lettres.

Malgré ses désillusions, Lassay retrouve bientôt une âme aussi neuve, aussi exaltée. Il explique à celle dont il s'éprend ensuite que son cœur « est fait pour aimer avec une perfection inconnue aux autres hommes » et qu'il poursuit infatigablement la même quête : « trouver une personne qu'il puisse aimer autant qu'il est capable d'aimer [7]. » L'intensité de sa passion l'identifie à ce qu'il aime : « Une personne que j'aime devient une partie de moi-même [8]. » Mais les lettres s'arrêtent là, et le marquis ne dit pas si l'on sut, cette fois, le comprendre, ni ce que devint ce nouvel amour.

A soixante-dix ans, il se mit à aimer la marquise de Bouzoles, qui en avait trente. Ce fut sa dernière passion et elle le rendit heureux. Le voilà enfin apaisé, rayonnant : « Ne nous quittons plus, ma chère Bouzoles ; il n'y a de vrai bonheur dans le monde que de vivre avec ce que nous aimons et qui nous aime... Je sens que vous êtes nécessaire au bonheur de ma vie [9]. » Mais le rêve dure peu. Mme de Bouzoles meurt. Lassay se retrouve « seul sur la terre » [10].

est témoin ; je connaissais parfaitement combien ma condition était heureuse. C'est vous que j'ai cherchée, vous que j'aimais plus que ma vie et que je croyais qui m'aimiez passionnément et qui me l'aviez dit mille fois. » (*Ibid.*, pp. 103-104).

1. « Je n'ai presque pas la force de vous écrire, je suis persuadé que mes lettres ne vous font plus de plaisir ; pour me rendre heureux, il ne fallait que vivre avec vous et en être aimé ; j'ai fait presque l'impossible pour parvenir à cette félicité et, après tant de peines et de souffrances, dans le moment que je crois y toucher, je vois que vous êtes changée ; il n'y a plus de bonheur pour moi dans ce monde. » (*Ibid.*, p. 105).
2. « Pour la seconde fois de ma vie, je sens que je suis très amoureux... Je ne vous dirai pas que je n'ai pas eu de galanteries ; j'en ai eu, mais elles ne m'ont pas donné de grands plaisirs. » (*Ibid.*, p. 397).
3. « Quelque plaisir que vos lettres me donnent, je ne veux pas que vous passiez les nuits à m'écrire, surtout par le froid qu'il fait ; depuis que je suis sûr de votre cœur, je tremble pour votre vie, car je me défie toujours du malheur qui me poursuit depuis que je suis né... » (*Ibid.*, p. 400).
4. *Ibid.*, p. 401.
5. *Ibid.*, p. 402.
6. *Ibid.*, p. 455.
7. *Ibid.*, pp. 461-462.
8. *Ibid.*, p. 469.
9. *Ibid.*, t. III, p. 143.
10. « Je perds une amie avec qui je passais ma vie et qui en faisait tout le bonheur ; je me

Moins célèbres que celles de Mlle de Lespinasse, les lettres d'amour du marquis de Lassay n'en ont pas moins de prix. Peut-être même illustrent-elles mieux la façon d'aimer de ce temps-là. L'amour de Mlle de Lespinasse pour M. de Guibert relève d'une sorte d'éternité ou d'essence de la passion, qui le place, sinon en dehors de l'humain, du moins en dehors de l'histoire. En outre, ce n'est pas de l'amour que Mlle de Lespinasse est affamée, mais de cet être seul qu'elle a élu pour de mystérieuses raisons. Surtout elle est bien éloignée, en aimant, de songer à son bonheur. Elle subit son amour comme une « maladie de l'âme », dont elle ne peut attendre que la guérison ou la mort. On aurait beau jeu à mettre en parallèle la passion de Mlle de Lespinasse et sa phtisie : il serait surprenant que ce double acharnement à vouloir mourir ne fût pas fondé sur une relation obscure.

Rien de semblable avec le marquis de Lassay. On est en présence d'un homme qui ne songe qu'à vivre, qui se veut heureux. Une fois pour toutes, il a posé cette équivalence : le bonheur, c'est l'amour. Inlassablement, il cherche sa pierre philosophale et ne croit pas tout perdu pour une expérience manquée. Il est impossible de douter de sa sincérité à chaque tentative. Chacune de ses liaisons, si elle eût été sans faille, eût pu le rendre heureux. Indéfiniment disponible, Lassay n'en est pas moins, à chaque fois, totalement engagé. Si l'on voulait compter toutes ses passions, ou toutes ses passades, on pourrait le juger frivole, faire de lui un de ces libertins du siècle, qu'il fut sans doute accessoirement. En revanche, certains de ses thèmes, sa croyance au destin, sa conception de l'amour comme un absolu, le caractère à la fois fragile et excessif de ses inquiétudes, la subtilité de ses tourments ou de ses exigences ont une résonance presque romantique. Cette contradiction fait de lui un personnage bien de son temps. Les âmes du XVIIIe siècle ont le privilège de saisir l'amour aussi bien dans son sens mythique que dans ses secrets les plus troubles. La marquise de Merteuil raffolera de *La Nouvelle Héloïse*. Quant à Lassay il poursuit une quête amoureuse dont l'objet importe peu, ou du moins n'est pas irremplaçable. Mais il s'exalte au point de reconstruire une mythologie, en prêtant à l'être aimé la valeur qu'il n'accorde en réalité qu'à l'amour. L'idéal de Musset ne sera pas tellement différent.

Ce qui frappe d'abord dans la façon dont le XVIIIe siècle envisage l'amour, c'est un grand « réalisme ». On refuse d'être dupe, on veut

trouve seul sur la terre ; mon unique consolation est de songer que j'ai 72 ans passés et que je ne peux pas demeurer longtemps dans cette affreuse solitude ; il n'y a point de malheur comparable à celui de voir mourir ce qu'on aime. » (*Ibid.*, p. 204).

voir l'amour tel qu'il est, on l'analyse froidement. Contre l'immense entreprise d'idéalisation amoureuse, accréditée par la littérature romanesque et mondaine du siècle précédent, on veut renverser, dissoudre tous les mythes qui ont masqué jusque-là sa réalité.

Il importe d'abord de distinguer les différentes sortes d'amour, pour les combiner harmonieusement. Précurseur de Stendhal, Marmontel déclare : « Il y a trois sortes d'amour, la passion, le goût et la fantaisie. Tout l'art d'être heureux consiste à bien placer ces trois nuances [1]. » En voulant définir l'amour, on se divertit à en faire éclater les paradoxes. Doit-on le situer, par exemple, dans le désir ou dans le plaisir ? « Il faut opter : ou le cœur cesse d'aimer quand on possède ; où il ne sait ce qu'il aime avant de jouir [2]. » On proteste contre la stylisation épurée du sentiment amoureux, qui suppose une invraisemblable désincarnation de l'homme. Ce n'est pas un libertin, mais l'abbé Pernetti qui déclare : « Je suis fâché de n'avoir jamais pu concevoir l'amour indépendant des sens ; cet amour pur, métaphysique, dont les romans sont pleins, me paraît une chimère... L'attrait mutuel des sexes fait la base de l'amour [3]. » Blondel tient la balance égale entre deux explications, qui lui semblent l'une et l'autre abusives. L'amour n'est ni tout à fait dans le corps, ni tout à fait dans l'esprit [4].

On veut détruire le préjugé de l'amour unique : « Pourquoi dit-on communément qu'on ne peut aimer qu'une fois ?... Parce qu'un jeune cœur se sera malheureusement trompé dans son choix, vous pensez qu'il ne lui sera plus permis d'en faire un bon [5] ? » Un amour manqué n'est qu'un faux pas dans la recherche du bonheur. La nature impose à tout homme de continuer ses expériences, jusqu'à ce que l'une d'elles l'ait enfin comblé [6]. Toute morale, toute religion de la fidélité n'est qu'invention romanesque et imposture. Même quand l'amour est heureux, il faut savoir que le plaisir s'émousse vite [7]. Le mieux qu'on puisse espérer d'un mari est qu'il pense comme Orabel : « Je respecte autant que j'adore mon épouse ; si je me permets d'avoir des maîtresses, c'est par simple amusement, non par infidélité. Je n'en serai pas moins empressé à lui plaire et à la rendre heureuse [8]. »

1. MARMONTEL, *Contes moraux*, t. I, p. 140.
2. MONTENAULT, *Essai sur les passions*, t. II, p. 140.
3. PERNETTI, *Conseils de l'amitié*, pp. 86-87.
4. « Les uns, entêtés de l'amour platonique, ont voulu diviniser cette passion et en ont conçu l'idée la plus sublime et la plus absurde, en la mettant au rang des choses toutes spirituelles, où les sens n'entrent pour rien. Les autres, ne voulant pas que l'amour fût un sentiment, en ont fait une chose purement physique, un besoin purement corporel. Je ne sais laquelle de ces deux idées révolte le plus la raison. » (BLONDEL, *Des hommes tels qu'ils sont et doivent être*, pp. 139-140).
5. BLONDEL, *Loisirs philosophiques*, p. 131.
6. Cf. *ibid.*, pp. 132-133.
7. La Morlière parle de « cet état heureux et indolent d'un homme qui possède quelque chose d'infiniment aimable, mais dont l'amour, n'étant plus animé par les désirs ou par les difficultés, perd nécessairement cette pointe de vivacité qui en fait le principal agrément. » (*Angola*, t. II, p. 44).
8. NOUGARET, *Les Méprises ou les Illusions du plaisir*, t. II, p. 73.

Mme de Puisieux confirme : « Il faut qu'une femme s'attende à partager les affections d'un mari et qu'elle se félicite si on ne lui associe pas une créature [1]. »

Le mythe de l'amour désintéressé est aussi fragile que celui de l'amour unique. L'amour et l'amour-propre coulent à même source et mêlent souvent leurs eaux [2]. Laclos explique dans *Les Liaisons dangereuses* que le plaisir est incapable, à lui seul, de former une liaison, si la vanité ne vient pas à son secours [3]. En deçà même des jouissances subtiles de la vanité, l'amour n'est qu'un commerce de plaisirs assez vulgaires [4].

Avec le désir et la vanité, le dernier élément libéré par la décomposition de l'amour est l'inquiétude. « Il ne s'agit, pour se faire aimer, que d'inquiéter un cœur, voilà tout le secret [5]. » La jalousie, qui est méfiance de soi et qui ne quitte pas l'amour, en révèle la nature profonde : tout amour naît d'une angoisse. Cela explique qu'on puisse aimer des femmes coquettes : le cœur est fasciné par le prestige de l'impossible [6].

Cette vision lucide de l'amour dégénère en un certain cynisme dans la façon de traiter les choses du cœur. Dans l'*Histoire de la Félicité* de Voisenon, on entend une mère expliquer à sa fille que les libertins sont seuls dangereux et parler avec désinvolture de « tous ces hommes à sentiment », avec leurs « grands yeux blancs et fixes » et leurs « gros soupirs », qui sont « toujours prêts à se tuer pour ramasser un éventail ». Contre ceux-là, une honnête fille peut faire l'écono-

1. Mme de Puisieux, *Conseils à une amie*, p. 105.

2. « Il est impossible d'avoir du sens et de ne pas sentir que l'amour-propre et l'amour d'union est *(sic)* une même chose ; et un amant qui veut mourir pour sa maîtresse ne le fait que parce qu'il s'aime, qu'il s'imagine qu'il goûtera le plaisir de sentir qu'il a fait de si grandes choses pour elle. Son cerveau n'est pas modifié de l'idée de la mort, mais du plaisir de l'amour qu'il a pour sa maîtresse. » (Montesquieu, *Mes Pensées*, 1080) ; cf. 1084 : « Il me semble que l'amour est agréable en ce que la vanité se satisfait sans avoir honte d'elle-même. »

3. « N'avez-vous pas encore remarqué que le plaisir, qui est bien en effet l'unique mobile de la réunion des sexes, ne suffit pourtant pas pour former une liaison entre eux ? et que, s'il est précédé du désir qui rapproche, il n'en est pas moins suivi du dégoût qui repousse ? C'est une loi de la nature, que l'amour seul peut changer ; et de l'amour, en a-t-on quand on veut ? Il en faut pourtant toujours ; et cela serait vraiment fort embarrassant si on ne s'était pas aperçu qu'heureusement il suffisait qu'il en existât d'un seul côté. La difficulté est devenue par là de moitié moindre et même sans qu'il y ait beaucoup à perdre ; en effet, l'un jouit du bonheur d'aimer, l'autre de celui de plaire, un peu moins vif à la vérité, mais auquel se joint le plaisir de tromper, ce qui fait équilibre ; et tout s'arrange. » (Laclos, *Liaisons dangereuses*, lettre 131).

4. « Si vous ne voulez pas que ce soit par vanité qu'on veuille être aimé, accordez-moi donc que c'est par intérêt... On veut assurer ses plaisirs. Pour cet effet, il faut en fournir à la personne de qui on en reçoit ; on la met dans la nécessité de nous en fournir sans relâche. » (Rémond de Saint-Mard, *Nouveaux dialogues des dieux ou Réflexions sur les passions*, t. I, p. 149).

5. *Ibid.*, p. 70.

6. « Pourquoi tous les hommes délicats en fait de plaisirs aiment-ils les coquettes à la fureur ? Ne serait-ce pas parce qu'ils sont avec elles comme on peint Tantale au milieu des eaux ? Elles ne présentent jamais qu'une superficie de bonheur, qu'une aurore de volupté, s'il est permis de parler ainsi. On voit toujours l'objet de ses désirs dans le lointain, sans pour l'ordinaire pouvoir l'atteindre. Tel est je crois le principe de l'amour violent que les coquettes font naître. » (Jonval, *Les Erreurs instructives*, t. II, p. 84).

mie de la vertu : ils ne sont « nullement à craindre » [1]. Mme de Puisieux évoque la condition périlleuse de la femme mariée ; elle dit « combien il faut de force et de vertu pour fermer son cœur aux passions étrangères » [2].

Si les femmes de devoir ne soutiennent qu'avec fragilité tentations et assauts, on se plaît, en revanche, à déceler des sentiments nobles dans des âmes douteuses [3]. Dans les romans de la première moitié du siècle, l'amoureuse stoïque ou cynique relaie l'amoureuse romanesque. La Marianne de Marivaux est le contraire d'une « idéaliste ». Elle concilie fort bien la tendresse et le souci d'elle-même. Surtout elle est sans illusion et ce n'est pas d'elle qu'il faut attendre de grands désespoirs. Elle connaît la nature humaine et ne voit dans la trahison qu'une conduite très ordinaire. Plus stupéfiante encore est l'héroïne du roman de Mme Méheust, *Histoire d'Émilie.* Renvoyant avec beaucoup de flegme l'amant dont elle ne veut plus, comptant sur un naufrage pour l'en débarrasser tout à fait, oubliant trop vite l'être aimé qu'elle a vu mourir, inconstante sans remords, obstinée avec méthode, triomphant de tous ses chagrins grâce à la « gaîté de son tempérament », Émilie garde toujours bonne conscience et se justifie aisément : « Je n'ai ressenti que deux passions dans ma vie pour plus de cent que j'ai inspirées ; ce n'est pas trop et je me trouve raisonnable [4]. »

La découverte de l'amour cynique s'accompagne d'une critique systématique de l'amour-sentiment. Celle-ci s'organise autour de quatre thèmes : l'amour est un mystère, le plus irrationnel des mouvements de l'âme, devant lequel l'esprit demeure désarmé ; il est une mystification, où l'imagination ne cesse d'escamoter et de métamorphoser la nature ; il est une aliénation, qui sépare l'homme de lui-même et le voue à toutes les tortures ; enfin l'amour ne se suffit jamais à lui-même : malheureux, il faut l'étayer de beaucoup de sagesse ; heureux, il n'épuise pas la vie de l'âme et doit pactiser avec d'autres sentiments.

Marivaux est le peintre de l'amour-mystère. Pour ses personnages, l'amour est toujours une « surprise ». Jamais la conscience ne peut prévoir un sentiment, en deviner l'éclosion ou l'approche. L'amour ne surgit devant l'esprit que lorsqu'il est déjà tout constitué et sans

1. VOISENON, *Histoire de la Félicité*, pp. 82-83.
2. Mme DE PUISIEUX, *Conseils à une amie*, pp. 105-106.
3. *Les Erreurs instructives* racontent l'histoire de trois courtisanes : Fanchette, qui ne convoite que l'argent ; Éléonore, éprise du plaisir ; et Fatime, qui recherche l'amour. Chacune des trois expose sa conception du bonheur : « Voilà l'histoire de mon cœur, dit Fatime, et c'est à quoi se réduit la mienne... On ne croirait pas, à la vie que je mène, que je suis infiniment sensible et tendre, que je ne vis pas par goût dans le métier que je fais, que je n'y ai trouvé que des plaisirs médiocres et que, sans l'espérance de rencontrer dans la multitude de ceux que je vois un cœur qui pense et qui aime comme moi, il y aurait longtemps que je ne ferais pas ce que je fais. » (Cf. *op. cit.*, t. II, pp. 102 et suiv.).
4. Mme MEHEUST, *Histoire d'Émilie, ou les Amours de Mlle de* *** (1732), p. 238.

qu'on soit en mesure d'en restituer, même après coup, le cheminement et les causes. Les héros marivaudiens répètent le même leitmotiv : « Je n'y comprends rien, je ne sais où j'en suis [1]. » Ils ne demandent d'ailleurs qu'à transformer cette ignorance d'eux-mêmes en un délicieux sentiment d'irresponsabilité. D'expérience qu'elle était d'abord, la surprise devient méthode. Cette façon d'être absent à soi-même, de laisser le « hasard » façonner le cœur ou l'esprit, est particulière à Marivaux. C'est de cette façon qu'il rédige *Le Spectateur français* [2]. Or l'inconstance est à l'amour ce que l'improvisation est à l'invention littéraire. L'une et l'autre sont aussi légitimes [3]. L'amour s'installe dans l'âme comme une nature étrangère, puis s'échappe quand bon lui semble. Il est hétérogène à la conscience. L'être que l'amour a surpris ne peut que tâcher de deviner de quels accidents son cœur est le théâtre et le dire naïvement. Au devoir chimérique de la fidélité se substitue un devoir nouveau : celui de la sincérité. Le caractère irrationnel de l'amour accuse toute l'irresponsabilité de l'homme devant lui-même : comment devrait-il assumer ce qu'il ne peut comprendre ? De la légèreté marivaudienne l'idée évoluera vers le cynisme des *Liaisons dangereuses*. L'éblouissante insolence de Valmont, annonçant à Mme de Tourvel qu'il ne l'aime plus, ne fait que reprendre le thème des personnages de *La Double inconstance* [4].

1. « Voilà que je vous aime ; cela est décidé et je n'y comprends rien. » (*Double inconstance*, III, 7).

« Oh ! je m'y perds, Madame, je n'y comprends plus rien.
— Ni moi non plus : je ne sais plus où j'en suis, je ne saurais me démêler. » (*Seconde surprise de l'amour*, III, 12).

« Ah ! je ne sais où j'en suis, respirons. D'où vient que je soupire ? Je me sens saisie de la tristesse la plus profonde et je ne sais pourquoi. » (*Ibid.*, III, 11).

2. « Je sais seulement surprendre en moi les pensées que le hasard me fait naître et je serais fâché d'y mettre du mien. » (*Spectateur français*, Première feuille). « Je ne destine aucun caractère à mes idées : c'est le hasard qui leur donne le ton. » (*Ibid.*).

3. « Je l'aime quelquefois plus, quelquefois moins, quelquefois point du tout ; c'est suivant : quand il y a longtemps que je ne l'ai vu, je le trouve bien aimable ; quand je le vois tous les jours, il m'ennuie un peu ; s'il y avait un peu plus de mouvement dans mon cœur, cela ne gâterait rien pourtant.
— Mais n'y a-t-il pas un peu d'inconstance là-dedans ?
— Peut-être bien ; mais on ne met rien dans son cœur, on y prend ce qu'on y trouve. » (*Le Dénouement imprévu*, scène 4).

« Eh bien ! Je crois que je ne l'aime plus.
— Ce n'est pas un si grand malheur.
— Quand ce serait un malheur, qu'y ferais-je ? Lorsque je l'ai aimé, c'était un amour qui m'était venu ; à cette heure, je ne l'aime plus, c'est un amour qui s'en est allé : il est venu sans mon avis, il s'en retourne de même ; je ne crois pas être blâmable. » (*La Double inconstance*, III, 8).

« Ce cœur qui manque à sa parole quand il en donne mille, il fait sa charge ; quand il en trahit mille, il la fait encore : il va comme ses mouvements le mènent et ne saurait aller autrement. Bien loin que l'infidélité soit un crime, c'est que je soutiens qu'il n'y a pas un moment à hésiter d'en faire une quand on en est tenté, à moins que de vouloir tromper les gens. » (*L'Heureux stratagème*, I, 4).

4. « On s'ennuie de tout, mon Ange, c'est une Loi de la Nature ; *ce n'est pas ma faute*. Si donc je m'ennuie aujourd'hui d'une aventure qui m'a occupé entièrement depuis quatre mortels mois, *ce n'est pas ma faute*. Si, par exemple, j'ai eu juste autant d'amour que toi de vertu, et c'est sûrement beaucoup dire, il n'est pas étonnant que l'un ait pris fin en même temps que l'autre. *Ce n'est pas ma faute*. Il suit de là que depuis quelque temps je t'ai trompée ; mais aussi, ton impitoyable tendresse m'y forçait en quelque sorte ! *Ce n'est pas ma faute*. Aujourd'hui, une femme que j'aime éperdument exige que je te sacrifie. *Ce n'est pas ma faute*. Je sens

Cette première prise de conscience de l'amour est à la fois décevante et de nature à justifier ceux qui aiment. Que l'amour soit providentiel, comme le croit Prévost, ou simplement absurde, comme le suggère Marivaux, il demeure un *mystère*. Cette conception de l'amour-mystère prolonge le thème précieux du « *Je ne sais quoi* ». Mais le climat est bien différent. Le « *Je ne sais quoi* » désignait la quintessence du sentiment ; il impliquait une *idéalisation*. Désormais, l'énigme de l'amour n'est plus entrevue dans la perspective de l'esprit, mais dans celle de la nature. A la gratuité de l'élaboration intellectuelle succède un simple refus d'expliquer. Tandis que le « *Je ne sais quoi* » préservait, derrière l'aveu d'ignorance, une suprême maîtrise de la raison, on conclut maintenant à ce divorce absolu entre le cœur et l'esprit, qui fait de l'homme un étranger à lui-même [1].

L'amour n'est pas seulement mystère. Il est aussi mystification. A vrai dire, les deux thèmes sont contradictoires. Le premier suppose que l'homme n'ajoute rien à l'amour. Le second insinue que l'amour est entièrement de l'invention de l'homme, le pur produit de sa fantaisie. Pour Voltaire, « c'est l'étoffe de la nature que l'imagination a brodée [2]... » L'homme a d'abord « perfectionné » l'amour, en prenant soin de son corps, en le rendant plus sensible à la volupté, en le transformant en objet de désir. Ensuite il y a fait entrer tous les autres sentiments « comme des métaux qui s'amalgament avec l'or » [3]. Pour finir, « les illusions en foule font les ornements de cet ouvrage dont la nature a posé les fondements ».

Voltaire juge que cette transfiguration savante offre plus de séductions que de dangers. Mais, pour d'autres, tous les faux prestiges sont des pièges. Aussi entend-on la très digne Mme d'Arconville soutenir que le « moral » de l'amour est bien plus redoutable que le « physique » [4]. C'est aussi l'avis de Buffon : « Amour ! pourquoi fais-tu

bien que voilà une belle occasion de crier au parjure : mais si la Nature n'a accordé aux hommes que l'inconstance, tandis qu'elle donnait aux femmes l'obstination, *ce n'est pas ma faute.* Crois-moi, choisis un autre amant, comme j'ai fait une autre maîtresse. Ce conseil est bon, très bon ; si tu le trouves mauvais, *ce n'est pas ma faute.* Adieu, mon Ange ; je t'ai prise avec plaisir, je te quitte sans regret ; je te reviendrai peut-être. Ainsi va le monde. *Ce n'est pas ma faute.* » (*Liaisons dangereuses*, lettre 141).

1. Il faut ajouter qu'en renonçant à l'idéalisation de l'amour, on se garde en même temps d'un pessimisme qui serait encore un parti pris romanesque. Marianne explique que l'infidèle Valville n'est ni un héros de roman, ni un monstre, mais tout simplement un « homme », un « Français », et un « contemporain des amants de notre temps ». (Marivaux, *Vie de Marianne*, éd. Deloffre, p. 376). Autrement dit, l'inconstance restitue à l'amour cette humanité qu'elle semblait devoir lui faire perdre. Il suffit, pour s'en apercevoir, de répudier le tragique, comme on a chassé le romanesque.

2. Voltaire, *Dictionnaire philosophique*, article *Amour*.

3. « L'amitié, l'estime, viennent au secours ; les talents du corps et de l'esprit sont encore de nouvelles chaînes. L'amour-propre surtout resserre tous ces liens. » (*Ibid.*).

4. « C'est le moral de l'amour qui rend cette passion si dangereuse... On rougit du physique de l'amour, tandis qu'on fait gloire du moral, qui est le seul qui engendre des forfaits. » (*Des Passions*, p. 58). Cf. *ibid.*, pp. 48-49 : « L'amour, comme passion physique, n'est donc capable de produire que des désordres momentanés. Il peut, à la vérité, avoir des suites plus ou moins funestes, selon les circonstances ; mais il ne causerait jamais les grands événements dont l'histoire est remplie, si notre imagination ne fomentait pas le feu de l'amour. Les effets

l'état heureux de tous les êtres et le malheur de l'homme ? *C'est qu'il n'y a que le physique de cette passion qui soit bon.* C'est que, malgré ce que peuvent dire les gens épris, le moral n'en vaut rien [1]. » L'imagination se superpose au sentiment, qu'elle masque sous des constructions fragiles et d'extravagants ornements. Au sein de cet édifice baroque, le « physique » est la seule part de l'amour qui témoigne encore pour la nature : « Tout ce qu'il y a de bon dans l'amour appartient donc aux animaux aussi bien qu'à nous [2]. »

Les chimères de l'amour ne tardent pas à devenir douloureuses. Reprenant le thème traditionnel des souffrances du cœur, le XVIIIe siècle insiste moins sur leur aspect inéluctable que sur l'aveuglement ou l'imprudence qui les rend possibles. Malgré ses remords, Phèdre n'était pas libre : la fatalité lui était intérieure, sans cesser de lui être étrangère. Le cas de Des Grieux paraît moins clair. On comprend mal s'il faut ou non le juger responsable. A plusieurs reprises, Prévost invoque la Providence, qui fait du jeune chevalier un grand exemple à des fins mystérieuses. Des Grieux lui-même considère sa passion « comme un de ces coups particuliers du destin qui s'attache à la ruine d'un misérable et dont il est aussi impossible à la vertu de se défendre qu'il l'a été à la sagesse de le prévoir » [3]. Pourtant Prévost affirme qu'il a voulu montrer dans son héros « un exemple terrible de la force des passions ». Il le présente comme « un jeune aveugle qui *refuse* d'être heureux pour se précipiter *volontairement* dans les dernières infortunes, qui, avec toutes les qualités dont se forme le plus brillant mérite, *préfère par choix* une vie obscure et vagabonde à tous les avantages de la fortune et de la nature » [4]. Cette liberté proclamée avec insistance n'est-elle qu'un artifice destiné à faire glisser le simple roman d'amour vers l'œuvre d'édification morale ? Peut-être, mais un point demeure inquiétant : jamais Des Grieux ne condamne son amour pour Manon. Bien différent de Phèdre, qui se fait horreur, il ne cesse pas de se justifier. En cela, du moins, il est libre. En admettant qu'il ne dépende pas de lui de ne pas aimer Manon, il pourrait au moins regretter que le destin l'ait attaché à cette étrange fille. Or il ne parle que de sa « tendresse si *juste* pour un objet si charmant » [5]. Aussi s'acharne-t-il à vivre dans une con-

d'une sensation ne durent guère plus qu'elle, quand le moral n'y entre pour rien. Mais quand elle agit assez sur notre âme pour l'affecter vivement, elle peut être la source des plus grands malheurs. »

1. BUFFON, *Discours sur la nature des animaux*, *Œuvres complètes*, éd. Sonnini, t. XXI, pp. 334-335. Chez les animaux, l'amour atteint une sorte de perfection, de plénitude : « Ils sentent autant qu'ils jouissent et ne jouissent qu'autant qu'ils sentent. » L'homme a voulu « inventer des plaisirs » et il n'a fait que « gâter la nature » : « En voulant se forcer sur le sentiment, il n'a fait qu'abuser de son être et creuser dans son cœur un vide que rien ensuite n'est capable de remplir. »

2. Cf. *ibid.*, pp. 336-337.

3. Abbé PRÉVOST, *Histoire du chevalier Des Grieux et de Manon Lescaut*, éd. Allem, p. 66.

4. *Ibid.*, p. 2.

5. On peut voir par le passage suivant avec quelle rapidité Des Grieux glisse de l'amour

tradiction qui n'est pas seulement dans son cœur, mais qui divise son jugement. Sachant que sa passion contient le germe de toutes les catastrophes, il ne persiste pas moins à y chercher le bonheur [1]. Il est le prototype même du passionné, de l'homme séparé de soi.

Les romans évoquent longuement les contradictions et les tourments de l'amour. Besenval décrit dans *Le Spleen* ces renversements continuels du bonheur au malheur et du malheur au bonheur, qui font les affres des amants et leurs délices : tandis que le bonheur d'aimer est toujours illusoire, la souffrance du cœur est toujours transfigurée [2]. *Les Illusions du plaisir* dévoilent les paradoxes d'Orabel. Tant qu'il est aimé de Mme de Bligny, il se laisse dévorer par les inquiétudes les moins vraisemblables [3]. Lorsqu'il apprend qu'on l'a réellement trompé, il décore ce passé, qui fut si ravageur, de voluptés imaginaires [4]. Si le malheur est inséparable de l'amour, la violence et l'aveuglement lui constituent une curieuse escorte : l'être le plus repoussant peut devenir l'objet d'une morbide ferveur [5]. Aux yeux des moralistes, l'amour devient le symbole de toutes les déchéances. Pour Caraccioli il « n'a rien que d'horrible aux yeux du sage... : on n'est ni libre, ni heureux, lorsqu'on doit sortir hors de soi pour aller mendier son bonheur » [6].

Telles sont les deux conceptions extrêmes, à la fois complices et

fatal à l'amour librement assumé : « Je sentis tout le prix de sa générosité (de Tiberge). J'en fus touché jusqu'au point de déplorer l'aveuglement d'un amour fatal, qui me faisait violer tous mes devoirs. La vertu eut assez de force pendant quelques moments pour s'élever dans mon âme contre ma passion, et j'aperçus du moins, dans cet instant de lumière, la honte et l'indignité de mes chaînes. Mais ce combat fut léger et dura peu. La vue de Manon m'aurait fait précipiter du ciel ; et *je m'étonnai, en me retrouvant près d'elle, que j'eusse pu traiter un moment de honteuse une tendresse si juste pour un objet si charmant.* » (*Ibid.*, p. 68).

1. « Vous me revoyez tel que vous me laissâtes il y a quatre mois, toujours tendre et toujours malheureux par cette fatale tendresse, dans laquelle je ne me lasse point de chercher mon bonheur. » (*Ibid.*, pp. 101-102).

2. « L'amour, dont les trompeuses faveurs nous donnent des instants qui semblent nous élever au-dessus de l'humanité, pour nous plonger dans des abîmes de maux et d'inquiétudes, que son séduisant empire sait encore nous faire chérir et regretter... » (BESENVAL, *Le Spleen*, p. 101).

3. Sa fureur possessive entretient, malgré l'évidence de son bonheur, une chimérique angoisse. Il en tire cette conclusion amère : « L'homme ne peut être parfaitement heureux... Non, jamais il ne sera réellement fortuné, puisque je ne le suis point dans le sein des délices dont s'enivre l'amour. » (Cf. NOUGARET, *op. cit.*, t. I, pp. 25-26). Au lieu de tenter de se calmer, Orabel s'excite systématiquement à la jalousie, pensant que « c'est outrager une jolie personne que de la chérir sans en être jaloux ». D'ailleurs, il aime cet état : « Je préfère les alarmes auxquelles je suis en proie aux langueurs d'un amour ordinaire. » (Cf. *ibid.*, pp. 29-30).

4. « Que je regretterai cet heureux temps trop tôt écoulé... Je préférerais d'être trompé sans le savoir, puisque j'étais alors le plus heureux des hommes. » (Cf. *ibid.*, pp. 63-64).

5. Dans *Les Plaisirs d'un jour ou la Journée d'une provinciale à Paris*, Sainte-Colombe raconte quelques sinistres histoires. Celle, en particulier, de Dussalon, homme de grand mérite, épris jusqu'à la folie de l'affreuse Araminte : « Petite, très puissante, le visage assez rond, sans front ni menton, de grands yeux, un nez large et épaté, une bouche assez belle mais un peu de travers, le teint livide et bilieux et, par-dessus tout cela, les cheveux mal plantés et d'un blond un peu plus que foncé. » (*Op. cit.*, p. 89). Malgré cette effrayante figure, la passion de Dussalon est si forte qu'il finit par se noyer de désespoir.

6. CARACCIOLI, *La Jouissance de soi-même*, pp. 51 et 56. L'auteur fait ainsi le tableau des égarements et des turpitudes de l'amour : « N'est-il pas terrible de n'être plus à soi, de devenir le thermomètre d'une personne pleine de caprices et de bizarreries, d'imaginer sans cesse des moyens de se justifier dans des circonstances où l'on n'a point manqué ; de craindre

ennemies. Selon l'une, l'amour est un mystère étranger à la conscience. L'homme, irresponsable, ne peut éviter de souffrir qu'en s'abandonnant aux mouvements d'un cœur, dont le secret lui échappe toujours. On ne peut être heureux par l'amour qu'en y mettant le moins possible de soi-même. C'est ce que confirme l'autre image, représentant tous les ravages de la passion. L'amour-passion est une torture, parce que l'homme s'y substitue à la nature et sécrète inexorablement son propre malheur. Au cynisme euphorique du personnage marivaudien, s'opposent et répondent les angoisses du héros sensible.

A vrai dire, les deux attitudes restent assez littéraires. Il y a place entre elles pour une sagesse empirique, qui tire de l'amour tout le bonheur qu'il recèle, en évite l'humiliation et les troubles, s'accommode tant bien que mal de ce que l'homme a d'imparfait. Mme de Puisieux évoque de façon émouvante les efforts et les sacrifices d'une femme honnête et sensible pour conserver la tendresse de l'être aimé, en dépit de ses bizarreries [1]. Dans ses *Réflexions sur le bonheur*, Mme du Châtelet explique qu'il faut savoir « aimer pour deux », ne pas compter sur les retours de tendresse impossibles, cultiver les illusions, renoncer aux reproches et aux larmes, et garder assez de dignité pour ne pas pousser les concessions au point où elles se changeraient en bassesses. Il est rare qu'un amour soit parfait. A l'en croire, cela n'arrive qu'une fois par siècle. Mais une âme lucide et généreuse sait trouver dans l'amour, tel qu'il reste possible, une nourriture suffisante. Ses imperfections ne parviennent pas à volatiliser le bonheur d'aimer, ni cet autre bonheur, plus fragile sans doute, et qui exige bien des compromis avec soi-même, celui de « se croire aimé ».

Dans la voie de ce réalisme, si riche d'intelligence et d'humanité, on va plus loin encore. L'amour ne peut à lui seul occuper toute la capacité d'une âme, tous les moments d'une vie. Même heureux, il demande à être aménagé.

Après l'échec de son premier plan de vie, consacré à la recherche et à l'organisation des plaisirs, Cleveland décide de tout remettre en cause et de fonder exclusivement son bonheur sur l'amour. Se

à chaque instant d'être supplanté par un rival, de prostituer sa réputation ainsi que ses mœurs, de vivre en un mot dans un amour qui, par ses excès, peut se changer en haine à tout moment. » (*Ibid.*, p. 50).

1. « Vous vous imaginerez, sans doute, que quand on a rencontré cet homme si vrai, si tendre, si fidèle, l'on doit être heureuse : quelle erreur ! Souvenez-vous que ces hommes sentent à merveille ce qu'ils valent et qu'ils font acheter bien cher le véritable attachement qu'ils ont. Ils sont ordinairement injustes, bizarres, jaloux, peu soumis ; ils exigent sans cesse des sacrifices et donnent des regrets de les aimer trop fortement ; mais une honnête femme tient à eux, malgré leurs défauts. Quand on se plaint, ils rapportent tout à l'excès de leur amour ; que répondre à cela ? Rien : les aimer toujours et continuer de détester l'instant où on les a connus, c'est tout ce que l'on peut faire ; car de rompre, il faut bien s'en garder : quand une fois le cœur s'est accoutumé à la tendresse, il ne peut plus s'en passer. L'amour est la nourriture d'une âme sensible ; ses mouvements sont presque les seuls qui lui soient doux ; elle en fait son bonheur, sa joie et ses plaisirs ; et elle n'y renonce jamais bien. Il faut donc qu'une honnête femme se résolve à conserver précieusement cet homme bizarre et jaloux et à se tenir heureuse de ne pas payer plus cher la certitude d'être aimée. » (Mme DE PUISIEUX, *Conseils à une amie*, pp. 131-132).

défiant de la raison, qui l'a jusqu'ici mal inspiré, il décide de ne plus reconnaître « d'autres règles de conduite que le sentiment »[1]. Mais il ne tarde pas à comprendre que ce nouveau style d'existence risque d'être encore un échec. Il fait « une réflexion fort amère sur le malheur de la condition humaine » : « L'amour même, dont je faisais mon suprême bonheur, me laissait cent moments qui demandaient d'être autrement remplis [2]. » A son bonheur sentimental, Cleveland ajoute un exercice de l'esprit : déçu par la philosophie, il étudie les sciences de la nature. Mais le cœur lui-même n'est pas épuisé par l'amour. L'homme n'est pas fait pour n'aimer qu'un seul être. Le « philosophe anglais » ne goûtera pleinement le bonheur d'aimer qu'en pratiquant la bienfaisance, complément indispensable de sa félicité conjugale.

L'idée apparaît souvent dans la littérature du siècle : l'amour ne dispense pas de l'amitié. Le bonheur consiste à éprouver simultanément les deux sentiments. Passionnément aimé, Voltaire ne suffit pas au bonheur de Mme du Châtelet : l'amitié du duc de Richelieu lui est au moins aussi nécessaire [3]. A supposer même que l'amitié ne soit pas un sentiment autonome, pourvu de ses propres exigences, elle a sa place comme accompagnement et commentaire de l'amour : l'ami est cet être précieux auquel on parle de ce qu'on aime [4].

Les précédentes attitudes ont un trait commun : elles cherchent à saisir l'amour dans sa réalité et disqualifient tous les mythes qui tentent de le rendre plus grand que lui-même. Mais la conscience humaine est incapable de considérer très longtemps l'amour sans l'idéaliser. Le XVIIIe siècle construit à son tour une mythologie amoureuse, édifiée autour de deux pôles : l'idée de nature et l'idée de vertu.

L'amour devient un absolu dans la mesure où il se charge de tous les droits sacrés de la Nature. Lorsque Cleveland décèle les premiers

1. « Mon cœur était heureux par l'amour ; j'avais comme renoncé à l'être par la sagesse et je commençais à la redouter au contraire comme l'ennemie de mon bonheur. » (PRÉVOST, *Cleveland*, t. VIII, pp. 132-139).

2. *Ibid.*, pp. 133-134.

3. Elle écrit à celui-ci en 1735 : « Au milieu du sentiment vif qui emporte mon âme et qui fait disparaître le reste à mes yeux, je sens que vous êtes une exception à cet abandonnement de moi-même et de tout autre attachement. J'ai tout quitté pour vivre avec la seule personne qui ait jamais pu remplir mon cœur et mon esprit, mais je quitterais tout dans l'univers, hors elle, pour jouir avec vous des douceurs de l'amitié. Ces deux sentiments ne sont pas incompatibles, puisque mon cœur les rassemble sans avoir de reproches à se faire... Il n'y aura de bonheur parfait pour moi dans le monde que quand je pourrai réunir les plaisir de vivre avec vous et celui d'aimer celui à qui j'ai consacré ma vie... » (*Lettres de Mme du Châtelet*, éd. Eugène Asse, pp. 75-76).

4. Cleveland déclare à Fanny : « Écoute-moi, chère Fanny... et comprends si tu peux cette énigme-là ; tu me rends heureux, ma chère âme ; mais pour sentir tout le bonheur que je goûte avec toi, il faut que j'aie quelqu'un qui ne soit pas toi, non seulement à qui je puisse le dire, mais en qui j'aie assez de confiance pour le dire avec goût et qui m'aime assez pour trouver du plaisir à m'entendre. » (PRÉVOST, *Cleveland*, t. IV, p. 72).

germes de sa passion pour Fanny, il est pris de scrupules, en se demandant si un tel sentiment, si nouveau pour lui, n'est pas « contraire à l'ordre et par conséquent au devoir et à la vertu ». Mais, après réflexion, il se rassure :

« Il me parut, après un sincère examen, que les droits de la Nature étant les premiers de tous les droits, rien n'était assez fort pour prescrire contre eux ; que l'Amour était un des plus sacrés, puisqu'il est comme l'âme de tout ce qui subsiste, et qu'ainsi tout ce que la raison ou l'ordre établi parmi les hommes pouvaient faire contre lui était d'en interdire certains effets, sans pouvoir jamais le condamner dans sa source [1]. »

Voltaire prend l'amour comme exemple, lorsqu'il désigne le plaisir comme une preuve de l'existence de Dieu. Il avoue que le « sixième sens » « est le plus exquis de tout », parle de « plaisir ineffable », célèbre « l'adorable mystère » où « la jouissance devient création », approuve le comte de Rochester, selon qui « le plaisir de l'amour suffirait à faire bénir Dieu dans un pays d'athées », et félicite Mahomet d'avoir fait de l'amour l'unique occupation des élus de son Paradis [2].

Dans l'article *Jouissance* de l'*Encyclopédie*, Diderot exalte le plaisir amoureux sur le mode lyrique, en entremêlant l'ivresse de la volupté et le mystère de la création. S'il le réduit à son essence physique, c'est pour en tirer une sorte de mystique naturelle [3]. L'amour, à ce stade, exclut tout choix. Il suffit d'être de sexe différent pour accomplir, dans une effervescence de tout l'être, l'acte voluptueux. Plus tard, l'amour ne se concevra pas sans un objet aimé. Le plaisir devient la « récompense de quelque mérite ». A la jouissance du corps succède la jouissance des âmes : l'imagination, « les illusions les plus délicates » ajoutent encore au bonheur ; l'âme est saisie d'un « enthousiasme presque divin ». C'est à ce moment-là que le ciel put entendre « les premiers serments indiscrets ». Le troisième âge de l'amour est celui de l'inconstance, suprême fidélité à la nature [4].

Tel est le premier thème de l'idéalisation amoureuse. L'amour devient une quintessence de la nature. Cette signification s'éclaire dans la relation précieuse qu'il établit entre le moi et les choses. Aux yeux de l'amant, l'univers est transfiguré. L'amour résout le mystère

1. *Ibid.*, t. III, pp. 215-216.
2. Cf. VOLTAIRE, *Œuvres*, éd. Moland, t. XXVIII, p. 314.
3. « La propagation des êtres est le plus grand objet de la nature... C'est ainsi que les choses se passaient à la naissance du monde et qu'elles se passent encore au fond de l'antre du sauvage adulte. » (DIDEROT, *Œuvres*, Assézat-Tourneux, t. XV, pp. 312-313).
4. Dans sa *Philosophie de l'Univers*, Dupont de Nemours expose comment, dans l'économie générale du monde, l'amour est destiné à faire contrepoids à la mort. « N'ayant pu rendre les individus immortels, ce qui l'aurait empêché d'en multiplier le nombre et aurait mis l'Univers dans une sorte d'oisiveté et de stagnation, Dieu a rendu les espèces éternelles. Il a tiré de la nécessité même de marquer un terme aux jours des êtres animés, le charme le plus doux, le bienfait le plus grand qui accompagne leur existence. A la mort, il a opposé l'amour. » (*Op. cit.*, p. 59).

des rapports entre le monde et l'âme : l'âme amoureuse recrée le monde qui l'entoure. Bernis remarque : « Le monde aux yeux d'un amant ne conserve jamais la même face [1]. » Pour Maupertuis, « l'homme est dans une mélancolie qui lui rend tout insipide, jusqu'au jour où il trouve la personne qui doit faire son bonheur. Il la voit, tout s'embellit à ses yeux ; il respire un air plus doux et plus pur... toute la nature est ce qu'il aime » [2]. C'est un lieu commun des romans : l'amour métamorphose. Le héros des *Lettres parisiennes sur le désir d'être heureux* parle de « cette espèce d'extase qui, en paraissant nous rapprocher du néant, nous laisse sentir ce qu'il y a de plus voluptueux dans la vie » [3]. Quand on aime, l'univers se charge de mille prestiges inattendus : « Tout paraissait recevoir à mes yeux un nouvel être, tout paraissait prendre part à mon bonheur ; l'air exhalait une odeur douce et suave... ; les fleurs se peignaient des couleurs les plus vives ; les arbres formaient une ombre plus fraîche et plus mystérieuse [4]. » Évoquant le souvenir de l'aveu qu'elle reçut naguère de l'homme aimé, Milady Catesby, l'héroïne de Mme Riccoboni, déclare : « Un charme inconnu se répandit sur tout ce qui m'environnait ; les objets changèrent à mes yeux, ils devinrent plus riants, plus aimables ; je vis la nature s'embellir autour de moi [5]. »

L'amour est encore idéalisé, non plus dans ses effets, mais dans son essence. Tantôt on le glorifie comme passion, tantôt comme refus de la passion. Prévost croit à une prédestination providentielle de l'amour. Chaque cœur n'est fait que pour un seul autre. Lorsque l'union de ces deux êtres, que le ciel conduit quelquefois à se rencontrer, s'est enfin accomplie, leur couple est scellé par une puissance mystérieuse, dont on doit penser qu'elle est plus qu'humaine [6]. Toute passion partagée manifeste une transcendance. Deux âmes se reconnaissent parce que le Ciel les destine l'une à l'autre. Cette conception théologique de l'amour procède d'une contamination curieuse de l'éthique romanesque et de la pensée chrétienne. Pour conserver sans remords la passion comme un absolu, Prévost en fait un signe de la Providence. Delisle de Sales estime qu'on ne peut magnifier l'amour, lui donner son véritable style, qu'en le laissant

1. Bernis, *Réflexions sur les passions*, *Œuvres complètes*, 1767, t. II, p. 6.
2. Maupertuis, *Vénus physique*, *Œuvres*, 1756, t. II, p. 8.
3. Jacquin, *op. cit.*, t. I, p. 80.
4. *Ibid.*, pp. 82-83.
5. Mme Riccoboni, *Lettres de Milady Catesby*, p. 75.
6. « Je ne saurais douter, après l'expérience que j'en ai faite, qu'il y ait des cœurs formés les uns pour les autres et qui n'aimeraient jamais rien s'ils n'étaient assez heureux pour se rencontrer. Mais il suffit aussi que deux cœurs de cette nature se rencontrent un moment pour sentir qu'ils sont nécessaires l'un à l'autre et que leur bonheur dépend de ne se séparer jamais. Une force secrète les entraîne à s'aimer ; ils se reconnaissent, pour ainsi dire, aux premières approches, et sans le secours des protestations, des épreuves, des serments, la confiance naît entre eux tout d'un coup et les porte à se livrer sans réserve. » (Prévost, *Mémoires d'un homme de qualité*, t. II, pp. 46-47). C'est le schéma classique du « coup de foudre ». Mais il prend une valeur surnaturelle.

empirer jusqu'au délire [1]. Sa pureté dépend de son intensité. Elle n'est totale que dans la démesure. Là seulement, elle peut s'allier à la grandeur.

Mais l'idéalisation de l'amour peut s'inspirer du principe inverse. L'auteur de *La Recherche du bonheur* assure qu' « il faut bien distinguer l'amour d'avec la passion » [2]. Les *Contes moraux* de Mercier séparent la passion et le « cœur ». La passion n'est qu'un entraînement morbide de l'imagination. Le véritable amour s'installe dans le « cœur » et y noue une secrète alliance avec la raison [3]. Au mythe de la passion, indice d'une distinction divine ou apogée de la grandeur humaine, s'oppose le mythe du cœur innocent. L'amour est un sentiment doux et pur, qui porte sa perfection dans son essence, non dans son intensité. La part du mythe consiste à croire qu'il peut être à lui seul le guide de l'âme, qu'il enferme assez de sagesse et dispense de recourir aux prudences raisonneuses. On lit dans *Caliste* de Mme de Charrière : « Au lieu de raisonner, au lieu de moraliser, donnez à aimer à quelqu'un qui aime ; si aimer fait son danger, aimer fera sa sauvegarde ; si aimer fait son malheur, aimer fera sa consolation ; pour qui sait aimer, c'est la seule occupation, la seule distraction, le seul plaisir de la vie [4]. » Le cœur devient donc le remède du cœur et l'unique arbitre. C'est la réplique au dogme chrétien de la déchéance originelle. Non seulement on proclame la bonté de la nature, mais on la cherche dans ce qu'il y a en l'homme de plus irrationnel. L'amour selon Prévost pouvait être investi d'une haute signification : il n'en demeurait pas moins violence et déchirement. Le cœur était, sans le savoir, en accord avec la Providence, mais pas avec la raison, ni avec l'ordre. Le mythe du cœur innocent efface toute dissonance : le sentiment, la raison et l'ordre coïncident.

A côté de ces deux formes originales de l'idéalisation amoureuse se maintient une tradition précieuse, qui vise à reconstruire l'amour selon une norme élaborée par l'esprit.

Mme de Lambert représente parfaitement, avec ses idées de l'autre siècle, cette nouvelle préciosité. S'étant fait un idéal fort précis du « véritable amour » ou « amour délicat », elle affiche beaucoup de mépris pour l'amour ordinaire [5]. Il ne suffit pas pour aimer d'avoir

1. « Il me semble que l'unique moyen d'épurer l'amour, c'est d'en faire une passion ; c'est alors que ce feu céleste peut devenir l'aliment des âmes les plus sensibles. » (DELISLE DE SALES, *Philosophie du bonheur*, t. I, p. 134).

2. *La Recherche du bonheur*, p. 154.

3. Dorval réplique à Clairville, qui lui soutient que la raison ne peut rien contre l'amour : « J'ai eu des goûts, Clairville, et, lorsque je les avais, je protestais comme vous ; quand j'ai aimé véritablement, la raison me conduisit et ma véhémence modérée tint toujours des propos sensés ; mon cœur parlait, mais le cœur n'outre rien ; la douceur du sentiment rend aimable tout ce qu'il touche et quoiqu'il ait beaucoup de chaleur, il n'a point d'emportement. » (L. S. MERCIER, *Contes moraux*, p. 38).

4. Mme DE CHARRIÈRE, *Caliste*, p. 15.

5. « Je suis surprise qu'on ne veuille pas raffiner sur le plus délicieux sentiment que nous

un « cœur tendre » ; il y faut de plus un « caractère raisonnable » [1]. Les raffinements de la délicatesse excluent l'emportement de la passion, impliquent lucidité et mesure. Le véritable amour consiste à substituer « l'union des cœurs » à la « liaison des sens » [2]. Appuyé sur la raison, il doit l'être encore sur la conscience. Bien loin de s'opposer au devoir, il constitue lui-même le plus absolu des devoirs. Les femmes honnêtes ne s'engagent que « pour la vie » [3]. Un amour aussi parfait métamorphose l'être et crée une sorte de vie nouvelle. Chargé de voluptés insolites, il est en même temps un instrument de progrès moral. Il comble et perfectionne l'âme tout à la fois [4]. Il accorde entre eux le *plaisir* et la *gloire* [5]. Il est la nourriture irremplaçable de l'esprit [6]. Pourvu qu'il « ne nous coûte ni vertu ni bienséance », il apporte « un bonheur sans interruption », « une espèce d'immensité de bonheur » [7].

L'amour selon Mme de Lambert est une apothéose intime, qui concilie toutes les aspirations de l'esprit, du cœur et de la conscience. Il permet de ne rien sacrifier, de cultiver les plaisirs sans blesser les devoirs, ni manquer à la gloire. Franchement précieux par son raffinement intellectuel, il accepte certaines exigences de la nature en les spiritualisant : « J'ai cherché si on ne pouvait point se sauver des inconvénients de l'amour, en séparant les vices des plaisirs, et jouir de ce qu'il y a de meilleur. J'ai donc imaginé une *métaphysique de l'amour* ; la pratiquera qui pourra » [8].

L'apologie d'un amour épuré se poursuit tout au long du siècle. Dans les *Préjugés du public* (1746), Denesle déclare : « C'est l'excellence de l'objet qui fait naître et qui entretient le véritable amour..., c'est l'union des âmes plutôt que celle des corps, qui en fait le charme prin-

ayons. Ce qui s'appelle « le terme de l'amour » est peu de chose. Pour un cœur tendre, il y a une ambition plus élevée à avoir : c'est de porter nos sentiments et ceux de la personne aimée au dernier degré de délicatesse et de les rendre tous les jours plus tendres, plus vifs et plus occupants. » (*Réflexions sur les femmes*, *Œuvres*, p. 204).

1. « Si vous voulez trouver une imagination ardente, une âme profondément occupée, un cœur sensible et bien touché, cherchez-le chez les femmes d'un caractère raisonnable. » (*Ibid.*, p. 202).

2. *Ibid.*, p. 203.

3. « Elles se font un devoir de leur amour, elles le respectent, elles sont fidèles et délicates ; elles ne manquent à rien. » (*Ibid.*, p. 207).

4. « Il y a des plaisirs à part pour les âmes tendres et délicates. Ceux qui ont vécu de la vie de l'amour savent combien leur vie était animée ; et quand il vient à leur manquer, ils ne vivent plus. L'amour fait tous les biens et tous les maux ; il perfectionne les âmes bien nées. » (*Ibid.*, p. 208).

5. « Pour les cœurs qui sont sensibles à la gloire et au plaisir, comme ce sont deux sentiments qui se combattent, l'amour les accorde ; il prépare, il épure les plaisirs pour les faire recevoir aux âmes fières et il leur donne pour objet la délicatesse du cœur et des sentiments. Il a l'art de les élever et de les ennoblir. Il inspire une hauteur dans l'esprit, qui les sauve des abaissements de la volupté, il les justifie par l'exemple, il les déifie par la poésie. » (*Ibid.*, p. 205).

6. Il est « plus nécessaire à la vie de l'esprit que les aliments ne sont nécessaires à la vie du corps. » (*Ibid.*, p. 209).

7. (*Ibid.*, pp. 209-210). Il permet, en effet, de réaliser ce rêve, qui est celui de toutes les âmes du siècle : « associer ensemble le bonheur et l'innocence ». (*Ibid.*, p. 211).

8. *Ibid.*, p. 213.

cipal »[1]. En 1760 paraît un ouvrage intitulé *L'Amour décent et délicat ou le beau de la galanterie*, dont l'auteur proclame : « Je ne suis pas un amant cynique qui n'aime les biens de la vie que pour l'usage, mais un homme délicat qui veut qu'un certain goût, qu'une certaine volupté, dont la source est dans le cœur, assaisonnent tous les plaisirs[2]. » Même dans les romans les plus légers, dans les *Amours du chevalier de Faublas* par exemple, on voit quelquefois « l'amour tendre » triompher de « l'amour libertin »[3]. Mercier confie sa prédilection pour les vieux romans galants, les rites prolongés de l'adoration courtoise, et il se demande si l'on a beaucoup gagné « en abrégeant »[4]. Un *Essai sur l'amour* de la fin du siècle contient encore, en même temps qu'une évocation de l'Arcadie, patrie idéale de la tendresse, l'affirmation du caractère aristocratique de l'amour, interdit par sa nature au « vulgaire »[5].

L'essentiel de l'idéalisation amoureuse réside dans le pacte conclu entre l'amour et la vertu. Nul ne se propose plus d'extraire de l'amour charnel le pur amour. Les apologistes de l'amour vertueux admettent que l'amour heureux se reconnaît à un « équilibre parfait entre les mouvements de l'âme et les besoins du corps »[6]. Condamnant comme deux excès opposés l'amour platonique et l'amour physique, Delisle de Sales déclare : « L'amour est vil sans l'union des âmes, mais, sans l'intérêt des sens, il n'est rien[7]. » L'amour vertueux, tel qu'on le comprend au XVIIIe siècle, n'a donc rien de commun avec l'amour platonique. Il peut fort bien être charnel. Mais il doit s'accompagner d'une élévation de l'âme et d'un enrichissement du cœur, qui transforment l'expérience amoureuse en un progrès moral.

Le point délicat consiste à accorder les exigences de la nature et celles de la vertu. Entre ces deux pôles l'amour doit établir une relation stable et point trop tendue. Dans le mariage, le problème est résolu de lui-même : tous les plaisirs deviennent innocents. « Ici, la légitimité ajoute au bonheur par la tranquillité et la sûreté qui l'accompagnent[8]. » En dehors du mariage, on a le choix entre plu-

1. DENESLE, *Les Préjugés du public*, t. III, p. 77.
2. Abbé CHAYER, *op. cit.*, Avant-propos, pp. V-VI.
3. LOUVET DE COUVRAY, *op. cit.*, t. II, p. 130.
4. « J'aime mieux relire nos longs romans, *l'Astrée*, *Clélie*, *Arsamène*, pendant les longues soirées de l'hiver ; je suivrai les mœurs, les vertus de l'antique chevalerie ; je verrai passer sous mes regards nos bons aïeux, faisant l'amour un peu différamment de nous. Mais ils étaient heureux à leur manière et ils savouraient plus l'amour dans leurs soupirs longuement prolongés aux pieds de l'inhumaine, que nous dans nos rapides jouissances. Avons-nous gagné en abrégeant ? » (L. S. MERCIER, *Tableau de Paris*, t. I, pp. 275-276).
5. « Il me semble qu'il résulte de tout ce que je viens de dire une grande vérité, c'est que l'amour ne convient qu'à très peu de personnes... L'amour suppose dans son objet trop de qualités pour convenir au vulgaire. » (P. L. DREUX, *Essai sur l'amour*, p. 41).
6. *La Recherche du bonheur*, p. 155.
7. DELISLE DE SALES, *Philosophie du bonheur*, t. III, p. 105.
8. *Principes philosophiques pour servir d'introduction à la connaissance de l'esprit et du cœur de l'homme* (1769), p. 90.

sieurs partis : on peut réduire la part des plaisirs, se limiter à ceux qui relèvent de la tendresse et excluent la pure sensualité ; ou compenser les fautes commises par une conduite plus vertueuse en d'autres domaines, en particulier par la bienfaisance. Mais on peut encore résolument affirmer une sorte de légalité suprême de l'amour, qui installe son ordre propre au-dessus de l'ordre moral établi et pose la vertu comme fidélité à la nature [1].

C'est donc une équivalence pure et simple qui s'établit finalement entre l'amour et la vertu : « *Quiconque est capable d'aimer est vertueux ; j'oserais même dire que quiconque est vertueux est aussi capable d'aimer* [2]. » L'amour *prouve* la vertu, comme la vertu prédestine à l'amour. Les valeurs sentimentales et morales sont irrémédiablement confondues. L'amour peut même se dissoudre dans le sentiment reli-

1. Les relations entre l'amour et l'âme peuvent être définies de diverses manières. Pour cet idéaliste qu'est Vauvenargues, l'amour ne s'adresse vraiment qu'à l'âme, par delà l'enveloppe des sens : « Tout ce qui s'offre à nos sens ne nous plaît que comme une image de ce qui se cache à leur vue ; donc nous n'aimons alors les qualités sensibles que comme les organes de notre plaisir et avec subordination aux qualités insensibles dont elles sont l'expression ; donc il est au moins vrai que l'âme est ce qui nous touche le plus. Or ce n'est pas aux sens que l'âme est agréable, mais à l'esprit ; ainsi l'intérêt de l'esprit demeure l'intérêt principal et si celui des sens nous était opposé, nous le lui sacrifierions. » (VAUVENARGUES, *Œuvres*, t. I, p. 54).

Pour Saint-Lambert, l'âme ne fait qu'embellir les jouissances naturelles : « Le moral de l'amour ajoute encore à ses plaisirs. » Évoquant l'ivresse du jeune homme qui vient de rencontrer son premier amour, il déclare : « Son amour est une sorte d'enthousiasme qui donne à son âme de l'énergie et de l'étendue. » (SAINT-LAMBERT, *Les Saisons*, Notes sur le chant I, pp. 40-41).

Boudier de Villemert semble s'inspirer de la dialectique précieuse, en réduisant l'amour à l'amitié : « Pour que l'amour soit constant et durable, il faut donc qu'il contracte une étroite alliance avec l'amitié... L'alliance de si doux sentiments ne peut que perfectionner le cœur au lieu de le corrompre... Un tel amour n'est point un amusement frivole... Il remplit et s'empare de toutes les facultés. L'esprit, le cœur, l'imagination, la mémoire, tout cela est agréablement échauffé. C'est l'affaire la plus importante de la vie. » (BOUDIER DE VILLEMERT, *L'Ami des femmes*, pp. 122-123).

L'Alambic moral de ROUILLÉ D'ORFEUIL pose des principes catégoriques : « La vertu et l'honnêteté doivent être indispensablement la base de cette union ; sans cela point de sentiment, par conséquent point de vrai plaisir. » Mélangeant curieusement la physiologie et la morale, il ajoute : « C'est pour l'âme que la femme réunit tous ses attraits ; c'est pour l'âme qu'elle a reçu cette délicate sensibilité qui, causant dans nos liqueurs une douce fermentation, nous procure ce sentiment délicieux, mélange parfait d'admiration, de tendresse, de reconnaissance... Voilà ce que je nomme amour. Quant à cette frénésie qui fait courir certains hommes après toutes les femmes, ce n'est pas par amour, c'est désir. » (ROUILLÉ D'ORFEUIL, *L'Alambic moral*, pp. 48-50).

L'auteur de *La Recherche du bonheur*, décrivant la « félicité pure et inaltérable » des amants qui sont placés sous la « protection » de la vertu et qui ont su « rétablir l'âme dans la légitime possession de son empire sur le corps », ne veut pas admettre que l'amour soit une « folie ». Ou bien « c'est une folie autorisée par la vertu », qui devient « le frein de toutes les autres folies et vaut mieux que la sagesse de ceux qui jouissent et qui voient finir tous leurs plaisirs dans les bras du plaisir même. » (*Op. cit.*, pp. 133-135). Le parfait amour suppose un désintéressement absolu : « Le véritable amour renonce à lui-même pour ne penser qu'à son objet ; il s'oublie tout entier... » (*Ibid.*, p. 137). Les voluptés dont il est parsemé ne parviennent jamais à le tarir : « Si les qualités de l'objet sont réelles, l'âme se soutiendra toujours dans l'enthousiasme, jusqu'à ce que la nature puisse suffire à de nouveaux transports. » (*Ibid.*, p. 140).

Pour L. S. Mercier, l'amour est le « contre-poison » de la débauche et le « compagnon de la force, du courage, des grandes entreprises ». C'est lui qui alimente le génie, et « l'on reconnaît jusque dans les écrits qui survivent au trépas de leur auteur si leur auteur a su aimer ». Son influence sur la vertu est au moins aussi bénéfique : « L'amour féconde plus souvent nos vertus que nos vices ; le cœur échauffé s'améliore. Après un court instant de délices, il est formé ; l'homme devient plus sensible, plus sage. » (L. S. MERCIER, *Mon Bonnet de nuit*, t. II, pp. 71-73).

2. *Principes philosophiques pour servir d'introduction...*, p. 87.

gieux. Selon Bernardin de Saint-Pierre, il « prend dans les âmes pures tous les caractères de la religion et de la vertu [1] ».

Si, par aventure, l'amour provoquait la ruine de la vertu, rien ne serait encore perdu. Par une sorte de promotion révolutionnaire, l'amour se constitue alors comme légalité suprême. Hors de la vertu commune, il construit ses propres normes. La perfection du sentiment et la perfection de l'être aimé édifient un ordre nouveau, où l'âme aimante se sent pleinement justifiée et doit l'être objectivement. Mme de Puisieux dit de l'héroïne de son conte *Le Plaisir et la volupté* : « Eglé, la tendre et sensible Eglé, oublia la vertu et céda à son amant, dont les qualités suffisaient pour la justifier dans l'esprit de ceux dont les âmes ne sont sensibles qu'au mérite [2]. »

C'est un thème assez galvaudé dans la littérature romanesque que celui de la « vertu malheureuse ». Il s'agit de celle qui succombe aux impulsions de la nature, mais qui n'en reste pas moins *vertu*, car la chute sensuelle n'entraîne pas la débâcle de l'être moral. Même chez une amante faible, l'âme conserve de hautes exigences et semble vouloir effacer le souvenir de la faute, en confondant dans une même exaltation amour et devoir. Avant la chute, la vertu consiste à résister à l'amour. Après la chute, elle se transforme en un attachement héroïque à cet amour.

Tel est le destin symbolique de la baronne de Saint-Clair, « qui n'avait aucun défaut et n'avait qu'un malheur : elle était née pour aimer » [3]. Les *Mémoires de la baronne de Saint-Clair* (1753) sont le roman d'une honnête femme qui se compromet jusqu'au bout pour son amour, allant jusqu'à commettre un crime, en soutenant sa passion avec une intransigeance si fière qu'il faut bien encore l'appeler vertu. Follement attachée à un personnage intrigant et fat, le marquis de Sursac, Mme de Saint-Clair ne tarde pas à être trahie. Elle le sait, mais refuse de renvoyer un amant méprisable, considérant qu'elle a pris envers lui « un engagement de générosité » : « La femme vertueuse et l'amante sensible se confondirent naturellement en elle et elle respectait l'amour autant que l'on devrait respecter la vertu [4]. » Peu après éclate le drame : Mme de Saint-Clair reçoit une lettre de Sursac lui annonçant qu'il est en train de mourir. Elle se précipite chez lui, le trouve blessé, agonisant. Il affirme avoir été assassiné par « l'amant » que Mme de Saint-Clair « lui préférait ». Elle est horrifiée

1. BERNARDIN DE SAINT-PIERRE, *Études de la Nature*, *12e Étude*, *Œuvres*, t. V, p. 87. L'auteur de l'*Essai sur l'amour*, P. Luc DREUX exprime ce point de vue : « J'ai une opinion qu'on pourra trouver singulière, mais qui ne m'en paraît pas moins vraie ; je crois l'amour très favorable à certaines idées aussi consolantes que sublimes, telles que l'existence d'un Être suprême, la spiritualité de l'âme, son immortalité. Un amant vraiment épris, comme je le suppose, doit être porté à croire tout ce qui peut ajouter à ses illusions, tout ce qui peut ennoblir à ses yeux l'objet de son adoration. » (*Op. cit.*, p. 11).

2. Mme DE PUISIEUX, *op. cit.*, p. 117.

3. Jean-François DE BASTIDE, *les Mémoires de Madame la Baronne de Saint-Clair*, t. II, p. 4.

4. *Ibid.*, p. 5.

par la calomnie. L'inconnu meurtrier ayant été mis en prison, elle se fait ouvrir son cachot et, dans l'obscurité, le poignarde. Elle n'a nul remords : « J'ai fait mon devoir, les lois humaines vont me condamner, les lois du cœur me justifient [1]. » Conduite prisonnière à son tour dans le cachot de sa victime, elle reconnaît M. de Montbuisson, un ami de toujours, qui l'aime tendrement. Le malentendu s'explique. Bien loin de l'avoir calomniée, M. de Montbuisson n'a fait que défendre son honneur, en voulant punir dans un duel loyal M. de Sursac, dont la fourberie, pour la seconde fois, est évidente. Mais Mme de Saint-Clair s'entête, cherche à réconcilier Sursac et Montbuisson. Elle se justifie en disant : « L'Amour n'est point un simple sentiment dans une femme vertueuse [2]. » Mme de Saint-Clair doit encore subir bien des vilenies de ce misérable amant. Le roman se termine artificiellement par un mariage heureux, mais ce n'est pas cela qui importe : Mme de Saint-Clair illustre la fidélité absolue à une passion assumée par la conscience, par l'être tout entier. A la morale ordinaire qu'il bouscule, l'amour substitue sa morale. Lorsqu'il ne coïncide pas spontanément avec la vertu, il devient lui-même vertu et se change en devoir pour une âme noble, mais aliénée.

Un autre roman de la même date, les *Mémoires de la comtesse de Zurlac* de Mme de Puisieux, expose toute une éthique de l'amour-passion [3]. Mme de Zurlac, que l'on a mariée malgré elle à un homme neutre et indifférent, s'est liée chastement au marquis de *** : « Qui est-ce qui osera prononcer que l'amour, retenu dans les bornes de la décence, ne soit pas une vertu [4] ? » Le marquis est un amant parfait, et la comtesse se sent engagée envers lui par un authentique devoir : « Nous devons tout à un amant fidèle [5]. » La vertu de Mme de Zurlac n'exclut ni coquetterie, ni rouerie, par quoi elle s'acquitte innocemment envers son amour-propre. Plus d'une fois, elle frôle la chute, pressée par les entreprises assez hardies du marquis qui s'impatiente, mais toujours sa vertu triomphe « in extremis », car elle ne sait pas encore que « le mérite d'un amant et ses bons procédés font oublier toutes les fautes que l'amour nous fait faire [6] ».

Mme de Puisieux n'est pas à court d'arguments pour justifier son héroïne. Pour que la comtesse mérite la qualité de femme vertueuse, il faut bien qu'un conflit oppose son cœur et sa conscience : sans passion, elle ne saurait avoir de vertu, faute d'occasion de l'exercer.

1. *Ibid.*, p. 22.
2. *Ibid.*, p. 62.
3. Madeleine d'Arsant, née à Paris en 1720, avait épousé Philippe-Florent de Puisieux, homme de lettres. Elle fut la maîtresse de Diderot, qui peut-être composa *Les Bijoux indiscrets* afin de subvenir à ses besoins. Elle écrivit surtout des romans. La date de sa mort reste imprécise, mais elle était toujours vivante en 1795.
4. Cf. *op. cit.*, t. II, p. 1-3.
5. *Ibid.*, t. I, p. 198.
6. *Ibid.*, t. II, p. 52.

En outre, Mme de Zurlac ne donne, en donnant son cœur, que ce qui lui appartient : « Notre cœur est à nous, *c'est la seule partie libre dans une femme mariée ;* pourquoi donc lui faire un crime d'en disposer [1] ? » Enfin l'amour, s'il est conforme aux règles, est le signe de la qualité d'une âme [2]. Il peut prendre même une valeur morale et pédagogique : « Il n'y a qu'une passion sérieuse pour une femme estimable qui puisse garantir un jeune homme des désordres dans lesquels l'impétuosité des passions l'entraîne... *C'est un excellent Mentor qu'une maîtresse respectable* [3]. » Aussi Mme de Zurlac fait-elle à son amant de véritables leçons, que le marquis écoute avec ravissement et profit. Lorsque, dans les dernières pages, à la faveur de circonstances romanesques, elle s'abandonne à cet amant parfait, nul ne peut plus les condamner. Sans doute ces deux êtres heureux se sont-ils placés en dehors de la morale admise. Mais jamais ils n'ont accepté le désordre, la passion brutale, le délire des sens. Ils se sont créé un style de bonheur conforme à leur gloire. Il existe une sorte d'amour qui peut se dispenser de la vertu, car il est la vertu même.

Dans *La Nouvelle Héloïse,* l'amour est défini comme l'expression de la personnalité dans ce qu'elle a de meilleur. Milord Edouard écrit à Julie : « L'amour s'est insinué trop avant dans la substance de votre âme... Vous n'en effacerez jamais la profonde impression sans effacer à la fois tous les sentiments exquis que vous reçûtes de la Nature, et, quand il ne vous restera plus d'amour, il ne vous restera plus rien d'estimable [4]. » Cette idée commande toute l'œuvre et l'explique. Jamais elle n'est mise en doute, pas même lorsque Julie, mariée, renonce à Saint-Preux. L'amour ne se distingue pas de l'excellence de l'âme et lui ajoute une perfection supplémentaire. Edouard dit à Saint-Preux et à Julie : « Vous vaudriez moins si vous ne vous étiez point aimés. » Et M. de Wolmar justifie de la même manière son œuvre systématique de guérison : « Je compris qu'il régnait entre vous des liens qu'il ne fallait pas rompre ; que votre mutuel attachement tenait à tant de choses louables, qu'il fallait plutôt le régler que l'anéantir et qu'aucun des deux ne pouvait oublier l'autre sans perdre beaucoup de son prix [5]. »

Il est donc impossible de voir dans *La Nouvelle Héloïse* l'histoire d'une vertueuse tentative destinée à racheter un amour coupable. Un amour comme celui qui vient d'être défini ne se rachète ni ne se détruit. Il se préserve au contraire très précieusement, car il n'est pas autre chose que l'être porté à son dernier point de perfection

1. *Ibid.*, p. 71.
2. « Il faut être né avec des qualités excellentes pour former des chaînes solides et pour aimer passionnément. » (*Ibid.*, p. 102).
3. *Ibid.*, pp.. 154-156.
4. *La Nouvelle Héloïse*, éd. Mornet, t. II, p. 257.
5. *Ibid.*, t. III, p. 256.

et comme un achèvement de l'homme par lui-même. Seulement il se trouve que tout individu est à bon droit prisonnier d'un ordre naturel, familial et social. Il ne faut pas que l'amour contredise cet ordre, mais il n'est pas nécessaire qu'il se renie pour cela. Tout le problème de *La Nouvelle Héloïse* est de rendre compatibles l'ordre et l'amour. Peu importe que cette harmonie difficile ne se réalise que dans le déchirement. Peu importe que Saint-Preux et Julie soient séparés l'un de l'autre. Il suffit qu'ils ne le soient pas d'eux-mêmes, c'est-à-dire qu'ils n'excluent rien d'essentiel.

Milord Edouard pose une identité entre l'amour et la raison. L'un et l'autre se ressemblent, s'enracinent dans les mêmes zones profondes, et ils révèlent également la valeur d'une âme. L'amour peut à tout moment être « sublimé » et abandonner au profit de la raison toute l'énergie qu'il tient captive [1]. Il n'est pas étranger à l'âme qu'il anime ou qu'il dévore. La passion n'est plus une fatalité. Aucune Vénus ne s'acharne dans l'ombre sur des victimes irresponsables. Aucun philtre ne substitue à la raison des délires fabriqués. L'amour se confond avec la personne : un amant ne trouve rien d'autre en lui que lui-même et ne fait qu'éprouver la plénitude de son être.

Vers la fin du siècle, l'idéalisation de l'amour conduit jusqu'aux confins de la mystique. Après une jeunesse semée d'égarements et d'imprudences, Dolbreuse est régénéré par son épouse Ermance : « Elle tira de mes forces morales tout le parti qu'on en pouvait tirer, elle me *métamorphosa*, me créa, pour ainsi dire, un instinct nouveau. J'entrevis le but, je sentis le bonheur de mon existence [2]. » Ermance propose à Dolbreuse une conception hautement morale de l'amour : « *Jouir moins de notre tendresse que de notre sensibilité ;* moins de notre amour que des sacrifices qu'il exige, que des considérations qui le rendent un sentiment respectable. Voilà, disait-elle, les délices, les inappréciables délices qui appartiennent au cœur des amants [3]. » Un tel amour est capable de stimuler toutes les vertus. Associé aux « passions généreuses », il suscite l'héroïsme [4]. Il devient la source de tous les autres sentiments, de toutes les valeurs morales et spirituelles [5]. Son essence est si pure, que de la volupté sensuelle elle-même

1. « Un amour pareil au sien, dit Édouard en parlant de Saint-Preux, n'est pas tant une faiblesse qu'une force mal employée. Une flamme ardente et malheureuse est capable d'absorber pour un temps, pour toujours peut-être, une partie de ses facultés, mais elle est, elle-même, une preuve de leur excellence et du parti qu'il en pourrait tirer pour cultiver la sagesse ; car *la sublime raison ne se soutient que par la même vigueur de l'âme qui fait les grandes passions* et l'on ne sert dignement la philosophie qu'avec le même feu qu'on sent pour une maîtresse. » (*Ibid.*, t. II, p. 249).

2. LOAISEL DE TRÉOGATE, *Dolbreuse*, t. I, p. 34.

3. *Ibid.*, p. 37.

4. « L'amour fait des héros, j'en conviens, mais c'est quand il s'identifie, pour ainsi dire, aux passions généreuses ; quand il sert d'aliment et non pas d'entrave à l'enthousiame des vertus. » (*Ibid.*, p. 47).

5. « C'est dans le délire que se trouve quelquefois la sagesse ; c'est de l'enthousiasme du véritable amour que naît cette sensibilité d'imagination qui fait les amis tendres et délicats, les

semblent s'échapper toutes les aspirations de l'âme religieuse : « Au milieu même de l'effervescence des sens, alors qu'on se livre à tout le délire de l'amour, la convulsion du plaisir n'est-elle pas un effort de l'âme, impatiente de sortir de sa prison et de voler au lieu de son origine céleste [1] ? ». Le bonheur conjugal de Dolbreuse et d'Ermance est comme un acheminement vers le ciel [2].

Toute une mythologie de l'amour parvient ainsi à se reconstruire. L'amour redevient plus que lui-même. Il représente à lui seul toutes les aspirations et toutes les vertus. Il n'est plus la passion qui divise en s'affirmant rebelle au contrôle de l'esprit, mais ce sentiment total qui vivifie l'âme, la rassemble, fortifie la raison au lieu de la dissoudre, et se montre encore plus clairvoyant, plus infaillible qu'elle. L'âme amoureuse est portée au delà d'elle-même ; elle dépasse ses propres limites. Par l'amour l'homme s'évade presque de sa condition. Mais cette évasion n'est jamais une aliénation. L'amour porte à leur plus haut degré de force et d'équilibre toutes les aptitudes de l'homme. S'il est quelquefois en contradiction avec une certaine vertu, il porte inaltérablement en lui-même cette innocence absolue qui est le privilège du cœur.

Le XVIIIe siècle s'est fait de l'amour une idée étrangement complexe. Les deux attitudes que l'on vient de décrire ne sont jamais tout à fait séparées : on peut à la fois envisager l'amour comme réalité et comme mythe. Le grand rêve de l'époque consiste justement à préserver de l'amour une image idéalisée sans renoncer aux plaisirs de la possession, à sonder aussi profondément que possible les mystères ou les faiblesses du cœur humain sans nier la vocation de ce cœur comme faculté de dépassement et de découverte. « L'impulsion qui rapproche les deux sexes, lit-on dans un roman, est trop vive et ses suites sont trop délicieuses pour qu'elle soit criminelle [3]. » C'est donc le *plaisir* qui réalise la confusion des deux ordres et prouve leur harmonie profonde. Quelquefois il semble même que ce soit l'intensité du plaisir qui décide de la nature exacte de la jouissance et la rapporte aux sens ou à l'âme, celle-ci n'étant pas autre chose que les sens surexcités [4]. Dans *Les Liaisons dangereuses*, Mme de Rosemonde glisse

hommes compatissants, les hommes religieux et par conséquent les hommes justes. » (Cf. *ibid.*, pp. 83-85).

1. *Ibid.*, p. 85.

2. « Nos facultés intellectuelles, à force de se concentrer, de se confondre dans l'âme d'une épouse adorée, s'exercent, apprennent peut-être à se passer du commerce des sens et à se détacher de tout ce qu'il y a de terrestre autour d'elles. » (*Ibid.*).

3. NOUGARET, *Les Méprises ou les Illusions du plaisir*, t. I, p. 21.

4. Cf. *ibid.*, p. 23 : « Je t'écris en sortant des bras de Mme de Bligny et j'éprouve encore une partie de ces ravissements qui semblent donner quelque chose de divin à la nature humaine et laissent du moins après eux, s'ils s'écoulent rapidement, un souvenir délicieux. Mais il faut

dans une lettre à la Présidente de Tourvel une phrase qui exprime bien — mais cette fois de façon négative — le paradoxe de l'amour : « Vous êtes bien trop digne d'être aimée pour que jamais l'amour vous rende heureuse. » C'est dire que l'amour est salué comme le bien suprême, à la fois récompense de tout mérite et source de tout bonheur. Mais c'est reconnaître en même temps que sa réalité est bien différente de sa fonction idéale. Alors qu'il fait vainement désirer le bonheur aux belles âmes, il ne peut l'apporter qu'aux âmes viles, qui justement ne lui demandent rien.

Il est rare pourtant qu'on soit aussi pessimiste. On croit le plus souvent ou l'on feint de croire à une harmonie préétablie entre la réalité de l'amour et sa vocation. Ou bien l'on juxtapose, sans souci de les concilier, deux appréciations de style opposé [1]. Bernardin de Saint-Pierre essaie d'expliquer la contradiction de l'amour par le mélange des deux sentiments qui se partagent le cœur humain : la conscience d'une faiblesse, qui révèle toute la misère de l'homme, et une aspiration vers l'au-delà, témoignage de sa divine origine [2].

3. — Le sentiment de la gloire.

Le XVIIIe siècle est infiniment moins sensible à la gloire que l'âge précédent. Dans l'échelle des valeurs morales, le bonheur a pris la place de la *grandeur*, comme ultime justification. Désormais, l'on ne subit guère l'attirance des héros. Les « conquérants » sont même franchement honnis et l'on n'invente pas de mots assez violents pour condamner leur barbarie. En outre, la notion s'est perdue d'une gloire purement personnelle, fondée sur une fidélité absolue à une certaine idée de soi-même : gloire intime et gratuite, que ne légitime pas forcément un *service*, et se souciant assez peu d'entraîner avec elle l'estime publique. A cette définition héroïque de la gloire, apothéose du moi, le XVIIIe siècle substitue une idée nouvelle.

La gloire cesse d'être une fin pour devenir un moyen. L'amour de la gloire est considéré comme un « ressort de la nature humaine »,

les goûter avec une femme qu'on idolâtre, sans quoi ils n'affectent que les sens ; au lieu que prodigués et partagés par un amour mutuel, ils deviennent la jouissance de l'âme. »

1. Dans le recueil de maximes du chevalier d'Arcq, intitulé *Mes Loisirs*, on trouve à quelques lignes de distance ces deux aphorismes : « Le véritable (amour) est un penchant donné par la nature, réglé par la raison, justifié par la vertu : celui-là seul peut remplir notre cœur. » — « Deux choses décèlent les amants, le désir et la jalousie ; car l'un et l'autre sont inséparables de l'amour. » (Chevalier d'Arcq, *Mes Loisirs*, pp. 31-32).

2. « Comme la nature a fait ressortir à cette passion, qui devait reperpétuer la vie humaine, toutes les sensations animales, elle y a réuni aussi tous les sentiments de l'âme ; en sorte que l'amour présente à deux amants non seulement les sentiments qui se lient avec nos besoins et à l'instinct de notre misère, comme ceux de protection, de secours, de confiance, de support, de repos, mais encore tous les instincts sublimes qui élèvent l'homme au-dessus de l'humanité. » (Bernardin de Saint-Pierre, *Études de la Nature*, *12e Étude*, *Œuvres*, t. I, p. 83.)

qu'il peut être utile de faire jouer, en certaines circonstances, pour incliner l'homme, sans qu'il lui en coûte, du côté de la vertu. Bien loin d'être gratuite, la gloire se confond avec l'éclat auréolant les actions utiles ; elle est le signe de la reconnaissance des peuples envers leurs bienfaiteurs ou des souverains envers leurs sujets vertueux. Sa source n'est plus dans le moi, mais dans les autres. Une gloire personnelle devient un non-sens. A la gloire héroïque succède la gloire utilitaire et philanthropique.

L'idée de gloire est mise en relation avec deux idées voisines : bonheur et vertu. On se pose sans cesse deux questions. Dans quelle mesure l'appel de la gloire permet-il de diriger l'homme vers la vertu ? Dans quelle mesure les plaisirs de la gloire contribuent-ils au bonheur ? La morale héroïque identifiait bonheur et gloire, et, en cas de divorce, la gloire éclipsait le bonheur. Désormais, la gloire ne peut être rien de plus qu'une composante du bonheur. Mais une harmonie entre les deux n'est pas toujours possible. Gloire et bonheur exigent des aptitudes différentes. Deux styles d'existence risquent même de s'opposer : le bonheur de la médiocrité et le malheur de l'homme de génie forment un couple d'antagonistes.

Dès le début du siècle, De Sacy, dans son *Traité de la Gloire*, réhabilite, contre la morale chrétienne, le désir de la gloire comme désir « naturel » et, contre la morale glorieuse, le justifie par la fonction utile qu'il assume dans l'équilibre de la vie morale [1]. Cependant il n'envisage pas de compromis possible entre la gloire et le bonheur. Opter pour la gloire, c'est renoncer au bonheur. La conquête de la gloire impose une tension constante de tout l'être, alors que le bonheur n'est que détente et repos. Il est dit, à propos de la « prospérité », que « la gloire n'a point de plus redoutable et de plus dangereuse ennemie... » : « Le sage heureux ou se laisse enivrer par son bonheur et s'endort ou s'en laisse étourdir et se néglige... Dans la carrière de la gloire, c'est reculer que de ne pas avancer [2]. »

La littérature mondaine perpétue l'idée d'une antinomie fondamentale entre le bonheur et la gloire. Mme de Lambert fait dire à sa « femme hermite » : « Je suis née avec un cœur fort sensible, mais en même temps avec beaucoup de gloire. L'un ne peut s'oublier qu'aux dépens de l'autre. Pour me rendre heureuse, il faudrait les accorder toutes les deux, ce qui est difficile, et je me trouve encore plus malheu-

1. « Ce consentement de tous les peuples à respecter ce qu'ils appellent mérite, cet empressement à s'honorer par d'illustres origines, ne permettent pas de douter que ce désir de la gloire, si universellement gravé dans le cœur de tous les hommes, ne leur soit aussi naturel que l'amour de la vie. Loin donc de la regarder comme une chimère, l'ouvrage de leur imagination échauffée, il faut convenir qu'elle est un *présent de la nature* d'autant plus estimable qu'elle n'a point donné ni au cœur humain d'antidote plus puissant contre le venin des passions, ni à la vertu des charmes plus doux et d'arme plus victorieuse pour en triompher. » (*Op. cit.*, pp. 32-33).
2. *Ibid.*, pp. 230-231.

reuse quand ma gloire se plaint que quand mon cœur souffre [1]. » La pensée est subtile. En fait il existe bien un accord entre le bonheur et la gloire, mais il est irréversible et négatif : lorsque la gloire est entamée, le bonheur diminue d'autant. Il faut sans doute en conclure que tout ce que l'on accorde à la gloire vient aussi s'ajouter au bonheur. Mais la proposition inverse n'est pas vraie : le cœur peut être tenté d'accepter pour son bonheur ce que la gloire ne saurait permettre.

La gloire est l'âme de la création artistique et poétique. Le très pitoyable Gilbert affirme qu'il n'a jamais vécu que pour elle, qu'il avait mis tout son bonheur dans sa conquête [2]. Mais cette hautaine entreprise se brise en un irrémédiable naufrage. Bafoué, inconnu, exténué, le poète, au bord de la mort, évoque tristement ce rêve de bonheur et de repos dont il n'a pas voulu, qu'il a sacrifié à un « fantôme ingrat » [3]. Ayant tout perdu, il n'attend plus, avec un désespoir frémissant de révolte, que le suprême apaisement :

« Mes yeux se fermeront sous un ciel inhumain » [4]

C'est le supplice de l'homme de génie : Gilbert rêve trop tard de ce bonheur conjugal que sa vocation poétique et son appétit de gloire lui ont fait mépriser. Mlle de Lespinasse pense de même qu'un grand homme n'est pas fait pour l'amour, encore moins pour le mariage : c'est la seule excuse qu'elle trouve à la gentillesse glacée de M. de Guibert [5].

Les auteurs d'inspiration « philosophique » envisagent surtout la gloire comme un moyen d'intégrer l'individu à la communauté. En même temps qu'elle suscite cet accroissement de l'être, qui est l'une des formes du bonheur, la gloire rend celui qui la convoite étroitement solidaire des autres hommes et toujours redevable envers eux. Elle donne l'illusion que les autres travaillent à notre bonheur, que nous leur sommes nécessaire. Elle est une sorte d'apothéose de la sociabilité. L'individu fait don au groupe de l'œuvre qui servira au bonheur collectif. Le groupe offre à l'individu un surcroît de

1. Mme DE LAMBERT, *La Femme hermite*, *Œuvres*, p. 323.

2. « Il n'est qu'un vrai malheur, c'est de vivre ignoré,
Mon sort est d'être grand, il faut qu'il s'accomplisse. »
(GILBERT, *Le Poète malheureux*, *Œuvres*, p. 9).

« Et dans tous les objets dont je marche entouré
« Ma gloire, en traits de feu, déjà me semble inscrite. »
(*Ibid.*, p. 10).

3. *Ibid.*, pp. 12-13.

4. *Ibid.*, p. 15.

5. « Tout homme qui a du talent, du génie et qui est appelé à la gloire ne doit pas se marier. Le mariage est un véritable éteignoir de tout ce qui est grand et qui peut avoir de l'éclat. Si on est assez honnête et assez sensible pour être un bon mari, on n'est plus que cela, et sans doute ce serait bien assez si le bonheur est là. Mais *il y a tel homme que la nature a destiné à être grand et non pas à être heureux*. Diderot a dit que la nature en formant un homme de génie lui secoue le flambeau sur la tête en lui disant : « Sois grand homme et sois malheureux. » (Mlle DE LESPINASSE, *Lettres*, 1811, t. I, p. 282).

bonheur intime. L'estime publique répond à certaines exigences, corrige certaines faiblesses de notre nature [1].

Le besoin d'être estimé, qui travaille tout être humain, implique à la fois noblesse et vanité. Noblesse, car c'est préférer le jugement de la société au sien propre et reconnaître que l'on attend tout de ses semblables. Mais vanité tout de même, car c'est accorder un grand prix à un bien *irréel*. En ce sens, l'appétit de la gloire relève de l'imaginaire. Il exprime l'envie d'exister là où l'on n'est pas, d'entourer l'être réel, qui est étroitement circonscrit, d'une frange idéale, qui peut s'étendre démesurément. Boudier de Villemert le souligne dans l'*Andrométrie* : aimer la gloire, c'est mettre à la place de notre personne authentique un simple nom, qui, sans avoir aucune existence par lui-même, en devient non seulement le symbole, mais le substitut [2].

Tels sont les paradoxes de la gloire. Considérée naguère comme le visage héroïque du bonheur, elle apparaît de plus en plus comme un principe de division intérieure et de déchirement. La gloire et le bonheur se révèlent rarement compatibles. L'une est tension et dépassement, l'autre repos et plénitude. C'est dans la médiocrité de la vie privée que se recrutent les gens heureux, tandis que les grands hommes naissent bien souvent sous une mauvaise étoile. Cependant, si la gloire n'est pas en mesure de nourrir ce sentiment d'unité intérieure nécessaire au bonheur, elle parachève l'unité non moins importante entre l'individu et le groupe. La gloire devient alors le sceau éclatant du pacte social. Elle est le signe d'un bienfait dont profitent tous les hommes. Elle révèle moins le bonheur d'un seul que le bonheur de tous, car c'est à ce prix seulement que la société l'accorde. Quant à l'être privilégié qui reçoit l'hommage de l'estime publique, il y trouve de quoi guérir ce besoin d'être reconnu, approuvé, applaudi, qui est l'indice de la fragilité de notre nature. La gloire est le meilleur remède à l'inquiétude et au doute. En ce sens, il reste vrai de dire qu'elle contribue au bonheur. Entraînant l'âme

1. « Il y a peu d'hommes qui aient ou assez de vertu ou assez de vanité pour se contenter d'une approbation intérieure. A peine ose-t-on s'estimer quand un suffrage étranger ne se joint pas à celui de l'amour-propre. Non seulement l'estime d'autrui nous flatte par l'idée favorable qu'elle nous donne de nos qualités personnelles ; elle nous persuade encore que les autres hommes envisagent notre félicité comme faisant partie de la leur. *Nous sommes dans une si grande dépendance les uns des autres qu'il n'est aucun homme qui ne puisse troubler notre bonheur et qu'il en est toujours plusieurs à portée de le procurer ou de l'augmenter.* Quoi de plus heureux dans cet état de faiblesse que l'estime publique, qui nous montre dans tout ce qui nous environne une inclination générale à favoriser nos désirs ? » (Lévesque de Pouilly, *Théorie des sentiments agréables*, pp. 124-126).

2. « Si l'homme n'occupe réellement qu'un très petit terrain, son imagination en embrasse un fort vaste : ce qu'on peut dire de lui à une grande distance l'affecte vivement, quoique son nom seul y soit connu. Resserré dans un espace fort étroit, il a trouvé dans ce nom un moyen de se mettre au large ; quelques syllabes l'ont porté fort au-delà de lui-même et il s'est peu embarrassé de ce qu'il devenait, pourvu que ce qui le désignait le conservât dans la mémoire des hommes... C'est ainsi que les hommes se sont soumis à des chimères qui n'empruntent leur valeur que de la fausse idée qu'ils y attachent. » (Boudier de Villemert, *Andrometrie*, pp. 119 et 121).

assez loin du bonheur par certaines de ses exigences, elle l'y ramène par les récompenses dont elle la comble. Mais un dernier paradoxe demeure : les récompenses de la gloire résident tout entières dans l'imagination. L'homme ne se libère de l'une de ses infirmités que pour tomber dans une autre. La gloire suppose un certain attrait pour le chimérique, une déviation, ou du moins une complaisance, de la saine raison, qui devrait normalement mépriser tous les « biens d'opinion ». Dans l'appétit de gloire subsiste toujours un peu de cette prétention de l'homme à se vouloir plus grand qu'il ne l'est. Or toute démesure de l'imagination trahit quelque secrète faiblesse devant le réel. Telle est l'ambiguïté essentielle de la gloire : selon la façon dont on l'envisage, elle peut être aussi bien *tout* que *rien*.

***

Il n'est qu'une seule âme dans tout le siècle, mais une âme exceptionnelle, pour n'avoir éprouvé que le contenu positif de la gloire : Vauvenargues. Pour lui, l'unique destination de l'homme réside dans l'action : « On ne saurait jouir qu'autant que l'on agit et notre âme enfin ne se possède véritablement que lorsqu'elle s'exerce tout entière [1]. » Les philosophes qui tentent de rappeler l'homme au repos méconnaissent sa vocation. Non seulement le repos est un état insoutenable, mais il fait sombrer l'âme dans la stérilité et l'inexistence. L'activité n'est pas seulement la source de tout plaisir, mais de tout être. Renoncer à agir, c'est s'abandonner au néant. La nature de l'homme est de fonder toute son existence sur le devenir : « Plus nous agissons, plus nous vivons, car le sort des choses humaines est de ne pouvoir se maintenir que par une génération continuelle [2]. » De plus, l'action est l'âme du monde ; c'est grâce à elle que l'homme peut se sentir en harmonie avec toutes choses : « Le feu, l'air, l'esprit, la lumière, tout vit par l'action ; de là, la communication et l'alliance de tous les êtres ; de là, l'unité et l'harmonie de l'univers [3]. » Les philosophes sont donc absurdes, qui qualifient en l'homme de « vice » ce qui est une « loi de la nature ». Le repos promu au rang d'idéal n'est que le déguisement d'un rêve honteux, habitant des âmes paresseuses.

Vauvenargues occupe une place importante dans le mouvement qui tend, au XVIIIe siècle, à la réhabilitation de l'action. Pour Pascal, le divertissement n'était que le signe de notre misère. Pour Montesquieu et Voltaire, il devient une finalité naturelle en même temps qu'un expédient heureux pour éviter la souffrance. Avec Vauve-

1. VAUVENARGUES, *Œuvres*, t. I, p. 86.
2. *Ibid.*, t. II, p. 233.
3. *Ibid.*, p. 166.

nargues, la notion même de divertissement disparaît. L'activité est le plus haut degré d'existence de l'homme.

Il n'est donc pas excessif de faire de Vauvenargues un psychologue et un moraliste de l'action. Ses « Caractères » fustigent presque uniquement les « mondains », dont toute la vie n'est que bâillement ou frénésie. Vauvenargues s'en prend aux êtres apathiques, semblables à ce Thrasicle [1], l'homme à la mode, inerte, vide et faux, ou au contraire aux êtres effervescents comme Horace [2], Hégésippe [3], Titus [4] et Cyrus [5], sorte de pantins fous, qui parodient l'activité et se grisent d'émotions artificielles. Face aux agités, il dessine les faibles, « qui n'osent pas le mal et ne font pas le bien [6] », et les « inconséquents », incapables de fidélité à eux-mêmes [7]. La satire morale de Vauvenargues apparaît comme une description des maladies de l'activité. Également impitoyable pour l'agitation et le désœuvrement, il révère l'ardente efficacité des ambitieux. Le manque d'ambition « dans les grands » lui semble la « source de beaucoup de vices », et il ne cache pas sa prédilection pour les « vertus de système », qui révèlent, mieux que les naturelles, une « âme forte » [8].

Toute la morale de Vauvenargues se résume en quatre mots : activité, courage, gloire, ambition. L'activité et le courage désignent les deux vertus essentielles, tandis que la gloire et l'ambition constituent les mobiles qui les sous-tendent [9]. Chez le grand homme d'État, l'ambition doit s'accompagner de toutes les vertus. Le Richelieu que Vauvenargues imagine assure : « L'ambition est l'âme du monde, mais il faut qu'elle soit accompagnée de vertu, d'humanité, de prudence et de grandes vues, pour faire le bonheur des peuples et assurer la gloire de ceux qui gouvernent [10]. » Tel est l'apogée de l'ambition. A son plus bas niveau, elle se réduit à cet instinct de l'activité ou de l' « intrigue », qui demeure en deçà de la gloire et n'exprime que l'inaptitude naturelle à se résoudre au repos [11].

Vauvenargues élucide mal les rapports entre la vertu et la gloire, les deux mots étant souvent interchangeables. Il semble admettre avec confiance que la recherche de la gloire tourne au profit de la

1. Cf. *ibid.*, t. I, p. 173.
2. *Ibid.*, p. 177.
3. *Ibid.*, p. 179.
4. *Ibid.*, p. 181.
5. *Ibid.*, p. 195.
6. *Ibid.*, p. 187.
7. *Ibid.*, pp. 189-190.
8. *Ibid.*, t. II, p. 201.
9. A Fénelon qui lui reproche son ambition, Richelieu répond que c'est elle qui « fait toutes choses sur la terre ». Fénelon croit pouvoir corriger : « Dites plutôt que c'est l'activité et le courage ». — « Oui, convient Richelieu, l'activité et le courage ; mais l'un et l'autre ne se trouvent guère qu'avec une grande ambition et avec l'amour de la gloire. » (*Ibid.*, t. III, p. 61).
10. *Ibid.*, p. 63.
11. A Jaffier qui lui demande : « Ne pouvais-tu vivre tranquillement sans activité et sans gloire ? », Renaud réplique : « J'aimerais mieux la mort qu'une vie oisive ; je saurais bien vivre sans gloire, mais non sans activité et sans intrigue. » (*Ibid.*, p. 77).

vertu. Il croit, en tout cas, que la vertu est inefficace, lorsqu'un appétit de gloire ne l'inspire pas. L'unique thème de ses maximes est que l'homme doit parier pour l'action et mépriser les faux prestiges du repos. Vertu et gloire deviennent alors synonymes d'énergie. Il s'agit surtout de prendre le contrepied des médiocres [1]. Deux séries de portraits se font face : d'un côté, « Coligny, Turenne, Bossuet, Richelieu, Fénelon » ; de l'autre, « les gens à la mode, les gens du bel air qui passent toute leur vie dans la dissipation et les plaisirs » [2]. Les voluptueux calculent mal. Ils pensent trouver le repos dans l'oisiveté et le plaisir. Mais ils oublient que le repos et le plaisir ne sont donnés qu'à ceux qui ont choisi l'action et le « travail » [3]. Vauvenargues conteste l'hédonisme moral de son temps, qui vise à aménager une bonne conscience du plaisir et décrit le repos comme un état non seulement voluptueux, mais méritoire : « La véritable vertu ne peut se reposer ni dans les plaisirs, ni dans l'abondance, ni dans l'inaction [4]. » Contrairement à la morne volupté des oisifs qui ne débouche que sur le vide, la gloire n'est jamais infructueuse, jamais dépourvue non plus d'un contenu moral. Malgré la part d'imaginaire qui entre dans sa composition, elle recèle toujours un bénéfice positif [5]. Rousseau dit dans *La Nouvelle Héloïse* que, par l'élan de la prière, l'homme se donne lui-même les grâces qu'il croit obtenir de Dieu. Dans la quête de la gloire, il se produit un miracle analogue : en convoitant le brillant objet auquel on attache son bonheur, on acquiert les vertus permettant de l'atteindre. La gloire n'est pas seulement la récompense de la vertu : elle la *crée* [6]. Même si elle n'est pas le but conscient de notre action, il n'est pas un homme tant soit peu vertueux qu'elle ne meuve secrètement [7]. Si la vertu et la gloire se trouvent en contradiction, c'est évidemment la première qu'il faut choisir : « La vertu vaut mieux que la gloire [8]. » Mais Vauvenargues croit beaucoup plus à une harmonie naturelle qu'à de possibles conflits.

Certaines de ces vertus associées à la gloire semblent pourtant

1. « On ne peut être dupe de la vraie vertu... Quoi qu'on fasse aussi pour la gloire, jamais le travail n'est perdu s'il tend à nous en rendre dignes. C'est une chose étrange que tant d'hommes se défient de la vertu et de la gloire comme d'une route hasardeuse, et qu'ils regardent l'oisiveté comme un parti sûr et solide. » (*Ibid.*, t. I, pp. 96-97).

2. *Ibid.*

3. « Un homme qui dit : « Les talents, la gloire coûtent trop de soins, je veux vivre en paix si je puis », je le compare à celui qui ferait le projet de passer sa vie dans son lit, dans un long et gracieux sommeil. O insensé ! Pourquoi voulez-vous mourir vivant ? Votre erreur en tout sens est grande : plus vous serez dans votre lit, moins vous dormirez ; le repos, la paix, le plaisir ne sont que le prix du travail. » (*Ibid.*, t. II, p. 26).

4. *Ibid.*, p. 32.

5. « Je veux que la gloire nous trompe : les talents qu'elle nous fera cultiver, les sentiments dont elle remplira notre âme, répareront bien cette erreur... Qui n'a du courage quand la gloire vient le flatter ? Qui est plus jaloux de bien faire ? » (*Ibid.*, pp. 28 et 31).

6. « La gloire remplit le monde des vertus et, comme un soleil bienfaisant, elle couvre toute la terre de fleurs et de fruits. » (*Ibid.*, p. 220).

7. « L'amour de la gloire est encore l'âme invisible de tous ceux qui sont capables de quelque vertu. » (*Ibid.*, t. I, p. 119).

8. *Ibid.*, t. II, p. 7.

assez équivoques. C'est le cas de cette « grandeur d'âme » que Vauvenargues admire tant : « La grandeur d'âme est un instinct élevé qui porte les hommes au grand, de quelque nature qu'il soit, mais qui les tourne au bien ou au mal selon leurs passions, leurs lumières, leur éducation, leur fortune [1]. » Il en cite des exemples passablement inquiétants : Catilina ou Louis XI. Il aime dans le premier cette « familiarité » sublime qui l'aidait à tout comprendre et à tout séduire [2]. Il est ébloui par l'extraordinaire pouvoir de communication, d'expansion et de rayonnement qu'il prête au personnage. Quant à Louis XI, il le félicite d'avoir su si bien épuiser les délices et les prestiges de sa condition de roi [3]. C'est à propos de lui qu'il trouve cette belle définition de la grandeur d'âme, que Diderot n'eût pas désavouée : « Une grande âme ne perd rien de vue ; le passé, le présent et l'avenir sont immobiles devant ses yeux... Elle incorpore à soi toutes les choses de la terre ; elle tient à tout ; tout la touche, rien ne lui est étranger [4]. »

On dirait que Vauvenargues hésite entre une dilatation agressive de l'homme, s'emparant d'un univers à travers lequel il impose sa force ou promène sa pensée, et un repliement absolu, qui remplace la domination du monde par une intense et minutieuse exploration de soi :

« C'est dans notre esprit et non dans les objets extérieurs que nous apercevons la plupart des choses ; les sots ne connaissent presque rien parce qu'ils sont vides et que leur cœur est étroit ; mais les grandes âmes trouvent en elles-mêmes un grand nombre de choses extérieures ; elles n'ont besoin ni de lire, ni de voyager, ni d'écouter, ni de travailler pour découvrir les plus hautes vérités ; elles n'ont qu'à se replier sur elles-mêmes et à feuilleter, si cela peut se dire, leurs propres pensées [5]. »

Telle est peut-être la vraie gloire que Vauvenargues identifie au bonheur. Au commencement est l'action, où la grande âme flaire d'instinct les germes de son plaisir et de sa gloire. Pour se délecter sans inquiétude, elle prend garde d'avancer sous le couvert de la vertu. Vauvenargues reste un instant pareil à tous les hommes de son temps. Mais son amour de la grandeur pure l'aide à franchir les limites de l'optimisme et du moralisme conventionnels. Il prend un étrange plaisir à exalter la gloire de ces âmes d'exception que la vertu n'embarrasse guère. Il envie leurs jouissances à se sentir si fortes, si libres,

1. *Ibid.*, t. I, p. 70. Voulant définir « l'âme forte », Vauvenargues la dépeint « dominée par quelque passion, altière et courageuse, à laquelle toutes les autres, quoique vives, soient subordonnées ». (*Ibid.*, t. II, p. 232).
2. Il lui fait dire : « Je tenais à tous les états par mon génie vaste et conciliant. » (*Ibid.*, t. III, pp. 74-75).
3. « C'était une âme qui, par son activité et son étendue, paraissait se multiplier pour suffire à tout, qui jouissait véritablement de la royauté. »
4. *Ibid.*, pp. 42-43.
5. *Ibid.*, t. II, pp. 200-201.

souveraines. A la limite, leur puissance est telle qu'elle dédaigne de conquérir. La grande âme cesse d'agir pour se contempler elle-même. La vraie gloire redevient personnelle et se moque de l'estime publique. C'est un des signes de la hauteur où se meut la pensée de Vauvenargues que cette aptitude à osciller entre une philosophie de l'action et la contemplation intérieure, entre le conformisme et la délectation de soi. Dans les deux cas, la gloire lui sert d'idéal et de principe. Mais la gloire de Vauvenargues n'est pas cette gloire tactique que tout le siècle emprisonne dans le système des sanctions morales. Elle a quelque chose de pur et d'immoral, d'éclatant et de fermé, qui laisse pressentir certains accents de l'énergie stendhalienne.

La gloire, telle que la conçoit Diderot, apparaît bien différente : elle consiste à se voir reconnu par les autres ; elle est un applaudissement universel. Ce Diderot si richement incarné et si présent à son siècle projette assez curieusement la gloire dans un futur posthume, dans ce salut que le génie reçoit de la postérité. Il rejoint ainsi un thème de l'humanisme antique, qu'il exploite avec un mélange d'enthousiasme et de convention.

Selon lui, la gloire est le meilleur stimulant de l'homme (« Le sentiment de l'immortalité, le désir de s'illustrer chez la postérité, de faire l'admiration et l'entretien des siècles à venir tend à émouvoir le cœur, à enflammer l'esprit, à élever l'âme, à mettre en feu tout ce que j'ai d'énergie [1] »), et sa plus sûre consolation [2]. En l'exaltant, il ne cède pas à un idéalisme gratuit. Il sait qu'elle est à la fois un idéal et un expédient. Son exigence appartient à la nature humaine et constitue l'un des ressorts profonds qui la meuvent. Sublimation de l'amour-propre, elle parachève le bonheur ordinaire, qui se nourrit d'un amour-propre plus fruste : « Il faut un salaire à l'homme, un motif idéal ou réel. Faites mieux, réunissez-les. Accordez-lui le bonheur tandis qu'il est et montrez-lui la statue quand il ne sera plus. C'est le moyen de déployer toute son énergie [3]. » Mais le désir de la gloire

1. Lettre à Falconet, *Œuvres*, Assézat-Tourneux, t. XVIII, p. 94.

2. « Ne voyez-vous pas que le jugement anticipé de la postérité est le seul encouragement, le seul appui, la seule consolation, l'unique ressource de l'homme en mille circonstances malheureuses ? » (*Ibid.*, p. 102).

3. *Ibid.*, p. 121. Cf. *ibid.*, p. 123 : « Pourquoi m'amuserais-je à briser un des principaux ressorts de l'âme ? Pourquoi tarirais-je la source des actions héroïques ? Pourquoi attacherais-je l'homme à lui-même qu'il n'aime déjà que trop ?... Pourquoi restreindrais-je la sphère déjà si étroite de nos jouissances ?... Les peines et les plaisirs réels ou physiques ne sont presque rien. Les peines et les plaisirs d'opinion sont sans nombre. Il faut ou que je respecte le sentiment de l'immortalité, l'idée de la postérité, toutes les jouissances idéales ou que j'attaque à la fois tous les plaisirs d'opinion. » L'espérance de la gloire fortifie ou divertit l'âme à la manière d'un stupéfiant ; elle est un de ces « moyens » dont disposent les hommes pour tirer le meilleur parti d'eux-mêmes : « Il faut commencer par avoir du génie, une grande âme, il est vrai ; mais il y a mille moyens d'élever et d'échauffer l'âme entre lesquels je ne refuse pas de compter

n'agit pas seulement comme un coup de fouet : il élève l'âme et la métamorphose. Entre la grandeur et lui, les relations sont réversibles : « Plus les hommes ont été grands, plus ils s'en sont enivrés, et plus ils s'en sont enivrés, plus ils ont été grands [1]. »

Cependant la vraie valeur de la gloire n'est ni dans la nécessité de rafraîchir notre âme, ni même dans la grandeur comme fin en soi. Elle tient à l'essence du bonheur humain. La conscience se laisse plus aisément captiver par les chimères que par le réel, elle préfère les voluptés incertaines et éloignées aux plaisirs trop proches. C'est pourquoi la vraie gloire n'est pas celle du présent, dont on pourrait jouir, mais celle de l'avenir, qui transfigure et éternise notre mémoire. Celle-là seule est à la mesure des besoins infinis de l'âme [2]. Curieuse attitude de la part de Diderot, qui est si fortement attiré par toutes les jouissances de l'immédiat. Ici le réel est déprécié au profit de l'imaginaire : « Réduisez le bonheur au petit sachet de la réalité et puis dites-moi ce que ce sera [3]. » Un « concert de flûtes » entendu dans le lointain et dont l'imagination recompose les lambeaux épars « enivre » infiniment plus que le concert auquel on assiste. De même un songe est souvent plus suave que la plus suave réalité : « Combien de fois le rêve du matin ne m'a-t-il pas été plus doux que la jouissance de l'après-midi ? Ne me détachez pas de la meilleure partie de mon bonheur. Celui que je me promets est presque toujours plus grand que celui dont je jouis. Ce n'est pas chez moi, c'est dans mon château en Espagne que je suis pleinement satisfait [4]. » D'ailleurs il est absurde, en matière de bonheur, d'opposer le réel et le chimérique. Le bonheur peut être à la fois illusion et réalité. Sa nature est d'enlever toute autonomie à l'objet, d'investir le sujet de pouvoirs sans limite [5]. Il n'y a donc aucune raison de l'emprisonner dans les étroites bornes du présent. Celui-ci n'est qu'une abstraction découpée dans la totalité du temps. Le bonheur d'une âme doit être accordé à cette totalité, non à ce présent factice, avec lequel elle n'a nulle affinité. Bien loin

l'envie et le café ; pourvu que vous me permettiez de nommer aussi le sentiment de l'immortalité et le respect de la postérité. » (*Ibid.*, p. 174).

1. Ce qui est vrai pour les individus l'est aussi pour les peuples et pour les siècles : « Le sentiment de l'immortalité et le respect de la postérité ne se sont jamais développés avec plus de force que dans les beaux siècles des nations et elles se sont dégradées à mesure que ces deux grands fantômes s'en éloignaient. » (*Ibid.*, p. 110).

2. « La sphère qui nous environne et où l'on nous admire, la durée pendant laquelle nous existons et nous entendons la louange, le nombre de ceux qui nous adressent directement l'éloge que nous avons mérité d'eux, tout cela est trop petit pour la capacité de notre âme ambitieuse. Peut-être ne nous trouvons-nous pas suffisamment récompensés de nos travaux par les génuflexions d'un monde actuel. A côté de ceux que nous voyons prosternés, nous agenouillons ceux qui ne sont pas encore. Il n'y a que cette foule d'adorateurs illimitée qui puisse satisfaire un esprit dont les élans sont toujours vers l'infini. » (*Ibid.*, p. 86).

3. *Ibid.*

4. *Ibid.*, p. 96.

5. « Il n'y a point de plaisir senti qui soit chimérique ; le malade imaginaire est vraiment malade. L'homme qui se croit heureux l'est... Ixion est heureux quand il embrasse sa nuée, et si la nuée lui présente sans cesse l'objet de sa passion et ne s'évanouit pas entre ses bras, il est toujours heureux. » (*Ibid.*, p. 88).

de faire corps avec lui, l'homme en quête de lui-même doit lui échapper sans cesse, afin d'explorer alternativement le présent et l'avenir, où il installe sa véritable vie, qui est idéale [1].

La pensée de la postérité permet de construire en rêve l'interminable scénario d'un bonheur parfait. Que celui-ci ne coïncide pas avec notre vie est sans importance : le présent n'étant presque rien, tout par définition nous échappe [2]. Dans cet avenir qui n'est pas moins réel que le présent, nous avons déjà l'illusion de vivre une apothéose : c'est tout un peuple, toute l'humanité qui travaille à nous combler de joie [3]. L'aptitude à prolonger idéalement son existence en dehors des limites du temps est le privilège de l'homme :

« L'animal n'existe que dans le moment, il ne voit rien au delà ; l'homme vit dans le passé, le présent et l'avenir ; dans le passé, pour s'instruire ; dans le présent, pour jouïr ; dans l'avenir, pour se le préparer glorieux à lui-même et aux siens. Il est de sa nature d'étendre son existence par des vues, des projets, des attentes de toute espèce [4]. »

Telle est en somme la trilogie du bonheur : connaissance du passé, jouissance du présent, conquête glorieuse de l'avenir.

Arrivé à ce point de perfection, à cette existence totale, Diderot peut dire : « Nous sommes l'univers entier » [5]. Sans la gloire, l'homme se trouverait condamné à son existence actuelle, qui n'est qu'une part de lui-même. « O valeur inappréciable de la gloire ! [6] » Elle est une sorte d'au-delà, un univers absolu, tout à fait comparable au Ciel des chrétiens [7]. Malgré la rhétorique et l'emphase — Diderot parle lui-même de sa « cicéronerie » [8] — les lettres à Falconet révèlent une nostalgie de l'infini, un effréné désir de survie. A cette âme, religieuse à sa manière, la gloire apporte les suprêmes consolations de l'éternité.

Pour Diderot, comme pour Vauvenargues, la gloire est essentielle. Mais elle se déploie dans un climat différent. Vauvenargues ne la conçoit qu'associée à l'*action*, alors que Diderot ne la détache pas du *rêve*. Tous les deux cependant y voient surtout le plus noble des

1. « Le présent est un point invisible et fluant, sur lequel l'homme ne peut non plus se tenir que sur la pointe d'une aiguille. Sa nature est d'osciller sans cesse sur ce *fulcrum* de son existence. Il se balance sur ce petit point d'appui, se ramenant en arrière ou se portant en avant à des distances proportionnées à l'énergie de son âme. Les limites de ses oscillations ne se referment ni dans la courte durée de sa vie, ni dans le petit arc de sa sphère... Qu'est-ce que la voix du présent ? Rien. Le présent n'est qu'un point, et la voix que nous entendons est toujours celle de l'avenir ou du passé. » (*Ibid.*, pp. 115 et 98).
2. « Demain n'est pas plus pour vous que l'année 99999. » (*Ibid.*, p. 98).
3. « Ah ! qu'il est flatteur et doux de voir une nation entière, jalouse d'accroître notre bonheur, prendre elle-même la statue qu'elle nous a élevée, la transporter à deux mille ans sur un nouvel autel et nous montrer et la race présente et les races à venir prosternées. » (*Ibid.*).
4. *Ibid.*, pp. 178-179.
5. *Ibid.*, p. 224.
6. *Ibid.*, p. 177.
7. « La postérité pour le philosophe c'est l'autre monde de l'homme religieux... L'éternité c'est la postérité de l'homme religieux. » (*Ibid.*, p. 101 et p. 174).
8. *Ibid.*, p. 93.

expédients : encouragement à l'énergie et à la vertu, ou thème exaltant offert à l'imagination. En cela ils ressemblent à tous ceux de leur siècle, qui font de la gloire un moyen, non une fin en soi. Mais ils s'en distinguent en osant revendiquer une gloire toute personnelle, justifiée par leur propre exigence de bonheur, non par les services rendus à l'humanité.

***

A la fin du siècle, Mme de Staël réfléchit sur la gloire. Elle refuse de l'opposer au bonheur et surtout de la lui préférer : « Donner à quelque chose la préférence sur le bonheur serait un contre-sens moral absolu [1]. » Elle n'en reconnaît pas moins le sublime de l'amour de la gloire, qui « se onde sur ce qu'il y a de plus élevé dans la nature de l'homme [2]. Il faut le distinguer de l'ambition. L'un n'appartient qu'aux âmes généreuses, éprises de rêve et toujours en expansion ; l'autre est une sombre passion tendant à l'ivresse brutale du pouvoir.

Le bonheur de la gloire est une revanche sur la condition humaine. A la façon de Diderot, Mme de Staël y voit un affranchissement hors de l'espace et du temps. Par la gloire, l'homme s'égale à l'univers, peut-être même à ce qui le dépasse : « C'est sans doute une jouissance enivrante que de remplir l'univers de son nom, d'exister tellement au delà de soi qu'il soit possible de se faire illusion et sur l'espace et sur la durée de la vie et de se croire quelques-uns des attributs métaphysiques de l'infini [3]. »

Sans doute l'idée de gloire n'est-elle pas une idée-clé du XVIIIe siècle. Il arrive souvent qu'on se prononce contre elle, qu'on la confonde avec l'inhumanité ou la barbarie. A la gloire désormais incomprise ou condamnée de l'héroïsme, on oppose l'éclat nouveau de la bienfaisance. La vraie gloire est décernée par la conscience publique à l'homme vertueux qui n'a cherché son bonheur que dans celui des autres. Au lieu de servir à l'apothéose de l'individu, elle est mobilisée au profit de l'ordre social.

Cependant les âmes ardentes n'estiment dans la gloire que le bonheur qu'elle leur apporte ou leur promet. Son intervention a quelque chose de révolutionnaire, presque de métaphysique. Elle ne se contente pas

1. *De l'Influence des passions*, pp. 78-79 : « Par une sorte d'abstraction métaphysique on dit souvent que la gloire vaut mieux que le bonheur ; mais cette assertion ne peut s'entendre que par les idées accessoires qu'on y attache ; on met alors en opposition les jouissances de la vie privée avec l'éclat d'une grande existence ; mais *donner à quelque chose la préférence sur le bonheur serait un contre-sens moral absolu.* L'homme vertueux ne fait de grands sacrifices que pour fuir la peine du remords et s'assurer des récompenses au-dedans de lui-même ; enfin la félicité de l'homme lui est plus nécessaire que sa vie, puisqu'il se tue pour échapper à la douleur. S'il est donc vrai que choisir le malheur est un mot qui implique contradiction en lui-même, la passion de la gloire, comme tous les sentiments, doit être jugé par son influence sur le bonheur. »

2. *Ibid.*, p. 114.

3. *Ibid.*, p. 58.

d'entrer dans la composition du bonheur. Son pouvoir s'exerce sur l'existence elle-même, ou sur la conscience que nous en prenons. Par la gloire, l'homme cesse de n'exister qu'en lui-même. Il devient immense et éternel. Il s'évade de la condition humaine. La gloire constitue une limite du bonheur, dont elle bouleverse les termes habituels. Il n'est plus question d'euphorique médiocrité. Au lieu de se rendre heureux, comme tant d'autres, en substituant des imites volontaires, tracées par la sagesse, aux limites naturelles, l'homme touché par la gloire n'est plus tributaire de sa condition et savoure dans l'émerveillement une existence divine.

4. — L'IMAGINAIRE ET LES MYSTÈRES DU MONDE.

L'imagination joue son rôle dans la construction du bonheur. Sans doute a-t-on des raisons de se défier d'une puissance aussi trompeuse : créatrice de maux chimériques, aussi fortement ressentis que les véritables, elle entretient des espoirs qui ne s'accomplissent jamais [1]. Mais il ne faut pas exagérer la crainte que les âmes du siècle, surtout éprises du réel, éprouvent devant l'imaginaire. Pour Mme de Lambert, « l'imagination est la source et la gardienne de nos plaisirs » : « Toujours d'intelligence avec le cœur, elle sait lui fournir toutes les erreurs dont il a besoin. » Elle permet encore de triompher du temps et de rassembler au sein d'une conscience heureuse tous ses plaisirs passés et à venir. Elle sert à épurer la sensualité et « nous donne de ces joies sérieuses qui ne font rire que l'esprit ». En somme, « toute l'âme est en elle et dès qu'elle se refroidit tous les charmes de la vie disparaissent » [2]. Le sévère Caraccioli, habitué à flairer l'impureté, à vitupérer les jouissances factices et à ne pas badiner avec la morale, avoue de son côté : « Que je plains les hommes qui ne savent pas profiter de leur imagination, cette faculté brillante dont l'usage modéré détruit les chagrins et paraît *multiplier l'âme*... Nous avons besoin de ces heureuses illusions [3]. » Mme de Bénouville décrit ses extases, quand elle reste « une heure ou deux immobile comme une statue, les yeux ouverts et fixés sans rien voir ». Devenue étrangère au présent qui « l'afflige », protégée par son apparente hébétude, elle s'absorbe dans la contemplation d'un avenir qu'elle compose à sa fantaisie, vivant heureuse d'une vie seconde : « Je m'attendris, je m'effraie, je

1. « L'imagination nous procure beaucoup de plaisirs ou beaucoup de peines. Il y a des gens qu'elle tyrannise sans cesse par des chagrins dont elle les menace et qui souvent n'arrivent point ; d'autres à qui elle promet des plaisirs, qu'ils ne goûteront jamais qu'en idée ; il serait à souhaiter pour les uns et pour les autres qu'ils n'eussent rien imaginé ; modérez donc votre imagination et ne vous mettez point à sa discrétion. » (Mme DE PUISIEUX, *Conseils à une amie*, p. 45).
2. Mme DE LAMBERT, *Réflexions sur les femmes*, p. 162.
3. CARACCIOLI, *De la Gaîté*, p. 14.

m'irrite, selon que les objets se présentent à mon imagination et c'est elle alors qui me tient lieu de tout [1]. »

L'invasion de l'âme par l'imagination aboutit à la sensibilité préromantique. Ce n'est pas *l'intensité* qui permet de la définir le mieux : aucune œuvre préromantique ne dépasse en violence affective les romans de Prévost. Mais, tandis que dans la littérature antérieure la sensibilité jaillit de *situations* vécues, même si elles sont inventées, l'émotion préromantique se déclenche à partir d'une perception que l'imagination interprète. Ce n'est plus la situation qui importe, ni même le *sentiment* au sens précis du mot, mais un certain *climat* que l'âme se plaît à recomposer autour des choses. Aussi les sentiments préromantiques sont-ils le plus souvent déformés. Ile ne sont jamais liés à la *connaissance* d'une réalité, mais à l'*image* que la conscience lui substitue. Bernardin de Saint-Pierre définit ainsi le sentiment de la pitié : « Il ne porte point sur le malheur en lui-même, mais sur une qualité morale qu'il démêle dans l'infortuné qui en est l'objet [2]. » Cette « qualité morale », c'est l'innocence. On ne s'attendrit pas sur la souffrance d'un être humain, mais sur l'idée de l'injustice accablant la faiblesse et la pureté.

Le sentiment de l'innocence est l'âme secrète de l'amour de la patrie, vestige des « affections douces et pures du premier âge ». Si les soldats suisses s'échappaient vers la terre natale, dès qu'ils entendaient le « *rans des vaches* », c'est que la musique, en imitant « le mugissement des bestiaux » et les « retentissements des échos », leur rappelait « les vallons, les lacs, les montagnes de leur patrie et en même temps les compagnons du premier âge, les premières amours et les souvenirs des bons aïeux » [3].

Le sentiment du mystère est une autre cause de bonheur imaginaire : « Ce ne sont point les tableaux les plus éclairés, les avenues en ligne droite, les roses bien épanouies et les femmes brillantes qui nous plaisent le plus. Mais les vallées ombreuses, les routes qui serpentent dans les forêts, les fleurs qui s'entr'ouvrent à peine et les bergères timides excitent en nous de plus douces et de plus durables émotions. *L'amour et le respect des objets augmentent par leur mystère.* » Le mystère que l'imagination diffuse autour des choses est puisé à des sources diverses : l' « antiquité », l' « éloignement », les « noms »... La reconnaissance du mystère par l'âme s'accompagne d'un sentiment d' « admiration », qui n'est nullement une « relation de l'esprit ou une perception de notre raison », mais un élan secret, provoqué « par je ne sais quel instinct de la Divinité » [4].

1. Mme DE BENOUVILLE, *Les Pensées errantes*, pp. 175-176.
2. Cf. BERNARDIN DE SAINT-PIERRE, *Études de la Nature, 12e Étude, Œuvres*, t. V, pp. 53-55.
3. Cf. *ibid.*, pp. 55-56.
4. *Ibid.*, pp. 60-61.

Autre situation favorable au déploiement des prestiges imaginaires : l'ignorance [1]. Lorsque Bernardin se promène, il se garde bien d'apprendre à qui appartient tel château, telle forêt. D'en savoir trop couperait les ailes à son imagination. Il préfère s'approprier le paysage, le transfigurer, y bâtir un roman merveilleux. Les prairies deviennent des mers, les « coteaux embrumés » des îles : « Cette ville, là-bas, est une cité de la Grèce... [2] » La complicité de la rêverie transforme l'ignorance en un état d'âme.

L'imagination est responsable encore d'un bonheur au charme bien subtil : la « mélancolie ». Si l'homme trouve, selon le mot de Montaigne, la mélancolie si « friande », c'est « qu'elle satisfait à la fois les deux puissances dont nous sommes formés, le corps et l'âme, le sentiment de notre misère et celui de notre excellence ». Qu'on prenne l'éternel exemple de l'abri sous l'orage [3]. Le sentiment de la misère se rassure en savourant la tiédeur du refuge. L'homme fragile se sent délicieusement protégé. Mais en même temps l'imagination de l'homme céleste, ébranlée par les bruits de la pluie et du vent, s'élance à travers l'univers, élargit le champ de la tempête, l'accompagne depuis l'Orient jusqu'à la Tartarie, se brise dans sa violence, et s'engloutit dans les profondeurs de l'Océan : « Ces voyages de mon intelligence donnent à mon âme une extension convenable à sa nature et me paraissent d'autant plus doux que mon corps, qui de son côté aime le repos, est plus tranquille et plus à l'abri. » Bernardin retrouve, en décrivant les fonctions de l'imagination, la dualité si souvent rencontrée : mouvement et repos. Les états d'âmes parfaits sont ceux qui harmonisent entre elles les deux exigences : « Il faut pour jouir du mauvais temps que notre âme voyage et que notre esprit se repose [4]. »

La même dualité explique le prestige apparemment morbide de cet accessoire préromantique : les tombeaux. Le plaisir des tombeaux est un sentiment mixte, qui surgit du heurt de deux émotions contraires : l'effroi suscité par le voisinage du cadavre et l'espérance ou la certitude de l'éternité. « *Un tombeau est un monument placé sur la limite de deux mondes* [5]. »

1. « Que de maux l'ignorance nous cache... Que de biens l'ignorance nous rend sublimes... *C'est le point de contact de la lumière et des ténèbres qui produit le jour le plus favorable à nos yeux...* Il n'y a que des sciences et des passions pleines de doutes et de hasards qui fassent des enthousiastes à tout âge, telles que la chimie, l'avarice, le jeu et l'amour. » (*Ibid.*, pp. 61-63).

2. « Grâce à mon ignorance, je me laisse aller à l'instinct de mon âme. Je me jette dans l'infini. Je prolonge la distance des lieux par celle des siècles et, pour achever mon illusion, j'y fais séjourner la vertu. » (*Ibid.*, pp. 64-65).

3. « Je goûte du plaisir lorsqu'il pleut à verse, que je vois les vieux murs moussus tout dégouttants d'eau et que j'entends les murmures des vents qui se mêlent aux frémissements de la pluie. Ces bruits mélancoliques me jettent, pendant la nuit, dans un doux et profond sommeil. » (*Ibid.*, p. 65).

4. Cf. *ibid.*, pp. 65-68. Les termes « âme » et « esprit » sont ici assez imprécis et, à la limite, interchangeables.

5. « La mélancolie voluptueuse qui en résulte naît, comme toutes les sensations attrayantes, de l'harmonie de deux principes opposés, du sentiment de notre existence rapide et de celui

Par les rapports qu'elle invente, les contrastes qu'elle crée, le halo dont elle enveloppe toutes choses, l'imagination est en mesure d'orchestrer la sensibilité, de maintenir l'âme dans une tonalité heureuse, et d'enrichir les félicités un peu plates que dispensent repos et sagesse de nuances plus fines, telles que mystère ou mélancolie. Les ressources de l'imagination sont supérieures à celles de l'esprit. Libre envers toutes les règles du bon sens, elle seule peut fondre ensemble des états d'âme contradictoires et résoudre l'une des antinomies du bonheur.

***

L'imagination peut collaborer un peu moins avec le cœur et un peu plus avec l'esprit. C'est elle, non la simple raison, qui forge ces grandioses systèmes de la nature où le XVIIIe siècle se complut. L'arrière-plan mystique sur lequel ils se profilent n'est pas sans influence sur l'idée et l'expérience du bonheur. Si l'homme n'existe plus qu'en tant qu'espèce, s'il se laisse immerger dans le flux de la vie universelle, son bonheur en tant qu'individu perd finalement toute importance. C'est l'article capital de la *Philosophie de Monsieur Nicolas* [1].

L'imagination ne sert plus désormais à résoudre le problème du bonheur. Elle le supprime. Cessant de susciter et de nourrir les émotions intimes, de régler les palpitations secrètes de l'âme, elle devient un instrument de connaissance. Son rôle est d'établir une relation entre l'homme et le reste du monde, visible ou invisible. Dupont de Nemours le définit ainsi : « L'imagination est un sens mitoyen, jeté comme un pont entre le règne animal terrestre et les autres règnes d'un ordre plus relevé... *L'imagination est la colombe de Noé, elle vole à la découverte* [2]. »

L'imagination dessine ces immenses figures, embrassant la totalité

de notre immortalité, qui se réunissent à la vue de la dernière habitation des hommes. (*Ibid.*, p. 77). Même explication pour « le plaisir de la solitude » : « C'est encore la mélancolie qui rend la solitude si attrayante. La solitude flatte notre *instinct animal*, en nous offrant des abris d'autant plus tranquilles que les agitations de notre vie ont été plus grandes ; et elles étend notre *instinct divin*, en nous donnant des perspectives où les beautés naturelles et morales se présentent avec tous les attraits du sentiment. » (*Ibid.*, p. 82).

1. « La vie particulière est-elle un bien ? C'est par cette question qu'il faut commencer. J'entends par vie particulière la vie individuelle de chacun des êtres vivants, *sorte de vie qui n'est que secondaire*, car nous avons tous en outre une vie générale par notre union nécessaire à la nature vivante... La vie n'est ni un bien ni un mal ; c'est une modification absolument indifférente. Car la Nature ou Dieu est souverainement juste, qualité que l'on a quelquefois confondue avec la bonté ; or, Dieu étant juste, il ne peut avantager des portions de sa substance. Celles qui restent unies au grand Tout demeurent dans un état aussi avantageux que peut l'être celui des portions séparées. La vie individuelle est donc un état indifférent aux yeux de la Nature ; la perdre, c'est ne rien perdre du tout, puisque l'état qui la suit est égal en avantages... La Nature, en donnant la vie aux individus quels qu'ils soient, n'a pas prétendu la leur garantir. Cette vie individuelle est indifférente à la Nature ; elle l'a tirée de la vie générale qui toujours luxurie de surabondance. » (RÉTIF DE LA BRETONNE, *Philosophie de M. Nicolas*, *Œuvres*, t. III, pp. 306, 308, 312).

2. DUPONT DE NEMOURS, *Philosophie de l'Univers*, p. 149.

des êtres et des choses. Au lieu de s'installer au centre d'un univers qu'il croit naïvement fait pour lui, l'homme s'oublie dans la contemplation des créatures, dont l'insondable profusion et la hiérarchie enfin comprise restituent au monde ses vraies dimensions. Rares sont ceux qui peuvent soutenir l'anarchique éclat de ces visions cosmiques. Pour un Diderot, imposer un ordre stable, une structure à l'univers, c'est le rétrécir, c'est encore se laisser éblouir par un préjugé finaliste et anthropomorphiste. L'imagination qui veut saisir la vérité du monde doit l'abandonner à son dynamisme, le laisser errer à travers ses infinis tâtonnements jonchés de monstres et d'épaves [1], et reconnaître comme l'essence de la matière une mobilité intarissable, que ne guide ni ne freine jamais aucun dessein. La perception d'un ordre quelconque dans le grand tout ne saurait être que l'illusion d'un moment [2].

Mais Diderot est une exception. Les auteurs du siècle, tout en révoquant le privilège de l'homme souverain de l'univers, tout en proclamant l'immensité de celui-ci, ne peuvent accepter l'absurdité d'un aussi gigantesque chaos. Ils préfèrent distribuer les êtres et les choses selon un ordre immuable, strictement hiérarchisé. La vieille hypothèse rassurante de la « chaîne des êtres » laisse aux appétits de l'imagination de riches nourritures, tout en sauvant le monde du désordre et de la nuit. Dans son *Essai philosophique sur l'âme des bêtes* (1727), Boullier assure que l'homme se trouve « dans une espèce de milieu entre la Bête et l'Ange » [3]. Ce qui n'était pour Pascal qu'une formule dialectique exprimant la dualité humaine, va se changer en une image reflétant la structure réelle de l'univers : une échelle ininterrompue reliant les créatures inférieures, minérales et végétales, aux natures supérieures, anges et purs esprits [4].

Replacé dans de telles perspectives, l'univers entier s'anime, pris d'une frénésie de vivre. Dans les *Voyages de Cyrus*, Aménophis, qui a été condamné aux mines, décrit les splendeurs insolites du monde souterrain :

1. Cf. *Lettre sur les aveugles* : « Combien de mondes estropiés, manqués, se sont dissipés, se reforment et se dissipent peut-être à chaque instant dans des espaces éloignés, où je ne touche point, et où vous ne voyez pas, mais où le mouvement continue et continuera de combiner des amas de matière, jusqu'à ce qu'ils aient obtenu quelque arrangement dans lequel ils puissent persévérer ? » (DIDEROT, *Œuvres*, Assézat-Tourneux, t. I, p. 310).

2. « Qu'est-ce que ce monde, Monsieur Holmes ? Un composé sujet à des révolutions, qui toutes indiquent une tendance continuelle à la destruction ; une succession rapide d'êtres qui s'entresuivent, se poussent et disparaissent ; une symétrie passagère, un ordre momentané... » (*Ibid.*, p. 311).

3. BOULLIER, *Essai philosophique sur l'âme des bêtes*, p. 291.

4. Dans les *Lettres sur la vertu*, Rousseau se demande : « Qui sait s'il n'y a pas des esprits de différents degrés de perfection, à chacun desquels la nature a donné des corps organisés selon les facultés dont ils sont susceptibles, depuis l'huître jusqu'à nous sur la terre et depuis nous peut-être jusqu'aux plus sublimes espèces dans les mondes divins ?... Pourquoi n'imaginerions-nous pas le vaste sein de l'univers plein d'une infinité d'esprits de mille ordres différents, éternels admirateurs du jeu de la nature et spectateurs invisibles des actions des hommes ? » (ROUSSEAU, *Lettres sur la vertu*, pp. 156-157).

« Les pierres et les métaux sont des corps organisés qui se nourrissent et croissent comme les plantes ; les feux et les eaux renfermés dans les cavités de la terre, semblables à notre soleil et à nos pluies, fournissent une chaleur et un suc nourricier convenable à cette espèce de végétaux. Nous nous promenions avec plaisir au milieu de ces beautés inconnues à la plupart des mortels [1]. »

Rétif célèbre, dans *l'Homme volant*, ce feu qui est l'âme de la terre et qui prouve l'unité de la Nature :

« Amis, croyez-nous en ; tout est vivant dans la Nature ; le grand Etre n'a pour ministres que des êtres qui approchent de la perfection infinie. La Terre vit ; elle est organisée ; elle a une chaleur propre et centrale ; mais cette chaleur est un effet de la vie et non d'une approximation momentanée du soleil ou de ce qu'elle en aurait été détachée [2]. »

Ce feu souterrain est le signe de la vie. Dans les différentes espèces, celle-ci prend diverses formes, mais se perpétue, identique à elle-même, à travers une infinité de métamorphoses qui se succèdent sans rupture [3].

Il s'agit de libérer l'homme de cet écrasant privilège qu'il devait assumer comme élu de Dieu. Créature parmi d'autres, il n'a pas plus droit que les autres à un destin exceptionnel, redoutable ou merveilleux. Dans la *Philosophie de l'Univers*, Dupont de Nemours imagine que l'huître assiste avec ironie à la geste burlesque de l'homme [4]. Si par hasard elle n'en est pas avertie, elle doit être encore plus contente d'elle-même, « car l'huître est convaincue de sa propre dignité : elle a autant de droit que l'homme de se croire à la tête de la création » [5]. Pour échapper au délire de l'huître, on est conduit à admettre l'existence « d'êtres qui doivent nous surpasser en per-

1. RAMSAY, *Les Voyages de Cyrus*, t. I, pp. 167-168.
2. *La Découverte australe par un homme volant*, t. II, p. 452.
3. « Les germes des plantes se revivifient d'abord et vont de nuances en nuances, depuis les mousses jusqu'aux arbres, depuis l'éponge jusqu'à l'animalité ; celle-ci paraît sortir de la végétation, toujours de nuances en nuances, depuis les animaux végétants, comme les orties de mer, les anémones, qui sont le premier degré, jusqu'à l'homme, qui s'effectue le dernier de tous, en passant par toutes les nuances de l'animalité dont il est la perfection connue... Rien n'est si propre à guider l'homme dans la connaissance de la Nature que ces différents êtres, qui sont autant d'échelons qui nous conduisent jusqu'à la sublime élévation de l'homme raisonnable... Examinez tous les animaux, vous la trouverez, cette gradation, depuis les poissons, les cétacés, les amphibies, les simplement aquatiques et vous verrez que tous viennent les uns des autres par des nuances insensibles. » (*Ibid.*, pp. 461, 464).
4. Pierre-Samuel Dupont de Nemours est né à Paris en 1739 et mort dans l'état du Delaware en 1817. Il appartenait au groupe des « économistes » ou physiocrates. Il écrivit sa *Philosophie de l'Univers*, sous la forme d'une lettre à Lavoisier, en 1792, alors qu'il était persécuté par la Révolution et qu'il avait dû se réfugier à la campagne. C'était un homme de bien exalté, passionné de justice, qui se croyait toujours en marche vers un âge d'or.
5. « Elle peut avoir le sentiment intime de sa supériorité sur les algues, sur les mousses, sur les arbrisseaux riverains, qui lui servent d'asile, qui lui fournissent des aliments et qui, doués de sucs, de croissance, de vie, sont eux-mêmes si supérieurs aux galets qui les avoisinent. La chaîne des êtres, peut-elle dire, commence à l'huître et finit au rocher. Ainsi l'homme raisonne ou déraisonne, lorsqu'il se déclare modestement le chef-d'œuvre du souverain fabricateur. » (DUPONT DE NEMOURS, *Philosophie de l'Univers*, pp. 125-126).

fection, en qualités ou puissance, autant que nous surpassons les animaux de la dernière classe et les plantes »[1]. Au sein de ce monde supérieur doit exister une gradation semblable à celle des créatures terrestres. En instituant cette hiérarchie, Dupont de Nemours se défend contre la tentation de la magie. Les esprits sont contraints de rester à leur place, et l'homme ne saurait se les asservir ni capter leur pouvoir : « Toute espèce, tout individu vit pour soi [2]. » Toutefois, d'une espèce à l'autre, se manifestent des « bienveillances », mais qui sont irréversibles et ne s'exercent que de haut en bas, sans qu'aucune puissance ou influence occulte puisse jamais remonter la chaîne et bouleverser l'ordre parfait [3]. Un tel système rend le monde intelligible et rassurant ; il « arrondit » et dévoile un univers orienté vers des fins heureuses, où la matière baigne dans la lumière de l'esprit :

« Cette théorie, nécessaire à l'ensemble du monde et qui l'*arrondit* à mes yeux, *repose mon cœur et mon jugement,* en leur rendant un compte satisfaisant et sensé des bonheurs très nombreux, dénués de vraisemblance, qui, sans elle, seraient inexplicables aux philosophes trop observateurs et trop logiciens pour se payer du mot de *hasard* et de sa ténébreuse idée [4]. »

L'homme se découvre infiniment mieux protégé et plus libre que sous le poids de la malédiction chrétienne ou devant l'inquiétant mystère de son salut. Toujours placé sous la bénéfique influence des êtres supérieurs, il leur doit tout son bonheur. Mais encore faut-il qu'il puisse glisser dans l' « immense masse » des « choses intelligentes » « son petit contingent de sagesse et de moralité »... : « *Il n'y a pas d'autres lois certaines sur le bonheur et le malheur...* Elles sont manifestement faites en faveur des gens de bien [5]. » L'euphorie entretenue par l'imagination mystique n'exclut pas le souci de moralisme. Quels que soient le niveau et le style de pensée, on s'efforce toujours de faire coïncider bonheur et vertu.

Dans un monde où les créatures découlent, en quelque sorte, les unes des autres et demeurent en situation de continuité, ne peut-on imaginer qu'une âme se promène d'un corps à l'autre et se loge dans

1. *Ibid.*, p. 128.
2. *Ibid.*, p. 130.
3. Si le monde des esprits n'existait pas, « l'univers serait incomplet », car rien ne viendrait équilibrer la stricte ordonnance de sa partie inférieure. Le monde pècherait par manque de sphéricité : « La vie, l'intelligence et la moralité défaudraient précisément où nous voyons commencer et s'enrichir le règne de l'intelligence, de la moralité et de la vie. Je ne saurais le concevoir, ni le croire. » (*Ibid.*, p. 137).
4. *Ibid.*
5. *Ibid.*, pp. 119-120. Dupont de Nemours dit que l'influence des êtres intelligents peut être tantôt « nuisible », tantôt « profitable ». Mais il est peu probable qu'ils soient capables d'une malignité gratuite, puisqu'ils représentent « la vie, l'intelligence, la moralité ». Leur action malfaisante ne peut désigner que le châtiment infligé à ceux qui ont précisément trahi la sublime trilogie. Autrement dit, ils ne sont « nuisibles » que pour ceux qui le méritent.

des demeures successives ? La métempsychose offre aux âmes d'infinies possibilités d'aventure. Elle permet les ascensions et les châtiments ; et elle ne contient rien de surnaturel, puisqu'elle consiste à parcourir, de haut en bas et de bas en haut, les divers degrés de la *nature* [1]. La foi en la métempsychose permet de balayer définitivement la crainte de l'Enfer. Elle est la manière la moins terrible dont on puisse sanctionner la conduite des hommes [2]. Celui qui adopte cette espérance n'a plus à trembler à l'idée des fournaises éternelles. Sans doute doit-il être très « amer » pour une âme humaine de se retrouver « au fond d'une aiguille de nitre ou d'un grain d'argile » et d'implorer comme une grâce « la permission de faire végéter un lichen, un agaric, un fucus » [3]. On doit pourtant convenir qu'il s'agit d'un Enfer assez confortable et surtout « non éternel pour des erreurs qui ne durèrent qu'un moment » [4]. On n'y rencontre point de « Diable capricieux, implacable et féroce », et l'on n'a qu'à y essuyer « les châtiments d'un père » [5]. Quant au Paradis, il n'est plus situé dans un « impalpable au-delà », mais sur la terre elle-même. Des amants vertueux continueront à s'aimer, après avoir revêtu une chair plus pure et s'être trempés d'une énergie nouvelle pour progresser ensemble vers le bien.

La métempsychose implique non seulement l'immortalité de l'âme, mais le sauvetage de la conscience et de l'identité personnelle, en dépit des métamorphoses. Pour que la leçon ou la récompense ait un sens, il faut que l'âme, enfermée dans un corps humain, un corps d'animal, une pierre ou une plante, se souvienne de ses enveloppes antérieures et aspire déjà à ses futures incarnations. La métempsychose préserve l'intégrité du moi. Elle offre une perspective d'immortalité plus concrète et plus réconfortante que l'immortalité chrétienne, qu'il est impossible *d'imaginer*. La métempsychose supprime ce que la doctrine chrétienne met si cruellement en évidence : le mystère de la mort. C'est moins une inconsistante survie que les hommes vertueux pourront espérer, qu'un éternel accroissement de vie [6].

1. « Il est possible qu'un corps soit une espèce de métairie, de commanderie, conférée à un principe intelligent en raison de ses services et de son mérite ; et qu'un corps plus parfait dans la même espèce, ou d'une autre espèce plus parfaite, soit la récompense naturelle de l'être intelligent qui, dans un moindre poste, sait se montrer et se rendre habile et vertueux... » (*Ibid.*, p. 162).

2. Dans un tel système, « les punitions étant limitées, les récompenses peuvent être sans bornes : vérité qui m'est chère, parce qu'elle est consolante et neuve, parce qu'elle pourra faire naître chez les hommes et même au-dessus d'eux une bien noble et bien salutaire ambition, parce qu'elle est conforme à la physique, à la morale, à la philosophie de l'univers, à la dignité de Dieu et du monde. » (*Ibid.*, p. 165).

3. *Ibid.*, p. 174.

4. *Ibid.*, p. 175.

5. *Ibid.*

6. « *C'est ainsi qu'augmente la félicité des âmes sensibles.* C'est ainsi que les êtres intelligents qui emploient chacune de leurs vies à étendre leur intelligence par le travail, à cultiver leur moralité par l'exercice continu des bonnes actions, chacune de leurs morts à se préparer à

* *
*

L'imagination permet de disposer de l'au-delà pour le plus grand bonheur du voyage terrestre. Éternité du moi et non plus seulement de l'âme, Enfer aboli, « Ciel ouvert à tous les hommes »[1], sont à coup sûr des mythes stimulants. Mais il n'est pas nécessaire d'aller les chercher dans les doctrines mystiques et les philosophies aberrantes. Au sein même de la religion traditionnelle tout homme peut, avec quelque imagination, s'aménager un doux refuge.

Il est bien rare, au XVIIIe siècle, qu'on plaide la cause de la religion sans se réclamer de l'aspiration au bonheur. La religion est toujours présentée par ses apologistes comme le plus sûr moyen de faire son bonheur « dans ce monde et dans l'autre ». Elle est censée non seulement remplir la vocation surnaturelle de l'homme, mais répondre à toutes ses exigences *naturelles*, à toutes ses aptitudes, qu'elle porte, bien loin de les refouler, à leur plein épanouissement. L'auteur de *L'Heureux Citoyen* dit de son héros :

« Tout dans la religion est conforme à la manière de vivre qu'il voudrait se prescrire, quand même il n'y en aurait point. Il n'a aucun intérêt à éluder ni ses dogmes, ni ses préceptes. Il y trouve sa sûreté, son repos, sa consolation... Ariste, aussi heureux qu'ils (les esprits forts) sont à plaindre, goûte dans un parfait repos les douceurs de la vie présente et ne les regarde que comme le prélude d'une félicité éternelle[2]. »

La religion fournit à Cleveland le cadre de son troisième plan de vie. Après l'échec de son plan mondain, le demi-échec de sa vie conjugale, bienfaisante et studieuse, encore que profane, il découvre avec surprise par quels liens la nature et la religion tiennent l'une à l'autre. Plus il se nourrit de la pensée chrétienne, plus il reconnaît l'image du vrai bonheur, tout en restituant aux plaisirs sensibles, naguère éliminés, la place mesurée que la religion leur accorde[3].

Sa nouvelle existence, toute pénétrée de ferveur divine, n'est pas du tout du genre ascétique. La qualité religieuse de cette vie apparaît simplement dans l' « *ordre* » que met Cleveland dans les « inclinations de son cœur ». Or cet ordre est fort souple et comporte bien des accom-

une vie plus louable, sont toujours assurés de recevoir cette vie plus noble, plus assurée, plus heureuse, plus *vie*. » (*Ibid.*, p. 183).

1. Titre de l'ouvrage de P. Cuppé, étudié plus loin.
2. Guillard de Beaurieu, *op. cit.*, pp. 19-20.
3. « En m'élevant même au-dessus des biens du monde et en apprenant enfin à quels plaisirs le nom de bonheur appartient, je démêlai, au travers d'une infinité d'idées fausses et de raisonnements sans justesse dont je voyais la plupart des livres de piété remplis, que l'Évangile ne peut accorder l'usage des biens sensibles sans en permettre le goût et par conséquent que tout système de morale où l'on fait un crime d'un attachement raisonnable aux créatures est un fanatisme qui blesse autant la religion que la nature. » (*Cléveland*, t. VIII, p. 337).

modements [1]. Cleveland souligne lui-même le paradoxe : « On me demandera peut-être comment la Religion pouvait me faire revenir à quelques-uns des amusements que la raison m'avait fait abandonner [2]. » La réponse est facile, si l'on reconstruit la marche ascendante vers le bonheur, avec ses trois paliers successifs : plaisirs, raison, religion. Le bonheur selon la religion se déploie sur un registre infiniment plus vaste que le bonheur selon la raison. Loin de disqualifier ce qu'il dépasse, il l'assume et l'approfondit, recueillant tous les plaisirs et les prestiges que la froide raison n'avait su qu'exiler. C'est que la religion implique ce que la raison exclut : la sensibilité et l'imagination. Grâce à celle-ci, en particulier, on peut goûter aux voluptés du monde sans se croire coupable. C'est elle qui fournit les deux expédients suggérés par Cleveland pour répondre à l'objection supposée. Le premier autorise à « sanctifier par l'innocence des désirs et le soin de les rapporter au dernier terme tout ce qui n'est pas ou mauvais en soi-même ou particulièrement défendu par la loi ». Quant au second, il consiste à se représenter l'incomplétude et la vanité des biens sensibles à mesure qu'on les épuise, à prendre occasion des « petits dégoûts » pour rêver d'un bonheur plus solide, à découvrir dans « l'usage des biens passagers du monde une raison d'en désirer de plus parfaits » [3]. L'imagination religieuse tend à faire de la terre une antichambre du ciel. Elle sait donner tout son prix à l'une, en réservant tous les droits de l'autre. Aussi la religion permet-elle au chrétien de conserver « cette paix et cette égalité d'âme dont la seule philosophie ne donne que l'ombre et qui est déjà comme une anticipation du bonheur auquel il aspire » [4]. Elle offre encore un dernier avantage : à l'apprentissage lent et difficile de la sagesse, elle substitue l'illumination euphorique et soudaine de la foi. Non contente de révéler le bonheur, elle en rend l'accès presque immédiat [5].

Cleveland couronne sa longue recherche du bonheur par son ralliement à une religion éclairée, quoique assez hostile à la philosophie.

1. Cet ordre est le suivant : « 1° *Les devoirs de la religion :* ils devenaient la source de mon bonheur, comme l'unique voie qui devait me conduire à ma dernière fin. — 2° *Ma tendresse pour mon épouse :* c'était un sentiment si juste qu'il ne pouvait être en opposition avec aucune loi. — 3° *Les devoirs de la société*, dans lesquels je comprenais ceux de l'amitié. — 4° *L'étude* assidue des saintes lettres, pour me fortifier de plus en plus dans le goût de mes nouvelles maximes ; mais sans abandonner l'étude de la nature, dont je n'avais guère moins de fruit à tirer pour les mêmes vues, puisqu'à des yeux bien éclairés par la religion l'ordre naturel se rapporte à Dieu comme celui de la grâce. — 5° *L'usage modéré des plaisirs :* par ce principe que la perfection de l'Évangile ne consiste pas plus à se priver qu'à jouir avec sagesse. Ainsi la bonne chère, la musique et les autres douceurs qui flattent les sens ne furent point exclues de mon système. Le goût même des femmes, qui passe pour un écueil si terrible, me parut sans danger avec les sentiments qui me servaient de préservatifs. » (*Ibid.*, pp. 338-339).

2. *Ibid.*, p. 340.

3. Cf. *ibid.*, pp. 340-341.

4. *Ibid.*

5. « Au lieu de cette lenteur avec laquelle la raison et la nature parviennent à former leurs habitudes, elle sait trouver tout d'un coup autant de douceur et de facilité dans l'exécution de ses maximes que si l'on n'avait point eu d'autre exercice pendant toute sa vie. » (*Ibid.*).

Dans *La Nouvelle Héloïse*, le destin de Julie progresse de la même manière et parcourt lui aussi trois étapes. Après le bonheur passionnel conquis, en dehors de l'ordre, selon une fausse interprétation des lois de la nature, après le bonheur conjugal d'où rayonne l'ordre limpide et strict de la vertu, Julie trouve son bonheur définitif dans la prière, le recueillement mystique, et plus encore dans la mort, promesse d'éternité. La religion de Julie n'a pas d'autre source que la recherche d'une plénitude d'être, d'un bonheur parfait. C'est parce que son cœur ne sait pas s'assouvir des affections humaines qu'il réclame un autre amour [1]. Sa dévotion est diluée dans sa sensibilité, et le sentiment religieux ne se distingue pas en elle des autres sentiments. Il s'en nourrit, les éclaire, les renforce, mais ne les détruit jamais : « Je crois qu'elle serait moins dévote, dit Saint-Preux, si elle aimait moins tendrement son père, son mari, ses enfants, sa cousine et moi-même [2]. » Et ce qui ajoute encore à l'*humanité* de cette religion, c'est le besoin qu'a Julie d' « interposer » entre elle et Dieu des représentations sensibles, objets ou images [3].

Cependant Julie est capable de quitter la dévotion sensible pour la méditation mystique. Elle se recueille et s'enferme, seule avec Dieu, pendant de longues heures. Lorsque Saint-Preux le lui reproche, au nom d'une religion bienfaisante et active, elle se justifie en invoquant le plaisir que lui procurent ses extases. C'est son immense appétit de bonheur, elle l'avoue sans honte, qui la rejette vers Dieu :

« Je ne dis pas que ce goût soit sage, je dis seulement qu'il est doux, qu'*il supplée au sentiment du bonheur qui s'épuise*. Lequel est *le plus heureux dès ce monde*, du sage avec sa raison ou du dévot dans son délire ?... Ou laissez-moi dans un état qui m'est *agréable*, ou montrez-moi comment je puis *être mieux*... Je ne prends point le recueillement que vous me reprochez comme une occupation, mais comme une *récréation* et je ne vois pas pourquoi, parmi les *plaisirs* qui sont à ma portée, je m'interdirais le plus sensible et le plus innocent de tous [4]. »

Cette « récréation » est en fait l'aboutissement d'une dialectique rigoureuse. Arrivée presque au terme de sa destinée, Julie ne peut plus édifier son bonheur que sur un plan surnaturel. Sa ferveur religieuse implique la conscience d'une faillite. Trois ordres de réalité s'offrent à elle : le réel, l'imaginaire, le divin. Le réel, c'est le bonheur de Clarens. Mais elle lui trouve comme un goût de néant : « Mon ami,

1. « On dirait que rien de terrestre ne pouvant suffire au besoin d'aimer dont elle est dévorée cet excès de sensibilité soit forcé de remonter à sa source. » (*La Nouvelle Héloïse*, édition Mornet t. IV, p. 75).

2. *Ibid.*

3. « Le cœur ne s'attache que par l'entremise des sens ou de l'imagination qui les représente... Je substitue un culte grossier, mais à ma portée, à ces sublimes contemplations qui passent mes facultés. Je rabaisse à regret la majesté divine ; *j'interpose entre elle et moi des objets sensibles*. » (*Ibid.*, p. 76).

4. *Ibid.*, p. 306.

confie-t-elle à Saint-Preux, je suis trop heureuse, le bonheur m'ennuie. » L'imaginaire, c'est le monde des désirs, des chimères, de l'espérance. Mais il est interdit à Julie, dont les rêves seraient coupables. Insatisfaite du bonheur qu'elle possède, elle est privée par sa vertu même de l'habituelle ressource des malheureux. Il ne lui reste qu'un seul mode d'existence possible : puisque la réalité ne la comble pas, puisque le monde des rêves lui est fermé, elle n'a plus que Dieu comme recours. C'est alors une nouvelle vie qu'elle découvre dans l'*aliénation* et la *contemplation* [1].

Il n'est pas donné à tout le monde d'atteindre l'altitude où l'âme de Julie se meut si aisément. La plupart des traités consacrés au bonheur n'en vantent pas moins les charmes et les avantages de la religion. Dans son *Essai sur les moyens de rendre les facultés de l'homme plus utiles à son bonheur*, traduit en 1775, l'Écossais Grégory assure que le sentiment religieux aide à respirer dans un climat de confiance et de sécurité : « Il y a quelque chose de singulièrement flatteur et consolant dans la ferme croyance que toute la nature est conduite et soutenue par un Etre éternel tout-puissant et d'une bonté infinie, qui veut, dans l'ordre de sa Providence, opérer le plus grand bien de toutes ses créatures [2]. » Peu importe que ces idées réconfortantes ne soient que des illusions : « *Pour la recherche du bonheur, qui est le but et la fin de notre existence, la découverte de la vérité n'est pas l'objet le plus important* [3]. » Parole édifiante et d'un cynisme ingénu ! Grégory la justifie sans peine. On peut considérer la religion de trois façons : en tant que doctrine théologique, en tant que code de morale, et « comme la source de certaines affections particulières à l'âme » [4]. Chacun de ces points de vue est légitime et répond à une préoccupation distincte. A qui s'inquiète surtout de son bonheur, il est permis de s'en tenir au troisième. Grégory énumère les bienfaits de « l'esprit de dévotion », qui dépend « de la constitution, de la chaleur de l'imagination » et de la « sensibilité du cœur » [5]. Parmi d'autres attraits, il rend le cœur « sensible et tendre », les manières « douces et agréables ». Surtout il répand la « gaîté » sur les moments sombres de la vie et se révèle le meilleur spécifique de la « mélancolie » [6]. Grégory ne parle pas à la légère : il est professeur de médecine à l'Université d'Edimbourg et premier médecin de Sa Majesté en Écosse [7].

1. « ... une nouvelle existence qui ne tient point aux passions du corps ; elle n'est plus en moi-même ; elle est toute dans l'Être immense qu'elle contemple. » (*Ibid.*, p. 305).
2. *Op. cit.*, p. 357.
3. « Dans tous les sujets qui intéressent vivement les passions et l'imagination, nous la considérons seulement comme secondaire et subordonnée. » (*Ibid.*, pp. 385-386).
4. *Ibid.*, p. 389.
5. *Ibid.*, p. 420.
6. *Ibid.*, p. 425.
7. Nombreux sont les auteurs de la fin du siècle qui expliquent avec enthousiasme comment le « sentiment de la Divinité » transfigure une existence. S'il en est privé, l'homme tombe dans

Mais le plus grand bonheur d'une conscience religieuse tient à la pensée de la suprême félicité. L'athée Diderot lui-même se laisse séduire quand on lui parle de vie éternelle : « Toutes les opinions sur les âmes des morts qui me touchent ou qui me flattent, je les embrasse [1]. » En ce domaine, on peut tout imaginer : on peut même, si l'on veut, transporter le Paradis sur la terre, infuser en quelque sorte l'éternité dans l'histoire. C'est ce que fait Sulzer dans son *Essai sur le bonheur des êtres intelligents* :

« Il résulte que, dans la supposition d'un Etre infini, cause de tout ce qui existe, il est non seulement possible, mais très probable, que tous les êtres finis parviennent par la succession des temps à un état où, à l'abri de toute peine, ils passeront continuellement d'un sentiment agréable à un autre. C'est alors que tout être doué de sentiment et d'intelligence jouira d'un bonheur parfait et qu'on ne verra plus dans le monde qu'ordre, harmonie et beauté [2]. »

Toutefois le Ciel conserve mieux son prestige en restant à sa vraie place [3]. Les idées sur l'immortalité de l'âme sont souvent étranges en ce siècle où l'imagination bouleverse l'orthodoxie pour répondre aux exigences des âmes. Ainsi n'hésite-t-on pas à *substituer* à *l'immortalité de l'âme la survie de la conscience.* C'est tentation constante dans les philosophies mystiques. Dupont de Nemours, on l'a vu, n'a pas d'autre motif pour se rallier à la métempsychose. Mais la croyance en une survie personnelle existe ailleurs que dans le climat suspect de l'illuminisme. Dans *La Nouvelle Héloïse*, Julie, à l'instant de mourir, professe un *credo* tout semblable. Elle explique longuement le sens de sa propre mort : par l'immortalité elle va accéder à l'existence parfaite. Son bonheur, mêlé jusque-là aux risques d'une *histoire*, va se muer en une *essence* : « Mon bonheur est fixé, je l'arrache à la fortune ; il n'a plus de borne que l'éternité... *Mon sort me suit et s'as-*

l'ennui et la morosité ; il court le risque des vapeurs et même du suicide : « Avec le sentiment de la Divinité, déclare Bernardin de Saint-Pierre, tout est grand, noble, beau dans la vie la plus étroite... L'homme a beau s'environner des biens de la fortune ; dès que ce sentiment disparaît de son cœur, l'ennui s'en empare. Si son absence se prolonge, il tombe dans la tristesse, ensuite dans une noire mélancolie et enfin dans le désespoir. Si cet état d'anxiété est constant, il se donne la mort. » (BERNARDIN DE SAINT-PIERRE, *Études de la Nature*, *Œuvres*, t. V, p. 113).

1. DIDEROT, *Essai sur les règnes de Claude et de Néron*, Dédicace à Naigeon, *Œuvres*, Assézat-Tourneux, t. III, p. 12.

2. *Op. cit.*, *Le Temple du bonheur*, t. III, p. 175.

3. Le poète Young évoque l'éternité avec une impatience de visionnaire : « Exister est le transport, exister est le triomphe de mon âme. Exister encore, exister toujours est un vœu que le cœur forme sans cesse. Mais que puis-je souhaiter d'être ? Ah ! Lorenzo, plonge, plonge tes regards dans les profondeurs de l'éternité. Vois la félicité ouvrir partout de sa main brillante les sources du bonheur et verser à grands flots le plaisir de son urne inépuisable. Pendant des siècles remplacés sans fin par des siècles nouveaux, l'homme, ce fantôme qui ne vit qu'une heure, cet être faible qui redemande chaque soir au sommeil des forces qu'un jour épuise, veillera dans l'étonnement, dans les transports de la reconnaissance et de la joie, parcourra l'infini, jouira de tous les trésors que son immensité renferme et se croira lui-même un Dieu, par le plaisir de l'adorer. » (YOUNG, *Les Nuits*, t. I, pp. 251-216).

sure[1]. » C'est dire que Julie, une fois morte, restera elle-même. Elle ne renonce à aucun de ses privilèges terrestres. Bien loin de devoir quitter son bonheur, elle s'identifie avec lui, qui revêt désormais l'éternelle stabilité de l'*être*. Il s'agit moins d'une mort que d'une apothéose : Julie semble monter au Ciel toute vivante. Elle y conservera mémoire et tendresse, pour aimer encore et protéger tous les siens : rien de ce qu'ils feront ne lui échappera. L'immortalité pour Julie — et peut-être aussi pour Rousseau — n'est que le sentiment du moi porté à l'absolu.

Avec l'immortalité personnelle, une autre croyance apaisante réside en la disparition de l'Enfer. Au début du siècle, P. Cuppé, chanoine régulier, prieur-curé de Boin dans le diocèse de Saintes, écrit un traité, clandestin jusqu'en 1768, qui a pour titre *Le Ciel ouvert à tous les hommes*. Il annonce qu'il va apporter une « consolation » aux chrétiens qui « gémissent » depuis plusieurs siècles, terrorisés par « l'opinion vulgaire sur le petit nombre des élus », et leur réapprendre le chemin de la joie. Toute son argumentation repose sur deux thèmes. Le premier est celui de la bonté de Dieu, interprétée par la « droite raison ». Si Dieu est l'infinie bonté, peut-il ne pas avoir mis à la disposition de tous les hommes le Ciel, qui est le « principal de ses ouvrages », alors qu'il a fait de ses moindres œuvres, le feu, l'eau, la terre, l'air et la lumière, des biens communs dont nul n'est exclu ? D'autre part, si l'on en croit les théologiens, il faudrait conclure, dans l'hypothèse de la damnation, non à une négligence de la part de Dieu, mais à une cruauté systématique, qui est bien invraisemblable : « L'esprit ne peut goûter qu'un Dieu si bon ait créé 30 hommes pour en damner 29[2]. » S'il était vrai enfin que Dieu ne pardonnât qu'à une poignée d'élus, « il serait aisé de se figurer une bonté plus grande que la sienne »[3], supposition absurde. Passant de l'ordre spéculatif à l'ordre pratique, Cuppé remarque que la doctrine de la damnation est de nature à « ruiner la morale » et à « jeter les hommes dans le découragement ». Peut-on véritablement aimer un « Etre éternel, qui est toujours aux aguets pour nous perdre et qui nous damne éternellement pour une seule faute, que nous, qui ne sommes que des emportés, ne voudrions pas punir par un seul coup de bâton sur un valet »[4] ?

A l'argument de la bonté de Dieu s'ajoute celui de la rédemption

1. *La Nouvelle Héloïse*, t. IV, p. 377.
2. P. Cuppé, *op. cit.*, p. 11.
3. *Ibid.*, p. 29.
4. *Ibid.*, p. 67.

par Jésus-Christ. Le martyre de Jésus a restitué à tous les hommes leur innocence première. Après la Croix, nul ne peut mériter la damnation, puisqu'il n'y a plus de coupable [1]. Traçant un parallèle entre Adam, « source de mort », et Jésus-Christ, « source de vie », Cuppé explique que « pas un homme ne s'est échappé de la corruption d'Adam » et qu'en bonne logique « pas un homme ne doit aussi être privé de la sanctification en Jésus-Christ ». Il se laisse même entraîner à dire que « *nos droits sont plus grands qu'ils n'étaient avant le péché d'Adam* » [2]. Par les souffrances du Christ, la justice de Dieu s'est trouvée comme éteinte [3].

Mais une objection se présente. Si tous les hommes sont sauvés, comment Dieu pourra-t-il reconnaître les mérites particuliers de certains d'entre eux ? Cuppé fait une distinction entre la *grâce de rédemption* et la *grâce de surabondance*. La grâce de rédemption est « commune à tous ceux qui étaient tombés en Adam ». Elle suffit à assurer le salut et la vie éternelle. Mais Dieu a donné aux hommes le moyen de « mériter l'augmentation de cette première gloire » par une « grâce spéciale », dont il récompense ceux qui « font un bon usage de la loi » [4]. Superflue pour le salut, elle est un luxe offert à ceux dont les mérites sont remarquables, ou plus simplement à ceux qui ont vécu chrétiennement, s'il est vrai qu'il n'est pas nécessaire de vivre en chrétien pour mériter le Ciel. Un tel système permet de réserver une échelle de sanctions pour les vertus et les fautes sans jamais engager le salut, qui ne peut pour personne être remis en question [5].

Cuppé a du mal, toutefois, à jeter l'Enfer par-dessus bord. Ayant sauvé tous les hommes, il lui faut en compensation un bouc émissaire. Il le choisit assez vague pour n'inquiéter personne : ce sera l'Antechrist. On s'aperçoit alors que l'audacieux docteur du salut universel croit toujours à l'existence d'un Enfer, en tous points conforme aux images populaires. Seulement il n'y loge plus qu'un seul habitant, sur lequel

1. « Il faut bien remarquer que Jésus-Christ ne dit pas qu'il est venu pour offrir aux hommes les moyens de se sauver eux-mêmes, mais qu'il est venu les sauver... C'est une vérité certaine et digne d'être reçue avec toute sorte de soumission que Jésus-Christ est venu en ce monde sauver les pécheurs ; donc il est venu sauver tous les hommes. » (*Ibid.*, p. 13).

2. *Ibid.*, p. 15.

3. Elle « n'a rien pardonné des péchés des hommes, dont elle n'ait reçu une satisfaction qui lui était proportionnée. » (*Ibid.*, p. 30).

4. *Ibid.*, p. 45.

5. « Dieu est résolu de ne nous point punir par l'exclusion du ciel, ni par la peine éternelle, mais il est résolu de nous priver de la grâce de surabondance et de ne point augmenter la gloire qui répond à la grâce de rédemption si nous vivons mal. » (*Ibid.*, p. 52). A chacun des deux étages de la grâce correspond en effet une « gloire particulière » : « Comme il y a deux sortes de grâce, il y a aussi deux sortes de gloire éternelle, une qui répond à la grâce de rédemption et l'autre à la grâce de surabondance ; la grâce de rédemption efface les péchés ; la grâce de surabondance mérite la récompense des vertus. » (*Ibid.*, p. 59). Inutile pour le salut, la grâce de surabondance est d'un contenu si riche et d'une vertu si efficace qu'elle nous place « dans un état supérieur à celui d'Adam avant la chute » (*Ibid.*, p. 15). Ce qui fait dire à Cuppé : « Nous sommes donc heureux de ce qu'Adam est tombé. » (*Ibid.*, p. 45).

il s'acharne de bon cœur [1]. Curieux mélange de hardiesse novatrice et d'archaïques survivances. Cuppé ne fait pas disparaître l'Enfer. Il le conserve, mais le conserve désert. Il veut qu'on en parle souvent aux fidèles « pour leur faire goûter la miséricorde et la bonté de Dieu, qui les en a délivrés » [2]. L'homme peut jouir sans inquiétude de son passage sur la terre, en attendant le bonheur éternel, qu'on ne peut pas lui prendre. C'est à cela que tendait toute la doctrine, et Cuppé souligne en terminant les « avantages que les hommes tirent de la présente hypothèse » [3] : « *Par ce système, l'homme intérieur peut voir continuellement sur la terre une véritable image du paradis* [4] » Il n'a construit son « ciel ouvert à tous les hommes » qu'en gardant les yeux fixés sur la terre. C'est pour permettre une vie plus confortable en ce monde qu'il forge cette lénifiante image de l'au-delà.

En 1782, Dom Louis écrit un autre traité sur le même thème : *Le Ciel ouvert à tout l'univers*. Il est aisé de mesurer le chemin parcouru. Sur le ton d'une violente diatribe anti-cléricale, l'Enfer est cette fois balayé comme la plus monstrueuse des inventions, tandis que le Paradis s'installe triomphalement sur la terre. L'auteur pressent les tempêtes que son œuvre déchaînera. Mais il conserve bonne conscience, car il obéit à un intérêt supérieur [5]. Il ne s'encombre pas, comme Cuppé, de distinctions théologiques. Pour lui l'Enfer n'est qu'une « fable » que la puissance cléricale a puisée dans le paganisme et travestie en dogme chrétien, afin de mieux tenir en mains les fidèles crédules qu'elle exploite. Le mythe de l'Enfer est qualifié d' « affreux », d' « abominable », de « destructeur », de « burlesque ». Il est fondé sur « l'ineptie des hommes », n'enfante que des « crimes », « rend le peuple sauvage et barbare ». Cependant Dom Louis se réclame de l'Évangile, qui « doit être le seul livre du chrétien ». Or l'Évangile semble faire mention expresse de l'Enfer. Mais la conviction de l'auteur est si forte qu'elle a tôt fait de lever la difficulté [6]. L'évidence

1. « C'est donc cet Antéchrist qui sera damné pour tous les péchés de tous les hommes, c'est lui qui, avec l'enfer et la mort, sera envoyé dans l'étang de feu... L'Antéchrist, cet homme de péché, ce fils de perdition... cet envoyé de Satan... cet homme que Jésus-Christ tuera du souffle de sa bouche... ce vieil homme qui est le véritable diable, qui cherche à nous détruire... » Avec ingénuité, Cuppé explicite le raisonnement magique du bouc émissaire. Selon lui, le chrétien « peut prendre pour lui toutes les promesses et assurances de salut que Dieu fait à son peuple et peut renvoyer sur le vieil homme, sur cet homme de péché, sur cet Antéchrist qu'il connaît présentement, toutes les malédictions et les menaces que Dieu fait au pécheur. » (*Ibid.*, pp. 33-35).

2. *Ibid.*, p. 71.

3. *Ibid.*, Titre du XVe et dernier chapitre.

4. *Ibid.*, p. 111. « *L'homme intérieur* » désigne l'homme sauvé par le Christ, par opposition au *vieil homme*, qui est l'homme « infecté par le péché d'Adam ».

5. « Si j'ai dit la vérité, si j'ai préparé les matériaux qui doivent un jour servir à l'édifice sacré du bonheur de l'humanité, si l'état ecclésiastique n'est soutenu que par les ruses de la cupidité, si la tradition n'est qu'un amas confus et bizarre d'inventions mondaines contraires aux décrets de l'Évangile, si l'Enfer n'est qu'un roman d'horreurs et d'abominations capables de faire reculer l'astre qui nous éclaire ; si ce n'est qu'un système faux, absurde, monstrueux, qui n'enfante que des crimes, j'ai fait ce que j'ai dû, ma conscience ne me reproche rien. » (Dom Louis, *op. cit.*, *Avertissement*, p. VI).

6. « Il est plus raisonnable de croire que les Papistes se sont trompés ou que certains mots

de la raison ou du sens intime l'emporte sur la Parole révélée. Un regard jeté sur le monde suffit à déchiffrer la véritable destination de l'homme : « Dieu n'a créé les hommes que pour les rendre heureux [1]. » Toute la terre est semée de « prodiges », de « miracles », de « merveilles » : « O mon Dieu ! Deus ! Deus meus ! que de charmes ! que de richesses !... Ma vie est une chaîne de moments précieux attachée à la félicité [2] ». Au bonheur terrestre doit succéder une « nouvelle Éternité ». La disparition de l'Enfer ne met pas la suprême béatitude à la portée de tous. Il y aura des degrés dans la félicité éternelle. Mais si tous ne doivent pas être également récompensés, personne ne sera puni. Quoi de plus exaltant et de moins périlleux que cette immense compétition ouverte à tous les hommes pour la conquête du bonheur absolu [3] !

Le sentiment religieux finit par perdre tout caractère propre. Il n'est plus qu'un aspect du sentiment tout court et se laisse diluer dans l'aspiration au bonheur. Toute différence de nature entre ce monde et l'au-delà s'abolit. Le Paradis n'est qu'un achèvement du bonheur terrestre, le bonheur terrestre une image anticipée du Paradis. Si consoler est la vertu première de la foi; on doit admettre que la religion, telle qu'on l'entend alors, tâche de bien remplir son rôle. Mais s'agit-il encore de religion ? Le propre de toute conscience religieuse n'est-il pas d'envisager toutes choses selon l'opposition irréductible du relatif et de l'absolu ? Plus la distance qui les sépare tend à se réduire, moins il est permis de parler d'âme religieuse. Le sentiment religieux n'est plus la voie d'accès à un autre monde ; il n'est qu'une façon d'enrichir et de prolonger le sentiment du bonheur terrestre, toujours menacé par les limites mêmes de la condition de l'homme.

Le sentiment contient la substance vive du bonheur. Il donne à l'âme l'indispensable *mouvement* que le repos appelle. En outre, lui seul peut la combler, quand le repos la rend disponible. A la différence des plaisirs, le sentiment n'est jamais vide. Les plaisirs conservent toujours quelque chose de suspect. Ils sont faits pour divertir, non

de l'Évangile ont été mal entendus et mal interprétés, que d'attribuer à Dieu une férocité dont il est incapable. » (Cf. *ibid.*, pp. 139-141).

1. *Ibid.*, p. 142.
2. *Ibid.*, pp. 143-144.
3. « La religion nous montre un but : c'est la suprême félicité ; nous en approchons plus ou moins. Heureux celui qui recevra la palme ! Il sera plus près de Dieu. Quel est l'homme qui refusera d'entrer dans la lice *où le plus maladroit sera couronné ?* Quel est l'athlète qui se contentera de la dernière place et qui ne fera pas des efforts pour mériter la première ?... Le désir d'avoir une grande portion de bonheur dans l'éternité, la crainte d'en être privé feront plus d'impression sur l'esprit humain que l'idée d'un brasier ardent, qui ne rassasie que les âmes féroces de la superstition. » (*Ibid.*, pp. 149-150).

pour remplir une vie et la justifier. Grâce au sentiment, l'homme peut épuiser sa condition, quelquefois même en franchir idéalement les limites. On a été sévère pour la sensibilité du XVIIIe siècle, dont on s'est acharné à souligner les démonstrations ridicules. On n'a pas assez dit qu'à travers les effusions et les enthousiasmes s'exprime un immense appétit d'absolu, que les âmes du siècle n'avaient aucun autre moyen d'assouvir. Même la plus insoutenable déclamation peut être une pathétique affirmation de soi, une tentative pour échapper au néant. Presque toujours l'excès trahit un effort pour se délivrer d'une inquiétude. C'est par le *sentiment*, aussi bien que par la *raison*, que le XVIIIe siècle a voulu trancher le nœud de ses angoisses.

Cependant le sentiment est impuissant à constituer à lui seul le bonheur. Il porte le germe d'illusions ou d'imprudences. Impatient et anarchique, rien ne le rattache à un *ordre*. C'est à la raison qu'il appartiendra de formuler cet ordre et d'y inclure la vie de l'âme.

Enfin le sentiment est égoïste. Son essence n'est pas forcément *morale*. Seulement attentif à se satisfaire, il prédispose l'individu à oublier ses semblables. Or l'essentiel de la vocation de l'homme se trouve dans la sociabilité. Seule la *vertu* peut établir un rapport rassurant entre les exigences du sentiment et les impératifs de la sociabilité. Raison et vertu achèveront ainsi le cycle du bonheur.

CHAPITRE XII

BONHEUR ET RAISON

« Le plus important ou plutôt l'unique usage de la raison, c'est de diriger l'amour du plaisir et le désir du bonheur. »

TRUBLET, *Essais sur divers sujets de littérature et de morale.*

Introduction : Les équivoques de la raison. — 1. La raison normative. — 2. La raison critique et les préjugés. — 3. La raison instrumentale. — 4. La raison disqualifiée. — 5. La raison et le cœur réconciliés : l'Ordre du monde. — 6. La raison et le cœur réconciliés : l'idée de Nature. — 7. La raison et le cœur réconciliés : l'idée de Progrès.

Toute réflexion sur le bonheur aboutit à la question : le bonheur peut-il s'apprendre ? Par delà la description *existentielle* du bonheur transparaît un parti pris *didactique*. C'est un des rêves les plus anciens et les plus naïfs de l'humanité que de vouloir élaborer, une fois pour toutes et pour tous les hommes, un *art d'être heureux*. Le XVIIIe siècle — où se développent également le goût des systèmes et le goût des techniques, où le problème moral est au cœur de toutes les pensées et de tous les livres, où l'on tente de libérer l'homme des vieilles emprises, en le préservant du vertige qui naît de la révolte même — le XVIIIe siècle devait naturellement chercher à saisir l'irremplaçable secret, clé de tous les autres. L'homme de ce temps se sent à la fois *fort* et *inquiet*. La découverte du bonheur, sa réduction à une formule vite apprise et aisément praticable, lui apparaît donc en même temps possible et nécessaire. Pour les âmes sans angoisse du siècle précédent, un art du bonheur demeurait impensable ou superflu. Pour les consciences amères ou exténuées du siècle suivant, il deviendra pure chimère.

En tête de son *Histoire critique des opinions des philosophes sur le bonheur,* Rochefort assure : « Quelle obligation n'aurait-on pas à l'écrivain qui, nous montrant que nos faux jugements font presque tous nos malheurs, nous apprendrait l'art d'être heureux, comme on apprend l'art de dompter un cheval ou de faire rendre à un instrument des sons harmonieux [1]. » Trublet affirme que cet art existe, qu'on peut le découvrir dans de précieux livres, dont la pratique prouve l'efficacité [2]. Les moralistes de profession, les philosophes de vocation ne sont pas les seuls à penser que le bonheur est un art qui peut s'apprendre. Les âmes sensibles elles-mêmes, bien différentes en cela des romantiques, ne parlent qu'assez rarement du bonheur comme d'un ineffable absolu. Dans cette Bible préromantique que sont les *Nuits*, Young déclare : « Jamais mortel n'a trouvé par hasard le secret du bonheur. C'est un art qu'il faut apprendre. Il est le prix d'une continuelle étude [3]. »

Mais le bonheur ne peut devenir la matière d'un art qu'à une condition : c'est qu'il soit essentiellement l'œuvre de la raison. Dire que le bonheur tient à des règles dont on doit s'instruire et que l'on peut suivre, c'est admettre la possibilité pour l'esprit d'informer et de conduire le sentiment. Toute construction rationnelle du bonheur débute ainsi paradoxalement par un acte de foi. Trublet affirme : « C'est à l'esprit à guider le cœur dans la recherche de la félicité [4]. » Le paradoxe tient surtout à l'ignorance tranquille d'éventuels désaccords. Tout en affirmant que l'esprit doit régler le cœur, on ne semble pas éprouver clairement qu'ils relèvent de deux ordres bien distincts et ne communiquent guère. Jamais le XVIIIe siècle n'est plus étranger au kantisme que lorsqu'il parle de raison ou de devoir. Bien loin de soupçonner quelque différence de nature entre la règle *morale* et le *sentiment*, on ne cesse de cultiver ouvertement ou en secret ce mythe de la « belle âme » — dont Gœthe racontera l'histoire — en qui l'inclination et le devoir, par l'effet d'on ne sait quel miracle, coïncident imperturbablement.

Le fameux thème platonicien, selon lequel il suffit de connaître le bien pour l'accomplir, est ainsi transposé : il suffit de connaître la formule du bonheur pour être heureux. Admis par les mondains, les Philosophes et, plus curieusement, par les moralistes chrétiens,

1. ROCHEFORT, *op. cit.*, *Discours préliminaire*, p. XI. Rochefort ajoute qu'un tel art ne pourrait s'apprendre que dans l'enfance et qu'il n'est déjà plus à la portée d'un adulte : « On peut dire que l'art d'être heureux tient à des éléments qu'il faudrait inculquer à l'homme dès sa plus tendre enfance, et que celui qui les apprend trop tard les ignore toujours... Le bonheur devrait donc être la fin de notre éducation, comme il semble l'être de toutes les actions de notre vie. » (*Ibid.*, pp. XI-XII). — Guillaume de Rochefort est né à Lyon en 1731. Il devint à 19 ans receveur général des fermes à Sète. Il consacra ses nombreux loisirs à l'étude. Il apprit le grec et traduisit l'*Iliade*. En 1762, il se démit de sa charge et vint à Paris. Il y poursuivit ses travaux érudits en traduisant Sophocle et l'*Odyssée*. Il écrivit aussi pour le théâtre et fut reçu dans la haute société. C'était un homme assez remarquable, d'une grande noblesse d'âme. Il mourut en 1788. Son *Histoire critique* est de 1778.

2. « Il y a un art d'être heureux, et c'est le premier des arts. On peut écrire et parler utilement sur le bonheur. Cet art a ses préceptes et ses maximes, et il n'est pas vrai qu'il ne soit utile qu'à ceux qui n'en ont que faire. Je connais plusieurs personnes qui m'ont dit qu'elles avaient beaucoup profité de la lecture du morceau de M. de Fontenelle sur le bonheur. Ainsi le plus important de tous les livres, ce serait celui qui traiterait solidement du grand art d'être heureux. » (TRUBLET, *Essais sur divers sujets de littérature et de morale*, t. III, p. 228).

3. YOUNG, *Les Nuits*, traduction Le Tourneur, t. II, p. 70.

4. TRUBLET, *op. cit.*, t. III, p. 336.

pathétiquement nié par Prévost et Rousseau, un tel axiome constitue, par les attitudes opposées qu'il suscite, la meilleure ligne de partage entre les consciences du siècle.

Mme de Puisieux identifie lucidité et vertu [1]. Mme de Lambert confond perfection et bonheur [2]. Dans son *Parallèle du cœur et de l'esprit*, Pecquet concède que l'esprit peut être violemment ébranlé par les secousses venues du cœur. Mais il n'est pas long à reprendre haleine, grâce au « bon sens » qui rétablit très vite l'harmonie entre les deux facultés un instant désaccordées. Dans les « choses simples », les « occasions ordinaires » et les « affections douces », le bon sens fonctionne d'emblée comme « première opération de l'esprit ». Dans les « choses difficiles » et les « objets compliqués », il faut se résigner à un temps de désarroi, avant que l'esprit rejoigne « ce point de rectification des sensations ou des idées » qui est proprement le bon sens [3]. C'est donc à celui-ci que l'homme doit « dresser des autels » ; c'est lui qui « doit être son rempart et son bouclier » [4]. On ne peut rêver de solution à la fois plus illusoire et plus plate aux épineux problèmes de la morale et de la vie intérieure. Montenault affiche dans son *Essai sur les passions* le même optimisme ou plutôt témoigne du même conformisme, de la même myopie : « Il dépend uniquement de nous d'être heureux, dans quelque position que nous soyons réduits. Le Sage est l'artisan de son bonheur ; il y a longtemps qu'on l'a répété, mais il est indispensable qu'on le répète ici [5]. »

Des philosophes plus sérieux ou plus habiles, partis de la même conviction ingénue, tentent de se hausser jusqu'au système. Luzac conçoit ainsi son « nouveau système de jurisprudence naturelle », dont il expose les principes avec une assurance prudhommesque :

« Pour vivre heureux, pour jouir d'une vie heureuse, il faut donc connaître quels sont les états heureux et quels sont les états malheureux. Nous sommes nécessairement déterminés vers notre bonheur : cette connaissance nous y portera donc nécessairement. *Il n'y a donc qu'à connaître le bonheur pour en jouir*. C'est dans cette connaissance que consiste la *Jurisprudence naturelle* [6]. »

La *Jurisprudence naturelle* de Luzac ressemble fort au *Droit naturel* de Burlamaqui, qui déclare : « L'observation des lois naturelles fait le bonheur de la société et de l'homme [7]. » Dans son traité *De la sociabilité*, Pluquet se fait lui aussi dogmatique et rassurant : « Ce

1. « Connaître toute la valeur des belles actions, c'est presque en être capable. Qui voit bien, agit bien. » (Mme DE PUISIEUX, *Caractères*, p. 44).
2. « Je ne sépare point l'idée de bonheur de l'idée de perfection ; celui-là me semble le plus heureux qui est le plus sage. » (Mme DE LAMBERT, *Œuvres*, p. 418).
3. Cf. PECQUET, *Parallèle du cœur et de l'esprit*, p. 18.
4. *Ibid.*, p. 21.
5. MONTENAULT, *Essai sur les passions*, t. I, p. 368.
6. LUZAC, *Le Bonheur ou Nouveau système de jurisprudence naturelle*, pp. 62-63.
7. BURLAMAQUI, *Principes du droit naturel*, p. 399.

n'est point exprès que l'homme s'écarte de la route qui conduit au bonheur, et pour l'y faire rentrer, il ne faut que l'éclairer et le convaincre qu'il se trompe et qu'il prend pour le principe du bonheur ce qui n'en est que l'apparence [1]. »

Faire dépendre le bonheur de la connaissance ne constitue pas en soi une absurdité. Mais ce n'est guère possible que dans un climat philosophique *qui n'est justement pas celui du XVIIIe siècle.* La raison ne peut devenir l'arbitre infaillible de la vie intérieure que si l'on admet, comme le fera Kant, qu'elle a rompu tout lien avec la *nature.* Elle doit s'imposer comme un absolu, sans chercher à composer avec le *cœur* et l'*instinct*, sans leur laisser croire surtout qu'ils expriment les mêmes choses dans un autre langage. Platon était fondé à soutenir que la connaissance oriente la volonté, puisque les « Idées » étaient posées comme la seule forme concevable de l'être. Toute théorie rationnelle du bonheur implique un certain degré ou une certaine sorte d'*idéalisme.* La pensée du XVIIIe siècle en a secrètement conscience. Elle sent que son empirisme, son sensualisme, sa conception souvent très utilitaire du rôle de la raison sont des entraves et des limites. Comment croire et faire croire au pouvoir de la raison, si la vérité n'est pas un absolu ? Et comment conserver à la vérité la dignité de l'absolu, après avoir vidé l'âme de ses « idées innées », réduit toute la vie de l'esprit à une subtile élaboration des sensations, à une horlogerie ? Pour rendre à la raison sa puissance, il faut restituer à la vérité son autonomie. C'est ce que tente Boudier de Villemert, dans un curieux texte de l'*Andrométrie.* Le Vrai et le Bien, qu'il essaie de confondre, redeviennent des « valeurs ». Mais, comme il faut surtout se garder d'une rechute dans l' « innéisme », leur contenu transcendant est fondé non dans l'absolu, mais dans l'histoire : ils sont la quintessence d'une expérience ancestrale, qui se maintient à travers les âges et où les consciences individuelles vont puiser leurs certitudes [2]. Mais l'auteur ne s'arrête pas là. La vérité pourrait n'être que le résultat consolidé de révélations accidentelles, ce qui amoindrirait son prestige. Il est indispensable de recourir à une Divinité, dont elle sera l'ouvrage. Seulement on ne saurait admettre que cette Divinité ait glissé son message dans l'âme endormie de chaque nouveau-né. Expulsée de la conscience individuelle, la vérité devient purement objective et apparaît comme l'ensemble des rapports éternellement établis entre les êtres et les choses [3].

1. PLUQUET, *De la sociabilité*, t. II, p. 142.

2. « Il est sur la terre un certain nombre de vérités qui, transmises d'âge en âge, ne s'y sont jamais perdues et font le premier fonds de la raison humaine. La vérité est un bien qui n'a pas été rendu propre à chaque homme en particulier, mais a été donné en commun à toute l'humanité ; et l'évidence s'en déclare par une impression uniforme et des effets constants sur tous. » (BOUDIER DE VILLEMERT, *Andrométrie*, p. 150).

3. « Le vrai et le bien ne sont autre chose que les convenances posées par la Divinité entre les êtres : ces convenances, développées à l'*humanité* dès le commencement, sont le vrai

Derrière les thèmes habituels du sensualisme se profile toujours un idéalisme qui n'ose pas dire son nom. Certaines idées essentielles du siècle, comme l'idée de Nature, ne sont que des résidus métaphysiques. L'équivoque est profondément inscrite dans les consciences entre la fidélité aux principes du sensualisme et la nostalgie d'une pensée fondée sur l'absolu. La conception rationnelle du bonheur oscille entre un empirisme psychologique, qui fait procéder le bonheur d'un « calcul », et un système de l'homme et du monde, où les idées d'Ordre, de Nature et de Progrès réintroduisent ces vérités premières qui supposent une « révélation ».

1. — La raison normative.

L'organisation rationnelle du bonheur est un thème aussi fréquent dans les romans que dans les traités de morale.

Cleveland a reçu, dans son enfance, les enseignements les plus raisonnables. Sa mère joignait à une profonde culture philosophique — elle portait toujours avec elle une anthologie de textes philosophiques sur la vertu et le bonheur [1] — une vaste « expérience du monde ». Connaissant tout le pouvoir de la raison, elle savait aussi que « la faiblesse et les besoins du corps s'opposent continuellement à la tranquillité qui fait le bonheur de l'âme ; que la Philosophie, en calmant les passions, ne rend point insensible aux nécessités de la Nature » [2]. Pendant toute la première partie de sa vie, Cleveland ne se soucie guère de remettre à la raison la conduite de son âme. Il tend au bonheur par les voies les plus directes, celles que lui trace son cœur. Mais le destin s'acharne sur lui. Les malheurs s'accumulent : il perd tout ce qu'il aime. Échappant de justesse au suicide, il sent la nécessité d'une complète réforme, pour éviter de sombrer. La raison se dévoile comme l'ultime refuge. Mais que de patience, que de prudence tactique et de sagesse sans illusion, dans la façon dont il l'approche [3] !

pour lequel elle est faite ; admises et remplies, elles sont le bien qui peut seul les satisfaire. Le bien n'est que le vrai réduit en acte et doit faire l'unique objet de l'homme. » (*Ibid.*).

1. Cf. *Cleveland*, t. I, pp. 11-12.
2. *Ibid.*, pp. 23-24.
3. « J'avais peut-être quelque chose de plus consolant à attendre de ma raison. Quoique les ressources qu'elle m'offrait fussent encore impuissantes, je savais du moins par l'expérience du passé, que si mes maux présents n'étaient pas absolument incurables, c'était d'elle seulement que je devais en espérer la guérison. Sans ressentir encore l'efficacité de son secours, j'en connaissais la force et je n'ignorais point par quelle voie elle me ferait retrouver le repos, si je pouvais prendre assez sur moi-même pour suivre sa direction. La principale difficulté consistait donc à me mettre en état de l'écouter et de recommencer peu à peu à goûter ses principes que ma douleur n'avait point détruits, mais dont elle avait comme suspendu l'usage. J'avais besoin pour cela de choisir une demeure où je puisse trouver, soit dans le commerce des personnes avec lesquelles j'aurais à vivre, soit dans le renouvellement de mon application à l'étude, des moyens et des facilités pour apaiser la révolte de mes sens et pour faire reprendre tout son empire à ma raison. » (*Ibid.*, t. IV, pp. 238-239).

Cleveland se retire à l'abbaye bénédictine de Saumur et entreprend de guérir ses douleurs par l'étude exhaustive de la philosophie. Confrontant tous les systèmes, il se fabrique une sorte de cours complet, divisé en trois grands chapitres : l'âme et le corps ; la Nature ; Dieu. Puis il se demande quel rapport établir entre cette philosophie théorique et son propre cœur. Il découvre que la philosophie peut agir sur l'âme de trois manières : atténuer l'obsession du malheur ; opposer aux forces destructrices une force antagoniste, capable de leur faire équilibre ; attirer l'âme dans un piège subtil et la conduire insensiblement à s'intéresser à autre chose qu'à ses souffrances. C'est la troisième manière qui se trouve être la bonne [1]. Il n'est pas nécessaire de tendre à l'extrême sa volonté, ni d'appliquer laborieusement un programme de sagesse. Il suffit de se laisser captiver par le prestige des idées, le cœur ayant pour aimant naturel la pensée pure. Aucun corps-à-corps, aucune lutte héroïque ne s'impose. Imperceptiblement, l'esprit enveloppe et finit par irradier les zones ténébreuses d'un cœur souffrant. La raison n'est pas le chirurgien, mais le baume de l'âme.

Dans ses *Recherches philosophiques*, Saint-Hyacinthe étudie les rapports entre le bonheur et la raison [2]. Il mesure la distance qui sépare les aspirations de l'homme de sa condition réelle. Il dresse le bilan de tous les maux — « erreur, sottise, imprudence, folie, ignorance, malheur » — et risque une hypothèse : « Tout cela pourrait bien n'être qu'un abus de la raison : ce sont diverses espèces d'extravagances dont la principale est la négligence d'en guérir. » Est-il donc possible que l'homme devienne son propre médecin, qu'il se rende plus « heureux » et plus « éclairé » ? : « J'avoue qu'il me semble que oui. Je sens que je puis m'éclairer davantage sur plusieurs choses que j'ignore ou que je ne connais que confusément et qui pourraient servir à mon bonheur [3]. » Sans doute est-il hasardeux de croire au pouvoir de la raison sur la foi d'une impression irrationnelle. Mais Saint-Hyacinthe lui trouve une confirmation dans les reproches que l'homme

1. « Le cœur, qui n'a que des mouvements aveugles, se tourne insensiblement vers les objets de l'esprit. » (*Ibid.*, p. 286).

2. Thémiseul de Saint-Hyacinthe, né en 1684 à Orléans, était le fils de J. J. Cordonnier, écuyer porte-manteau de Monsieur, frère de Louis XIV. A 19 ans, il reçut un brevet de cavalerie et prit le nom de chevalier de Thémiseul. Il fut prisonnier en Hollande, après la bataille d'Hochstett (1704). Par la suite, rêvant de gloire, il partit pour la Suède avec l'intention d'offrir ses services à Charles XII. Mais il arriva après la défaite de Pultava. Il revint à Hollande et renonça aux armes. Installé à La Haye, il s'y couvre de dettes et devient l'amant de la duchesse d'Ossone. Le mari le fait expulser de Hollande. Saint-Hyacinthe se réfugie alors à Troyes, où il avait fait ses études. Il y donne des leçons pour vivre. Mais il est décrété de prise de corps pour avoir séduit une élève. Il s'enfuit et retourne en Hollande. C'est là qu'il écrit son *Chef-d'œuvre d'un inconnu* (1714). Le succès du livre l'engage à venir à Paris, mais il doit en repartir, étant toujours sous l'effet du décret. Le reste de sa vie fut aussi romanesque et accidenté : il fit notamment une fugue amoureuse à Londres. A propos de la *Déification d'Aristarchus Masso* (1732), il eut une querelle retentissante avec Voltaire, dont il resta l'ennemi acharné. Il se retira finalement à Genecken, près de Breda, où il mourut en 1746. Ses *Recherches philosophiques* sont de 1743.

3. *Recherches philosophiques*, p. 2.

s'adresse à lui-même « en tant d'occasions où (il) commet des fautes si nuisibles à son bonheur ». Si l'on était fatalement condamné à l'erreur, aux actions mauvaises, aurait-on ainsi l'idée et le pouvoir de se les reprocher ? En se reconnaissant coupable, ne témoigne-t-on pas pour sa propre liberté [1] ?

Un autre argument doit jouer en faveur de la raison. Qu'on imagine tous les avantages — santé, puissance, richesses, plaisirs — accumulés par le hasard sur un seul homme : « Sera-t-il heureux ? Non. A moins qu'il ne sache user de toutes ces choses, *selon leurs convenances avec le but auquel il voudrait les rapporter* [2]. » La possession de tous les biens imaginables est donc inutile sans la connaissance d'un « secret », qui peut seul convertir une collection d'objets ou de privilèges en cette réalité d'une autre nature qu'est le « vrai bonheur ». Mais ce secret n'est pas de la famille des incantations magiques. Il consiste en l'appréciation exacte d'un rapport entre le but que l'homme se propose et les moyens dont il dispose pour l'atteindre. Cela suppose des lumières étendues. Car le « *vrai* bonheur » mérite doublement son nom : il est aussi le bonheur de la *vérité*. Situé bien au delà des fluctuations de la vie personnelle, il est lié à la connaissance objective de la nature humaine. C'est là que réside le paradoxe du bonheur raisonnable, qui est à la fois intérieur et extérieur à la conscience. Intime et profonde jouissance si on le compare aux plaisirs, il doit rester étranger à certaines régions de l'âme, au champ des impatiences et des illusions. Il faut, dans un tel bonheur, mettre à la fois beaucoup et point trop de soi-même.

Saint-Hyacinthe va jusqu'à définir le bonheur en termes de connaissance. Il n'est pas, à proprement parler, un état de l'âme, mais un jugement. Est heureux tout être qui s' « approuve » ; malheureux, celui qui se « désapprouve » [3]. Définition toute pragmatique en apparence. Le bonheur semble se confondre avec la réussite et le malheur avec l'échec. En fait l'auteur se hâte de réintroduire un sentiment moral dans l'estimation des erreurs et la satisfaction puisée dans les succès. Loin d'être une simple virtuosité dans la manière d'accomplir ses desseins et d'atteindre ses buts, la raison s'identifie avec la vertu [4].

1. « S'il ne dépendait pas de moi de faire autrement, je n'aurais point à me plaindre de moi-même. » (*Ibid.*). Il est évident que l'argument est un sophisme. Phèdre se sent coupable, sans pour autant être libre. D'autre part, la psychologie moderne a montré que le sentiment de culpabilité n'est pas toujours fondé sur la « raison ».

2. *Ibid.*, p. 243.

3. « Le sentiment de la désapprobation ou l'état de malheur, de même que le sentiment d'approbation ou l'état de bonheur, dépend donc du sentiment que j'ai de moi-même, du jugement que je porte à l'égard des choses que je crois convenables ou contraires et sur ce que je fais pour me procurer les unes et m'exempter des autres. Si je me trompe, je me désapprouve et je suis malheureux. Je m'approuve et je suis heureux, si je ne me trompe pas. » (*Ibid.*).

4. « Agir conformément à la vérité des convenances préférables, c'est-à-dire selon ce qui peut procurer un plus grand bonheur, est ce que j'appelle agir raisonnablement, entendant par la Raison la faculté de connaître la vérité et de m'y conformer, comme j'entends par Vertu

En réalité, Saint-Hyacinthe mêle deux conceptions de la raison fort différentes, qu'il importe de distinguer. Tantôt la raison n'est qu'un instrument de calcul, permettant d'appliquer correctement un programme de vie librement choisi, d'en évaluer les chances, d'établir une adéquation parfaite entre les fins et les moyens. Tantôt elle est investie d'un pouvoir quasi absolu de révélation. Son rôle ne se borne plus à diriger un travail de mise en place ; il est d'indiquer la route à suivre, de manifester la destination de l'homme, telle qu'elle a été fixée par une « Nature » située très au-dessus des choix individuels.

Cette équivoque entre les deux fonctions de la raison est habituelle à l'époque. Elle favorise beaucoup de malentendus et quelques hypocrisies. Pour mesurer l'écart entre les deux, il n'est que de confronter les aboutissements extrêmes. La raison instrumentale, qui transparaît dans l'arithmétique morale de Maupertuis, dans « l'épicuréisme de la raison » selon Julie et l'ingénieuse thérapeutique de M. de Wolmar, se prolonge jusqu'à l'impeccable satanisme de la Merteuil dans *Les Liaisons dangereuses*. La raison normative, source de l'idéalisme d'un Montesquieu, deviendra la raison légiférante des Révolutionnaires. La première relève de la pure technique : elle ne fait que combiner, arranger des plans ; elle est disponible pour toutes les causes. La seconde est une faculté *métaphysique* qui formule un absolu, règle d'or de tous les esprits. Elle remplace pour ce siècle intelligent et crédule les révélations surnaturelles et met l'homme en relation avec cet au-delà toujours nécessaire, même quand on a cessé de croire au Ciel.

Les *Principes du droit naturel* de Burlamaqui sont directement inspirés par la raison normative. Celle-ci est la voie d'accès naturelle à la vérité et à la sagesse [1]. Elle possède tant de ressources qu'elle implique ou absorbe les autres aptitudes de l'âme. La volonté et la liberté, par exemple, ne constituent pas des facultés indépendantes. Elles ne sont que la raison en action, et l'on ne conçoit pas une « volonté » que la raison n'orienterait pas de l'intérieur [2].

le courage de pratiquer ce que la Raison exige, c'est-à-dire la conformité des sentiments et des actions selon ce qui est le plus convenable au bonheur. D'où il paraît que le sentiment d'approbation qui fait le bonheur de l'homme n'est fondé que sur le témoignage intérieur qu'il se rend à lui-même qu'il fait le meilleur usage qu'il peut de son être ; ou, ce qui est la même chose, qu'il sait ce qu'il doit faire et qu'il le fait, et qu'ainsi la Vertu et la Raison reviennent à la même chose et sont la cause de l'approbation intérieure qui fait le bonheur. » (*Ibid.*, p. 244).

1. « L'entendement humain est naturellement droit et il a en lui-même la force nécessaire pour parvenir à la connaissance de la vérité, pour la discerner de l'erreur ; principalement dans les choses qui intéressent nos devoirs et qui doivent former les hommes à une vie vertueuse, honnête et tranquille ; pourvu que d'ailleurs l'homme y apporte les soins et l'attention qui dépendent de lui. » (Burlamaqui, *Principes du droit naturel*, p. 8).

2. « La volonté et la liberté étant des facultés de l'âme ne peuvent être aveugles ni destituées de connaissance ; elles supposent toujours l'opération de l'entendement... Il est contraire à la nature d'un être intelligent et raisonnable d'agir sans intelligence et sans raison. » (*Ibid.*, p. 24).

L'homme ne peut, en effet, produire un acte ou un désir qui n'ait sa « raison ». Et cette raison est toujours la même : tendre vers « tout ce qui est propre à nous rendre heureux ou du moins qui nous paraît tel ». C'est la définition même du bien. La volonté est donc naturellement polarisée par le bien. Or la vérité est un bien : « Il s'ensuit que le vrai fait aussi l'un des principaux objets de la volonté [1]. » Tandis que la volonté penche d'elle-même du côté du vrai, la raison aspire au bien sans se faire violence. Elle possède la connaissance infuse de la loi morale, et l'on n'a même pas besoin de cette « conscience » que Rousseau devra réintroduire pour briser l'euphorie dangereuse de l'optimisme rationaliste [2]. La raison, pour Burlamaqui, est l'entendement « perfectionné et considéré comme ayant naturellement des principes qui lui font connaître et discerner le *vrai* et l'*utile* [3] ». Spontanément informée par elle et s'en distinguant à peine, la volonté finit par « ne vouloir que ce que la raison dicte ». La vertu ne constitue donc pas un dépassement de soi, une lutte jamais tranchée contre de redoutables puissances intérieures. Tout comme la raison, elle est réputée « naturelle ». Burlamaqui ne fait d'ailleurs entre les deux aucune différence : « Cette sage direction de la volonté se nomme proprement la *vertu* ; on la désigne quelquefois aussi par le terme de *raison* [4]. »

Ces définitions et ces principes une fois posés, il est facile d'en déduire la nature du bonheur et la méthode qui peut y conduire : « S'il est vrai que l'homme ne fait rien qu'en vue de son bonheur, il n'est pas moins certain que *c'est uniquement par la raison que l'homme peut y parvenir* [5] ». La raison retrouve ici sa double fonction. Il ne suffit pas qu'elle ait élucidé les véritables fins de l'homme. Elle doit encore apprécier toute chose en fonction de cette révélation. Porteuse de la vérité absolue, il faut qu'elle puisse juger, dans chaque cas particulier, du degré de « convenance » ou de « disconvenance » entre les objets et l'âme [6].

Le Droit Naturel est la science qui découvre à l'homme ces rapports. Il rassemble toutes les connaissances et les unifie dans la seule perspective du bonheur [7]. Seulement il repose sur une reconstruction

1. *Ibid.*
2. « *La conscience n'est proprement que la raison elle-même,* considérée comme instruite de la règle que nous devons suivre ou de la loi naturelle... Souvent aussi on prend la conscience pour le *jugement* même que nous portons sur la moralité de nos actions. » (*Ibid.*, pp. 339-340).
3. *Ibid.*, p. 46.
4. *Ibid.*, p. 47.
5. *Ibid.*, p. 74.
6. « Ce n'est qu'en reconnaissant la nature des choses, les rapports qu'elles ont entre elles et ceux qu'elles ont avec nous que nous pouvons découvrir leur convenance ou leur disconvenance avec notre propre félicité ; discerner les biens des maux, placer chaque chose à son rang, donner à chacune son véritable prix et régler en conséquence nos désirs et nos recherches. » (*Ibid.*, p. 75).
7. Burlamaqui présente ainsi son ouvrage : « Nous avons dessein dans cet ouvrage de rechercher quelles sont les règles que la *seule Raison* prescrit aux hommes pour les conduire sûrement

idéale et quasi géométrique de la nature humaine. Il arrive aux penseurs du XVIIIe siècle d'être d'une cécité et d'une ingénuité surprenantes. La morale chrétienne était plus lucide en ne songeant qu'à exploiter la dualité humaine. En voulant à tout prix réduire l'homme à l'unité, la pensée « philosophique » aboutit, sous son apparente clarté, à tout confondre et substitue à l'homme réel un être imaginaire, ignorant la tentation et le déchirement. Les hommes de ce temps si riche d'humanité pouvaient-ils s'y reconnaître ?

L'optimisme rationaliste est fondé sur deux postulats :

— *Il suffit de mettre en œuvre les maximes de la morale pour être heureux.*

— *Ces maximes sont aisément applicables, car elles ne tendent qu'à assouvir, en les systématisant, les besoins de la nature.*

L'homme n'a donc jamais à prendre parti contre lui-même. Non seulement la morale n'est faite que pour le conduire au bonheur, mais elle l'y conduit avec facilité, sans aucune tension héroïque, ni aucun débat douloureux, en s'imposant avec l'irrésistible sérénité de l'évidence.

Vers la fin du siècle paraît un livre tout à fait représentatif de cet esprit : le *Traité élémentaire de morale et du bonheur* (1784) de Paradis de Raymondis [1]. Selon l'auteur, la morale ou science du bonheur possède trois avantages : elle est « *générale et universelle* », le bonheur étant le but de tout être humain ; elle est « *sûre* dans ses principes et dans ses conséquences », car elle est fondée sur l'*expérience* ; elle est « *facile* », à la portée de tous les hommes « et même des enfants du plus bas âge » [2]. Morale universelle, morale irréfutable parce qu'empirique, morale facile parce que naturelle, triple illusion qui méconnaît à la fois le caractère irremplaçable de l'individu, les contradictions de la vie intérieure, les limites de la raison et la transcendance de la loi morale.

Le bonheur, qui est un « contentement durable », se compose d'un certain nombre de « biens réels », par opposition aux « biens imaginaires ». S'en trouvent ainsi éliminés tous les jeux de la rêverie et de la fantaisie, les exaltations et les chimères. Dans ce « réel » fictif et pauvre, réinventé par la raison, l'âme est bien prisonnière, privée de cet « imaginaire » qui peut seul la rendre libre et quelquefois plus grande qu'elle-même. La liste des biens réels est ainsi établie : la

au but qu'ils doivent se proposer et qu'ils se proposent en effet, je veux dire un véritable et solide bonheur, et c'est le système ou assemblage de ces règles, considérées comme autant de lois que Dieu impose aux hommes, que l'on appelle Droit de la Nature. Cette science renferme les principes les plus importants de la *morale*, de la *jurisprudence* et de la *politique* ; c'est-à-dire tout ce qu'il a de plus intéressant pour l'homme et pour la société. » (*Ibid.*, pp. 1-2).

1. Cf. plus haut, p. 113, note 1.
2. Cf. *op. cit.*, chap. 1.

santé, la *liberté*, l'*aisance* et la *tranquillité*. Il faut démontrer qu'aucun de ces privilèges n'est distribué par le sort, que tous restent à la portée de quiconque observe les maximes de la morale. La santé, par exemple, n'est pas un don gratuit des dieux, mais le résultat prévisible d'une certaine façon de vivre [1]. L'aisance n'est pas davantage une faveur de la fortune : elle peut facilement s'acquérir par le travail et l'économie [2]. La liberté se décompose en liberté civile et liberté morale. Mais Paradis démontre que la liberté civile est inutile si l'on ne jouit pas de la liberté morale, c'est-à-dire si l'on n'a pas d' « empire sur ses passions » [3]. Suit un tableau des différents esclavages que le plaisir impose à l'homme : l'amoureux, le joueur, le chasseur, l'amateur d'art ne sont pas des êtres libres [4]. Sous couleur de défendre la liberté intérieure, on dépossède l'homme de ses penchants. Il semble que l'être parfaitement raisonnable n'ait plus de visage. La tranquillité, comme la liberté, exclut toute passion [5]. Elle découle des biens précédents : à qui jouit de la santé, de la liberté et de l'aisance, elle est donnée par surcroît.

Les avantages énumérés jusqu'ici composent le fond de l'existence. Mais « l'existence n'est rien, si elle n'est agréable ». Pour vivre, l'homme a besoin de jouir [6]. Il faut sans cesse se défendre contre l'ennemi insidieux, l'ennui, cette « maladie de l'esprit » aussi funeste que la fièvre et qui suffit à tuer le bonheur de vivre. Contre ce « dégoût absolu » qui peut conduire au suicide, il faut dresser un intérêt assez vif comme « contrepoison ». Cet intérêt doit être une « jouissance », mais une jouissance tranquille et continue [7]. L'étude est le meilleur exemple d'occupation parfaite. Captivant l'esprit de manière régulière et douce, elle ne porte que sur des objets utiles et demeure compatible avec les divertissements, qui tirent d'elle, par contraste, toute leur saveur [8].

Paradis de Raymondis insiste sur les bienfaits de la morale, qui, révélant à l'homme la nature du bonheur, lui permet encore de l'atteindre. On retrouve l'ambivalence de la raison, qui est à la fois illumination et méthode. Cette méthode elle-même est double : « appré-

1. « Il est donc vrai que la morale, prévenant par la sobriété l'altération des humeurs, donne indirectement la santé. » (*Ibid.*, chap. IV, p. 23). Paradis de Raymondis conclut ainsi le chapitre consacré à la santé : « Le résultat de ce chapitre est : 1° que la santé est essentielle au bonheur ; 2° que si l'homme est souvent malheureux par défaut de santé, il est presque toujours produit par le défaut de morale. » (*Ibid.*, p. 25).
2. Cf. *ibid.*, chap. V.
3. Cf. *ibid.*, p. 41.
4. « On est toujours esclave de la chose à laquelle on ne peut pas résister. » (*Ibid.*, p. 45).
5. « C'est l'état de paix où l'on s'occupe sans effort, où l'on jouit sans effervescence. » (*Ibid.*, p. 51).
6. « Vivre sans jouir, c'est être mort avant le temps. » (*Ibid.*, pp. 56-57).
7. « L'intérêt à la vie, le sentiment qui fait qu'on se plaît à son existence, ne peut être entretenu que par une occupation agréable, mais constante et habituelle. Une occupation de ce genre est la source du bonheur. » (*Ibid.*, p. 61).
8. Cf. *ibid.*, chap. VIII et IX.

ciation » et « empire sur soi ». L'appréciation constitue l'acte essentiel de la vie morale. Elle porte sur les « trois sortes d'objets » susceptibles de déchaîner nos passions : les richesses, les honneurs et les plaisirs [1]. Toujours persiste l'illusion selon laquelle l'esprit a le pouvoir, en donnant leur vrai prix aux choses, d'exorciser l'instinct et la nature. Un acte strict du jugement suffit à dissoudre les mythes dangereux, à vider prudemment le monde de ses fascinations et de ses prestiges. C'est méconnaître la contradiction de l'homme, qui peut fort bien évaluer justement sans cesser de convoiter avec passion.

La morale est en définitive l'unique clé du bonheur [2]. Il est déplorable qu'on l'ait affublée d'une figure rébarbative. Il faut lui rendre son vrai visage en établissant cette double certitude :

« 1° Que le contentement durable est la conséquence assurée de l'exécution de ces préceptes.

2° Que les préceptes dont on se fait un monstre sont d'une pratique très facile qui, par l'habitude, devient même si satisfaisante qu'elle prend le caractère d'une douce passion [3]. »

Cette morale reste purement humaine, et l'on doit rejeter tous les livres d'inspiration religieuse qui ne peuvent rien pour le bonheur de l'homme :

« Un ouvrage qui n'a pas pour objet de procurer aux hommes, pendant leur vie, le bonheur dont l'humanité est susceptible, peut être un très bon ouvrage de piété sans doute, propre à conduire au bonheur après la mort ; mais il est certainement un ouvrage manqué quant à la morale, si par ce mot on entend la science de la vie ou *l'art de se rendre heureux en ce monde sans nuire au bonheur des autres* [4]. »

La confusion de la morale et de l'art du bonheur, dont la tradition remonte à l'Antiquité, ne doit être considérée ni comme une hypocrisie, ni comme le signe d'une pensée indigente. Elle répond toujours, de façon plus ou moins consciente, à la nécessité d'accorder la *nature* et la *conscience*, de ne pas abandonner l'homme au risque du déchirement. Si l'homme du XVIIIe siècle ne peut plus accepter la dualité, c'est qu'il n'a plus d'explication pour elle, cessant d'ajouter foi à la seule doctrine qui sût en rendre raison. Il ne lui reste donc qu'à

1. Cf. *ibid.*, chap. XII.
2. « L'homme ne peut savoir en quoi consiste le bonheur que par la morale ; cette connaissance acquise, il ne peut y arriver sans elle... » (*Ibid.*, p. 97). L'auteur ajoute : « La société doit prendre à la morale un intérêt d'autant plus grand que la croyance religieuse s'affaiblit davantage. » (*Ibid.*, p. 100).
3. *Ibid.*, p. 104 ; cf. *ibid.* : « L'homme est intéressé à pratiquer ses devoirs : vérité dont la démonstration a été trop négligée jusqu'à présent, sans laquelle la morale est regardée comme un impôt sur le bonheur..., mais vérité dont on demeurera convaincu, si l'on fait attention que la morale, telle que nous l'avons présentée, n'a d'objet que le bonheur de celui qui la professe, que tous ses concepts, toutes ses maximes tendent à l'opérer, qu'elle ne défend que ce qui peut y nuire et ne prescrit que ce qui est nécessaire. »
4. *Ibid.*, p. 173.

nier cette dualité embarrassante, qu'à rapprocher ou intervertir les deux termes : la conscience deviendra « naturelle », et la « nature », au lieu d'être tendue vers des fins mauvaises, apparaîtra baignée de sens moral. Ainsi on gagne sur les deux tableaux. En exaltant le plaisir et le bonheur, on ne joue pas un *jeu dangereux*, puisque le vrai plaisir n'est pas l'adversaire de la vertu. En exaltant la vertu, on ne livre pas une *partie difficile*, puisque la vraie vertu est un plaisir. Il est donc possible de rassembler dans un sentiment rassurant d'unité le bonheur de vivre et la sécurité de la conscience.

Le plus curieux est que ces confusions, inspirées par les mobiles les plus secrets, les plus sourdement existentiels, se déguisent en systèmes et se placent ouvertement sous le signe de la raison. La Raison du XVIIIe siècle est bien loin d'être l'inhumain mécanisme que l'on dit. Elle remplit au contraire une fonction vitale. Elle est la résolution d'une angoisse, car elle permet — suprême exigence et suprême conquête des âmes de ce temps — *de jouir de la vie en se sentant approuvé*. A aucun de ces deux privilèges nul ne veut renoncer. Or les risques de conflit sont innombrables. Il faut bénir cette Raison, un peu forgée sans doute pour les besoins de la cause, de savoir transformer un divorce toujours virtuel en une apaisante harmonie.

2. — La raison critique et les préjugés.

Mais la raison ne se meut pas dans l'absolu. L'homme est le prisonnier d'une histoire charriant des risques et des illusions, dont la raison doit lui permettre de s'évader. A côté de la raison légiférante chemine une raison critique, dont le grand thème est la lutte contre les *préjugés*. Les deux sont complémentaires, s'impliquent mutuellement. Il suffit que les préjugés soient balayés pour que surgisse l'éblouissant message de la raison universelle. Les préjugés sont à la vérité ce que les nuages sont au soleil : ils la cachent, mais ne la suppriment pas. A peine ont-ils disparu que l'on se retrouve en pleine lumière. Inversement, la manifestation progressive de la vérité dissout les ténèbres, comme des rayons qui traversent les plus épaisses vapeurs.

Il semble pourtant qu'on n'évite pas l'équivoque. Le bonheur est donné tantôt comme le fruit d'une *évidence*, tantôt comme celui d'une *révolution*. Quelquefois il suffit d'ouvrir les yeux pour l'apercevoir. A d'autres moments il faut faire table rase de toutes les idées acquises, de toutes les habitudes. Mais les deux propositions ne sont pas contradictoires. Pour être sensible à l'*évidence*, il faut avoir opéré une *révolution* en soi-même. Une fois installé dans l'état *social*, l'homme ne peut plus accéder à la révélation *naturelle* sans une rigoureuse ascèse de l'esprit [1]. Bizarre attitude, revenant à exiger de ceux qu'on veut convaincre qu'ils soient convaincus à l'avance. Il arrive souvent que les traités « philosophiques » soient moins fondés sur de vraies démonstrations que sur des tentatives d'intimidation au nom de l'évidence.

Si la pensée du siècle oppose, d'une façon aussi absolue, le monde des préjugés et celui de l'évidence philosophique, c'est qu'il n'existe aucune communication entre les deux et que tout dialogue est impossible. En réalité deux postulats s'affrontent, nommés selon les besoins de la cause *préjugés* ou *évidence* : le postulat chrétien de la dualité humaine, le postulat de la morale naturelle qui proclame l'unité de l'homme. Pour les Philosophes, seront déclarés *préjugés* toutes les idées, tous les thèmes et tous les dogmes fondés sur la croyance à une nature humaine *double*. Par opposition à l'*évidence*, nom rassurant dont on revêt la métaphysique de la nature, les préjugés désignent dans leur langage toute métaphysique surnaturelle.

Les moralistes d'inspiration chrétienne reprochent eux aussi aux Philosophes et aux mondains leurs « *préjugés* ». Il est bien vrai que ce siècle est l'âge d'or de la polémique. On croit tellement au pouvoir de la vérité que l'erreur de l'adversaire ne peut être attribuée qu'à un aveuglement pathologique ou à la mauvaise foi. Pour Morelly, toute la morale chrétienne traditionnelle n'est qu'un tissu de préjugés. Pour Caraccioli, en revanche, les préjugés se confondent avec les habitudes mondaines et les justifications philosophiques qui offusquent la vérité révélée [2]. Le « recueillement » qu'il leur oppose, cette descente au « fond de son cœur », sert de réplique à l'*évidence* philosophique. Des termes empruntés à la vie spirituelle se substituent aux termes rationnels, mais dans les deux cas la vérité absolue que l'on dresse en face des préjugés est le fruit d'une *contemplation* dont l'objet reste en deçà des limites de la nature [3].

Parmi les Philosophes, d'Holbach est le pourfendeur le plus systématique des préjugés. L'erreur lui apparaît comme l'unique source de tous les malheurs des hommes. Toute autre explication du mal

1. MORELLY commence ainsi son *Code de la nature* (1755) : « Il faut pour m'entendre quitter ses plus chers préjugés : laissez un instant tomber ce voile, vous apercevrez avec horreur la source et l'origine de tous maux et de tous crimes là même où vous prétendez puiser la sagesse. Vous verrez avec évidence les plus simples et les plus belles leçons de la Nature perpétuellement contredites par la Morale et la Politique vulgaires. Si, le cœur et l'esprit fascinés de leurs dogmes, vous ne voulez ni ne pouvez en sentir les absurdités, je vous laisse au torrent de l'erreur. »

2. « La vérité n'est plus qu'un fantôme parmi nous. Nous l'avons tellement décharnée et tellement défigurée qu'on ne peut plus la reconnaître. L'âme perpétuellement confondue avec les sens et les *préjugés* perpétuellement confondus avec les lois ont fait disparaître la règle immuable de nos esprits. Comment se comporte l'homme qui jouit de soi-même à la vue de pareils excès ? Il descend *au fond de son cœur* chercher les vérités qui ne sont plus connues ; il les interroge et il écoute leur réponse dans un recueillement inaccessible au bruit du monde et à l'éclat des grandeurs. » (CARACCIOLI, *La Jouissance de soi-même*, p. 88).

3. Cela prouve que le chrétien Caraccioli s'est laissé contaminer par l'optimiste naturaliste de son siècle, car, pour découvrir la vérité de Dieu « au fond de son cœur », encore faut-il que ce cœur soit pur : or ce n'est pas cela qu'enseigne la doctrine chrétienne.

et de la souffrance est pure fable [1]. L'imposture du sacré constitue la faute majeure qui rend le bonheur impossible [2]. Elle consiste à substituer aux rapports établis par la nature entre les hommes, ainsi qu'entre les hommes et les choses, des relations chimériques entre l'homme et des êtres de pure invention [3]. En emprisonnant l'homme dans ces rapports imaginaires, les inventeurs du sacré ont pris la nature à rebours : nommant maladie la complexion ordinaire de l'homme, ils se sont acharnés à le guérir, c'est-à-dire à le tuer [4].

Tout aménagement du bonheur sera donc nécessairement comme un recul de l'imposture chrétienne, comme une conquête sur le sacré [5]. Dissiper les ténèbres du christianisme devient le point de départ inéluctable de tout progrès vers le bonheur et la vraie morale. D'Holbach rythme ce progrès selon trois phases qui s'enchaînent rigoureusement : « plus éclairés », les hommes deviendront « plus heureux » ; « plus heureux », ils seront par là même « meilleurs » [6]. Raison, bonheur, vertu : le bonheur, étape intermédiaire, sert de lien entre les deux autres.

A partir de là, se développe chez d'Holbach une sorte de messianisme de la vérité, que l'on n'attendrait pas d'un homme aussi froid. Soulevé par une espérance, une exaltation presque mystique, il évoque le dévoilement du vrai comme une infaillible et triomphale échéance. La vérité, douée d'une force irrésistible, rétablira toute chose sous son vrai jour et suffira à restaurer la nature. La certitude rationnelle ressemble fort ici à l'acte de foi [7]. Obsédée par le thème bipolaire de la vérité et de l'erreur, la pensée de d'Holbach ne s'exprime qu'en termes magiques, qui s'opposent, aussi fortement que

1. « L'on ne peut trop le répéter : c'est dans l'erreur que nous trouverons la vraie source des maux dont la race humaine est affligée ; ce n'est point la Nature qui la rendit malheureuse ; ce n'est point un Dieu irrité qui voulût qu'elle vécût dans les larmes ; ce n'est point une dépravation héréditaire qui a rendu les mortels méchants et malheureux. C'est uniquement à l'erreur que sont dus ces effets déplorables. » (D'HOLBACH, *Système de la nature*, t. I, p. 372).

2. « Si nous consultons l'expérience, nous verrons que c'est dans des illusions et des opinions sacrées que nous devons chercher la source véritable de cette foule de maux dont nous voyons partout le genre humain accablé. » (*Ibid.*, p. 369).

3. « La religion, qui n'eut jamais que l'ignorance pour base et que l'imagination pour guide, ne fonde point la morale sur la nature de l'homme, sur les rapports entre les hommes, sur les devoirs qui découlent nécessairement de ces rapports ; elle aima mieux les fonder sur des rapports imaginaires, qu'elle prétendit subsister entre l'homme et des puissances invisibles qu'elle avait gratuitement imaginées et faussement fait parler. » (*Ibid.*, p. 371).

4. « Aveugles médecins qui ont pris pour une maladie l'état naturel de l'homme ! Ils n'ont point vu que les passions et les désirs lui sont essentiels, que lui défendre d'aimer et de désirer, c'est vouloir lui enlever son être... » (*Ibid.*, p. 375).

5. « L'intérêt des êtres intelligents, amoureux de leur bonheur, et qui désirent de rendre leur existence heureuse, veut que l'on détruise pour eux tous les fantômes, les chimères et les préjugés qui mettent des obstacles à leur félicité dans le monde. » (*Ibid.*, p. 369).

6. Cf. *ibid.*, p. 387.

7. « Si l'ignorance, l'inexpérience, l'erreur sont les vraies causes des malheurs du genre humain, si des gouvernements injustes et des préjugés de toute espèce ont été pour lui la pomme d'Eden ou la boîte de Pandore, l'espérance lui reste : elle doit le consoler, elle lui montre dans l'avenir un sort plus agréable ; elle lui fait entrevoir qu'à l'aide de la vérité, les hommes, s'ils ne peuvent être complètement heureux, seront moins malheureux. » (D'HOLBACH, *Système de la société*, t. I, pp. 189-190).

le bien et le mal, en deux séries antagonistes. D'un côté, ce sont les vocables noirs : « *Enthousiasme, imposture, autorité, superstitions, chimères, fantômes, erreur, malheur, imagination, ignorance, crainte, tyrannie, crédulité.* » De l'autre, les mots radieux et bénéfiques : « *Raison, expérience, vérité, intérêt, vertu, bonheur, société, nature, athéisme.* »

Cependant d'Holbach ne veut pas faire de la vérité une révélation métaphysique. La Nature n'est jamais pour lui ce qu'elle est souvent pour Montesquieu, la manifestation de l'absolu à travers le relatif. Elle demeure un système de rapports et de convenances empiriquement reconnus. Cette vérité que l'on exalte comme si elle émanait d'un autre monde, ne renvoie à rien d'autre qu'à l'*utile* [1]. En outre, d'Holbach sait bien que le pouvoir de la vérité a ses limites. Souvent le tempérament est plus fort et les évidences de l'esprit n'entament pas toujours l'obstination de la nature. Aussi faut-il distinguer deux ordres de vérité. La « philosophie spéculative », qui assigne aux choses leur exacte valeur « d'après l'utilité réelle qui peut en résulter », « ne détruit pas les voies du tempérament », mais elle « sert à les corriger ». Incapable d'étouffer les passions, elle fournit « des motifs pour les réprimer ». A la philosophie spéculative s'oppose la « philosophie pratique », qui « ne peut être solidement fondée que sur le tempérament ». Elle n'est qu'un ensemble d'heureuses dispositions naturelles : des « passions modérées », des « désirs bornés », une « âme paisible ». C'est la philosophie pratique qui recèle le véritable secret du bonheur, et l'on peut se demander si la philosophie spéculative apprend tant soit peu à être heureux [2]. La « spéculation éclairée » ne sert plus qu'à prévenir ou à corriger les défaillances accidentelles d'un heureux naturel. Le vrai philosophe est l'homme qui ne trouve en lui que des désirs « honnêtes et faciles », dont les passions sont toujours « dans l'ordre », et qui ne recourt à la philosophie spéculative qu'en cas de danger. D'Holbach parvient à cette conclusion un peu désabusée, qui contraste avec la passion qu'il met ailleurs à prophétiser le triomphe de la vérité : « La philosophie ne peut pas sans doute changer le tempérament ni rendre l'homme impassible, mais du moins elle lui fournit des consolations inconnues de ceux qui n'ont point réfléchi [3]. »

Que conclure de cela, sinon que la vérité, toute puissante pour démasquer et désarmer l'erreur, ne peut que composer avec la nature ?

1. « C'est sur l'utilité réelle ou supposée que se fondent nécessairement tous nos sentiments pour les hommes et pour les choses. Nous sommes visiblement dans l'erreur, toutes les fois que nous accordons notre estime, notre vénération, notre amour à des hommes, à des actions, à des usages, à des institutions inutiles. » (D'HOLBACH, *Essai sur les préjugés*, p. 363).

2. « Pour être heureux... il faut que la nature établisse un juste équilibre dans nos cœurs et mette nos désirs à l'unisson de nos facultés... C'est dans son propre cœur que le vrai philosophe va puiser sa philosophie. »

3. Pour cette citation et les précédentes, cf. d'HOLBACH, *Essai sur les préjugés*, pp. 287 et suiv.

La lutte contre les préjugés est sans doute difficile. Elle n'en constitue pas moins, pour le progrès philosophique, comme une solution de facilité. Ce n'est pas quand la raison s'attaque aux mythes forgés par des puissances ténébreuses que l'on peut le mieux mesurer sa force, mais lorsqu'elle entreprend de soumettre les tentations d'une *nature* au contrôle d'une *sagesse*. Pourfendre les préjugés, c'est un peu, pour la raison militante, un rôle de parade. Il est fatal que la vérité finisse par détruire l'erreur et le mensonge, comme la lumière refoule l'ombre, car son essence contient plus de *réalité*. Mais le succès est moins certain lorsqu'il s'agit de cerner, d'envelopper ou de réduire une âme, plus riche et plus réelle que la raison elle-même. On devra alors inventer des méthodes plus précises, plus patientes. Il ne suffira plus de déduire : il faudra deviner. Pour apprivoiser l'âme, la raison prendra elle aussi couleur d'âme. Un bonheur que l'esprit élabore ou approuve ne s'obtient pas sans une minutieuse technique de la vie intérieure. La raison joue ici un nouveau rôle, dont on parle avec moins de vacarme que de la lutte contre les préjugés. Pourtant cette science de l'âme est assez admirable par son mélange d'intuition délicate et de cynique calcul.

3. — La raison instrumentale.

Les *Mémoires* du président Hénault renferment un curieux hors-d'œuvre : un dialogue aux Champs-Élysées entre Mme de Flamarens, une prude du grand-siècle, et Ninon de Lenclos, sa contemporaine et son contraire. Celle-ci entreprend de démontrer que les deux styles de vie qu'elles incarnent, quoiqu'opposés en apparence, ne diffèrent que par le choix des moyens. L'une et l'autre ne firent jamais qu'une même chose : « calculer » leur bonheur. Mais à chaque tempérament correspond une méthode, une voie d'accès particulière : l'une opta pour le plaisir, l'autre pour la vertu. Mme de Flamarens, « née sensible, l'âme capable d'attachement, soumise aux opinions populaires », eût été bien à plaindre si la sagesse ne l'avait préservée contre les exaltations et les trahisons du sentiment [1]. Ninon n'avait pas les mêmes raisons pour être vertueuse. « Philosophe en naissant, indépendante des objets, même en s'y attachant, écoutant les jugements des hommes comme on écoute le ramage des oiseaux », elle pouvait sans hésitation élire le plaisir comme règle de vie, puisque, sachant jouir de tout, elle était sûre de ne se laisser troubler par rien. Mme de Flamarens,

1. « Votre esprit, lui dit Ninon, vous a bien servie contre votre cœur, la philosophie vous a garantie des malheurs inévitables pour une âme faible ; et je comprends que personne au monde n'eût été plus malheureuse que vous, si vous n'aviez pas été raisonnable. »

plus qu'à demi convaincue, tire la conclusion du dialogue : « Ainsi donc, suivant vous, nous avons pris deux routes différentes pour être heureuses, vous en cédant à toutes vos fantaisies et moi en ne leur cédant pas. » — « Dites mieux, répond Ninon, vous n'avez pas été malheureuse en vous résistant et moi j'ai été heureuse en ne me refusant rien [1]. »

Le sens de l'apologue est limpide. Il n'y a pas plus de loi morale que de culpabilité ou de mérite. Par un calcul, conscient ou non, chacun choisit la vie qui lui convient le mieux. Tous les chemins mènent au bonheur. Le tout est d'assortir la fin et les moyens. Ceux-ci changent selon les individus, si la fin demeure universelle. Le bonheur consiste à avoir su résoudre cet unique problème. Il dépend donc de la raison seule : non pas une raison ambitieuse qui voudrait dévoiler d'éternelles vérités, mais une raison pratique, instrumentale, très proche du bon sens, qui consiste simplement à savoir apprécier, ajuster et prévoir.

Ainsi l'art d'être heureux suppose une technique. C'est ce que comprend Cleveland, héros complet, dont les visages sont multiples. Homme sensible le plus souvent, philosophe sublime dans les occasions désespérées, il fait preuve de beaucoup de prudence dans le cours ordinaire de sa vie. Il sait par exemple que le bonheur de l'amour, jamais interrompu, s'aigrit ou s'épuise. Aussi, de temps à autre, s'oblige-t-il à quitter Fanny afin de mieux l'aimer à son retour et de raviver ainsi la source de son bonheur [2]. L'expérience et le raisonnement viennent au secours du sentiment. Le cœur a besoin qu'on le ménage ou qu'on le stimule. Au lieu de s'endormir dans la paix encore ardente de son bonheur conjugal, Cleveland fait sans cesse des épreuves sur Fanny et sur lui-même. Cet amant passionné se double d'un médecin lucide, qui administre assez tôt ses remèdes pour prévenir le mal [3].

1. Président Hénault, *Mémoires*, pp. 91-98.

2. « Le fond des sentiments ne s'éteint jamais dans un cœur naturellement tendre et constant, mais la familiarité avec ce qu'on aime et l'habitude continuelle de se voir fait perdre tôt ou tard à l'amour quelque chose de sa vivacité. Un peu d'art l'empêche de s'endormir ; et ce secours, qu'un homme qui pense peut tirer de son esprit pour nourrir ses sentiments, le rend plus capable que le commun des hommes d'une passion forte et durable. S'il entrait un peu d'expérience dans ce raisonnement, elle ne m'était pas venue de la moindre diminution de ma tendresse pour Fanny, mais j'avais remarqué que ces petits ménagements, que j'appelle art chez un amant qui raisonne, avaient servi plus d'une fois à redoubler son ardeur et la mienne : et je concluais que ce qui pouvait causer quelque augmentation dans une passion telle que la nôtre devait être capable à plus forte raison de l'empêcher de s'affaiblir. » (*Cleveland*, t. IV, pp. 127-128).

3. « Si le cœur de Fanny était tel que je le désirais, il fallait, pour le bonheur du mien, qu'il le fût toujours. C'était dans cette vue que je méditais souvent sur la nature de nos inclinations et de nos attachements, et que, mettant mon propre cœur à toutes les épreuves, je tâchais de démêler ce qui était capable d'affaiblir ou d'augmenter ses sentiments. *Je ne faisais point de découverte que je ne vérifiasse aussitôt par l'expérience.* Sans avertir Fanny de mes desseins, j'essayais en quelque sorte l'efficacité de mes remèdes ; semblable à un médecin qui ferait son étude continuelle de la santé d'une personne qu'il aime et qui, sans attendre le temps de la maladie, s'attacherait à pénétrer le fond de son tempérament, à découvrir de quel côté il peut

Tout sentiment se cultive. Tout bonheur stable procède d'une discrète mise en scène. L'expérimentation des âmes est le talent nécessaire de qui veut être heureux. Cleveland amoureux n'est pas un exalté, mais un habile homme, qui fonde la réussite de son amour sur un strict empirisme.

La vie conjugale ne repose pas seulement sur l'accord des âmes. Elle est semée d'une infinité de menues difficultés, dont certaines — non les moindres pourtant — relèvent du plus concret des problèmes : l'emploi du temps. Le bonheur de Cleveland est fonction de deux choses : l'étude et l'amour. Mais comment concilier pratiquement les deux ? Faut-il les distinguer, les faire alterner, les confondre ? Au début, Cleveland décide de travailler dans la solitude. Il passe de longues heures au milieu de ses livres. Mais l'image de Fanny absente l'envahit, l'obsède. Il lui manque « quelque chose pour être dans une situation tranquille »[1]. Néanmoins il parvient à se dominer et lorsque, le travail terminé, il se jette dans les bras de sa femme, son bonheur est si vif qu'il l'éprouve, chaque fois, comme une délicieuse surprise. Mais Fanny n'est pas satisfaite. Elle s'est sentie seule et triste pendant tout le temps que son mari a passé reclus dans son cabinet. Ne peut-elle être admise dans le sanctuaire, où sa présence sera légère ? Il veut bien l'accorder. Mal lui en prend. Fanny étant là, les livres deviennent insipides. Le temps destiné au travail se dépense en « tendresses et en badinages ». C'est l'équilibre même du bonheur qui est menacé. Cleveland a conscience d'une faille dans sa technique de vie heureuse[2]. Stimulé par sa mauvaise conscience, il interdit à sa femme de venir le troubler. Fanny, blessée, en manifeste un grand chagrin, et lui éprouve alors des remords d'une autre sorte[3]. L'étude, qui était destinée à le « former à l'humanité, à la douceur, à la complaisance », l'a rendu inhumain et brutal envers sa propre épouse. Il craint de ne plus être « dans la voie qui conduit à la sagesse et à la vertu » : « ou plutôt, pense-t-il, j'y suis, mais j'y marche mal. » A ces raisons tirées de la considération de l' « ordre », s'ajoute la peine de sentir sa femme humiliée. Il capitulera donc, non par faiblesse, mais parce que la raison et le cœur ligués l'y obligent. Il règle « de concert » avec Fanny son nouvel emploi du temps. Il la laisse juge

s'altérer, à lui préparer les potions les plus salutaires... j'employais ainsi toute mon attention et mon adresse à chercher ce qui pouvait fixer l'amour dans le cœur de Fanny. » (*Ibid.*, pp. 136-139).

1. *Ibid.*, p. 128.

2. « Je ne pus réfléchir sérieusement sur ce mélange bizarre d'occupations graves et badines sans en ressentir quelque honte. » (*Ibid.*, p. 131).

3. « Je m'accusai d'avoir mal conçu jusqu'alors un des principaux devoirs de la vertu et de la sagesse. Le but de mes études devait être non seulement de travailler à mon bonheur et à ma perfection, mais de me rendre utile, autant qu'il m'était possible, au bonheur des autres ; car ces deux obligations touchent également un homme raisonnable et vertueux, qui sent qu'il est fait pour la société et qu'il se doit par conséquent aux autres presque autant qu'à lui-même. » (Cf. *ibid.*, pp. 131 et suiv.).

de la « durée de (sa) solitude ». En outre, il l'autorise à pénétrer dans son cabinet et à lui « faire mêler un peu d'amour dans ses occupations sérieuses »[1]. Mais elle abuse de la permission, car la violence de sa passion est telle qu'elle ne peut être « contente un moment » loin de son époux.

Ainsi la question ne sera jamais résolue. La sagesse, la technique du bonheur ont leurs limites. Il existe des sentiments qu'il est difficile d'informer ou de réformer. On constate que les réflexions sur le bonheur ne sont pas toujours théoriques et vagues. Quoi de plus précis que le problème relatif à l'organisation de la vie que Cleveland s'efforce de trancher ? Et quoi de plus humain, une fois plusieurs solutions essayées, que son échec même ?

Malgré les déconvenues inévitables, la part de l'expérience et du calcul, dans l'élaboration du bonheur, demeure immense. La morale des plaisirs se réduit le plus souvent à une arithmétique[2]. Par de curieux raisonnements et des arguments trop subtils Beausobre invite l'homme à se convaincre du bonheur inscrit dans sa condition même[3]. Dans ses *Réflexions sur le bonheur*, Mme du Châtelet prouve par son propre exemple que les maximes de la raison et de la dignité aident à apaiser un amour douloureux. Montesquieu sait « se retourner » dans ses malheurs, effacer un chagrin par une heure de lecture, quitter toute inclination naissante dont il ne prévoit pas le succès. En bien des domaines, un peu de bon sens ou de méthode suffit à rendre l'homme un peu plus satisfait de lui-même. Les plaisirs ne nous viennent pas spontanément. On doit aller les chercher, les explorer à tour de rôle. Il y a de fortes chances pour que l'expérience, entreprise par système, se change en une découverte d'impressions heureuses. Mais il faut, dans la recherche du plaisir même, comme une obstination de principe[4]. Ce qui est vrai pour le plaisir, l'est encore pour la vie morale. Tous ceux qui n'ont pas la chance d'être naturellement vertueux, doivent savoir pratiquer la vertu par *intérêt*. Peu importe le mobile, seul le résultat compte. Ce n'est pas un encyclopédiste, mais le très conformiste Lemaître de Claville, qui l'affirme dans son *Traité du vrai mérite*[5].

1. *Ibid.*, p. 136.
2. Cf. *Le mouvement et les plaisirs*.
3. Cf. *Le bonheur et la condition humaine*.
4. « C'est souvent le hasard qui nous découvre nos goûts ; mais il ne faut pas s'en tenir à ces rencontres fortuites ; il faut s'essayer sur tous les objets de plaisir permis : ne s'en pas tenir à une première expérience, ne pas se rebuter, ne pas se décider incapable d'une certaine espèce de plaisir, parce que d'abord on n'y aura pas été sensible. » (TRUBLET, *op. cit.*, t. III, p. 339).
5. « Ceux qui n'ont pas dans l'âme assez d'élévation et de bonté pour être bienfaisants, devraient avoir au moins assez d'étendue et de génie pour comprendre que la politique la plus raffinée et l'intérêt personnel le mieux entendu et le plus avantageusement ménagé consistent principalement à faire plaisir. On ne saurait mettre ses conseils, ses soins, son crédit et son argent à plus grand intérêt qu'en les faisant servir au besoin des autres... Que je vous rende ou cordialement ou politiquement officieux, le fruit sera le même pour la personne

« Arithmétique », « calcul », « politique », tels sont les termes dont on se sert, sans aucune gêne, quand on veut enseigner la science du bonheur. Lorsque Caraccioli commente et analyse cette sérénité suprême du sage qu'il nomme la « gaîté philosophique », il déclare : « Il est un calcul naturel que chacun peut employer à supputer ses biens et ses maux, afin de n'en extraire que ce qu'il faut pour se soutenir entre la tristesse et la dissipation [1]. » Dans l'article *Cyrénaïque* de l'*Encyclopédie*, Diderot expose les principes du « calcul moral », tel que le préconisait Aristippe de Cyrène. Celui-ci estimait que « dans le calcul du bonheur et du malheur, il faut tout rapporter à la douleur et au plaisir, parce qu'il n'y a que cela de réel ». Il s'ensuit que « tous les instants où nous ne sentons rien sont zéro pour le bonheur et pour le malheur ». Entre les peines et les plaisirs, il faut établir des comparaisons minutieuses et dûment chiffrées [2]. Diderot donne cette arithmétique comme une simple curiosité. Mais à l'article *Cynique* il se compromet davantage. Convenant de l'existence des « faux cyniques », qu'il qualifie de « brigands travestis en philosophes », il n'en décore pas moins Aristippe et les Cyniques de l'Antiquité d'une formule bien flatteuse, en les appelant des « enthousiastes de la vertu » [3].

Le calcul moral, nécessaire à l'élaboration du bonheur, dépasse heureusement le stade de la simple arithmétique. Avec M. de Wolmar, il prend la forme d'une thérapeutique savante et paradoxale. Toute *La Nouvelle Héloïse* est d'ailleurs imprégnée de calcul. Julie adore le café. Mais, si elle en prenait tous les jours, elle finirait par s'amputer d'un goût que l'habitude aurait émoussé. Aussi réserve-t-elle le café aux occasions un peu solennelles, lorsqu'on accueille à Clarens des invités : « Tout l'art qu'emploie une âme sage pour donner du prix aux moindres choses, c'est de les refuser vingt fois pour en jouir une ; et c'est ainsi qu'elle conserve toujours son premier ressort, que son goût ne s'use point... S'abstenir pour jouir, c'est la philosophie du sage, c'est l'*épicuréisme de la raison* [4]. »

Plus solidement que la vertu, la sagesse sert de clé de voûte au bonheur. Car la vertu est une lutte intérieure, une perpétuelle tension contre soi. Au prix de quelques ruses la sagesse rend tout immédiat

obligée ; la plus grande perfection du motif n'intéresse que vous. Quelque service que vous rendiez aux autres, en le rendant, vous vous servez encore plus vous-même. » (LE MAÎTRE DE CLAVILLE, *Traité du vrai mérite*, pp. 241-242).

1. CARACCIOLI, *De la Gaîté*, p. 54.

2. « Une peine ne diffère d'une peine et un plaisir ne diffère d'un plaisir que par la durée et le degré », c'est-à-dire par des choses qui se mesurent. Pour obtenir la formule du bonheur, il suffit de multiplier, d'additionner et de poser un rapport : « Le *momentum* de la douleur et de la peine est le produit instantané de la durée par le degré. Ce sont les sommes des *momentum* de peine et de plaisir passés qui donnent le rapport du malheur au bonheur de la vie. » (DIDEROT, *Œuvres*, Assézat-Tourneux, t. XIV, pp. 270-271).

3. Cf. *ibid.*, pp. 266-267.

4. *La Nouvelle Héloïse*, citée par GOURCY dans son *Essai sur le bonheur*, p. 76.

et facile. Elle évite les situations dangereuses, obscurcit les tentations, refoule les conflits qui menacent. Elle permet ainsi de faire l'économie de cette vertu où l'âme s'épuise sans être jamais sûre de triompher.

A Clarens, M. de Wolmar apparaît comme le grand maître, presque le virtuose de la sagesse. Il est l'observateur pur : s'il le pouvait, il réduirait toute sa personne à un œil doué de raison. Dans la comédie du monde, il a renoncé à jouer son rôle, afin de pouvoir mieux surveiller la manière dont les autres jouent le leur. Sorte d'anti-Rousseau, il n'a pas l'âme sensible et ignore toutes les émotions. Ni « triste » ni « gai », il demeure « toujours content ». Quoique parfaitement raisonnable, il raisonne peu. Sa raison, qui voit, comprend et juge tout, n'est jamais indiscrète. Aussi M. de Wolmar est-il remarquable par son abstraction et son inexistence. Mais cette inexistence se double d'une étonnante présence. M. de Wolmar possède une extraordinaire faculté d'adaptation. Si son âme reste étrangère à la vie, son esprit domine toute chose. Surtout il est doué d'un rayonnement personnel qui lui confère un grand pouvoir sur les autres. Cet être, que l'on dirait désincarné, possède une passion, mais une passion qui lui ressemble, immobile et glacée. L'ordre « règne au fond de son âme », qu'aucun remous n'atteint jamais. La fonction et la passion de M. de Wolmar consistent à projeter hors de lui-même cet ordre intérieur, pour l'imposer par la sagesse, la douceur, et quelquefois le mensonge, à la petite société de Clarens, à ce monde clos qu'il dirige comme un despote sans violence.

Cet ordre, M. de Wolmar veut l'installer dans l'âme la plus instable, la plus rebelle au langage de la raison. Il décide d'entreprendre la guérison de l'amant de Julie. On simplifie en déclarant que Wolmar fait venir Saint-Preux à Clarens pour le guérir. L'inverse serait plus juste : Wolmar doit guérir Saint-Preux pour qu'il puisse rester à Clarens. Car il n'est pas de bonheur possible pour Julie sans la présence de Saint-Preux, ni de bonheur pour Wolmar sans le bonheur de Julie. Bien loin d'être inspirée par le désir gratuit d'exercer ses talents ou par la simple humanité, la guérison de Saint-Preux est nécessaire au bonheur de tous.

La méthode de M. de Wolmar repose sur deux principes, qui constituent peut-être les deux plus riches découvertes du siècle dans la connaissance des âmes : l'homme n'est jamais le même et toute vie se résout en existences successives ; les objets ont le pouvoir de former ou de déformer les consciences. Étayés par cette double certitude, les efforts de M. de Wolmar vont tendre à maintenir étanches, dans l'âme de Saint-Preux, les souvenirs du passé et les images du présent. Aucune fatalité n'oblige les deux époques à se confondre. Julie de Wolmar n'est plus la même personne que Julie d'Étanges.

Saint-Preux ne peut donc pas aimer réellement Julie de Wolmar, puisque c'est Julie d'Étanges qu'il aimait. Passer de l'une à l'autre serait une pure méprise, presque une infidélité envers la première.

Tout le problème consiste à donner à Saint-Preux une conscience claire de ce changement. Saint-Preux n'a pas à se réformer, mais à constater simplement que ni les êtres ni les choses ne sont plus les mêmes. L'effort volontaire sur soi n'aura pas à intervenir dans une thérapeutique qui ne vise qu'à susciter une prise de conscience exacte de la réalité. Il suffit d'aider Saint-Preux à ne pas se tromper en superposant indûment deux images différentes. Mais, pour que se dissipe le prestige qui mêle le passé au présent, il faut qu'il vive ce présent comme radicalement autre. C'est la raison qui rend nécessaire sa venue à Clarens. De lui-même, Wolmar le sait bien, le passé ne peut pas se détruire. Le temps ne guérirait jamais Saint-Preux : il ne ferait que perpétuer indéfiniment sa nostalgie et sa méprise. Il faut lui proposer une nouvelle expérience, qui le mettra en face de Julie, lui fera poser sur cette *autre* personne un *autre* regard. Alors la confusion ne sera plus possible. Pour construire son expérience, M. de Wolmar applique le second principe : l'influence des choses, des situations et des gestes sur les états d'âme. Il faudra reproduire les mêmes situations que par le passé, en en renversant complètement le sens. Un simple baiser d'amis libérera le bosquet de Clarens du potentiel affectif redoutable dont l'avait jadis chargé un baiser d'amants. Une telle scène, reflet et négation de la scène d'autrefois, suffira, si elle est jouée par surprise, à exorciser un endroit dangereux, à éteindre d'un seul coup la virulence d'un souvenir [1].

Il n'est pas certain que le « traitement » aboutisse à une réussite totale. Le dédoublement psychologique que M. de Wolmar attribue à Saint-Preux et à Julie, en distinguant les deux moments de leur histoire, reste en partie une vue de l'esprit. L'expérience actuelle ne peut pas être tout à fait autonome. Les anciens amants sont sans cesse exposés à d'alarmantes réminiscences. Julie elle-même reste sceptique et persiste toujours à expliquer le changement qu'elle croit reconnaître dans ses sentiments et dans ceux de Saint-Preux, non

1. Voici comment Wolmar, dans une lettre à Claire, expose le résultat de sa thérapeutique : « De vous dire que mes jeunes gens sont plus amoureux que jamais, ce n'est pas sans doute une merveille à vous apprendre. De vous assurer, au contraire, qu'ils sont parfaitement guéris, vous savez ce que peuvent la raison, la vertu, ce n'est pas là non plus leur plus grand miracle. Mais que ces deux opposés soient vrais en même temps, qu'ils brûlent plus ardemment que jamais l'un pour l'autre, et qu'il ne règne plus entre eux qu'un honnête attachement, qu'ils soient toujours amants et ne soient plus qu'amis, c'est, je pense, à quoi vous vous attendez moins, ce que vous aurez le plus de peine à comprendre et ce qui est pourtant selon l'exacte vérité... Ce n'est pas de Julie de Wolmar qu'il est amoureux, c'est de Julie d'Étanges. Il ne me hait point comme le possesseur de la femme qu'il aime, mais comme le ravisseur de celle qu'il a aimée. La femme d'un autre n'est point sa maîtresse. La mère de deux enfants n'est plus son ancienne écolière. Il est vrai qu'elle lui ressemble et qu'elle lui en rappelle souvent le souvenir. Il l'aime dans le temps passé : voilà le vrai mot de l'énigme. Otez-lui la mémoire, il n'aura plus d'amour. » (*La Nouvelle Héloïse*, éd. Mornet, t. III, pp. 271-272).

par les heureux fruits de la méthode wolmarienne, mais par le pouvoir de dépassement et d'épuration inhérent à l'amour lui-même.

Mais la thérapeutique de Wolmar n'en contribue pas moins — c'est peut-être sa principale utilité — à rendre vraisemblable l'illusion de la guérison, qui, jointe à l'honnête mensonge de la vertu, préservera Julie et Saint-Preux de toute rechute.

Quels que soient les résultats des diverses techniques de vie heureuse, il faut admettre que le bonheur ne s'improvise pas. Il est imprudent d'abandonner son âme à des puissances inconnues : hasard, Providence ou destin. L'homme ne doit jamais renoncer à la souveraineté de lui-même. Mais, comme il est trop fragile pour attaquer de front cette force ennemie qu'il découvre dans l'opacité ou l'impulsivité de sa nature, il doit ruser avec lui-même, circonvenir ou désamorcer tout sentiment dangereux, exercer méthodiquement les plus heureuses de ses aptitudes, laisser son cœur se prendre aux pièges de sa raison. Une telle attitude suppose un mélange d'optimisme et de pessimisme, où l'on peut voir aussi bien une sagesse moyenne que la conjonction de deux illusions. Le pessimisme consiste à se méfier de la nature, à croire que l'imprudence de ses élans et la démesure de ses exigences rendent nécessaire un contrôle permanent de l'esprit. L'optimisme est d'accorder à l'esprit assez de pouvoir pour jouer efficacement son rôle en imposant à l'anarchie spontanée de la vie affective cet *ordre* qui est le signe commun de la raison et du bonheur.

4. — La raison disqualifiée.

Bien des réticences ou des objections formelles retiennent cependant de trop accorder à la raison et d'être dupe de son prétendu pouvoir. L'esprit, comme le cœur, a ses mirages. Disposerait-il d'ailleurs de tous les prestiges et de la puissance dont il se flatte, que sa suprématie sur la vie de l'âme n'aboutirait qu'à des désastres.

Les réserves que l'on fait sur le rôle de la raison dans la construction du bonheur procèdent de points de vue très différents. Certaines sont banales ou peu sérieuses. On conteste, par exemple, son efficacité lorsqu'elle doit affronter la fatalité du tempérament. Trublet note que le « bel esprit » ou les raisonnements demeurent désarmés devant les « vapeurs ». A supposer que la raison puisse modérer les emportements, elle est incapable de dissoudre la tristesse [1]. Il arrive aussi

1. « Le bel esprit peut quelque chose contre les effets de ces vapeurs. Il peut montrer le ridicule de ces tristes pensées dont les vapeurs sont la source ; mais il ne peut empêcher qu'elles ne naissent et il est incessamment occupé à les combattre. Du moins il ne peut empêcher un certain fond de tristesse qui dégoûte de tout, qui empoisonne la vie et la fait haïr. On se condamne, on se trouve ridicule, injuste même ; mais on n'en est que plus malheureux. La lumière de l'esprit, semblable à l'éclat du soleil, dissipe quelquefois ces nuages, mais aussitôt il s'en

que l'on s'insurge, au nom de la tranquillité, devant les vérités désagréables que le travail de la raison risque de mettre à nu : « J'aime mieux, déclare Mme de Puisieux, une erreur qui fait mon bonheur qu'une évidence qui me désespère [1]. » La prudence ne consiste pas à toujours élucider le vrai : elle doit savoir aussi le tenir caché. On assiste ainsi à une sorte d'éclatement de la raison : la raison qui révèle et la raison qui calcule sont en irréductible opposition. On peut encore développer le thème, fort peu « philosophique », selon lequel il n'y a d'heureux que les imbéciles [2]. Parfois même le recours à la raison est déclaré contraire aux exigences de l'ordre et de la morale. Dans *Les Amours de Faublas*, M. de Lignolle, pris de panique en voyant ses laquais devenir philosophes, redoute des « désordres de toute espèce » et ne se croit plus « en sûreté dans (sa) maison » [3]. C'est avouer que la raison est réservée à ceux qui savent s'en servir et qui peuvent le faire sans risque pour autrui : raison bourgeoise, par conséquent, ou aristocratique, mais non point universelle. Du simple point de vue de la morale individuelle, l'auteur de *La recherche du bonheur* considère que « l'esprit » est le plus sûr artisan du malheur, car il a partie liée avec les tentations les moins avouables, auxquelles il prête de perverses justifications. On doit s'en défier « comme d'un débauché qui se déguise en femme pour entrer dans un sérail ». Dès qu'il est parvenu à endormir la vigilance de la conscience, il « arbore l'étendard d'une philosophie licencieuse » [4]. Au triomphe dangereux de l'éternel rebelle, l'auteur préfère une sorte de nirvâna de la stupidité [5].

forme d'autres et c'est toujours à recommencer. *La raison a bien moins de pouvoir encore sur les passions tristes que sur les passions gaies.* Celles-ci, plus extérieures, portent à des actions qu'on est toujours le maître de ne pas faire. Celles-là, plus intérieures, inspirent des pensées et excitent des sentiments auxquels il est presque impossible de ne pas se livrer. » (TRUBLET, *op. cit.*, t. III, pp. 400-401).

1. Mme DE PUISIEUX, *Caractères*, p. 127. Cf. *ibid.*, p. 64 : « Il y a des choses qu'on ne doit jamais se presser d'apprendre ; ce sont celles qui déplairaient. *Il y a de la folie de courir après ce qui peut chagriner ;* c'est manquer de prudence que d'aller au-devant des peines ; il faut avoir de l'adresse à se les épargner. »

2. Trublet envie l'euphorie des sots, qu'il estime « plus propres au bonheur que les fous et que les gens de beaucoup d'esprit, parce qu'ils n'ont ni les réflexions de ceux-ci ni les travers de ceux-là. » Pensant « moins » que les gens d'esprit et « mieux » que les fous, les sots « sentent moins que les uns et les autres ». Aussi faut-il admirer dans leur vie tous ces plaisirs ridicules « qui les comblent si aisément, comme de regarder jouer au trictrac, pendant des heures, sans savoir le jeu ». (TRUBLET, *op. cit.*, t. III, pp. 243-244).

3. M. de Lignolle à sa femme, qui a le tort de permettre la lecture à ses domestiques :
— « Tous vos laquais deviendront philosophes et vous ne tremblez pas ?
— Que pourrait-il en arriver, Monsieur ?
— Des désordres de toute espèce, Madame. Un laquais, dès qu'il est philosophe, corrompt tous ses camarades, vole son maître et séduit sa maîtresse... Oui, je l'avoue, quand je vois entre les mains de mes gens les *Pensées philosophiques*, ou le *Dictionnaire philosophique*, ou le *Discours sur la vie heureuse*, ou le *Discours sur l'origine de l'inégalité parmi les hommes*, je suis très effrayé et je ne me crois nullement en sûreté dans ma maison. » (LOUVET DE COUVRAY, *Les Amours du chevalier de Faublas*, t. III, pp. 57-58).

4. *La Recherche du bonheur*, p. 18.

5. « L'homme sans esprit » est, en effet, protégé par sa médiocrité même, qui le maintient dans une sorte d'innocence débile et tiède : « Il est semblable à un enfant qu'on aurait tenu enfermé dans la même chambre depuis l'instant de sa naissance. » Mais cette enfance éternelle

Mais, parmi les critiques faites à la raison, il en est qui viennent de la raison même, et qui d'ailleurs se contredisent. On l'accuse aussi bien de surestimer ses pouvoirs que de les avilir. Dans son *Andrométrie*, Boudier de Villemert s'en prend à ce besoin éperdu de connaître qui détourne l'homme de lui-même et brouille les quelques idées simples qui sont vraiment à sa portée [1]. Une fois que l'esprit a dépassé sa mesure naturelle, toutes les inventions sont possibles et se proclament vérité. La métaphysique est le lieu prestigieux et vain des fantaisies incontrôlables. Pendant que Spinoza voit Dieu en tout, Malebranche voit tout en Dieu [2]. Mais l'aventure de l'esprit est encore plus absurde en morale qu'en métaphysique. Car les vérités morales s'offrent à l'homme « sans qu'il les cherche » : « Il les trouve écrites dans son cœur en caractères très lisibles... [3] » La raison devrait donc se borner à *reconnaître* ces vérités, au lieu de forger des fictions où l'homme n'a aucune chance de retrouver son vrai visage.

On peut aller plus loin encore et soutenir qu'il n'existe aucune *vérité* sur laquelle édifier le bonheur. Chacun élit le sien selon sa nature, et la raison ne sert qu'à dessiner la route vers un but qu'elle n'a pas choisi. Hume dénonce le paradoxe de tout bonheur systématique, dans le dernier portrait des *Quatre Philosophes*. Après l'épicurien, le stoïcien et le platonicien, qui ont tous proposé une définition dogmatique du bonheur, survient le sceptique, qui dénie au philosophe le droit de se déguiser en « sorcier » [4] et de distribuer des formules magiques. Dans la recherche du bonheur, le sceptique n'accorde à la raison que cette fonction instrumentale ou technique dont on parlait, révélant par là qu'il n'est pas tout à fait un sceptique.

Tout être a le droit d'assigner à sa vie le but que lui suggère ou lui impose son « inclination prédominante » : « Il n'y a rien d'estimable ou de méprisable en soi, de désirable ou de haïssable en soi, de beau ou de laid en soi [5]. » Dans le domaine des fins, tout choix dogmatique est un choix passionnel [6]. Toutes les maximes des philosophes et des moralistes n'expriment que des préférences ou des ambitions personnelles, souvent mal déguisées, et il n'en est pas une à laquelle on

est le signe d'une profonde sécurité : « L'homme sans esprit jouit jusqu'au dernier soupir du calme heureux qui prolonge la durée de son être. » (*Ibid.*, p. 24). Il est même à l'abri de la moins intellectuelle des angoisses, celle de la mort : « Il faudrait pour cela qu'il eût de l'esprit, car le pressentiment de notre fin est une malheureuse acquisition que l'esprit nous a fait faire. » (*Ibid.*).

1. « Fait pour connaître la surface des objets, il en a voulu sonder la profondeur. Qu'est-il arrivé ? Il a obscurci le peu d'idées claires qu'il avait reçues, sans s'éclairer davantage sur la nature des objets qui avaient excité sa curiosité ; et une indécision presque générale a été la peine de sa témérité. » (BOUDIER DE VILLEMERT, *L'Andrométrie*, p. 63).

2. *Ibid.*, p. 71.

3. « ... Il en est de même de toutes celles qui ont une liaison étroite avec son bonheur et ses besoins. » (Cf. *ibid.*, pp. 65-67).

4. HUME, *Les Quatre Philosophes*, édition Leroy, Aubier, 1947, p. 234.

5. *Ibid.*, p. 235.

6. « Le bien et le mal, naturels aussi bien que moraux, sont entièrement relatifs aux sentiments et aux affections de l'homme. » (*Ibid.*, p. 243).

ne puisse opposer sa contre-partie. Hume dresse un catalogue des lieux-communs de la morale traditionnelle, qu'il réduit successivement à néant, en soulignant à propos de chacun cette impureté essentielle qui dilue la vérité en une infinité de partis pris. En outre, il est impossible d'apprécier le bonheur d'un individu en fonction de l'objet dont ce bonheur dépend [1]. Une petite fille qui a revêtu sa plus belle robe pour aller « au bal de l'école de danse » peut éprouver une « jouissance aussi complète » qu'un orateur politique qui vient de subjuguer une assemblée [2]. Domitien était aussi heureux en attrapant des mouches qu'Alexandre en conquérant des royaumes [3].

Mais la raison n'est pas pour autant disqualifiée. Exclue du domaine des fins, elle est réintroduite dans le concert des *moyens*. Au niveau de l'*expérience*, il existe des *vérités*. A l'homme qui a décidé de fonder son bonheur sur la conquête des richesses, on peut donner des conseils positifs [4]. C'est seulement dans la mesure où la philosophie se limite à ce rôle pratique qu'elle cesse d'être une imposture. Il serait vain de vouloir changer la nature et de croire à cette « médecine de l'esprit », qui est pure chimère : « Même sur les sages et sur les penseurs, la nature exerce une influence prodigieuse [5]. » Quant à ceux dont le caractère est vicieux, ils demeurent à tout jamais hors du pouvoir de la raison.

Toutefois la philosophie peut agir de « manière indirecte », par une « action discrète et insensible » [6]. Elle peut doucement, patiemment soustraire l'homme à ses hantises, le diriger vers la sagesse et la vertu. Ainsi il est rare que l'étude ne développe pas le sens moral, ne détruise pas les germes d'ambition :

« Voilà donc la victoire capitale de l'art et de la philosophie : affiner insensiblement le caractère et nous désigner les dispositions que nous devons essayer d'obtenir par une *tension* constante de l'esprit et par la répétition et l'*habitude*. Hors de là, je ne peux leur reconnaître beaucoup d'action et il me faut entretenir des doutes au sujet de toutes ces exhortations et consolations qui ont une telle vogue auprès des raisonneurs spéculatifs [7]. »

Telle est la conclusion positive où s'achemine le scepticisme de David Hume. Hostile à toute révélation dogmatique, refusant d'établir aucune hiérarchie entre les objets de la convoitise humaine, il reconnaît à la raison une double fonction : une sagesse froidement tendue vers

1. « Les objets n'ont en soi aucune valeur, aucun prix absolu. Ils tirent leur valeur uniquement de la passion. » (*Ibid.*, p. 240).
2. *Ibid.*
3. *Ibid.*, p. 246.
4. « Acquérez de l'habileté dans votre profession ; soyez diligent dans son exercice ; élargissez le cercle de vos amis et connaissances ; évitez le plaisir et la dépense ; et ne soyez jamais généreux que dans le dessein de gagner plus que vous ne pourriez épargner par la frugalité. » (*Ibid.*, p. 234).
5. *Ibid.*, p. 243.
6. *Ibid.*, p. 244.
7. *Ibid.*, p. 246.

la réussite — ou une réforme insensible de l'âme, pourvu que la nature ne soit pas trop gâtée. Cependant Hume termine son essai par une page assez amère, qui semble en contradiction avec les leçons précédentes [1]. On s'y trouve à l'extrême pointe du scepticisme. La raison est exclue de l'expérience morale et elle ne détermine plus en rien l'attitude de l'homme devant la vie. Mais ce n'est pas pour prendre le parti du désespoir ou de la folie que Hume sépare raison et bonheur. Le scepticisme est un équilibre entre l'angoisse et l'indifférence. L'une empoisonne le bonheur de vivre, l'autre le stérilise. L'idéal du sceptique est un confiant abandon à une vie immédiate. La raison cesse de s'interposer entre le réel et la conscience. Mais ne s'agit-il pas encore d'un choix de la raison ? Est-il si facile de chasser cette peur de vivre, qui provoque sourdement les tentatives trop ambitieuses, trop « rationnelles », par quoi l'homme tâche de devenir le maître de son destin ? Le scepticisme de Hume révèle comme un fonds de *santé*. Et l'on peut se demander s'il n'est pas lui-même dupe de l'illusion qu'il pourchasse, lorsqu'il désigne comme la seule attitude *raisonnable* celle-là même que sa propre nature lui rendait facile.

Rousseau prend une position inverse. Au lieu de contester à la raison spéculative, au nom de la raison critique, le droit et le pouvoir d'édifier le bonheur, il s'appuie sur une raison supérieure pour dénoncer les méfaits de « l'art de raisonner ». Il veut qu'on distingue les deux fonctions de la raison, celle qui découvre les vérités essentielles, et celle qui articule propositions et discours pour démontrer n'importe quoi. Si cette deuxième fonction s'exerce indépendamment de la première, qui peut garantir, en effet, qu'elle enchaînera ses arguments à partir de « vérités primitives », et non de préjugés ou d'opinions absurdes [2] ?

C'est le contraire même de la critique de Hume, qui acceptait

1. « En un mot, la vie humaine est gouvernée plus par la fortune que par la raison ; il faut la regarder plus comme un sombre passe-temps que comme une occupation sérieuse ; et elle est plus sous l'influence de l'humeur particulière que sous l'action des principes généraux. Nous y engageons-nous avec passion et angoisse ? Elle ne mérite pas tant de soucis. Sommes-nous indifférents à l'égard de ce qui arrive ? Nous perdons tout le plaisir du jeu par notre flegme et notre insouciance. Tandis que nous raisonnons sur la vie, la vie est déjà passée ; et la mort, bien que peut-être ils l'accueillent différemment, traite également le sot et le philosophe. Soumettre l'existence à une règle et à une méthode précises, c'est communément chose pénible et souvent vaine ; n'est-ce pas aussi une preuve que nous surestimons le prix pour lequel nous luttons ? Et même raisonner avec autant de soin à son sujet et déterminer avec précision son idée juste, ce serait le surestimer, si ce n'était, pour certains caractères, l'une des plus captivantes occupations où employer leur vie. » (*Ibid.*, p. 256).

2. « L'art de raisonner n'est pas la raison ; souvent il en est l'abus. La raison est la faculté d'ordonner toutes les facultés de notre âme convenablement à la nature des choses et à leurs rapports avec nous. Le raisonnement est l'art de comparer les vérités connues pour en composer d'autres vérités qu'on ignorait et que cet art nous fait découvrir. Mais il ne nous apprend point à connaître ces vérités primitives qui servent d'élément aux autres, et quand, à leur place, nous mettons nos opinions, nos passions, nos préjugés, loin de nous eclairer, il nous aveugle ; il n'élève point l'âme, il l'énerve et corrompt le jugement qu'il devrait perfectionner. » (ROUSSEAU, *Lettres sur la vertu*, pp. 145-146).

l'intervention du raisonnement dans l'élaboration pratique du bonheur, mais n'autorisait pas la raison à fonder dans l'absolu les visées de notre existence. Rousseau exige que le bonheur procède de « vérités primitives » et réprouve ces aménagements suspects qui permettent trop bien d'arranger une vie ou une conscience. Au nom de la raison, on adresse à la raison des critiques contradictoires. Tantôt on la trouve prétentieuse de vouloir inventer un absolu, alors qu'elle ne peut qu'étayer une méthode empirique. Tantôt on lui reproche de justifier préjugés et passions, au lieu de s'attacher à la seule vérité.

Mais la raison doit encore subir l'assaut de ses ennemis naturels : le sentiment et la vie. Trublet observe que les personnes les plus sages ne sont pas forcément les plus gaies et qu'un heureux tempérament dispense beaucoup plus d'euphorie que les dispositions les plus raisonnables [1].

La nature est souvent écrasée par l'appareil pesant de la raison, et la gaîté de certains est le signe d'une résistance victorieuse. Caraccioli compare la vie de l'âme aux vicissitudes d'un ciel changeant. La raison voudrait la métamorphoser en un ciel tout uni. Mais elle en efface les chatoyants reflets et substitue à la vivante harmonie, que composent soleils et orages, une froide et morne opacité [2].

Au cours de ses voyages, le jeune Anacharsis, qui s'est rendu à Delphes pour les jeux Pythiques, aperçoit, « dans une allée sombre », un « philosophe de grand renom » qui lui paraît « accablé de chagrin » : « J'ai dissipé à force de raison, dit-il, l'illusion des choses de la vie [3]. » Les préjugés et les illusions sont donc nécessaires au bonheur. La raison, en les dissipant, enlève au monde cette couleur magique qui voile sa laideur ou sa platitude. Tous les objets sont tristes, lorsque le regard ne les transfigure pas. Or le propre de la raison n'est-il pas justement de découvrir les choses telles qu'elles sont ? Le bonheur y perd ce que la vérité y gagne.

La raison peut-elle enfin assouvir l'exigence d'aimer et d'être aimé, en dehors de laquelle il n'est pas de bonheur concevable ? Delisle de Sales vient d'exposer l'idéal platonicien du bonheur, qu'il fait

1. « Il est certain que la raison est, par elle-même et en tant que raison, un moyen de bonheur ; mais elle est souvent accompagnée de je ne sais combien de choses qui y sont des obstacles. Par exemple, la plupart des personnes bien raisonnables et bien sages sont un peu mélancoliques, du moins sérieuses et froides. Elles doivent être et sont en effet assez tranquilles ; mais rarement sont-elles bien gaies. Or une grande gaîté, je le dis encore, est la principale source du contentement, la source la plus féconde du plaisir. C'est elle qui fait et le fond de l'étoffe et la broderie. » (TRUBLET, *op. cit.*, t. III, pp. 401-402).

2. CARACCIOLI, *De la Gaîté*, p. 50.

3. « J'avais apporté en naissant tous les avantages qui peuvent flatter la vanité : au lieu d'en jouir, j'ai voulu les analyser et, dès ce moment, les richesses, la naissance et les grâces de la figure ne furent à mes yeux que de vains titres distribués au hasard parmi les hommes... Malheur à celui qui refuserait de se livrer à cette illusion théâtrale que les préjugés et les besoins ont répandu sur tous les objets ; bientôt son âme flétrie et languissante se trouverait en vie dans le sein du néant ; c'est le plus effroyable des supplices. » (Abbé BARTHÉLEMY, *Voyage du jeune Anacharsis*, t. IV, pp. 257 et 259).

consister, un peu sommairement, dans le seul exercice de l'intelligence. Il se retourne alors vers sa fille Éponine : « Tu ne sens que trop quel vide immense éprouverait ton cœur, si tu ne connaissais la félicité qu'en admirant l'Apollon du Belvédère, en résolvant avec Archimède le problème de la couronne ou même en créant une nouvelle Iliade [1]. »

Vauvenargues est un des plus acharnés contre l'impérialisme de la raison. La critique des préjugés le rend méfiant, car elle peut entraîner la débâcle des vrais principes. Il existe une vérité, indépendante de l'esprit humain. En se divinisant elle-même, la raison la détruit, et l'homme s'en va à la dérive [2].

L'argumentation de Vauvenargues rappelle la dialectique de Pascal. Au degré inférieur, l'esprit humain pratique une sorte de critique confuse, qui s'attaque aux préjugés les plus manifestes, tout en épargnant ceux que l'intérêt et l'habitude commandent de sauver. C'est, si l'on veut, le point de vue du « peuple ». Cette opinion est rectifiée par les « demi-habiles », qui ont poussé la critique plus loin et cru sonder la vanité de toutes choses. Ces esprits forts ne croient plus à rien. L'usage intempestif de la raison aboutit à dissoudre toute vérité. Cette seconde attitude doit être à son tour dépassée par les vrais philosophes, qui savent distinguer les préjugés des vérités fondamentales : c'est qu'ils s'en remettent au « sentiment », guide infiniment plus sûr et plus prompt que la connaissance rationnelle [3].

Le « sentiment » de Vauvenargues fait écho au « cœur » pascalien, bien qu'il en diffère par son sens plus limité et sa complicité instinctive avec le goût de la grandeur. De même que la « raison » de Pascal plonge dans le « cœur » de profondes racines, l' « âme », selon Vauvenargues, est l'irremplaçable éducatrice de l'esprit : « Il sert peu d'avoir de l'esprit, lorsqu'on n'a point d'âme [4]. »

Après Vauvenargues, le « cœur » perd son sens héroïque, pour se charger d'une valeur quasi mystique et devenir la suprême puissance

1. Delisle de Sales, *Philosophie du bonheur*, t. I, p. 50.

2. « Nous nous étonnons de certaines modes et de la barbarie des duels ; nous triomphons encore sur le ridicule de quelques costumes et nous en faisons voir la force. Nous nous épuisons sur ces choses comme sur des abus uniques et nous sommes environnés de préjugés, sur lesquels nous nous reposons avec une entière assurance. Ceux qui portent plus loin leurs vues remarquent cet aveuglement et, entrant là-dessus en défiance des plus grands principes, concluent que tout est opinion ; mais ils montrent à leur tour par là les limites de leur esprit. L'être et la vérité n'étant, de leur aveu, qu'une même chose sous deux expressions, il faut tout réduire au néant ou admettre des vérités indépendantes de nos conjectures et de nos frivoles discours. Or s'il y a des vérités telles, comme il me paraît hors de doute, il s'ensuit qu'il y a des principes qui ne peuvent être arbitraires. « (Vauvenargues, *Œuvres*, t. I, p. 87) ; cf. *ibid.*, t. II, p. 218 : « Il n'y a aucune idée innée, dans le sens des cartésiens, mais toutes les vérités existent indépendamment de notre consentement et sont éternelles. »

3. « Toutes nos démonstrations ne tendent qu'à nous faire connaître les choses avec la même évidence que nous les connaissons par le sentiment. *Connaître par sentiment est donc le plus haut degré de connaissance;* il ne faut donc pas demander une raison de ce que nous connaissons par sentiment. » (*Ibid.*, t. I, p. 140).

4. « C'est l'âme qui forme l'esprit et qui lui donne l'essor, c'est elle qui domine dans les sociétés, qui fait les orateurs, les négociateurs, les ministres, les grands hommes, les conquérants. » (Vauvenargues, *ibid.*, p. 88).

de découverte. C'est lui, non plus la raison, qui posera les fondements de toute philosophie, garantira toute certitude [1].

5. — La raison et le cœur réconciliés : l'ordre du monde.

La raison et le sentiment ne sont pas vraiment des ennemis irréductibles. Les points d'appui de la raison restent encore, au XVIIIe siècle, très largement *métaphysiques*. Or la métaphysique qui sous-tend l'optimisme rationaliste et la philosophie naturelle est fondée tout entière sur un petit nombre d'intuitions et d'hypothèses, où les exigences secrètes des âmes ont plus de part, à coup sûr, que la spéculation pure. Le problème des rapports entre le bonheur et la raison prend son vrai sens dans ce contexte, que l'on peut reconstituer à l'aide de trois thèmes majeurs : l'Ordre, la Nature et le Progrès. Sans le besoin intense de systématiser et de justifier la recherche du bonheur, d'abord simple fruit de l'instinct, le ciel philosophique eût été privé de ses plus riches constellations.

Comment concevoir un système du bonheur sans la certitude qu'il existe un système du monde ? Comment imposer l' « ordre » à une existence individuelle, si l'univers ne possède pas le sien et végète ou meurt selon les hasards de l'anarchie. Chaque âme est solidaire du Tout, où elle trouve à dénouer ses propres mystères. Sur le fond d'effroi qui naîtrait d'un doute ou de l'évidence du désordre, elle serait incapable de rien tenter pour elle-même. « Il est dans le cœur de l'homme un goût de l'ordre plus ancien qu'aucun sentiment réfléchi », écrit Diderot dans *Le Fils naturel* [2]. Ce *goût de l'ordre* ne désigne pas seulement la conscience des devoirs, mais les exigences spontanées de la nature, en particulier cet immense besoin d'être rassuré, enfermé, protégé, que l'homme doit assouvir avant de risquer toute affirmation de lui-même. Il ne saurait imaginer le bonheur au milieu d'un monde absurde et il veut pouvoir dérouler le fil qui lie entre elles toutes les choses : « Ce n'est ni la Fortune, ni le Hasard, ni même la nature seule qui règlent tout ici-bas », affirme le « Philosophe bienfaisant », qui découvre dans ce que les hommes appellent bonheur ou malheur « une suite du plan invariable qui fait naître les événements les uns des autres » [3]. Dans ses *Essais de physique appliqués à la morale*,

1. Dans *La Philosophie de l'Univers* de Dupont de Nemours, on lit cette profession de foi : « Ici, mes amis, je suis sûr de n'être pas dans l'erreur. Je ne raisonne point d'après des conjectures et de vains systèmes. L'évidence jaillit du fond du cœur humain. Les vérités morales ont un cachet auquel nous pouvons les reconnaître, nous devons les adorer : c'est leur conformité avec le sentiment universel de tous les hommes. En médecine, suivez la nature. En philosophie, écoutez l'instinct. » (Dupont de Nemours, *Philosophie de l'Univers*, pp. 205-206).
2. Acte IV, scène 3 ; cf. Diderot, *Œuvres complètes*, Assézat-Tourneux, t. VII, p. 67.
3. Cf. Stanislas Leczinski, *Œuvres du Philosophe bienfaisant*, t. IV, pp. 280-281.

traduits par Formey, Sulzer fait jouer les correspondances entre l'ordre éclatant de l'univers et l'ordre secret d'une âme bien faite [1].

On peut évaluer la richesse d'une notion qui réunit sous un seul mot la découverte des splendeurs visibles, une explication métaphysique du monde, une réponse à l'inquiétude des âmes, et l'énoncé d'une règle morale permettant d'abriter le devoir à l'ombre de la nature. L'Ordre est bien la clé de tout. Il installe l'homme dans un monde à sa mesure, déchiffre toutes les énigmes, guérit toutes les angoisses, révèle tous les devoirs. Le concret et le métaphysique, le systématique et l'existentiel se rejoignent et s'équilibrent dans une parfaite plénitude.

Bernardin de Saint-Pierre essaie d'analyser le « plaisir » de l'ordre. L'ordre, selon lui, se définit comme « une suite de convenances qui ont un centre commun », comme une diversité de détails impliqués dans un système unique. Or il se trouve que ces deux éléments — variété et unité — répondent aux besoins essentiels de l'homme : « L'*ordre étend* notre plaisir, en rassemblant un *grand nombre* de convenances, et il le *fixe* en les déterminant vers un *centre*... Ainsi l'ordre nous plaît comme à des êtres doués d'une raison qui embrasse toute la nature et il nous plaît peut-être encore davantage comme à des êtres faibles qui n'en peuvent saisir à la fois qu'un seul point [2]. » La raison, aidée de l'imagination, accroît son amplitude, part à la conquête de l'univers, qu'elle mesure et possède dans son immensité, dont elle déploie les infinies harmoniques. En même temps, l'âme inquiète se repose dans une unique certitude. L'Ordre permet donc de résoudre l'antinomie entre le mouvement et le repos ; c'est à ce titre qu'il suffit au bonheur de l'homme.

Bernardin, qui est artiste, ne se doute pas de la fragilité de sa philosophie. Il lui suffit de laisser chatoyer tous les reflets du monde et de tisser des liens métaphoriques entre les choses, les êtres et les sentiments [3]. Devant un esprit plus exigeant, des problèmes surgissent. Ou bien l'ordre est visible à travers les choses et perceptible à l'esprit humain qui l'élucide, ou bien il n'existe qu'à titre de virtualité métaphysique : dans ce cas il échappe aux sens et à la raison, il cesse d'être une pâture pour l'âme.

1. « Nous trouvons la notion de l'ordre partout où une chose est disposée selon des règles uniformes... Or le vaste jardin du créateur nous présentant toutes choses réglées suivant la même loi, nous sommes en droit de dire que tout y est dans le plus bel ordre, en tant que chaque chose paraît dans son temps. Ainsi l'ordre est la seule chose qui plaise à l'Être suprême. Nous ayant faits à son image, il nous a aussi imprimé l'amour de l'ordre. Quand nous découvrons de l'ordre quelque part, nous sommes forcés d'y prendre plaisir, sans savoir pourquoi et comment cela arrive ; c'est une suite de la nature de notre âme. ... Ne prenons donc aucun repos, mon cher ami, jusqu'à ce que nous ayons ramené nos actions à l'ordre... pour nous ce sera le seul but auquel nous rapporterons nos actions. » (SULZER, *Essais de physique appliqués à la morale*, dans les *Mélanges philosophiques* de FORMEY, t. II, pp. 385-386 et 389).

2. BERNARDIN DE SAINT-PIERRE, *Études de la Nature*, *Étude 10e*, *Œuvres complètes*, t. IV, p. 51.

3. Cf. *ibid.*, *Étude 12e*, t. V, pp. 89-91.

Plus l'ordre est aisément déchiffrable, plus son authenticité devient suspecte. L'homme ne sera-t-il pas tenté de projeter ses illusions et ses rêves, d'en submerger toutes choses ? Formey souligne les dangers de l'anthropomorphisme, dont les détours et les pièges sont innombrables. Sans doute est-il facile de se garder de « l'anthropomorphisme grossier », qui déguise Dieu en un monarque plus majestueux que les autres, auquel il ne prête que des pensées d'homme, des sentiments d'homme, un visage d'homme. Mais il existe un « anthropomorphisme subtil », qui, sans obliger Dieu à s'incarner dans des images, lui laisse sa bonté ou sa pitié et rêve qu'il s'attendrit à faire des entorses aux lois de l'univers [1].

La simple raison demande qu'on cesse de calquer la Providence divine sur la sollicitude et la bienveillance humaines. Il faut rendre à l'ordre du monde la stricte impersonnalité des lois de la nature : la religion abuse des images simplistes du Dieu consolateur, toujours prêt à sécher des larmes et à parer d'un geste improvisé l'irruption du malheur. Dieu et l'univers doivent se purifier de toute connivence avec l'homme, demeurer hors d'atteinte de sa raison, indifférents à ses prières.

Mais à quoi servira-t-il alors d'affirmer l'existence d'un ordre, si l'homme n'en retire aucun bénéfice, si son bonheur n'en sort pas mieux trempé ? L'édition de Kehl des œuvres de Voltaire joint cette note au *Poème sur le désastre de Lisbonne* : « Le mot d'ordre appliqué à la nature est vide de sens, s'il ne signifie un arrangement dont nous saisissons la régularité et le dessein [2]. » C'est un appel aux lénifiantes sources de l'anthropomorphisme. L'important n'est pas que l'ordre existe. C'est que l'homme puisse le reconnaître, le déchiffrer, le manipuler, y puiser de quoi fonder ses espérances, apaiser ses nostalgies.

L'optimisme du siècle aura bien du mal à s'évader de ce dilemme. Tantôt l'ordre divin n'est que la transposition naïve de l'ordre humain, tantôt il se confond avec une Providence hermétique ou une absurde nécessité, qui laissent l'homme démuni, privé de tout réconfort. Avant l'apparition des « lumières », la première solution ne scandalisait personne et pouvait suffire. Mais en un temps où la conscience est divisée

1. « C'est trop rapprocher le Créateur de la créature que de s'en faire des idées semblables. Les philosophes donnent à cette erreur le nom d'*anthropomorphisme* et y ajoutent l'épithète de subtil pour le distinguer de l'anthropomorphisme grossier, qui attribue à Dieu des yeux, des oreilles, des pieds, des mains, un corps pareil au nôtre dans un sens littéral. L'un n'est dans le fond pas plus raisonnable que l'autre ; et le premier a fait beaucoup plus de tort à la religion que le second, parce que les hommes ont un extrême penchant à juger de tout par eux-mêmes, à rapporter tout à leurs façons de penser et d'agir. » (FORMEY, *Consolations pour les personnes valétudinaires*, pp. 46-47).

2. Cf. VOLTAIRE, *Œuvres*, t. IX, p. 435.

entre une exigence de lucidité et l'appétit du bonheur, aucune des deux n'est tout à fait possible. On est à la fois gêné par l'ingénuité de l'une, glacé par l'inhumanité de l'autre.

La doctrine chrétienne de la Providence n'a pas été discréditée d'un coup par l'avènement de l'optimisme philosophique. On réédite tout au long du siècle *L'Art de se tranquilliser dans tous les événements de la vie*, ce bréviaire de la résignation chrétienne, œuvre du jésuite espagnol Sarasa, où, si l'on en croit la Préface de 1752, Leibniz et Wolf auraient puisé le meilleur de leur inspiration.

L'œuvre entrelace les deux grands thèmes de la conception chrétienne de l'ordre : le fatalisme providentiel et les merveilles de la Création [1]. Le fatalisme repose sur une notion magique du destin et incline l'homme à bien accueillir toutes les catastrophes, convaincu que la Providence a toujours ses raisons [2]. On retrouve dans les romans de Prévost ce thème de la « puissance maligne », qui s'acharne sur un être selon des intentions mystérieuses, mais dont la victime elle-même ne saurait mettre en doute la relation avec l'ordre du monde. « Mon nom, dit Cleveland, était écrit dans la page la plus noire et la plus funeste du livre des Destinées [3] » ; et il ajoute : « J'étais le jouet de cette même puissance maligne qui m'a rendu malheureux dès ma naissance et qui n'a pris soin de conserver ma vie que pour en faire un exemple de misère et d'infortune [4]. » Aussi Cleveland ne se

1. L'abus de la rationalisation aboutit, dans les œuvres d'apologétique chrétienne, à maintes absurdités ou contradictions. Voici par exemple comment Sarasa répond à la question « Pourquoi les méchants sont-ils souvent heureux ici-bas et les bons malheureux ? » C'est très simple, selon le prétendu initiateur de Leibniz. Nul n'est ni tout à fait bon ni tout à fait mauvais. Or les méchants seront, dans l'autre monde, inexorablement punis et les bons récompensés sans réserve. Il faut donc que Dieu sanctionne *pendant leur existence terrestre* le part de bonté qui se trouve dans les méchants et la part de méchanceté que tous les bons portent en eux. Sarasa ne pense pas un instant que son argument revient à ignorer le Purgatoire, qui a été précisément inventé pour résoudre le problème. En revanche, il prévoit une objection. Si sa thèse est vraie, tous les méchants devront être heureux dans une certaine mesure et tous les bons essuyer quelques malheurs. Or l'expérience prouve que des êtres méchants peuvent n'être jamais heureux et que des êtres vertueux restent préservés de tout mal. Sarasa n'est pas le moins du monde gêné pour changer brusquement de terrain et déclarer que tout ce qu'on nomme malheur ne l'est pas et que le bonheur est souvent illusoire. C'est réduire à néant la portée de son premier argument, qui était justement fondé sur la réalité du bonheur et du malheur terrestres. Mais Sarasa n'en a cure. Pour finir, il argue d'une troisième raison, qui n'a rien à voir avec la justice et révèle, de la part de Dieu, un bien curieux opportunisme. Les méchants sont déjà méchants, même quand ils sont heureux. Que se passerait-il donc si Dieu les privait de ce bonheur et cherchait tous les moyens de les accabler ? Les méchants seraient alors excédés, poussés à bout, et ils redoubleraient de méchanceté. Cela pourrait être très dangereux pour tout le monde, et devant une telle perspective Dieu, épouvanté, recule : les méchants en somme l'intimident, et il juge qu'il est de meilleure politique de les ménager. (Cf. 7e *Réflexion*, pp. 149 et suiv.). On saisit sur le vif toutes les absurdités de ce genre de raisonnement : arguments qui se contredisent, oubli de certains dogmes essentiels, surtout puérilité d'une rationalisation qui consiste à vouloir trouver des *raisons* à des *mystères* (mystère de la destinée et du salut) et à prêter à Dieu, dans sa gestion du monde, des mobiles tellement *humains* qu'ils déshonoreraient un préfet de police.

2. Sarasa assure, par exemple, « qu'il ne faut surtout pas essayer de freiner ou de suspendre la ruine menaçante d'un État » (*op. cit.*, p. 209), car les calamités publiques, les désastres et les crimes politiques sont le signe que Dieu a voulu punir une poignée de méchants : l'anéantissement d'une nation n'est que l'accomplissement nécessaire de châtiments particuliers.

3. *Cleveland*, t. I, p. 342.

4. *Ibid.*, t. II, p. 243.

révolte-t-il jamais, car il sait que ses malheurs sont dans l'ordre. Au moment où l'on découvre la fuite de Fanny, séduite par Gelin, Bridge le lui rappelle : « Songez que nous ne sommes pas faits pour être heureux, ni vous ni moi, et que, le Ciel nous ayant fait naître pour être misérables, il faut que notre triste destinée se remplisse [1]. »

Le fatalisme chrétien continue à vivre jusqu'à la fin du siècle et aboutit à une forme assez singulière « d'optimisme ». On trouve sous ce titre un article de l'abbé Pasquet, inséré par Mercier dans son *Bonnet de Nuit*, où il est dit que Dieu n'a infligé aux hommes « les maladies, les médecins, les militaires, les bourreaux et mille autres moyens destructifs dont nous avons la sottise de nous plaindre », qu'afin « de nous mettre au large », de « nous laisser les coudées franches » et « d'élaguer le grand arbre humain », en lui « donnant de l'air » et en « retranchant ses branches superflues » [2]. Sérieux ou parodique, l'article donne le ton des rationalisations abusives, par quoi l'on tâchait d'innocenter la Providence. Le fatalisme providentiel revêt en effet deux formes différentes : une forme mystique, lorsque la « puissance maligne » protège ses secrets ; une forme critique, quand la fureur d'expliquer trouve des raisons à tout et ne respecte le mystère d'aucun dessein surnaturel.

La conception chrétienne de l'ordre s'appuie sur un autre pivot : la Providence du détail. De façon assez paradoxale, l'ordre de l'univers est prouvé, non par sa perfection immense, mais par la collection des miracles infimes : « J'aperçois, dit Sarasa, plus d'art et d'adresse dans une puce que dans le corps luisant du soleil. » En voici la raison : on ne remarque dans le soleil que « deux ou trois mouvements ou changements », alors qu'il y en a mille chez la puce, « tous différents les uns des autres » [3]. Et l'attention de Dieu est inépuisable : « Il ne tombe pas une feuille d'un arbre ni un cheveu de notre tête sans la volonté du Très Haut [4]. »

C'est par cette passion du détail, par cette volonté de constituer le monde comme l'assemblage de myriades de prodiges, que le finalisme chrétien se distingue du finalisme déiste. Dans ses *Entretiens pour servir d'introduction à la doctrine chrétienne*, Mésenguy énumère les « merveilles » de la Création. Tout l'étonne, tout lui révèle l'ordre admirable. La place de l'œil dans le corps humain, par exemple : « Cherchez lui une autre place plus commode pour la fin à laquelle il est destiné : vous n'en trouverez point [5] », s'écrie-t-il triomphalement à l'adresse des Garo philosophes. Il s'émerveille aussi que l'homme

1. *Ibid.*, t. IV, p. 191.
2. L. S. Mercier, *Mon Bonnet de nuit*, t. I, p. 80.
3. *Op. cit.*, p. 80.
4. *Ibid.*, p. 249.
5. *Op. cit.*, t. I, *Second entretien : Preuves de l'existence de Dieu par le spectacle de la nature*, p. 88.

puisse tenir debout, alors qu'un mannequin, dans la même position, tomberait à coup sûr [1]. Il apprécie en physicien et en esthète « l'admirable proportion entre la distance de la Terre et du soleil et le besoin qu'elle a de cet astre » [2]. Il explique par quelle attention délicate Dieu a salé l'eau de mer [3]. Il est suffoqué que la Providence ait justement donné des pattes aux animaux faits pour la marche, et des plumes à ceux que leur nature appelait dans les airs. Qu'on imagine le désordre zoologique d'un monde où, accidentellement, l'inverse se fût produit [4] !

Tel est l'ordre chrétien. L'univers est sans mystère. D'un côté des malheurs qui sont des châtiments ou des épreuves, mais que l'on doit accepter sans inquiétude, parce que la Providence sait toujours ce qu'elle fait. De l'autre, une multitude de miracles qui prouvent la bienveillance d'un Dieu-virtuose et subjuguent l'homme ébloui. En tout cas, il n'existe rien qui n'ait sa *raison*. Au sein d'un monde si transparent, toute âme peut se sentir rassurée.

***

La doctrine de Leibniz pouvait tirer le problème d'un tel foisonnement de puérilités, lui rendre sa dignité métaphysique. Il est dommage que personne ne l'ait vraiment comprise. Réduire, comme Voltaire, l'optimisme de Leibniz au fameux « Tout est pour le mieux dans le meilleur des mondes possibles », lui chercher d'ironiques illustrations dans le déroulement de l'histoire, c'est rabaisser la pensée du philosophe à un niveau qui n'est pas le sien.

L'essentiel de la doctrine leibnizienne est contenu dans cette proposition métaphysique : *l'essence tend à l'existence en fonction de sa perfection* [5]. Parmi l'infinité des mondes possibles, celui qui accédera à l'existence sera celui qui enferme la plus grande quantité d'essence [6]. Mais pour un ensemble aussi complexe que l'univers, la plus grande quantité d'essence désigne l'aptitude à pouvoir admettre le plus grand nombre de « compossibles ». La perfection du meilleur des mondes, appelé à l'existence, ne peut être que la perfection du tout. A la fin

1. *Ibid.*, pp. 71-72.
2. *Ibid.*, p. 42.
3. *Ibid.*, pp. 45-46.
4. *Ibid.*, pp. 56-57. Et les poissons ! Songe-t-on à ce qu'ils savent faire ? : « Ils se servent de leur queue pour avancer dans l'eau, de la même manière qu'un batelier fait avancer un bateau au moyen d'une rame placée à la poupe. » (*Ibid.*, p. 59). Quant aux oiseaux, ce n'est tout de même pas un « hasard », si un rossignol devient un parfait musicien « sans avoir reçu aucune leçon de musique ! » (*Ibid.*, p. 69).
5. « Toutes les expressions de l'essence ou de la réalité possible tendent à l'existence d'un droit égal selon leur quantité d'essence ou de réalité, selon le degré de perfection qu'elles enveloppent ; la perfection n'est rien d'autre en effet que la quantité d'essence. » (LEIBNIZ, *De l'origine radicale des choses* (1697), dans les *Œuvres choisies*, éd. Garnier, pp. 266-267).
6. « Parmi les infinies combinaisons de possibles et de séries possibles, il en existe une par laquelle la plus grande quantité d'essence ou de possibilité est amenée à l'existence. » (*Ibid.*).

de la *Théodicée*, Leibniz dévoile ce monde possible où Tarquin n'eût pas violé Lucrèce et montre qu'il était moins parfait que celui où Tarquin, par son crime, servit à de grandes choses et prépara la voie à un « grand empire »[1].

Ce qui sous-tend la doctrine de Leibniz, ce n'est pas cet optimisme béat et terre-à-terre que lui prête Voltaire, mais une conception idéaliste des rapports entre l'essence et l'existence, ainsi que cette vision somptueusement harmonisée de l'univers, qui fait dire à Mérian que le « système de Leibniz, indépendamment de ce qu'il a de philosophique, forme une très belle poésie » [2]. La formule qui résume le mieux l'optimisme leibnizien n'est pas celle que ressasse Pangloss, mais cette phrase que Dupont de Nemours inscrit au début de son « poème dialogué » *Oromasis* : « *L'existence est la démonstration du bien* [3]. » C'est là qu'apparaît le vrai sens de l'optimisme, désaffublé de ses naïvetés et fort différent de cette euphorie niaise et toujours contredite par l'évidence, qui n'en est que la caricature. L'optimisme consiste, non à prétendre que tout en ce monde se passe pour le mieux, mais à penser que l'existence n'est pas un accident, que le simple fait qu'une chose existe prouve qu'elle est, en quelque façon, belle ou bonne, car si elle était tout à fait mauvaise, elle n'aurait jamais émergé de ces limbes où les essences imparfaites demeurent ensevelies. Les choses virtuelles ne parviennent à l'être que si leur nature contient un élément positif qui les signale et les impose, assurant ainsi leur éclosion au monde [4].

La doctrine de Leibniz offrait de quoi régénérer le finalisme chrétien et nourrir celui des Philosophes. En fait elle n'eut que peu d'influence. Si l'on invoque souvent Leibniz, il est rare qu'on le comprenne.

Au début du XVIIIe siècle, Bayle se borne à faire le point du problème, confrontant, sans parvenir à les concilier, le providentialisme chrétien et le scepticisme philosophique. Dans la *Réponse aux questions d'un provincial*, il dresse face à face les « 7 propositions théologiques » et les « 19 maximes philosophiques » [5] qu'il faudrait accorder pour expliquer l'ordre du monde, de façon à satisfaire également la foi

1. LEIBNIZ, *Théodicée*, § 416, *ibid.*, pp. 298-299.

2. MÉRIAN, *Parallèle de deux principes de psychologie*, dans *Choix des mémoires et abrégé de l'histoire de l'Académie de Berlin* (1767), p. 353.

3. On peut aussi comparer l'optimisme de Leibniz à l'idéalisme de Montesquieu, pour qui la « nature des choses », même si elle est en partie le fruit de déterminismes contingents, dépend toujours un peu du degré de perfection impliqué dans leur essence.

4. Il semble que Condorcet soit l'un des rares, au XVIIIe siècle, à avoir compris l'optimisme leibnizien et senti à quel point les Philosophes l'avaient rapetissé et altéré. Dans son *Esquisse d'un tableau historique des progrès humains*, il déclare : « On vit une école entière de philosophes anglais embrasser avec enthousiasme et défendre avec éloquence la doctrine de l'optimisme ; mais, moins adroits et moins profonds que Leibniz, qui la fondait principalement sur ce qu'une intelligence toute-puissante, par la nécessité même de sa nature, n'avait pu choisir que le meilleur des univers possibles, ils cherchèrent dans l'observation du nôtre la preuve de sa supériorité et, *perdant tous les avantages que conserve ce système, tant qu'il reste dans une abstraite généralité, ils s'égarèrent trop souvent dans des détails.* » (CONDORCET, *op. cit.*, p. 255).

5. BAYLE, *Œuvres diverses*, La Haye, 1725-1727, 4 vol. in fol., t. III, pp. 696-797.

et la raison. Mais il abandonne à d'autres une conciliation trop difficile.

La pensée philosophique ne cesse pas de charrier des vestiges de pensée primitive et se rallie souvent au finalisme le plus sommaire. Dans ses *Essais de physique appliqués à la morale,* Sulzer affirme que, si la nature a réparti ses fruits entre les diverses saisons, c'est pour que l'homme et les animaux aient à se nourrir en tout temps [1]. C'est pour la même raison que les fleurs ne s'épanouissent pas toutes simultanément. Il ne fallait pas que le plaisir de l'homme fût « limité par un court espace de temps ». Sulzer pose ce principe : « *Le plaisir de l'homme est une des fins que Dieu s'est proposées en réglant l'ordre de la nature* [2]. » Mais cela ne l'empêche pas de se contredire. Après avoir prouvé que le monde conspire à la commodité et à la jouissance de l'homme, il déploie l'ordre splendide de l'univers en l'opposant à la fragilité de l'homme, qui s'abolit dans l'immensité des espaces [3]. Sulzer exploite à la fois deux arguments incompatibles : le premier, d'origine chrétienne, se fonde sur la sollicitude de la Providence disposant tous les prestiges de la terre en faveur de l'homme comblé ; l'autre, d'inspiration déiste, spécule sur la totalité de l'univers, où l'homme n'occupe qu'une place infime et ne mérite aucun privilège. Rien n'illustre mieux que cette contradiction le chevauchement des deux finalismes et l'hésitation entre un ordre rassurant mais suspect, qui est à la mesure de l'homme, et un ordre inhumain à la mesure de l'univers, qui satisfait la raison, mais ne fournit aucun motif de réconfort [4]. Ainsi l'on peut gagner de deux manières. Tout

1. « Comment les hommes auraient-ils le temps de rassembler toutes leurs provisions, si les fruits parvenaient tous ensemble à maturité ? Comment pourraient-ils les conserver pour leur usage, puisqu'il y en a plusieurs dont la saveur est de courte durée ; et que deviendrait le plaisir que nous éprouvons dans leur attente et dans leur goût délicieux ? Les cerises et les autres fruits d'été seraient-ils agréables au milieu de l'hiver ? Le vin ne se tournerait-il pas en vinaigre, si les raisins d'où l'on exprime cette précieuse liqueur mûrissaient pendant les ardeurs de l'été ?... Ainsi nous sommes en droit de dire que la nourriture des hommes et des animaux est la raison capitale pour laquelle le Créateur a donné à la nature cette activité continuelle dans la production des plantes. » (SULZER, *Essais de physique appliqués à la morale,* dans les *Mélanges philosophiques* de FORMEY, t. II, p. 357).

2. *Ibid.*, p. 382. Sulzer essaie aussi de prouver l'ordre du monde en cherchant des analogies, à la façon du Moyen Age ; par exemple, entre la nourriture de l'âme et celle du corps : « Il y a entre les aliments qui conviennent à ces diverses âmes autant de différences que nous en avons remarqué dans la nourriture des animaux. » (Cf. *ibid.*, pp. 397-398).

3. « Apprenez à juger suivant cette idée, mortels enflés d'un orgueil insensé, qui n'avez pas honte de prétendre que le maître suprême de l'univers dispose et gouverne ce monde entier conformément à votre seul bon plaisir. Reconnaissez, par la grandeur du Tout, combien peu la majesté du Tout-Puissant perdrait de son éclat, ou, pour mieux dire, qu'elle n'en souffrirait rien, quand vous et toute l'espèce qui vous ressemble rentrerait dans les abîmes du néant. Oui, la perte du genre humain entier intéresserait-elle en quelque sorte le Dieu suprême ? Et s'il nous conserve et nous aime, n'est-ce pas uniquement parce qu'il est infini, que sa bonté embrasse toutes les créatures et qu'il a soin des vermisseaux aussi bien que des séraphins ? » (*Ibid.*, p. 424).

4. Sulzer va jusqu'à anéantir la première partie de sa démonstration, en ébauchant lui-même le procès de l'anthropomorphisme : « Ne voudrions-nous regarder pour divines que les choses qui sont conformes à nos idées ? » Il est vrai qu'il glisse aussitôt dans un anthropomorphisme négatif, en donnant la réponse : « Non assurément. Le contraire est même souvent un caractère de divinité. » (*Ibid.*, p. 459).

ce qui dans le monde est susceptible d'une interprétation humaine, et conforme à l'idée d'une Providence, prouve l'Ordre et prouve Dieu. Tout ce qui contredit cette explication peut rendre superflue l'existence d'un Dieu, mais n'en continue pas moins à témoigner pour l'Ordre. La nature élucidée et la nature mystérieuse servent de preuves complémentaires à l'harmonie du monde.

Les naïvetés et les contradictions du finalisme devaient réveiller chez certains philosophes quelque exigence de rigueur. Au premier tome de ses *Mélanges philosophiques*, Formey procède à un « examen de la preuve qu'on tire des fins de la Nature pour établir l'existence de Dieu » [1]. Il s'étonne que l'on ait choisi l'argument des causes finales, qui est « faible ou insuffisant », alors qu'il eût été beaucoup plus probant de revenir au « principe de M. de Leibniz », à l'argument de la « succession des êtres », qui est « invincible » [2]. L'argument des causes finales est un cercle vicieux. Il consiste à prouver Dieu par l'ordre de la Nature et l'ordre de la Nature par Dieu [3]. Par suite, il est incapable d'ébranler d'un pouce la conviction de l'athée. Sans doute celui-ci conviendra-t-il aisément que la nature est un tissu de convenances et de rapports ; il ne songera pas à nier que « l'œil sert à voir, l'oreille à entendre, les aliments à nourrir ». Mais pour lui « ce ne sont point là des *fins*, puisqu'il n'admet point l'existence de l'auteur de ces fins ». Quel que soit l'ordre apparent de l'univers, on ne peut le rapporter à une suprême intelligence que si l'on postule d'avance l'existence d'un être suprême. Autrement on se bornera à penser qu'il s'agit d'un ordre nécessaire.

Le remède consisterait soit à approfondir et nuancer l'argument des causes finales, soit à l'abandonner pour un autre. Formey complimente ironiquement ceux qui croient pouvoir « expédier la chose en deux mots » : « Il y a de l'ordre, donc il y a un Dieu [4]. » Si l'on n'a pas d'abord prouvé que cet ordre est contingent, et non point nécessaire, on n'a rien démontré du tout. Il faudrait diviser le raisonnement en quatre temps bien distincts : « 1° On observe un ordre dans la nature. — 2° Cet ordre est contingent. — 3° Il y a un auteur de cet ordre. — 4° Cet auteur est Dieu [5]. » Mais l'on peut mieux faire, en renonçant tout à fait aux causes finales, et en leur substituant le principe plus rigoureux de la *raison suffisante*, triomphe de Leibniz. Les choses étant dans une « dépendance réciproque », il est difficile de trouver dans l'une d'elles « la première raison de leur existence ». En cherchant à remonter vers leur cause originelle, on se perd dans le déroulement vertigineux d'une succession infinie et l'on vient

1. *Op. cit.*, pp. 48 et suiv.
2. Cf. *ibid.*, p. 63.
3. Cf. *ibid.*, p. 51.
4. Cf. *ibid.*, pp. 81-82.
5. *Ibid.*, pp. 169-170.

butter contre « la grande difficulté des anciens philosophes : est-ce la poule qui a précédé l'œuf, ou l'œuf qui a précédé la poule ? »[1] La conclusion évidente est qu' « un tout successif n'existe pas par lui-même, parce que la raison de cette existence n'est contenue ni dans ses parties ni dans sa totalité »[2]. Il est facile d'en déduire l'existence d'un premier principe créateur, certitude nécessaire sur laquelle on fonde après coup la démonstration de l'ordre universel.

L'essentiel demeure de sauver l'ordre. Des preuves ingénues de l'anthropomorphisme et de l'apologétique chrétienne aux efforts de quelques philosophes pour revenir à la rigueur leibnizienne et porter le problème à quelque hauteur métaphysique, c'est toujours le même but que l'on poursuit : installer la raison et le bonheur de l'homme dans un univers stable et cohérent, qui soit à la fois une *certitude* et une *protection*.

Mais devant les convulsions du monde, les systèmes ne sont qu'un dérisoire refuge. Paul Hazard affirme, en simplifiant les choses, que le célèbre tremblement de terre de Lisbonne suffit à balayer la doctrine de l'optimisme [3]. Il n'y aurait plus personne désormais pour croire que la raison et la bonté de Dieu se reconnaissent dans la nature et conspirent au bonheur de l'homme.

Les hésitations et les fluctuations d'un Voltaire, que hantait l'idée de permanence et que saisissaient le vertige et la peur, lorsqu'on lui parlait d'un univers en perpétuel mouvement, évoluant librement, se faisant lui-même, reflètent l'angoisse de toutes les consciences. Mais cette angoisse est précisément trop forte pour que l'on s'en évade dans le désespoir, en admettant une fois pour toutes que le « procès est jugé » et la « cause perdue ».

Devant le problème du mal, Voltaire choisit selon les circonstances entre plusieurs solutions, qui sont tantôt une simple réponse de l'instinct à l'émotion présente, tantôt le fruit d'une pensée élaborée. Ses réactions affectives oscillent entre deux états d'âme extrêmes : l'optimisme euphorique du *Mondain* et le pessimisme radical du *Poème sur le désastre de Lisbonne*, de certains articles du *Dictionnaire philosophique* ou des terribles et très beaux fragments de 1772 intitulés *A propos du* « *tout est bien* »[4], écrits en ce jour anniversaire de la Saint-Barthélemy où la plume « tremble dans sa main ». Ces prises de position passionnelles sont toujours en rapport avec des accidents qui révoltent. Une fois que la réflexion a pu décanter les données brutes du sentiment, Voltaire construit deux autres attitudes, que l'on peut dire cette fois « philosophiques ». La première est fondée

1. *Ibid.*, pp. 61-62.
2. *Ibid.*, p. 63.
3. Cf. P. Hazard, *La Pensée européenne*, t. II, p. 66.
4. Cf. Voltaire, *Œuvres complètes*, t. XXVIII, pp. 536-537.

sur la relativité des aventures humaines et l'immense disproportion entre l'absolu et les réalités terrestres. De ce point de vue « métaphysique », il n'existe ni bien ni mal. Les choses sont ce qu'elles doivent être. Le véritable ordre du monde n'est pas accessible à la raison et n'a pas d'équivalent dans le langage des hommes. Pratiquement, cette philosophie relativiste se traduit par un grand scepticisme : « La question du bien et du mal demeure un chaos indébrouillable pour ceux qui cherchent de bonne foi ; c'est un jeu d'esprit pour ceux qui disputent [1]. » Mais le scepticisme n'aide pas à vivre. A l'indifférence purement intellectuelle on doit préférer une authentique sagesse, qui tienne compte de l'existence du mal tout en se montrant capable de l'absorber : c'est la leçon de *Candide*.

Il restait à Voltaire, pour sortir du « chaos indébrouillable », à franchir un pas : passer de l'idée d'un ordre universel, sans commune mesure avec les notions humaines du bien et du mal, à celle de la *nécessité naturelle*. Celle-ci suffit à garantir la stabilité du monde. Mais elle oblige à renoncer à l'image d'un univers administré par une suprême intelligence, protégé par une paternelle autorité. La nécessité naturelle est encore une consolation. Mais c'est une consolation sèche, sans tendresse, un simple apaisement pour l'esprit. L'homme perd définitivement l'illusion d'être pour quelque chose dans l'ordre du monde, de pouvoir y intervenir par la prière, la métaphysique ou la magie. Déjà le déisme de Voltaire avait creusé un hiatus immense entre l'homme chétif et le créateur des étoiles. Mais s'il était relégué à une infinie distance, Dieu n'en continuait pas moins à penser, à diriger, à tenir la barre. La nécessité naturelle supprime ce hiatus, rassurant malgré les apparences, car il ménageait le recul favorable à l'installation d'un autre monde. Désormais la nature absorbe tout, et il n'existe plus ni relatif ni absolu, tout étant également nécessaire. D'un univers froid et sans âme sont chassés les derniers vestiges de l'esprit.

Champion de la nécessité naturelle, Diderot fait brillamment le procès du finalisme, afin de restituer à la nature son ordre véritable [2].

1. VOLTAIRE, *Dictionnaire philosophique*, Article *Tout est bien*.

2. Voulant consoler un abbé de ses amis qui se plaint d'une poussière dans l'œil, il déclare : « Mon très cher abbé, lui dis-je, oubliez pour un moment le petit grain qui picote dans votre cornée et écoutez-moi. Pourquoi l'univers vous paraît-il si bien ordonné ? C'est que tout y est enchaîné, à sa place, et qu'il n'y a pas un seul être qui n'ait dans sa position, sa production, son effet, une raison suffisante, ignorée ou connue. Est-ce qu'il y a une exception pour le vent d'Ouest ? Est-ce qu'il y a une exception pour les grains de sable ? Une autre pour le tourbillon ? Si toutes les forces qui animaient chacune des molécules qui formaient celui qui nous a enveloppés étaient données, un géomètre nous démontrerait que celle qui est engagée entre votre œil et sa paupière est *précisément à sa place*... Allons, mon ami, faisons un peu moins les importants. Nous sommes dans la nature, nous y sommes tantôt bien, tantôt mal ; et croyez

Il rétablit entre elle et l'homme cette distance que Voltaire installait entre elle et la divinité. L'homme devient un étranger sans que la nature soit changée en chaos. Elle n'a pas besoin que l'homme s'obstine naïvement à mettre de l'ordre dans le déroulement de ses phénomènes. Elle possède son ordre propre, qui est rigoureux, infaillible, et que la raison humaine pourrait prévoir si elle s'attachait, au lieu de forger des mythes, à déchiffrer l'enchaînement imperturbable des causes et des effets. Diderot ne renonce à l'ordre anthropomorphique que pour le remplacer aussitôt par un ordre strictement rationnel. Sans doute ce dernier ne réchauffe-t-il pas le cœur des mêmes illusions, ne réconforte-t-il pas l'âme et l'imagination d'une manière aussi douce. Mais dans la mesure où il peut satisfaire la raison, c'est une sécurité essentielle qu'il apporte. De la découverte de la nécessité naît un apaisement, une certitude qui n'est pas tellement éloignée de l'optimisme à la façon de Leibniz et de Pope [1]. Il suffit de corriger un seul mot dans leur doctrine et de passer du « tout est bien » au « tout est nécessaire » [2]. On substitue ainsi la reconnaissance objective de l'ordre, fondée sur l'observation de la nature, à la projection de l'illusion optimiste, résidu plus ou moins subtil de l'anthropomorphisme.

Pourtant Diderot ne résiste pas toujours aux mirages de l'optimisme. La nature nécessaire se convertit plus d'une fois en cette « bonne nature », dont l'influence est si bienfaisante et les intentions si morales. Il ne s'agit pas seulement de la nature humaine, qui découvre et suit si aisément les chemins de la vertu, mais de la nature physique, des éléments, des tempêtes et des orages, qui possèdent aussi leur « bonté » [3]. L'optimisme se glisse par le biais de l'enthousiasme. Mais il sait aussi profiter du contraire de l'enthousiasme : le cynisme. Qu'importe, après tout, l'ordre du monde ? Qu'importe

que ceux qui louent la nature d'avoir au printemps tapissé la terre de vert, couleur amie de nos yeux, sont des impertinents qui oublient que cette nature, dont ils veulent retrouver en tout et partout la bienfaisance, étend en hiver sur nos campagnes une grande couverture blanche, qui blesse nos yeux, nous fait tournoyer la tête et nous expose à mourir glacés. La nature est bonne et belle quand elle nous favorise ; elle est laide et méchante quand elle nous afflige. C'est à nos efforts mêmes qu'elle doit souvent une partie de ses charmes. » (DIDEROT, *Œuvres complètes*, Assézat-Tourneux, t. XI, p. 109).

1. Ceux-ci n'auraient pas dû proclamer que « tout est bien ». En réalité le mal existe, mais il est nécessaire : sans lui le monde ne serait pas ce qu'il est, et le bien que ce monde contient ne serait pas en état de fructifier : « Le mal tient au bien même ; on ne pourrait ôter l'un sans l'autre ; et ils ont tous les deux leur source dans la même cause. » Diderot avoue qu'il a « fait plusieurs fois son possible pour concevoir un monde sans mal » et qu'il n'a jamais pu y parvenir. (DIDEROT, *Introduction aux grands principes*, *ibid.*, t. II, p. 85).

2. « Pope a très bien prouvé, d'après Leibniz, que le monde ne saurait être que ce qu'il est. Mais lorsqu'il en a conclu que tout est bien, il a dit une absurdité ; il devait se contenter de dire que tout est nécessaire. » (*Ibid.*).

3. « La nature humaine est donc bonne ? — Oui, mon ami, et très bonne. L'eau, l'air, la terre, le feu, *tout est bon dans la nature ;* et l'ouragan qui s'élève, sur la fin de l'automne, secoue les forêts et, frappant les arbres les uns contre les autres, en brise et sépare les branches mortes ; et la tempête, qui bat les eaux de la mer et les purifie ; et le volcan, qui verse de son flanc entr'ouvert des flots de matières embrasées et porte dans l'air la vapeur qui le nettoie. » (DIDEROT, *De la poésie dramatique*, *ibid.*, t. VII, p. 312).

que tout aille bien ou mal ? Est-ce que la simple existence n'a pas plus de prix et ne prouve pas plus de choses que toutes les spéculations ? Est-ce que le fait de vivre et d'être soi n'occupe pas la conscience au point de reléguer bien loin le mal et l'inquiétude ? Le « Mondain » disait : « Le Paradis terrestre est où je suis. » Le « Neveu de Rameau » fait écho :

« Le point important est que vous et moi nous soyons, et que nous soyons vous et moi. Que tout aille d'ailleurs comme il pourra. Le meilleur ordre des choses, à mon avis, est celui où j'en devais être ; et foin du plus parfait des mondes, si je n'en suis pas. J'aime mieux être, et même être impertinent raisonneur, que de n'être pas. »

Pour une fois, Diderot ne contredit pas son scandaleux partenaire : « Il n'y a personne qui ne pense comme vous et qui ne fasse le procès à l'ordre qui est, sans s'apercevoir qu'il renonce à sa propre existence [1]. » Réflexion qui coupe court à toutes les divagations sur l'ordre du monde. L'homme ne peut remettre en cause un système dont son existence même le rend solidaire, et accepter pour lui le néant afin de donner au reste des créatures l'être parfait. Par son appartenance à un monde déterminé, il est exclu des sphères métaphysiques où s'élaborent les mondes. Mais en même temps qu'une limitation, il trouve dans sa condition assez de solidité pour y fonder la conscience de soi et de ce qui l'entoure.

Tout en ébranlant l'optimisme traditionnel, Diderot ne fait qu'accumuler les arguments réconfortants et fonder un ordre plus sûr, moins exposé aux démentis de l'évidence, que l'ordre imaginaire de Pangloss. En pariant pour la nécessité naturelle, en pressentant le déterminisme scientifique, en proclamant la bonté fondamentale de la nature purifiée par ses propres violences, en démontrant que le lien existentiel qui attache l'homme à ce monde suffit à rendre ridicules toutes les nostalgies d'un monde différent, Diderot ne travaille qu'à faire de cet univers un séjour habitable, qu'à lui restituer, en dehors de toute illusion romanesque ou magique, une transparence rationnelle.

Le véritable optimisme consiste non à nier le mal — l'évidence s'y oppose — ni même à l'expliquer, ce qui est impossible, mais à l'englober dans cette harmonie universelle où le bien prédomine. Le mal devient ainsi le parasite du bien, presque son débiteur. Un tel système permet de concilier les exigences du sentiment, qui réclame un ordre, et celles de la raison, qui ne veut pas être complice des euphories extravagantes. Dans son « poème » *Oromasis*, dont la scène est « au commencement du monde », Dupont de Nemours fait s'affronter les deux antagonistes, Oromasis, génie du Bien, et Arimane, génie du Mal. Il montre comment le Mal demeure irrévocablement dans

1. DIDEROT, *Le Neveu de Rameau*, éd. Jean Fabre, Droz, 1950, pp. 14-15.

la dépendance du Bien, incapable de *créer* par lui-même, réduit à dénaturer après coup l'œuvre de son adversaire, à se glisser à travers ses failles, et comment le Bien extrait toujours, d'un mal inévitable, un bienfait qui le neutralise [1].

***

Le besoin de croire à l'ordre est si obsédant qu'il invente toutes les justifications possibles pour proclamer le triomphe du bien sur le mal. Il est peu probable que la tragédie de Lisbonne ait suffi au renversement des esprits et que l'horreur d'une unique catastrophe ait aboli une exigence vitale, si profondément liée à l'appétit du bonheur. On a plus de complaisance d'ordinaire — et c'est un tort — pour le *Poème* où Voltaire dit sa révolte que pour la réplique de Rousseau [2]. Et l'on ignore cette œuvre de Goudar intitulée *Discours politique sur les avantages que le Portugal pourrait tirer de son malheur*. Écrite un an après le désastre, elle démontre que le Portugal doit profiter de l'épreuve pour s'évader de sa déchéance. Qu'il cesse d'être la proie de l'Angleterre, qu'il ne se laisse plus voler tout son or du Brésil, que chacun se retrempe dans ce bouleversement général qui permet de tout recommencer ! « Le Portugal est aujourd'hui dans le cas d'un peuple naissant [3]. » Revenu à l'innocence et à la fraîcheur des sources, il se retrouve, grâce à son malheur même, l'arbitre de son avenir.

Au début de son *Essai sur le Bonheur*, Beausobre traite de « déclamations » les évocations de ce Portugal tragique, où l'on ne rencontre que « champs couverts de morts et de mourants », « orphelins abandonnés », « veuves désolées », « terres ravagées » [4]. Il n'estime pas plus affreux de mourir sous un cataclysme que dans son lit et remarque

1. Oromasis a donné la vie à la nature inerte. Arimane, dépité, affamé de revanche, lui impose la Mort. Mais Oromasis, reprenant l'avantage, tire l'Amour de la Mort. En guise de riposte, Arimane doit se contenter d'adjoindre à l'Amour la Jalousie, qui le défigure mais ne le détruit pas. Oromasis exulte en constatant son éclatante suprématie sur Arimane : « Par elle-même la matière était inerte et c'était ton vœu qu'elle le demeurât ; c'est d'abord pour cela que tu as osé lutter contre moi. Forcé de me laisser animer, ton unique ressource a été de profiter de ses propriétés indestructibles pour mêler quelque mal au bien que je faisais. *Mais tu n'as pu mettre du mal que là où j'avais placé du bien.* Tu n'as pu tourner à la souffrance la faculté de sentir que parce que je l'avais ouverte à la jouissance et au bonheur ; tu n'as pu inventer le crime et la peine que parce que j'avais créé le plaisir et la vertu. Esclave, tu montres tes fers en les secouant et, dans ta méchanceté, tu sers. Si tu pouvais faire prédominer le mal, si tu pouvais seulement le mettre en équilibre avec le bien, tout s'arrêterait, les générations cesseraient, la vie serait détruite et nous recommencerions à nous disputer le chaos. *L'existence et la durée de l'univers sont et seront le témoignage éternel de ton infériorité.* Serpent immonde, tu rampes à ma suite, salissant de quelque venin mes ouvrages, que tu ne peux entamer... Où je ne mets pas de vie ni de rapport à la vie, tu ne peux rien. *Où je ne donne que peu de vie et de moralité, tu ne saurais introduire que peu de malheur.* » (DUPONT DE NEMOURS, *Oromasis*, pp. 32-34).
2. Dans la lettre à Voltaire du 18 août 1766.
3. *Op. cit.*, pp. 178-179.
4. *Op. cit.*, p. 78.

que les grandes calamités ne diffèrent des malheurs ordinaires que « par le nombre de ceux qui souffrent ces maux »[1]. En dépit de Lisbonne, Beausobre croit pouvoir affirmer que l'homme est heureux sur la terre, parce que la nature, la morale, la raison et le sentiment conspirent à sa félicité[2].

L'ordre est donc évident. L'ordre éclate partout. Seulement il peut avoir de terribles exigences :

> « L'ordre veut, par exemple, que 10.000 hommes soient plus forts que 5.000 ; donc on ne doit pas s'étonner si des tyrans, à la tête d'une monstrueuse armée, oppriment des souverains faibles malgré leur piété. L'ordre veut que la prévoyance et l'adresse renversent le complot des ignorants ; donc on ne doit pas s'étonner si un libertin, plein d'esprit et de ruses, triomphe de la simplicité d'un homme de bien. Les lois sont ainsi et elles sont telles qu'il faudrait un miracle pour que le contraire arrivât[3]. »

On aboutit ainsi à une sorte de syncrétisme[4]. L'ordre désigne à la fois le plan providentiel, la nécessité naturelle et l'enchaînement, contingent mais irréversible, des causes et des effets. Il peut être aussi bien le triomphe de la loi morale informant le réel historique, que le résultat d'un déterminisme ou d'un rapport de forces, où l'idéal n'entre pour rien. Peu importe que les doctrines se contredisent. Toutes se révèlent également rassurantes. Elles prouvent que le monde est intelligible, que la raison n'est pas désarmée devant lui. Une telle conviction est nécessaire à la sécurité de l'homme, à son bonheur. C'est l'ordre — quel que soit le sens qu'on lui donne — qui scelle l'alliance entre la nature et la raison.

L'ordre achemine ainsi vers l'apaisement des âmes. A la fin de sa vie, le marquis de Lassay écrit d'admirables *Réflexions faites par un*

1. *Ibid.*, p. 79.
2. La même année — trois ans après Lisbonne — le vicomte d'Alès de Corbet juxtapose dans son livre *De l'origine du mal*, dirigé contre Bayle et les « impies », l'optimisme philosophique et l'explication chrétienne par le péché originel, bien convaincu que les « principes philosophiques... favorisent nos dogmes ». (*Op. cit.*, t. II, p. 144). D'ailleurs, notre propre existence suffit à justifier la Providence : Dieu peut être dit bienfaisant, « dès que l'être qu'il nous donne vaut mieux pour nous que le Néant ». (*Ibid.*, t. I, p. 51).
3. Caraccioli, *La Jouissance de soi-même*, p. 119.
4. Chacun a sa façon de reconnaître et de proclamer l'existence d'un ordre. Pour l'abbé Pluquet, l'ordre se découvre « en descendant dans sa conscience », qui révèle à propos de chaque malheur la raison pour laquelle on l'a mérité (*De la sociabilité*, t. I, p. 272). Le prince de Ligne, qui ne parvient pas à apercevoir dans les convulsions de l'univers un ordre qui soit juste, en déduit l'existence d'un ordre supra-terrestre, qui le force à croire à l'immortalité de l'âme. (Cf. *Mélanges*, t. XII, pp. 11-13). Delisle de Sales pense que « l'optimisme n'est qu'un beau songe ». Pour lui, l'ordre réside dans cette mesure, cet équilibre qui existe entre le bien et le mal et qui indique à l'homme l'attitude qu'il doit prendre en face de sa condition : « Il y a assez de bien dans la nature pour nous faire chérir notre existence, et il s'y trouve trop de mal pour ne pas nous en faire désirer une plus fortunée. » (*Philosophie de la nature*, t. II, p. 312). Pour L. S. Mercier, l'ordre est dans l'euphorie qui accompagne invinciblement la vertu et les secours que la Providence accorde à coup sûr à la détresse : « Lorsque l'auguste Providence a fait descendre la misère sur la tête d'un mortel, la patience, sa sœur, l'accompagne, le courage le soutient, et c'est par ce don que la vertu se suffit à elle-même et qu'elle devient heureuse, lors même que l'infortune semble l'accabler. » (*Mon Bonnet de nuit*, t. I, 30).

homme né dans un royaume chrétien, qui raisonne suivant les lumières de la raison, indépendamment de la Religion à laquelle tous les raisonnements doivent être soumis [1]. Il y livre son ultime sagesse. Il y prêche une confiance profonde, mais point trop présomptueuse, en l'harmonie de l'univers. A l'examen philosophique, il préfère l'abandon du cœur : « Vivons en paix, en adorant ce qui nous est inconnu... Admirons cet ordre merveilleux que nous voyons, sans le vouloir pénétrer... » ; et il ajoute ce mot décisif, cette certitude, qui est le but, plus ou moins secret, où tendent toutes les réflexions sur l'ordre, tous les systèmes providentiels, finalistes ou déterministes : « *On ne nous a point tendu de piège...* [2] »

6. — La raison et le cœur réconciliés : L'idée de nature.

Croire à l'existence d'un ordre est nécessaire au bonheur de l'âme. Mais, quelle que soit l'urgence de ce besoin, il faut compter avec l'évidence du désordre, qui rend souvent l'illusion difficile. Il devient impossible d'appliquer exactement sur le réel le schéma idéal d'un univers ordonné. Il faudra inventer une image plus docile, plus plastique, qui aura pour fonction d'exprimer l'essence de la réalité, décantée des accidents historiques et des altérations contingentes. Du monde, tel que l'homme l'a sous les yeux, elle retracera la pure origine, à moins qu'elle n'en révèle l'achèvement idéal. De l'homme, tel qu'il est dans le monde, elle désignera la destination véritable, en fournissant les moyens de l'accomplir. Cette image deviendra l'unique point de repère, la référence absolue pour tout ce qui concerne l'homme. Elle repose sur le postulat, que le XVIIIe siècle a reçu du spiritualisme classique sans oser le remettre en question, selon lequel il existe une *essence* de l'homme. Cette essence imaginaire, à laquelle tout ce qui existe doit être rapporté, c'est la *Nature*. C'est à elle, en dernière analyse, de garantir le bonheur.

A vrai dire, le mot « nature », au XVIIIe siècle, est singulièrement polyvalent. Il désigne bon nombre de choses différentes, dont certaines sont contradictoires. Dans une note de son *Essai sur la nature champêtre*, Lezay-Marnesia remarque :

« Nature signifie également la force productive, la collection des êtres produits, les formes primitives et non altérées par l'industrie humaine, l'amour filial, la tendresse paternelle, la vie innocente que menaient les premiers habitants de la terre, et cette inspiration sûre, indépendante des

1. Cf. *Recueil de différentes choses*, t. IV, p. 186.
2. Cf. *ibid.*, pp. 203-207.

conventions sociales, qui nous avertit, nous guide, quand nous voulons l'écouter, et qui est la conscience véritable. N'ayant qu'un seul mot pour exprimer tant de choses différentes, comment serait-il possible d'en éviter les répétitions fréquentes ? [1] »

La liste est assez remarquable : on y trouve pêle-mêle des réalités et des mythes, des idées et des sentiments, des notions qui n'ont entre elles aucun rapport, comme la « collection des êtres produits » et la « tendresse paternelle ». Surtout une contradiction saute aux yeux. Le mot « nature » désigne à la fois *le plus primitif* et *le plus élaboré*, le monde sans l'homme et l'homme sans le monde. Une certaine nature rassemble les formes les plus spontanées de la vie, représente l'univers à l'état brut, ce dans quoi la raison et le travail de l'homme n'ont aucune part. Mais une autre nature s'identifie avec le rationnel, devient la légalité suprême, la plus haute instance morale, tout ce que l'homme construit en vertu de ses privilèges. Chaque fois que l'on mobilise l'idée de nature sans en préciser le sens, on se livre à cet acte de foi consistant à croire que le plus immédiat coïncide avec le plus raisonnable, que les plus achevées des inventions humaines sont comme un retour à l'enfance du monde, que l'esprit est implicitement contenu dans les choses, et que l'homme peut conjuguer les prestiges de la raison et les délices de l'innocence.

Cette ambiguïté entre la nature primitive et la nature rationnelle en recouvre une seconde, plus profonde. L'idée de nature tire son existence de deux hypothèses contradictoires : *l'homme est une essence* et *l'homme est une histoire*. Tout en assumant une historicité qui lui confère une qualité poétique et un pouvoir émotionnel, le mythe de la nature s'obstine à définir l'homme, non par la liberté d'un pur devenir, mais par la fidélité, à la fois difficile et nécessaire, à une essence. L'absolu qui lui sert d'appui est à la fois intemporel et historique. Cherchant à se donner pour une reconstruction empirique de l'homme, saisi dans la réalité même de son évolution, l'idée de nature demeure une notion métaphysique, dans la mesure où le concept d' « homme » reste un concept magique, aussi immuable et arbitraire que celui de Dieu.

Si l'on voulait rendre au mot « nature » un peu de cette clarté que le XVIIIe siècle s'est évertué à brouiller, il faudrait lui assigner au moins trois sens différents. Tantôt il évoque les aspects spontanés de la vie des choses et de la vie de l'âme. Il peut aussi bien faire allusion à la luxuriance de l'univers primitif qu'aux passions humaines, non corrigées par la raison ou la loi sociale. Transposé dans un domaine mitoyen entre l'histoire et le mythe, il symbolise l'état originel de l'homme. Mais le même mot désigne aussi l'enchaînement inévitable

1. *Op. cit.*, p. 17.

des causes et des effets. A vrai dire, ce second cas n'est qu'une variante du premier. La différence revient à substituer à l'idée d'un jaillissement inexplicable celle d'une liaison rigoureuse. La nature est déjà fortement *rationalisée* ; naturel devient synonyme de nécessaire. Le troisième sens est nettement différent : le mot « nature » ne renvoie plus à ce qui est *immédiat*, ni à ce qui est *nécessaire*, mais à ce qui est *idéal*. La nature est cette image parfaite de l'homme et du monde, recomposée par la raison et la conscience morale. Que ces facultés soient considérées comme innées ou comme acquises, elles n'en conservent pas moins le pouvoir de fonder un absolu.

Ces trois sens semblent s'exclure. Ils sont pourtant tous les trois à la fois stimulants et rassurants. L'idée de nature est une idée *euphorique*. Elle valorise ce dont l'homme a besoin pour satisfaire sa raison tout en légitimant ses instincts, et répond ainsi à la définition du bonheur. C'est là qu'il faut en chercher la véritable unité, unité non point systématique, mais existentielle.

Lorsqu'on veut définir « l'état de nature », les ambiguïtés s'accumulent. Déjà Locke affirmait que les hommes, avant l'existence des sociétés, vivaient « conformément à la Raison » [1]. Dans *Les Voyages de Cyrus*, Ramsay évoque cet « âge d'or » qui fut l'état primitif de l'homme. Il ne se contente pas de l'idéaliser comme le temps de l'irresponsabilité heureuse. L'homme de l'âge d'or se reconnaît à sa lucidité et à sa connaissance infuse du bien, qui en font une « belle âme », en qui l'inclination, le devoir et la vérité coïncident toujours : « Tout était soumis à l'ordre immuable de la raison ; chacun portait sa loi dans son cœur [2]. » Toute révélation, tout effort moral étaient donc inutiles : la vertu constituait l'essence de l'homme. L'état de nature apparaît comme la figuration symbolique de cette *unité* idéale où se confondent la jouissance et l'ordre, la raison et la passion, où la conscience n'est jamais divisée : « *Les passions soumises à la raison ne troublaient point le cœur et l'amour du plaisir était toujours conforme à l'amour de l'ordre* [3]. »

Les « idéalistes » et les pessimistes exagèrent la distance entre le bonheur vertueux de l'homme originel et la condition de l'homme

1. « Lorsque les hommes vivent ensemble conformément à la Raison, sans aucun supérieur sur la terre qui ait l'autorité de juger leurs différends, ils sont précisément dans l'état de nature ». (*Sur le Gouvernement civil*, éd. 1724, p. 23).

2. Cf. *Les Voyages de Cyrus*, t. I, pp. 215-216 : « Les hommes vivaient alors sans discorde, sans ambition, sans faste, dans une paix, dans une égalité, dans une simplicité parfaites ; chacun avait pourtant des qualités et des inclinations différentes, mais *tous les goûts conduisaient à l'amour de la vertu et tous les talents conspiraient à la connaissance du vrai ;* les beautés de la nature et les perfections de son auteur faisaient les spectacles, les jeux et l'étude des premiers hommes et *l'imagination réglée ne présentait alors que des idées justes et pures.* »

3. Le mythe de l'homme originel s'accorde mal avec la doctrine chrétienne de la chute. Pour le sauver, il faut considérer le premier péché comme une violence subie par l'homme : « Je soutiens que, dans cet état, il est le plus parfait qu'il puisse être. Jamais le premier homme n'eût fait d'excès, jamais il n'eût péché, si Dieu ne lui eût imposé une obligation accidentelle et étrangère à sa nature. » (Sissous de Valmire, *Dieu et l'homme*, p. 132).

social, dépravé et misérable. Même s'ils orientent leurs évocations de l'état de nature contre le christianisme, ils restent néanmoins chrétiens, ou du moins spiritualistes, en maintenant une rupture entre ce que l'homme fut et ce qu'il est, en cultivant la nostalgie du Paradis perdu. Au contraire, ceux qui sont soucieux d'efficacité et veulent restituer à l'homme social le bonheur de l'homme naturel, contestent que les deux phases de l'aventure humaine soient irrémédiablement séparées. Selon eux, l'état de nature absolu est une chimère : le véritable état de nature devait ressembler déjà à un état social. Ces divergences recouvrent la même intention profonde. Il s'agit toujours de désigner l'état de nature comme la plus grande perfection morale de l'homme. Mais, pour les uns, cette perfection est inscrite dans l'essence de l'homme individuel, tandis qu'elle n'est, pour les autres, que le reflet dans chaque âme de l'ordre social. Les théories relatives à l'état de nature peuvent s'opposer. Elles aboutissent toujours à cette même confusion entre un *absolu* et une *histoire*. Tantôt l'on y parvient en opposant nature et société ; tantôt en les rapprochant, en les forçant à se rejoindre [1].

Ce n'est pas l'un des moindres paradoxes de la nature que de pouvoir aussi bien renvoyer à cet âge d'or poétique et lointain, librement composé des prestiges de l'irréel, que servir d'expression mi-attendrie, mi-cynique au conservatisme social. Quelquefois les deux fonctions se mêlent dans une même phrase. Afin d'illustrer une leçon de morale bourgeoise, Marmontel présente l'un de ses personnages comme « l'un de ces bons pères de famille qui nous rappellent l'âge d'or » [2]. La nature épouse si aisément les exigences de l'ordre qu'elle ne parle jamais aussi clairement qu'à travers ceux dont la société aristocratique et bourgeoise a le plus expressément besoin : les domestiques. L'abbé Barthélemy raconte à ce propos une bien touchante histoire. La duchesse de Choiseul propose à son vieux valet de chambre, en raison

1. Dans son *Droit naturel*, Burlamaqui assure que l'état civil ne détruit pas l'état naturel : « L'état civil suppose la nature même de l'homme telle que le créateur l'a formée... Pour se faire une juste idée de la société civile, il faut dire que c'est la société naturelle elle-même. » (Burlamaqui, *Principes du droit naturel*, pp. 290-292).

Inversement, d'Holbach fait exister la société dès l'état de nature. Il traite avec ironie ceux qui ont rêvé d'une nature idyllique, où l'état social aurait été inconnu. Il ne comprend pas comment la raison aurait pu s'exprimer, indépendamment d'un ordre fondé sur le consentement de tous. Bien éloigné de se réduire à cette disponibilité paresseuse qu'ont imaginée certains, l'état de nature comportait déjà des « devoirs », c'est-à-dire la sujétion de l'individu par rapport à un système le liant à ses semblables. Cf. d'Holbach, *Système de la société*, t. I, pp. 203-204.

Pour Chastellux, l'état de nature, si l'on entend par là « l'état le plus brut qui existe », ne se trouve nulle part : « Pas plus chez les sauvages que dans nos forêts et nos campagnes. » Le mot « nature » n'a qu'un contenu idéal : il désigne « tout ce qui est dans l'ordre de la nature, tout ce qui se fait en conséquence de ses forces et de ses lois ». L'état de nature peut donc exister n'importe où et n'importe quand : « Il est un état de nature pour les villes comme pour les campagnes, pour l'artisan comme pour le cultivateur, pour l'homme en société comme pour l'homme isolé. » Il existe même un état de nature pour chaque homme : c'est le « meilleur état possible » vers lequel tend toute condition individuelle. (Chastellux, *De la Félicité publique*, pp. xii-xiii).

2. Marmontel, *Le bon mari*, *Contes moraux*, t. II, p. 65.

de ses longs services, la place de concierge. Sans réfléchir, Champagne refuse la promotion et tous ses avantages :

« Non, Madame, je ne puis m'y résoudre. J'entre quarante fois chez vous ou dans le salon ; chaque fois j'y vois mes maîtres. Quand je serai dans la conciergerie, à peine pourrai-je les apercevoir. *Je ne puis être ailleurs que dans votre antichambre.* Qu'ai-je besoin de fortune ? Est-ce que je vous demande quelque chose ? Que j'aie une croûte et votre service, je ne souhaite rien de plus... [1] »

Là-dessus, il se met à pleurer et Mme de Choiseul « étouffe », car c'est la nature qu'elle vient d'entendre. On voit l'ubiquité de cette agile nature, qui s'installe en même temps dans les prairies d'Arcadie et dans l'antichambre de Mme de Choiseul. Ces miracles seraient peu compréhensibles, si l'on ne restituait pas à l'idée toutes ses résonances affectives. La nature représente à l'imagination un état de bonheur, essentiellement défini par *l'unité* : unité entre la jouissance et la loi morale, entre l'inclination et le devoir. Cet état idéal peut être relégué en des confins imaginaires, où ne respirent et ne soupirent que des bergers. Il peut servir de thème à la spéculation pure, sans se convertir en images. Mais il peut encore s'incarner en quelques-uns de ces êtres — paysans ou domestiques — dont on a besoin de croire, pour des raisons point toutes blâmables, qu'ils sont effectivement heureux. Il est tout à fait concevable que l'idée de nature se déploie sur ces différents registres. Car cette *unité heureuse*, qu'elle entreprend de systématiser ou d'illustrer, est aussi bien le rêve de toute âme qu'un état précieux pour la morale et pour l'ordre social.

Peu importe que la « loi naturelle » soit écrite de toute éternité dans chaque conscience ou qu'elle s'élabore avec l'expérience des sociétés [2]. Les divergences sur ce point dépendent surtout de partis pris philosophiques, religieux, ou polémiques. L'essentiel est qu'on puisse croire à une nature, donnée ou construite, qui représente à la fois un *épanouissement* et une *règle*. Que l'on soit partisan attardé des « idées innées » ou que l'on fonde la morale sur la recherche de « l'utile », c'est toujours cette double fonction qu'on lui assigne : révéler à l'homme ce qu'il doit faire et comment il peut être heureux, les deux étant unis par une relation nécessaire. Vauvenargues imagine un dialogue entre un « Américain » et un « Portugais ». Pour l'un, la nature est un absolu, auquel l'expérience n'ajoute rien ; pour l'autre, un faisceau de tendances perfectibles. Mais la discussion manque d'âpreté. Les disputeurs eux-mêmes conviennent que leur débat ne porte que sur un problème mineur. Le point important est qu'ils

1. Lettre de l'abbé Barthélemy à Mme Du Deffand (1772), *Correspondance de Mme Du Deffand*, t. II, p. 314.
2. Cf. le chapitre *Bonheur et Vertu*.

s'accordent sur cette définition proposée par l'un d'eux : « Je parle ici de la nature de l'homme, qui n'est autre chose que *le concours de son instinct et de sa raison* [1]. »

Les jeux qui opposent état de nature et état social, en cherchant à résoudre la question à peu près vide de sens : *lequel est le plus heureux ?*, restent eux-mêmes assez anodins. Le problème est d'ailleurs sans aucune conséquence pour le bonheur individuel. On peut admettre, encore que la confrontation soit naïve, qu'un peuple de sauvages, où n'existent ni l'oppression sociale, ni la division du travail, soit plus « heureux » qu'un peuple vieilli par l'histoire et souffrant de l'injustice, de la violence et de la misère. Mais il est difficile de contester sérieusement qu'un individu civilisé, doué de sensibilité et de raison, dispose de plus de ressources pour construire son bonheur que le sauvage chasseur, dont toute la félicité se réduit à la joie de caresser une proie conquise. En outre, la séparation entre les deux états n'est nullement étanche. L'état de nature idéal n'est qu'un état social parfait, et l'état de nature « historique » un état social embryonnaire. Surtout l'on peut s'évader du dilemme en optant pour une solution moyenne. L'état le plus heureux n'est ni l'état de nature originel ni l'état social actuel ; il se situe entre les deux. C'est le parti que prennent des esprits raisonnables, comme Duclos ou Diderot. Duclos divise l'évolution des sociétés en trois étapes : les peuples sauvages, les peuples policés et les peuples polis. Les premiers sont « les plus criminels » et les derniers ne sont pas « les plus vertueux ». Le véritable bonheur se trouve au stade intermédiaire, à mi-chemin entre la barbarie naturelle et les raffinements frelatés de l'ordre social [2]. Diderot reproche à Rousseau de n'avoir pas su envisager ce moyen terme. Le tort de l' « industrie » humaine est d'être allée « beaucoup trop loin ». Au lieu de vouloir enfanter à tout prix une « société brillante », elle aurait dû s'arrêter au point où elle eût seulement produit une « société heureuse ». La civilisation est nécessaire, mais elle doit s'assigner un « terme » qui soit « conforme à la félicité de l'homme » [3]. Si Diderot est tenté

1. VAUVENARGUES, *Œuvres*, t. III, pp. 38 et suiv.

2. « Les mœurs simples et sévères ne se trouvent que parmi ceux que la raison et l'équité ont policés et qui n'ont pas encore abusé de l'esprit pour se corrompre. » (DUCLOS, *Considérations sur les mœurs du siècle*, p. 17).

3. DIDEROT, *Réfutation d'Helvétius*, Assézat-Tourneux, t. II, pp. 431-432. Diderot assure que cet état intermédiaire est « moins éloigné de la condition sauvage qu'on ne l'imagine ». Mais dans un autre passage de la *Réfutation*, il semble, au contraire, confondre « l'état policé » et « l'état social » ; ses préférences vont nettement du côté de ce dernier, car il juge peu important qu'on y rencontre moins de vertu que dans l'état naturel, si l'affaiblissement de la moralité est compensé par un surcroît de bonheur : « Je trouve que Jean-Jacques a bien faiblement attaqué l'état social. Qu'est-ce que l'état social ? C'est un pacte qui rapproche, unit et arc-boute les uns contre les autres une multitude d'êtres auparavant isolés. Celui qui méditera profondément la nature de l'état sauvage et de l'état policé se convaincra bientôt que le premier est nécessairement un état d'innocence et de paix et l'autre un état de guerre et de crime ; bientôt il s'avouera qu'il se commet et qu'il doit se commettre plus de scélératesses de toute espèce en un jour dans une des trois grandes capitales de l'Europe qu'il ne s'en commet et qu'il ne peut s'en commettre en un siècle dans toutes les hordes sauvages de la terre. Donc l'état

de situer ce terme un peu au delà de la moitié du chemin séparant l'état de nature de l'état social, c'est parce qu'il existe selon lui plus de bonheur dans ce dernier, même si l'on y rencontre moins de vertu.

Il serait vain de chercher la moindre rigueur philosophique dans ces contestations, où l'on ne trouve jamais en présence que l'imagination et le bon sens. En revanche, il est intéressant de montrer comment la nature se modifie et se déforme selon les rêves ou les calculs de ceux qui l'exploitent. Jamais « idée » ne fut plus malléable et ne servit mieux à exprimer exigences et partis pris personnels.

Veut-on savoir, par exemple, de quelle manière l'abbé Pluquet se représente l'homme de la nature ? L'auteur du livre *De la sociabilité* proteste de la rigueur de sa méthode. Bacon et Descartes sont les patronages qu'il invoque. Appuyé sur l'expérience et l'observation, il tâchera d'extraire des complications de l'homme social ce résidu, ce noyau originel, qu'on conviendra d'appeler l'homme de la nature [1]. En réalité, son imagination et ses préférences lui dicteront chaque mot, au point que son homme naturel ne sera que la transposition à peine voilée de l'homme de lettres du XVIIIe siècle. Pluquet croit d'abord déceler chez les premiers hommes une crise de l'existence comparable à celle dont gémissent ses contemporains. A propos de ces « troupeaux » apeurés que forment les premiers sauvages, il note : « Il semble que le sentiment de l'existence soit embarrassant et pénible pour eux ; ils *s'ennuient* en un mot [2]. » Il ne suffit pas en effet à l'homme de la nature d'assouvir ses besoins. Toujours demeure en lui un double sentiment de disponibilité et de crainte. Il cherche en même temps une évasion et un refuge. Ce primitif souffre d'une panique sourde, d'une permanente inquiétude qui l'incite à se procurer « *ce repos et cette sécurité si nécessaires à (son) bonheur* ». Le premier effort de l'homme naturel, tel que Pluquet le reconstitue, est un effort vers la stabilité bourgeoise, la sérénité et la fixité du recueillement [3]. Voilà l'homme des origines installé dans sa hutte, comme l'homme de lettres dans son cabinet ou le marchand au sein de sa famille. Mais l'on sait que la tendance au repos s'accompagne toujours d'une tendance au mouvement, qui la nie moins qu'elle ne la complète. Après avoir satisfait son besoin de sécurité, l'homme naturel doit trouver un aliment à sa seconde exigence : la curiosité. Il pense — admirons-le ! — que l' « essence

sauvage est préférable à l'état policé. Je le nie. *Il ne suffit pas de m'avoir démontré qu'il y a plus de crimes, il faudrait encore me démontrer qu'il y a moins de bonheur.* » (*Ibid.*, p. 287).

1. PLUQUET, *De la sociabilité*, t. II, pp. 3-5.

2. Cf. *ibid.*, pp. 10-11.

3. « Ils se firent des retraites où ils trouvèrent le repos, la paix et la sécurité. Leur cabane devint le séjour du bonheur ; ils y goûtèrent une satisfaction jusqu'alors inconnue. Ils s'efforcèrent de se fixer dans cet état. » Cf. *ibid.*, pp. 15-16.

du bonheur » consiste dans le « plaisir de connaître »[1]. En attendant de savoir lire, il s'étend au bord d'un ruisseau, « offre, pour ainsi dire, son âme à la variété des objets que le mouvement met sous ses yeux ». Après quoi, « se renfermant au-dedans de lui-même, il se retrace les choses qu'il a faites, les pays qu'il a parcourus, les objets qui l'ont étonné, les positions qui lui ont paru agréables »[2]. Ces riches impressions mériteraient, on le sent, une plume habile ! D'autant que notre sauvage à l'esprit délié éprouve un troisième besoin : il brûle de répandre ses connaissances. Au fond de sa conscience encore obscure il pressent cet « empire naturel » qu'ont les « hommes éclairés » sur les « hommes ignorants »[3]. Le portrait est cette fois achevé : ce prétendu homme naturel devient un vrai « philosophe », soucieux avant tout d'être utile à ses semblables. En croyant se livrer à la reconstitution de l'homme originel, Pluquet s'est abandonné à tracer naïvement l'image de ce bonheur qui est le sien ou dont il rêve. Bien loin de chercher à saisir la réalité d'un être fondamentalement différent, il ne fait que se justifier lui-même. Rien de plus subjectif, et par là même de plus révélateur, que cette singulière esquisse de l'état de nature.

Des esprits plus philosophiques que Pluquet laissent également deviner leurs hantises. La théorie voltairienne de la « loi naturelle » combine deux idées : existence d'un éternellement vrai et d'un éternellement stable, par delà les fluctuations infinies des croyances particulières ; primauté de la morale sur la spéculation pure[4]. De façon assez contradictoire, Voltaire veut une philosophie dont les fondements soient en dehors de l'histoire, mais dont les applications se limitent à la société. Ce mélange d'abstraction et d'empirisme peut surprendre. Mais c'est le propre de Voltaire — comme de la plupart de ses contemporains — de justifier au nom de l'absolu des contingences purement sociales. Son esprit est obsédé par un double besoin. Un besoin anxieux de permanence et de fixité, que l'histoire déconcerte avec ses variations et son désordre, avec cette « théologie » surtout qui donne le vertige. Mais en même temps le besoin d'agir sur les hommes, d'être toujours en état de les convaincre ou de les retenir. C'est pour répondre à ces deux exigences que la loi naturelle doit être « universelle » et « morale », instituant un lien solide entre une *doctrine de l'absolu* et un simple *utilitarisme moral*. Les tendances de Voltaire élucident ainsi les grands thèmes de sa pensée.

1. *Ibid.*, p. 59.
2. *Ibid.*, p. 55.
3. « Il semble que la nature ait voulu que les vérités dont elle accorde la connaissance soient un lien commun, une espèce de patrimoine, que chaque homme est intéressé à partager, et que le plaisir qu'elle attache à la communication que l'homme fait de ses connaissances soit un moyen destiné à l'obliger à éclairer son semblable. » (*Ibid.*, pp. 63-64).
4. Cf. *Poème sur la loi naturelle*, écrit en 1751, publié après Lisbonne en 1756, *Œuvres complètes*, t. IX, p. 433.

L'*Abrégé du code de la Nature*, qui sert de conclusion au *Système de la nature*, est aussi fort symptomatique. La Nature s'y adresse à l'homme en un remarquable discours en trois points [1]. Dans un premier mouvement, ses propos ne sont qu'une invitation à l'euphorie et à l'évasion. Elle se présente comme celle qui délie de toutes les contraintes. Elle multiplie d'enivrantes promesses de joie et de facilité [2]. Mais ces exaltantes paroles font place aussitôt à de plus sévères discours. Le bonheur qui vient d'être évoqué n'appartient pas de plein droit à l'homme. Celui-ci doit se plier à certains devoirs essentiels, qui sont l'exacte contrepartie de la félicité naturelle. La Nature en dresse la liste. On voit alors ressurgir ces mêmes vertus qui, prêchées par la religion, n'étaient qu'imposture et tyrannie. Aux chemins parsemés de fleurs succèdent des injonctions lapidaires, innombrables : « Sois juste... sois bon... sois indulgent... sois doux... sois reconnaissant... sois modeste..., *fais du bien à celui qui t'outrage*..., sois retenu, tempéré, chaste... sois un être sensible et raisonnable ; sois époux fidèle, père tendre, maître équitable, citoyen zélé... » Dans son troisième point, la Nature énumère les sanctions qui frappent les rebelles. Cette fois, elle abandonne tout à fait la séduction pour la menace et laisse prévoir ses vengeances [3]. Voilà l'homme ramené au point de départ. Il n'a été délivré d'un joug que pour en subir un autre. Ennemie du Dieu chrétien, la Nature sait en assumer les prestiges redoutables. L'homme, mystifié, avait entendu la promesse d'une révolution : il assiste seulement à la succession de deux règnes. D'Holbach aura beau l'exhorter — « Qu'il jouisse lui-même, qu'il fasse jouir les autres ! » — il sait que la Nature guette dans l'ombre tous ses plaisirs, escortée de ses trois « filles adorables » : la « vertu », la « raison » et la « vérité ».

La nature peut donc servir à tout. Un seul principe suffit désormais pour instruire l'homme de sa double condition de maître et d'esclave. D'Holbach voulait à la fois disqualifier le christianisme et fonder une morale aussi stricte, aussi rassurante pour l'ordre social, que celle qu'il venait de détruire. La nature est le merveilleux instrument qui permet d'atteindre ce double but.

Travestissement philosophique d'un simple rêve de vie, expression d'inquiétudes et d'exigences personnelles, thème ambivalent de polé-

1. D'Holbach, *Système de la nature*, t. II, pp. 439 et suiv.

2. « Ose donc t'affranchir du joug de cette religion, ma superbe rivale... C'est dans mon Empire que règne la liberté... Reviens donc, enfant transfuge ; reviens à la Nature ! Elle te consolera, elle chassera de ton cœur ces craintes qui l'accablent, ces inquiétudes qui te déchirent, ces transports qui t'agitent, ces haines qui te séparent de l'homme que tu dois aimer. Rendu à la nature, à l'humanité, à toi-même, répands des fleurs sur la route de la vie. »

3. « Ne t'y trompe pas, c'est moi qui punis plus sûrement que les dieux tous les crimes de la terre... C'est moi qui suis la Justice incréée, éternelle, c'est moi qui, sans acception des personnes, sais proportionner le châtiment à la faute, le malheur à la dépravation... Si tu doutais de mon autorité et du pouvoir irrésistible que j'ai sur tous les mortels, considère les vengeances que j'exerce sur tous ceux qui résistent à mes décrets. »

mique et de propagande, la nature peut être encore prétexte à fantaisies ou aliment de nostalgies très vagues. Il est un jeu auquel le XVIIIe siècle aime se divertir. Que serait actuellement l'homme, s'il n'était jamais sorti de l'état de nature ? L'idée, baroque et captivante, d'un primitif absolu transporté par quelque miracle en pleine civilisation fait pétiller les curiosités. Pour les satisfaire, de graves esprits se livrent à des expériences fictives. L'abbé Guillard de Beaurieu crut avoir trouvé l'idée du siècle en écrivant son *Élève de la nature* (1771) [1]. Quelque temps après sa naissance, le héros-cobaye du livre est enfermé tout nu dans une cage. Pendant douze ans il couche sur de la paille qu'on ne change jamais. Il ne voit personne, mais une main discrète lui apporte quotidiennement sa nourriture. Un jour, il ne trouve rien à manger : c'est l'éveil de sa conscience. A quinze ans, la même main, toujours invisible, le délivre de sa cage et le dépose dans une île déserte. Il devra y apprendre seul à raisonner et à sentir. Il finit même par y rencontrer l'amour — l'île n'est pas aussi déserte qu'on l'avait cru ! — et même par l'exprimer le plus gentiment du monde. Le livre est plein de drôleries et de sottises, mais aussi de très belles pages, chaque fois que la beauté du monde et la fraîcheur des sensations provoquent chez cet enfant de la nature des accès d'un intense et pur bonheur, qui le font se « rouler sur l'herbe », le cœur tout « enivré des délices qu'il recevait par (ses) sens » [2]. Après cela, il devient un homme comme tout le monde et fait une fin bourgeoise. Lorsqu'il retrouve sa famille, son père lui explique l'énigme de son destin. En se mariant, sa femme et lui avaient fait le vœu « d'abandonner au seul instinct » et de « rendre à la nature » tous les enfants qui leur naîtraient au-delà du sixième. Le héros de l'histoire fut malheureusement le septième et heureusement le dernier [3]. L'engouement des contemporains pour un thème aussi éloigné de toute vraisemblance n'exprime pas seulement la nostalgie de la pureté et du repos. On croit sincèrement se livrer à une expérience, même si les données en sont de pure invention. Il s'agit d'isoler précieusement la part de bonheur que l'on peut extraire de la simple *existence*, dépouillée de tout ce que la raison, le sentiment et la société lui ajoutent pour la justifier ou l'enrichir. L'idée de nature permet ainsi de concevoir ou de rêver une sorte de philosophie empirique du bonheur existentiel. Les jeux de la raison sont détournés et exploités pour servir à l'apaisement imaginaire des âmes.

1. Gaspard Guillard de Beaurieu était né à Saint-Pol-en-Artois en 1728. C'était un original, qui s'affublait grotesquement d'un manteau de théâtre et d'un large feutre. Simple et bon, il aima les enfants au point d'entrer en 1794 à l'École Normale, comme simple élève. Il mourut en 1795 à l'hôpital de la Charité.
2. Cf. *op. cit.*, t. I, pp. 97-99.
3. Cf. *ibid.*, t. II, pp. 128-129. L'idée parut si jolie qu'en 1787 Mayeur de Saint-Paul en tira un « mélodrame en un acte en prose », intitulé aussi *L'Élève de la nature*.

Quant à l'évocation des bons sauvages, elle est bien loin d'offrir le caractère stéréotypé qu'on lui prête ordinairement. Si l'on y prend bien garde, tous les bons sauvages ne se ressemblent pas. Le « janséniste » Prévost n'accepte pas l'image très optimiste des *Dialogues curieux* de Lahontan. Son Cleveland — qui a connu dans son enfance une vie de troglodyte et qui a épousé Fanny Axminster selon le rite naturel, avec la seule bénédiction de son père [1] — est fort sévère pour les Abaquis, à qui il reproche, tout sauvages qu'ils sont, de ne pas savoir s'élever à la hauteur de la nature : « Rien ne marque mieux la stupidité des sauvages d'Amérique que de voir qu'ils manquent d'industrie, même pour leur conservation, *quoique la Nature seule dût suffire pour leur en inspirer* [2]. » Pendant tout le temps qu'il a passé chez eux, il s'est improvisé leur législateur. Mais il ne s'est pas contenté de diriger leur apprentissage de la vie en société et d'un état politique. Il a dû, paradoxalement, révéler à ces hommes de la nature les « sentiments naturels » : il leur a enseigné que les fils doivent respecter leur père et que « l'humanité » interdit de massacrer les nouveau-nés contrefaits. Prévost sait bien que la nature idéale, qui est la plus haute expression de l'homme civilisé, diffère de cette nature historique que l'on croit reconnaître dans la condition des primitifs. Il est vrai qu'à défaut de principes élucidés, Cleveland découvre chez les Abaquis un authentique instinct moral [3]. Mais cela ne l'empêche pas de les mystifier, en faisant éclater un pétard dans la cheminée du chef rebelle pour simuler l'exécution d'un méchant par la foudre céleste [4]. L'épisode des Abaquis dédaigne les couleurs monochromes et les images d'Épinal : la peinture des bons sauvages y est toujours très nuancée, quelquefois même désobligeante et cynique. Le pessimisme chrétien ne se laisse pas entamer sans résistance par l'optimisme de la philosophie naturelle. En évoquant les sauvages, Prévost laisse transparaître les tentations divergentes de sa pensée. Un poncif des plus galvaudés lui sert à exprimer une inquiétude, une recherche personnelle.

Le *Supplément au Voyage de Bougainville* n'est pas davantage l'œuvre d'un quelconque partisan de la bonté primitive. Sans doute ne doit-on pas y chercher la « philosophie » de Diderot. Tout au plus n'en est-il, selon l'expression de Paul Vernière, « qu'un aspect dialectique, ou mieux encore, l'expression poétique et buissonnière » [5].

1. *Cleveland*, t. III, p. 130.
2. *Ibid.*, p. 189. Lorsqu'il les quitte et qu'il est recueilli en mer par des Espagnols, il a cette pensée : « De quelque nation qu'ils pussent être, *c'étaient des hommes ; ce n'était plus de stupides et impitoyables sauvages.* » (*Ibid.*, t. IV, p. 9).
3. « La douceur, la fidélité dans les promesses, la tempérance même était en estime parmi eux. » (*Ibid.*, t. III, p. 206).
4. *Ibid.*, pp. 239-240. A demi morts de saisissement, les Abaquis n'auront plus qu'à se laisser docilement convertir au christianisme.
5. Diderot, *Œuvres philosophiques*, éditées par Paul Vernière, Garnier, 1956, p. 453.

Cependant tout le contenu de l'œuvre se réduit à deux thèmes reflétant des préoccupations particulières à Diderot, auxquels l'imagerie tahitienne ne sert que de toile de fond. L'un intéresse son « tempérament » : c'est le problème de la liberté sexuelle. L'autre est une inquiétude du philosophe : comment réaliser l'unité de l'homme, divisé entre les impulsions de sa nature et les impératifs de la morale ? La parabole du vieillard montre l'homme de la nature et l'homme artificiel s'opposant en une lutte farouche à l'intérieur de l'homme civilisé, dont ils font le malheur. Le retour à l'innocence primitive, qui ferait cesser le combat en éliminant l'un des adversaires, étant un mythe, il ne reste que l'espoir de transformer le pugilat en dialogue. C'est la formule même du bonheur.

L'idée de nature, par ses ambivalences et ses contradictions, se prête admirablement à illustrer les exigences, les craintes ou les rêves de toutes les âmes qui se veulent heureuses. C'est d'une manière indirecte que la raison ici participe au bonheur. Elle sert moins à l'édifier qu'à fournir des justifications à sa recherche. Surtout elle élabore des thèmes, dont l'imagination s'empare et qu'elle enrichit d'infinies résonances. Ce n'est pas l'une des moindres fonctions de la raison, au XVIIIe siècle, que de se faire la pourvoyeuse du cœur.

L'idée de nature sert à prouver l'ordre du monde par une démarche assez équivoque, qui est à la fois l'évocation d'un passé semi-idéal et une évasion en dehors de l'histoire, destinée à saisir l'essence de l'homme. Mais qu'il s'agisse du mythe de l'humanité originelle ou de l'homme absolu, elle risquait de sembler bien lointaine. N'y a-t-il pas un moyen de rapprocher, d'installer sur la terre cette image ou ce pur concept ? Ne peut-on imaginer que l'homme des origines revive dans l'homme de l'avenir, et réintroduire l'*homme idéal* dans le temps pour en faire l'*homme futur*. L'idée de nature conduit ainsi à l'idée de progrès.

7. — La raison et le cœur réconciliés : L'idée de progrès.

L'idée de progrès achemine vers l'apothéose de la raison. Elle symbolise le triomphe de celle-ci sur le destin. Elle montre la raison informant souverainement l'histoire, la noblesse de l'homme plus forte que sa misère. Grâce au progrès, le bonheur cesse d'être un rêve pour devenir une certitude. D'abstraction immobile ou inconsistante chimère, il se change résolument en *projet*.

Avec la nature, le progrès est l'autre pilier qui soutient l'ordre du monde. Pourtant les deux idées ne s'harmonisent pas aisément. On ne sait pas si l'homme doit regarder vers le passé ou vers l'avenir.

De plus, la nature se définit par la permanence et la stabilité : elle est une *essence*. Le progrès, au contraire, est un *devenir*. Affirmer la possibilité du progrès, c'est reconnaître à l'homme une parfaite liberté de mouvement ; c'est avouer implicitement qu'il n'est gêné par aucune nature. Plus l'homme dépend d'une nature, moins il est libre, moins il a de chances de progresser. La seule façon d'expliquer ces antinomies est de glisser une fois encore du systématique à l'existentiel. L'idée de nature et l'idée de progrès sont en bonne logique incompatibles, mais elles constituent une double *sécurité*.

On peut cependant atténuer la contradiction en établissant que l'homme est perfectible, que le progrès est inscrit dans sa nature, qu'on peut dépasser la nature positive pour tendre vers une nature idéale. Le problème est souvent posé au cours du siècle. En 1769, un anonyme écrit un *Discours sur la question suivante : si l'on peut détruire les penchants qui viennent de la nature*. L'auteur conclut que l'homme a le pouvoir de « corriger » et de « rectifier » ses tendances [1]. Grâce à la raison, il demeure libre vis-à-vis de sa nature. Il est capable d'en réprimer les écarts et de ne laisser fructifier que les bons instincts. L'esprit humain découvre devant lui un champ immense, dont l'exploration lui offre des promesses illimitées. Buffon termine ses *Époques de la Nature* par une évocation de cet avenir splendide : « Qui sait, demande-t-il, jusqu'à quel point l'homme pourrait perfectionner sa nature, soit au moral, soit au physique ? » Le progrès moral est essentiellement un problème politique [2]. Quant au progrès physique, il dépend de la science, qui est elle-même l'aboutissement d'un progrès. Ce n'est qu'après avoir longtemps employé les ressources de leur esprit aux arts de la guerre et à la recherche frivole du plaisir, que les hommes ont tâché de concilier la science, la paix et le bonheur [3]. A partir de ce pacte fondamental, le progrès peut se déployer à l'infini.

D'Holbach reconnaît dans la nature humaine un principe irré-

1. « Il a reçu avec elles la faculté de les combiner, de réfléchir sur elles, de connaître le rapport qu'ont à lui et à son bien-être les objets qu'elles lui présentent. Il a reçu la raison, ce don si beau et si précieux, ce flambeau toujours allumé, à l'aide duquel il pourra discerner ce que les objets ont de contraire ou d'utile à son bonheur. » (*Op. cit.*, pp. 25-26).

2. « Y a-t-il une seule nation qui puisse se vanter d'être arrivée au meilleur gouvernement possible, qui serait de rendre tous les hommes non pas également heureux, mais moins inégalement malheureux, en veillant à leur conservation, à l'épargne de leurs sueurs et de leur sang par la paix, par l'abondance des subsistances, par les aisances de la vie et les facilités pour leur propagation ? Voilà le but moral de toute société qui chercherait à s'améliorer. » (BUFFON, *Époques de la Nature*, *Œuvres*, éd. Bastien, 1811, t. III, pp. 435-436.)

3. « Et pour la physique, la médecine et les autres arts dont l'objet est de nous conserver, sont-ils aussi connus que les arts destructeurs, enfantés par la guerre ? Il semble que, de tout temps, l'homme ait fait moins de réflexions sur le bien que de recherches pour le mal ; toute société est mêlée de l'un et de l'autre ; et comme, de tous les sentiments qui affectent la multitude, la crainte est le plus puissant, les grands talents dans l'art de faire du mal ont été les premiers qui aient frappé l'esprit de l'homme ; ensuite ceux qui l'ont amusé ont occupé son cœur ; et ce n'est qu'après un trop long usage de ces deux moyens de faux honneur et de plaisir stérile, qu'enfin il a reconnu que sa vraie gloire est la science et la paix son vrai bonheur. » (*Ibid.*).

sistible de progrès, qui s'explique par le privilège dévolu à la vérité de dissiper invinciblement les ténèbres. Le progrès n'exige aucun aménagement contingent, aucune tension de la volonté : il est la pente même de la raison. C'est pour l'arrêter que certains hommes ont dû se dépenser prodigieusement [1]. En fait d'Holbach se contredit. Il ne sait pas choisir entre une conception essentialiste et une conception évolutive de l'homme. Tout en assurant que l'homme progresse au rythme d'un devenir empirique, il précise que c'est une « loi éternelle » de sa « nature » qui en a décidé ainsi. En outre, la raison et le bonheur servent à se justifier mutuellement. Tantôt le bonheur dépend de la raison, dont il est l'œuvre. Tantôt l'exercice de la raison doit être stimulé par l'appétit du bonheur. Mais la conviction du philosophe n'est pas entamée par ces faiblesses. Il énumère tous les facteurs de progrès : vérité, éducation, expérience, raison, gouvernement. Toutes les erreurs qui ont provoqué le malheur de l'homme peuvent être redressées une à une [2]. Sans doute le bonheur ne sera-t-il jamais universel ni éternel. Mais du moins le verra-t-on éclore sur « une portion de la terre », « pendant des intervalles favorables » [3]. Si restreint qu'il soit dans le temps et l'espace, un tel bonheur servira de témoin en donnant, si l'on peut dire, la mesure idéale de l'homme réel.

En 1772 un médecin, Verdier, publie un *Recueil de mémoires et d'observations sur la perfectibilité de l'homme par les agents physiques et moraux*. Le livre est le fruit d'une réflexion de « vingt années » sur la « liaison intime » de deux arts — l'éducation et la médecine — qui ont pour objet de perfectionner l'espèce humaine » [4]. Cette idée a conduit l'auteur à imaginer une nouvelle science, qu'il nomme

1. « Il est évident que la nature a fait l'homme susceptible d'*expérience* et, par conséquent, de plus en plus perfectible. C'est donc une absurdité que de vouloir l'arrêter dans sa course, en dépit d'une loi éternelle qui le pousse en avant. Puisque la nature de l'homme lui fait désirer le bonheur, il faut que l'homme s'éclaire ; les imposteurs et les tyrans ne sont pas plus forts que la nature universelle, ils ne peuvent pas toujours la tenir dans la stupidité. » (D'HOLBACH, *Essai sur les préjugés*, p. 97).

2. « Ne désespérons point de la guérison du genre humain ; pourquoi ne se guérirait-il pas par les mêmes moyens qui l'ont empoisonné ? Si c'est l'erreur qui causa tous ses maux, qu'on lui oppose la vérité ; si ce sont les vaines terreurs qui l'ont égaré, qu'on le rassure ; si c'est l'éducation qui propage et éternise les préjugés, qu'on la rende plus sensée ; si c'est pour avoir méconnu les voies de la nature qu'il s'est perpétuellement égaré, qu'on le ramène à cette nature, qu'il fasse des expériences, qu'il développe sa raison ; si ce sont ses gouvernements qui le rendent malheureux et corrompent ses mœurs, donnons-lui de la grandeur d'âme, montrons-lui tous ses droits, inspirons-lui l'amour de la liberté. Prouvons à ses souverains que leurs véritables intérêts sont essentiellement les mêmes que ceux des sujets qu'ils gouvernent et doivent l'emporter sur les intérêts futiles des flatteurs, qui leur suggèrent qu'ils ne peuvent être puissants et respectés qu'en rendant leurs sujets faibles et misérables. » (*Ibid.*, pp. 356-357).

3. « S'il n'est point permis de croire que la raison puisse un jour éclairer la race humaine entière, pourquoi ne nous flatterions-nous pas de la voir du moins régner sur une portion de la terre ? Si les nations, ainsi que les individus, ne peuvent espérer un bonheur permanent et inaltérable, pourquoi douter qu'elles puissent au moins en jouir pour quelque temps ? Osons donc prévoir ces heureux instants dans l'avenir ; que notre cœur se réjouisse de pressentir qu'un peuple puisse, du moins pendant des intervalles favorables, être gouverné par la raison. » (*Ibid.*, p. 359).

4. *Op. cit.*, p. IV.

la « médecine économique, pédagogique et morale »[1], et qui doit permettre de dépasser la controverse périmée sur l'éducation des collèges et l'éducation privée afin de « perfectionner l'une et l'autre »[2]. Cette pédagogie idéale se fonde sur une analyse et une reconstitution génétique du tempérament, du génie de chaque élève[3]. Une connaissance approfondie de soi est déjà un élément précieux pour le bonheur[4]. Mais le précepteur-médecin qui se livre à cet « examen historique et expérimental »[5], par quoi il recompose dans ses moindres détails une personnalité, a pour ambition dernière « la perfectibilité des facultés corporelles et spirituelles »[6]. Cette éducation analytique, tendant à l'élucidation totale du mystère individuel, est en même temps une éducation démiurgique : « Le professeur est à l'égard du cerveau de son élève ce qu'est un auteur à l'égard de son livre[7]. » Après avoir minutieusement anatomisé son élève, le précepteur-médecin le reconstruit et l'oriente comme il veut.

Le progrès n'est donc pas seulement l'un des thèmes du bonheur social. Il existe aussi un progrès de l'individu, en tant qu'être physique et moral. La médecine a son importance dans l'élaboration du bonheur. On sait déjà au XVIIIe siècle qu'il est naïf et dangereux de vouloir être heureux sans son corps[8]. Les thérapeutiques psychologiques ne sont pas non plus inconnues : un Wolmar, dans *La Nouvelle Héloïse*, est bien près de se métamorphoser en psychiatre. Mais c'est l'éducation, dans son sens le plus large, qui est responsable en définitive du bonheur et du progrès individuels.

On se passionne alors pour la pédagogie. Il est une question que tout le monde agite : vaut-il mieux élever les enfants au collège ou les confier à un précepteur ? Un être aussi peu doué d'instinct paternel que Bernis s'intéresse au problème et se prononce pour la première

1. *Ibid.*, p. XI.
2. *Ibid.*, p. 100.
3. Il faut « prendre son histoire au moment de sa naissance ; que dis-je, à sa conception » et « le suivre dans le développement des organes et de leurs fonctions », en déterminant avec précision « les richesses du sens intérieur, la nature des impressions qu'il a reçues, le ton des passions et la force des habitudes et des préjugés, qui ont plus ou moins nuancé le tableau de sa vie ». (Cf. *ibid.*, pp. 104-105). L'auteur ajoute, pour montrer le degré de précision nécessaire à cet essai de reconstitution scientifique et historique de la personnalité : « En faisant ce détail, on doit suivre pareillement la succession des agents physiques et moraux, dont l'usage a fait de l'embryon un nouvel être. On doit déterminer la nature de l'air et du climat où il a vécu ; l'intensité du feu naturel ou artificiel, par lequel il a été animé ; les vêtements et les logements qui ont intercepté la communication de son corps avec l'atmosphère ; les boissons et les aliments qui l'ont nourri ; les exercices qui ont mis ses organes en jeu ; le partage de sa vie par le sommeil et la veille ; les révolutions qu'ont opérées chez lui les changements de saison ; et même les médicaments pharmaceutiques et chirurgicaux, dont quelquefois l'usage a été répété assez souvent et continué assez longtemps pour laisser des impressions durables dans la constitution organique... » (*Ibid*).
4. « Chaque homme serait heureux s'il recevait dans le cours de ses études la connaissance de son propre tempérament. » (*Ibid.*, p. 110.)
5. *Ibid.*, p. 115.
6. *Ibid.*, p. 110.
7. *Ibid.*, p. 124.
8. Cf. le chapitre *Les formes immédiates de l'existence.*

solution [1]. Il souhaite aussi que l'éducation soit mieux adaptée à la condition et qu'on apprenne à un fils de marchand plutôt l'arithmétique qu'à composer des vers grecs et latins : « Je voudrais que chacun fût élevé selon son état et relativement aux emplois qu'il doit tenir dans la société. » Mais toute éducation repose sur un fondement commun, qui se compose de ces « trois points d'instruction » nécessaires au bonheur :

« La *religion*, par laquelle seule on peut être sauvé (cela est dit assez mollement) ; l'*étude des lois* par laquelle on défend son propre bien et celui des autres (voilà qui compte davantage) ; enfin la *médecine*, par laquelle on peut conserver sa santé (point capital). Tels sont, ce me semble, les objets les plus essentiels, mais souvent les plus ignorés [2]. »

On remet en question les nobles traditions : collèges, belles-lettres et vers latins. On rêve d'une culture plus en rapport avec la vie. Le vieux système s'infléchit successivement dans deux directions différentes, qui reflètent l'une et l'autre le double souci du bonheur personnel et de la réalité sociale. Dans la première moitié du siècle, l'éducation veut être mondaine et ne cherche qu'à rendre brillant le jeune « seigneur », qui se moque des barbouillages latins. Le « Marquis » confié à « l'Homme de qualité » étudie trois heures par jour — le matin, de six heures et demi à dix heures, en comptant la toilette et le moment du « chocolat » — et consacre le reste de la journée aux « promenades », aux « visites » et au « divertissement » [3].

Dans la seconde partie du siècle, l'éducation se modifie sensiblement. C'est toujours vers le « monde » qu'elle est dirigée, mais le sens du mot s'est élargi ; il ne s'agit plus du monde des salons, mais de la nature, de l'univers entier. Avant l'*Émile*, l'art d'enseigner devient

1. Cf. Bernis, *Mémoires*, pp. 13-14.
2. *Ibid.*, p. 19.
3. Cf. Prévost, *Mémoires d'un homme de qualité*, t. III, pp. 51-52. Vers 1730, l'éducation du jeune noble est un sujet fort à la mode. En 1727, les *Conseils d'un gouverneur à un jeune seigneur* portent sur trois points : la religion ; les « devoirs d'un seigneur dans le service, le mariage et dans la société civile » ; les « plaisirs permis ». (Bouyer de Saint-Gervais, *op. cit.*, p. 11). En 1728, un chanoine de Laval compose un traité : *De l'éducation d'un jeune seigneur*. Il se fait une très haute idée du rôle de la noblesse dans la vie de l'État : « C'est là ce qui rend l'éducation d'un jeune seigneur si importante et si difficile. » Cette éducation doit être « totale ». Le précepteur ne quitte pas son élève une seconde et le suit même à la chasse. Son dessein est illimité, puisqu'il s'agit de « former l'esprit » et de « régler le cœur ». (Baudoin, *op. cit.*, p. 2). Le précepteur doit en somme réparer les dommages du péché originel en tâchant de reconstruire un homme aussi peu dépravé et aussi heureux que possible. Quant au programme d'études, il est beaucoup trop éclectique pour être très sérieux. On y trouve, pêle-mêle, le catéchisme, la fable, les ouvrages d'apologétique, les médailles, le blason, les récits de voyage, l'art militaire, le droit civil et le droit canon, le dessin, la danse et les jeux de cartes, l'agriculture et les « libertés de l'Église gallicane ». En 1729, un jésuite rassemble dans trois volumes, intitulés *La Science de la jeune noblesse*, toutes les disciplines qui ne sont pas enseignées dans les collèges et qui lui semblent infiniment plus précieuses que le latin et la philosophie : « On sait que la plupart des gens de qualité s'embarrassent peu aujourd'hui que leurs enfants, destinés au monde, sortent du collège chargés de latin et qu'ils sont charmés de leur voir l'esprit orné de ces autres connaissances dont nous parlons. » Au nombre de ces connaissances, se trouvent citées, côte à côte, l'histoire ecclésiastique et les « fortifications ». (Père Duchesne, *op. cit.*, pp. xxi et suiv.).

une permanente leçon de choses. En 1756, dans une lettre à la gouvernante de sa fille, Mme d'Épinay conseille : « C'est surtout aux *yeux* des enfants qu'il faut parler plus qu'à leur esprit [1]. » En même temps qu'aux sens, l'éducation doit s'adresser au cœur [2]. Lorsque sa fille sera plus grande, Mme d'Épinay s'emploiera elle-même à éveiller et à former son esprit. Pratiquement, elle n'a qu'une chose à lui apprendre : la morale ou la science du bonheur [3].

Enfin l'éducation passe par un dernier stade : elle se transforme en un problème national. Elle se fait « patriotique ». L'individu est peu à peu absorbé dans le citoyen. La pédagogie devient l'un des moyens, non du progrès et du bonheur personnels, mais du progrès et du bonheur collectifs. Elle n'en consiste pas moins à miser sur la perfectibilité de l'homme et à le façonner de manière à le rendre heureux.

***

Condorcet a fondé un système sur l'idée du progrès, dans son ouvrage *Esquisse d'un tableau historique des progrès de l'esprit humain.* Voltaire le compare à Pascal, et Rousseau lui écrit que, s'il avait à renaître, il voudrait être son disciple. La doctrine de Condorcet repose sur un double acte de foi : le progrès est illimité et irréversible [4]. Sa méthode consiste à reconstituer l'histoire des progrès déjà réalisés pour en déduire la courbe des progrès futurs. Le passé se divise en trois moments : les civilisations primitives, une époque intermédiaire qui s'étend jusqu'à l'invention de l'écriture, et la période comprise entre cette date et l' « état actuel des espèces humaines dans les pays les plus reculés d'Europe » [5]. L'époque contemporaine est l'un des points culminants de l'histoire du monde : « Tout nous dit que nous touchons à l'époque d'une des grandes révolutions de l'espèce

1. « Apprenez-lui à admirer les beautés de la nature, à voir travailler les insectes par exemple : les petites choses sont plus à la portée des enfants. Qu'elle s'accoutume à être attentive à ces sortes d'objets si dignes d'être admirés et si négligés dans l'éducation ordinaire. » (Mme d'Épinay, *Lettre à la gouvernante de ma fille*, dans *Mes Moments heureux*, pp. 39-40).

2. « Il faut causer continuellement et tirer parti de tout pour lui former le cœur. Voilà l'essentiel. L'esprit ira tout seul... » (*Ibid.*).

3. Voici un fragment des *Conversations d'Émilie* (1774) : « Émilie : Il faut donc être utile aux autres pour être heureux ? — La Mère : C'est un des moyens les plus sûrs pour arriver au bonheur. — Émilie : Qu'est-ce que c'est que le bonheur ? — La Mère : C'est ce que vous éprouvez, mon enfant, quand vous êtes contente de vous et que vous avez satisfait à ce que nous exigeons de vous. — Émilie : J'entends ; quand j'ai été bien obéissante et que j'ai bien fait mes devoirs. Mais, quand je serai grande, je n'aurai plus de devoirs à faire ; je n'aurai donc plus d'occasion d'être heureuse ? — La Mère : Chaque âge a ses devoirs, ses occupations, ses plaisirs. » (Mme d'Épinay, *Les Conversations d'Émilie*, pp. 6-8).

4. Selon lui, la nature n'a assigné aucun terme au « perfectionnement des facultés humaines » ; la « perfectibilité de l'homme est réellement indéfinie » ; aucune puissance ne peut l'arrêter et elle ne finira qu'avec la « durée du globe où la nature nous a jetés ». En outre, la marche de l'humanité, même si son rythme implique des temps morts, ne sera jamais « rétrograde, du moins tant que la terre occupera la même place dans l'univers. » (Condorcet, *op. cit.*, pp. 4-5).

5. Cf. *ibid.*, pp. 12-14.

humaine [1]. » Le progrès futur ne sera pas le simple prolongement des progrès du passé. Il prendra plutôt son essor dans la « révolution » du présent.

Pour Condorcet la nature humaine est exclusivement rationnelle. Il est donc concevable qu'une illumination totale de la raison la porte à sa perfection [2]. Si infaillible et triomphale que soit la marche de l'esprit, l'homme peut la précipiter par son expérience et sa sagesse, « pour que le bonheur qu'elle promet soit moins chèrement acheté » [3]. La liberté du jugement individuel doit soutenir cette fatalité victorieuse inscrite dans la raison universelle. Il faut démasquer et renverser les derniers obstacles qui pourraient entraver le progrès. Il existe trois sortes de préjugés : ceux des philosophes, qui sont la contrepartie des vérités conquises et naissent, pour ainsi dire, à l'ombre même du progrès ; les préjugés populaires, qui retardent par inconscience la diffusion des vérités ; enfin les préjugés de « certaines professions accréditées ou jouissantes », qui tentent volontairement de perpétuer les ténèbres [4].

Trois forces commandent l'histoire de la raison humaine : une force positive, la civilisation, et deux forces négatives, la superstition et le despotisme [5]. La raison n'est pas une entité, mais une réalité vivante, nourrie par certains événements, interceptée par d'autres. Mais jamais elle ne touche l'homme d'une illumination immédiate. Il faut qu'elle imprègne successivement trois zones bien distinctes, qui se révèlent de plus en plus opaques, offrant une résistance accrue à sa pénétration. Les *philosophes* sont les premiers à être éclairés : c'est leur fonction même. L'*opinion* se laisse ensuite peu à peu convaincre par leur action. Mais les *gouvernements* ne se rendent qu'à l'ultime seconde, car leur entêtement dans le faux est sans borne [6].

Les philosophes eux-mêmes, accessibles par vocation à la vérité, n'ont pas su d'emblée faire un droit usage de la raison. Descartes avait bien senti qu'elle était la source des « vérités évidentes et premières », mais il s'est laissé fourvoyer par son « imagination impatiente » [7]. Condorcet, comme Voltaire, l'accuse d'avoir rêvé le

1. *Ibid.*, p. 19.
2. « La nature a indissolublement uni les progrès des lumières et ceux de la liberté, de la vertu, du respect pour les droits naturels de l'homme.... Ces seuls biens réels, si souvent séparés qu'on les a crus même incompatibles, doivent au contraire devenir inséparables, dès l'instant où les lumières auront atteint un certain terme dans un plus grand nombre de nations à la fois. » (*Ibid.*, p. 15).
3. *Ibid.*, p. 20.
4. « Ce sont trois genres d'ennemis que la raison est obligée de combattre sans cesse et dont elle ne triomphe souvent qu'après une lutte longue et pénible. » (*Ibid.*, p. 16). Toute une partie du livre de Condorcet sera le récit de ces combats.
5. « Nous avons vu la raison humaine se former lentement par les progrès naturels de la civilisation ; la superstition s'emparer d'elle pour la corrompre ; et le despotisme dégrader et engourdir les esprits sous le poids de la crainte et du malheur. » (*Ibid.*, p. 233).
6. *Ibid.*, pp. 239-240.
7. *Ibid.*, p. 249.

« roman de l'âme » au lieu d'en composer l'histoire. Le premier, Locke « saisit le fil » en fixant les limites de la raison, en révélant « la nature des vérités qu'elle peut connaître ». C'est en appliquant « à la morale, à la politique et à l'économie publique »[1] la méthode de Locke que les Philosophes, ses successeurs, franchirent un pas décisif. Mais la découverte capitale fut celle des « publicistes », qui ont défini les « véritables droits de l'homme »[2]. Ils furent les premiers à situer le nœud du progrès dans la dépendance réciproque du bonheur de chacun et du bonheur de tous. Condorcet n'est pas loin de penser que le problème du bonheur n'a de réalité que politique. C'est ce qui explique l'intensité de son optimisme, la société étant plus facile à réformer que les âmes. En rationalisant le système social, en confondant société et nature, nature et raison, on élimine cette part d'incertitude et d'angoisse que recèlent les profondeurs de l'homme. La voie la plus facile pour conduire celui-ci au bonheur est de le convertir en citoyen. En substituant au vieil homme rempli d'ombre cet être clair et malléable, la société dénoue d'avance tous les liens, éclaircit tous les mystères. Peut-être est-ce en trahissant l'homme ? Condorcet ne semble en tout cas jamais le soupçonner.

Après la découverte des vérités, il fallut entreprendre leur diffusion. Telle est la gloire du XVIIIe siècle[3]. Plusieurs facteurs ont contribué à l'actuel triomphe de la raison : la philosophie, qui révéla le vrai ; l'assaut contre les préjugés, qui délivra la conscience commune, écrasée ou trompée jusque-là par de funestes puissances ; enfin le développement des sciences et des techniques, qui multiplia les moyens d'action. Trois aspects de l'émancipation de l'esprit, également nécessaires au bonheur des hommes.

A partir de là, peut-on dessiner l'avenir ? D'abord, il est impossible que la raison recule. Aucune science, surtout pas celle de la vérité, « ne peut descendre désormais au-dessous du point où elle a été portée »[4]. Condorcet pense que les progrès futurs de l'humanité seront triples : « *La destruction de l'inégalité parmi les nations, les progrès de l'égalité dans un même peuple, enfin le perfectionnement réel de*

1. *Ibid.*, p. 251.

2. Ils les ont déduits « de cette seule vérité qu'il est un être sensible, capable de former des raisonnements et d'acquérir des idées morales » et ils ont proclamé que « le maintien de ces droits était l'objet unique de la réunion des hommes en sociétés politiques ». (*Ibid.*, p. 241).

3. « Il se forma bientôt en Europe une classe d'hommes moins occupés encore de découvrir ou d'approfondir la vérité que de la répandre ; qui, se dévouant à poursuivre les préjugés dans les asiles où le clergé, les écoles, les gouvernements, les corporations anciennes les avaient recueillis et protégés, mirent leur gloire à détruire les erreurs populaires plutôt qu'à reculer les limites des connaissances humaines, manière indirecte de servir à leur progrès, qui n'était ni la moins périlleuse ni la moins utile. » (*Ibid.*, p. 257).

4. *Ibid.*, p. 319. En outre, puisque l'homme « peut prédire avec une assurance presque entière les phénomènes dont il connaît les lois... pourquoi regarderait-on comme une entreprise chimérique celle de tracer avec vraisemblance le tableau des destinées futures de l'espèce humaine d'après les résultats de son histoire ? » (*Ibid.*, p. 327).

l'homme[1]. » Le premier point doit aboutir à la liberté universelle. Un jour « le soleil n'éclairera plus sur la terre que des hommes ne reconnaissant d'autre maître que leur raison », et les tyrans, les esclaves, les prêtres n'existeront plus que « dans l'histoire et sur les théâtres »[2]. Sur le second article, Condorcet est beaucoup moins chaleureux. Les trois sortes d'inégalité (de « richesse », d' « état » et d' « instruction ») s'émousseront peu à peu « *sans toutefois s'anéantir, car elles ont des causes naturelles et nécessaires, qu'il serait absurde et dangereux de vouloir détruire* »[3]. Voilà un messianisme passionné singulièrement tempéré par le conformisme social ! Mais cette brusque réticence s'explique. S'il est vrai que le bonheur de l'homme ne progresse qu'avec sa raison et si la raison n'appartient qu'à l'homme social, on ne peut transformer la société sans risquer de compromettre le progrès lui-même[4]. Enfin le prophète de la raison affirme que l'espèce humaine est perfectible, et il caresse avec tous ceux de son siècle le mythe de la longévité[5].

Tel est le portrait de l'homme nouveau : délivré des anciennes puissances, désabusé de toutes ses erreurs, libre d'affronter et capable de résoudre les problèmes dont la raison lui apporte la clé, purifié de tout sentiment de révolte parce qu'il ne verra plus ni l'immonde opulence ni la déchirante misère, maître enfin de son corps et de la durée même de sa vie. On peut trouver l'image à la fois bien utopique et bien incomplète. Il semble que Condorcet ait beaucoup moins défini le bonheur qu'écarté les obstacles qui en encombrent la route. Le cadre qu'il a choisi pour son système lui interdit de faire leur part aux besoins de l'âme, au sentiment. On peut craindre qu'il n'y ait guère pensé. Lorsqu'il évoque l'homme futur et sa vie heureuse, il oublie tous les bonheurs de l'intimité[6].

1. *Ibid.*, p. 328.
2. *Ibid.*, p. 338.
3. *Ibid.*, p. 340.
4. Sans doute Condorcet aurait-il pu concevoir une société parfaite, où l'inégalité eût été abolie. Mais il est moins proche de Morelly que de Voltaire, de d'Alembert, de d'Holbach ou de Turgot, qui pensent, avec la majorité de leurs contemporains, que l'inégalité tient à l'essence même de la société.
5. « Personne ne doutera sans doute que le progrès dans la médecine conservatrice, l'usage d'aliments et de logements plus sains, une manière de vivre qui développerait les forces par l'exercice, sans les détruire par des excès, qu'enfin la destruction des deux causes les plus actives de dégradation, la misère et la trop grande richesse, ne doivent prolonger pour les hommes la durée de la vie commune, leur assurer une santé plus constante, une constitution plus robuste. » (*Ibid.*, p. 380).
6. Néanmoins sa pensée, qui est une pensée politique, est assurément féconde et généreuse : « Les hommes sauront que, s'ils ont des obligations à l'égard des êtres qui ne sont pas encore, elles ne consistent pas à leur donner l'existence, mais le *bonheur* ; elles ont pour objet le bien-être général de l'espèce humaine ou de la société dans laquelle ils vivent, de la famille à laquelle ils sont attachés, et non la puérile idée de charger la terre d'êtres inutiles et malheureux. » (*Ibid.*, p. 358).

***

Condorcet représente parfaitement l'optimisme rationaliste fondé sur l'identité utopique de la nature et de la raison. Tout rationalisme se contredit lui-même, en s'appuyant sur un fondement irrationnel, sur un acte de foi. Pourtant la raison sait aussi se glisser dans des formes plus subtiles. Delisle de Sales parle de ce « tact », qui « est dans la science du bonheur ce que le goût est dans l'étude des arts » [1].

En réalité, les fonctions de la raison sont multiples, malaisées à réduire à l'unité. Son rôle le plus noble consiste à révéler la vérité. C'est aussi le plus illusoire. Car la vérité accessible à la raison n'est pas forcément celle qui agit sur la nature. On tentera alors de confondre désespérément les deux avec une sorte de naïveté pathétique et hautaine. Ou bien l'on conviendra de la rupture et la raison avouera son échec.

Bien moins chimérique est cette autre raison, qui se veut seulement méthode. N'annonçant ni révélation, ni miracle, elle se contente d'être une sagesse. De la prudence souple et légère d'un Montesquieu au dogmatisme glacé d'un Wolmar, en passant par ce curieux mélange d'emportement passionnel et de résignation à l'ordre du monde qu'incarne le marquis de Lassay, toutes les formes de l'art de vivre sont concevables.

Enfin la raison peut n'être, si l'on peut dire, qu'alibi ou prétexte. Au lieu d'annexer le sentiment, de lui imposer contrôle et discipline, elle travaille pour lui, elle s'efforce à le justifier. De tous les aspects de la raison, tel est peut-être le plus riche, en tous cas le plus émouvant : la raison complice du cœur. Pour permettre à l'homme d'extraire le meilleur de son séjour terrestre, pour qu'il puisse édifier calmement son bonheur, qu'il n'ait jamais le vertige et reconnaisse toujours sa route, pour l'assurer qu'il n'est pas coupable de songer à son plaisir (à condition qu'il songe un peu aussi à celui des autres), la raison, inlassable et complaisante ouvrière, forge des mythes merveilleux : l'Ordre du monde, la Nature, le Progrès. Jamais le sentiment, à lui seul, ne pourrait se reposer sur de telles certitudes.

1. Delisle de Sales, *Philosophie du bonheur*, t. I, p. 89.

CHAPITRE XIII

BONHEUR ET VERTU

« On n'est jamais assez vertueux parce qu'on n'est jamais assez heureux. »

MABLY, *Entretiens de Phocion.*

Introduction : Les équivoques de la vertu. — 1. L'art de plaire. — 2. La sociabilité. — 3. La vertu-repos et la vertu-bienfaisance. — 4. Les mythes de la vertu : la loi naturelle et l'intérêt. — 5. La vertu-sacrifice. Procès de la vertu.

C'est par un raisonnement fort simple que la vertu est introduite dans le cycle du bonheur. Celui-ci n'est pas concevable sans le repos de l'être tout entier, sans cette unité intérieure où se résout l'antinomie des deux principes composant la nature humaine : « Il semble, écrit Dupont de Nemours, qu'il y ait un *nous* qui désire, qui agit et un autre *nous* qui décide si le désir est honnête, si l'action est bonne. Point de bonheur quand ils ne sont point d'accord [1]. » L'exigence du bonheur n'est donc pas en contradiction avec l'exigence morale. Elle l'implique, au contraire. Dans la mesure où les actes de vertu contribuent à la paix de l'âme, être vertueux, c'est travailler à son bonheur. Comme le dit Mably, « on n'est jamais assez vertueux, parce qu'on n'est jamais assez heureux » [2].

Sur la définition de la vertu, le siècle est unanime. Elle consiste à accorder un avantage au bonheur d'autrui sur notre bonheur propre. Elle désigne exclusivement une aptitude sociale. Vauvenargues assure : « La préférence de l'intérêt général au personnel est la seule définition qui soit digne de la vertu et qui doive en fixer l'idée [3]. » D'Holbach confirme : « La vertu n'est réellement que la sociabilité [4]. »

1. DUPONT DE NEMOURS, *Philosophie de l'Univers*, pp. 99-100.
2. MABLY, *Entretiens de Phocion*, p. 231.
3. VAUVENARGUES, *Œuvres*, t. I, p. 64.
4. D'HOLBACH, *Système de la société*, t. I, p. 119. Cf., dans le même sens, DRAGONETTI, *Traité des vertus*, traduit de l'italien en 1767. « On donna le nom de vertu à toutes les actions qui avaient pour objet le bonheur des autres hommes ou à cette préférence du bien des autres sur le sien propre... La vertu n'est donc qu'un généreux effort indépendant des lois, qui nous porte à rendre service aux autres hommes ; elle a donc pour objet un sacrifice de la part de l'homme vertueux, d'un côté, et l'avantage qu'il revient au public, de l'autre. » (*Op. cit.*, pp. 19-21).

La vertu est donc un désaisissement de soi au profit des autres. Elle diffère profondément du bien moral selon le christianisme. Elle ne dépend plus d'une Révélation, dépourvue qu'elle est de tout mystère, dans sa nature comme dans ses fins. La conduite qu'elle trace apparaît avec évidence et il est facile d'en mesurer l'efficacité. Surtout, ce n'est plus au salut personnel qu'elle apporte chaque fois sa pierre, mais au bien public, qui devient la suprême valeur. Au dialogue surnaturel entre Dieu et l'âme, se substitue une confrontation entre l'individu et la société. La vertu chrétienne était à la fois plus gratuite et plus intéressée. Plus gratuite, car elle sacrifiait la nature égoïste, non à une réalité visible, mais à une promesse venue de l'invisible. Plus intéressée, car la justification dernière demeurait le salut de l'âme vertueuse, chacun agissant pour soi, non pour les autres.

Il faut reconnaître plus de rigueur à la dialectique chrétienne. Il s'agissait alors d'échanger un bien certain, mais limité, contre un bien douteux, mais infini. Il y avait bien là, comme le montrait Pascal, matière à *pari*. Bonheur terrestre et salut éternel relevaient de deux ordres différents, et ce pouvait être un jeu exaltant ou tragique que de les mettre en balance. La définition de la vertu selon le XVIIIe siècle recèle au contraire une sorte de tautologie. Il n'existe plus aucune antinomie entre les deux valeurs qui s'offrent au choix. Du bonheur individuel au bonheur social, ce n'est que par un abus de langage que l'on croit accéder à un ordre supérieur. Une addition ou une multiplication ne fonde pas une transcendance [1].

Mais la tautologie est en même temps contradiction. Il reste en effet à concilier deux propositions, à la fois complices et antagonistes, butant l'une contre l'autre, quoique solidaires, et dont on ne sait jamais très bien si elles se répètent, se complètent ou s'annulent : *Etre heureux, c'est être vertueux. Etre vertueux, c'est sacrifier son bonheur à celui des autres*. S'agit-il d'un marché de dupes, ou tient-on en réserve quelque merveilleuse compensation ?

Ici s'installe un débat qui divise le siècle. Il est entendu que le besoin du repos, l'exigence d'unité engagent les candidats au bonheur à éviter tout conflit avec leur conscience. Mais que signifie le mot « conscience » ? Pour certains, c'est l'ineffaçable empreinte que la Nature laisse au fond de toute âme, même imparfaite ou égarée. Chaque homme possède ainsi une révélation intérieure du Bien. Pour d'autres, la conscience humaine est une table rase, jusqu'au moment où s'y inscrivent les résidus des expériences successives.

1. D'ailleurs, le cercle vicieux apparaît dans le rapport réversible établi entre le bonheur et la vertu. Le bonheur ne peut pas se définir sans la vertu. Il en est la condition nécessaire, quelquefois même suffisante. Mais lorsqu'il s'agit de définir à son tour la vertu, c'est justement le bonheur que l'on mobilise. Sans doute n'est-il plus question du bonheur d'un seul, mais du bonheur de tous. La différence est-elle donc si grande ? Le nombre des heureux varie, mais le bonheur est toujours là.

Aucune idée antérieure ne vient constituer ce bagage chimérique dont l'homme serait miraculeusement lesté avant d'être jeté dans l'aventure de la vie. Pourtant il n'est pas désarmé devant les difficultés ou les contradictions de sa vie morale. S'il ne possède aucune science infuse du bien ou du mal, s'il n'a d'abord aucune raison particulière d'aimer le bien pour lui-même, il dispose d'une aptitude précieuse : la faculté d'apprécier exactement son *intérêt*.

Or il se trouve que le calcul de l'intérêt confirme en tous points le message de la Nature. Celle-ci révèle à chaque homme qu'il faut tout sacrifier au bonheur de ses semblables, que son unique devoir est d'humanité, qu'il est fait pour le monde, non le monde pour lui. Surtout elle ajoute qu'en vivant selon ces maximes, le bonheur devient chose facile, immédiate. Mais l'intérêt ne dit rien d'autre. Il est difficile d'être heureux tout seul. Le bonheur personnel réclame la collaboration de tous. A quelle condition les autres nous aideront-ils ? Si nous les aidons nous-mêmes. Travailler à leur bonheur n'est pas jouer à fonds perdus. C'est engager autrui à une réciprocité de services, où il y a toujours quelque chose à gagner. En réalité, on ne se sacrifie jamais aux autres. On ne fait que leur consentir, à terme plus ou moins long, un prêt dont on perçoit des intérêts solides. La vertu est en somme la banque du bonheur.

La vertu est-elle donc si facile ? C'est là que tout le monde se rejoint dans une surprenante illusion. Pour ceux qui prêchent la morale de l'intérêt, la nécessité d'être vertueux afin d'être heureux relève presque de l'évidence. Il est impossible que l'esprit se refuse à l'évidence ; il est donc impossible que l'homme ne s'engage pas tout entier dans la voie que sa raison lui indique. L'intérêt suscite le calcul, le calcul fait jaillir l'évidence, l'évidence entraîne la raison, qui entraîne à son tour la volonté et le désir. C'est ainsi que chacun peut naître à la vertu sans éprouver l'amertume des chutes, ni le déchirement des combats intérieurs. Non seulement la vertu n'est semée que pour récolter le bonheur, mais son exercice est si facile qu'il devient lui-même une sorte de bonheur. Pour ceux qui déclarent la vertu « naturelle », tout est encore plus simple. Si la vertu est conforme à la nature, il serait surprenant qu'elle coûtât beaucoup de peine. Etre vertueux n'est pas se vaincre, mais s'accomplir. C'est en se refusant à la vertu, en s'arc-boutant pour résister à la nature, que l'on risque de s'opposer à soi-même et de se mettre à la torture [1].

1. On ne cesse pas de jouer sur le sens du mot « nature ». On confond la nature idéale, qui est supposée exprimer l'essence de l'homme, mais qui demeure terriblement lointaine, et la nature de tous les jours, ce nœud d'instincts et d'habitudes, où le mal peut se mêler, mais qu'il est difficile de trancher sans risquer d'atteindre l'homme tout entier. Rousseau est presque le seul à n'avoir pas confondu les deux « natures ». Si la vertu est « naturelle » à l'homme, il sait que le mal ne lui est pas moins « naturel ». Mais tous ses contemporains pensent naïvement que si la vertu est « naturelle », c'est qu'elle est *facile*, qu'elle consiste à suivre sa pente, et que cela ne demande pas grand effort.

Aux illusions, aux équivoques, aux disputes d'écoles entre les tenants de l'instinct moral et les champions de l'intérêt s'ajoutent bien des obscurités. Il est difficile de préciser en quoi consiste l'essence même de la vertu. L'acte vertueux étant un renoncement au profit des autres, doit-on identifier la vertu au sacrifice même ou seulement à son efficacité ? Faut-il la concevoir comme un état d'âme ou comme un résultat ? Entre l'idéalisme moral et un simple pragmatisme du bonheur, le XVIIIe siècle n'a jamais clairement choisi.

Les ambiguïtés s'expliquent par la nécessité de concilier les contraires. Il faut permettre et promettre aux individus le bonheur qu'ils revendiquent, tout en veillant à l'ordre social. Les deux exigences risquent à chaque instant de s'opposer ou de se détruire. On ne peut tout accorder à la fois à l'homme individuel et à la société. A moins de démontrer que leur opposition est artificielle ou imaginaire. Les réflexions sur le bonheur et la vertu tendront ainsi à s'ordonner autour de ce fait capital qu'est la *sociabilité* de l'homme.

I. — L'ART DE PLAIRE.

La sociabilité commence avec l'art de plaire. Pour les moralistes de la première moitié du siècle, celui-ci est beaucoup plus qu'un système de conventions commodes, destinées à rendre la vie de société plus facile. On le conçoit comme un art de vivre et de se rendre heureux en se faisant aimer des autres, au bonheur desquels on a soi-même contribué. Quelles que soient les subtilités ou les hypocrisies de la politesse, l'art de plaire recouvre une sincérité profonde : le besoin d'être aimé. On veut plaire, non par savoir-vivre ou par vanité, mais parce qu'on attend de l'approbation affectueuse d'autrui cette confirmation de soi qui confère un surcroît d'existence. Or les autres ne donnent pas sans contrepartie leur amitié : ils réclament aussi qu'on les aime. L'art de plaire sera donc composé de toutes les gentillesses, de tous les égards qui leur fourniront l'occasion de se croire aimés. Il faudra que toute notre attitude leur dise que nous les préférons à nous-mêmes et que nous mettions assez d'élan et de vraisemblance dans ce mensonge pour qu'il ne soit pas une tromperie.

La sociabilité mondaine du XVIIIe siècle est infiniment plus chaleureuse que celle du siècle précédent. C'est que l'art de plaire y répond désormais à une exigence de la sensibilité, que l'on chercherait en vain dans la morale de « l'honnête homme ». Celui-ci n'avait pas besoin des autres pour être lui-même. Il restait le fruit solitaire d'une culture, d'un minutieux apprentissage et d'une élaboration de soi toujours possible dans la retraite. Le monde n'était pour lui qu'un champ d'exercice ou de parade. Son bonheur pouvait fort bien se cacher ailleurs, dans le secret d'une vie tenue loin des regards. En outre, il savait que tous les prestiges du monde ne compteraient pour rien le jour du suprême tête-à-tête avec son seul Juge. Par rapport à la véritable vie, la vie mondaine n'avait pas plus de consistance qu'une fumée.

Désormais l'ardeur à poursuivre le « souverain bien d'ici-bas »[1] rend inévitable le croisement des destins. Le monde n'est plus un lieu accidentel de rencontres, ni la scène où se joue le jeu social : il devient ce carrefour enfiévré où les êtres se cherchent, se charment, s'entr'aident les uns les autres, font provision de bonheur. Pour donner aux rencontres mondaines cette humanité que rend nécessaire, par delà la frivolité, le besoin d'aimer et d'être aimé, tout le monde admet que l'on doit aller plus loin que la simple *politesse*. Celle-ci n'est que la forme mondaine de la dignité et de l'honneur ; elle consiste surtout à ne pas démériter par rapport à sa propre gloire. L'art de plaire signifie beaucoup plus : il implique que l'on ne s'imagine pas séparé des autres ; il est une perpétuelle séduction, dont le séducteur n'est plus maître. Quelquefois même il dissimule comme une imploration.

Dans son *Traité de la société civile* (1726), Buffier expose minutieusement comment on peut gagner l'amitié de ses partenaires, ou du moins ne jamais les blesser[2]. On doit « parler toujours obligeamment à tous »[3], glisser quelque vérité dans chaque compliment[4], chercher toutes les occasions de faire des éloges[5], contredire le moins possible[6] et garder des ménagements si l'on y est forcé[7], ne pas trop user de la raillerie et ne le faire qu'à certaines conditions[8], tâcher de ne point ennuyer par ses discours[9], éviter les manières « singulières », « rebu-

1. Dès le début du siècle, les traités de morale mondaine commencent à parler du « souverain bien d'ici-bas ». L'auteur des *Tablettes de l'homme du monde ou Analyse des sept qualités essentielles à former le beau caractère de l'homme du monde accompli* (1715) expédie bien vite ce qui relève de la « morale chrétienne », pour se consacrer aux règles de la « morale naturelle » en précisant que l'on doit s'en inspirer « avec beaucoup d'ardeur ». (*Op. cit.*, p. 23).

2. Le Père jésuite Claude Buffier était né en Pologne, d'une famille française, en 1661. Il écrivit de nombreux ouvrages, eut des difficultés avec Rome et collabora au *Journal de Trévoux*. Il mourut à Paris en 1737.

3. *Op. cit.*, liv. II, chap. 1er.

4. *Ibid.*, chap. 2.

5. *Ibid.*, chap. 3.

6. *Ibid.*, chap. 5 : « Aussitôt qu'il s'élève une pointe de dispute ou de contradiction, faisons comprendre par nos paroles et par nos manières que nous ne prétendons pas soutenir notre thèse. »

7. *Ibid.*, chap. 6 : « Il est bon encore de marquer à ceux qui souhaiteraient de s'éclaircir avec nous qu'on ne veut parler qu'autant qu'il leur plairait d'entendre et qu'on est disposé à les écouter tant qu'ils jugeront à propos » ; chap. 7 : « En général nous devons supposer qu'il n'est presque personne qui n'ait raison par quelque endroit ; et que nous manquons à l'apercevoir, faute de bien démêler ce qu'on a véritablement dans l'esprit. »

8. *Ibid.*, chap. 8. Voici les conseils limitant l'usage de la raillerie : « Ne jamais railler avec des inconnus. — Observer le goût des personnes devant qui l'on pense à railler. — Discerner les circonstances convenables à la raillerie. — La raillerie ne dure jamais longtemps. — Ne point réitérer la raillerie. — Une raillerie fade est choquante. »

9. *Ibid.*, chap. 12 : « Des marques particulières auxquelles nous pouvons reconnaître si nous ennuyons les autres en parlant : le regard absent ou facilement distrait ; le silence de l'interlocuteur ; la contenance. »

tantes », « piquantes », « bizarres », « chagrines », « distraites », « pédantesques », « précieuses », « petites », « tracassières » et « vétilleuses » [1].

Dans l'*Instruction d'un père à son fils sur la manière de se conduire dans le monde* (1730), Dupuy tempère son moralisme de beaucoup de prudence et de quelque méfiance bourgeoise. Les préceptes vertueux s'y combinent avec un savoir-vivre sans illusion, qui les transforme en conseils d'arrivisme. On enseigne à un jeune homme de peu de naissance la façon de supporter les caprices ou le mépris des grands, en conciliant sa dignité et sa carrière. L'art de plaire se double d'un art de réussir ; la délicatesse est sous-tendue de quelque calcul. Mais on n'en comprend que mieux à quel point la politesse ressemble peu à un pur formalisme : elle devient un élément vital, riche de toute l'ambition et de toute la sagesse, de la patience et de la ruse d'un être venu dans le monde pour y chercher son bonheur et qui entend bien le conquérir. Si l'on est victime de propos désobligeants, on doit employer « les expressions les plus respectueuses » pour faire sentir que l'on est « vivement touché » ; plutôt que de répondre en « termes trop aigres », il vaut mieux se taire et paraître « affligé, mais non pas irrité » [2]. A cette résignation héroïque en cas d'outrage, l'art de plaire et de réussir ajoute, par une souplesse inverse, une extrême complaisance à entrer dans les passions de tous les grands seigneurs à manies, auxquels on ne doit parler que de ce qui les captive [3]. Délicatesse spontanée, désir d'être aimé et arrivisme décidé revalorisent la politesse, la détachent de la convention, en font une conduite qui engage l'homme tout entier, exprime son envie de vivre et son appétit de bonheur.

Dans les *Essais sur la nécessité et sur les moyens de plaire* (1738), Paradis de Moncrif met en évidence les liens par lesquels se rejoignent la sociabilité et la sensibilité [4]. Il affirme que « les vertus sociales sont la

1. *Ibid.*, chap. 14, 15, 16.
2. DUPUY, *op. cit.*, pp. 161-162.
3. Voici par exemple ce que l'on dira aux « nobles terriens » enragés de leurs chasses : « Vantez leur mérite, leurs chevaux, leurs lièvres, leurs perdrix. Si le lieu où vous êtes est montueux, dites que le gibier y doit être plus délicat qu'ailleurs ; si c'est un pays de plaine, ne manquez pas d'observer que l'on y goûte plus agréablement le plaisir de la chasse ; ajoutez qu'une vue étendue fait une des principales beautés des champs. » (*Ibid.*, pp. 178-179). Devant les gens qui ne parlent que de leurs ancêtres, on fera « quelques observations gracieuses sur celui des ancêtres qu'on aura le plus loué. » (*Ibid.*, p. 179).
4. L'auteur était né à Paris en 1687. Son père, qui était procureur, mourut très tôt. Sa mère, anglaise, lui fit prendre le nom de Moncrief en le francisant, et le forma pour le monde. Doué d'une figure agréable, d'un esprit brillant et d'une humeur charmante, Paradis de Moncrif fut accueilli dans la haute société. Poète, musicien, acteur, il devint l'animateur des divertissements à la mode. Il travailla pour le comte de Maurepas, fut un familier des d'Argenson, servit de secrétaire au comte de Clermont, prince du sang, et de lecteur à Marie Leczinska. Il avait ses entrées chez le Roi et un grand crédit à la Cour. Voltaire lui écrivait et le ménageait. Il devint secrétaire général des postes, et entra à l'Académie française en 1733. C'était à la fois un homme de plaisir et une âme sensible. Marmontel et Grimm le disent *minutieux* et *susceptible.* Il possédait une fortune considérable, qu'il distribuait généreusement. Il mourut en 1770. Son principal titre de gloire littéraire, outre les *Essais* et *Les Ames rivales* (1738), est une *Histoire des chats* (1727-1748).

source du véritable bonheur »[1]. Analysant le contenu du mot *plaire*, il y trouve l' « impression agréable que nous faisons sur l'esprit des autres hommes, qui les dispose ou même les détermine à nous aimer »[2]. Les « principes » et les « mœurs » ne suffisent pas à nous rendre aimables, si l'on est d'un « commerce » qui « rebute », si nos vertus ne se montrent jamais que soutenues et exploitées par l'orgueil, ou confondues avec le mépris des autres. Quant aux vertus « épurées », comme l'oubli de soi, la générosité, le pardon, elles sont assurément sublimes, mais d'un emploi exceptionnel. En dehors de ces rares instants héroïques, les « âmes sensibles » ont pour ressource « l'usage des vertus moins brillantes, dont l'effet est de plaire et le fruit de se faire aimer »[3]. C'est bien la sensibilité profonde qui est en cause ici, non le simple souci de tenir convenablement sa place ou de se conformer aux règles du monde[4].

Le désir de plaire[5] permet à la personnalité de s'épanouir ; lui seul donne à chaque être tout son prix[6]. En « relevant » les qualités que nous possédons déjà, il en suscite de nouvelles. Car il exige d'infinies délicatesses, de subtiles précautions, qui donnent vraiment la mesure d'une âme. Par exemple, il faut bien veiller à « ne point diminuer d'égards »[7] envers ceux qui ont été une fois nos obligés et s'ingénier à remplir « les intervalles qui se trouvent entre les services »[8]. L'essentiel de l'art de plaire réside dans cette attention à autrui. Il faut savoir *écouter* avec un intérêt visible, mais non affecté, qui apparaisse comme le signe spontané de notre curiosité, non comme le fruit laborieux de notre savoir-vivre. Jamais notre attention ne doit passer pour « fadeur » ou « flatterie ». On saura varier son intensité et

1. « La nécessité de plaire » lui apparaît comme l'un des « principes les plus utiles à la société », car « il empêche la raison d'être farouche », « ôte à l'amour-propre ce qui le rend haïssable », « supplée en quelque façon aux avantages de l'esprit », et « influe considérablement sur notre bonheur et sur celui de ceux avec qui nous passons la vie ». (*Op. cit.*, pp. 1-2).
2. *Op. cit.*, Avertissement.
3. *Ibid.*, p. 5.
4. Paradis de Moncrif le précise bien : « L'estime des hommes est un tribut qui ne satisfait que notre raison ; *leur amitié est nécessaire au bonheur d'une âme sensible.* » (*Ibid.*, p. 8). Et encore : « *Le désir de plaire renferme le désir d'être aimé.* » (*Ibid.*, p. 16). Cf. *ibid.*, une définition du désir de plaire : « Le désir de plaire, tel que je le conçois, est un *sentiment* que nous inspire la *raison* et qui *tient le milieu entre l'indifférence et l'amitié ;* une sensibilité aux dispositions que nous faisons naître dans les cœurs ; un mobile qui nous porte à remplir avec complaisance les devoirs de la société, à les étendre même, quand la satisfaction des autres hommes peut raisonnablement en dépendre ; c'est une force qui, dans les changements de notre humeur, dans les contradictions où notre esprit est sujet à tomber, nous retient en nous opposant à nous-mêmes ; c'est enfin une attention naturelle à démêler le mérite d'autrui et à lui donner lieu de paraître, une facilité judicieuse à négliger les succès qui n'intéressent que notre esprit et nos talents, quand par cette conduite nous gagnons d'être plus aimés. »
5. Il faut le distinguer des faux moyens de plaire : l'affectation (*ibid.*, pp. 35 et suiv.), l'esprit caustique (*ibid.*, p. 30), la « fade complaisance et la flatterie » (*ibid.*, p. 34), la coquetterie (*ibid.*, p. 39). Mais « si le désir de plaire nous égare quelquefois, combien aussi nous offre-t-il de moyens d'être aimé, quand c'est la raison qui l'éclaire ? C'est lui qui donne l'âme aux qualités les plus heureuses que nous ayons reçues de la nature ou de l'éducation ». (*Ibid.*, p. 43).
6. « Nous n'avons aucune qualité heureuse, aucun avantage dont nous puissions retirer un véritable succès, si le désir de plaire n'en dirige l'usage. » (*Ibid.*, p. 53).
7. *Ibid.*, p. 56.
8. *Ibid.*, p. 59.

sa qualité selon les thèmes de la conversation, ne pas accueillir d' « un même sourire » les lieux communs et les idées brillantes, se laisser subjuguer par les esprits supérieurs et rester plus froid devant les médiocres talents. Surtout l'homme qui veut plaire ne doit jamais laisser deviner à son interlocuteur « le malheur qu'il a de l'ennuyer »[1]. Il est nécessaire aussi de ne pas parler de soi. Comme il s'agit d'un penchant trop humain, le plus difficile est d' « apercevoir les pièges qu'on nous tend, afin de le réveiller en nous »[2]. Il faut enfin s'interdire l'esprit de contradiction, qui est « le plus choquant » de tous les défauts de la conversation[3].

La conversation reste, par excellence, le moyen de plaire[4]. Elle est une « espèce de magie » : « Il est des gens dont le langage fascine... » Dès qu'ils parlent, on est plongé dans un « état de séduction, qui me paraît ressembler à ces rêveries agréables que nous cause quelquefois un sommeil assez léger »[5]. La conversation, forme typique de la sociabilité, définit un style de vie heureuse, où l'âme se communique, offrant d'elle-même la plus délicate image tout en se laissant captiver par le charme d'autrui. De cet échange de séductions se dégage une euphorie, où l'on finit par ne plus distinguer le bonheur qu'on reçoit et le bonheur qu'on donne[6] : « *Heureux, ceux qui peuvent avoir, à la place des passions, le goût d'un commerce où l'on trouve tant d'occasions de plaire et de se faire aimer*[7] ! » Le bonheur de la conversation est à mi-chemin entre le sérieux et la fantaisie ; aussi l'âme s'y sent-elle allégée, sans éprouver la honte de la futilité. Par rapport au travail, aux occupations austères, la conversation reste un jeu. Mais si on la compare à la rêverie anarchique ou à l'isolement ombrageux, elle apparaît comme une discipline, dont la fonction est de lier entre eux tous les hommes. Elle n'est donc pas un jeu gratuit, tourné vers l'évasion, puisqu'elle nous introduit dans le monde et nous y attache. Surtout elle permet d'assouvir ce besoin d'être aimé, qui alourdit d'un poids secret les plus anodins bavardages. Enfin elle réalise ce prodige : faire *naturellement* de nous ce que les autres exigent que nous soyons, effacer toute dissonance entre notre âme profonde et notre rôle social[8].

1. *Ibid.*, pp. 68-69.
2. *Ibid.*, p. 78.
3. *Ibid.*, p. 87.
4. « Il me semble qu'à esprit égal, les personnes qui possèdent le talent de la conversation ont bien plus d'occasions de plaire que celles qui ne font qu'écrire. » (*Ibid.*, p. 90).
5. *Ibid.*, pp. 91-92.
6. « Combien les jours coulent avec vitesse pour ces âmes heureuses qui, dans les intervalles de leurs occupations, s'amusent constamment et par préférence de ce commerce volontaire de folie et de raison, de savoir et d'ignorance, de sérieux et de gaîté ; enfin de cet enchaînement d'idées que la conversation ramène, varie, confond, sépare, rejette et reproduit sans cesse. » (*Ibid.*, p. 93).
7. *Ibid.*
8. Dans un conte qui fait suite à l'*Essai*, Moncrif déclare : « Il n'y a point de société qui pût s'entretenir, si les hommes se montrent toujours tels qu'ils sont : il n'est permis de s'abandonner

Dans les « conseils » ou « avis » qu'elle donne à ses enfants, Mme de Lambert discerne dans la politesse le désir de plaire et le goût de la vertu : « La Politesse est une envie de plaire... La Politesse est un supplément de la vertu. Je crois qu'elle est un des plus grands biens de la société, parce qu'elle contribue le plus à la paix. Elle est une préparation à la charité, une imitation même de l'humanité [1]. » L'honnêteté est le contraire de l'amour-propre, du moins d'un certain amour-propre « vicieux et corrompu ». On peut la définir comme la forme discrète du renoncement [2]. Mais un renoncement où l'on ne sacrifie rien : « En songeant au bonheur des autres, vous assurez le vôtre ; c'est habileté que de penser ainsi [3]. » Le besoin spontané d'être aimé, le calcul de l'amour-propre et les qualités sociales vont dans le même sens. Le même alliage homogène se reconstitue autour d'une vertu plus haute, la bienfaisance, qui tourne elle aussi au profit de la gloire personnelle [4].

Mme de Puisieux, en revanche, est plus lucide, plus amère. Elle connaît ces moments de tristesse et de colère, où l'on se met à haïr les autres, où l'on désire être seul [5]. Elle proclame avec cynisme la primauté naturelle de l'égoïsme [6]. Mais elle recommande de le voiler et de le faire fructifier habilement [7]. La bonté que l'on dépense pour ceux qu'on aime n'est qu'une façon adroite de les « faire dépendre » de soi. La réciprocité des services peut fort bien remplacer l'attachement véritable [8]. Quelquefois, on ne doit pas hésiter, lorsqu'on l'a jugé nécessaire, à briser brutalement et irrévocablement un lien [9].

à son naturel que quand ce naturel s'accorde avec les usages et les vertus qui lient la société. » (*Ibid.*, p. 224). Telle est la justification dernière de l'art de plaire : concilier le mobile le plus égoïste et la plus parfaite complaisance à autrui. La conversation permet de résoudre l'une des antinomies du bonheur.

1. Mme de Lambert, *Œuvres*, 1748, p. 110. Cf. p. 31 : « La politesse est la qualité la plus nécessaire au commerce ; la politesse est une imitation de l'honnêteté et qui présente l'homme au dehors tel qu'il devrait être au dedans. »

2. « L'amour-propre est une préférence de soi aux autres ; et l'honnêteté est une préférence des autres à soi... L'honnêteté consiste à se dépouiller de ses droits et à respecter ceux des autres. » (*Ibid.*, p. 29).

3. *Ibid.*, pp. 100-101.

4. « Le plaisir le plus touchant pour les honnêtes gens, c'est de faire du bien et de soulager les misérables. Quelle différence d'avoir un peu plus d'argent ou de le savoir perdu pour faire plaisir et de le changer contre la réputation de bonté et de générosité. C'est un sacrifice que vous faites à votre gloire. » (*Ibid.*, p. 40).

5. « Lorsque vous aurez des sujets de tristesse et que votre humeur sera portée à la mélancolie, comme il arrive quelquefois, renfermez-vous ou ne recevez que des personnes qui voudront bien vous passer vos bizarreries et vos défauts ou partager vos chagrins. » (Mme de Puisieux, *Caractères*, p. 61).

6. « Procurer de la satisfaction aux autres aux dépens de la sienne, cela est d'une grande bonté, pour ne pas dire pis ; la première personne à qui nous devons, c'est nous-même ; nos amis viennent après. » (*Ibid.*, p. 79).

7. *Ibid.*, p. 87 : « Ayez de l'amour-propre ; mais tâchez qu'il ne serve qu'à vous faire acquérir des talents et perfectionner la nature. Surtout ne laissez pas apercevoir que vous faites une grande estime de vous-même. »

8. « Il faut toujours être bon à quelque chose à ceux que l'on aime et les faire dépendre ou par les plaisirs ou par les services ou par l'habitude... Il y a des gens qui vivent ensemble comme s'ils s'aimaient, faute de pouvoir se passer l'un de l'autre. » (*Ibid.*, p. 88).

9. « Quand vous aurez des sujets graves de vous plaindre de quelqu'un, avec qui vous voudrez rompre, faites-le sans explication : les explications mènent au raccommodement et il est des

Cependant Mme de Puisieux sait que l'individu doit prendre sur lui-même pour s'accorder aux autres [1]. Ce n'est que dans la société que l'existence de l'homme prend tout son sens [2]. Le désir de plaire se substitue à la générosité naturelle pour inciter aux grandes actions [3]. Mme de Puisieux déteste les âmes froides, indifférentes à la douleur d'autrui et qui ne se prêtent à la société que pour y prendre leur part de plaisir [4]. Avec l'insensibilité, dont elle a horreur, elle stigmatise un autre défaut : la mauvaise humeur, qui « nie tout » et qui est « le poison de la société » [5].

En 1751, un avocat au Parlement de Paris, Marin, écrit un livre intitulé *L'Homme aimable*. Il y exalte la politesse, qui est « une vertu de sentiment » [6], la complaisance, « qui est le lien de la société » [7], la vertu, « qui est le premier devoir d'un galant homme » [8]. Il ne distingue pas les qualités morales des qualités sociales : la vie en société contient et épuise l'essence de l'homme. Il assure que le bonheur et la sociabilité ne sont qu'une même chose, mais il renverse le rapport habituel. Il ne dit pas qu'il faut vivre avec les autres pour être heureux, mais qu'il faut être heureux pour que les autres nous jugent aimables [9].

Tel est le dernier raffinement de l'art de plaire : être heureux, non pour soi, mais pour faire aux autres l'hommage de notre bonheur, pour qu'il nous métamorphose en de charmants compagnons, sachant répandre la joie. Etre heureux devient un devoir. Le monde n'aime que les gens satisfaits : les âmes tristes et rechignées peuvent se confiner dans leur solitude, où nul n'ira les débusquer. Entre l'individu et la société s'établit une complicité à double sens. Chaque homme a besoin des autres pour être heureux. Mais les autres ont besoin du bonheur de chacun : un seul être qui souffre est une dissonance au sein d'une société. Nos obligations sociales commencent avec la

gens avec lesquels on ne doit jamais se raccommoder, quand une fois on a lieu de s'en plaindre. » (*Ibid.*, p. 79).

1. « Il faut nécessairement de la complaisance, quand on veut vivre avec les autres. » (*Ibid.*, p. 61). Mme de Puisieux trouve de temps à autre de beaux accents : « Il faut un peu vivre pour les autres et ne jamais tromper ceux qui nous ont confié leur bonheur qu'en surpassant leur attente. » (*Ibid.*, p. 135).

2. « On ne naît pas pour soi seul. Nous sommes faits pour les autres et les autres pour nous ». (*Ibid.*, p. 95).

3. *Ibid.*, p. 197.

4. « Ceux que rien n'émeut, qui ne vivent avec les autres que pour partager leurs plaisirs, qui sont insensibles à la douleur et à la commisération et qui n'ont de sentiments communs à l'espèce humaine que ceux qui ne participent en rien à la douleur et à la tristesse, sont pour moi des machines que je hais plus que si elles étaient entièrement privées de sentiment. » (*Ibid.*, p. 192).

5. *Ibid.*, p. 49.

6. *Op. cit.*, p. 17.

7. *Ibid.*, p. 29.

8. *Ibid.*, p. 49.

9. « Le soin principal d'un homme poli sera de contribuer, autant qu'il est en lui, au bonheur de ceux avec qui il vit. Mais il est rare de rencontrer des personnes qui portent la délicatesse des sentiments au point d'être occupées de la félicité des autres, tandis qu'elles sont elles-mêmes dans la peine. *Ainsi il convient qu'un homme aimable soit dans un état heureux.* » (*Ibid.*, p. 72).

volonté d'être heureux pour épargner à nos semblables la vue d'un morose visage.

2. — La sociabilité.

Saint-Lambert déclare : « Nous sommes organisés pour vivre en société comme les perdrix pour vivre en compagnie [1]. » De fait, jamais l'homme ne fut moins conçu comme un être seul. Jamais on ne songea moins à la vocation particulière des âmes, non plus qu'à ce difficile problème que les philosophes ont depuis nommé *communication des consciences*. Pour le XVIIIe siècle, l'aptitude de l'homme à déchiffrer ses semblables, à se révéler à eux, va de soi. On ne reconnaît pas le mystère individuel. Nul être ne peut désirer la solitude, à moins d'être un « misanthrope », c'est-à-dire un monstre, ou un homme à « vapeurs », c'est-à-dire un fou. L'essence de l'homme est d'être un animal sociable. L'homme seul devient une vivante chimère, à moins qu'il ne passe — mésaventure survenue à Rousseau — pour un « méchant ».

L'exaltation de la sociabilité procède de causes différentes. Elle peut n'être que l'expression immédiate d'un tempérament. Voltaire n'a guère besoin d'être philosophe pour aimer le monde, les soupers, les lumières, la Clairon lorsqu'elle s'évertue sur le théâtre. C'est même des philosophes qu'il se moque, pour avoir prêché la retraite et la solitude. Il corrige la sagesse traditionnelle (« Il me semble que la retraite n'est bonne qu'avec bonne compagnie ») et il raille tous ceux qui en ont suivi les conseils au pied de la lettre [2].

On peut, aussi bien, affirmer que l'homme est sociable, non pour

1. Saint-Lambert, *Les Saisons*, p. 37.
Un obscur moraliste, Courtin, assure que « l'amour social et l'amour naturel ne sont qu'une même chose dans l'homme ». L'amour naturel engage l'homme à se rendre heureux. L'amour social le conduit « à se procurer tous les secours d'autrui, en rendant lui-même aux autres tous les secours dont il est capable ». Courtin ajoute : « En quoi consiste le bonheur de l'homme sur la terre, si ce n'est dans la consolation qu'il reçoit du commerce de la société ? » La société humaine est à l'image de l'harmonie du monde : l' « union » est la clé de l'univers ; les êtres vivants, comme les choses, communiquent et collaborent : « Chaque être a besoin de secours étrangers ; il n'y a rien de superflu ou d'inutile dans la nature : tout est servi et tout sert. *Rien n'est fait ni entièrement pour lui-même, ni entièrement pour les autres*. Toutes les parties de l'univers sont relatives au tout. Rien n'existe à part, rien ne se suffit. » (Courtin, *L'Homme considéré en lui-même et l'homme considéré par rapport à l'univers*, pp. 97-100).

2. « Vous savez, mon cher Cideville,
Que ce fantôme ailé qu'on nomme le bonheur
N'habite ni les champs, ni la cour, ni la ville.
Il faudrait, nous dit-on, le trouver dans son cœur :
C'est un fort beau secret qu'on cherche d'âge en âge.
Le sage fuit des grands le dangereux appui ;
Il court à la campagne, il y sèche d'ennui.
J'en suis bien fâché pour le sage. »

(Lettre de Voltaire à Cideville, 1er septembre 1758, *Œuvres*, t. XXXIX, p. 485).

lui fournir de nouveaux plaisirs, mais pour le ligoter à l'intérieur d'un ordre. Dans son *Discours philosophique sur l'homme considéré relativement à l'état de nature et à l'état de société*, composé pour réfuter Hobbes et Rousseau, le Père Gerdil avoue naïvement : « Il est de l'intérêt de la société que ceux qui la composent sachent qu'ils sont nés pour cela [1]. » Pour s'en convaincre, il suffit de « jeter un coup d'œil sur des demeures champêtres », où fonctionne de façon si spontanée et si émouvante le système patriarcal, qui fait du paysan le maître absolu de sa chaumière, comme le Roi l'est du royaume et Dieu de l'univers [2]. La sociabilité est le thème favori de tous les champions du conservatisme social et religieux. Pour Caraccioli, « la société n'est point un assemblage bizarre formé par le caprice, le hasard ou l'ennui. Dieu lui-même en est l'auteur et ce serait renverser l'ordre que de la haïr ou de la mépriser » [3]. L'auteur d'un traité de morale bien-pensant, oubliant que la malignité est empreinte dans notre nature depuis le péché originel, assure : « Il est en nous un sentiment naturel d'humanité ; nous aimons à voir les autres heureux [4]. » Le premier devoir du chrétien est, à l'en croire, de « travailler à entretenir la société », « de la rendre agréable aux autres » [5]. Jugeant sans doute négligeable que le Christ soit venu sauver les âmes, il s'extasie : « Que le christianisme est favorable à la société [6] ! »

Tout comme l'épicurisme de tempérament ou la sagesse conformiste, la « philosophie » revendique le privilège d'enseigner aux hommes la vraie sociabilité : « Quel est l'objet de la philosophie ? » demande Diderot : « C'est de lier les hommes par un commerce d'idées et par l'exercice d'une bienfaisance perpétuelle [7]. » Mais les plus exaltées ou les plus tourmentées des âmes sensibles lui en contestent l'aptitude [8]. C'est au nom de la sociabilité que se livrent les plus âpres batailles entre le sentiment et la raison. L'un et l'autre s'engagent à conduire les hommes à cette société parfaite, où nul n'aura plus à chercher son bonheur. L'un et l'autre accusent la misanthropie comme le plus affreux des crimes, le plus inhumain des délires, la condition la plus désespérée [9].

1. *Op. cit.*, p. 29.
2. Ces cœurs rustiques, où « l'ordre » est naturellement inscrit, « regarderaient comme impie ou ridicule tout homme qui oserait demander à quel titre un père prétend gouverner sa maison. » (*Ibid.*, pp. 37-38).
3. CARACCIOLI, *La Jouissance de soi-même*, p. 367.
4. LACROIX, *Traité de morale*, p. 39.
5. *Ibid.*, p. 119.
6. Cf. *ibid.*, pp. 127-128.
7. DIDEROT, *Essai sur les règnes de Claude et de Néron*, Assézat-Tourneux, t. III, p. 210.
8. « O noms sacrés d'époux, de père, d'amis, de citoyens ! O noms vénérés dans tous les siècles ! O vertus si nécessaires au bonheur ! Qu'allez-vous devenir, si l'on ferme votre âme aux plus doux sentiments, si la monstrueuse, l'égoïste philosophie triomphe à jamais ? » (FEUCHER, *Réflexions d'un jeune homme*, p. 102). Dans la première moitié du siècle, ce sont les mondains qui reprochent au philosophe — souvent présenté comme un homme d'étude austère et inhumain — de n'être pas sociable.
9. On interpelle ainsi un misanthrope : « La vue de deux époux, de deux amis, d'une société

Toute la littérature du siècle souligne le paradoxe insoutenable de la solitude, son caractère à la fois irréel et tragique. C'est par la misanthropie que débute le jeune Cleveland, trop soumis à l'influence d'une mère abreuvée d'amertumes. La caverne, qui sert de refuge à son enfance, symbolise cet éloignement du genre humain qu'il prend un certain temps pour le dernier mot de la sagesse [1]. Mais bientôt il devine, à certaines langueurs, à certaines impatiences, qu'il « haïssait moins les hommes qu' (il) ne l'avait cru jusqu'alors » [2]. Le cœur dissout spontanément les sombres maximes d'une fausse sagesse. Quels que soient les désenchantements ou les révoltes qui composent une vie, jamais le désespoir ne parvient à tuer le besoin essentiel que chaque âme a des autres [3].

La sociabilité n'est pas seulement ce penchant incoercible, si profondément inscrit dans le cœur humain que ne point l'assouvir revient à frustrer ce cœur de son unique nécessaire. Elle représente en même temps le point de perfection, l'apogée du bonheur humain. L'instinct social est donc à la fois origine et achèvement. Le refouler, c'est s'enlever toute chance d'être heureux. Le remplir pleinement, c'est devenir heureux à coup sûr.

Dans son *Essai d'une philosophie naturelle* (1724), l'abbé Desfourneaux divise le bonheur en deux étages : au degré inférieur, il relègue le bonheur, accessible à quiconque, des plaisirs individuels habilement mesurés. Mais il place au-dessus un autre bonheur, réservé aux âmes d'élite, qui tire toute son essence de la sociabilité. Il imagine une société parfaite, fondée sur cette « belle sympathie qui ne se forme point entre les âmes communes » et ne repose que sur « de grandes qualités du cœur et de l'esprit » [4]. Elle suscite une épuration, une métamorphose des âmes ; par elle, on accède à une sorte de vie supérieure,

aimable vous met dans une situation violente. Vous ne concevez pas comment ces gens peuvent vivre heureux ; et vous avez de l'humeur parce que vous ne le concevez pas. Un chagrin noir, cruel, dévorant s'empare de votre âme et obscurcit votre visage. Vous portez dans votre cœur un poison qui vous aigrit continuellement et dont vous infectez ceux qui vous approchent ? A la première rencontre que vous faites d'une personne sociale, vos yeux s'enflamment et vous déclamez. Êtes-vous heureux alors ? » (BLONDEL, *Des hommes tels qu'ils sont*..., p. 61). Cf. SOUBEIRAN DE SCOPON, *Considérations sur le génie et les mœurs de ce siècle* (1749), notamment le chap. III, *De la douceur*, dirigé contre « l'humeur farouche du misanthrope. » (p. 36).

1. Cf. *Cleveland*, t. I, p. 83.

2. « Non, non, m'écriai-je, je ne suis point un monstre qui déteste les créatures de mon espèce. J'aime les hommes. Je suis sensible comme eux aux douceurs de la société... Je ne tardai point à m'apercevoir que je n'étais point né absolument pour vivre seul. » (*Ibid.*, pp. 97-100).

3. Un autre personnage du roman, misanthrope comme Cleveland, est forcé lui aussi de renoncer à sa misanthropie. Le solitaire de l'île de Serrano constate ainsi son échec : « J'y étais venu dans le dessein d'y passer le reste de ma vie ; mais les justes sujets que j'ai de haïr les hommes ne peuvent l'emporter sur le fond de tristesse et d'ennui, qui ne m'abandonne point ici nuit et jour. Je veux quitter l'île et retourner en Europe. Le monde n'est plein que de perfides ; mais, puisque c'est un mal nécessaire, il faut prendre patience et vivre comme on peut parmi eux. » (*Ibid.*, t. IV, pp. 79-80). Il explique plus loin : « Je ne trouve pas assez de ressources en moi-même pour remplir continuellement le vide de mon imagination et pour fixer cette activité inquiète qui me fait sentir sans cesse que mon cœur a quelque chose à désirer. » (*Ibid.*, p. 96).

4. DESFOURNEAUX, *Essai d'une philosophie naturelle*, pp. 96-97.

où chacun n'a d'existence que relativement à autrui. Cette amitié idéale donne leur valeur à tous les autres plaisirs ou avantages. Elle devient la source vive du bonheur [1].

En 1735, l'abbé Marquet, « de la maison de Sorbonne », compose un *Discours sur l'esprit de société.* Il y démontre successivement que « l'esprit de société » est indispensable au bien public et au bonheur individuel. A travers l'entrelacement des lieux communs et des thèmes scolaires, surgissent deux figures exemplaires : le riche indolent et solitaire, qui jouit de ses richesses à l'orientale, au lieu de les répandre avec la profusion du cœur ; le philosophe misanthrope, qui médite inutilement dans la retraite et la poussière. Ces deux personnages quasi monstrueux sont exclus à jamais du bonheur [2].

Dans son essai *Sur la vie heureuse,* d'Argens énumère les risques de la solitude : ennui, angoisse, misanthropie, insensibilité, et pour finir, le crime, l'horreur de soi, la folie [3]. Le « Philosophe bienfaisant » décide que tout homme, « qu'il soit un Achile ou un Agamemnon », n'a en ce monde qu'un seul rôle à jouer, « celui d'homme sociable » : « C'est le seul titre qu'il puisse avoir aux biens communs de la troupe, s'il en remplit fidèlement les devoirs. Son bonheur ou son malheur ne peuvent venir que de son exactitude ou de sa négligence à les remplir [4]. » Mirabeau évoque, dans *L'Ami des hommes* (1756), cet « attrait vers la sociabilité » qui est « inhérent à la nature humaine » [5]. Il affirme que tous les hommes sont liés par une fraternité profonde, spontanée, universelle [6]. Il exalte les vertus du « cousinage » [7], conçoit la nation, l'humanité même, à l'image de la famille [8], dénonce comme

1. « Je me suis un peu attaché ici aux avantages de l'amitié, parce qu'il m'a paru qu'elle pouvait rendre beaucoup plus considérables d'autres biens dont j'ai parlé. *On sait que la société des personnes qui plaisent est une des plus grandes douceurs de la vie.* L'amitié fait une société, mais une société qui intéresse bien autrement que celle des personnes qui plaisent sans être véritablement aimées. » (*Ibid.*, pp. 116-117).

2. « L'éloignement de la société nous réduit à dévorer le fiel, à vivre d'amertume... En vain la nature nous aurait-elle prodigué ses bienfaits, *l'esprit de société seul peut nous faire jouir de ces agréments de la vie sans lesquels on se flatte en vain d'être heureux.* » (MARQUET, *Discours sur l'esprit de société*, p. 20). L'auteur évoque les « sociétés charmantes » où toutes les voluptés s'accumulent : « J'y vois de vrais citoyens officieux et reconnaissants, unis et heureux ; là règnent les doux loisirs, les nobles amusements ; là le mérite est aimable et complaisant ; là les talents sont civilisés ; là règne le goût exquis préférable à la science grossière, l'esprit y jouit des droits de la souveraineté, la politesse en tempère l'empire ; là brille la sagesse, non pas la sagesse insociable, sauvage, mais la sagesse embellie par l'enjouement, ennemie des apparences fastueuses, des airs étudiés ; là préside enfin la raison, non ce fantôme qu'on prend si souvent pour elle, mais la *raison humanisée...* La mélancolie m'obsède, le chagrin me dévore : où trouver le secours que je cherche ? Sera-ce dans la raison ? Hélas ! on cesserait de souffrir, si l'on cessait de penser ; c'est à vous seules, sociétés charmantes, que je dois m'adresser. A peine la douce consolation chez vous m'a-t-elle fait entendre sa voix, à l'instant même j'oublie mes disgrâces, ma langueur diminue jusque dans le sein de l'adversité malgré moi-même, mon âme abattue, consternée, ressent les atteintes d'une joie secrète, dont elle s'efforçait en vain d'empêcher les effets. » (*Ibid.*, pp. 17-18).

3. D'ARGENS, *Sur la vie heureuse*, dans *La Philosophie du bon sens*, t. III, pp. 28-30.

4. STANISLAS LECKZINSKI, *Œuvres du Philosophe bienfaisant*, t. IV, pp. 290-291.

5. MIRABEAU, *L'Ami des hommes*, t. II, p. 219.

6. Cf. *ibid.*, pp. 219-220.

7. Cf. *ibid.*, pp. 213-214.

8. Cf. *ibid.*, t. III, pp. 24, 291, 399.

hérétique la prétention à faire résider tout son bonheur en soi [1] et conclut : « *Un homme libre de tous engagements est celui de tous qui a le moins d'existence* [2]. »

A la fin du siècle, Mercier imagine, dans son *Bonnet de nuit* (1784), une nouvelle abbaye de Thélème, qui grouperait, au sein d'une association heureuse, un petit nombre d'âmes choisies. Il en dessine le plan, en décrit le style de vie, le confort sans luxe, la liberté sans passions, la coexistence sans servitude, explique comment ces êtres, qui sont heureux par nature, le deviennent bien davantage en vivant ensemble [3]. Dans les *Voyages du jeune Anacharsis* (1788), le sage Philoclès démontre en un solennel discours que le bonheur n'est pas dans les plaisirs, qu'on ne le trouve pas non plus dans la raison et la vertu « poussées à un degré excessif de rigueur », mais qu'il réside exclusivement dans « l'humanité, c'est-à-dire dans l'ensemble des liens qui nous unissent aux autres hommes » [4].

Que la société soit considérée comme un groupe restreint de privilégiés, ou comme l'ensemble des relations humaines, c'est elle qui détient et répartit toutes les chances de bonheur.

***

Le bonheur de Diderot devient vite insipide, lorsqu'il ne trouve pas de résonances dans d'autres sensibilités. La pensée des êtres chers, des amis, de l'humanité entière, est nécessaire à l'envol d'une imagination heureuse [5]. L'amplification de l'émotion personnelle à travers autrui est le signe rassurant d'une transparence. Son absence est inquiétante, contre nature [6]. La solitude aboutit à une détérioration de l'humain en l'homme. Dans les couvents, la personnalité se décompose, le caractère s'aigrit, l'esprit sécrète des idées folles, le cœur de louches caprices [7]. L'instinct de la sociabilité est si fort que le poète lui-même ne parvient jamais à aborder, solitaire, aux rivages

1. Cf. *ibid.*, t. II, p. 223.
2. *Ibid.*, p. 218.
3. Mercier, *Mon Bonnet de nuit*, t. III, pp. 67-68.
4. Barthélemy, *Voyage du jeune Anacharsis*, t. IV, chap. 78.
5. « Un plaisir qui n'est que pour moi me touche faiblement et dure peu. C'est pour moi et mes amis que je lis, que je réfléchis, que j'écris, que je médite, que j'entends, que je regarde, que je sens. Dans leur absence, ma dévotion rapporte tout à eux. Je songe sans cesse à leur bonheur... Je leur ai consacré l'usage de tous mes sens et de toutes mes facultés ; et c'est peut-être la raison pour laquelle tout s'exagère, tout s'enrichit un peu dans mon imagination et dans mon discours. » (Diderot, *Œuvres*, Assézat-Tourneux, t. II, p. 115).
6. « Celui qui ne sent pas augmenter sa sensation par le grand nombre de ceux qui la partagent a quelque vice secret : il y a dans son caractère je ne sais quoi de solitaire qui me déplaît. » (*Second entretien sur le Fils Naturel*, Assézat-Tourneux, t. VII, p. 122).
7. « Voilà l'effet de la retraite. L'homme est né pour la société ; séparez-le, isolez-le, ses idées se désuniront, son caractère se tournera, mille affections ridicules s'élèveront dans son cœur ; des pensées extravagantes germeront dans son esprit, comme des ronces dans une terre sauvage... Il faut peut-être plus de force d'âme encore pour résister à la solitude qu'à la misère ; la misère avilit, la retraite déprave. » (*La Religieuse*, Assézat-Tourneux, t. II, pp. 119-120).

de sa vie intérieure. Sa vocation d'homme est plus exigeante que sa vocation d'artiste ; l'homme bienfaisant escamote sans cesse le rêveur [1].

Tout indique que l'essence de l'homme est d'être sociable, qu'il ne peut exister séparé des autres [2]. L'art d'être heureux consiste à prendre conscience de cette vérité. La morale, à la considérer du point de vue d'autrui ; ce que j'attends des autres, les autres l'attendent de moi :

« Toute l'économie de la société humaine est appuyée sur ce principe général et simple : « *Je veux être heureux, mais je vis avec des hommes qui, comme moi, veulent être heureux également, chacun de leur côté; cherchons les moyens de procurer notre bonheur en procurant le leur, ou du moins sans y jamais nuire* [3]. »

Un tel calcul n'est même pas nécessaire. Il n'existe que deux vertus : la bienfaisance et la justice. Or l'une et l'autre ne sont que la mise en œuvre d'une tendance naturelle. En pratiquant les vertus par devoir, on offre à l'instinct des voluptés permises. On se sent immédiatement heureux d'être cause du bonheur d'autrui, sans avoir à attendre cet autre bonheur qui nous est promis comme salaire. Double raison pour affirmer que « l'homme le plus heureux est celui qui fait le bonheur d'un plus grand nombre d'autres » [4].

De l'homme sociable à l'homme en société, la distance est à peine perceptible : « Du principe de la sociabilité découlent, comme de source, toutes les lois de la société. » Celle-ci n'est en aucune façon contingente : ni comme accident, ni comme contrat. Son existence est aussi nécessaire, aussi évidente que l'existence de l'homme. Pour régler et garantir l'ordre social, il suffit de connaître la nature humaine. On ne saurait donc concevoir de déchirement entre la fonction sociale de l'individu et son aspiration au bonheur.

Une autre conséquence de la sociabilité naturelle, c'est que « la

1. Cf. DIDEROT, *Réfutation d'Helvétius*, Assézat-Tourneux, t. II, p. 434.

2. « Telle est, en effet, la nature et la constitution de l'homme que, hors de la société, il ne saurait ni conserver sa vie, ni perfectionner et développer ses facultés et ses talents, ni se procurer un vrai et solide bonheur. » (DIDEROT, *Encyclopédie*, article *Société*, Assézat-Tourneux, t. XVI, p. 131). Cf. *ibid.*, p. 133 : « Tout nous invite à l'état de société ; le besoin nous en fait une nécessité, le penchant nous en fait un plaisir et les dispositions que nous y apportons naturellement nous montrent que c'est en effet l'intention de notre Créateur. »

3. *Ibid.* ; cf. *ibid.*, pp. 133-134 : « Nous trouvons ce principe gravé dans notre cœur ; si, d'un côté, le Créateur a mis l'amour de nous-mêmes, de l'autre, la même main y a imprimé un sentiment de bienveillance pour nos semblables ; ces deux penchants, quoique distincts l'un de l'autre, n'ont pourtant rien d'opposé ; et Dieu, qui les a mis en nous, les a destinés à agir de concert, pour s'entr'aider et nullement pour se détruire ; aussi les cœurs bien faits et généreux trouvent-ils la satisfaction la plus pure à faire du bien aux autres hommes, parce qu'ils ne font en cela que suivre une pente que la nature leur a donnée. Les moralistes ont donné à ce germe de bienveillance le nom de *sociabilité. Du principe de la sociabilité découlent toutes les lois de la société et tous nos devoirs envers les autres hommes, tant généraux que particuliers.* Tel est le fondement de toute la sagesse humaine, la source de toutes les vertus purement naturelles et le principe général de toute la morale et de toute la société civile ».

4. *Second entretien sur le Fils Naturel*, Assézat-Tourneux, t. VII, p. 126.

volonté générale est toujours bonne », tandis que les volontés particulières restent « suspectes », car « elles peuvent être bonnes ou méchantes ». Si les animaux étaient « d'un ordre à peu près égal au nôtre », s'ils étaient doués de sentiment et de raison, s'il était possible de communiquer avec eux, « en un mot, s'ils pouvaient voter dans une assemblée générale, il faudrait les y appeler ; et la cause du *droit naturel* ne se plaiderait plus par devant *l'humanité*, mais par devant *l'animalité* »[1]. Diderot s'efforce de penser un humanisme nouveau, défini non plus en *compréhension*, comme l'humanisme classique, mais en *extension*. La qualité d'homme reste encore une essence, mais cette essence se résout en un système de relations. Ce qui n'était jusque-là qu'une aptitude de l'homme, apparaît comme l'homme même.

Rousseau n'est pas d'un avis différent, malgré sa doctrine si mal comprise de « l'homme naturel ». On néglige trop souvent une œuvre capitale publiée par Streckeisen-Moultou, les *Lettres sur la vertu et le bonheur*. La pensée du philosophe procède d'une prise de conscience fondée sur l'introspection :

« *Il me semble premièrement que tout ce qu'il y a de moral en moi-même a toujours ses relations hors de moi ;* que je n'aurais ni vice ni vertu si j'avais toujours vécu seul et que je serais bon seulement de cette bonté absolue qui fait qu'une chose est ce qu'elle doit être par sa nature [2]. »

Cette bonté absolue, cette fidélité sans qualification morale à l'essence originelle, le même sentiment intime annonce à Rousseau qu'il l'a perdue irrévocablement. Son être actuel est constitué par une « multitude de rapports artificiels, qui sont l'ouvrage de la société » et qui désormais inspirent et règlent ses penchants et ses devoirs. Personne n'a donc plus le droit de se regarder comme un homme naturel [3].

L'existence de l'homme nouveau n'est plus contenue en lui-même : elle est répartie entre toutes ses relations avec l'ensemble du corps

1. *Encyclopédie*, article *Droit naturel* ; DIDEROT, *Œuvres*, Assézat-Tourneux, t. XIV, p. 299 ; cf. suite de l'article : « C'est à la volonté générale que l'individu doit s'adresser pour savoir jusqu'où il doit être homme, citoyen, sujet, père, enfant, et quand il lui convient de vivre ou de mourir. C'est à elle à fixer les limites de tous les devoirs. Vous avez le *droit naturel* le plus sacré à tout ce qui ne vous est point contesté par l'espèce entière. C'est elle qui vous éclairera sur la nature de vos pensées et de vos désirs. Tout ce que vous concevrez, tout ce que vous méditerez sera bon, grand, élevé, sublime, s'il est de l'intérêt général et commun. Il n'y a de qualité essentielle à votre espèce que celle que vous exigez dans tous vos semblables pour votre bonheur et pour le leur. C'est cette conformité de vous à eux tous et d'eux tous à vous qui vous marquera quand vous sortirez de votre espèce et quand vous y resterez. Ne la perdez donc jamais de vue, sans quoi vous verrez les notions de la bonté, de la justice, de l'humanité, de la vertu chanceler dans votre entendement. Dites-vous souvent : « *Je suis homme et je n'ai d'autres droits naturels véritablement inaliénables que ceux de l'humanité.* » (*Op. cit.*, pp. 299-300 ; cf. pp. 300-301).

2. J. J. ROUSSEAU, *Œuvres et correspondance inédites*, publiées par Streckeisen-Moultou, Paris, 1861, p. 135.

3. « Il suit de là qu'il faut me considérer à présent comme existant d'une autre manière et m'approprier, pour ainsi dire, une autre sorte de bonté convenable à cette nouvelle existence. » (*Ibid.*, pp. 135-136).

social [1]. L'homme des origines pouvait se suffire : il trouvait dans son propre instinct et dans la nature qui l'accueillait la réponse immédiate à tous ses besoins. Mais l'homme social n'est plus en mesure de se conserver sans le secours d'autrui. Il serait donc absurde de vouloir exhumer d'un passé mystérieux, sinon mythique, la fraîcheur et l'autarcie miraculeuses des premiers hommes, pour tenter de les imiter : « Ne nous regardons point comme ces hommes primitifs et *imaginaires*... [2] »

Rousseau ne veut pas qu'on confonde l'essence de la société avec les abus sociaux. Jamais l'énormité des uns ne remet en cause la légitimité de l'autre [3]. La société est la source et le fondement de toute morale, de toutes les « valeurs ». L'homme de la nature n'était pourvu ni de raison, ni de conscience. Son innocence lui était donnée avec son être, et il aurait été bien incapable de s'élever par lui-même jusqu'à cette vertu dont il n'avait d'ailleurs nul besoin. Il n'appartient qu'à l'homme social d'être raisonnable et moral. On ne peut donc pas le considérer comme *déchu* par rapport à l'homme naturel. C'est le contraire qui est vrai. La société permet d'aborder aux « régions intellectuelles », d' « acquérir la notion sublime de l'ordre, de la sagesse et de la bonté morale..., *de nous élever par la grandeur de l'âme au-dessus des faiblesses de la nature*... [4] » Par la médiation de l'état social, l'homme peut se flatter d' « imiter la Divinité même ». Ce sont les « vrais dédommagements » qui compensent à la fois les « pertes de la nature » et les « abus de la société ». Et Rousseau conclut : « Ainsi le bien et le mal coulent de même source [5]. »

En dehors de la société, le problème du bonheur perd toute signification. L'homme de la nature n'était ni heureux, ni malheureux : il végétait, sans plus, occupé à assouvir paisiblement ses instincts, fort d'une innocence dont il ne savait rien. C'est seulement lorsque la société se constitue qu'apparaissent « les sentiments qui doivent

1. « Aujourd'hui que ma vie, ma sûreté, ma liberté, mon *bonheur* dépendent du concours de mes semblables, il est manifeste que je ne dois plus me regarder comme un être individuel et isolé, mais comme partie d'un grand tout. » (*Ibid.*).

2. *Ibid.*, p. 137.

3. « Vous me parlerez, je le prévois, des désordres de l'état social, où le bien public sert de prétexte à tant de maux ; mais il faut distinguer l'ordre civil de ses abus, et de ce que tous ne rendent pas à la société ce qu'ils lui doivent, on ne peut pas conclure que nous ne lui devons rien ; et *ce n'est pas à elle qu'il faut nous en prendre, si, ne faisant rien de ce qu'elle ordonne, nous nous rendons malheureux en l'offensant.* » (*Ibid.*, p. 138). Rousseau reprend ici, à propos de la société, une phrase qu'il applique d'ordinaire à la nature. On est malheureux, répète-t-il souvent, pour ne pas se plier aux exigences de la nature. Il convient de compléter sa pensée : on est malheureux aussi en refusant d'obéir aux exigences de la société.

4. *Ibid.*, p. 139.

5. *Ibid.*, p. 133. Cf. *ibid.*, p. 358 : « Si l'homme vivait isolé, il aurait peu d'avantages sur les autres animaux. C'est dans la fréquentation mutuelle que se développent les plus sublimes facultés et que se montre l'excellence de sa nature. En ne songeant qu'à pourvoir à ses besoins, il acquiert par le commerce de ses semblables, avec les lumières qui doivent l'éclairer, *les sentiments qui doivent le rendre heureux.* En un mot, ce n'est qu'en devenant sociable qu'il devient un être moral, un animal raisonnable, le roi des autres animaux et l'image de Dieu sur la terre. »

rendre (l'homme) heureux ». Si l'on s'interroge en effet sur la nature du bonheur, on s'aperçoit que rien de ce qui mérite ce nom n'est concevable sinon par référence à autrui :

« Voulons-nous maintenant rechercher ce qui peut nous rendre heureux en ce monde ? Rentrons en nous-mêmes et consultons notre cœur. Chacun sentira que son bonheur n'est point en lui, mais dépend de tout ce qui l'environne [1]. »

A vrai dire, la pensée de Rousseau demeure ambivalente : la dépendance de notre bonheur peut être source de joies ou d'angoisses, comme elle détermine des conduites aussi différentes que la bienfaisance et la vanité. L'ambition, la volupté, la bonté, l'amour sont autant d'aspects de ce bonheur que l'homme cherche ou découvre dans ce qui n'est pas lui. Ces différents visages du *bonheur par les autres* n'ont pas du tout la même séduction, ni le même prix. Si la sociabilité aboutit à la transparence et à l'union des âmes, il est certain qu'elle exprime tout l'homme et contient son bonheur. Mais si elle se volatilise dans la vanité du paraître, elle ne réflète plus qu'un homme dénaturé, séparé de lui-même, malheureux. Selon que Rousseau envisage le premier ou le second terme de l'alternative, il opte pour la sociabilité ou pour la solitude. Etre heureux, ce sera tantôt vivre avec les autres, selon une profonde connivence des cœurs, tantôt oublier le monde et se réfugier dans cette suffisance du moi, où tout l'être se rassemble en lui-même. Du thème fondamental de la sociabilité découlent deux éthiques, deux styles de bonheur rigoureusement opposés.

Dans les *Lettres sur la vertu et le bonheur*, domine l'aspect positif de la sociabilité, alors que d'autres œuvres mieux connues exploitent surtout son aspect négatif : « Tels sont les liens indissolubles qui nous unissent tous et font dépendre notre existence, notre conservation, nos lumières, notre fortune, notre bonheur et généralement tous nos biens et nos maux des relations sociales... [2] »

1. *Lettres sur la vertu et le bonheur*, *op. cit.*, p. 140 ; cf. *ibid.* : « Le luxe qui met à contribution toute la nature, l'ambition qui veut enchaîner l'univers, la volupté qui n'est rien dans la solitude, la vanité qui cherche tous les yeux, la bonté qui voudrait que tout fût content, *tout ce qui nous intéresse tient à des objets étrangers*, tous nos vœux s'envolent toujours, le bonheur qu'on nous attribue est le seul dont nous jouissons et nous aimerions autant ne pas être que n'être pas regardés. En un mot, soit besoin d'aimer, soit désir de plaire, soit amitié, confiance ou orgueil, l'habitude de commercer avec les autres nous rend ce commerce tellement nécessaire qu'on peut douter s'il se trouverait un seul homme qui, sûr de voir d'ailleurs tous ses souhaits prévenus, fût sûr en même temps de ne revoir jamais son semblable sans tomber dans le désespoir. »

2. *Ibid.* Sur cette constatation essentielle, Rousseau fonde une morale exclusivement sociale : « Je crois donc qu'en devenant homme civil, j'ai contracté une dette immense envers le genre humain, que ma vie et toutes les commodités que je tiens de lui doivent être consacrées à son service... »

***

En 1767, l'abbé Pluquet publie un important ouvrage, *De la sociabilité*. L'idée de sociabilité y prend très clairement sa valeur de lien entre la nature et la société. L'auteur veut montrer comment la nature s'exprime entièrement, se réalise dans la société, qu'elle contient en puissance, et comment la société, pour rester fidèle à son essence, doit se calquer sur la nature. Société et nature renvoient l'une à l'autre et s'éclairent mutuellement : la nature préfigure la société ; la société se réfère à la nature. Un jeu souple et harmonieux entre les deux est la condition fondamentale du bonheur de l'homme [1].

Il s'agit de résoudre ou de masquer cette antinomie que le vieux Tahitien du *Supplément au Voyage de Bougainville* illustrera par la parabole du combat opposant au fond de chaque conscience l'homme de la nature et l'homme artificiel, c'est-à-dire l'homme social. La solution optimiste consiste à réduire la querelle à un malentendu, en montrant que l'homme social n'est pas nécessairement l'homme « artificiel », qu'il peut et doit ressembler comme un frère à l'homme de la nature. L'ordre social ne se justifie qu'en laissant respirer l'homme naturel. Il n'y court d'ailleurs aucun risque, puisque l'homme naturel, c'est l'homme social qui se cherche. La nature a décidé en effet que l'homme ne pourrait être heureux que par la « réunion » avec ses semblables. Chaque indivu doit s'allier avec tous les autres pour produire, d'un commun effort, cette « masse de bonheur » sur laquelle chacun prélève sa part personnelle, sans empiéter sur celle d'autrui [2]. Il faut que la « masse » du bonheur général s'interpose entre le désir individuel et sa satisfaction. Nul ne peut être heureux directement. Les efforts de l'individu ne tendent pas à son bonheur particulier, mais au bien général. Sur ce bien général, qu'il a contribué à produire, il prend ensuite la récompense due à son désir personnel, origine de son action [3].

1. « Si l'homme est sociable, la morale, la législation, la politique ne doivent avoir d'autres principes que les principes de la sociabilité, qu'il reçoit de la Nature. Les hommes veulent nécessairement être heureux ; jamais la politique ne les persuadera d'être malheureux... Comme la Nature porte les éléments dans les lieux qu'ils doivent occuper par les différents degrés de force motrice qu'elle leur imprime, elle conduit tous les hommes à la paix et au bonheur qu'elle leur destine par les principes de sociabilité, avec lesquels elle les fait naître... L'examen de la sociabilité de l'homme et des qualités sociales qu'il apporte en naissant doit donc précéder toutes les études relatives à la morale, à la législation et à la politique. » (PLUQUET, *De la sociabilité*, Avant-propos).

2. « Cette réunion est ce que l'on appelle la société ; elle a le besoin pour principe, le bonheur commun pour objet et la subordination générale pour moyen. » (*Ibid.*, t. I, pp. 1-2).

3. « *Ainsi la subordination dans la société n'ôte à l'homme rien de ce que la nature a rendu nécessaire à son bonheur; elle ne lui interdit que ce qui le rend malheureux et ce que la nature lui défend;* enfin elle lui procure tout ce qui peut le rendre heureux ; elle lui en assure la jouissance : ses besoins, ses inclinations naturelles le portent donc à se soumettre aux droits

C'est un préjugé d'attribuer à l'homme, comme inclination première, le besoin d'indépendance et le désir de domination. Nul ne désire l'indépendance pour elle-même, mais seulement comme « moyen de s'assurer la jouissance des biens nécessaires à son bonheur ». Or comme l'homme « jouit de cette assurance » dans la société, pourquoi réclamerait-il d'être indépendant [1] ? Un amour effréné de la liberté ne se rencontre pas dans la nature .On ne le trouve que « dans le méchant et dans l'homme passionné, dans le furieux, dans l'ignorant, dans le stupide ». Il n'est donc pas un « vice essentiel à la nature humaine » [2], mais une sorte d'aberration étrange, d'incompréhensible monstruosité. D'ailleurs le goût de l'indépendance et l'instinct de domination sont entravés dans le cœur de l'homme par un sentiment naturel beaucoup plus fort : le sentiment de « l'humanité », par quoi « l'homme peut aimer le bonheur des autres plus que sa propre puissance » [3]. L'humanité est le fruit spontané de cette sympathie universelle qui accorde entre elles toutes les âmes, empêchant l'homme d'être heureux lorsque d'autres hommes souffrent, donnant à cette souffrance des droits sur son propre bonheur et le condamnant à ne pas pouvoir blesser autrui « sans se blesser lui-même », à ne pas pouvoir « être malfaisant sans être malheureux » [4]. Le sentiment de l'humanité a transformé la « ligue que la crainte avait formée entre les hommes » en une société « qui a pour loi fondamentale la bienfaisance et l'amour du prochain, qui compose de tous les hommes une seule famille » [5]. L'intérêt personnel ne se détache plus de l'intérêt général, puisque l'homme « *ne peut ni être heureux sans communiquer son bonheur, ni voir un heureux sans ressentir du plaisir* » [6].

La nature a admirablement fait les choses. Elle a notamment arrêté une disposition miraculeuse : l'homme ne peut être captivé qu'en de rares instants par les plaisirs n'intéressant que lui seul.

de la société, et aucun besoin, aucune inclination naturelle ne le porte à s'y soustraire. » (*Ibid.*, t. II, p. 28.)

1. *Ibid.* On voit le cercle vicieux. Pour démontrer que l'homme peut être parfaitement heureux dans la société, Pluquet fait valoir que le désir d'indépendance n'est pas un besoin fondamental. Mais quand il s'agit de prouver cette dernière proposition, il déclare seulement qu'il est inutile de réclamer l'indépendance, puisque tous les désirs sont comblés par la société, ce qui était précisément le point à démontrer.

2. *Ibid.*, p. 30 ; cf. *ibid.*, t. II, notamment pp. 48, 57, 60, 72. Pluquet s'en prend à Spinoza, à Mandeville et à La Rochefoucauld, auxquels il reproche d'avoir méconnu la nature humaine. Il refuse d'admettre que l'amour égoïste de soi-même, l'envie, l'orgueil, l'amour de la puissance et de l'argent soient dans la nature. Tout au plus accorde-t-il que l'homme aspire naturellement à ce degré de puissance « que procure la sécurité » (p. 60). Tous les autres sentiments naturels, à l'exception de celui-là, relèvent de la « sociabilité ».

3. *Ibid.*, t. I, p. 34. « Il y a donc un sentiment d'humanité, plus puissant sur le cœur de l'homme que l'amour de la domination. » Cf. *ibid.*, p. 38 : « Il y a dans le cœur de l'homme un sentiment de vertu qui lui fait regarder comme un crime l'abus qu'il fait de la puissance, qui le porte à s'en dépouiller, si ceux qui la lui ont confiée jugent qu'il en abuse. »

4. *Ibid.*, p. 76. « L'âme du malheureux est une espèce de centre, où se réunissent en quelque sorte toutes les âmes des autres hommes pour souffrir tant qu'il souffre.

5. *Ibid.*, p. 85.

6. *Ibid.*, p. 86.

On se lasse vite de manger et le dîneur repu voit la nourriture avec dégoût. Au contraire, le plaisir que l'on prend à s'occuper des autres se laisse savourer indéfiniment et suscite des vibrations qui ne s'éteignent jamais tout à fait. La première de ces jouissances n'offre que la « surface du bonheur », alors que « l'autre en est la source »[1].

3. — La vertu-repos et la vertu-bienfaisance.

Au début de son essai *Les Mœurs*, Toussaint se déclare « enflammé » pour la vertu d'un « zèle apostolique ». L'ambition qui le pousse à écrire est de « rendre tous ses lecteurs vertueux », et, s'il était sûr d'en convaincre seulement « un sur mille », il passerait son temps à écrire des livres « et tous sur le même sujet »[2].

Les définitions que l'on propose de la vertu ne sont pas toutes identiques. Mais on y parvient toujours par le même chemin : il peut être dangereux de répéter aux hommes que leur droit au bonheur est légitime, si l'on ne prévoit pas en même temps un moyen de réprimer les impulsions anarchiques. Pour assurer cette précaution essentielle sans paraître se contredire, il faut montrer que la vertu ne s'oppose pas au bonheur, mais qu'elle l'accomplit.

L'insistance et la variété de ton que l'on déploie à cultiver ce thème

1. Cela suffit à prouver que « le système de l'intérêt personnel n'est pas le système de la Nature ». (*Ibid.*, p. 106). L'homme heureux est ce « père de famille », cet « homme bienfaisant *qui ne connaît son existence que par le sentiment.* » (*Ibid.*, p. 122). Le véritable bonheur consiste donc à n'exister que par les autres. Mais l'âme heureuse ne doit pas s'anéantir dans une effusion désordonnée. Ce n'est pas la simple volupté des émotions douces, mais l'intérêt objectif de la société qui règle le rythme de la sensibilité. Tous ceux qui restent, par leur faute, en dehors de l'ordre social sont impitoyablement exclus du réseau de la sympathie universelle. Pluquet dit de l'humanité : « Ce sentiment n'agit pas ou il n'agit que faiblement en faveur de ceux dont les actions sont nuisibles aux autres et que nous jugeons ennemis du bonheur des hommes. » (*Ibid.*, p. 110). Il arrive même que la sociabilité prenne une forme négative, la haine du « méchant » : « La haine que la nature inspire n'a pour objet que le méchant ; par conséquent, elle n'est point une disposition contraire à la sociabilité. » (*Ibid.*, p. 167). L'abbé Pluquet oublie même le premier des préceptes chrétiens pour affirmer : « Le désir de faire du mal à l'homme qui nous en fait est un principe de sociabilité. » (*Ibid.*, p. 196). Il ajoute avec un définitif dédain : « Le malheur de l'égoïste, du misanthrope, du méchant n'intéresse personne. » (*Ibid.*, p. 231). Les sentiments « naturels » épousent donc exactement toutes les exigences et tous les interdits de la société. Le dogme de la sociabilité permet de ne sacrifier ni l'ordre général, ni l'intérêt particulier.

2. La qualité d' « honnête homme » lui semble trop médiocre pour qu'une âme exigeante puisse s'en contenter : « Beaucoup de suffisance, une fortune aisée, des vices applaudis, voilà ce qui fait l'honnête homme. » (Toussaint, *Les Mœurs*, p. 2). Il ajoute : « Tous les honnêtes gens ensemble ne valent pas un homme vertueux. » (*Ibid.*). Selon Toussaint, la notion de vertu définit une morale moyenne ou, si l'on veut, bourgeoise, située à égale distance des mœurs populaires et de la morale mondaine. Après avoir déclaré que « les bonnes mœurs » font les gens vertueux, il ajoute : « Qu'est-ce que les bonnes mœurs ? C'est une conduite réglée sur la connaissance et l'amour de la vertu. Je dis la connaissance et l'amour ; car, faute de connaître la vertu, on n'a que les mœurs du peuple ; et, faute de l'aimer, on n'a que les mœurs des grands ; c'est-à-dire qu'on n'en a point. » (*Ibid.*, p. 5). Le bourgeois du XVIIIe siècle représente en effet l' « homme éclairé », si on le compare au peuple, et « l'homme de cœur », si on le compare aux grands. La vertu rassemble en un style de vie parfait les deux qualités essentielles du bourgeois.

relèvent de la suggestion systématique. Avec délectation, Trublet affûte un brillant paradoxe, qui cache une précieuse vérité [1]. Dupuy prend un accent catégorique et magistral [2]. Caraccioli se fait enjoué et lyrique [3]. Blondel se garde des doctrines ambitieuses ; il lui suffit d'apporter son témoignage, de dire ce qu'il éprouve [4]. Un autre préfère illustrer sa morale d'édifiantes fictions, pour la rendre plus séduisante [5]. Plus le lecteur devient « sensible », plus il est nécessaire de frapper son imagination ; la morale utilise sans réserve les ressources du romanesque [6]. Enfin, dans presque tous les traités sur le bonheur de la fin du siècle, la vertu constitue le thème unique [7].

L'idée de vertu n'est pas une idée simple. Elle désigne au moins trois réalités différentes. Il existe une vertu que l'on distingue à peine de l'unité et de la plénitude intérieures. Elle représente cet état de recueillement, cette jouissance de soi, que distille la bonne conscience, volupté du sage. Pour être vertueux, il suffit de ne pas s'agiter, de

1. « C'est précisément parce que le bonheur consiste dans le plaisir qu'on ne le trouve pas toujours dans les plaisirs et qu'on le trouve toujours plus ou moins dans la vertu. Les plaisirs peuvent être sans aucun plaisir ; la vertu ne peut être sans quelque plaisir. » (TRUBLET, *op. cit.*, t. III, p. 350).

2. « Après de longues et fréquentes épreuves, à force de réfléchir sur ce qui peut faire notre bonheur, j'ai senti que c'est un étrange aveuglement de le chercher ailleurs que dans la pratique sincère de la vertu. » (DUPUY, *Instruction d'un père à son fils sur la manière de se conduire dans le monde*, p. XIX).

3. « O charmante vertu ! — car c'est toujours sous ces traits que vous vous annoncez — comment ne seriez-vous pas compagne de la gaîté ?... » (CARACCIOLI, *De la Gaîté*, p. 83) ; cf. *ibid.*, pp. 68-69, une description de la vertu : « Son commerce n'a rien que de gracieux et son langage n'a rien que d'insinuant... »

4. « Je ne sais si c'est par une disposition naturelle ou par une inspiration divine que je trouve tant de plaisir à pratiquer la vertu. Je sais seulement que je n'ai jamais l'esprit si tranquille ni le cœur si satisfait que quand j'ai rempli mes devoirs. Je remarque que c'est l'état le plus délicieux dans lequel mon âme puisse se trouver. » (BLONDEL, *Des hommes tels qu'ils sont...*, pp. 159-160).

5. SÉGUIER DE SAINT-BRISSON écrit en 1764 un *Ariste ou les Charmes de l'honnêteté*, qui commence ainsi : « Lecteur sensible, je vous offre en ce petit ouvrage l'exemple de la vertu heureuse et satisfaite... Suivez-moi dans les champs : venez voir Ariste heureux, parce qu'il est honnête, et honnête pour être parfaitement heureux. » (*Op. cit.*, p. 1).

6. Dans la *Fille naturelle* de RÉTIF, on voit d'Azinval prendre en pitié la petite orpheline Marion — sa fille naturelle — qu'il a rencontrée dans la rue : « Depuis longtemps, d'Azinval n'avait passé de nuit aussi agréable que celle qui suivit cette bonne action : une joie douce et pure le pénétrait. Il n'éprouvait point de mouvements tumultueux ; son cœur ne tressaillait pas, mais il était satisfait. » (RÉTIF DE LA BRETONNE, (*op. cit.*, t. I, p. 27).

7. L'abbé DE GOURCY, auteur de l'*Essai sur le bonheur*, n'est pas satisfait par la citation de Rousseau : « Il n'est point de route plus sûre pour aller au bonheur que celle de la vertu. Si on y parvient, il est plus pur, plus solide et plus doux par elle ; si on le manque, elle seule peut en dédommager. » Il trouve que l'affirmation devrait être plus absolue : « On peut enchérir sans aller au delà du vrai. *Ce n'est pas assez dire qu'il n'est pas de route plus sûre pour le bonheur, elle est la seule :* toute autre route nous égare ; tous les pas qu'on y fait sont, pour ainsi dire, autant d'espace que l'on met entre soi et le vrai bonheur. » (*Op. cit.*, p. 134). Gourcy tient cependant à conserver à la vertu un caractère modéré, bourgeois pourrait-on dire encore. En citant un passage des *Quatre philosophes* de HUME, il déclare : « *N'outrons rien. Tenons-nous même en garde contre l'enthousiasme de la vertu.* N'imaginons pas que la vertu, dénuée de tous les autres biens, en proie à tous les maux, puisse faire goûter une félicité complète. » (*Ibid.*, p. 137). Gourcy blâme l'indifférence inhumaine du Sage stoïcien pour tout ce qui n'est pas la vertu et considère comme un paradoxe l'affirmation d'Épicure selon laquelle « le Sage dans le taureau de Phalaris s'écriera que ses tourments ne sont rien, que sa situation est délicieuse... » Il la ramène à cette proposition raisonnable : « Nous ne craindrons pas d'être repris d'exagération, en avançant que si la vertu, dépouillée de tous ses biens, luttant contre tous les maux, ne suffit pas pour nous rendre heureux, elle nous fournit du moins la plus douce et la plus solide des consolations... » (*Ibid.*, p. 138).

désirer modérément, de ne pas courir le risque des passions ou de savoir leur résister, de détester le mal et de bien agir sans trop d'efforts. La qualité de bonheur qui s'accorde avec ce style de vertu est très voisine de ce qu'on a nommé le bonheur du repos. La vertu est alors comparable à l'ataraxie stoïcienne, au bonheur contemplatif selon Spinoza.

Mais la vertu change de nature, lorsqu'elle s'allie à la sociabilité. De repos, elle devient action ; de plénitude, elle se fait effusion. Elle prend une valeur moins personnelle que sociale. Elle se confond avec la bienfaisance. Malgré les différences, un trait commun rapproche ces deux premiers sens : la vertu y est supposée *facile*. L'homme n'a donc pas à s'armer contre lui-même, il ne risque pas le déchirement ; il lui suffit de s'accomplir, de choisir entre sa tendance à l'immobilité et sa tendance au mouvement. La vertu-repos et la vertu-bienfaisance sont l'une et l'autre naturelles et spontanément heureuses.

Il n'en est pas de même pour la troisième acception du mot, qui définit la vertu comme dualité et rupture. Cette dernière vertu est essentiellement lutte intérieure et sacrifice. Elle exige un arrachement à soi, un dépassement de la nature. C'est la vertu torturée, douloureuse, qui comporte ses échecs et ses désastres. Il est inconcevable qu'elle se révèle immédiatement heureuse. La tension qu'elle implique apparaît même un instant comme le contraire du bonheur. Mais ce bonheur, elle le restitue après coup, dès que la conscience apaisée peut se féliciter de son sacrifice, savourer les voluptés qu'il recèle. La vertu-conflit n'en pose pas moins avec plus d'acuité que les précédentes le problème du bonheur dans ses rapports avec la vie morale.

Au début du siècle, Massillon enseigne aux grands que le bonheur ne se rencontre ni dans le faste, ni dans la puissance, mais dans l' « innocence », dans la quiétude d'une âme épurée des passions et satisfaite d'elle-même [1]. Au repos chrétien de l'âme innocente, les mondains opposent le repos glorieux de l'âme fidèle à la vertu et à elle-même [2]. Mme de Lambert combine le sens moral et le sens héroïque du mot « vertu » : de l'accord des deux résulte le vrai bonheur, qui

1. « Le bonheur, Sire, n'est pas attaché à l'éclat du rang et des titres ; il n'est attaché qu'à l'innocence de la vie... En un mot, point de bonheur où il n'y a point de repos et point de repos où Dieu n'est point. » (MASSILLON, *Sermon sur les malheurs des grands*, *Petit Carême*, p. 82).

2. Dans son traité *De la Gloire*, DE SACY démontre que vertu et gloire sont synonymes : « Est-ce bien connaître la nature de la gloire que de dire qu'elle naît de la vertu, puisqu'à l'examiner de près, on reconnaît bientôt qu'elle est la vertu même, ou du moins l'éclat qui lui est propre et essentiel, sitôt qu'elle est en état de briller à nos yeux... Décrier la gloire, c'est donc ne pouvoir soutenir la splendeur de la vertu. » (*Op. cit.*, p. 10).

consiste en la paix de l'âme [1]. Le cœur est l'organe de la vertu, comme il est le siège du bonheur [2].

Avec l'avènement de la philosophie, la vertu devient plus rationnelle. Ladvocat affirme, dans ses *Entretiens sur un nouveau système de morale et de physique, ou la Recherche de la vie heureuse selon les lumières naturelles* (1721), que la « vertu et la raison sont une même chose », et il définit la vertu comme une « habitude de l'esprit réduite en acte » [3]. Bernis admet que le véritable homme d'esprit est, du même coup, un homme vertueux [4]. Rouillé d'Orfeuil dit de la vertu : « C'est l'amour de la vérité et du bien. Tout homme qui connaît toutes les qualités qui constituent réellement le bien, le désire, l'aime et le suit nécessairement [5].

Qu'elle soit fondée sur l'innocence, la gloire ou la vérité, la vertu demeure une recette infaillible de bonheur : « Toutes les fois qu'il vous arrivera d'avoir de l'humeur, recommande Mme de Puisieux, hâtez-vous de faire une action vertueuse [6]. » Cette justification hédoniste de la vertu vaut toutes les considérations morales. Il est inutile de plaider solennellement la cause du bien et de tonner contre les passions. Il suffit de penser qu'une âme paisible est moins éloignée du bonheur qu'une âme agitée, que le repos d'une bonne conscience surpasse en qualité les attendrissements et les ivresses [7].

Dans la seconde moitié du siècle, le repos vertueux se charge de toutes les délectations secrètes du repliement sur soi. Sous l'influence

1. « Souvenez-vous que le bonheur dépend des mœurs et de la conduite, mais que le comble de la félicité est de le chercher dans l'innocence ; on ne manque jamais de l'y trouver. » (*Avis d'une mère à son fils*, *Œuvres*, 1748, p. 54). « Si vous voulez être heureux avec sûreté, il faut l'être avec innocence. Il n'y a d'empire certain et durable que celui de la vertu. » (*Ibid.*, p. 30). « Le fondement du bonheur est dans la paix de l'âme et dans le témoignage secret de la conscience... » (*Ibid.*, p. 49). « Il faut, ma fille, être persuadée que la perfection et le bonheur se tiennent, que vous ne serez heureuse que par la vertu et presque jamais malheureuse que par le dérèglement. » (*Avis d'une mère à sa fille*, *Œuvres*, p. 65).

2. Mme de Lambert dit à son fils : « Je vous exhorterais bien plus, mon fils, à travailler sur votre cœur qu'à perfectionner votre esprit : ce doit être l'étude de toute la vie. La vraie grandeur de l'homme est dans le cœur... L'on n'est estimable que par le cœur et l'on n'est heureux que par lui. » (*Avis d'une mère à son fils*, *Œuvres*, p. 47).

3. *Op. cit.*, pp. 47-48.

4. « L'homme d'esprit, à mon avis, est celui qui éclaire son siècle par des ouvrages utiles, celui qui les rend meilleurs par une morale plus pure et par des préceptes ennoblis par l'éloquence et embellis par l'imagination. Tout ouvrage qui ne remplit pas, avec supériorité, un objet d'utilité physique et morale ne devrait pas acquérir à son auteur la réputation d'homme d'esprit. *En un mot, je ne sépare point l'esprit du bon sens ni de la vertu.* » (Bernis, *Mémoires*, p. 97).

5. Rouillé d'Orfeuil, *L'Alambic moral*, p. 535.

6. Mme de Puisieux, *Caractères*, p. 47.

7. « On est toujours dédommagé des sacrifices qu'on fait à la vertu ; on jouit d'une vie pure et tranquille. La plus tendre émotion n'est pas à comparer à la paix de l'âme : tous les plaisirs que nous procurent nos passions satisfaites n'ont jamais valu le repos d'une personne qui n'est attachée qu'à ses devoirs. » (*Ibid.*, p. 74).

Grimod de la Reynière, célèbre pour ses soupers et son délicat épicurisme, en convient lui aussi : « Il est un plaisir véritable et qui ne peut être goûté que par les âmes épurées et solides : c'est celui qui naît de la combinaison naturelle et de l'accord de nos actions avec les lois de la vertu. Celui-là seul est sans remords ; il est durable et ses jouissances multipliées dans un cœur sensible forment un enchaînement de prospérités qui le renouvelle sans cesse. » (Grimod de la Reynière, *Réflexions sur le plaisir par un célibataire*, p. 18).

de Rousseau, la vertu — ou le bonheur — revient à circonscrire son être, à couper les liens entre l'âme et les choses, à se rapprocher de soi. Du centre de cette intimité close, peuvent s'échapper les élans spirituels [1].

En 1776, un ouvrage anonyme, qui a pour titre *La Recherche du bonheur*, vulgarise la doctrine morale de Rousseau. Il s'agit de ramener l'homme au centre de lui-même, de lui apprendre à ne plus regarder vers le monde extérieur, à renoncer aux désirs, à l'imagination, à l'ambition, à la gloire. La vertu consiste à intérioriser sa vie. Elle est douce et discrète, fuyant l'éclat et le tapage. Elle écoute la voix du cœur, lorsque toutes les passions se sont tues. Vertu et modestie sont les deux mots dont se sert l'auteur pour définir le « vrai bonheur [2] ».

Au lieu de conduire l'homme sur des sentiers raboteux et par des voies étroites, la vertu le ramène doucement vers une sérénité voluptueuse, que l'on savoure au sein de la nature et d'une petite société choisie. Une telle vertu est aisée, euphorique. Elle ne suscite aucun conflit intérieur, et le bonheur est beaucoup moins sa conséquence que son essence même. Mais s'il est vrai que la vertu doit impliquer un effort, ainsi qu'une conscience toujours active du bien moral, qui en fait une conquête et un progrès, le terme d' « innocence » convient mieux sans doute au style de vie que l'on vient d'évoquer. On peut reprocher à cette prétendue vertu d'être trop facile, de se limiter à une sage abstention du mal, au lieu d'imprimer un élan vigoureux vers le bien. Surtout elle ne tient pas compte de la sociabilité de l'homme, qui lui interdit de penser et de réaliser son bonheur en faisant abstraction de ses semblables.

Aussi voit-on se former une autre règle de vie, où l'attention aux autres remplace l'attention à soi, où les vertus purement individuelles, telles que l'innocence, la pureté et même la sainteté, s'effacent devant un idéal nouveau : la bienfaisance. Dans le *Dictionnaire philosophique*, Voltaire propose une définition fort nette : « Qu'est-ce que la vertu ? Bienfaisance envers le prochain [3] ». Sur ce thème, il en appelle à la

1. Cf. l'ouvrage de l'abbé BONCERF, *Le Vrai philosophe* (1762).

2. Dans son *Essai sur le bonheur*, l'abbé DE GOURCY invite son lecteur à se transporter dans « l'asile qu'a choisi l'homme modeste et vertueux » : « Là, toutes les passions en silence, toutes les erreurs qui sont fatales au *repos* et à l'*innocence* dissipées, tous les jugements et tous les goûts, tous les projets et tous les jugements des hommes pesés dans le balance de la raison et de la sagesse, tous les biens estimés leur juste valeur, *il jouit délicieusement de lui-même*, de sa fortune, de ses amis... Il s'applaudit de sa prudente et inébranlable modération : il en recueille les fruits dans le sein de la petite société qu'il a trouvée ou qu'il s'est faite d'après ses goûts. » (*Op. cit.*, p. 153).

3. VOLTAIRE, *Dictionnaire philosophique*, article *Vertu*.

conscience de son lecteur : les qualités personnelles, tempérance et prudence, « sont d'excellentes qualités qui servent à se conduire, mais elles ne sont point vertus par rapport à son prochain. Le prudent se fait du bien, le vertueux en fait aux hommes [1]. » Vauvenargues affirme que l'essence du bien et du mal ne peut être que sociale [2]. Pour d'Holbach, il n'existe pas non plus d'obligation morale indépendante des relations sociales [3]. Diderot identifie la bienfaisance au bien moral et il y reconnaît moins l'application systématique d'un code préconçu, que le fruit de « ce noble et sublime enthousiasme » qui « se tourmente des peines des autres et du besoin de les soulager », qui « voudrait parcourir l'univers pour abolir l'esclavage, la superstition, le vice et le malheur » [4].

La sociabilité, au sens strict, désignait le plaisir qu'éprouve l'homme à vivre avec ses semblables, à les aimer, à s'en faire aimer. Le bonheur qui l'accompagne est décuplé lorsqu'elle revêt sa forme active. La bienfaisance est la sociabilité devenue à la fois système et action. Le mot, venu de l'ancienne langue, fut remis en usage par l'abbé de Saint-Pierre et adopté par Voltaire. Si la bienfaisance est surtout l'une des conditions du bonheur social, elle n'en joue pas moins un rôle essentiel dans le bonheur personnel, non de celui qui en est l'objet, mais de celui qui la pratique. Etre bienfaisant est le plus sûr moyen de se rendre heureux.

Dans le second plan de bonheur élaboré par Cleveland après son abandon des plaisirs mondains, les besoins du cœur doivent d'abord être remplis par l'amour du héros pour sa femme et sa fille. Cependant,

1. « Mais quoi ! N'admettra-t-on de vertus que celles qui sont utiles au prochain ? Eh ! comment puis-je en admettre d'autres ? Nous vivons en société ; il n'y a donc de véritablement bon pour nous que ce qui fait le bien de la société. Un solitaire sera sobre, pieux, il sera revêtu d'un cilice : eh bien, il sera saint, mais je ne l'appellerai vertueux que lorsqu'il aura fait quelque acte de vertu dont les autres hommes auront profité. Tant qu'il est seul, il n'est ni bienfaisant, ni malfaisant ; il n'est rien pour nous... Mais, me dites-vous, si un solitaire est gourmand, ivrogne, livré à une débauche secrète avec lui-même, il est vicieux : il est donc vertueux s'il a les qualités contraires. C'est de quoi je ne peux convenir : c'est un très vilain homme, s'il a les défauts dont vous parlez ; mais il n'est point vicieux, méchant, punissable, par rapport à la société, à qui ses infamies ne font aucun mal. » (*Ibid.*).

2. « Ce qui n'est bien ou mal qu'à un particulier et qui peut être le contraire de cela à l'égard du reste des hommes, ne peut être regardé, en général, comme un mal ou comme un bien. Afin qu'une chose soit regardée comme un bien par toute la société, il faut qu'elle tende à l'avantage de toute la société ; et afin qu'on la regarde comme un mal, il faut qu'elle tende à sa ruine ; *voilà le grand caractère du bien et du mal moral.* » (VAUVENARGUES, *Œuvres*, t. I, p. 62). Comme Voltaire, Vauvenargues n'admet d'autre critère du bien et du mal que l'utilité sociale. Il récuse même celui de la difficulté. Cet admirateur de la grandeur d'âme n'accorde à l'effort ascétique aucune valeur morale proprement dite : « Mais peut-être que les vertus que j'ai peintes comme un sacrifice de notre intérêt propre à l'intérêt public, ne sont qu'un pur effet de l'amour de nous-mêmes ; peut-être ne faisons-nous le bien que parce que notre plaisir se trouve dans ce sacrifice. Étrange objection ! Parce que je me plais dans l'usage de ma vertu, en est-elle moins profitable, moins précieuse à tout l'univers, ou moins différente du vice, qui est la ruine du genre humain ? Le bien où je me plais change-t-il de nature ? Cesse-t-il d'être bien ? » (*Ibid.*, pp. 68-69).

3. « C'est sur l'action et la réaction des volontés humaines, sur l'attraction et la répulsion nécessaires de leurs âmes que toute la morale se fonde. » (D'HOLBACH, *Système de la nature*, t. I, 393).

4. *Encyclopédie*, article *Humanité*, Assézat-Tourneux, t. XV, p. 145.

lorsque Cleveland découvre la joie que Fanny et Cécile éprouvent à faire le bien, il en conclut qu'il s'agit d'une « douceur innocente » et qu'il peut encore y « prétendre ». Il décide donc de les imiter pour sa propre délectation. Afin de tirer de sa bienfaisance le plus grand plaisir possible, il choisit de la fonder sur une doctrine. Ayant observé à quel point la nature et la fortune sont désinvoltes envers le mérite, il entreprend de se substituer à la Providence en rétablissant plus de justice [1]. Sans vouloir exclure tout à fait « les malheureux sans mérite », que la simple humanité et la pitié lui recommandent, il préfère donner à son action généreuse la forme d'un système, où son orgueil philosophique et ses rêves d'ordre trouveront mieux leur compte [2].

Faire des heureux pour être heureux est un thème universellement et perpétuellement repris. Le « Philosophe bienfaisant » le répète tout au long de ses trois volumes : « Le vrai bonheur consiste à faire des heureux... Quel plaisir plus sensible que de faire des heureux [3] ? » Pour Pluquet, la bienfaisance est le point où se rencontrent le plaisir, la raison et la vertu. Aucune autre conduite n'est riche d'un tel contenu et n'exprime aussi parfaitement la totalité des besoins et des aspirations de l'homme. Aussi peut-on dire que « le bonheur qu'il procure aux autres est la mesure de celui qu'il ressent ». Lorsque le plaisir seul n'incline pas assez vers la bienfaisance, une intervention presque immédiate de la raison suffit à provoquer cet élan, où égoïsme et bonté se confondent [4]. Après avoir évoqué les charmes de la vertu immobile, Gourcy célèbre la vertu en expansion, celle qui se déploie et prolifère [5].

Tous les auteurs du siècle ne font profession de l'être que pour le bien des hommes. Qu'il s'agisse de hautes révélations — secrets de la foi, de la sagesse et de la magie — ou des plus futiles passe-temps,

1. « Il me parut beau de donner quelques exemples d'un meilleur ordre, en choisissant à Paris ou à Londres quelques infortunés d'un mérite éclatant pour les mettre dans l'abondance. » (*Cleveland*, t. VIII, pp. 135-136).

2. Cleveland complète donc son programme de vie, où tout est ramené à la pensée des autres : « Les offices de la civilité et de l'amitié devaient appartenir aussi à ce projet comme dépendant des mêmes principes. Enfin c'est sur ces fondements que mon nouveau système fut établi et je me persuadai, en l'approfondissant d'avance, que c'était le seul qui convînt à mes inclinations. » (*Ibid.*).

3. Stanislas Leczinski, *Œuvres du Philosophe bienfaisant*, t. I, pp. 211 et 221. Cf. *ibid.*, pp. 215-216. « Le bonheur que l'on procure aux autres ne peut manquer de rejaillir sur le cœur généreux qui le produit ; c'est une eau qui, après avoir arrosé des terres arides, remonte vers la source pour en couler de nouveau. Les biens dont on jouit peuvent échapper des mains de ceux qui les possèdent ; mais les biens que la charité fait répandre, quoique sujets aux caprices, durent du moins toujours par le plaisir ou par la gloire de les avoir fait servir à faire des heureux. »

4. Pluquet, *De la sociabilité*, t. I, pp. 203-204.

5. « La vraie vertu ne peut être renfermée en elle-même. Une douce et invincible pente la porte à se communiquer et à communiquer tout ce qu'elle a pour la consolation et le bonheur des humains. C'est dans ces secours, dans les services conformes à son état et qui souvent paraissent supérieurs à ses forces, que la vertu trouve les plaisirs les plus exquis. » (Gourcy, *Essai sur le bonheur*, p. 165).

la bienfaisance est la perpétuelle, l'encombrante justification de la littérature, comme elle est la source du bonheur d'écrire. Dans son *Histoire de la philosophie hermétique* (1742), Lenglet-Dufresnoy veut dévoiler « la plus grande folie et la plus grande sagesse dont les hommes soient capables » : le secret de fabriquer de l'or. Est-il donc un diabolique tentateur, un apprenti sorcier sans conscience ? Nullement : c'est un immense rêve de bonté qui l'habite [1]. En tête des *Mémoires du Comte de Guine* (1761), roman baroque et pathétique, grevé des plus lourdes conventions, Leblanc de Guillet déplore de n'être pas en mesure « d'éclairer les hommes ou de les instruire ». Il se résignera à une tâche plus médiocre, mais, modeste dans sa sphère, il n'en sera pas moins utile, et cette idée le réconforte [2].

Le goût de la bienfaisance prend quelquefois des formes morbides. Il ne suffit pas d'être un bienfaiteur : on se veut encore le créateur, le possesseur de l'être qu'on oblige. On y recueille une volupté, qui est à la fois sentimentale, démiurgique et bourgeoise. Un personnage de Rétif de la Bretonne dit de sa protégée : « Marion me devra tout ; je serai tout pour elle : ses mœurs, son état, sa fortune, tout sera mon ouvrage ; elle envisagera dans le même homme un père, un bienfaiteur, un époux. Oh ! qu'elle me sera chère [3] ! » Liebman, héros de Baculard, conçoit un projet délirant : il fait élever clandestinement et séquestre par excès de tendresse une petite fille qui ne devra connaître que lui, afin d'appartenir totalement au seul être qu'elle aura jamais vu. Il existe une volupté, une cruauté de la bienfaisance, que le XVIIIe siècle a imaginées, sinon vécues, sous une forme plus inquiétante que les épanouissements de M. Perrichon. Mais l'aberration de certains résultats révèle assez l'acharnement dans la recherche.

Dégradée en cette obsession possessive, la bienfaisance peut être idéalisée, au point de s'identifier avec l'idée même de la divinité [4].

1. « Qu'il est glorieux et satisfaisant de trouver les moyens d'être utile à ses amis, de soulager les pauvres dans leur indigence, de bénéficier la société par des voies louables et avantageuses au bien public ! C'est une douce consolation pour l'homme de bien de pouvoir se dire à soi-même : loin de chercher, comme tant d'autres, soit à envahir, soit à diminuer le bien d'autrui, pour me procurer quelque avantage particulier, je suis en état de répandre dans le commerce un bien qui n'y est pas connu et auquel on ne s'attend point. Je me trouve heureux, sans rien ôter à personne, de pouvoir enrichir les gens de mérite. » (LENGLET-DUFRESNOY, *Histoire de la philosophie hermétique*, t. I, pp. 1-3).

2. « Je me réduis donc de bon cœur à rendre à mes semblables le seul service où ma félicité ne soit pas intéressée (l'auteur veut dire : qui ne compromette pas la vie « solitaire et paisible » qu'il a choisie). C'est celui de l'amuser un instant par la lecture d'une fiction qui puisse l'émouvoir. » (*Op. cit.*, Préface). Leblanc de Guillet précise un peu plus loin : « Il est dans la vie de ces instants où le calme des passions, la privation de société, l'intervalle des affaires laissent dans l'âme un vide que des réflexions involontaires remplissent souvent d'une manière triste. Il est agréable de trouver dans ces moments sous sa main une courte brochure, un roman qui présente des images riantes et qui arrache l'homme à lui-même. Si ce roman surtout respire l'humanité, s'il peint la vertu sous des couleurs intéressantes et le crime sous des traits odieux, il en résulte un double bien. »

3. RÉTIF DE LA BRETONNE, *La Fille naturelle*, t. I, p. 66.

4. « 1° Dans l'ordre naturel, l'idée de bienfaisance, soit active ou passive, précède toute idée

Selon Morelly, l'idée de bienfaisance est la première et la plus haute qui hante l'âme humaine. Elle implique une révélation de l'absolu. La bienfaisance est inscrite à la fois dans la faiblesse de l'homme, qui éprouve la nécessité d'un secours pour persévérer dans son être, et dans sa conscience religieuse, qui ne lui suggère pas d'autre approche de la divinité que l'idée « d'un être infiniment bon »[1]. Elle exprime donc l'essence de l'homme[2]. Aussi les rapports qu'elle entretient avec le bonheur se nouent-ils dans les zones profondes de la conscience[3].

Si la bienfaisance est la source du bonheur, plus un homme aura l'occasion et le pouvoir d'être bienfaisant, plus il sera heureux. Or à quel homme cette occasion et ce pouvoir sont-ils perpétuellement offerts, si ce n'est à un roi ? C'est ainsi que se constitue le mythe du roi heureux : un roi est cet être privilégié qui jouit de tout le bonheur qu'il donne[4]. La condition du roi bienfaisant représente comme une limite idéale du bonheur humain. Elle révèle aussi à quel point le bonheur d'un être peut dépendre du bonheur de tous. Le personnage du « bon roi » devient le symbole de la solidarité des âmes et des destins.

Il reste à se demander si la bienfaisance est toujours légitime. Il est difficile de la réduire, comme le fait Cleveland, à une simple méthode de bonheur. Pour être pleinement justifiée, il faut qu'elle apparaisse comme la récompense de ceux qu'elle favorise. Aussi admet-on le plus souvent qu'elle est réservée, non au malheur seul, mais au malheur doublé de mérite[5]. Cette précaution est nécessaire pour ne pas laisser dégénérer la pitié en une impulsion anarchique. Nul n'a le droit, pour savourer les impressions voluptueuses d'une bonne conscience, d'absoudre, de valoriser par sa bienfaisance ceux que la société condamne et exclut. Toujours les impératifs de l'ordre équilibrent l'exigence du bonheur.

et celle même de la Divinité. — 2° Cette idée est la seule qui élève l'homme à celle d'un Dieu plutôt et plus sûrement que le spectacle de l'univers. — 3° La bienfaisance nous donne de la divinité une idée vraiment digne de la grandeur de son objet... — 4° L'idée de la divinité ne se corrompt dans l'homme qu'à mesure que celle de la bienfaisance dépérit. » (MORELLY, *Code de la nature*, pp. 158-159) ; cf. *ibid.*, p. 162 : « Ce n'est point, comme le prétendent la plupart des philosophes, le spectacle de l'univers, ni les réflexions sur notre contingence et la sienne, qui nous mènent à l'idée de quelque chose de divin ; ces remarques aident, à la vérité, à perfectionner cette idée ; mais quand le discernement nous les fait faire, nous avons déjà l'idée d'une *bienfaisance* en général ; c'est donc elle seule que notre sensibilité prend pour guide ; c'est donc elle qui nous élève à l'idée générale d'un Être bienfaisant : d'autres idées sont comme des milieux qu'elle traverse et dont elle prend des teintes qui la perfectionnent. »

1. *Ibid.*, p. 163.
2. « La véritable bienfaisance est fille de l'amour de notre être. » (*Ibid.*, p. 182).
3. Cf. *ibid.*, pp. 157-158.
4. Sur ce thème, on pourrait citer des témoignages innombrables ; cf. MASSILLON, *Petit Carême*, pp. 127 et 183 ; PERNETTI, *Conseils de l'amitié*, p. 113 ; ROUILLÉ D'ORGUEIL, *L'Ami des Français*, pp. 337-338 et p. 578 ; MARMONTEL, *Bélisaire*, pp. 149-150 ; STANISLAS LECKZINSKI, *Œuvres du Philosophe bienfaisant*, t. I, pp. 218-219 ; MORELLY, *Le Prince, les délices du cœur...*, t. I, p. 37 ; PLUQUET, *De la sociabilité*, t. II, p. 102 ; DE SAPT, *L'Ami du prince et de sa patrie ou le Bon citoyen* (1769), p. XXVIII, etc.
5. « C'est le mérite malheureux qui excite en nous la compassion secourable. Le malheur seul ne l'excite guère. » (TRUBLET, *op. cit.*, t. III, p. 273).

Cependant, en face de cette conception autoritaire de la bienfaisance, s'en dessine une autre, plus sentimentale, qui fait prévaloir la pitié pure sur la morale elle-même. Voisenon estime que « dès que l'on est malheureux, on cesse d'avoir tort » [1], et Vauvenargues qu' « il n'y a point d'infamie dont la misère ne fasse un objet de pitié pour les âmes tendres » [2]. Héros préromantique, Dolbreuse réserve sa pitié au « méchant », car celui « dont le cœur est mort au plaisir de bien faire est sans contredit le plus malheureux des êtres » [3]. Mais il faut attendre le Romantisme pour que le malheur profite définitivement du préjugé accordé jusque-là au mérite.

L'exaltation de la bienfaisance implique un acte de foi, résolument euphorique, en la bonté de l'homme. Pourtant tout le monde n'éprouve pas du plaisir à faire le bien : la nature a ses monstres, et il n'est pas sûr qu'elle ait gardé chez les meilleurs toutes ses qualités primitives. L'auteur des *Mémoires du Comte de Guine* souligne l'endurcissement des gens heureux et conclut que la bienfaisance n'a cours qu'entre frères de détresse [4]. Quant à Vauvenargues, il a partout rencontré de ces gens qui « n'entendent point quand on leur parle d'autre chose que d'eux-mêmes ». Jamais les grands ravages du destin, les catastrophes publiques, n'interrompent la frivole succession du « jeu », des « rendez-vous » et des « bals ». Si le cœur humain est si peu sensible aux calamités générales, comment pourrait-il accueillir le malheur d'un seul [5] ?

Mais ces accents pessimistes demeurent rares. Pour que la bienfaisance contribue au bonheur, il faut qu'elle soit facile : la bonté qui coûterait trop d'efforts cesserait d'être un plaisir.

***

Les textes maçonniques reflètent assez bien ce climat de vertueuse euphorie : dans la vie du maçon, vertu et plaisir sont toujours associés et ne se distinguent guère. L'abbé Desfontaines définit le maçon comme « un honnête homme qui exerce les préceptes de l'humanité envers tous et un devoir particulier envers ses frères, auxquels il est lié par un secret qu'il ne peut pas révéler » [6]. C'est donc la sociabilité

1. VOISENON, *Histoire de la Félicité*, p. 135.
2. VAUVENARGUES, *Œuvres*, t. II, p. 205.
3. LOAISEL DE TRÉOGATE, *Dolbreuse*, t. II, pp. 183-184.
4. « Les favoris du sort (je ne parle pas de tous, il en est de vertueux) croiraient leur félicité troublée, si dans le cours rapide de leurs plaisirs, leurs yeux étaient frappés par la triste image d'un malheureux ; mais ceux qui ont connu l'infortune pensent bien autrement, leurs cœurs sont sensibles ; ils aiment les affligés ; ils se racontent mutuellement leurs malheurs ; leurs soupirs confondus deviennent moins amers et les larmes qu'ils mêlent sont moins affligeantes. » (LEBLANC DE GUILLET, *op. cit.*, p. 64).
5. « S'il en est ainsi, il ne faut point compter sur la pitié des autres ; il faut mettre toute sa confiance en soi et n'espérer que sur son propre courage. » (VAUVENARGUES, *Œuvres*, t. I, p. 115).
6. *Lettre de M. l'abbé de *** à Mme la Marquise de ***, contenant le véritable secret des Francs-Maçons* (1744), pp. 6-7.

et la vertu qui constituent l'essentiel de l'attitude maçonnique. Il s'agit d'un système de relations à deux degrés, dont l'un relève de l' « humanité », conçue comme une solidarité de principe entre tous les hommes, l'autre d'une prédilection et d'une complicité vécues, que l'on se plaît à entourer de mystère, afin de retrouver l'un des styles fondamentaux de la vie heureuse : une communauté d'âmes choisies, à l'intérieur d'un monde clos.

Au reproche de « goûter la fine volupté » et de s'attarder aux « repas sensuels », le maçon répond, selon Desfontaines : « Nous goûtons, il est vrai, la volupté fine et délicate, mais qui n'est pas uniquement sensuelle... Imaginez le plaisir qu'éprouve un honnête homme à pratiquer et à voir pratiquer la vertu par ses semblables. » Ce plaisir est comparé au ravissement d'un chimiste qui verrait couler de son « alambic » une « fontaine d'or » et à la fierté d'un amateur de fleurs faisant admirer ses tulipes. Quant aux voluptés de la table, il est vrai que les francs-maçons ne les repoussent pas, mais ce n'est qu' « un plaisir de tolérance ». Ils détestent les ivrognes et les gourmands, la mangeaille et le grossier délire des festins avinés, mais ils pensent qu'il faut remercier la Providence « d'avoir répandu une sensation agréable sur une fonction qui, examinée sérieusement, semble avoir quelque chose de très ridicule ». En outre, il est inutile d'alourdir d'une réprobation morale des actes qui sont en réalité indifférents, la conscience d'un honnête homme trouvant assez à s'employer en des occasions plus sérieuses [1].

Dans une *Lettre écrite par un maçon à un de ses amis en province* (1764), la fusion entre la vertu et le plaisir est suggérée par une évocation de l'âge d'or : « La fraternité qui règne entre les maçons me représente les premiers temps où les hommes étaient toujours prêts à se prêter aux besoins les uns des autres [2]. » L'auteur anonyme fait également allusion à ces repas qui terminent chacune des assemblées maçonniques et qui placent l'exercice de la vertu sur un fond de voluptés délicates : « Les mets, avoue-t-il, y correspondent à des concerts exécutés par l'élite des musiciens agrégés à la société [3]. »

Pour l'*Eloge de la maçonnerie et des maçons, prononcé par un frère dans une loge qui se tint à Paris le 25 novembre 1744*, l'ultime but de la secte est de « mettre une digue au débordement des passions » et de « rétablir l'ordre parmi les humains » [4]. Se transportant en ima-

1. « Donnons-nous quelque liberté sur les choses indifférentes, la chaîne du devoir nous retient assez dans la contrainte. » (*Ibid.*, p. 22). C'est aussi l'un des principes favoris de Julie, dans *La Nouvelle Héloïse* : il ne faut pas encombrer la morale d'interdictions superflues, et l'on peut se permettre tous les plaisirs innocents.

2. *Op. cit.*, p. 7.

3. *Ibid.*

4. « Lois sacrées des maçons, c'est à vous que cet ouvrage est réservé ; c'est à vous à faire pâtir le crime, à frapper le criminel, à défendre l'innocence, à relever la faiblesse et *à forcer les hommes à être heureux.* » (*Op. cit.*, pp. 14-15).

gination dans des « temps reculés » et des « siècles sauvages », l'auteur voit la maçonnerie « secourir la nature » et changer la face du monde, en révélant à l'humanité l'ordre et la sagesse, en fondant « cette sûreté et cette union » qui font le « charme de la société » et constituent tout le bonheur de l'homme. Il ajoute, en s'exaltant :

« Envisagez-le, mes frères, ce bonheur, et puisque vous en goûtez la douceur, faites voir que vous y êtes sensibles ; mais reconnaissez que c'est des mains de la maçonnerie que vous le tenez ; elle vous l'a procuré ; elle vous le conserve, sa vigilance s'étend à tous vos biens ; elle préside à tout et de ses oracles résulte *(sic) tout le repos et toute la tranquillité du monde* [1]. »

La maçonnerie réalise donc l'alliance entre le repos, le plaisir et la vertu. Tout en s'identifiant avec la morale (« Tout honnête homme est un vrai maçon ») [2], elle constitue un art de vivre, également éloigné de l'ascétisme et de la débauche, et donne à la vertu le sourire un peu fade de ces belles âmes qui font le bien naturellement. Parmi les voluptés, elle conserve libéralement celles qui restent compatibles avec l'ordre et cultive avec prédilection celles qui découlent de la sociabilité [3].

La pureté maçonnique illustre la première définition de la vertu, source immédiate du bonheur, parce qu'elle se dilue dans le repos et la facilité. Exempte de conflits et de déchirements, elle n'a pas à lutter contre la nature, puisque c'est de la nature qu'elle jaillit, ni contre la société, puisque l'ordre moral et l'ordre social sont présumés se confondre. Une telle vertu, parfaitement irréelle, ne s'obtient que par le rapprochement de deux images truquées : une *nature bonne* et une *société morale*. Elle traduit beaucoup moins une prise de conscience sérieuse de la condition humaine, qu'une transposition morale du mythe de la pureté originelle. Assez curieusement, toutefois, ce rêve de la bonté spontanée s'y combine avec un souci moins innocent : l'inquiète volonté de subordonner le bonheur de l'individu au bonheur social et de justifier, avant toute autre chose, l'existence de la société et de ses lois. D'un point de vue strictement moral, il n'y a rien de plus dans cette « vertu » que dans le simple « repos ». Le repos devient vertu lorsqu'il s'auréole d'une justification, d'une résonance ou d'une participation sociale. Psychologiquement, pourtant, la vertu est plus riche que le repos : la douceur d'une vie apaisée s'y anime de toutes les voluptés de l'effusion et de l'action bienfai-

1. *Ibid.*, pp. 16-17.
2. *Ibid.*, p. 13.
3. L'auteur d'un libelle de 1749, *Lettre et discours d'un maçon libre, servant de réponse à la lettre et à la consultation anonyme sur la société des Francs-Maçons*, affirme : « La loi de l'Égalité, une âme tendre et sociable, des mœurs douces, l'amour des Beaux-Arts, la décence et l'harmonie qui règnent dans nos fêtes, voilà, Monsieur, la source inépuisable de notre bonheur. » (*Op. cit.*, p. 22).

sante. En revanche, aucun plaisir n'est sacrifié, car la vertu n'exclut que ceux-là mêmes que le repos suffit à disqualifier.

Si la vertu-repos élimine les conflits tragiques de la conscience divisée, la vertu-bienfaisance rend inutile, et même impensable, toute morale individuelle. On peut estimer qu'elle restreint singulièrement le champ de la vie morale, en y comprenant seulement les actes méritoires envers autrui.

Le XVIIIe siècle réussit ce prodige d'édifier une conception euphorique de la vertu, qui revient à escamoter le problème moral. La « vertu » n'est rien d'autre que le croisement de deux thèmes, dont aucun ne possède de valeur proprement éthique. On pourrait la définir comme un rêve de l'âge d'or enté sur un conformisme social, comme une image d'Arcadie mobilisée au profit de l'ordre. Rousseau semble l'avoir compris, en tout cas sa *Nouvelle Héloïse* le prouve : *la vertu ne peut cesser d'être violence qu'en devenant mensonge.*

4. — LES MYTHES DE LA VERTU : LA LOI NATURELLE ET L'INTÉRÊT.

Rousseau eut en effet le mérite de révéler à ses contemporains ce qui n'était pas pour eux une évidence : la vertu n'est pas toujours facile. Loin d'être naturelle, elle coûte des efforts. Elle oblige l'homme à se diviser, à prendre parti contre lui-même, à se résister et à se vaincre. Par suite, le rapport entre la vertu et le bonheur n'est pas toujours un rapport de simultanéité : au moment où l'on accomplit un acte vertueux, il arrive que l'on souffre. On ne *devient* heureux que bien plus tard et pour des raisons moins immédiates, plus complexes qu'on ne l'avait cru.

Armé du simple bon sens, Voltaire parvient — mais sans en tirer un système de la vie morale — à la même conclusion. Il suffit d'avoir parcouru la littérature du siècle, où prolifèrent les apaisements mensongers et les paradoxes douceâtres sur le thème : *la vertu est le plus grand des bonheurs*, pour admirer le courage, la santé et la lucide fraîcheur de cette page du *Dictionnaire philosophique*, où Voltaire semble préparer les voies du kantisme :

« La Vertu n'est pas un bien, c'est un devoir ; elle est d'un genre différent, d'un ordre supérieur. Elle n'a rien à voir aux sensations douloureuses ou agréables. L'homme vertueux avec la pierre et la goutte, sans appui, sans amis, privé du nécessaire, persécuté, enchaîné par un tyran voluptueux qui se porte très bien, est très malheureux ; et le persécuteur insolent qui caresse une nouvelle maîtresse sur un lit de pourpre est très heureux. Dites que le sage persécuté est préférable à son insolent persécuteur ; dites que vous aimez l'un et que vous détestez l'autre ; mais avouez que le sage dans les fers enrage. Si le sage n'en convient pas, il vous trompe, c'est un charlatan [1]. »

Le problème eût été plus clair, si la grande équivoque dans l'emploi du mot *nature* n'avait pas brouillé les idées. Sans doute est-il permis d'imaginer la Nature inscrivant au fond de chaque âme une définition précise et impérieuse du bien et du mal. Provisoirement indéchiffrable (il est évident qu'aucun nouveau-né ne possède de conscience morale : en dépit de la mauvaise foi des sensualistes, nul défenseur de l'idéalisme ne l'a jamais prétendu), ce message s'éclaire peu à peu avec les progrès de la raison, comme une encre sympathique qui se révèle. Il constitue alors la *loi naturelle*, formulation brève, mais complète, des devoirs moraux, dont le double caractère est d'être parfaitement claire et tout à fait irrésistible [2]. Il est difficile de ne pas reconnaître dans la loi naturelle un résidu métaphysique, le résultat d'un mélange entre l'innéisme classique et la foi chrétienne. La Révélation se retire de ses anciens domaines — l'absolu et l'histoire — pour se loger au fond de chaque conscience. La part du miracle en semble réduite, mais l'homme n'en continue pas moins à être *guidé*, chose fort nécessaire, si l'on ne veut pas que l'impatience et l'acharnement des individus lancés à la poursuite de leur bonheur aboutissent à des catastrophes générales. Malgré cette métaphysique honteuse, le dogme de la loi naturelle peut encore être tenu pour un postulat philosophique aussi valable que bien d'autres. Si cette loi est gravée dans l'âme avec l'énergie qu'on lui prête, on peut même admettre

1. VOLTAIRE, *Dictionnaire philosophique*, article *Bien, Souverain Bien*. A vrai dire, Voltaire ne croyait pas écrire, dans ces lignes, une réfutation de la morale euphorique de son siècle. C'est le Sage stoïcien qu'il vise et il ne veut que confondre son orgueil intellectuel, en rappelant que le plaisir et la douleur physiques peuvent envahir la conscience au point de l'occuper tout entière. Mais, d'un texte aussi pertinent, on est tenté de faire une application moins lointaine.

2. On ne peut que citer quelques textes parmi une innombrable moisson : « Qu'on y pense ou qu'on n'y pense pas, il y a des vérités certaines, immuables, nécessaires, auxquelles on ne peut s'empêcher de se rendre, sitôt qu'on veut les envisager ; de même, le juste et l'injuste sont tels qu'il ne dépend pas de l'homme de changer leur nature. » (*Traité de la probité* (1717), p. 10). « Les crimes ne sont point de l'espèce des choses qu'une religion permet et qu'une autre défend ; *la loi de nature est un sentiment gravé dans le cœur des hommes.* » (Marquis DE LASSAY, *Recueil de différentes choses*, t. IV, p. 219). « *La nature est cette voix intérieure de la raison, qui nous appelle à la recherche de la vérité et à l'amour de la vertu.* » (FORMEY, *Système du vrai bonheur*, p. 9). « La loi naturelle est l'ordre éternel et immuable qui doit servir de règle à nos actions. Elle est fondée sur la différence essentielle qui se trouve entre le bien et le mal... La distinction éternelle du bien et du mal, la règle inviolable de la justice, se concilie sans peine l'approbation de tout homme qui réfléchit et qui raisonne... *Que ce soit donc une maxime pour nous incontestable que les caractères de la nature sont écrits au fond de nos âmes...* En un mot, *la loi naturelle est écrite dans nos cœurs, avec des expressions si fortes et des traits si lumineux qu'il n'est pas possible de la méconnaître.* » (*Encyclopédie*, Article *Loi Naturelle*). « Le plus sévère châtiment du scélérat est le premier sentiment de bienfaisance, pour ainsi dire, innée ; cette voix intérieure de la nature, toute réduite qu'elle est chez les hommes indifférents à la leçon de ne point nuire, a encore assez de force pour se faire vivement sentir au criminel. » (MORELLY, *Code de la nature*, p. 145). « *L'homme porte au-dedans de lui-même une loi qui dirige ses actions;* il y a des biens et des maux qui le portent à rechercher cette loi, une raison qui l'éclaire pour l'y conduire, une conscience qui l'approuve ou qui le condamne et qui le rend heureux ou malheureux, lorsqu'il l'observe ou qu'il la transgresse. » (PLUQUET, *De la sociabilité*, t. I, pp. 246-247).

qu'elle se confond quelquefois avec elle et qu'il suffit de la blesser pour rendre l'âme tout entière malheureuse ou de la vénérer dévotement pour que celle-ci se dilate de volupté. Jusque-là donc, si les postulats sont contestables, du moins la pensée n'enferme-t-elle aucune contradiction.

Il n'en est plus ainsi lorsqu'une confusion abusive aligne la *nature humaine* sur la *loi naturelle*, lorsqu'on tient pour certain que la loi naturelle constitue *toute* la nature de l'homme. On fait plus alors que proposer une hypothèse : on contredit une évidence. Que sont devenus les penchants et les tentations, les désirs dangereux et les rêves impossibles, dont l'homme est si largement composé ? Ils ont été éclipsés par la loi naturelle, qui semble s'installer dans une âme vide, miraculeusement désertée par le mal. En elle-même, la croyance à la loi naturelle permettait de laisser subsister une résistance et de sauver, en l'expliquant, cette dualité qui est l'essence de la vie morale. La *conscience* aurait pu soutenir un dialogue avec la nature, tantôt convaincre, et tantôt succomber. Mais si elle *est* la nature, avec qui dialoguerait-elle ? Elle devient désormais tout l'être. On n'entend plus de voix discordante. Un simple jeu de mots a fait don à l'homme d'une enivrante unité. Désormais, la vertu est automatique ; l'homme produit de belles actions, comme le rosier produit des roses. Celui en qui la floraison est tarie a dérogé aux lois de l'espèce et s'est perdu dans la monstruosité. Tous les hommes sains sont vertueux aussi facilement qu'ils respirent, mais ils en retirent beaucoup plus de plaisir. Nouvelle contradiction, du reste. Si la vertu est si « naturelle », comment expliquer l'intensité de ses ivresses : se pâme-t-on de respirer ou de manger ? Le bonheur de la vertu serait moins étrange, si l'acte vertueux était une victoire chèrement acquise et le signe, non d'une fonction normalement remplie, mais d'un progrès difficile et imprévu.

C'est ainsi que, peu à peu, la loi naturelle, initialement gravée dans la conscience, envahit le cœur et les entrailles. Il semble que l'homme en soit dévoré. On ne s'élève plus à la vertu : on s'y laisse tomber, on s'y noie avec délices. Il suffit d'ouvrir les vannes de la nature, la vertu s'en échappe à grands flots. L' « homme du sentiment » n'est nullement l'antagoniste, mais plutôt la dégradation — fruit d'une confusion et d'une idéalisation naïve — de l'homme des Philosophes. C'est à la « loi naturelle » mal comprise et confondue avec l'homme tout entier qu'il faut remonter pour l'expliquer. C'est sous le couvert de la « loi naturelle » que les âmes sensibles ont substitué à la dualité entre la nature et la conscience, que la théorie de la loi naturelle, prise en toute rigueur, n'effaçait aucunement, une chimérique unité. Désormais vont surgir des êtres étranges, dépourvus de toute vraisemblance, qui sont tous vertueux et le sont totalement, la vertu revêtant en eux de la spontanéité de la nature [1]. Tout le système de l'idéalisation vertueuse repose sur une confusion entre les valeurs du repos et les valeurs éthiques. La conscience morale n'est plus une liberté tendue vers l'action et le dépassement ; elle se pétrifie sous la forme d'une *nature* et se laisse posséder à la façon d'une chose acquise, dont on songe seulement à *jouir*. Dans une phrase révélatrice de son *Bonnet de nuit*, Mercier s'écrie : « Quel trésor plus doux que celui d'une bonne conscience ! » [2]

Dans un être miraculeusement unifié par la vertu, la vie de l'âme ne s'exprime plus que sous forme d'explosions. Si l'homme sensible est condamné, quoiqu'il arrive, à s'attendrir, c'est qu'il est d'une seule coulée : à chaque sollicitation, son être entier déferle et se répand. La sensibilité est cette disponibilité totale qui résulte de l'absence de toute complexité. Il n'existe aucune réticence, aucune ambiguïté, aucune pensée de derrière dans une âme vertueuse : les impulsions de la nature, les actes de la raison, les revendications de la conscience, tout converge et se mêle. C'est ce qui explique la prodigieuse puissance de certains attendrissements et les miracles qui en émergent [3]. Il arrive même que l'être vertueux soit doué de quelque pouvoir magnétique. Loaisel de Tréogate assure que le méchant « se sent terrassé par un seul regard de l'homme de bien » [4].

Mais les explosions de vertu n'ont pas toujours de ces véhémences. Certaines sont plus discrètes ou moins agressives. Une des conditions privilégiées de l'attendrissement vertueux est le bouleversement que déclenche la présence d'un enfant. L'enfant est un catalyseur merveilleux. Il n'a qu'à paraître et les germes de vertu qui sommeillent au fond d'une âme subissent une éclosion instantanée. C'est pour avoir aperçu son enfant que Cleveland, déjà virtuellement chez les ombres, laisse tomber l'épée qu'il allait s'enfoncer dans la gorge.

1. Du reste, ceux qui les inventent sont de bonne foi et croient dépeindre de vrais hommes : « Qu'on ne soit pas surpris, déclare L. S. Mercier, dans sa préface des *Contes moraux*, si tous les êtres que j'ai essayé de peindre sont vertueux : le seul nom de la vertu m'enthousiasme, comme le seul nom de vice me fait rougir ; d'ailleurs, retiré à la campagne depuis quelque temps, je suis environné par des personnes qui pensent comme moi et qui sont ainsi toujours présentes à ma mémoire. Si le peintre prend ses couleurs sur sa palette, le moraliste ne peut peindre que les hommes qu'il voit, et comme tous ceux que j'ai sous mes yeux sont généreux et sensibles, sages et religieux, éclairés et modestes, j'ai été obligé de tracer les effets sublimes du désintéressement, les charmes de la sensibilité, les avantages de la vertu, le prix de la religion et les plaisirs de la vertu. » (*Op. cit.*, pp. V-VI). Nul doute que l'enthousiasme de la vertu ne brouille quelque peu le regard de Mercier ; mais il est admis qu'entre la vertu et la campagne se tissent des rapports secrets (cf. *ibid.*, p. 17 : « Il faut être vertueux pour aimer la campagne »), l'imagination associant, en vertu d'une métaphore qu'elle prend pour un lien logique, la pureté morale et la fraîcheur des champs.

2. L. S. Mercier, *Mon Bonnet de nuit*, t. II, p. 15.

3. L'émotion de Cleveland devant sa femme et sa fille endormies (*Cleveland*, t. VII, pp. 241-242), l'évanouissement collectif de *La Nouvelle Héloïse* appartiennent à ces paroxysmes.

4. *Dolbreuse*, t. II, p. 18. En présence de l'injustice ou du crime, la vertu peut proférer d'atroces imprécations. Il faut lire la tirade de *La Nouvelle Clémentine* où le jeune et vertueux Séligny voue aux gémonies Mme de Berville, à qui il reproche d'avoir tué sa fille Henriette par son humeur inflexible. (Léonard, *op. cit.*, t. I, pp. 312-313).

Rosel, dit « l'homme heureux », tient dans ses bras son enfant de trois ans : il ne lui en faut pas davantage pour se sentir « tout à coup inspiré » et tracer « l'horoscope de son fils », pour lequel il prévoit d'éblouissants lendemains [1].

La vertu peut être associée à d'autres sentiments qu'à la tendresse paternelle. Le plus grand bonheur et la plus parfaite rectitude morale sont atteints simultanément lorsqu'amour et vertu coulent de même source, lorsque les deux se nourrissent réciproquement. C'est cet apogée de la félicité humaine, avec son balancement harmonieux, que découvre Delisle de Sales : « La Nature (il faut entendre la *vertu*) m'a conduit entre les bras de Palmyre et Palmyre me ramène à la Nature [2]. » Aussi a-t-il dédié son œuvre capitale, *De la Philosophie de la nature*, à la femme aimée, en précisant que l'amour seul l'a « rendu philosophe » — non de cette philosophie glacée qu'une impassible raison élabore, mais de l'exaltation bienfaisante qui dilate un cœur jusqu'aux confins de l'univers [3].

Le propre de la vertu naturelle est de se diluer dans un sentiment, qui n'est pas nécessairement d'essence morale, mais dont elle jaillit à coup sûr, parce qu'il suffit de porter l'âme à un certain degré d'échauffement pour que la vertu s'en exhale. C'est ainsi que le sentiment paternel, l'amour, s'ils sont assez ardents, dégagent sans aucune difficulté de la vertu. Le sentiment esthétique aboutit au même résultat. Lorsque Diderot vient de lire Richardson, il se sent aussi *moral* que s'il avait accompli une bonne action : l'émotion de sa lecture l'a nimbé de vertu ; et il sent cette vertu, non comme une simple disposition intérieure, mais comme un *mérite*, non comme ce qui précède l'acte moral, mais comme ce qui le suit [4].

Si la vertu est source de bonheur pour l'âme qui s'abandonne à sa

1. LE PREVOST D'EXMES, *Rosel ou l'Homme heureux* (1776), p. 1.
Dans une comédie de MAILLÉ DE MARENCOUR, *Le Pouvoir de la nature* (1787), on imagine, pour guérir un mari volage, un subterfuge plus décisif que les travestissements compliqués du *Mariage de Figaro*. Lindor, mari d'Agathe, a donné un rendez-vous clandestin à Aminte. Celle-ci, qui est honnête, prévient Agathe, et toutes deux se concertent. On imagine un plan : sur le canapé du salon, là même où Aminte doit attendre l'homme imprudent, on étendra, tout endormi, l'enfant de Lindor, puis on soufflera les lumières. La mise en scène s'exécute ; Lindor arrive, se glisse à pas de loup, croit reconnaître Aminte sur le canapé : « Il lui adresse quelques mots passionnés. L'enfant s'éveille et Lindor voit son fils lui tendre les bras, au moment où il pensait aller se précipiter dans ceux d'une femme qu'il voulait déshonorer. » On conçoit la force de la commotion ; sous le choc reçu, « la nature parle à son cœur ». Jamais plus Lindor ne sera un mari volage ; il ne songera désormais qu'à faire le bonheur de sa « tendre épouse » et celui de son fils. (*Le Pouvoir de la nature*, Comédie en deux actes et en vers, mêlée d'ariettes, Bibliothèque des théâtres, t. IV).

2. *Philosophie de la nature*, *Épître*, p. XX.

3. « Oh ! que cet amour donne d'énergie à mon âme ! Jamais je ne me sentis plus bienfaisant que lorsque j'osai te mériter ; jamais les hommes ne me furent plus chers que lorsque j'approchai de l'instant où je devais les oublier dans tes bras. Tu es vertueuse parce que la Nature t'a fait telle ; je suis vertueux aussi parce que tout ce qui t'aime doit te ressembler. » (*Ibid.*, pp. VIII-IX).

4. « Mon âme était tenue dans une agitation perpétuelle. Combien j'étais bon ! Combien j'étais juste ! *Que j'étais satisfait de moi ! J'étais, au sortir de la lecture, ce qu'est un homme à la fin d'une journée qu'il a employée à faire le bien.* » (DIDEROT, *Éloge de Richardson*, Assézat-Tourneux, t. V, p. 213).

douce effusion, elle ravage et torture épouvantablement l'âme rétive qui s'y refuse. Le remords devient ainsi le signe négatif de la vertu. Il est une protestation de la nature, provisoirement altérée par un trouble morbide et qui retrouve sa forme première : preuve qu'elle possède assez d'élasticité pour revenir à sa vraie vocation, mais qu'elle est trop fragile pour ne pas garder indéfiniment la trace de certaines blessures [1].

L'inéluctable, le brûlant remords du méchant est un thème que l'on répète inlassablement. Dans une lettre à Falconet, Diderot oppose, avec un pharisaïsme assez révoltant, le bonheur d'une bonne conscience — la sienne — aux tourments insupportables du méchant, Rousseau en l'occurrence [2]. D'Argens montre l'homme vicieux tremblant à chaque coup de tonnerre, certain d'être foudroyé. L'orage en s'apaisant ne le rassure pas : le méchant guette alors de plus obscures menaces. S'il est malade, il se croit mort et déjà traîné vers d'éternels supplices. Aucun vertige ne l'étourdit. Tous les plaisirs du monde, « les fêtes les plus superbes », « les charmes mêmes de l'amour », se chargent d'angoisse, attaqués par un secret poison [3]. Mercier voit se réaliser dans le remords « l'image vraie et terrible des forces qui poursuivent le scélérat et qui jettent le désespoir de l'enfer dans son cœur » [4]. Le frénétique Orabel, égaré par la frivolité du siècle, a séduit « une âme innocente ». Dès qu'il revient à lui, son chagrin est affreux : « Je ne me connais plus, *je suis un monstre*, déteste-moi, je voudrais être mort [5]. »

Quelques âmes, pourtant, semblent rebelles. « L'homme personnel », mis en scène en 1778 par Nicolas Barthe, justifie son immense égoïsme par une misanthropie de principe et le droit de chacun de ne songer qu'à son bonheur [6]. Mais son langage est le fruit du

1. Dans *Le Fils Naturel*, Dorval déclare : « Songez, Mademoiselle, qu'une seule idée fâcheuse qui nous suit suffit pour anéantir le bonheur, et que la conscience d'une mauvaise action est la plus fâcheuse des idées. Quand nous avons commis le mal, il ne nous quitte plus ; il s'établit au fond de notre âme avec la honte et le remords ; nous le portons avec nous et il nous tourmente. » (DIDEROT, *Le Fils Naturel*, V, 3, Assézat-Tourneux, t. VII, p. 78).

2. « Je le méprise et je le plains. Il porte le remords et la honte le suit. Il mène une vie malheureuse et vagabonde. Il est seul avec lui-même... Je vis aimé, estimé, j'ose même me dire honoré de mes concitoyens... Les bienfaits de la grande impératrice font retentir avec transports mon nom... Le bruit en vient aux oreilles du perfide, et il s'en mord les lèvres de rage. Ses jours sont tristes, ses nuits sont inquiètes. Je dors paisiblement tandis qu'il soupire, qu'il pleure peut-être et qu'il se tourmente et se ronge. C'est, mon ami, que la méchanceté n'a que son moment... c'est que le temps suscite un vengeur à la vertu... » (DIDEROT, Lettre à Falconet, Assézat-Tourneux, t. XVIII, pp. 269-270).

3. D'ARGENS, *Philosophie du bon sens*, t. II, pp. 313-314.

4. MERCIER, *Mon Bonnet de nuit*, t. I, 15.

5. NOUGARET, *Les Méprises ou les Illusions du plaisir*, t. I, p. 129.

6. « *Je ne suis point un monstre*. Un monstre, dites-vous !
Apprenez que je suis ce que vous êtes tous.
Vous voulez être heureux : n'ai-je point droit de l'être ?
Chacun, chacun ici brûle pour son bien-être
Et le fonde souvent sur le malheur d'autrui. »

(BARTHE, *L'Homme personnel*, IV, 7, pp. 84-5).

délire [1]. A la fin de la pièce, où l'insolite personnage aura machiné les plus noirs complots, on le verra démasqué, renié, abandonné par tous. La persécution subjective du remords, anormalement défaillante, est remplacée par une condamnation objective, grâce à laquelle la condition du méchant reste ce qu'elle doit être : une impossibilité. Le méchant sans remords, systématique et froid, est un homme limite ou, comme on disait alors, « un être de raison » : la nature n'en offre que peu d'exemples. Les seuls méchants impavides que l'on rencontre dans la littérature sont des êtres monstrueux et irréels, tels les personnages de Sade ou cet hallucinant Moresquin, dont Rétif de la Bretonne dit qu' « il avait un plaisir infini à se targuer des crimes les plus atroces » [2]. Tout le siècle pense, avec Mme de Puisieux, que « l'homme le plus méchant qu'on puisse imaginer n'existe pas » [3]. Ce n'est pas seulement, comme La Rochefoucauld le croyait, parce que la nature humaine est si chétive qu'elle a ses limites dans le mal comme dans le bien. C'est parce qu'un certain degré de méchanceté empêche littéralement de vivre et que la vertu et le vice comportent, inscrites dans l'homme même, de délicieuses ou de virulentes sanctions.

Il est facile de contester la thèse de la vertu naturelle. Il suffit d'ouvrir les yeux sur le monde et de compter tous les méchants qui s'y portent bien. Il est clair, aussi, que tous les peuples n'ont pas la même idée du bien et du mal : un Européen qui dévorerait l'un de ses semblables aurait des difficultés avec sa conscience ; un cannibale, point. Encore faut-il distinguer, car un cannibale peut fort bien manger un Européen tous les jours, tout en ayant répugnance à se nourrir d'autres cannibales [4].

On peut donc craindre que la Nature n'ait pas vraiment fait accepter par chaque conscience une définition immuable du Bien et du Mal. Dès lors, la vertu ne va-t-telle pas chavirer sur des fondements trop fragiles ? N'est-elle qu'une étincelante chimère, le rêve de quelques belles âmes ? Fort heureusement, la doctrine de l'intérêt, qui achève de combler l'intervalle entre la nature et la morale, permet de stimuler la vertu compromise. Peu importe que la nature n'ait pas spontané-

1. L'ami de l'homme personnel le lui prouve aussitôt :

> « Pour mieux s'aimer soi-même, on doit aimer autrui...
> Il ne sera jamais de bonheur solitaire...
> Croyez que l'on jouit des sacrifices même ;
> On sait vivre, exister, sentir dans ce qu'on aime. »
>
> *(Ibid.)*.

2. RÉTIF DE LA BRETONNE, *Œuvres*, t. V, p. 392.

3. Mme DE PUISIEUX, *Caractères*, p. 53.

4. « Voici un problème qui mérite attention : si la loi naturelle est imprimée dans tous les cœurs, pourquoi les relations de cet être moral sont-elles si différentes dans les esprits des différents peuples ? L'Européen ne tue point le cannibale de propos délibéré. Celui-ci tue et mange l'Européen sans scrupule et sans remords. Il en aurait s'il tuait et mangeait un de ses cannibales, parce qu'il croirait violer la loi naturelle. Quel contraste ! » (BLONDEL, *Des hommes tels qu'ils sont*, pp. 15-16).

ment indiqué les chemins de la vertu, si celle-ci se calcule et si la raison démontre irréfutablement que l'intérêt de l'homme consiste à l'aimer et à la suivre. Ce sera l'occasion, en même temps, de purger la conscience de ses nostalgies métaphysiques. La révélation naturelle ressemblait étrangement à celle du christianisme. Désormais, tout miracle, immanent ou transcendant, devient inutile. La Nature est reléguée, avec le Ciel, au rang des mythes disqualifiés. L'homme n'a plus rien à attendre que de lui-même. Puisqu'il possède une raison, il lui appartient de s'en servir. Elle lui apprendra que si la vertu n'est pas toujours *naturelle* et *facile*, il est sans exemple qu'elle ne soit *utile* et *payante*.

Dès le début du siècle, de Sacy proteste, dans son traité *De la Gloire*, contre l'idée imaginaire d'un homme faisant le bien gratuitement, par miracle ou par amour [1]. L' « intérêt », qu'il réhabilite, n'a pas encore la froideur positive que lui prêteront les Encyclopédistes. De Sacy ne l'envisage que sous cette forme épurée et sublime, mal dégagée encore des mythes héroïques, qu'il appelle la « gloire ». Il n'en reste pas moins que l'appât de la gloire est un sentiment nécessaire pour la vertu et qu'on compterait vainement sur un élan spontané de la nature, si on ne promettait à celle-ci aucune récompense, idéale ou non.

Bientôt, on ne parlera plus de « gloire », mais d' « amour-propre », en rafraîchissant le mot, qui ne désigne plus l'attachement répréhensible à un moi injuste ou à une nature déchue, mais cet instinct profond, condition de toute vie : la tendance à persévérer dans l'être. Dans un premier temps, il semble qu'on reste, malgré soi, prisonnier d'une conception idéaliste de la vertu. Une vertu gratuite, si elle était possible, paraîtrait « beaucoup plus louable » qu'une vertu intéressée, et le mot « amour-propre » ne semble pas encore tout à fait exorcisé : il conserve quelque chose, on le sent, de la réprobation chrétienne [2].

Avec d'Holbach, ne perce plus aucun regret d'un monde plus noble et plus pur. La vertu achève de se dissoudre comme essence. Bien loin de l'altérer, l'amour-propre la constitue. L'intérêt n'est plus un élément négatif, un mal nécessaire, mais la substance même de la

1. « Ce n'est point connaître l'homme tel qu'il est, c'est en créer un nouveau que d'en supposer un que l'on conduise sans aucun rapport à son intérêt... Lors donc qu'il se porte vers l'honnête, il se porte vers ce qui lui paraît convenable et *intéressant.* » (DE SACY, *De la Gloire*, pp. 26-28).

2. « Qu'on souligne tant qu'on voudra qu'il peut y avoir des hommes qui n'aiment la vertu que pour elle-même, abstraction faite du bien qu'elle nous procure ; c'est un fort beau paradoxe. Les hommes ne sont pas nés si généreux. Pascal lui-même, le sage Pascal, dont les vertus furent sublimes, n'était pas exempt d'amour-propre et il en convenait de bonne foi. *Je sais fort bien qu'il serait beaucoup plus louable d'aimer la vertu pour elle-même que de l'aimer pour les avantages qu'on en retire.* Mais puisque ce désintéressement est une chimère, puisque les essences des choses ne peuvent changer, pourquoi crier ? Pourquoi gémir ? Pourquoi ne pas se contenter de la nature humaine telle qu'elle est ? » (BLONDEL, *Des hommes tels qu'ils sont*, p. 163).

vertu. Celle-ci cesse d'être une entité, pour devenir un simple rapport entre l'intérêt personnel et l'intérêt des autres [1].

L'homme vertueux sait que le bonheur est une monnaie d'échange. D'Holbach assure qu'il « jouit à chaque instant », parce qu'il « s'applaudit d'être la source d'une félicité par laquelle tout le monde est enchaîné à son sort » [2]. Dans l'immense spéculation du bonheur des hommes et de la société, la vertu fait fonction de prêt à intérêt. Dupont de Nemours l'avoue sans ambages :

« Chaque bonne action est une sorte de prêt fait au genre humain ; c'est une avance mise dans un commerce où toutes les expéditions ne profitent pas, mais où la plupart cependant amènent des retours plus ou moins avantageux, de sorte que personne ne les a constamment multipliées sans qu'il lui en naisse un grand bénéfice [3]. »

On ne saurait mieux exprimer que par ces métaphores commerciales le caractère positif, strictement empirique, des relations entre le bonheur et la vertu. Il ne subsiste plus grand chose de l'idéalisme moral, lorsque le même auteur affirme qu' « un intérêt grossier et même cupide peut, lorsqu'il est éclairé par la réflexion, suffire pour guider l'homme sur la route de la justice et de la bienfaisance » [4].

Le simple calcul de l'intérêt peut donc nouer ensemble le bonheur et la vertu aussi solidement que la Nature elle-même. Le rapport entre les deux termes est simplement inversé. La Nature inclinait l'homme à s'occuper spontanément des autres, et dans cette attention à autrui il trouvait un plaisir, qui était sa récompense. Dans la seconde hypothèse, l'homme veut d'emblée son plaisir, mais il comprend qu'il ne l'obtiendra pas sans les autres, qui attendent eux-mêmes le leur : il se fera leur allié pour trouver finalement son bien, qu'il recherche uniquement. Contradictoires, les deux démarches sont en même temps si voisines qu'on essaie de les renforcer l'une par l'autre, en montrant que le sentiment et le calcul tendent, en vertu d'une harmonie préétablie, au même but. On retombe ainsi dans l'illusion qu'on voulait éviter, et l'on y tombe doublement, puisqu'on justifie par un raisonnement des mouvements qui sont de l'ordre de l'instinct : au mythe de la Nature en soi se superpose celui d'une Nature rationnelle [5].

1. « Être vertueux, c'est placer son intérêt dans ce qui s'accorde avec l'intérêt des autres. (D'Holbach, *Système de la nature*, t. I, p. 344). Cette coïncidence entre les deux intérêts n'est pas le fruit d'une générosité naturelle, mais le résultat d'un calcul : « L'homme de bien est celui à qui des idées vraies ont montré son intérêt ou son bonheur dans une façon d'agir que les autres sont forcés d'aimer et d'approuver dans leur propre intérêt. » (*Ibid.*, p. 343). « L'homme vertueux est celui qui communique le bonheur à des êtres capables de le lui rendre, nécessaires à sa conservation, à portée de lui procurer une existence heureuse. » (*Ibid.*, p. 345).

2. *Ibid.*, p. 347.

3. Dupont de Nemours, *Philosophie de l'Univers*, p. 93.

4. *Ibid.*

5. Dans l'*Andrographe* de Rétif, les deux formes de vertu — la vertu spontanée et la vertu intéressée — sont réduites à une seule ; le sentiment n'est qu'un calcul implicite, et le calcul la formulation claire d'une tendance : « La bonté morale est le résultat d'une justesse

On peut douter du caractère « naturel » d'une coïncidence et d'une confusion si heureuses. La volonté de persuasion l'emporte sur le souci de la description objective : l'important est de convaincre, afin d'éviter les écarts dangereux. Delisle de Sales reconnaît ingénument, dans sa *Philosophie du bonheur*, que « l'âme la plus pure est prête à s'égarer, *quand on a la maladresse de faire lutter ensemble sa pente au bonheur et sa vertu* » [1]. Pour préserver à tout prix l'unité vertueuse de l'âme, le calcul de l'intérêt se dégrade, jusqu'à n'être plus que mensonge et astuce. Certains êtres en effet sont trop simples pour calculer eux-mêmes leur bonheur. On doit le faire à leur place, en leur laissant croire que tout ce que l'on aura secrètement arrangé arrive fortuitement. Sous d'euphoriques apparences s'installe un *ordre* sournois, implacable. Dans *La Nouvelle Héloïse*, les habitants de Clarens sont prisonniers, sans le savoir, d'un univers truqué. Le bonheur vertueux dont ils jouissent a dévoré leur liberté.

Le contraire peut aussi se produire : un ordre apparent dissimule des manquements à l'ordre et n'est rendu possible que par des complaisances ou des complicités suspectes [2]. Diderot pose la question dans sa pièce *Est-il bon ? Est-il méchant ?* : peut-on faire le bien par des moyens contraires aux conventions morales ? La réponse se laisse aisément deviner : puisque l'essence de la vertu est de travailler au

d'idées qui fait saisir d'un coup d'œil les avantages de bien faire aux autres et les inconvénients de mal faire. Cette justesse, lorsqu'elle est innée ou fortifiée par l'habitude, produit ce qu'on appelle la bonté de cœur. On sent au-dedans de soi une bienveillance envers les autres, un désir de leur être utile, *si bien amalgamé avec l'intérêt personnel*, que celui-ci disparaît et que la bonté seule demeure sensible. Mais ne nous en imposons pas à nous-mêmes : l'intérêt personnel est toujours la base et le mobile ; l'homme le plus parfaitement social est celui dans lequel il est le moins apparent. » (RÉTIF DE LA BRETONNE, *L'Andrographe, ou Idées d'un honnête homme sur un projet de règlement proposé à toutes les nations de l'Europe pour opérer une réforme générale des mœurs et, par elle, le bonheur du genre humain*, p. 2).

Définissant « la règle de justice que dicte la Nature » et qui sert de fondement à toute la morale (« Ne faites pas à autrui ce que vous ne voudriez pas qu'on vous fît »), Dupont de Nemours affirme que « l'*intérêt qui parle à la raison est sur cela parfaitement d'accord avec l'attrait qui détermine le sentiment* ». Cet intérêt s'exprime avec tant d'évidence qu'il semble tout imprégné de la force irrésistible naturellement dévolue au sentiment : « Cet intérêt est si frappant qu'il obligerait des hommes qui ne seraient que froids et sages à faire presque les mêmes actions que ceux qui, plus heureusement nés, trouvent leur satisfaction personnelle à être bons, justes et secourables. » (DUPONT DE NEMOURS, *Philosophie de l'Univers*, p. 92).

1. DELISLE DE SALES, *Philosophie du bonheur*, t. I, p. 145.

2. Dans *La Fille naturelle* de RÉTIF DE LA BRETONNE, on voit un prêtre qui célèbre un faux mariage entre d'Azinval et Manon, afin de préserver la bonne conscience de celle-ci en la persuadant qu'elle est l'épouse légitime de son amant. Cet étrange prêtre se justifie par ce discours à d'Azinval : « Nous péchons contre les lois humaines, vous et moi ; Manon seule est innocente. Elle va se croire votre légitime épouse et se respecter elle-même : la persuasion qu'on est honnête fait qu'on l'est toujours. *Si jamais elle était détrompée, elle cesserait d'être vertueuse et pure ; elle ne serait pas digne de faire votre bonheur et je ne vous prête mon ministère que pour l'assurer...* Je ne vois qu'écueils et précipices : un mariage illégal, d'un côté ; l'affreux libertinage, de l'autre ; car je suis homme et je ne vous proposerai pas le moyen cruel de renoncer à votre amour. De deux maux, choisissons le moindre ; la dégradation d'un être aussi noble, aussi parfait que Manon serait le plus grand de tous ; et, s'il est permis seulement de le penser, violons une loi sage faite par les hommes plutôt que de donner atteinte à l'éternelle loi de la raison et de la nature. » (*Op. cit.*, t. II, p. 65). La vertu et la pureté de Manon ne seront donc garanties que par un mensonge et une illusion. Le geste confinant au sacrilège n'est accompli que parce que le bonheur de d'Azinval et de Manon l'exige. Le bonheur rend nécessaire, à défaut de la vertu elle-même, son simulacre, et ce simulacre de vertu rend nécessaire, à son tour, un véritable crime.

bonheur des autres — ce qui est la définition de toute attitude morale — elle doit prévaloir sur l'immoralité accidentelle des voies qu'elle choisit pour s'exercer.

Il n'en reste pas moins difficile de nier l'incompatibilité de ces deux propositions : *la vertu consiste à faire le bonheur des autres* et *le bonheur de chacun consiste à être vertueux*. Au lieu de s'ajouter l'une à l'autre, les deux règles finissent par se détruire. Si l'on se dépense vraiment pour le bonheur des autres, on a chance d'être infidèle à la stricte vertu. On ne peut donc plus être heureux. Pourtant on devrait l'être, puisque le dévouement comporte toujours cette sanction intime qui est sa récompense. La contradiction paraît insoluble. Les antinomies du bonheur et de la vertu, qui se dissimulent assez bien dans le climat de la philosophie naturelle, se dévoilent au contraire dès que l'on s'installe sur le terrain de l'intérêt et du calcul.

Est-ce à dire que la vertu-intérêt soit un thème plus réaliste que la vertu naturelle ? Nullement. Sous le cynisme de bon aloi, survivent les mêmes postulats optimistes, traduits simplement en termes rationnels. Le miracle n'est pas aboli : il se déplace. Il ne réside plus dans cette connaissance infuse du bien et du mal dévolue à la nature, mais dans la surprenante docilité de cette même nature qui, ne pouvant plus tout découvrir par elle-même, accepte passivement tous les oracles de la Raison. Pour montrer tant de bonne volonté, pour rester si froide devant le prestige de l'irrationnel — improvisations, caprices, aventures, révoltes — il faut encore que cette nature soit « bonne ». Ce n'est pas sa bonté profonde que la doctrine de l'intérêt lui enlève : elle la prive simplement de la faculté de connaître, qui est transférée de l'instinct à la raison. La loi naturelle était une révélation immédiate au sein d'une nature monolithique ; l'intérêt devient une *médiation* entre les deux parties d'une nature dédoublée, où la spontanéité et la réflexion se distinguent l'une de l'autre. Mais entre les deux s'installe un rapport magique, puisque la raison informe et dirige la nature sans rencontrer d'obstacle. Au mythe de la conscience instinctive se substitue le mythe de la plasticité de l'homme devant l'évidence rationnelle. Ce nouvel optimisme, vaguement teinté de socratisme, aboutit au même résultat que le précédent : il tend à laisser croire que la vertu est facile, et par là il dissout l'essence même de l'acte moral. La doctrine de la vertu naturelle et celle de l'intérêt oublient également ce fait fondamental : c'est que la vertu exige plus d'un sacrifice et que le sacrifice s'accomplit, non dans l'euphorie, mais dans le déchirement. Après la vertu-repos et la vertu-bienfaisance, c'est un autre visage de la vertu qui apparaît, dont aucune philosophie n'est capable de masquer l'âpreté.

5. — La vertu-sacrifice. Procès de la vertu.

Le *sacrifice vertueux* est un thème de la littérature sentimentale et moralisante. Il y côtoie le thème de la vertu facile et le contredit.

Un conte moral de Marmontel, *L'amitié à l'épreuve*[1], décrit l'ascèse déchirante du sacrifice vertueux. Blanford a ramené des Indes la jeune Coraly que son père, bramane, lui a confié en mourant. Il la protège comme sa propre fille, mais, selon une équivoque assez habituelle, compte s'en faire aimer un jour et la prendre pour femme. Forcé de quitter l'Angleterre, il la laisse sous la garde de Nelson, son ami d'enfance. Nelson et Coraly s'aiment bientôt avec passion. Agité de remords, Nelson exige que Coraly cache tout à Blanford et qu'elle l'épouse dès son retour, sans rien révéler. Après avoir tenté de faire triompher les « droits de la nature » sur ceux de la vertu — car nature et vertu sont ici antagonistes — Coraly se résigne. Blanford revient. Le mariage se prépare. Au moment de signer le contrat, Coraly s'évanouit. Devant la pâleur de Nelson, Blanford comprend tout. C'est lui qui se sacrifiera : il fait à l'instant modifier les noms sur le contrat de mariage et Coraly devient la femme de Nelson. Un renoncement aussi lourd n'est assurément pas chose facile. Cependant il n'est le fruit d'aucun calcul. L'acte vertueux prend la forme d'un brusque dépassement de soi, improvisé et sans motif, assez semblable au sublime cornélien. La vertu se suffit ici à elle-même. Blanford n'a même pas songé à son bonheur : ni à celui auquel il renonce à coup sûr en abandonnant Coraly, ni à cet autre bonheur qu'il puisera peut-être, une fois la souffrance apaisée, dans la conscience du sacrifice. L'acte vertueux devient authentiquement *moral*, parce qu'il est non seulement désintéressé, mais presque irrationnel.

C'est sur un thème semblable que Diderot a conçu son *Fils Naturel*. Dorval et Rosalie ont beaucoup plus à faire qu'à se laisser porter par la houle paisible de la vertu naturelle. Ils s'arment contre eux-mêmes, se divisent cruellement et détruisent de fond en comble le bonheur qu'ils s'étaient préparé. Au plus intense de sa douleur, Dorval exprime l'ambiguïté du devoir moral, qu'il éprouve à la fois comme une *torture* et comme un *charme*, qui l'anéantit et le subjugue simultanément : « Vertu, *douce et cruelle* idée, *chers et barbares* devoirs... » Résistant à l'attendrissement de la volupté morale, il se ressaisit pour affirmer l'autonomie du devoir : « *O vertu, qu'es-tu, si tu n'exiges aucun sacrifice ?*[2]. »

1. Marmontel, *Contes moraux*, éd. 1765, t. III, pp. 167 et suiv.
2. *Le Fils Naturel*, III, 9 ; Assézat-Tourneux, t. VII, p. 58.

Cependant Dorval et Rosalie récupèrent bien vite ce bonheur, auquel ils juraient avoir renoncé. Dès le sacrifice accompli, leur âme se dilate et leur bonne conscience cicatrise leur blessure. Un instant aux prises avec la nature, la vertu n'a pas tardé à redevenir naturelle. Au lieu de s'imposer avec la nudité d'un absolu, elle se pare de ses justifications affectives. Le renoncement de Dorval est une fuite vers l'amitié, qui dispense à coup sûr ses ivresses. Il ne peut oublier qu'il doit à Clairville d'avoir été délivré du « long ennui d'exister seul »[1]. L'amitié fut pour lui la rupture d'une solitude essentielle. Il la célèbre avec plus d'enthousiasme que le mariage même[2]. Quant à Rosalie, c'est la bienfaisance qui la détermine. Elle ne se croit pas liée à Clairville par la parole donnée. Aussi bien la fidélité n'est-elle pas une vertu, mais un entêtement contre nature. Rosalie se sacrifie simplement parce qu'elle ne veut faire souffrir personne : sa sensibilité a plus de part que sa conscience à son sacrifice vertueux[3].

Malgré les débats pathétiques et les affres traversées, *Le Fils Naturel* est une pièce optimiste, qui s'achève, non sur un bonheur brisé, mais sur un bonheur qui commence. Dorval n'évoque qu'un mauvais rêve, lorsqu'il dit à Rosalie : « Que nous avons été malheureux, Mademoiselle ! Mais mon malheur a cessé au moment où j'ai commencé d'être juste[4]. » Quand Rosalie renonce à sa passion, elle assure gravement : « Je sais enfin où le bonheur m'attend[5]. » La bonne conscience de Dorval et de Rosalie est stimulée par l'exaltation vaniteuse, le sentiment de leur propre gloire ; ils savent l'un et l'autre qu'ils ont mérité l'estime publique et ils se nourrissent de cette idée. Elle les confirme dans leur conviction qu'ils ont sans doute beaucoup souffert, mais qu'ils n'ont pas fait un marché de dupes.

Il est remarquable que le sacrifice vertueux se ramène presque toujours à un conflit entre l'amour et l'amitié. Il semble qu'on soit incapable de concevoir un devoir moral indépendant d'un *sentiment*. L'amitié favorise l'équivoque : elle est à la fois une inclination et une vertu. Tandis qu'à l'amour s'attache une culpabilité obscure, elle conserve le prestige d'un sentiment noble tout en répondant aux plus profondes exigences de l'âme. En renonçant à l'amour au profit de l'amitié, en croyant sacrifier l'égoïsme au devoir, on remplace un sentiment par un autre et l'on ne frustre aucun besoin essentiel.

Cependant tous les sacrifices vertueux ne se dénouent pas aussi

1. *Ibid.*, IV, 3 ; *op. cit.*, p. 65.
2. Il dit assez mollement : « Je ne suis point étranger à cette pente si générale et si douce qui entraîne tous les êtres et qui les porte à éterniser leur espèce. » (*Ibid.*, p. 66).
3. En définitive, c'est la bienfaisance, naturelle et facile — beaucoup plus que la vertu, anti-naturelle et torturante — qui constitue le climat de l'œuvre. Dorval est gentiment familier avec ses domestiques. Clairville s'attendrit devant les pauvres et fait entrer un inconnu, dont on lui a dit qu' « il avait l'air malheureux ». Il n'est personne qui n'ait le cœur excellent.
4. *Le Fils Naturel*, V, 3 ; *ibid.*, p. 79.
5. *Ibid.*, p. 80.

heureusement que dans *Le Fils Naturel*. Quelquefois ils aboutissent à de vrais drames, où la vertu et le bonheur s'affrontent en ennemis. Dans un roman de 1773, *Les Heureux malheurs, ou Adelaïde de Wolver* se trouvent inclus les *Mémoires de M. de Flerval*, qui illustrent les contradictions et l'impossibilité du renoncement vertueux. Le jeune Flerval se propose, comme tout le monde, de se rendre heureux. Il sait qu'il lui faudra combler les deux « vides » de son cœur, qui attend à la fois l'amour et l'amitié. L'un est assez vite rempli : Flerval trouve en Valcourt un ami sans reproche, qui fait la moitié de son bonheur. Dans l'autre partie de sa recherche, sa démarche est plus longue et moins sûre. Un jour pourtant il découvre en Sophie la beauté et la vertu mêmes : « Ce fut alors que j'interrogeai mon cœur et que je vis que son vide était tout à fait rempli. Je vis plus : l'amour s'était emparé aussi de l'autre vide que l'amitié occupait [1]. » Le malheur veut que Valcourt aperçoive Sophie et s'enflamme aussitôt. Aidé par la sœur de Sophie, qui déteste Flerval, il parvient à se faire aimer. Flerval devine tout et mène un grand vacarme. Mais tout le monde se jette à ses pieds en lui demandant de renoncer à Sophie et de pardonner. Vaincu, Flerval capitule : « Je me rends... A peine eus-je dit ces mots *je me rends* que je vis tous les visages s'animer d'un sentiment d'admiration et de tendresse... Ah ! que je sentis bien en cet instant le plaisir qu'on éprouve à faire des heureux [2] ! »

Peu après, Sophie comprend que sa sœur l'a trompée et qu'elle aime toujours Flerval. Valcourt rend aussitôt à celui-ci son bon procédé : « Tu me l'as cédée, je te la rends à mon tour. Tu fus ami généreux, je dois l'être de même ou je serais indigne de toi [3]. » Noble et impeccable dialectique. Mais Flerval demande huit jours de réflexion. Pendant ce temps, Valcourt, désespéré, s'embarque pour les Iles. Flerval est anéanti : « Après la perte que je venais de faire, il n'était plus de bonheur pour moi. Je renonçais à l'amour puisqu'il avait été cause de tous mes malheurs [4]. » Le désastre sera complet : Sophie s'enterre dans un couvent et Flerval s'enfuit avec « un amour plus violent que jamais pour l'adorable Sophie » [5]. Le conflit des deux générosités n'a provoqué qu'une catastrophe. Toute solution est désormais impossible. Le sacrifice vertueux, même s'il est double, ne fonctionne pas toujours comme un irréprochable mécanisme. Il peut broyer ceux qui s'y aventurent, preuve que le bonheur et la vertu ne vont pas toujours de compagnie.

1. Gentil Bernard, *op. cit.*, p. 62. On peut constater la prédilection du XVIIIe siècle pour les métaphores spatiales, dans l'analyse du sentiment. Le cœur est toujours représenté comme un récipient vide, qu'il faut obligatoirement remplir, sous peine d'ennui ou de désespoir.
2. *Ibid.*, p. 98.
3. *Ibid.*, p. 106.
4. *Ibid.*, p. 111.
5. *Ibid.*, p. 120.

Certaines âmes morbides semblent à l'affût de ces dissonances. Dès le début du siècle, des romanciers s'acharnent à décrire les humiliations et les émois de la vertu malheureuse. Plus tard on croira que le bonheur des uns doit être expié par le malheur des autres. A la littérature euphorique s'oppose une littérature noire. Aux prestiges fabriqués des illusions nécessaires succède l'évidence, non moins nécessaire, du désespoir. L'alliance entre le bonheur et la vertu est un pur acte de foi qui n'exprime rien de plus qu'un état transitoire de la conscience collective.

Il est vrai que tous les sceptiques ne sont pas des désespérés. Pour Vauvenargues, la vertu qui ménage le bonheur a quelque chose de bourgeois. Elle doit être « plus chère aux grandes âmes que ce que l'on honore du nom de bonheur »[1]. La vraie vertu est un stoïcisme sans complaisance, d'où la notion même de bonheur est exclue. Vauvenargues méprise « l'enchantement du bonheur »[2], en donnant au mot son sens de mensonge et d'artifice. Il n'y voit qu'une illusion volontaire, la peur de la vérité, le refuge dans un imaginaire aussi fragile qu'un décor d'opéra.

Lorsqu'il renonce à s'étourdir, Diderot est lucide lui aussi. « Qu'est-ce que la vertu ? » demande-t-il dans l'*Éloge de Richardson : « C'est, sous quelque face qu'on la considère, un sacrifice de soi-même*[3]. » Constance dit à Dorval « qu'on s'y attache plus encore par les sacrifices qu'on lui fait que par les charmes qu'on lui croit ». Il est vrai que cette prise de conscience de la vertu-sacrifice avorte presque aussitôt. Constance se laisse glisser dans les chimères de l'hédonisme vertueux et parle de « s'enivrer » de la « douce vapeur » de la vertu et de « trouver la fin de ses jours dans cette ivresse »[4]. Dans les *Entretiens sur le Fils Naturel*, Diderot oublie que le sacrifice moral est déchirement et rupture, pour en revenir à la conception rassurante d'une vertu immobile et pleine, définie comme « *le goût de l'ordre dans les choses morales* »[5].

Ses idées sur la vertu sont en définitive assez fluctuantes. Lorsqu'il s'enthousiasme pour une vertu philosophique, c'est à Sénèque qu'il pense, ou plus exactement à un syncrétisme assez complaisant qui réconcilierait stoïcisme et épicurisme. « Il ne paraît pas difficile, dit-il, de concilier ces deux écoles sur la morale[6]. » Bien loin en effet d'être

1. VAUVENARGUES, *Œuvres*, t. I, p. 213.
2. « Souffrir avec fermeté ; sentir sans céder la rigueur de ses destinées ; ne désespérer ni de soi, ni du cours changeant des affaires ; garder dans l'adversité un esprit inflexible, qui brave la prospérité des hommes faibles, défie la fortune et méprise le vice heureux ; voilà non les fleurs du plaisir, non l'ivresse des bons succès, *non l'enchantement du bonheur*, mais un sort plus noble, que l'inconstante bizarrerie des événements ne peut ravir aux hommes qui sont nés avec quelque courage. » (*Ibid.*, pp. 113-114).
3. DIDEROT, *Éloge de Richardson*, Assézat-Tourneux, t. VII, p. 214.
4. DIDEROT, *Le Fils Naturel*, IV, 3 ; *ibid.*, p. 69.
5. DIDEROT, *Dorval et moi, 2e entretien* ; *ibid.*, pp. 127-128.
6. *Essai sur les règnes de Claude et de Néron*, Assézat-Tourneux, t. III, p. 315.

une doctrine du plaisir à tout prix, la morale d'Épicure est « saine et même austère pour celui qui l'approfondit ». La malchance d'Épicure est dans la trahison des Épicuriens, êtres dépravés en quête d'alibis pour leurs débauches, qui se sont crus justifiés par le mot *intérêt* pris à contre-sens [1]. Quant au stoïcisme, Diderot lui voue un faible qui n'est pas un caprice : « Plus j'y réfléchis, plus il me semble que nous aurions tous besoin d'une teinte légère de stoïcisme... [2] » Il regrette d'avoir découvert Sénèque trop tard. S'il l'avait connu à trente ans, il lui aurait abandonné la direction de sa conscience et de sa vie [3].

S'il rêve de rassembler Épicure et Sénèque dans son panthéon imaginaire, c'est qu'ils ont, l'un et l'autre, fait dépendre le bonheur de la vertu. Une telle alliance est le fondement de toute morale et le secret de tout un art de vivre : « Que serait la morale s'il en était autrement ? Que serait la vertu ? *On serait insensé de la suivre, si elle nous éloignait de la route du bonheur* [4] ? » C'est avouer que la vertu ne se justifie pas par elle-même. Elle doit prouver ce qu'elle vaut par le bonheur qu'elle procure. Dans une dialectique assez simpliste, frôlant plus d'une fois la tautologie, vertu et bonheur se renvoient indéfiniment la balle. La « morale de l'athée », telle que le philosophe l'explique à la Maréchale, ne va pratiquement pas au-delà [5].

1. « Des efféminés, des lâches corrompus, pour échapper à l'ignominie qu'ils méritaient par la dépravation de leurs mœurs, se dirent sectateurs de la volupté et le furent en effet ; mais c'était de la leur et non de celle d'Épicure. Pareillement, des gens qui n'avaient jamais attaché au mot *intérêt* d'autre idée que celle de l'or et de l'argent, se révoltèrent contre une doctrine qui donnait l'intérêt pour le mobile de toutes nos actions ; tant il est dangereux en philosophie de s'écarter du sens usuel et populaire des mots. » (*Ibid.*, pp. 316-317).

2. *Ibid.*, p. 341.

3. « Ah ! si j'avais lu plus tôt les ouvrages de Sénèque, si j'avais été imbu de ses principes à l'âge de 30 ans, combien j'aurais dû de plaisirs à ce philosophe, ou plutôt combien il m'aurait épargné de peines ! O Sénèque ! C'est toi dont le souffle dissipe les vains fantômes de la vie ; c'est toi qui sais inspirer à l'homme de la dignité, de la fermeté, de l'indulgence pour son ami, pour son ennemi, les mépris de la fortune, de la médisance, de la calomnie, des dignités, de la gloire, de la vie, de la mort ; c'est toi qui sais parler de la vertu et en allumer l'enthousiasme. Tu aurais plus fait pour moi que mon père, ma mère et mes instituteurs ; ils voulaient tous me rendre bon, mais ils en ignoraient les moyens... (*Ibid.*, p. 371).

4. Assézat-Tourneux, t. II, p. 88. Dans l'*Introduction aux grands principes*, le Sage demande au Prosélyte : « Quels sont à votre avis les devoirs de l'homme ? » Le Prosélyte répond : « De se rendre heureux. D'où dérive la nécessité de contribuer au bonheur des autres, ou en d'autres termes, d'être vertueux. » On voit l'implication étroite de la morale pure et de la science du bonheur. A une question *morale*, le Prosélyte répond en nommant le bonheur. Mais il ne s'agit pas d'une échappatoire ; le bonheur renvoie, à son tour, à une obligation morale. La pensée se referme sur elle-même sans la moindre rupture, malgré un changement d'ordre apparent. (Cf. *ibid.*, p. 85).

5. Le philosophe athée est l'homme si « heureusement né » qu'il « trouve un grand plaisir à faire le bien ». Pour tremper solidement une disposition naturelle, sans cela trop fragile, il suffit d'une « excellente éducation ». Autre point d'appui du philosophe, l'expérience acquise « dans un âge plus avancé » achèvera de le convaincre « qu'à tout prendre, il vaut mieux, pour son bonheur dans ce monde, être un honnête homme qu'un coquin. » Cela suppose une structure morale de la société. Il faut que « le bien des particuliers soit si étroitement lié avec le bien général qu'un citoyen ne puisse presque pas nuire à la société sans se nuire à lui-même ». (*Entretien d'un philosophe avec la Maréchale de* ***, Assézat-Tourneux, t. II, p. 517). Conséquence inévitable de la philosophie athée : la morale finit par se dissoudre dans une sorte d'empirisme individuel et dans la *politique*. Mais cela ne veut pas dire que l'athéisme incline au laisser-aller. Bien au contraire, pour être tout à fait pur et non suspect de complaisance.

Mais Diderot ne parvient pas à se contenter de cette doctrine à la fois sévère et apaisante. Trop d'objections la remettent en cause, particulièrement celle du déterminisme moral. Si tous les hommes sont prisonniers de leur *nature*, peut-on les juger responsables de leur *conduite* ? N'est-ce pas le même enchaînement fatal qui se poursuit ? Les mots *vicieux* ou *vertueux* gardent-ils encore un sens ? Jacques le Fataliste n'emploie jamais ces épithètes ; il est assez prudent pour les remplacer par « heureusement ou malheureusement né » [1]. Bordeu se moque de Mlle de Lespinasse, qui révère la vertu, « ce mot si saint dans toutes les langues, cette idée si sacrée chez toutes les nations ». « Il faut le transformer, lui explique-t-il, en celui de bienfaisance et son opposé en celui de malfaisance [2]. » Il n'y a donc plus ni bien ni mal, mais une infinité de fatalités individuelles. Quant à l'équivalence entre la vertu et la bienfaisance, elle vise beaucoup moins à enrichir le premier terme d'un contenu moral, qu'à sanctionner au nom de l'intérêt général le simple résultat de nos actes.

Du déterminisme moral, on passe logiquement à l'objection des « idiotismes ». Si les hommes ne se sont pas choisis, il est certain qu'ils n'ont ni le pouvoir, ni le désir de devenir *autres*. L'absence de liberté rive chacun à son être. Il s'ensuit qu'un individu est beaucoup moins déterminé par la nature humaine que par sa nature particulière ou celle qu'il partage avec un petit nombre d'hommes, que les hasards de la société ont rapprochés de lui. Le Neveu le dit avec force : « Il faut que Rameau soit ce qu'il est... un brigand heureux avec des brigands opulents, et non un fanfaron de vertu ou même un homme vertueux [3]. » Il serait absurde de faire l'apologie d'une morale universelle, puisque l'homme universel n'existe pas. La morale s'assouplit et se nuance selon la diversité des caractères et des conditions. Chaque métier possède ses « idiotismes », assortiment de maximes et d'habitudes permettant de considérer comme « honnêtes » les gestes de tous les jours [4].

Ce qui est vrai pour la condition, compromis entre le général et le particulier, l'est aussi pour le caractère individuel. Diderot explique à Rameau, selon l'idée philosophique reçue, que le bonheur réside dans la vertu. Rameau rétorque que le même bonheur n'est pas fait

il rend obligatoire un excès de rigueur : « Il n'appartient qu'à l'honnête homme d'être athée. Le méchant qui nie l'existence de Dieu est juge et partie... » (*Essai sur les règnes de Claude et de Néron*, Assézat-Tourneux, t. III, p. 297).

1. *Jacques le Fataliste*, Assézat-Tourneux, t. VI, p. 180.

2. « On est heureusement ou malheureusement né ; on est irrésistiblement entraîné par le torrent général, qui conduit l'un à la gloire, l'autre à l'ignominie. » (*Rêve de d'Alembert*, *Œuvres philosophiques*, éd. Vernière, p. 364.

3. *Le Neveu de Rameau*, éd. Fabre, p. 46.

4. « Le souverain, le ministre, le financier, le magistrat, le militaire, l'homme de lettres, l'avocat, le procureur, le commerçant, le banquier, l'artisan, le maître à chanter, le maître à danser sont de fort honnêtes gens, quoique leur conduite s'écarte en plusieurs points de la conscience générale et soit remplie d'idiotismes moraux. » (*Ibid.*, p. 36).

pour tout le monde. La vertu n'est qu'un idiotisme du philosophe, le travestissement idéal de sa « bizarrerie » particulière [1]. La dialectique du Neveu est redoutable. En attaquant l'universel, elle disqualifie toute sagesse philosophique, qui devient un système d'opinions et de préjugés. Mais la plus grande force de Rameau tient à la faiblesse de son adversaire. Au lieu de lui répondre en affirmant la transcendance de la loi morale, Diderot lui donne implicitement raison, en reconnaissant comme lui, pour seul critère de la vie morale, le *plaisir*. Il admet que la philosophie de son partenaire consiste à « boire de bons vins, se gorger de mets délicats, se rouler sur de jolies femmes, se reposer dans des lits bien mollets ». Il lui arrive aussi d'être gourmand de tout cela : de temps à autre, « une partie de débauche, même un peu voluptueuse, ne (lui) déplaît pas ». Mais il a découvert des jouissances plus riches, qui échappent, par les délicieux remous dont elles agitent l'âme, à la monotonie de la sensualité ; ce sont les plaisirs de la vie sentimentale et morale : donner un « conseil salutaire », faire une « lecture agréable », une « promenade avec un homme ou une femme chère à (son) cœur », passer « quelques heures instructives avec ses enfants », écrire « une bonne page », remplir « les devoirs de son état » [2].

Dès lors, Rameau a gagné la partie. Diderot convient qu'il n'a choisi son style de vie « philosophique » que pour y avoir rencontré toute la gamme des plaisirs. C'est son tempérament et son goût, non la vertu, qui l'ont déterminé. Or le Neveu ne dit pas autre chose : chacun prend son bonheur où il le trouve. Il n'existe donc pas de philosophie universelle, qui allierait à coup sûr la jouissance du bonheur et la pratique de la vertu. Il n'y a que des individus et des fantaisies. Certains ont le privilège ou l'innocente manie de transformer les actions vertueuses en occasions de plaisir. Mais c'est un fondement bien fragile pour y édifier une morale.

Diderot va plus loin. Il prend à son compte la théorie des idiotismes. Seulement, il voudrait en limiter l'usage à la catégorie inoffensive des « sages » et des hommes de génie. Le jeu est dangereux, car peut-on garantir que la liberté du sage ne contaminera pas la foule ? Suffira-t-il, pour qu'elle soit l'exception, de la tenir secrète [3] ? L'idée semble

1. « Voilà où vous êtes, vous autres, vous croyez que le même bonheur est fait pour tous. Quelle étrange vision ! Le vôtre suppose un certain tour d'esprit romanesque que nous n'avons pas, une âme singulière, un goût particulier. Vous décorez cette bizarrerie du nom de vertu, vous l'appelez philosophie ; mais la vertu, la philosophie sont-elles faites pour tout le monde ? En a qui peut, en conserve qui peut. Imaginez l'univers sage et philosophique ; convenez qu'il serait diablement triste. » (*Ibid.*, p. 39).

2. *Ibid.*, pp. 40-42.

3. — « Prêche ces principes-là sur les toits, je te promets qu'ils feront fortune, et tu verras les belles choses qui en résulteront.

— Je ne les prêcherai pas ; il y a des vérités qui ne sont pas faites pour les fous ; mais je les garderai pour moi. » (*Entretien d'un Père avec ses enfants*, éd. Vernière, p. 430).

— « Mon Père, c'est qu'à la rigueur, il n'y a point de lois pour le sage.

— Parlez plus bas » ... (*Ibid.*, p. 443).

d'ailleurs paradoxale. Le sage est justement l'inventeur de cette morale dont Rameau a montré qu'elle était très bonne pour lui, sinon pour les autres. Il est le seul qui soit capable de la mettre en application sans avoir à se « bistourner », en suivant sa nature et son plaisir. Pourquoi donc chercherait-il à s'en dispenser ? Surtout il vient une inquiétude : si le sage lui-même ne vit pas conformément à sa morale, qui prendra le relais ? Singulier philosophe, qui édicte une morale universelle et s'autorise à ne pas la suivre ! Si Rameau a raison, si les autres sont par nature incapables d'y souscrire, voilà une sagesse qui n'aura plus d'universel que son universel abandon, et qu'on ne rencontrera que dans les livres ! C'est bien alors à Sénèque et à Épicure qu'il faudra revenir, seules cautions d'une philosophie désertée par tous les vivants !

Lorsque Diderot s'exalte, lorsqu'il dévale la pente de l'enthousiasme, il peut croire de bonne foi que la vertu et le bonheur sont les deux visages d'une même réalité(encore ne le croit-il pas toujours, puisqu'il est sensible à la discordance du sacrifice vertueux). Mais lorsqu'il construit cette dialectique à plusieurs personnages, où s'affrontent une conscience cynique du réel et le rêve d'un homme idéal qui serait au-dessus de la morale, le thème du bonheur vertueux n'est pas loin d'apparaître comme une lubie de philosophe ou un lieu commun dévalué.

Diderot a sans doute compris les faiblesses du moralisme traditionnel et les illusions de l'optimisme rationaliste. Il en fait brillamment la critique. Mais c'est à Rousseau qu'il appartenait de proposer une autre définition de la vertu et d'envisager d'une manière nouvelle ses rapports avec le bonheur. Leur nature même oppose bonheur et vertu : l'un se définit par l'*unité*, l'autre est un état de division de déchirement, une lutte contre soi. En outre, nul n'est vertueux par *essence*. On s'efforce de le devenir par nécessité, parce que l'ordre l'exige, et c'est un combat qui ménage rarement des repos. M. Burgelin l'a fort bien montré : la vertu, pour Rousseau, est l'indice d'une irrémédiable déchirure de notre être, elle « marque notre impuissance à nous épanouir spontanément dans un bonheur que rendait facile l'unité inconsciente de l'état originel »[1]. Dans l'état de nature, la vertu était inutile, absurde même : aucun problème *moral* ne se posait. L'innocence de l'homme naturel était le signe de son bonheur et d'une conscience encore endormie. Il n'avait pas à combattre contre lui-même pour rentrer dans l'ordre, puisqu'il en faisait essentiellement partie et que, n'ayant aucune passion, il ne courait pas le risque de s'en échapper.

Rousseau définit la vertu comme le pouvoir de contrôle et de répres-

1. P. Burgelin, *La Philosophie de l'existence de J. J. Rousseau*, p. 335.

sion exercé par l'esprit sur les tentations de l'instinct et les mouvements de la sensibilité. « Nous retrouvons ici, écrit M. Burgelin, la plus classique des traditions, celle qui voit dans la vertu la domination des parties supérieures de l'âme sur les parties les plus basses [1]. » C'est ce qui explique que la vertu soit si difficile. Son essence est l'intransigeance et le renoncement, et non point les accommodements avec la nature qu'affectionnent les Philosophes et les âmes sensibles, surtout celles qui revendiquent Rousseau pour maître.

On mesure tout ce qui sépare Rousseau de son siècle. D'abord il ne croit pas à la sociabilité naturelle. La vie en société n'est pas l'aboutissement fatal d'une tendance éternelle de l'homme, mais le résultat d'un accident historique et d'une convention, qui auraient très bien pu ne pas être. Il ne faut donc pas espérer trouver dans la partie la plus spontanée de nous-même de quoi faire face aux difficultés soulevées par les rapports humains. La *nature* n'est jamais parfaitement accordée à l'ordre social. C'est à la raison seule de décider, même si elle choisit d'assumer, en les valorisant, certaines inclinations naturelles.

En outre, Rousseau ne croit pas que la nature humaine soit « bonne ». Sans doute la nature originelle l'était-elle. Mais qu'en reste-t-il ? On croit encore réfuter Rousseau en prouvant — facile prouesse — que l'homme naturel est un mythe. A ce compte, il n'a pas cessé de se réfuter lui-même, car il n'a fait qu'affirmer l'impossibilité d'isoler, dans l'homme social tel qu'il existe, la part de l'homme naturel restée pure. La vérité est que l'homme possède une nature nouvelle, qui est l'œuvre de la société et sur laquelle on ne peut agir qu'à l'intérieur de cette société, par les moyens qui sont le privilège de l'homme social : la conscience, la raison et la vertu. Mais la *nature* de l'homme social actuel implique la division et le mensonge, par opposition à la vérité et à l'unité qui composaient le lot de l'homme originel. On ne peut donc pas définir la vertu comme une alliance euphorique entre la raison et le cœur, comme un confortable compromis. La vertu consiste à faire table rase de tout ce qui est *naturel* — désirs, passions, rêves — pour construire un ordre entièrement conçu par la raison, selon les impératifs de la société. Le bonheur pourra bien apparaître comme l'aboutissement lointain de la vertu ; il ne saurait en être l'essence, car la vertu est douloureuse.

Cela ne signifie pas qu'elle soit inhumaine. La raison, dont elle émane, n'est pas la négation, mais l'apogée de l'homme. Et puis, à côté de la raison chemine la Conscience, qui réintroduit le « cœur » dans le champ de la vie morale et plonge ses racines dans les assises les plus profondes de l'homme, dans l'Ordre surnaturel qui l'enferme

1. *Ibid.*, p. 337.

et le soutient. C'est en Dieu que la vertu trouve sa caution suprême. A la raison raisonnante et vaine des Philosophes, Rousseau oppose cette autre Raison que la Conscience illumine et qui est presque d'essence religieuse.

Il reste que *la vertu ne doit pas être fondée sur l'aspiration naturelle au bonheur, mais sur « la considération de l'ordre »* [1]. Si le bonheur est atteint, ce ne peut être que par ce biais (l'ordre répond, en effet, à la nouvelle nature de l'homme, qui est à la fois sociale et spirituelle), mais jamais de façon immédiate. Sans doute Rousseau regimbe-t-il contre sa propre morale. Il l'a dit cent fois : il aime la vertu avec passion, mais il ne peut éviter de succomber, de commettre le pire. S'il en éprouve maints remords — les *Confessions* racontent, non sans emphase, les plus cruels — il lui arrive souvent de revendiquer plus de liberté au nom de la Nature. Les arguments de Julie et de Saint-Preux pour justifier leur passion conservent toujours une part de leur valeur. Ce ne sont pas des sophismes monstrueux, mais le moment d'une dialectique qu'il fallait dépasser. Innocents devant la Nature, les deux amants étaient coupables envers l'Ordre, pour l'avoir simplement oublié. Tout leur destin ultérieur s'efforcera d'assumer cet ordre, sans pour autant renier cet autre absolu que recélait leur amour.

C'est encore M. Burgelin qui le dit : « La vertu n'a de sens que si elle n'est pas un masque, mais s'inscrit dans l'élan passionnel vers l'unité. Nul surmoi n'a le droit d'opprimer la nature [2]. » Peut-être Rousseau était-il sourdement tenté par l'apaisante doctrine de la vertu naturelle. Quel repos, s'il avait pu y croire ! Car il adore et déteste la vertu tout à la fois. Il la déclare alternativement « douce » et « barbare », selon qu'il s'exalte à la pensée de l'ordre ou qu'il se révolte d'être son propre bourreau. Rousseau ne ressemble pas à ces dilettantes du bien moral, qui ont si vite fait de mettre leur conscience en paix et qui savourent une belle action comme un bon livre ou un fruit mûr. Pourtant, il lui arrive d'être beaucoup plus pervers, quelquefois même franchement ignoble. Alors il devra porter son enfer en lui-même, cet enfer qui est tantôt dans son cœur, tantôt dans le monde qui le cerne et le menace : vibrant de bonne conscience, lorsqu'on l'attaque, le voilà rongé de remords, dès que plus rien ne s'oppose à lui. Son rêve serait d'esquiver la vertu, de pouvoir l'oublier. A la façon de Diderot imaginant cette sphère du génie qui enfermerait une humanité sans morale, Rousseau convoite une sagesse qui rendrait la vertu inutile [3]. Au lieu de tant d'efforts crispés, de tant de chutes, de cette tension dans laquelle il se brise, il aimerait arranger

1. Cf. Burgelin, *op. cit.*, p. 344.
2. *Ibid.*, p. 366.
3. Cf. *ibid.*, chap. XIII.

doucement sa vie. Mais comme il est loin de cette sagesse, lui l'impulsif, le vagabond, l'amoureux aux tempes grises, l'ami trahi qu'on livre ligoté à la conjuration de l'univers ! Les contradictions et le tragique d'un destin donnent toute sa résonance à la formule de M. Burgelin définissant la vertu selon Rousseau comme « la réponse de l'être divisé à l'unité, où l'amour de soi retrouve son vrai sens d'amour de l'ordre »[1].

***

L'unanimité s'accomplit sur ce point : il n'est pas de bonheur personnel sans le bonheur de tous. Si bonheur et vertu se concilient si aisément, c'est qu'ils jaillissent l'un et l'autre d'une commune source, la sociabilité. Celle-ci est à la fois la matière de tout bonheur et le fondement de toute morale. *Il est donc impossible que la loi morale se pose comme l'antagoniste du bonheur, puisqu'elle ne fait que prescrire ce que l'homme est porté à accomplir par sa nature même.* Le dogme de la sociabilité permet de conserver une apparence de rigueur à la confusion, pourtant insolite, du bonheur et du devoir moral.

Les consciences du siècle aiment l'illusion et s'en nourrissent. La sociabilité est une merveilleuse invention pour accorder la nature et la conscience, pour laisser l'homme poursuivre ses plaisirs, tout en stérilisant ses passions, dangereuses pour l'ordre social.

C'est donc la vertu qui confère au bonheur son assise définitive, qui l'enferme à l'intérieur d'un ordre dont il ne peut plus s'évader. C'est elle surtout qui permet de glisser, non sans hypocrisie, du bonheur individuel au bonheur social. Secret de toutes les absolutions, tant qu'elle reste diluée dans l'euphorie du sentiment intime, elle deviendra le principe de toutes les tyrannies, en s'imposant comme une *loi* étrangère à la conscience.

1. *Ibid.*, p. 348.

CONCLUSION

1. La morale naturelle au XVIIe siècle. — 2. Le rationalisme moral au XVIIIe siècle : *le bonheur par l'équilibre.* — 3. La renaissance du cœur : *le bonheur dans l'unité* et le recours à la nature. — 4. Le bonheur dans l'unité et le recours à la cité.

I

La morale du XVIIIe siècle ne ressemble guère à cette « révolution » dont parlent d'Alembert et Condorcet, enthousiastes de la nouveauté qu'en toutes choses ils revendiquent pour leur temps. On a vu l'homme alors comme l'ont vu tous ceux qui ont parié pour l'unité, refusant de séparer l'idéal et le réel, la valeur et l'existence. La pensée du XVIIIe siècle se raccorde à cette tradition dont l'humanisme d'Aristote, le thomisme, Érasme, le rationalisme du XVIIe siècle, sont les moments divers et semblables. Elle s'oppose à cette autre tradition, fondée sur le postulat de la dualité de l'homme et du monde, qui rassemble Platon et Saint-Augustin, toutes les formes du mysticisme et du romantisme.

La continuité du rationalisme moral entre le XVIIe et le XVIIIe siècles est assez remarquable. La « crise de la conscience » qui conduit selon Paul Hazard d'une époque à l'autre n'a pas brutalement remis en question les choix fondamentaux. La *morale naturelle* n'est pas une invention du XVIIIe siècle. En 1624, le Père Garasse a peur de passer pour un « sauvage » ou un « insensé », s'il conteste aux « libertins » cette maxime « qu'il faut tâcher de vivre heureusement et chercher son contentement » [1]. La même année, Pierre Du Moulin intitule le premier livre de ses *Éléments de philosophie morale : De la félicité ou de la fin de la vie humaine* [2]. Nicolas Coëffeteau, évêque coadjuteur de Metz, puis évêque de Marseille, affirme dans son ouvrage sur les *Passions humaines* que la « vertu ne détruit point la nature », mais y « ajoute les perfections qui lui manquent » [3]. Parlant de ces mouve-

1. *La Doctrine curieuse des beaux esprits de ce temps ou prétendus tels*, pp. 952-953.
2. *Op. cit.*, p. 39.
3. *Op. cit.*, pp. 59-60. Cf. *ibid.*, pp. 62-63 : « Comme pour rendre une musique parfaite

ments spontanés qui échappent au contrôle de la raison, il précise : « On ne les peut estimer mauvais, puisque ce sont purs mouvements de la nature [1]. » Selon le Père Senault, de l'Oratoire, l'homme possédait des passions dans l'état d'innocence [2], et celles-ci, « dans leur plus grande révolte, conservent toujours de l'inclination pour la vertu et de l'horreur pour le péché » [3]. L'auteur d'un *Discours sur l'alliance de la raison et de la foi* assure en 1642 que Dieu en créant le monde fit « trois mariages remarquables » : celui de la raison et de la foi, celui de l'esprit et du corps, celui du « sexe mâle et du sexe femelle » [4]. Le Père Ameline donne pour titre à l'un des chapitres de *L'Art de vivre heureux : Que les hommes peuvent d'eux-mêmes faire des actions naturellement bonnes, quoiqu'inutiles pour le Ciel, et que par conséquent il y a de vrais biens en cette vie qui en sont les objets* [5]. Dans son *Traité de morale*, Malebranche fait consister les « devoirs que chacun se doit à soi-même » à « travailler à sa perfection et à son bonheur » [6]. Le principe de toute conduite morale est l'amour-propre, qui ne laisse pas l'homme libre de ne pas vouloir son bonheur. Mais si « on ne peut cesser de s'aimer », « on peut cesser de se mal aimer ». Il suffit que l'amour-propre, recevant quelque lumière de la foi, renonce à des plaisirs immédiats et médiocres, pour l'absolu d'une félicité lointaine. Ce choix ne réclame aucun bouleversement surnaturel. Il est du ressort de la nature, qui non seulement l'inspire, mais en tire profit, « car la grâce ne détruit pas la nature » [7]. L'amour-propre n'est pas ce poids de la chair, qui précipite l'homme de chute en chute, mais cet élan de l'âme, qui entend conquérir son vrai bien et qui, par méprise ou paresse, s'attarde accidentellement au faux : « L'amour-propre, ou le désir invincible d'être heureux, est le motif qui doit nous faire aimer Dieu, nous soumettre à sa loi [8]. »

Dès la fin du XVIIe siècle, l'amour-propre est largement réhabilité. *La Morale universelle* de Descoutures, en 1687, soutient une proposition inverse de celle de La Rochefoucauld. Au lieu d'altérer la pureté de nos sentiments, l'amour-propre les nourrit de son énergie ; c'est lui qui communique à notre vie son *mouvement*, la raison n'étant destinée qu'à lui donner sa *forme* [9]. La pensée du salut n'est pas une victoire

il ne faut pas en ôter la diversité des tons, mais les amener à un bon accord pour parfaire l'harmonie ; ainsi l'effort de la vertu ne consiste pas à exterminer ou à arracher entièrement de l'âme les passions naturelles, mais à les modérer et à les régir avec le frein de la raison. »

1. *Ibid.*, p. 67.
2. *De l'Usage des passions* (1641), cf. p. 49.
3. *Ibid.*, pp. 122-123 ; cf. *ibid.*, p. 137 : « Toutes les passions sont des vertus naissantes. »
4. SAINT-ANGE MONTEARD, *op. cit.*, p. 7.
5. *L'Art de vivre heureux formé selon les idées les plus claires de la raison et du sens commun et sur de très belles maximes de Monsieur Descartes* (1667), titre du chapitre V.
6. *Op. cit.*, éd. 1684, t. II, p. 210.
7. Cf. *ibid.*, pp. 211-212.
8. *Ibid.*, p. 213.
9. Cf. *op. cit.*, pp. 95-97.

sur l'amour-propre, mais sa conséquence naturelle : « C'est lui qui nous fait aimer et chercher les joies du ciel. » En 1692, le pasteur Jacques Abbadie publie un important ouvrage : *L'Art de se connaître soi-même ou la Recherche des sources de la morale.* Il se propose d'y résoudre la contradiction entre les deux fonctions de l'amour-propre, qui semble être à la fois le « principe de tous nos dérèglements » et « la source de toutes nos vertus » : « Cette difficulté s'évanouit dès qu'on suppose de l'amour de nous-mêmes ce que nous avons déjà dit des affections de notre cœur en général, *c'est qu'elles ont quelque chose d'innocent et de légitime qui appartient à la nature*, et aussi quelque chose de vicieux et de déréglé qui appartient à notre corruption [1]. » Ainsi la ligne de partage ne passe plus entre la nature et la grâce, mais à l'intérieur de la nature, qu'elle divise en deux parts, l'une bonne, l'autre mauvaise. Pour les désigner, Abbadie pose la distinction, que Rousseau se bornera à reprendre, entre « l'amour de nous-mêmes », qui est « légitime et naturel », et « l'amour-propre », qui est « vicieux et corrompu » [2]. Il est absurde d'imaginer que l'homme puisse renoncer à cet « intérêt » qui est le ressort de son âme et ne pas se chercher lui-même « dans l'objet de tous ses attachements » [3]. Tous les philosophes qui ont traité du bonheur n'ont fait qu'imiter Épicure et ils ont eu raison, car l'homme ne poursuit jamais autre chose que son plaisir [4]. Les malentendus ne commencent qu'avec la définition du plaisir. Les *Entretiens de morale* de Mlle de Scudéry veillent à ne pas confondre les « deux sortes d'amour-propre » : l'un est mauvais, qui consiste à s'aveugler sur soi ; mais l'autre, « qui naît avec nous », « qui anime toutes nos actions », produit « tout ce qu'il y a de bien dans ce monde ». Aussi est-il vain de se demander si l'on doit donner la palme à la gloire ou à l'amour : l'un et l'autre prennent racine en même lieu, dans cet instinct profond de l'homme, qui est le centre de gravité de tout son être [5].

Revaloriser l'amour-propre n'implique pas qu'on l'abandonne à de libres métamorphoses. Parmi les différentes conduites qu'il inspire, les moralistes instituent une hiérarchie. Pierre Du Moulin distingue trois degrés de la « félicité » : l'une, « jouissante et voluptueuse », est à peine digne de l'animal ; l'autre, « active et pratique », appartient à l'homme ordinaire. Seule la félicité « contemplative » est l'apanage de l'homme supérieur. Le vrai bonheur est une « pure et tranquille contemplation des choses sublimes », une « opération parfaite de la

1. Cf. *op. cit.*, pp. 262-263.
2. « Aussi est-ce un grand égarement d'opposer l'amour de nous-mêmes à l'amour divin, quand celui-ci est réglé... L'amour de Dieu est le bon sens de l'amour de nous-mêmes, c'en est l'esprit et la perfection. » (*Ibid.*, p. 271).
3. *Ibid.*, p. 286.
4. Cf. *ibid.*, pp. 323-324 et 327-330.
5. *Op. cit.*, t. I, pp. 179-181.

principale faculté qui est en l'homme, c'est-à-dire de l'entendement »[1]. Purement formelle, la défense des passions s'achève en une opposition qualitative fondée sur des jugements moraux. Coëffeteau convient que les bons et les mauvais partagent les mêmes états d'âme. Mais « les méchants ont de mauvaises craintes, de mauvais désirs et de mauvaises joies ; au lieu que les bons n'ont que de bonnes craintes, de bons désirs et de bonnes joies »[2]. Tous les développements des moralistes sur la « félicité » ne concernent qu'un état abstrait, une sérénité contemplative, fond incolore sur lequel ne se projette jamais l'ombre d'une passion heureuse ou d'un désir satisfait. Il n'est question que du « souverain bien », absolu sans visage et valeur morale suprême, avec quoi l'on ne transige pas. La vie concrète demeure figée dans ces catégories que sont les richesses, la gloire, la puissance, les biens du corps, et tout plaisir qui n'est pas d'essence spirituelle porte les stigmates de l'impureté[3]. Abbadie critique un passage de Martial énumérant les biens dont se compose le bonheur : un petit héritage, un champ fertile, un foyer sans histoire, un corps vigoureux, un doux sommeil, tous les privilèges sans éclat de la médiocrité dorée. Pourtant, quelles complicités du destin réclame l'assemblage de ces biens modestes ! En outre, « cette description de la félicité n'est point composée d'objets assez nobles ». Et Martial n'a pas pensé que la crainte de la mort suffit à gâter toute possession de ce monde, si discrète soit-elle. Il n'a pas prévu non plus que la trame du plaisir s'interrompt quelquefois et que l'âme a des ardeurs que n'apaisent point des jouissances aussi neutres[4]. Ces critiques se ramènent à une seule : le bonheur à la manière antique n'est pas vraiment méprisable, mais jamais l'esprit ne le transfigure. Or la prise en charge du bonheur par ce qu'il y a de plus élevé en l'âme est si nécessaire que l'amour-propre ne cesse pas d'en dessiner la caricature : « Il cherche à spiritualiser les voluptés corporelles pour nous tromper. » Il ajoute à « cette félicité grossière et charnelle » des dimensions postiches qui semblent l'élever à un ordre supérieur. Il construit comme un décor d'éternité : illusion de pureté, illusion d'infini, illusion d'intensité, illusion du retentissement de la gloire, illusion de perfection rendue possible par la substitution d'un bien particulier au bien universel[5]. L'amour-propre est triple en définitive, et les trois styles de vue qu'il inspire se superposent sans se confondre. L'amour-propre instinctif oriente l'homme vers un bonheur primitif, presque bestial. Un premier retour sur lui-même le rend honteux et le conduit à épurer par des ruses ce bonheur informe

1. *Éléments de la philosophie morale*, pp. 55-56.
2. *Des Passions humaines*, pp. 50-51.
3. « Le plaisir, pour composer notre bonheur, doit être premièrement spirituel. » (ABBADIE, *op. cit.*, p. 331).
4. Cf. *op. cit.*, pp. 339-342.
5. *Ibid.*, pp. 368-370.

qui l'humilie. Convenablement dirigé par la raison et par la foi, il se dégage enfin des illusions comme du pur instinct, et ne songe plus qu'à Dieu, qui est le souverain bien.

Beaucoup d'ambiguïté demeure dans cette morale naturelle que semblent déjà admettre certains moralistes chrétiens du XVIIe siècle. L'infranchissable distance entre la nature et la grâce tend sans doute à s'abolir. Il n'est pas vrai que tout soit mauvais en l'homme, et le bonheur ne doit plus être pensé comme l'antithèse du salut. La nature se souvient de Dieu et la grâce n'anéantit pas ce qu'elle transfigure. Mais cette souplesse ne s'étend pas de la théologie à la morale. Le bien et le mal restent sommairement tranchés. Le bonheur ne se distingue pas du souverain bien et consiste toujours en une suprématie de la partie supérieure de l'âme sur la partie inférieure. *Pour rapprocher Dieu de l'homme, il a fallu diviser profondément la nature.*

En revanche, la morale naturelle se manifeste à l'état pur chez ceux qui se réclament d'Épicure. Cette fois, la nature n'apparaît plus divisée : « Suivre la nature, c'est suivre la raison, écrit Sarasin dans son *Discours de morale* ; les bornes qu'elle nous a prescrites sont celles de l'innocence ; il n'y a rien en elle que d'équitable et d'égal [1]. » La nature se règle elle-même : elle englobe les plus hautes aptitudes de l'âme. Il semble même qu'elle ne cherche spontanément son plaisir qu'à l'intérieur de limites inséparables de son essence. La nature ne pactise pas aisément avec le désordre, elle s'oppose au déferlement de l'instinct. Ce n'est pas la passion qui l'exprime, mais le couple plaisir-raison, donc chaque terme porte en lui le refus de la passion pure. Telle est bien l'essence de la morale naturelle : *une alliance du plaisir et de la raison contre la passion*. On pourrait ainsi définir la morale de La Fontaine et celle de Saint-Évremond. Si la nature résiste d'elle-même à l'entraînement des puissances obscures, en revanche on ne voit pas de limites à lui assigner vers le haut. Par ses seules forces elle s'élève jusqu'au sublime. Caton d'Utique et Régulus, au dire de Sarasin, étaient des disciples d'Épicure [2], et Saint-Évremond n'a pas de scrupule à annexer des Stoïciens pour les installer auprès de Pétrone. En somme la maîtrise de la nature est donnée par la nature. Dans les moments d'exception, la nature suggère elle-même son propre dépassement, tandis que, dans les moments ordinaires, la seule tempérance, qui est une vertu aisée, suffit à soumettre le plaisir à la nécessité de l'ordre. La morale naturelle des épicuriens du XVIIe siècle est sans doute plus saine et plus pure que celle du siècle suivant. Aucun mythe, aucun recours déguisé à une transcendance honteuse, aucun idéalisme sentimental ne réintroduit dans le concept de nature

1. SARASIN, *Nouvelles œuvres* (1674), t. I, pp. 18-19.
2. *Ibid.*, p. 47.

une nouvelle image de la divinité. La morale naturelle du XVIIIe siècle cherche au contraire à retrouver après coup ce qu'elle commence par abolir. La lucidité, la mesure, la fraîcheur d'une simple sagesse ne lui suffisent pas. Il lui faut un absolu et des extases : aussi invente-t-elle une *religion de la Nature*.

Dans ses formes concrètes, mondaines ou littéraires, la morale naturelle inspire d'admirables styles de vie. La poésie pastorale est l'enveloppe conventionnelle d'un rêve profond d'unité, d'innocence et de repos : le rêve d'une humanité heureuse et d'un monde transparent, où le désir n'est jamais séparé de son objet, où la conscience ne s'alarme jamais devant le désir. Mêlé à l'humanisme chrétien, il aboutit à l'idéal du *Télémaque*. Mais la nature peut se manifester comme un jaillissement, comme une volonté de conquête. D'un bout à l'autre du siècle, il semble qu'un rêve héroïque réponde au rêve poétique du repos. Les romans de Mlle de Scudéry contiennent certains thèmes qui sont déjà du XVIIIe siècle : la vie est dans l'élan, l'affirmation de soi ; il n'y a pas de vertu sans passion, et seule une âme superbement emportée peut mériter la gloire de se dire vertueuse.

Enfin la nature s'allie à l'*honnêteté*. Celle-ci n'est pas une mode, mais une morale : « La bienséance, écrit-on en 1688, est une vertu morale [1]. » Méré dit de l'honnêteté : « Cette science est proprement celle de l'homme, parce qu'elle consiste à vivre et à se communiquer d'une manière raisonnable [2]. » L'honnêteté est la forme parfaite que revêt le bonheur de l'homme en relation avec ses semblables [3]. Elle n'est nullement liée aux contraintes de la vie mondaine, et s'enracine profondément dans le naturel, qu'elle exprime de la façon la plus agréable [4]. Elle n'exige aucun effort sur soi, aucune diminution de l'intensité de vie. Elle veut au contraire le mouvement, une large acceptation de l'existence, une ouverture de l'âme au monde : elle « demande que l'on se communique à la vie et même que l'on s'y enfonce » [5]. Ce n'est donc pas le conformisme social, mais le bonheur individuel qui lui sert de justification dernière : « L'honnêteté me semble la chose du monde la plus aimable, et les personnes de bon sens ne mettent pas en doute que nous la devons aimer parce qu'elle nous rend heureux. Car la félicité, comme on sait, est la dernière fin des choses que nous entreprenons. Ainsi tout ce qui n'y contribue en

1. J. PIC, *Discours sur la bienséance*, p. 6.
2. MÉRÉ, *De la Vraie honnêteté*, *Œuvres complètes*, éd. Boudhors, t. III, p. 72.
3. « Si quelqu'un me demandait en quoi consiste l'honnêteté, je dirais que ce n'est autre chose que d'exceller en tout ce qui regarde les agréments et les bienséances de la vie. » (*Ibid.*, p. 73).
4. « Plus elle est naturelle, plus elle plaît ; et c'est la principale cause de la bienséance que de faire d'un air agréable ce qui nous est naturel. » (*Ibid.*, p. 74).
5. *Ibid.*, p. 79.

rien, quoique l'on s'en imagine quelque apparence honnête, c'est toujours une fausse honnêteté [1]. »

L'honnêteté ne diffère donc pas tellement, dans sa forme sinon dans ses justifications, de la morale des Philosophes. Comme celle-ci, elle embrasse des termes contradictoires — nature et vertu — elle concilie l'appel de l'instinct et l'adhésion à la vie avec les exigences de la morale et les impératifs de la société. Le bonheur et la bonne conscience s'y rencontrent et s'y accordent.

II

La morale du XVIIe siècle impliquait dans tous les cas la prédominance des zones claires de la conscience sur le monde louche des instincts et des passions. Ceux-là même qui exaltaient la passion ne consentaient pas à s'y perdre et admiraient surtout en elle une vigueur nouvelle de l'esprit. Les sentiments apparaissaient comme les perturbateurs de l'âme. Un acte ne prenait de valeur morale que s'il consacrait la victoire de la raison. Descartes ne faisait que reprendre le grand thème stoïcien de la liberté du Sage. La conception de l'homme au XVIIIe siècle marque à cet égard un profond changement. Désormais la vie affective n'est plus un obstacle à la vie morale. Elle en devient la source. L'esprit ne transcende plus la nature, il en émane. Le fondement de la pensée et de l'activité humaines n'est plus d'ordre rationnel, mais biologique. On accède à la raison par une décantation progressive de l'homme. Il n'y a plus de miracle de l'esprit, mais une élaboration qui suppose l'unité de notre nature. Ceux qui croient trop naïvement à la loi naturelle, en exagérant ses vertus d'éblouissement, sont des âmes nostalgiques, des métaphysiciens attardés [2].

Le XVIIIe siècle renonce à la fois à la dualité chrétienne entre la nature et la grâce et à la dualité cartésienne entre la matière et l'âme. L'amour-propre, dont les moralistes les plus conciliants du précédent siècle avaient fait un principe de discrimination, est consacré maintenant comme principe d'unité. Plus encore qu'à l'époque classique, on se flatte de connaître l'homme. Mme de Puisieux s'étonne : « Je ne sais pourquoi l'on dit qu'il est difficile de connaître le cœur humain [3]. » Mais cette lucidité si sûre d'elle-même s'accompagne d'abord d'une étrange passivité devant les mécanismes naturels, qu'on laisse fonctionner librement : « On ne met rien dans son cœur, dit Marivaux,

1. *Ibid.*, p. 99.
2. L'idée contenue dans ce paragraphe trouve une expression magistrale dans CASSIRER, *The Philosophy of the Enlightenment*, Boston, 1955, p. 105.
3. *Caractères*, p. 35.

on y prend ce qu'on y trouve [1]. » Plus tard, les philosophes matérialistes croiront au contraire que le déterminisme psychologique peut être souverainement conduit par l'esprit. Selon d'Holbach, « on fait de l'homme tout ce qu'on veut » [2]. Mais que les lois du sentiment soient mystérieuses ou rationnelles, le cœur humain n'en est pas moins toujours semblable à lui-même : « Le fond du cœur est égal dans tous les hommes [3]. »

L'amour-propre constitue ce « fond » du cœur humain. Nos sentiments particuliers n'en sont que les métamorphoses secondes. On compare fréquemment l'amour-propre, ressort de la nature morale, à la gravitation, qui est l'âme de la nature physique [4]. L'homme est soumis, comme l'univers, à l'impulsion d'une seule force exprimée par une seule loi. S'il se croit libre, c'est que son mobile profond trouve à s'incarner en des actions, en des vertus, que nous associons à l'idée de liberté. Et puis l'amour-propre a besoin pour respirer d'un peu de liberté véritable. Stanislas Leczinski va jusqu'à dire que « les passions ont moins de prise sur lui que sur la raison » [5].

A cette puissance qui dirige l'homme de l'intérieur, s'ajoute l'influence extérieure des choses : « Il faut toujours en revenir au physique comme à la première origine de tout ce que l'âme éprouve », écrit Charles Bonnet dans son *Essai analytique sur les facultés de l'âme* [6]. La vision que l'homme a du monde est strictement informée par la nature de ses organes. Ce n'est pas notre esprit qui conçoit abstraitement le monde, mais nos organes qui perçoivent de lui ce qu'ils peuvent en saisir [7]. A partir de ces impressions, se développent des « mouvements d'attraction et de répulsion » [8], qui vont aboutir à la conscience et y mourir : l'esprit recueille ensuite ce que le flux a laissé sur le sable. Les objets peuvent beaucoup sur l'homme. Ils jouent un rôle bienfaisant, car la vie physique est le domaine de la plénitude. Un être qui saurait étouffer son âme, réduire la conscience de soi

1. Cf. Mme de Puisieux : « Le cœur ne se gouverne pas comme l'esprit : on ne lui commande rien ; c'est lui plutôt qui nous conduit. » (*Ibid.*, p. 77) ; et Mme de Lambert : « Les goûts ne dépendent pas de nous : ils entrent dans notre cœur sans nous en demander la permission ; les passions nous prennent et nous gardent tant qu'il leur plaît. » (*Œuvres*, p. 325).

2. *Système de la nature*, t. I, p. 13.

3. DE BRUCOURT, *Essai sur l'éducation de la noblesse*, t. I, p. 326.

4. Le philosophe anglais JAMESON, dans son livre *Essai sur la vertu et l'harmonie morale*, traduit en 1770, nomme l'amour-propre « gravitation ou attraction mentale. » (Cf. pp. x et suiv.). Selon le philosophe hollandais HEMSTERHUIS, le mouvement de l'âme ressemble beaucoup à « la faculté attractive que nous voyons incontestablement dans la matière ». (*Lettre sur les désirs*, p. 41). Cf. également sur ce thème MORELLY, *Le Prince, les délices...*, t. I, pp. 2-3.

5. *Œuvres du Philosophe bienfaisant*, t. IV, p. 271.

6. *Op. cit.*, p. XIII.

7. « Les substances ne nous sont connues que dans leurs rapports à nos facultés ; des êtres doués de facultés différentes les voient sous d'autres rapports. » (*Ibid.*, pp. XIV-XVI).

8. Cf. D'HOLBACH, *Système de la nature*, t. I, pp. 390-391 : « En un mot, ils (les philosophes traditionnels) n'ont point reconnu que cette âme, purement passive, subissait les mêmes changements qu'éprouvait le corps, n'était remuée que par son intermédiaire, n'agissait que par son secours, et recevait souvent à son insu et malgré elle, de la part des objets physiques qui la remuent, ses perceptions, ses sensations, son bonheur ou son malheur. »

aux seuls points de rencontre avec le monde, pourrait faire en sorte d'être toujours heureux. Mais il faudrait que les objets fussent réduits à eux-mêmes. La signification que nous leur prêtons les dénature. Si l'on parvenait à combler ce vide que creusent en nous tous les sentiments, « une rose, quoique dans des mains infidèles, nous charmerait toujours par son parfum » [1]. L'absolu en matière de bonheur consisterait à ne laisser aucun intervalle entre les choses et soi. Mais la conscience est déjà un intervalle suffisant pour que soit impossible le bonheur de la plénitude immédiate.

A force de tout expliquer, le rationalisme finit par se nier lui-même. Ses principes pourtant ne sont pas faux. Il s'agit d' « éclairer l'homme par ses besoins » [2], de refuser toute destination imaginaire, de choisir la raison et les sens comme les deux points d'appui de l'existence [3]. On voudrait éliminer le flou, l'inachevé, le gratuit, tous les ornements parasites dont le rêve, la sottise et la passion recouvrent la nature. Mais à trop bien élucider cette nature, que reste-t-il finalement de l'homme ? Et que reste-t-il du monde ? Si l'on en croit Helvétius, l'homme est déterminé dans son être par les choses, avant d'être déterminé par son être en présence des choses. Entièrement construit par l'univers matériel de l'éducation, il ne voit ensuite le monde qu'à travers le prisme déformant de son « intérêt ». Si bien que l'homme n'a plus rien d'autonome, le monde plus rien d'objectif. L'un perd sa liberté, l'autre sa réalité.

Dans les limites d'une explication rationnelle de l'homme, l'écart est bien faible entre les diverses tendances dela pensée morale. De nombreux chrétiens trouvent, comme les Philosophes, l'énoncé de tous nos devoirs dans la nature. Ceux qui, tel Caraccioli, enseignent à se méfier du cœur, que le sage doit toujours « tenir entre ses mains », ajoutent que c'est afin de mieux « jouir de soi-même » [4]. Formey prête la main à la réhabilitation d'Épicure et confond sa morale avec celle des Stoïciens [5]. Certaines de ses formules sont remarquables : « La religion chrétienne bien comprise et bien expliquée n'est autre chose que le parfait rétablissement de la loi de nature [6]. » « Mener une vie parfaite, c'est la même chose dans la nature et dans la grâce [7]. » « L'obligation de se procurer toutes les commodités de la vie est un

1. Cf. Feucher, *Réflexions d'un jeune homme*, pp. 118-122 : « Toutes les opérations du corps sont douces et réglées ; toutes celles de l'âme ne sont qu'emportement et saccades ; elle va par bonds et trouble presque toujours l'économie de notre machine. » — « Bien loin que l'homme ait à se plaindre de cet asservissement aux sens, qui fait gémir si tristement les philosophes, c'est lui qui fait ici tout son bonheur. » (Boudier de Villemert, *Andrométrie*, p. 144).
2. Titre d'un ouvrage de J. Blanchet, *L'Homme éclairé par ses besoins* (1764).
3. « La raison et les sens doivent aller toujours de compagnie. » (*Andrométrie*, p. 142).
4. Cf. le livre de Caraccioli souvent cité, *La Jouissance de soi-même* (1759).
5. Cf. *Mélanges philosophiques*, t. II, pp. 203-204.
6. *Ibid.*, p. 149.
7. *Ibid.*, p. 150.

devoir légitimement déduit des premiers principes de la morale [1]. » « Etre heureux, c'est s'arracher soigneusement toutes les épines qui se trouvent sous nos pas, semer la route d'autant de fleurs que notre condition le permet [2]. »

Si la morale chrétienne accueille si largement les accommodements avec la nature, la morale naturelle se fait en compensation autoritaire et dogmatique. Bien loin d'autoriser la libre expansion de l'individu, l'athée d'Holbach exclut de l'univers moral les « monstres » et les « insensés », qui s'écartent du type universel où il prétend enfermer l'homme [3]. L'anathème qu'il lance contre eux est aussi violent, aussi absolu, que celui dont en d'autres temps l'Église frappait les hérétiques.

Buffon demeure cartésien en morale. Il croit encore à l'*homo duplex*. Mais sa conception du bonheur ne ressemble guère à la « générosité », car lui conduit le dualisme jusqu'à ses dernières conséquences. L'homme est heureux quand les deux principes qui le composent sont également satisfaits. Ceux-ci ne doivent jamais interférer, et il n'appartient à aucun des deux de dominer l'autre. Le bonheur de l'âme est dans l'exercice de l'intelligence ; le bonheur du corps dans les plaisirs des sens. Ils ne se rencontrent que sur un seul point : ils excluent tous deux la passion, qui est à la fois l'ennemie du corps et de l'âme. Le cœur, l'imagination, toutes les puissances affectives, voilà le péril de l'homme.

Le rationalisme est si fort qu'il envahit tous les domaines : la sensibilité ou le libertinage. On trouve autant de *raison* dans l'existence de Cleveland que dans celle de Casanova. Cleveland poursuit deux buts : la sagesse et l'amour, harmonisés dans le « repos d'une vie tranquille » [4]. Sa vie se divise en deux longs moments. D'abord il n'est que le jouet du Destin, le persécuté de la Providence. Incapable de prendre l'initiative, et peut-être ne le souhaitant pas, il ne demande à la philosophie que de l'aider à supporter ses douleurs. Mais dès que la raison lui a rendu un « certain calme », il décide d' « envisager le bonheur comme un état auquel il (lui est) encore permis d'aspirer ». Désormais il ne fera qu'essayer successivement des *plans de vie* : le bonheur mondain, la chasse aux plaisirs, bientôt reconnue vaine ; le bonheur philosophique, qui met de l'ordre entre ses trois penchants

1. *Ibid.*, p. 197.
2. *Ibid.*, p. 214.
3. « S'il se trouvait des hommes tellement conformés, que les principes de la Morale ne puissent leur convenir, cette Morale n'en serait pas moins certaine ; il faudrait en conclure simplement qu'elle n'est pas faite pour des êtres constitués différemment de tous les autres. Il n'existe point de Morale pour les monstres ou pour les insensés ; la Morale universelle n'est faite que pour des êtres susceptibles de raison et bien organisés ; dans ceux-ci, la Nature ne varie point, il ne s'agit que de la bien observer, pour en déduire les règles invariables qu'ils doivent observer. » (*La Morale universelle ou les Devoirs de l'homme fondés sur la nature* (1776), t. I, p. xv).
4. *Cleveland*, t. III, p. 67 ; cf. *ibid.*, t. II, pp. 4-5.

— amour, étude et bienfaisance — mais laisse encore un vide dans son âme ; enfin l'équilibre chrétien, qui rassemble toutes les jouissances et procure à l'âme son unique aliment. Rien de plus systématique et de plus édifiant que cette destinée, qui est bien autre chose qu'un prétexte à verser des larmes.

Casanova est méthodique lui aussi : il ne s'abandonne ni à l'instinct, ni au hasard. La profusion des plaisirs respecte ces temps de réflexion et de repos où l'on se recueille pour approfondir la conscience du plaisir. Le bonheur réside dans une alternance des jouissances immédiates, dont on reçoit le choc sans en extraire toute l'âme, et l'attente ou les souvenirs de ces jouissances, où la volupté est parfaite, car elle s'installe alors dans l'esprit [1]. Etre heureux, c'est posséder l'art de conduire un même plaisir à travers des zones différentes : de l'imagination aux sens, des sens à la mémoire. Experte en cette alchimie, la conscience voluptueuse doit en outre veiller à la pureté du plaisir, l'isoler contre toute contamination passionnelle, préserver l'âme du trouble et de l'aliénation. Enfin le bonheur exige que survive la bonne conscience. Si l'ordre moral et l'ordre du plaisir ne coïncident pas, il suffit de les laisser coexister sans en sacrifier aucun et sans souci des contradictions : « On dirait, écrit Félicien Marceau de Casanova, qu'il vit en même temps sur une doctrine de la vertu et sur une sous-doctrine du plaisir... C'est un homme à compartiments étanches [2]. » Mais cela fait encore partie de la méthode de vie heureuse. Casanova est l'anti-Don Juan [3]. Il n'affronte aucune puissance, ne lance aucun défi, ne risque aucun enjeu d'importance. Il évite soigneusement le tragique et conserve, en dépit de toutes ses fredaines, comme un air de sécurité bourgeoise.

On peut définir un premier style de bonheur comme *la recherche des équilibres*. Le bonheur est d'abord une dualité dominée, plus tard seulement une unité retrouvée. Le premier équilibre doit se réaliser à l'intérieur de l'âme. Toujours en question, il ressemble plutôt à une dialectique : le *divertissement* et la *passion* sont deux tentations qu'on ne peut ni privilégier isolément, ni fixer en un partage immobile. Le divertissement seul, c'est la frivolité, l'ennui, l'inexistence ; la passion seule, le délire, la souffrance, le néant. Mais les deux étant

1. « En mettant après chaque plaisir le calme qui doit succéder à la jouissance, nous nous procurons le temps de reconnaître l'état heureux dans sa réalité ; ou, en d'autres termes, ces instants de repos nécessaire sont une véritable source de jouissances, puisque par eux nous savourons les délices du souvenir qui double la réalité. L'homme ne peut être heureux que lorsque dans sa réflexion il se juge tel et il ne peut réfléchir que dans le calme ; ainsi réellement, sans le calme, il ne serait jamais exactement heureux. Il faut donc que le plaisir, pour être tel, cesse d'être en action. » (CASANOVA, *Mémoires*, éd. Garnier, t. II, p. 213).

M. Félicien Marceau fait suivre ce texte d'un juste et brillant commentaire dans son excellent *Casanova*, Gallimard, 1949, p. 126. En dépit de quelques simplifications et de quelques complaisances, ce livre est l'une des plus séduisantes et des plus intelligentes évocations qu'on ait jamais proposées d'un homme du XVIIIe siècle.

2. *Op. cit.*, pp. 98-99.

3. Cf. *ibid.*, pp. 179 et suiv.

mouvement, comment les maintenir en un compromis constant ? Il est nécessaire que le divertissement et la passion se dépassent alternativement, se muent l'un en l'autre. Le *repos*, c'est-à-dire le bonheur, est une harmonie, toujours mouvante elle-même, entre ces deux mouvements.

Cet équilibre de l'âme est compris dans un autre plus large, celui de l'individu tout entier. Le rationalisme fait confiance aux *sens* et à la *raison* pour fonder à eux deux la sécurité et le bonheur de l'homme. Les sens l'enracinent dans le monde, lui prouvent la vérité de son existence, lui révèlent qu'il n'a pas d'autre destination que sa destination naturelle, et que toute doctrine est fable, qui le représente ici-bas comme un exilé. La raison est la faculté de l'*ordre*. Elle impose sa clarté à la nature physique et au monde moral, à la ronde des étoiles, au jaillissement des créatures, à la bigarrure des lois, à l'entrecroisement des intérêts, à l'emmêlement des désirs. Les sens et la raison ne sont pas faits pour se combattre, surtout si la raison tire des sens son origine. Le bonheur est donné à ceux qui savent concilier le *plaisir* et la *sagesse*.

Le dernier équilibre s'instaure entre le moi et le monde, entre la nature et la société. Il ne concerne pas seulement le bonheur personnel. Sans doute est-il important que chacun reçoive des autres la réponse qu'il attend d'eux. Mais il ne l'est pas moins de défendre l'ordre social contre les anarchies individuelles.

Vers la fin du siècle, tout ce bel édifice est ruiné. Sade et Laclos sont, en morale, le double produit de la décomposition du rationalisme. Avec Sade, la philosophie de la nature ne sert plus qu'à justifier l'expansion sans limite de l'individu. Si la violence et le crime y sont promus valeurs nouvelles, c'est qu'ils prennent le contre-pied des valeurs traditionnelles, sur quoi la société s'appuyait. *Les Liaisons dangereuses* offrent l'image d'un déséquilibre inverse. Valmont et la Merteuil jouent le jeu social jusqu'au bout, transformant en absolu les conventions et les perversions de la vie mondaine, libérée de toute attache avec la nature.

Sade et Laclos représentent donc la faillite du rationalisme au XVIIIe siècle. Quant à sa réussite, on la trouve dans la conscience bourgeoise, que sa nature même destinait à survivre aux tempêtes.

III

Il est malaisé de réduire le cœur humain à la transparence, au schématisme d'une explication rationnelle. Dès la première moitié du siècle, Marivaux, Prévost, et d'autres, en ont recensé les zones obscures. Ils ont cerné les principaux mystères de la pensée inconsciente — souvenirs de la petite enfance, activité de l'esprit pendant le sommeil [1] — décrit ces paroxysmes où l'émotion est si forte qu'elle submerge la conscience, plonge l'âme dans la léthargie, suscite l'hébétude, les tremblements nerveux [2]. Lorsque Cleveland retrouve Fanny et Cécile, il n'est pas tout de suite en mesure de penser, ni même d'éprouver son bonheur. Il doit d'abord traverser plusieurs phases extrêmes, irréductibles à la raison et à la conscience. D'abord il reste immobile et muet, en apercevant sa femme et sa fille. Puis un « transport » le jette à leurs pieds. Ensuite il s'évanouit, et un état comateux, qui se prolonge, met sa vie en péril. Lorsqu'il en émerge, c'est pour sombrer dans un sommeil de plusieurs jours, qui le régénère. A son réveil, Cleveland peut enfin *vivre* son bonheur [3]. Il semble que le cœur soit anéanti par ses propres mouvements. Certaines émotions violentes sont dans l'âme comme des corps étrangers, des présences inconnues et dévastatrices. Il faut que ces forces venues d'ailleurs éclatent, se dissolvent, avant que la raison reprenne son cours. Ce n'est qu'après coup, au prix de longs efforts, que ces mystérieuses perturbations de l'âme peuvent se transformer en états de conscience. La raison est si incompatible avec le sentiment que, portées au même degré, des émotions opposées se manifestent par des effets semblables : l'intensité d'un sentiment compte plus que sa nature [4].

Si la conscience est ainsi emportée par ces ouragans intérieurs, si elle s'enfonce quelquefois dans des ténèbres où la raison ne peut jeter aucune lumière, jamais on ne lui reconnaît ces deux privilèges qui rassurent : l'unité et la stabilité. L'homme vit d'une existence successive. Il n'est jamais le même. Un sentiment peut se convertir inexplicablement en son contraire. Prévost découvre que l'*ambivalence* est l'une des grandes lois psychologiques : « Je ne sais comment le cœur peut passer si subitement d'une situation à celle qui lui est opposée : un instant produit quelquefois cette étrange vicissitude [5]. » Dans *Le Spectateur Français*, Marivaux refuse à la conscience la possibilité de fondre la diversité des *moments vécus* en l'homogénéité d'une *vie* : « A proprement parler, je vis seulement dans cet instant-ci

1. Cf. *Mémoires* de Bernis : « Je me ressouviens très distinctement du temps où je fus sevré... Il ne serait peut-être pas inutile à l'esprit de recueillir avec plus de soin qu'on ne l'a fait jusqu'ici les premières sensations et les idées naissantes des enfants » (pp. 7-8). « Les philosophes n'ont point examiné assez sérieusement les fonctions de l'âme pendant le sommeil » (p. 19).

2. Cf. Prévost, *Le Doyen de Killerine*, t. III, p. 86 et t. VI, pp. 51-52. Lorsque Cleveland entend parler pour la première fois de son père Cromwell, il tombe sans connaissance. (*Cleveland*, t. I, p. 19). Après le départ de Cécile, voici comment il exprime son désespoir : « Ce n'étaient plus des mouvements de douleur ni des agitations violentes ; le pouvoir de sentir était comme éteint dans mon cœur. *Ce que je voudrais représenter n'a point de ressemblance avec les sentiments connus.* C'était une langueur qui tenait de l'insensibilité plutôt que du désespoir, mais dont l'effet était mille fois plus sensible que tout ce que j'avais jamais ressenti de plus funeste, puisqu'il semblait tendre à l'obscurcissement de toutes mes facultés naturelles et me conduire par degrés à l'anéantissement. » (*Ibid.*, t. VI, p. 35).

3. Cf. *Cleveland*, t. III, pp. 209 et suiv.

4. Cf. *ibid.*, pp. 112-113.

5. *Ibid.*, p. 112.

qui passe... Qu'est-ce que la vie ? Un rêve perpétuel, à l'instant près dont on jouit, et qui devient rêve à son tour [1]. » Enfin il y a peu de sentiments qui soient purs ; la plupart demeurent ambigus, mêlant l'innocence à la culpabilité [2], la tranquillité à l'insatisfaction [3], le désordre à la sagesse [4].

C'est pourtant ce cœur mystérieux qui va devenir la faculté maîtresse de l'homme [5]. Le *mystère* du cœur apparaît même comme le signe de son *infaillibilité* [6]. Les héros de Prévost respectent, en même temps qu'ils la redoutent, cette force obscure, sans doute surnaturelle, installée en eux-mêmes, qui les meut invinciblement, les pousse vers leur destinée. La raison n'est là que pour amortir certains coups, émousser la souffrance : il peut y avoir quelque chose de sacrilège à lui remettre la conduite de sa vie. Dans son *Parallèle du cœur, de l'esprit et du bon sens* (1740), Pecquet affirme que le cœur et l'esprit ne sont pas incompatibles. Il existe entre les deux de nombreuses correspondances, et, tant que l'accord demeure, l'homme peut être sûr de lui-même et de son bonheur. Mais si l'on considère le cœur et l'esprit dans leurs différences, et si l'on doit choisir, c'est au premier qu'il faut s'abandonner [7].

La morale chrétienne collabore à la réhabilitation du cœur, dont elle oublie qu'il est le noyau gâté d'une nature en son ensemble suspecte. Massillon, à l'inverse de Bossuet, plaide la cause du cœur innocent. De nombreux moralistes chrétiens, tout au long du siècle, ne paraissent plus savoir que ce qui jaillit de la nature inspire l'homme dangereusement. L'oratorien de Bonnaire publie en 1758 *La Règle des devoirs que la nature impose à tous les hommes*. Il y écrit : « C'est par le *cœur* que nous devons nous appliquer à nous bien connaître ; c'est par là que nous sommes véritablement hommes ; c'est là que

1. *Le Spectateur François*, 17e Feuille, *Œuvres de Marivaux*, 1781, t. IX, pp. 196-197.

2. Voir dans *Cleveland* le long épisode où le héros prend conscience de son amour pour Fanny Axminster. Bien qu'il s'agisse d'un sentiment naturel et innocent — Cleveland n'a subi aucune contamination, ayant toujours vécu jusque-là dans le domaine préservé de la grotte — il ne peut parvenir à se délivrer d'un étrange sentiment de culpabilité : cf. t. I, pp. 203 et suiv.

3. « Ainsi j'étais aussi tranquille qu'on peut l'être avec un cœur qui ne sent rien dont il puisse se plaindre, mais qui n'a point ce qu'il désire. » (*Cleveland*, t. I, pp. 268-269).

4. On a dit l'effet que produit la philosophie sur les souffrances de Cleveland. Il se raisonne, parvient à disposer de toutes les ressources intellectuelles de la consolation, mais sa douleur elle-même, quoique supportée et maîtrisée, ne meurt pas et demeure le centre de sa vie.

5. On a tenu compte de la brillante étude de M. Armand HOOG, *Esquisse d'une mythologie française du cœur*, dans les *Études Carmélitaines*, *Le Cœur*, Desclée de Brouwer, 1950.

6. Cf. les *Réflexions sur l'esprit et le cœur* du marquis DE CHAROST, dans le recueil cité de SAINT-HYACINTHE : « L'esprit est une faculté éclairée, il est guidé par la lumière. Le cœur est une faculté aveugle, c'est une espèce d'instinct qui le conduit. Il y a plusieurs opérations de l'esprit ; celle de voir, de comparer, de juger. Il n'y a qu'une opération du cœur ; c'est de *sentir*... Cet instinct qui conduit notre cœur est un guide infiniment plus sûr que les lumières qui éclairent l'esprit. Cela est prouvé par l'expérience. Le raisonnement nous trompe souvent ; le sentiment nous trompe rarement » (pp. 287-288). « *L'attribut principal de notre âme, c'est le cœur* » (p. 290). « On peut dire, je crois, sans vouloir faire trop d'honneur à l'humanité, que *le cœur de l'homme en général est droit et sincère* » (p. 291).

7. Cf. *op. cit.*, pp. 25-27 et 31.

nous devons puiser les principes de notre conduite présente et le fondement de notre espérance pour l'avenir [1]. » La nature se partage entre deux sentiments, qui suffisent à nous guider : *l'amour de la justice* et le *désir de la gloire*. Toute Révélation devient inutile. Le cœur de l'homme enferme les virtualités de son bonheur et de son salut : « C'est ce que nous sommes qui nous dicte ce que nous devons être [2]. »

La « morale naturelle » peut donc aussi bien désigner la morale du cœur que celle de la raison. Mais la définition du bonheur varie sensiblement de l'une à l'autre. Pour la morale du cœur, le bonheur est un *sentiment vif de l'existence* [3]. Il réclame une expansion de l'âme, possible seulement par la complicité de l'imagination et de la sensibilité [4]. Cependant expansion ne signifie pas anarchie. Le cœur n'est pas une puissance rebelle, une incontrôlable frénésie. *L'amour de l'ordre* fait aussi partie du sentiment [5]. Le cœur s'impose à lui-même sa discipline [6]. Il se distingue des passions et leur résiste : « L'homme n'est pas toujours à portée d'entendre les oracles qui partent de son cœur... *La voix des passions contribue à étouffer la voix du cœur* [7]. »

Comme le dit Armand Hoog, le cœur devient la *faculté du dépassement*. Le sentiment est un mode privilégié de connaissance, le seul qui donne accès aux secrets de la métaphysique, impénétrables à la raison. C'est lui qui prouve l'immortalité de l'âme [8]. Il ne force l'esprit à renoncer que pour lui prêter des lueurs nouvelles, des prestiges

1. *Op. cit.*, t. I, p. 57.

2. *Ibid.*, t. II, p. v. Sans aucune allusion au péché originel, de Bonnaire insiste longuement sur l'excellence de notre nature, qui « renferme plus de vestiges de la divinité que le monde entier ». Il reconnaît même : « La règle des devoirs suppose l'existence de Dieu comme la base essentielle ; mais cette vérité n'est pour nous qu'une vérité de conséquence. » (*Ibid.*, t. I, p. XIV).

3. « Ce que nous appelons bonheur, qu'est-il autre chose qu'un sentiment plus vif, plus pur, plus étendu de notre existence ? » (MEISTER, *De la Morale naturelle* (1788), p. 33.) A propos du bonheur qui consiste à « s'aimer dans les autres », Meister déclare : « C'est contre un sentiment plus vif de son existence qu'on s'est déterminé à échanger des années, une vie entière de jouissances moins vives. » (*Ibid.*, p. 37.)

4. « Mon imagination a sauvé ma sensibilité ; *les objets ne sont pour nous que ce qu'en fait notre cœur* [ROUSSEAU disait dans *La Nouvelle Héloïse* : « Les sensations ne sont que ce que le cœur les fait être »] ... Il faut à notre cœur comme à notre imagination plus d'étendue et plus d'espace. » (*Ibid.*, p. 109.) « Ce qui peut arrêter l'exercice de nos forces, ce qui peut suspendre le développement de nos facultés, ce qui peut, en un mot, *resserrer ce sentiment de notre existence*, la source première de toute espèce de bonheur, est évidemment contraire à la nature de l'homme. » (*Ibid.*, p. 45.)

5. « L'expérience et la réflexion m'avertissent qu'il est de l'essence de mon être de suivre et de chercher en toute chose une certaine marche constante et régulière ; *je ne sais quelle idée d'ordre dans le sentiment se mêle à tout ce qui fait le charme de la vie*, aux attraits touchants de la beauté, à l'admiration qu'inspire le spectacle pompeux de la nature, à l'illusion si ravissante de tous les talents et de tous les arts. » (*Ibid.*, p. 17.)

6. « Il n'y a qu'une manière d'être habituelle qui puisse être regardée comme un état digne de fixer nos soins et nos vœux. » (*Ibid.*, p. 21.)

7. DELISLE DE SALES, *Philosophie de la nature*, t. I, p. XXXIII.

8. « Ames sensibles, pour qui ce faible ouvrage est écrit, voulez-vous une démonstration de votre immortalité ?... Voyez l'histoire de Clarisse ; c'est une des plus belles preuves de l'immortalité qu'ait produit *(sic)* le genre humain : les arguments de Clarke, de Pascal et de Descartes sont bien faibles auprès d'une page de Richardson. Je vais tenter de donner une autre démonstration dans le genre de celle de Clarisse ; c'est l'histoire pathétique de Jenny fille ; si en la lisant on est ému, je triomphe et l'âme est immortelle. » (*Ibid.*, t. II, pp. 269-270.)

inattendus. Il embellit « les idées de la raison des images de la volupté »[1]. Le cœur n'est donc pas vraiment l'ennemi de la raison. Loin de diviser l'homme, il l'unifie. Aussi la morale du cœur finit-elle par reprendre tous les thèmes de la morale rationaliste. L'image exemplaire de l'homme heureux que trace Delisle de Sales se borne à rassembler scrupuleusement des lieux communs « philosophiques » [2].

La recherche de l'*intense* n'exprime pas le désir le plus profond de l'âme. Elle peut être un vertige qui masque l'essentiel : le besoin d'*unité*. L'âme sensible oscille entre l'*expansion* et le *resserrement*. Mais ce qui distingue son rêve de bonheur du bonheur philosophique ou mondain, fondé sur l'équilibre, c'est que la *dualité*, au lieu d'être atténuée ou résorbée en une série de compromis, s'y trouve résolument niée. L'âme atteint d'emblée cette unité qui tient à une double adéquation entre le désir et son objet, entre la conscience et le désir. L'instance morale et l'instance affective se confondent, tandis que s'abolit la distance entre le moi et le monde, ce dernier pouvant être *donné* ou au contraire *oublié*.

L'unité heureuse revêt divers aspects. Pour Vauvenargues, elle est fidélité à soi, surtout fidélité à soi dans l'action : « La nature a marqué à tous les êtres dans leur caractère la route naturelle de leur vie, et personne n'est ni tranquille, ni bon, ni heureux qu'autant qu'il connaît son instinct et le suit bien fidèlement [3]. » Pour Rousseau, elle tend vers cette « transparence » où M. Starobinski a reconnu le secret de toute son œuvre [4]. Mais la transparence — qui est double en réalité : entre soi et soi, entre soi et les autres — suppose un resserrement de l'espace autour du solitaire ou d'un petit groupe d'âmes amies. C'est le désir d'*insularité*, le besoin d'enfermer sa vie dans une île réelle ou imaginaire, auquel Rousseau ne pourrait renoncer qu'au sein d'une société idéale où la transparence serait universelle [5]. En même temps que le resserrement et la plénitude, la transparence implique le refus de toute *médiation*. Rousseau rêve d'une action qui saute les intermédiaires, force les lois des choses, supprime les résistances du réel. Lorsque, à Lausanne, le naïf émule de Venture de Villeneuve s'improvise chef d'orchestre sans savoir lire une note, c'est pour conjurer par la magie du geste le scandale de la musique, réalité étrangère, et dissiper symboliquement l'opacité du monde [6].

1. LOAISEL DE TRÉOGATE, *Dolbreuse*, p. IX.
2. *Philosophie du bonheur*, t. II, pp. 130-133.
3. VAUVENARGUES, *Œuvres*, t. I, p. 94.
4. Cf. Jean STAROBINSKI, *Jean-Jacques Rousseau. La transparence et l'obstacle*, Plon, 1957, p. 55.
5. « Clarens est précisément une île, un asile, un jardin clos, une petite communauté étroitement repliée sur le bonheur qu'elle a su inventer. » (*Op. cit.*, p. 126). Plus loin, M. Starobinski note : « A Clarens, l'idéal moral de l'autarcie, transposé sur le plan économique, prend la forme d'une société fermée, qui subvient par elle-même à son existence matérielle. » (*Ibid.*, p. 130.)
6. Cf. *Les Confessions*, livre IV.

Ce rêve d'unité prend corps au sein d'une conscience divisée. Rousseau n'a cessé d'éprouver durant sa vie combien il est hors d'atteinte, si ce n'est en ces quelques îlots dorés — encore l'insularité, dans le temps cette fois ! — émergeant des flots troublés de l'existence : les Charmettes, l'Ermitage. Il fut une « âme inquiète, en proie aux ambivalences »[1], sollicitée à la fois par l'amour du repos et le besoin de l'aventure, le goût de la pureté et d'étranges tentations, l'effusion près des belles âmes et la solitude du persécuté, l'aspiration au bonheur et l'envoûtement de l'échec, la volonté de se justifier et le désir d'être puni. Mais on doit admirer que Rousseau, pour résoudre ses antinomies, n'ait pas forgé une philosophie complaisante. Au lieu de s'engager dans les voies que le rationalisme avait ouvertes, il rappelle que le bonheur n'est pas la fin immédiate de la vie morale et que la voix de la conscience ne se confond pas toujours avec l'appel de la nature. Cet inventeur des grandes nostalgies de la conscience moderne a aussi tracé un passage entre la morale « philosophique » du bonheur et la morale kantienne du devoir.

A la fin du siècle, le rêve de l'unité cherche à se satisfaire en revenant, par delà Rousseau, à l'équation naïve entre la nature et la vertu. Il se présente aussi comme un recours à la nature matérielle. Celle-ci peut être prise comme une unité mythique, où l'âme se transporte en feignant d'oublier son expérience du réel : c'est le retour au Paradis, qu'illustre *Paul et Virginie.* Mais ce peut être aussi la nature actuelle, diverse, instable, qui nourrit le bonheur ou la mélancolie, et régénère l'âme, non par la voie dangereuse du rêve, mais par les *sensations*, seules capables de réaliser l'unité entre l'homme et le monde.

L'île où se sont réfugiées, dans *Paul et Virginie*, Mme de La Tour et Marguerite, toutes deux victimes des préjugés sociaux, est un refuge comparable à la grotte de *Cleveland* et au domaine de Clarens. L'amour des deux enfants est prédestiné : « Déjà leurs mères parlaient de leur mariage sur leurs berceaux[2]. » Ce sera leur compensation, leur revanche : ils resteront heureux en ne s'évadant jamais de la nature. Fidèles à Rousseau sans le savoir, Paul et Virginie rassemblent toute leur existence en eux-mêmes et autour d'eux, dans un petit espace circonscrit, ignorant le reste du monde : « Leur curiosité ne s'étendait pas au delà de cette montagne. Ils croyaient que le monde finissait où finissait leur île[3]. » Cette conception de l'innocent paradis, impliquant un rétrécissement imaginaire du monde, coïncide

2. Starobinski, *op. cit.*, p. 143.
3. *Op. cit.*, édition Souriau, p. 97.
4. *Ibid.*, p. 99. Comme dans *Cleveland* et dans *La Nouvelle Héloïse*, le bonheur n'est possible que dans un univers clos, abritant un petit groupe humain privilégié, qu'anime une seule âme. Mme de La Tour déclare : « Oh ! mes chers enfants, le malheur ne m'est venu que de loin, le bonheur est autour de moi. » (*Ibid.*, p. 104.)

avec l'authenticité de l'amour naissant, qui fait spontanément désirer un refuge. La beauté du roman — encore méconnue dans la plus récente édition — tient au merveilleux accord entre une certaine idée du bonheur et son expression littéraire : l'intimité de Paul et de Virginie symbolisée par cette muette extase qui les métamorphose à la fois en divinités de marbre et en « enfants du ciel » [1] ; l'harmonie morale du groupe autour de cette communion d'âmes ; la complicité d'un univers limpide où tout est miracle, où tout fait signe aux amants et les protège [2] ; la conscience et le sentiment pénétrant toutes choses et donnant des noms de vertus à tous les objets, à tous les aspects de la nature [3]. Dans ce jardin primitif que l'homme n'a pas gâté, tout parle pourtant le langage de l'homme. Tout est bienveillant et ami. Le « repos de Virginie » exprime cette admirable fusion entre l'âme et les choses [4].

La première faille se produit dès qu'il est question d'entr'ouvrir la clôture et de regarder vers ce monde lointain qu'on avait pu croire aboli. A partir du moment où celui-ci a réclamé Virginie, l'idylle silencieuse se mue en tourment passionnel. Le désastre final ne fera que parachever un destin désormais inévitable.

Avec les *Rêveries sur la nature primitive de l'homme* (1799), le recours à la nature prend une autre forme. Senancour n'a pas la candeur euphorique de Bernardin. Disciple plus pénétrant de Rousseau, il sait que l'imagination n'est pas apaisante, qu'elle creuse un vide, où l'âme tout entière vient sombrer. Il lui préfère le « matérialisme du sage ». On s'en étonnera peut-être : c'est le *sensualisme* qui procure à l'âme sensible sa vraie philosophie. Quand cessera le contre-sens, devenu traditionnel, sur ce mot *sensible* ? Senancour distingue pourtant la *sensibilité* du *sentiment*. Il proteste au nom de la sensibilité contre « cette affectation sentimentale, que l'on appelle *du sentiment*, parce qu'en effet on la met partout à sa place, mais que l'on nommerait mieux SENTIMANIE ». Entre la marotte des larmes et la froideur ou la sauvagerie, son choix est sans ambiguïté : « L'homme sensible

1. « A leur silence, à la naïveté de leurs attitudes, à la beauté de leurs pieds nus, on eût cru voir un groupe antique de marbre blanc représentant quelques-uns des enfants de Niobé ; mais à leurs regards qui cherchaient à se rencontrer, à leurs sourires rendus par de plus doux sourires, on les eût pris pour ces enfants du ciel, pour ces esprits bienheureux, dont la nature est de s'aimer et qui n'ont pas besoin de rendre le sentiment par des pensées et l'amitié par des paroles. » (*Ibid.*, p. 101).

2. Paul et Virginie sont épuisés de fatigue et de soif, après une longue promenade : « Comment ferons-nous donc ? dit Paul ; ces arbres ne produisent que de mauvais fruits ; il n'y a pas seulement ici un tamarin ou un citron pour se rafraîchir. — Dieu aura pitié de nous, reprit Virginie... A peine avait-elle eu dit ces mots qu'ils entendirent le bruit d'une source qui tombait d'un rocher voisin. » (*Ibid.*, p. 106). Un peu plus loin, les deux enfants sont perdus dans la forêt. Virginie dit à Paul : « Prions Dieu, mon frère, et il aura pitié de nous. » A peine avaient-ils achevé leur prière qu'ils entendirent un chien aboyer. » (*Ibid.*, p. 111).

3. « Ces familles heureuses étendaient leurs âmes sensibles à tout ce qui les environnait. Elles avaient donné les noms les plus tendres aux objets en apparence les plus indifférents. » (*Ibid.*, p. 120.)

4. Cf. *ibid.*, pp. 121-124.

doit préférer à l'homme sentimental l'homme indifférent et farouche [1]. »
Ce qui caractérise l'âme sensible, n'est pas l'aptitude à l'*attendrissement*, mais à la *résonance* : « La sensibilité n'est pas seulement l'émotion tendre ou douloureuse, mais la faculté donnée à l'homme *parfaitement organisé* de recevoir des impressions profondes de tout ce qui peut agir sur des organes humains. L'homme vraiment sensible n'est pas celui qui s'attendrit, qui pleure, mais qui reçoit des *sensations* là où les autres ne trouvent que des perceptions indifférentes [2]. » La « sensibilité » n'est donc pas, comme tant de critiques ont voulu le faire croire, une maladie, mais bien au contraire un *signe de santé*. Elle prend sa source, non dans une âme en proie au mal de vivre, mais dans des organes à la fois vigoureux et affinés.

La première condition du bonheur, pour l'âme sensible, est d'éliminer le vide à l'intérieur de la conscience. Il faut chasser « les pensées relatives à des objets absents ou étrangers » [3]. L'ennui provient d'un décalage entre l'être réel et l'être imaginaire. On s'ennuie dès qu'on cesse de coïncider avec soi [4]. Le bonheur commence par l'application de cette maxime : « Limiter son être pour le posséder tout entier [5]. »

Au refus de l'expansion s'ajoute le refus de l'exaltation : « Toute joie exaltée est nécessairement peu durable... Toute joie vive est instantanée, et dès lors funeste ou du moins inutile [6]. » Le bonheur ne consiste pas en quelques sommets dominant le désert d'une vie, en quelques parcelles d'or tombant, disséminées, sur une existence grise. Il réclame la continuité plus que l'éclat : « Etre heureux, c'est vivre [7]. » L'homme social a renoncé à « cet état en quelque sorte neutre, mais heureux en son apparente nullité, dans lequel s'écoulait toute la vie naturelle » [8]. Il a changé « ce bien-être que donnait l'existence simple » en convoitises et en dégoûts, en chimères inassouvies et en cet accablement qui prolonge la chute des passions [9].

L'âme sensible doit retrouver la félicité simple et forte de l'équi-

1. *Op. cit.*, éd. Merlant, 1910, p. 142, note 2.
2. *Ibid.*, pp. 58-59.
3. *Ibid.*, p. 42.
4. « L'ennui ne naît pas de l'uniformité... L'ennui naît de l'opposition entre ce que l'on imagine et ce que l'on éprouve, entre la faiblesse de ce qui est et l'étendue de ce que l'on veut ; il naît du vague des désirs et de l'indolence d'action ; de cet état de suspension et d'incertitude où cent affections combattues s'éteignent mutuellement ; où l'on ne sait plus que désirer, précisément parce que l'on a trop de désirs, ni que vouloir, parce que l'on voudrait tout ; où nulle chose ne paraît bonne, parce que l'on cherche une chose qui soit absolument bonne. » (*Ibid.*, pp. 73-74.)
5. *Ibid.*, p. 75. Cf. *ibid.*, p. 137 : « C'est en limitant son être qu'on le possède tout entier ; l'extension n'est que misère et dépendance. »
6. *Ibid.*, pp. 85 et 91. Cf. *ibid.* : « L'on ne voit pas, l'on ne veut pas voir qu'il n'est qu'une joie durable, ce bien-être que donnent seules la paix intérieure et une santé toujours jeune. En changeant ce sentiment d'une volupté tranquille pour une joie plus vive, plus animée, l'on détruit à jamais en soi l'aptitude au bonheur » (pp. 85-86). « Le bonheur est une succession presque continue, et durable comme nos jours, de cet heureux concours de paix et d'activité, de cette harmonie douce et austère qui est la vie du sage » (p. 91).
7. *Ibid.*, p. 91.
8. *Ibid.*, p. 71.
9. Cf. *ibid.*

libre organique [1]. La plénitude physique favorise bien mieux l'illusion de l'éternité, que le faux absolu de la passion [2]. Mais ce repos ne saurait durer très longtemps dans un univers où tout change. Alors l'âme sensible, contrainte de changer elle aussi, cherchera dans le mouvement un surcroît d'existence. Se refusant à son propre vertige, qui la détruirait, elle se laisse emporter par le grand flux du monde. Façonnée par des sensations toujours nouvelles, elle se prête passivement, plastiquement, à tout ce qui l'entoure. L'homme heureux « reçoit ses changements des causes naturelles ; il est ce que le font les lieux, les saisons » [3]. Dans cette dépendance par rapport aux choses où Saint-Preux ne trouvait qu'instabilité et tourments (sauf dans l'expérience privilégiée de la montagne), Senancour — suivant en cela le Rousseau du « Matérialisme du Sage » — croit tenir l'un des secrets du bonheur.

La « sensibilité » pourrait être définie comme l'instinct ou l'art des relations immédiates entre l'âme et les sens. On lit dans *La Nouvelle Héloïse* : « Les sensations ne sont que ce que le cœur les fait être. » Mais on peut retourner la phrase : « Le cœur n'est que ce que les sensations le font. » L'âme sensible est celle pour qui ces deux propositions sont également vraies.

Il n'y a que deux bonheurs pour l'âme sensible : se diluer dans la nature, vivre de la vie de l'univers ; ou bien savourer cette volupté sans cause, où la pensée et le sentiment ne mêlent rien d'eux-mêmes, et qui consiste à écouter les rumeurs tranquilles de son propre sang. Ces deux modes du bonheur excluent tout recours à l'imaginaire, tout gonflement chimérique de nous-mêmes, toute agitation passionnelle : « Le bonheur véritable n'est accessible que dans une vie simple et circonscrite [4]. » Senancour reprend le rêve d'insularité de Rousseau : « Il n'est point de site plus fait pour la paix du cœur et le charme de l'imagination qu'une terre circonscrite qui jouit d'un aspect vaste et imposant au sein des ondes solitaires [5]. »

1. « Le plus grand, le plus vrai de nos biens est cet heureux équilibre de nos forces motrices, cette harmonie générale qui fait la santé parfaite. » (*Ibid.*, p. 62.)

2. Cf. *ibid.*, p. 64 : « Il est des moments de paix et d'énergie où l'âme confiante, libre, indifférente, assez indépendante pour tout attendre sans être alarmée de rien, assez impassible pour s'abandonner, se nourrir d'elle-même ; étend sur toutes choses réelles ou possibles, le sentiment de sa force et de son bien-être ; reste comme immobile dans le temps qui se succède, immuable dans le monde agité, et commence un bonheur dont sa délicieuse erreur éternise la durée. »

3. *Ibid.*, p. 47 ; cf. *ibid.*, p. 45. « Ainsi livrés à tout ce qui s'agite et se succède autour de nous, affectés par l'oiseau qui passe, la pierre qui tombe, le vent qui mugit, le nuage qui s'avance ; modifiés accidentellement dans cette sphère toujours mobile, nous sommes ce que nous font le calme, l'ombre, le bruit d'un insecte, l'odeur émanée d'une herbe, tout cet univers animé qui végète ou se minéralise sous nos pieds ; nous changeons selon ses formes instantanées ; nous sommes mus de son mouvement, nous vivons de sa vie. » Cf. p. 59, à propos de « l'homme vraiment sensible » : « Qu'il consulte, le matin, les brouillards et les vents ; qu'il écoute quels oiseaux chantent l'aurore : les malheurs lui seront moins pénibles dans un beau jour, que le poids seul du temps sous un ciel voilé de brumes. Il est des sensitives qui se flétrissent dans les temps d'orage, et se réveillent avec la sérénité des cieux. »

4. *Ibid.*, p. 69.

5. *Ibid.*, p. 229.

Le bonheur selon Senancour est à l'opposé du romantisme. Il est tout entier inspiré par la méfiance envers l'imagination : résistance aux « alarmes de l'imaginaire »[1], élimination des « terreurs imaginaires », des « fantômes lugubres », des « chimères terrestres », et même des « rêves heureux »[2]. Détaché des vains désirs et des vaines images, l'homme doit se rapprocher des choses, ou plutôt du « reste des êtres »[3]. Senancour donne ce conseil au « fils immédiat de la nature » : « Consulte tes sensations et tu sentiras bien mieux ce qui est propre à l'homme[4]. » Il refuse les mensonges de l'absolu, les affres et les délices d'une conscience divisée. Alors qu'il n'y a pas de romantisme sans le sentiment d'une dualité entre l'apparence et l'au-delà, toute la morale de Senancour tend à fonder le bonheur de l'homme sur l'unité du monde. Il faudrait décidément préciser le sens qu'on entend donner au mot *préromantisme*.

IV

Il restait une voie où chercher l'unité de l'homme. Selon Rousseau, le bonheur ne peut être donné qu'à l'*homme* ou au *citoyen*, non à l'être hybride, instable, formé du mélange des deux : « Forcé de combattre la nature ou les institutions sociales, il faut opter entre faire un homme ou un citoyen ; car on ne peut à la fois faire l'un et l'autre[5]. » Comme il serait absurde de vouloir restaurer la nature, c'est à la société de construire un homme nouveau, radicalement *autre*, mais pur, car sa formule ne comportera plus d'ambiguïté : « Les bonnes institutions sociales sont celles qui savent le mieux dénaturer l'homme, *lui ôter son existence absolue pour lui en donner une relative*, et transporter le moi dans l'unité commune ; en sorte que chaque particulier ne se croie plus un, mais partie de l'unité, et ne soit plus sensible que dans le tout[6]. »

Le *Contrat social* propose les moyens de réaliser cet homme imaginaire, qui serait heureux parce qu'il ne trouverait en lui aucune contradiction. La pensée moyenne du siècle se déroule à un niveau très inférieur. Bien loin de concevoir un homme entièrement neuf,

1. *Ibid.*, p. 95.
2. *Ibid.*, p. 146. L'imagination n'est salutaire et *vraie* que dans un cas ; lorsqu'elle s'organise autour du rêve du repos pastoral : « Ici l'illusion est dans l'expérience, et la réalité dans les écarts de l'imagination. » (*Ibid.*, p. 223.)
3. *Ibid.*, p. 47.
4. *Ibid.*, p. 110 ; cf. *ibid.*, p. 99 : « La plus sublime philosophie, le dernier effort de l'esprit humain égaré dans la route trouvée par l'homme ; le plus haut degré où la sagesse puisse élever un génie détrompé, ne vaut pas le mobile primitif, ce *pouvoir impérieux et comme aveugle des simples sensations présentes* dont la force n'était point calculée, dont la nature n'était point approfondie. »
5. Rousseau, *Œuvres complètes*, Paris, Furne, 1851, t. II, p. 401.
6. *Ibid.*, p. 29.

dont la qualité de citoyen constituerait l'essence et qui trouverait son bonheur dans son absorption par la cité, elle se contente de projeter dans des rêveries sociales les grands mythes du bonheur individuel. De même que Rousseau fut le seul à comprendre que nature et vertu ne sont pas synonymes, il fut le seul à penser le citoyen comme fondamentalement différent de l'homme.

On n'avait pas à étudier les thèmes et les doctrines du bonheur social. Mais on pourrait y reconnaître en transparence les principales antinomies de la conscience individuelle. La pensée sociale du XVIIIe siècle se déploie entre deux extrêmes : l'utopie moralisante et l'apologie cynique du luxe [1]. L'utopie conserve toujours les mêmes traits : géométrie, vertu, paternalisme. La cité idéale est conçue à la fois comme une épure abstraite et comme un agrandissement de l'univers familial. La limpidité, l'économie des moyens, la frugalité et l'innocence conduisent à un ascétisme, que dissimule un bonheur soigneusement élaboré. Il s'agit en somme d'une figuration collective de cet idéal du *repos*, qu'expriment autrement la pastorale, la littérature champêtre, la prudence des cœurs froids, l'héroïque sagesse de quelques âmes tendres. L'apologie du luxe favorise au contraire la profusion et le dynamisme des désirs. Elle élimine l'inquiétude morale, exalte la volupté, ouvre un large champ à tous les caprices, aux improvisations, aux impatiences. Elle justifie par des considérations économiques — les passions individuelles enrichissent la nation — le bonheur du *mouvement*.

Les doctrines économiques opposent les partisans du mercantilisme à ceux qui voient dans l'agriculture la richesse principale d'un État. Les premiers prennent la défense de l'argent, dont la vertu magique les éblouit : il symbolise la prestesse et la fécondité des échanges, l'agilité d'un esprit entreprenant, délié de tout ce qui alourdit, toutes les formes de la puissance et toutes celles de l'agrément. Mais ceux qui songent au « vrai bonheur » préfèrent ce bien réel qu'est la terre, cette stabilité, cette sécurité qu'elle accorde. Ils cherchent à se rassurer contre la frivolité, le vertige, contre les périls de l'argent. La terre leur apparaît comme la seule possession véritable, comme la seule possession *morale*.

Les doctrines sociales reflètent enfin l'antinomie majeure entre le bonheur individuel et l'*ordre*. Relativement à l'individu, celle-ci se trouve résolue par le dogme de la *sociabilité*. Relativement à la société, il n'y a pas d'autre solution que celle de l'utopie. Partout ailleurs, on voit s'affronter des lieux communs contradictoires. Il est entendu désormais que le premier devoir des souverains n'est pas la conquête

1. S'il est vrai que l'utopie est la construction imaginaire d'un *ailleurs*, la profession de foi du « Mondain » de Voltaire (« Le Paradis terrestre est *où je suis* ») montre bien l'opposition diamétrale entre les deux tendances.

de leur propre gloire, mais le bonheur de leurs sujets. Ceux-ci ont droit à un bien-être, qui ne coïncide pas toujours avec la grandeur de la nation. Mais, en contrepartie, les sujets sont cernés dans un ordre politique et moral, que les moralistes exaltent avec l'accablante abondance des conformismes suaves [1]. La bienfaisance, la philanthropie ne restent jamais non plus sans compensation. Rien de plus instructif que la législation des pauvres et les généreux projets qu'elle suscita [2]. Ce qui stimule l'imagination des réformateurs, ce n'est pas de supprimer les pauvres, mais de dessiner le plan des prisons confortables où on les installera. Mendiants et vagabonds ont aussi le droit d'être heureux. Mais à condition d'être exclus de la communauté des gens de bien, dont il ne faut pas déranger la quiétude à l'intérieur d'une autre prison aux invisibles murs.

Les réflexions sur le bonheur, au XVIIIe siècle, sont toujours fondées sur l'équivoque. Fermement animées contre les puissances d'autrefois, rendues nécessaires par tout ce que l'homme avait perdu et ce qu'il pouvait sauver encore, elles enferment l'individu dans une *nature* ou à l'intérieur d'un *ordre*, qui ne sauraient l'exprimer tout entier : il se voit interdire à la fois les libres jeux de l'aventure, les mystères d'un au-delà et les merveilles du moi profond. Mais il faut songer que l'idée du bonheur devient alors la clé de voûte de toutes les théories et la justification de toutes les expériences : sa valeur *universelle* rendait nécessaires certaines exclusions. Il est clair, en outre, qu'on ne peut accuser les contemporains d'avoir oublié cela même qu'ils voulaient vaincre ou ce qu'ils ne pouvaient encore pressentir. D'ailleurs la richesse et le tumulte de certaines vies, l'obstination et l'audace de certaines recherches, l'inassouvissement de plus d'une âme inquiète, compensent largement la rigueur toute formelle des systèmes. On ne saurait donc reprocher aux hommes du XVIIIe siècle d'avoir appauvri le sens du mot *bonheur*. S'il fallait à tout prix formuler contre eux un grief, ce serait plutôt d'y avoir logé maintes contradictions, afin d'épuiser plus sûrement toutes les ressources de l'homme, de la société et du monde.

1. Cf. abbé BONCERF, *Le Vrai philosophe ou l'Usage de la philosophie, relativement à la société civile, à la vérité et à la vertu* (1762) ; LACROIX, *Traité de morale ou Devoirs de l'homme envers Dieu, envers la société et envers lui-même* (1767) ; *La Loi naturelle*, par M. ROUSSEL, prêtre (1768).

2. Cf. GOYON DE LA PLOMBANIE, *L'Homme en société ou Nouvelles vues politiques et économiques pour porter la population au plus haut degré en France* (1763) ; SÉGUIER DE SAINT-BRISSON, *Lettre à Philopénès ou Réflexions sur le régime des pauvres* (1764) ; LE TROSNE, *Mémoire sur les vagabonds et sur les mendiants* (1764) ; BAUDEAU, *Idées d'un citoyen sur les besoins, les droits et les devoirs des vrais pauvres* (1765) ; Anonyme, *Lettre d'un mendiant au public* (1765) ; abbé MÉRY, *L'Ami de ceux qui n'en ont point ou Système économique, politique et moral pour le régime des pauvres et des mendiants dans tout le royaume* (1767) ; DU SAUSSOY, *Le Citoyen désintéressé ou diverses idées patriotiques* (1767) ; DELACROIX, *Réflexions philosophiques sur l'origine de la civilisation et sur les moyens de remédier à quelques-uns des abus qu'elle entraîne* (1778) ; DUPONT DE NEMOURS, *Idées sur les secours à donner aux pauvres malades dans une grande ville* (1786) ; *Essai sur la mendicité, par M. C**** (1789) ; CLICQUOT DE BLERVACHE, *Mémoire sur les moyens d'améliorer en France la condition des laboureurs, des journaliers, des hommes de peine vivant dans les campagnes et celle de leurs femmes et de leurs enfants* (1789).

BIBLIOGRAPHIE [1]

I. — Lorsqu'aucune mention spéciale ne l'accompagne (par exemple, l'abréviation *éd.*), la date des ouvrages du XVIIIe siècle que nous citons est celle de la première édition figurant au catalogue de la Bibliothèque Nationale. Pour les ouvrages antérieurs, nous citons le plus souvent une réédition du XVIIIe siècle.

L'ordre alphabétique que nous avons adopté est celui du catalogue de la Bibliothèque Nationale.

Lorsqu'une œuvre citée ne figure dans aucun des catalogues de la Bibliothèque Nationale, nous le mentionnons. Quand nous le pouvons, nous indiquons la Bibliothèque où elle se trouve.

II. — Le numérotage des titres et l'intégration de la Bibliographie à l'Index doivent permettre de regrouper toutes les œuvres d'un même auteur et de retrouver dans la Bibliographie les auteurs cités tout au long du livre. Nous avons pensé pallier ainsi les inconvénients du classement systématique, auquel nous n'avons pas voulu renoncer pour des raisons de principe.

III. — Certains grands auteurs, français ou étrangers, n'appartenant pas au XVIIIe siècle et cités allusivement dans notre texte (par exemple, Pascal, La Rochefoucauld, Kant, Gœthe) ne figurent pas dans la Bibliographie. En revanche, certaines œuvres se rapportant de façon précise à notre sujet y figurent, même si elles n'ont jamais été mises explicitement à contribution, ni même citées, dans les pages précédentes. Pour les œuvres étrangères, notre principe a été de retenir seulement celles qui furent traduites en français au cours du XVIIIe siècle.

En ce qui concerne les études, nous avons dû sacrifier de très nombreux titres. Ceux que nous citons relèvent de trois catégories : 1) les ouvrages ou articles *de première importance* sur le XVIIIe siècle et ses plus grands écrivains ; 2) les ouvrages ou articles, même médiocres, ayant un rapport évident avec notre sujet ; 3) un certain nombre d'ouvrages dont la lecture permettrait de prolonger et d'illustrer notre étude par des évocations concrètes du XVIIIe siècle et de quelques personnages représentatifs ou singuliers de ce temps.

I. — BIBLIOGRAPHIES, DICTIONNAIRES ET PÉRIODIQUES

1. BARBIER (Antoine), *Dictionnaire des ouvrages anonymes et pseudonymes composés, traduits ou publiés en français, avec les noms des auteurs, traducteurs et éditeurs...* 2e édition. — Paris, Barrois l'aîné, 1822-1827. 4 vol. in-8o.

1. J'ai été aidé dans la mise au point de cette Bibliographie par l'un de mes anciens étudiants de Lyon, M. Alain Minard. Je l'en remercie très vivement.

2. DU PELOUX (vicomte Charles), *Répertoire des ouvrages modernes relatifs au XVIIIe siècle français* (1715-1789). — Paris, Ernest Gründ, 1926. In-8, 306 p.

3. GIRAUD (Jeanne), *Manuel de Bibliographie littéraire pour les XVIe, XVIIe et XVIIIe siècles français* (1921-1935). — Paris, Librairie philosophique J. Vrin, 1939.

4. GIRAUD (Jeanne), *Manuel de Bibliographie littéraire pour les XVIe, XVIIe et XVIIIe siècles français* (1936-1945). — Paris, Nizet, 1956.

5. HATIN (Eugène), *Bibliographie de la presse périodique française.* — Paris, Firmin-Didot, 1866. In-4°.

6. HAZARD (Paul), *La Pensée européenne au XVIIIe siècle de Montesquieu à Lessing* [Tome III : Notes et références]. — Paris, Boivin et Cie, 1946. 3 vol. in-8°.

7. JONES (S. Paul), *A List of French Prose Fiction from 1700 to 1750*, with a brief introduction. — New York, H. W. Wilson, 1939. In-4°, XXXIII-150 p.

8. LANSON (Gustave), *Manuel bibliographique de la littérature française moderne...* Nouvelle édition revue et augmentée. — Paris, Hachette, 1921. 2 vol. in-8°.

9. MONGLOND (André), *Histoire intérieure du préromantisme français de l'abbé Prévost à Joubert...* [Bibliographie.] — Grenoble, B. Arthaud, 1929. 2 vol. in-8°.

10. MONGLOND (André), *La France révolutionnaire et impériale, annales de bibliographie méthodique...* [T. I, années 1789-1790 ; t. II, années 1791-1793]. — Grenoble, B. Arthaud, 1930-1931. In-8°.

11. MONGLOND (André), *Projet d'une bibliographie méthodique de la littérature française : l'année 1789.* — Grenoble, B. Arthaud, 1929. In-8°, XXII-382 p.

12. MORNET (Daniel), *Bibliographie d'un certain nombre d'ouvrages du XVIIIe siècle...* — R.H.L.F., 1933.

13. MORNET (Daniel), *Les enseignements des bibliothèques privées au XVIIIe siècle.* — R.H.L.F., 1910.

14. MORNET (Daniel), *Les Origines intellectuelles de la Révolution française* (1715-1787). [Bibliographie.] — Paris, Armand Colin, 1933. In-4°, 552 p.

15. MORNET (Daniel), J. J. Rousseau, *La Nouvelle Héloïse.* Nouvelle édition publiée d'après les manuscrits et les éditions originales... [T. I : Bibliographie des romans.] — Paris, Hachette, 1925. 4 vol. in-8°.

16. QUÉRARD (Joseph-Marie), *La France littéraire, ou Dictionnaire bibliographique des savants, historiens et gens de lettres de la France, ainsi que des littérateurs étrangers qui ont écrit en français, plus particulièrement pendant les XVIIIe et XIXe siècles...* — Paris, Firmin Didot, 1827-1839. 10 vol. in-8°.

17. RANCŒUR (René), *Bibliographie littéraire*, dans la *Revue d'Histoire Littéraire de la France.* Publiée en volumes annuels depuis 1953. — Paris, Armand Colin. Gr. in-8°.

18. TOINET (Raymond), *Les écrivains moralistes au XVIIe siècle. Essai d'une table alphabétique des ouvrages publiés pendant le siècle de Louis XIV (1639-1715), qui traitent de la morale appliquée à la science et à la pratique du monde, à la vie civile, aux mœurs et aux caractères.* — R.H.L.F., 1916-1917-1918.

19. Wade (Ira O.), *The Clandestine Organization and Diffusion of Philosophic Ideas in France from 1700 to 1750.* — Princeton, Princeton University Press, 1938. In-8°, xi-329 p.

***

20. *Bibliothèque ancienne et moderne*, par J. Leclerc. — 1714-1727. 29 vol. in-12.

21. *Bibliothèque des sciences et des beaux-arts*, par Chais, de Joncourt, etc... — La Haye, 1754-1780. 50 vol. pet. in-8°, dont 2 de tables.

22. *Bibliothèque raisonnée des ouvrages des savants de l'Europe*, par Armand de La Chapelle, Barbeyrac et Desmaizeaux. — Amsterdam, 1728-1753. 52 vol. in-8°, dont 2 de tables.

23. *Correspondance littéraire, philosophique et critique*, par Grimm, Diderot, Raynal, Meister, etc..., revue sur les textes originaux... par Maurice Tourneux. — Paris, Garnier frères, 1877-1882. 16 vol. in-8°.

24. *L'Europe savante*, par Saint-Hyacinthe, les trois frères de Pouilly, de Burigny et de Champeaux, et d'autres. — La Haye, 1718-1720. 12 vol. in-8°.

25. *Gazette littéraire de l'Europe*, par Arnaud et Suard. — 1764-1766. 8 vol. in-8°.

26. *Journal des Savants.* — 1665-1792. 111 vol. in-4° (plus 10 vol. de tables), ou 129 vol. selon Barbé-Marbois.

27. *Journal des sciences et des beaux-arts*, par l'abbé Aubert. — 1768-1775. Pet. in-12, 4 vol. par année.

28. *Journal littéraire*, par Sallengre, Saint-Hyacinthe, Van Effen, S'Gravesende, de Joncourt, La Barre de Beaumarchais, etc... — La Haye, 1713-1722. 1729-1736. 24 vol. in-12.

29. *Lettres sur quelques écrits de ce temps*, par Fréron. — Genève et Londres (Paris), 1749-1754. 13 vol. in-12.
L'Année littéraire, ou Suite des Lettres sur quelques écrits de ce temps. — Amsterdam (Paris), 1754-1790. 292 vol. in-12.

30. *Mémoires pour servir à l'histoire des sciences et des arts (Journal de Trévoux).* — Trévoux et Paris, 1701-1767. 265 vol. pet. in-12.

31. *Mémoires secrets pour servir à l'histoire de la république des lettres en France, depuis 1762 jusqu'à nos jours... (Mémoires de Bachaumont).* — Londres, 1777-1789. 36 vol. in-12.

32. *Le Mercure galant*, puis *Mercure de France.* — 1672-1820. 1772 vol. in-12 et in-8°.

33. *Nouvelles de la République des lettres*, par Bayle et d'autres. — Amsterdam, 1684-1718. 56 vol. in-12.

34. *Le Nouvelliste du Parnasse, ou Réflexions sur les ouvrages nouveaux*, par l'abbé Desfontaines et l'abbé Granet. — 1730-1732. 3 vol. in-12.

35. *L'Observateur littéraire*, par l'abbé de La Porte. — 1758-1761. 17 vol. in-12.

36. *Observations sur les écrits modernes*, par Desfontaines, Mairault, Granet, Fréron. — 1735-1743. 34 vol. in-12.

37. *Le Pour et Contre*, ouvrage périodique d'un goût nouveau... par l'auteur des *Mémoires d'un Homme de qualité* (l'abbé Prévost). — 1723-1740. 20 vol. in-8°.

II. — TEXTES

A) *Œuvres antérieures au XVIIIe siècle.*

38. ABBADIE (Jacques), *L'Art de se connaître soi-même, ou la Recherche des sources de la morale.* — Rotterdam, P. Vander Slaart, 1692. 2 parties en 1 vol. in-12. (Très nombreuses rééditions jusqu'en 1771.)

39. AGRIPPA (Henricus Cornelius), *La Philosophie occulte,* divisée en trois livres et traduite du latin (par A. Levasseur). — La Haye, R. C. Alberts, 1727. 2 vol. in-8°.

40. AMELINE (Le P. Claude), *L'Art de vivre heureux, formé sur les idées les plus claires de la raison et du sens commun et sur de très belles maximes de Monsieur d'Écartes.* — Paris, J. B. Coignard, 1667. In-12.

41. AUDIGER, *La Maison réglée et l'art de diriger la maison d'un grand seigneur et autres... avec la véritable méthode de faire toutes sortes d'essences, d'eaux et de liqueurs.* — Paris, N. Le Gras, 1692. In-12 (3e éd., 1700, Amsterdam, P. Marret. In-12).

42. BARY (René), *La Fine philosophie accommodée à l'intelligence des dames.* — Paris, S. Piget, 1660. In-12, 406 p.

43. BUSSY-RABUTIN (Comte Roger de), *Discours du comte de B.-R. à ses enfans sur le bon usage des adversitez et les divers événements de sa vie.* — Paris, Anisson, 1694. In-12, 454 p.

44. CHAULIEU (Abbé Guillaume Amfrye de), *Œuvres de l'abbé de Chaulieu.* Nouvelle édition augmentée... et corrigée par M. de Saint-Marc. — Paris, David, 1757. 2 vol., in-12.

45. CHAULIEU (Abbé Guillaume Amfrye de), *Œuvres de Chaulieu, d'après les manuscrits de l'auteur* (publiées par Fouquet). — La Haye ; Paris, C. Blouet, 1774. 2 vol. in-8°.

46. COËFFETEAU (Nicolas), *Tableau des passions humaines, de leurs causes et de leurs effets.* — Paris, S. Cramoisy, 1620. In-8°, 651 p.

47. CORNARO (Luigi), *De la Sobriété et de ses avantages, ou le Vray moyen de se conserver dans une santé parfaite jusqu'à l'âge le plus avancé.* Traduction nouvelle de Lessius et de Cornaro avec des notes par M.D.L.B. (de La Bonodière). — Paris, L. Coignard, 1701. In-12, XIV-237 p. (Plusieurs rééditions au cours du siècle. En 1785, paraît sous le titre *L'Art de jouir d'une santé parfaite et de vivre heureux jusqu'à une grande vieillesse.* — Salerne ; et se trouve à Liège, chez F. J. Desoer. In-12, XII-228 p.).

48. COURTIN (Antoine de), *Nouveau traité de la civilité qui se pratique en France parmi les honnêtes gens.* — Paris, H. Josset, 1671. In-12, XII-175 p.

49. COURTIN (Antoine de), *Traité de la paresse, ou l'Art de bien employer le temps en forme d'entretiens.* — Paris, H. Josset, 1673. In-12, VIII-191 p.

50. CUREAU de LA CHAMBRE (Marin), *Les Charactères des passions.* — Paris, P. Rocolet et P. Blaise, 1640. In-4°, 387 p.

51. DESCARTES (René), *Les Passions de l'âme.* — Paris, H. Legras, 1649. In-8°, 286 p.

52. DES COUTURES (Jacques Parrain, baron), *La Morale d'Épicure, avec des réflexions.* — Paris, T. Guillain, 1685. In-12, 374 p.

53. DES COUTURES (Jacques Parrain, baron), *La Morale universelle, contenant les éloges de la morale, de l'homme, de la femme et du mariage.* — Paris, M. Villery, 1687. In-12, 406 p.

54. DESHOULIÈRES (Antoinette Du Ligier de La Garde, Mme). *Poësies de Mme Deshoulières.* Nouvelle édition, augmentée de toutes ses œuvres posthumes. — Paris, J. Villette, 1705. 2 vol. in-8° (Nombreuses rééditions dans la première moitié du XVIIIe siècle).

55. DU MOULIN (Pierre), *Les Éléments de la philosophie morale*, traduits du latin de P.D.M. — Sedan, A. Buizard, 1624. In-12, 280 p.

56. DU MOULIN (Pierre) le fils, *Traité de la paix de l'âme et du contentement de l'esprit.* — Sedan, F. Chayer, 1660. In-4°, 448 p.

57. FOUCHER (Abbé Simon), *Lettre sur la morale de Confucius, philosophe de la Chine.* — Paris, D. Hortemels, 1688. In-8°, 29 p.

58. GARASSE (Le P. François), *La Doctrine curieuse des beaux esprits de ce temps, ou prétendus tels...* — Paris, S. Chappelet, 1624. In-4°, 1.025 p.

59. GÉRARD (Abbé Armand de), *La Philosophie des gens de cour.* — Paris, E. Loyson, 1680. In-8°, 368 p.

60. GÉRARD (Abbé Armand de), *Le Caractère de l'honneste homme.* — Paris, Vve S. Huré, 1682. In-8°, XVI-314 p.

61. GOMBERVILLE (Marin Le Roy, seigneur de), *La Doctrine des mœurs tirée de la philosophie des stoïques.* — Paris, P. Daret, 1646. In-fol., 106 p.

62. HOBBES (Thomas), *De la Nature humaine, ou Exposition des facultés, des actions et des passions de l'âme.* Ouvrage traduit de l'anglais (par le baron d'Holbach). — Londres, 1772. In-8°, IV-171 p.

63. LABRUNE (Jean de), *La Morale de Confucius, philosophe de la Chine.* — Amsterdam, P. Savouret, 1688. In-12, X-100 p.

64. LA FARE (Charles-Auguste, marquis de), *Poësies de M. le Mis de La Farre* (sic). Nouvelle édition considérablement augmentée. — Amsterdam, J. F. Bernard, 1755. In-12, 284 p.

65. LA SERRE (Jean Puget de), *La Vie heureuse, ou l'Homme contant.* — Paris, G. Quinet, 1664. In-8°, 379 p.

66. LEIBNIZ (Gottfried Wilhelm), *Œuvres choisies...* par L. Prenant. — Paris, Garnier frères, 1940 (Classiques Garnier).

67. LESCLACHE (Louis de), *La Philosophie morale*, divisée en quatre parties. — Paris, l'autheur, 1655. In-4°, 511 p.

LESSIUS (Le P. Léonard Leys, *dit*) : voir CORNARO, n° 47.

69. LOCKE (John), *De l'Éducation des enfants*, traduit de l'anglais de M. L., par Pierre Coste. — Amsterdam, H. Schelte, 1708. In-8°, XXXII-421 p.

70. LOCKE (John), *Essai philosophique concernant l'entendement humain*, traduit de l'anglais par M. Coste. — Amsterdam, P. Mortier, 1729. In-4°, XLVI-595 p.

71. MALEBRANCHE (Le P. Nicolas), *Traité de la nature et de la grâce.* — Amsterdam, D. Elsevir, 1680. In-12, 268 p.

72. MALEBRANCHE (Le P. Nicolas), *Traité de morale.* — Cologne, B. d'Egmond, 1683. In-12, 421 p.

73. MARANDÉ (Abbé Léonard de), *Jugements des actions humaines.* — Paris, C. Cramoisy. In-8°, 400 p.

74. MÉRÉ (Antoine Gombauld, chevalier de), *Œuvres complètes.* Texte établi et présenté par Charles-H. Boudhors. — Paris, F. Roches, 1930. 3 vol. in-8° (Les Textes français. Collection des Universités de France, publiée sous les auspices de l'Association Guillaume Budé).

75. MONTFAUCON de VILLARS (Abbé Nicolas), *Le Comte de Gabalis, ou Entretiens sur les sciences secrètes.* — Paris, C. Barbier, 1670. In-12, 327 p. (souvent réédité au cours du XVIIIe siècle).

76. PIC (Abbé Jean), *Discours sur la bienséance, avec des maximes et des réflexions très importantes pour réduire cette vertu en usage.* — Paris, imprim. de Vve S. Mabre-Cramoisy, 1688. In-12, 396 p.

77. POULLAIN de LA BARRE (Fr.), *De l'Égalité des deux sexes, discours physique et moral où l'on voit l'importance de se défaire des préjugez.* — Paris, J. Du Puis, 1673. In-12, 248 p.

78. SAINT-ANGE MONTEARD, *Discours sur l'alliance de la raison et de la foi.* — Paris, T. Blaise, 1642. In-12, 89 p.

79. SAINT-ÉVREMOND (Charles de Marguetel de Saint-Denis, seigneur de), *Œuvres mêlées de S. E.*, revues, annotées et précédées d'une histoire de la vie et des ouvrages de l'auteur par Charles Giraud. — Paris, J. Léon-Techener fils, 1865. 3 vol. in-18.

80. SARASA (Le P. Alfonso Antonio de), S. J., *L'Art de se tranquilliser dans tous les événements de la vie*, tiré du latin du célèbre A. A. de S. — Strasbourg, A. König, 1764, 3e éd. In-8°, 278 p.

81. SAVARY (Jacques), négociant, *Le Parfait négociant, ou Instruction générale pour ce qui regarde le commerce de toute sorte de marchandises, tant de France que des pays étrangers.* — Paris, L. Billaine, 1675. In-4°, 324 p. (Plusieurs rééditions au cours du XVIIIe siècle).

82. SCUDÉRY (Madeleine de), *Conversations morales...* — Paris, sur le quay des Augustins, à la descente du Pont-Neuf, à l'image Saint-Louis, 1686. 2 vol. in-8°.

83. SCUDÉRY (Madeleine de), *Discours sur la gloire.* — Paris, P. Le Petit, 1671. In-8°, 24 p.

84. SCUDÉRY (Madeleine de), *Entretiens de morale...* — Paris, J. Anisson, 1692, 2 vol. in-12.

85. SENAULT (Le P. Jean-François), de l'Oratoire, *De l'Usage des passions.* — Paris, Vve J. Camusat, 1641. In-4°, 564 p.

86. SPINOZA (Baruch, *dit* Benedictus de), *Éthique.* Traduction nouvelle, notice et notes par Ch. Appuhn. — Paris, Garnier frères, 1913. In-18, 711 p.

87. ***, *Discours sur les passions de l'amour.* Introduction de Louis Lafuma. — Paris, Delmas, 1950.

B) *XVIIIe siècle.* — *Œuvres philosophiques et morales. Traités du bonheur.*

88. ALEMBERT (Jean Le Rond d'), *Mélanges de littérature, d'histoire et de philosophie.* — Amsterdam, L. Châtelain et fils, 1759. 5 vol. in-12.

89. ALÈS de CORBET (Vicomte P. Alex. d'), *De l'origine du mal, ou Examen des principales difficultés de Bayle, sur cette matière.* — Paris, Duchesne, 1758. 2 tomes en 1 vol. in-12.

90. ALLEAUME, avocat à Rouen, *Suite des Caractères de Théophraste et des mœurs de ce siècle.* — Paris, 1700. In-12.

91. ARCQ (Philippe-Auguste de Sainte-Foix, chevalier d'), *Mes Loisirs, avec l'Apologie du genre humain.* — Paris, Desaint et Saillant, 1755. In-8°.

92. ARGENS (Jean-Baptiste de Boyer, marquis d'), *La Philosophie du bon sens, ou Réflexions philosophiques sur l'incertitude des connaissances humaines, à l'usage des cavaliers et du beau sexe.* — La Haye, P. Paupie, éd. 1755. 3 vol. in-12. [7e réflexion, *Sur la Vie heureuse.*]

93. ARNAUD (Abbé François) et SUARD (Jean-Baptiste), *Variétés littéraires* [le tome III contient les *Lettres du physicien de Nuremberg sur l'homme*]. — Paris, Lacombe, 1768-1769. 4 vol. in-12.

94. BARBEU DU BOURG (Jacques), *Petit Code de la raison humaine, ou Exposition succinte de ce que la raison dicte à tous les hommes pour éclairer leur conduite et assurer leur bonheur.* — (S. l.), 1789. In-12, XXIV-144 p.

95. BATTEUX (Abbé Charles), *La Morale d'Épicure, tirée de ses propres écrits.* — Paris, Desaint et Saillant, 1758. In-8°, 374 p.

96. BAUDOT de JUILLY (Nicolas), *Dialogues entre messieurs Patru et d'Ablancourt sur les plaisirs.* — Paris, G. de Luynes et J. B. Langlois, 1701. 2 vol. in-12.

97. BAYLE (Pierre), *Œuvres diverses.* — La Haye, P. Husson, 1725-1727. 4 vol. in-fol.

98. BEAUSOBRE (Louis de), *Essai sur le bonheur, ou Réflexions philosophiques sur les biens et les maux de la vie humaine.* — Berlin, A. Haude, 1758. In-12, 220 p.

99. BEAUSOBRE (Louis de), *Le Pirrhonisme du sage.* — Berlin, 1754. In-12, XII-107 p.

100. BEDOS, négociant, *Le Négociant patriote*... par un négociant qui a voyagé. — Amsterdam ; et se trouve à Paris, Royez, 1784. In-4°, XVI-409 p.

101. BENOUVILLE (Madame de), *Les Pensées errantes, avec quelques lettres d'un Indien*, par Madame de ***. — Londres ; et se trouve à Paris, Hardy, 1758. In-12, 334 p.

102. BERNIS (François-Joachim de Pierres, cardinal de), *Réflexions sur les passions et sur les goûts*, par M. de B***. — Paris, Didot, 1741. In-8°, 130 p.

103. BLANCHET (Jean), *L'Homme éclairé par ses besoins.* — Paris, Durand, 1764. In-12, 358 p.

104. BLONDEL (Jean), *Des hommes tels qu'ils sont et doivent être*, ouvrage de sentiment. — A Londres, aux dépens de l'auteur ; et se trouve à Paris, chez Duchesne, 1758. In-12, 212 p.

105. BLONDEL (Jean), *Loisirs philosophiques* de M. B. — A Londres ; et se trouve à Paris, chez Duchesne, 1756. In-12, 212 p.

106. BOLINGBROKE (Henry St John, lord viscount), *Pensées de milord Bolingbroke sur différents sujets d'histoire, de philosophie, de morale*, etc... (recueillies par L. Laurent Prault). — Amsterdam ; et se trouve à Paris, Prault fils, 1771. In-8°, XII-400 p.

107. BONNAIRE (Abbé Louis de), *La Règle des devoirs que la nature inspire à tous les hommes.* — Paris, Briasson, 1758. 4 vol. in-12.

108. BONNET (Charles), de Genève, *Essai analytique sur les facultés de l'âme.* — Copenhague, les frères C. et A. Philibert, 1760. In-4°, XXXII-552 p.

109. BOUDIER de VILLEMERT (Pierre-Joseph) [on écrit aussi VILLERMET et VILLEMAIRE], *L'Ami des femmes, ou la Philosophie du beau sexe.* — (S. l.), 1774. In-12, 202 p.

110. BOUDIER de VILLEMERT (Pierre-Joseph), *L'Andrométrie, ou Examen philosophique de l'homme*, par M. l'abbé de Villemaire. — Paris, Brunet, 1753. In-12, VI-162 p.

111. BOUDIER de VILLEMERT (Pierre-Joseph), *Apologie de la Frivolité*, lettre à un Anglais. — Paris, Prault père, 1750. In-12, 20 p.

112. BOULANGER (Nicolas-Antoine), *Dissertation sur Élie et Enoch...* avec un *Traité mathématique sur le bonheur...* ouvrage traduit de l'anglais en français avec une lettre préliminaire du traducteur français (M. de Silhouette). — 1791, en Suisse, de l'Impr. philosophique. In-12, 335 p. (*Œuvres de Boulanger*, t. VI).

113. BOULLIER (David-Renaud), *Apologie de la métaphysique*, à l'occasion du Discours préliminaire de l' « Encyclopédie », avec les sentiments de M*** sur la critique des « Pensées » de Pascal par Voltaire. — Amsterdam, J. Catuffe, 1753. In-12, 183 p.

114. BOULLIER (David-Renaud), *Discours philosophiques : le premier sur les causes finales, le second sur l'inertie de la matière et le troisième sur la liberté des actions humaines.* — Amsterdam ; et Paris, Guillyn, 1759. In-12, XXXVIII-271 p.

115. BOUREAU-DESLANDES (André-François), *L'Art de ne point s'ennuyer.* — Paris, E. Ganneau, 1715. In-12, 141 p.

116. BOUREAU-DESLANDES (André-François), *Réflexions sur les grands hommes qui sont morts en plaisantant*, avec des poésies diverses. — Rochefort, J. Lenoir, 1755. In-12, XXIV-202 p.

117. BUFFIER (Le P. Claude), S. J., *Traité de la société civile et du moyen de se rendre heureux, en contribuant au bonheur des personnes avec qui l'on vit*, avec des observations sur divers ouvrages renomez de morale. — Paris, P. F. Giffart, 1726. 2 parties en 1 vol. in-12.

118. BUFFON (Georges-Louis Leclerc, comte de), *Histoire naturelle générale et particulière*, par Leclerc de B. Nouvelle édition... Ouvrage formant un cours complet d'histoire naturelle, rédigé par C. S. Sonnini... [en particulier, t. XIX-XXI, *De l'Homme*]. — Paris, impr. de F. Dufart, an VII-1808. 127 vol. in-8°.

119. BURIGNY (Jean Lévesque de), *Histoire de la philosophie païenne, ou Sentiments des philosophes et des peuples payens les plus célèbres sur Dieu, sur l'âme et sur les devoirs de l'homme.* La Haye, P. Gosse, 1724. 2 vol. in-12.

120. BURLAMAQUI (Jean-Jacques), *Principes du droit naturel.* — Genève, Barillot et fils, 1748. In-8°, XL-548 p.

121. CASTEL de SAINT-PIERRE (Abbé Charles-Irénée), *Moyens de vivre heureux ; moyens de se rendre des plus heureux dans la vie privée*, dans *Les Rêves d'un homme de bien qui peuvent être réalisés, ou les Vues utiles et praticables de M. l'abbé de Saint-Pierre...* (recueillis par P. A. Alletz). — Paris, Vve Duchesne, 1775. In-12, XII-502 p.

122. CAUSANS (Joseph-Louis Vincens de Mauléon, chevalier de), *Le Spectacle de l'homme.* — Paris, Briasson, 1751. In-8°, 78 p.

123. CHAMFORT (Sébastien-Roch-Nicolas), *Œuvres complètes* recueillies et publiées par P. R. Auguis. — Paris, Chaumerot jeune, 1824-1825. 5 vol. in-8°.

124. CHAMPDEVAUX (De), *L'Honneur considéré en lui-même et relativement au duel, où l'on démontre que l'honneur n'a rien de commun avec le duel, et que le duel ne prouve rien pour l'honneur*, par M. de C***. — Paris, P. A. Le Prieur, 1752. In-12, XV-391 p.

125. CHAUDON (Dom Louis-Mayeul), *L'Homme du monde éclairé.* — Paris, 1774, Moutard. In-12, XII-303 p.

126. CONDILLAC (Abbé Étienne Bonnot de), *Œuvres complètes* publiées par A. F. Théry. — Paris, Lecointe et Durey, 1821-1822. 21 vol. in-8°.

127. COOPER (Anthony, lord Ashley, 3e comte de Shaftesbury), *Les Œuvres de Mylord, comte de Sh., contenant ses Caracteristicks, ses lettres et autres ouvrages*. Traduits de l'anglais en français sur la dernière édition. — Genève, 1769. 3 vol. in-8o. (Traduction attribuée à Diderot, Coste et Pascal. Édité par J. B. Robinet).

128. COUTAN, maître-boutonnier, *L'Homme considéré en lui-même*. — Paris, Nyon fils, 1753. In-12, VIII-180 p.

129. CRAMEZEL (Pierre-Augustin de), *Les Délices de la solitude, ou Réflexions sur les matières les plus importantes au vrai bonheur de l'homme*, par M. le chevalier de Cramezel. — Paris, Pecquet, 1752. In-12, 412 p.

130. CRAMEZEL (Pierre-Augustin de), *Éthologie, ou le Cœur de l'homme, ouvrage où après avoir parlé des principes de toutes nos actions, on entre dans le détail des vertus et des vices, à l'égard de Dieu, de soi-même et de la société*, par le chevalier de Cramezel. — Rennes, J. Vatar, 1756. 2 vol. in-18.

131. CRILLON (Louis-Athanase des Balbes de Berton, abbé de), *De l'Homme moral*, par M. l'abbé de Crillon. — Paris, G. Desprez, 1771. In-8o, VIII-184 p.

132. DELISLE de SALES (Jean-B.-Cl. Izouard, *dit*), *De la Philosophie de la nature, ou Traité de morale pour l'espèce humaine tiré de la philosophie et fondé sur la nature*. 3e édit. — Londres, 1777. 6 vol. in-8o.

133. DELISLE de SALES (Jean-B.-Cl. Izouard, *dit*), *De la Philosophie du bonheur*, ouvrage recueilli et publié par l'auteur de la « Philosophie de la nature ». — Paris, 1796. 2 tomes en 1 vol. in-8o.

134. DENESLE, *Les Préjugés du public sur l'honneur*, avec des observations critiques, morales et historiques. — Paris, H. C. de Hansy, 1746. 3 vol. in-12.

135. DESCHAMPS (Dom Léger-Marie), bénédictin, *Lettres sur l'esprit du siècle*. — Londres, E. Young (Paris), 1769. In-8o, 61 p.

136. DESFONTAINES (Abbé Pierre-François Guyot), *Lettre de M. l'abbé D. F*** à Mme la Marquise de ***, contenant le véritable secret des francs-maçons*. — Anvers, aux dépens de la Compagnie, 1744. In-12, 29 p.

137. DESFOURNEAUX (Abbé), *Essay d'une philosophie naturelle applicable à la vie, aux besoins et aux affaires, fondée sur la seule raison et convenable aux deux sexes*. — Paris, G. Cavelier, 1724. In-12, XXXIX-425 p.

DESSERRES de LA TOUR : voir SERRES de LA TOUR, no 259.

138. DIDEROT (Denis), *Œuvres complètes*, publiées par J. Assézat et M. Tourneux. — Paris, Garnier frères, 1875-1877. 20 vol. in-8o.

138 *bis*. DIDEROT (Denis), *Œuvres philosophiques*, textes établis avec introduction, bibliographie et notes par Paul Vernière. — Paris, Garnier frères, 1956 (Classiques Garnier).

138 *ter*. DIDEROT (Denis), *Supplément au Voyage de Bougainville*, publié par Herbert Dieckmann. — Genève-Lille, Droz-Giard, 1955.

DIDEROT (Denis) : voir TOURNEUX (Maurice), *Diderot et Catherine II*, no 941.

139. DREUX (Pierre-Lucien-Joseph), *Essai sur l'amour* par D***. Troisième édition augmentée de poésies diverses du même auteur. — Paris, impr. de Guilleminet, an X-1802. In-18, 136 p.

140. DREUX DU RADIER (Jean-François) [fausse attribution], *Le Temple du bonheur, ou Recueil des plus excellents traités sur le bonheur, extrait des*

meilleurs auteurs anciens et modernes. — Bouillon, aux dépens de la Société typographique, 1769. 3 vol. in-12.

141. DU CHÂTELET (Gabrielle-Émilie Le Tonnelier de Breteuil, marquise), *Réflexions sur le bonheur*, dans *Lettres inédites de Mme la Mise Du Chastelet à M. le comte d'Argental*, auxquelles on a joint une dissertation sur l'existence de Dieu, les Réflexions et deux notices historiques sur Mme Du Chastelet et M. d'Argental (par Hochet). — Paris, Xhrouet, 1806. In-8°, XXII-378 p.

142. DUCLOS (Charles Pinot), *Considérations sur les mœurs de ce siècle.* — (S. l.), 1761. In-12, 370 p.

143. DUMAS (Jean), pasteur de Leipzig, *Traité du suicide ou du meurtre volontaire de soi-même.* — Amsterdam, D. J. Changuion, 1773. In-8°, VIII-444 p.

143 *bis.* DU METZ, *Traité de la probité*, par le président Du Metz. — Paris, J. Musier, 1717. In-16, 188 p.

144. DU PONT-BERTRIS, *Éloges et caractères des philosophes les plus célèbres, depuis la naissance de Jésus-Christ jusqu'à présent.* — Paris, H.S.P. Gissey, 1726. In-12, XII-478 p.

145. DUPONT de NEMOURS (Pierre-Samuel), *Philosophie de l'univers.* — Paris, impr. de Du Pont (s. d.). In-8°, 326 p.

146. DUPUY LA CHAPELLE (N.), *Dialogues sur les plaisirs, sur les passions et sur le mérite des femmes, et sur leur sensibilité pour l'honneur.* — Paris, J. Estienne, 1717. In-12, 272 p.

147. DUPUY LA CHAPELLE (N.), *Instruction d'un père à son fils sur la manière de se conduire dans le monde.* — Paris, J. Estienne, 1730. In-12, 516 p.

148. DUPUY LA CHAPELLE (N.), *Réflexions sur l'amitié...* — Paris, J. Estienne, 1728. In-12, VI-309 p.

149. ÉTIENNE (Le F. Pierre), cordelier, *Le Bonheur rural, ou Lettres de M. de *** à M. le Marquis de *** qui, déterminé à quitter Paris... pour vivre... dans ses terres, lui demande des conseils pour retrouver le bonheur dans ce nouveau séjour.* — Paris, Buisson, 1788. 2 tomes en 1 vol., in-8°.

150. FALCONNET de LA BELLONIE, *La Psycantropie, ou Nouvelle théorie de l'homme.* [I. *Spectacle des esprits.* II. *Spectacle des caractères.* III. *Spectacle des vertus.*] — Avignon, L. Chambeau, 1748. 3 vol. in-16.

151. FONTENELLE (Bernard Le Bovyer de), *Entretiens sur la pluralité des mondes*, suivis d'œuvres diverses, dont le *Discours sur le bonheur.* — Paris, M. Brunet, 1724. In-12, 483-XVII p.

152. FORMENTIN, *Traité du bonheur*, par M. F***. — Paris, J. Guilletat, 1706. In-12, 236 p.

153. FORMEY (Jean-Henri-Samuel), *Consolations pour les personnes valétudinaires.* — Berlin, J. A. Lange, 1758. In-8°, 93 p.

154. FORMEY (Jean-Henri-Samuel), *De l'obligation de rechercher toutes les commodités considérée comme une nécessité morale*, dans *Choix des mémoires et abrégé de l'histoire de l'Académie de Berlin.* — Berlin ; et Paris, Rozet, 1767. 4 vol. in-12.

155. FORMEY (Jean-Henri-Samuel), *Essai sur la perfection pour servir de suite au « Système du vrai bonheur ».* — Utrecht, Sorli, 1751. In-8°, 90 p.

156. FORMEY (Jean-Henri-Samuel), *Principes de morale, appliqués aux déterminations de la volonté.* — Leide ; et Paris, Durand, 1765. 2 vol. in-12.

157. FORMEY (Jean-Henri-Samuel), *Système du vrai bonheur.* — Utrecht, Sorli, 1751. In-8°, 94 p.

158. FRANKLIN (Benjamin), *La Science du bonhomme Richard*... suivie de ... *l'Art d'avoir des songes agréables*... — Paris, A. Bailleul, 1823. In-18, 36 p.

159. FRÉDÉRIC II le Grand, roi de Prusse, *Essai sur l'amour-propre envisagé comme principe de morale.* Discours prononcé à l'Assemblée ordinaire de l'Académie royale des sciences et belles lettres de Prusse le... 11 janvier 1770. — Berlin, C. F. Voss, 1770. In-8°, 32 p.

160. FRÉRET (Nicolas), *Œuvres philosophiques de M. Fréret* [posthumes et sans doute apocryphes]. — Londres, 1776. In-8°, 443 p.

161. FRÉRET (Nicolas), *Lettres à Eugénie, ou Préservatif contre les préjugés.* — Londres, 1768. 2 parties en 1 vol. in-12.

162. GOURCY (Abbé François-Antoine-Étienne de), *Essai sur le bonheur, où l'on recherche si l'on peut aspirer à un vrai bonheur sur terre, jusqu'à quel point il dépend de nous et quel est le chemin qui y conduit.* — Vienne; et Paris, Mérigot le jeune, 1777. In-8°, XVI-291 p.

163. GREGORY (Dr. John), *Essai sur les moyens de rendre les facultés de l'homme plus utiles à son bonheur,* traduit de l'anglais par Mlle de Kéralio. — Paris, Lacombe, 1775. In-12, XLIII-430 p.

164. GRIMOD de LA REYNIÈRE (Alexandre-Balthazar-Laurent), *Réflexions philosophiques sur le plaisir,* par un célibataire. — Neufchâtel; et Paris, Veuve Duchesne, 1783. In-8°, 80 p.

165. GUILLARD de BEAURIEU (Abbé Gaspard), *L'Élève de la nature* [I. *La Solitude.* II. *La Société.* III. *Les Plaisirs champêtres.*] — Amsterdam; et Lille, J. B. Henri, éd. 1771. 3 vol. in-12.

166. GUILLARD de BEAURIEU (Abbé Gaspard), *L'Heureux citoyen,* discours à J. J. Rousseau. — Lille, Vve Panckoucke, 1759. 2 parties en 1 vol. in-12.

167. HELVÉTIUS (Claude-Adrien), *De l'Esprit.* — Paris, Durand, 1758. In-4°, XXII-644 p.

168. HELVÉTIUS (Claude-Adrien), *De l'Homme, de ses facultés intellectuelles et de son éducation,* ouvrage posthume de M. H., publié par le prince Galitzin. — Londres, Société typographique, 1773. 2 vol. in-12.

169. HEMSTERHUIS (François), *Alexis, ou de l'Age d'or.* — Riga, J. F. Hartknoch, 1787. In-8°, 188 p.

170. HEMSTERHUIS (François), *Lettre sur l'homme et ses rapports.* — Paris, 1772. In-8°, 68 p.

171. HEMSTERHUIS (François), *Lettre sur les désirs*... — Paris, 1770. In-8°, 53 p.

172. HENNEBERT (Abbé Jean-Baptiste-François), *Du Plaisir, ou du Moyen de se rendre heureux.* — Lille, J. B. Henry, 1764. 2 parties en 1 vol. in-12.

173. HÉRAULT de SÉCHELLES, *Œuvres littéraires,* publiées avec une préface et des notes par Émile Dard. — Paris, Perrin, 1907. In-16, XIII-262 p.

174. HOLBACH (Paul-Henri-Dietrich, baron d'), *Le Bon-sens, ou Idées naturelles opposées aux idées surnaturelles.* — Londres, 1772. In-8°, XII-315 p.

175. HOLBACH (Paul-Henri-Dietrich, baron d'), *Essai sur les préjugés, ou de l'Influence de l'opinion sur les mœurs et sur le bonheur des hommes,* ouvrage contenant l'apologie de la philosophie. — Londres, 1770. In-8°, IV-396 p.

176. HOLBACH (Paul-Henri-Dietrich, baron d'), *La Morale universelle, ou les Devoirs de l'homme fondés sur la nature.* — Amsterdam, M. M. Rey, 1776. 3 vol. in-8°.

177. HOLBACH (Paul-Henri-Dietrich, baron d'), *Système de la nature ou des loix du monde physique et du monde moral.* — Londres, 1771. 2 vol. in-8°.

178. HOLBACH (Paul-Henri-Dietrich, baron d'), *Système social, ou Principes naturels de la morale et de la politique, avec un examen de l'influence du gouvernement sur les mœurs.* — Londres, 1773. 3 tomes en 1 vol. in-8°.

179. HUME (David), *Œuvres philosophiques.* — Amsterdam, J. H. Schneider, 1758-1760. 5 vol. in-8°.

180. HUME (David), *Enquête sur les principes de la morale. Les quatre philosophes,* traduction, préface et notes de André Leroy. — Paris, Aubier, 1947.

181. JAMESON (William), pasteur, *Essai sur la vertu et l'harmonie morale,* traduit de l'anglais par M. E. (Eidous). — Paris, Du Puis, 1770. 2 parties en 1 vol. in-12.

182. JOANNET (Abbé Jean-Baptiste-Claude), *De la connaissance de l'homme dans son être et dans ses rapports.* — Paris, Lacombe, 1775. 2 vol. in-8°.

183. LA BRUYÈRE (De), *Traité de la fortune* par M. de ***. — Paris, F. Le Breton, 1732. In-8°, VI-50 p.

184. LA CAZE (Louis de), médecin de Louis XV, *Idée de l'homme physique et moral,* pour servir d'introduction à un traité de médecine. — Paris, H. L. Guérin et L. F. Delatour, 1755. In-12, VIII-448 p.

185. LA CAZE (Louis de), médecin de Louis XV, *Mélanges de physique et de morale, contenant l'extrait de l'homme physique et moral, des réflexions sur le bonheur... et six dialogues sur les causes et les effets de l'état de sécurité nécessaire au bonheur.* — Paris, H. L. Guérin et F. L. Delatour, 1763. In-12, XXIV-419 p.

186. LACROIX, professeur de philosophie à Toulouse, *Traité de morale, ou Devoirs de l'homme envers Dieu, envers la société et envers lui-même.* — Paris, Desaint, 1767. In-12, XIV-382 p.

187. LADVOCAT (Louis-François), *Entretiens sur un nouveau système de morale et de physique, ou la Recherche de la vie heureuse selon les lumières naturelles.* — Paris, J. Boudot et L. Rondet, 1721. In-12.

187 *bis.* LAMBERT (Abbé Claude-François), *Relation singulière, ou le Courrier des Champs-Élysées.* — A Cologne ; et se trouve à Paris, chez C. Guillaume, 1771. In-8°, 126 p.

188. LAMBERT (Anne-Thérèse de Marguenat de Courcelles, marquise de), *Œuvres de Mme la M^ise de L.*, rassemblées pour la première fois, 2e édition. — Lausanne, M.-M. Bousquet, 1748. In-12, XXII-455 p.

189. LA METTRIE (Julien Offray de), *Œuvres philosophiques de L. M.* Nouvelle édition, précédée de son éloge par Frédéric II, roi de Prusse. — A Berlin ; et se trouve à Paris, chez C. Tutot, 1796. 3 vol. in-8°.

190. LA METTRIE (Julien Offray de), *Anti-Sénèque, ou le Souverain bien.* — Potsdam, 1750. In-8°, IV-115 p.

191. LA METTRIE (Julien Offray de), *L'École de la volupté.* — Cologne, P. Marteau, 1747. In-12, 130 p.

192. LA METTRIE (Julien Offray de), *La Volupté,* dans *Œuvres philosophiques,* t. II. — Amsterdam, 1753. In-12.

192 *bis*. LASSAY (Armand-Léon de Madaillan de Lesparre, marquis de), *Recueil de différentes choses,...* [publié par l'abbé Perau]. — Lausanne, M.-M. Bousquet, 1756. 4 vol. in-8°.

193. LEIBNIZ (Gottfried Wilhelm, Freiherr von), *Essais de théodicée sur la bonté de Dieu, la liberté de l'homme et l'origine du mal.* — Amsterdam, I. Troyel, 1710. 2 tomes en 1 vol. in-8°.

194. LE MAÎTRE de CLAVILLE (Charles-François-Nicolas), *Traité du vrai mérite de l'homme considéré dans tous les âges et dans toutes les conditions, avec des principes d'éducation propres à former les jeunes gens à la vertu.* — Paris, Saugrain, 1734. In-12, XII-518 p.

195. LÉVESQUE de POUILLY (Louis-Jean), *Théorie des sentiments agréables, où, après avoir indiqué les règles que la nature suit dans la distribution du plaisir, on établit les principes de la théologie naturelle et ceux de la philosophie morale.* — Genève, Barrillot et fils, 1747. In-12, XX-239 p.

196. LEZAY-MARNÉZIA (Claude-Fr.-Adrien, marquis de), *Le Bonheur dans les campagnes.* — Neufchâtel; et Paris, Prault, 1785. In-8°, 213 p.

197. LIGNE (Charles-Joseph, prince de), *Mélanges militaires, littéraires et sentimentaires.* — A mon refuge sur le Léopolberg, près de Vienne ; et se vend à Dresde, chez les frères Walter, 1795-1811. 34 vol. in-12.

198. LINGUET (Simon-Nicolas-Henri), *La Pierre philosophale, discours économique,* prononcé dans l'académie impériale de Fong-yang-fou par... Kong-Kia. — A La Haye, 1768. In-12, 47 p.

199. LORDELOT (Bénigne), *Les Devoirs de la vie domestique,* par un père de famille. — Paris, P. E. Emery, 1706. In-8°, 364 p.

200. LUC (Jean-André de), *Lettres physiques et morales sur les montagnes et sur l'histoire de la terre et de l'homme.* — La Haye, Detune, 1778. In-8°, XXVIII-226 p.

201. LUZAC (Élie), *Le Bonheur, ou Nouveau système de jurisprudence naturelle* [Attribué par erreur à Formey]. — Berlin, 1754. In-8°, 162 p.

202. MABLY (Gabriel Bonnot, abbé de), *Entretiens de Phocion sur le rapport de la morale avec la politique,* traduits du grec de Nicoclès. — Amsterdam, 1763. In-12, XXXVI-249 p.

203. MABLY (Gabriel Bonnot, abbé de), *Principes de morale.* — Paris, A. Jombert jeune, 1784. In-12, 369 p.

204. MARIN (François-Louis-Claude Marini, *dit*), *L'Homme aimable,* dédié à M. le Marquis de Rosen, avec des réflexions et des pensées sur divers sujets. — Paris, Prault, 1751. In-12, VIII-218 p.

205. MARIVAUX (Pierre Carlet de Chamblain de), *Œuvres complètes.* — Paris, Vve Duchesne, 1781. 12 vol. in-8°.

206. MARQUET (Abbé), de la maison de Sorbonne, *Discours sur l'esprit de société,* présenté à MM. de l'Académie française, l'année 1735. — Paris, Didot, 1735. In-4°, 22 p.

207. MASSUET (Dr. Pierre), ancien bénédictin, *Éléments de la philosophie moderne, qui contiennent la pneumatique, la métaphysique, la physique expérimentale, le système du monde, suivant les nouvelles découvertes.* — Amsterdam, Z. Châtelain et fils, 1702. 2 vol. in-8°, 934 p.

208. MAUPERTUIS (Pierre-Louis Moreau de), *Œuvres de M. de M.* Nouvelle édition. — Lyon, J. M. Bruysset, 1756. 4 vol. in-8°.

209. MAUPERTUIS (Pierre-Louis Moreau de), *Essai de philosophie morale.* — Berlin, 1749. In-12, IV-107 p.

210. MAUPERTUIS (Pierre-Louis Moreau de), *Vénus physique.* — (S. l.), 1745. In-12, VIII-194 p.

211. MEISTER (Jakob Heinrich), *De la morale naturelle,* suivie du *Bonheur des sots,* par M. Necker. — Paris, 1788. In-8°, 166 p.

212. MERCIER (Louis-Sébastien), *Le Bonheur des gens de lettres,* discours. — Londres ; Paris, Cailleau, 1766. In-8°, 56 p.

213. MERCIER (Louis-Sébastien), *Mon bonnet de nuit,* ouvrage qui doit servir de suite au « Tableau de Paris ». — Neufchâtel, Impr. de la soc. typographique, 1784. 4 vol. in-8°.

214. MERCIER (Louis-Sébastien), *Tableau de Paris,* nouvelle édition. — Amsterdam, 1782-1788. 12 vol. in-8°.

215. MESLIER (Jean), curé d'Estrepigny, *Le Testament de Jean Meslier,* ouvrage inédit précédé d'une préface... par Rudolf Charles (publié par R. C. d'Ablaing von Giessenburg). — Amsterdam, R. C. Meijer, 1864. 3 vol. in-8°.

215 *bis.* MOËT (Jean-Pierre) [traducteur de Swedenborg], *La Félicité mise à la portée de tous les hommes.* — Paris, 1742. In-12. [Ne figure pas au catalogue de la Bibliothèque Nationale].

216. MONCRIF (François-Augustin Paradis de), *Essais sur la nécessité et sur les moyens de plaire.* — Paris, Prault fils, 1738. In-12, 290 p.

217. MONTALEMBERT (Marquis Marc-René de), *Essai sur l'intérêt des nations en général et de l'homme en particulier.* — (S. l.), 1749. In-8°, XXVI-194 p.

218. MONTENAULT, *Essais sur les passions et sur leurs caractères.* — La Haye, Néaulme, 1748. 2 vol. in-12.

219. MONTESQUIEU (Charles-Louis de Secondat, baron de la Brède et de), *Œuvres complètes,* éditées par Édouard Laboulaye. — Paris, Garnier frères, 1875-1879. 7 vol. in-8°.

220. MONTESQUIEU (Charles-Louis de Secondat, baron de la Brède et de), *Œuvres complètes,* texte présenté et annoté par Roger Caillois. — Paris, Bibliothèque de la Pléiade, 1949-1951. 2 vol.

221. MONTESQUIEU (Charles-Louis de Secondat, baron de la Brède et de), *Œuvres complètes,* publiées avec le concours du C.N.R.S. sous la direction d'André Masson, 1950-1956. 3 vol.

222. PARA DU PHANJAS (Abbé François), *Les Principes de la saine philosophie conciliés avec ceux de la religion, ou la philosophie de la religion,* par l'auteur de la « Théorie des êtres sensibles ». — Paris, C. A. Jombert, 1774. 2 vol. in-12.

223. PARA DU PHANJAS (Abbé François), *Théorie des êtres sensibles, ou Cours complet de physique spéculative, expérimentale, systématique et géométrique, mise à la portée de tout le monde.* — Paris, C. A. Jombert, 1772. 4 vol. in-8°.

PARADIS de MONCRIF : voir MONCRIF, n° 216.

224. PARADIS de RAYMONDIS (Jean-Zacharie), *Traité élémentaire de morale et du bonheur...* — Lyon, J. M. Barret, 1784. In-18.

225. PECQUET (Antoine), *Discours sur l'emploi du loisir.* — Paris, Nyon fils, 1739. In-8°, XVI-202 p.

226. PECQUET (Antoine), *Parallèle du cœur et de l'esprit.* — Paris, Nyon, 1740. In-8°, XVI-160 p.

227. PECQUET (Antoine), *Pensées diverses sur l'homme.* — Paris, Nyon fils, 1738. In-12, XII-314 p.

228. Pégère (Abbé), *Réflexions sur la félicité dans cette vie mortelle.* — Paris, E. Billiot, 1717. In-12, 185 p.

229. Pernetti (Abbé Jacques), *Les Conseils de l'amitié.* — Paris, H. L. Guérin, 1746. In-12, 248 p.

230. Pernetti (Abbé Jacques), *Observations sur la vraie philosophie*, dédiées à feue Madame la Présidente de Fleurieu. — Lyon, A. Delaroche, 1757. In-8°, viii-48 p.

231. Pernety (le P. Antoine-Joseph), O.S.B., *La Connaissance de l'homme moral par celle de l'homme physique.* — Berlin, G. J. Decker, 1776-1777. 2 vol. in-8°.

232. Pernety (Le P. Antoine-Joseph), O.S.B., *Observations sur les maladies de l'âme*, pour servir de suite au traité de « La Connaissance de l'homme moral par l'homme physique ». — Berlin, G. J. Decker, 1777. In-8°, 294 p.

233. Pluquet (Abbé François-André-Adrien), *De la sociabilité.* — Paris, Barrois, 1767. 2 vol. in-12.

234. Pluquet (Abbé François-André-Adrien), *Examen du fatalisme, ou Exposition et réfutation des différents systèmes de fatalisme qui ont partagé les philosophes sur l'origine du monde, sur la nature de l'âme et sur le principe des actions humaines.* — Paris, Didot, 1757. 3 vol. in-12.

235. Pope (Alexander), *Essai sur l'homme*, traduit de l'anglais en français par M. D. S*** (de Silhouette). — (S. l.), 1736. In-8°, xxx-109 p.

236. Puisieux (Madeleine d'Arsant, Mme de), *Conseils à une amie* — (S. l.), 1749. In-8°, xix-194 p.

237. Puisieux (Madeleine d'Arsant, Mme de), *Les Caractères.* — Londres, 1750. In-8°, 253 p.

238. Rémond, *dit* le Grec, *Agathon, dialogue sur la volupté.* Voir Saint-Hyacinthe, *Recueil de divers écrits sur l'Amour et l'Amitié, la Politesse, la Volupté, les Sentiments agréables, l'Esprit et le Cœur.* — Paris, 1736.

239. Rémond de Saint-Mard (Toussaint de), *L'Éloge des plaisirs, œuvres posthumes de Lucien.* — Rotterdam, Fritsch et Böhm, 1714. In-8°, 95-284 p.

240. Rémond de Saint-Mard (Toussaint de), *Nouveaux dialogues des dieux, ou Réflexions sur les passions*, avec un *Discours sur la nature du dialogue* (publiés par Jean Le Clerc). — Amsterdam, E. Roger, 1711. In-12, 95-284 p.

241. Rétif de La Bretonne (Nicolas-Edme), *L'Œuvre de R. de la B...* Texte et bibliographie établis par Henri Bachelin. — Paris, Éditions du Trianon, 1930-1932. 9 vol. in-8°.

241 *bis*. Ribaud de Rochefort, *puis* de La Chapelle (Jacques), *Dissertation sur la félicité, ou la Philosophie des honnêtes gens*, par M.R.D.R. — Paris, 1744. In-8°, 28 p. [Ne figure pas au catalogue de la Bibliothèque Nationale].

242. Robinet (Jean-Baptiste-René), *Considérations philosophiques de la dégradation naturelle des formes de l'être, ou les Essais sur la nature qui apprend à faire l'homme.* — Paris, G. Saillant, 1768. In-8°, 260 p.

243. Robinet (Jean-Baptiste-René), *De la Nature.* — Amsterdam, E. Van Harrevelt, 1763-1766. 3 vol. in-8°.

244. Rochefort (Guillaume Dubois de), *Histoire critique des opinions des anciens et des systèmes des philosophes sur le bonheur.* — Paris, Kuapen et fils. 1778. In-8°, xxxii-326 p.

245. Rose (Abbé Jean-Baptiste), *Traité élémentaire de morale, dans lequel on développe les principes d'honneur et de vertu et les devoirs de l'homme envers la société*, pièce qui a remporté le prix à l'Académie de Dijon en 1766. — Besançon, Charmet, 1767. 2 tomes en 1 vol. in-12.

246. Rouillé d'Orfeuil, *L'Alambic moral, ou Analyse raisonnée de tout ce qui a rapport à l'homme*, par l'ami des François. — Maroc, 1773. In-8o, xii-570 p.

247. Rousseau (Jean-Jacques), *Œuvres complètes de J. J. R.*, avec des notices historiques (d'après Petitain et Musset-Pathay). — Paris, A. Houssiaux et Furne, 1852. 4 vol. gr. in-8o.

248. Rousseau (Jean-Jacques), *Œuvres et correspondance inédites de J.-J. R.*, publiées par M. G. Streckeisen-Moultou. [Contient en particulier les *Lettres sur la vertu et le bonheur*]. — Paris, Michel-Lévy frères, 1861. In-8o, xx-484 p.

249. Rousseau (Jean-Jacques), *The Policical Writings of J.-J. R.*, edited from the original manuscripts and authentic editions, with introduction and notes, by C. E. Vaughan. — Cambridge, Cambridge University Press, 1915. 2 vol. in-8o.

250. Sacy (Louis-Silvestre de), *Traité de l'amitié*. — Paris, J. Moreau, 1703. In-12, 340 p.

251. Sacy (Louis-Silvestre de), *Traité de la gloire*. — Paris, P. Huet, 1715. In-12, 306 p.

251 *bis*. Saint-Denis (de), avocat aux conseils du roi, *Lettre et discours d'un maçon libre servant de réponse à la lettre et à la consultation anonymes sur la Société des Francs-maçons*. — La Haye, 1749. In-12, 22 p.

252. Saint-Hyacinthe (Thémiseul de) [pseud. de Hyacinthe Cordonnier], *Recherches philosophiques sur la nécessité de s'assurer par soi-même de la vérité, sur la certitude de nos connaissances et sur la nature des êtres*, par un membre de la Société royale de Londres. — Londres, J. Nourse, 1743. In-8o, 514 p.

253. Saint-Hyacinthe (Thémiseul de) [pseud. de Hyacinthe Cordonnier], *Recueil de divers écrits sur l'Amour et l'Amitié* (par Thémiseul de Saint-Hyacinthe), *la Politesse* (par Mme A. T. de Lambert), *la Volupté* (par Rémond), *les Sentiments agréables* (par L. J. Lévesque de Pouilly), *l'Esprit et le Cœur* (par le Mis de Charost). — Paris, Vve Pissot, 1736. In-12, 297 p.

254. Saint-Martin (Louis-Claude de), *L'Homme de désir*. — Lyon, 1790. In-8o, 414 p.

Saint-Pierre (Abbé de) : voir Castel de Saint-Pierre, no 121.

255. Saint-Pierre (Jacques-Henri-*Bernardin* de), *Œuvres complètes de B. de S.-P.* Nouvelle édition augmentée, par L. Aimé-Martin. — Paris, P. Dupont, 1825-1826. 12 vol. in-8o.

256. Saint-Supplix (Sébastien-Alexandre Costé, baron de), *L'Homme désintéressé*. — Bruxelles ; Paris, G. Valleyre, 1760. In-12, 288 p.

257. Sénac de Meilhan (Gabriel), *Considérations sur l'esprit et sur les mœurs*. — Londres ; et se trouve à Paris chez les marchands de nouveautés, 1787. In-8o, 389 p.

258. Senancour (Étienne Pivert de), *Rêveries sur la nature primitive de l'homme*. Édition critique par Joachim Merlant (et G. Saintville). — Paris, E. Cornély, 1910. 2 tomes rel. en 1 vol. in-16.

259. SERRES de LA TOUR (Alphonse de), *Du Bonheur*, par M. Deserres de La Tour. — Londres; et Paris, Dufour, 1767. In-12, 368 p.

SHAFTESBURY : voir COOPER, nº 127.

SILHOUETTE (de), *Lettre préliminaire*, en tête de la traduction du *Traité mathématique sur le bonheur* de Stillingfleet : voir BOULANGER, nº 112.

260. SISSOUS (Pierre-Louis) *dit* de VALMIRE, *Dieu et l'homme*. — Amsterdam, 1771. In-12, 330 p.

261. SMITH (Adam), *Théorie des sentiments moraux*. Traduction nouvelle de l'anglais par M. l'abbé Blavet. — Paris, Valade, 1774-1775. 2 tomes en 1 vol. in-12.

262. SOUBEIRAN de SCOPON (Jean), *Considérations sur le génie et les mœurs de ce siècle*. — Paris, Durand, 1749. In-12, II-244 p.

263. STAËL-HOLSTEIN (Germaine Necker, baronne de), *De l'Influence des passions sur le bonheur des individus et des nations*. — Lausanne, J. Mourer, 1796. In-8º, 378 p.

264. STANISLAS Iᵉʳ, roi de Pologne, *Œuvres du philosophe bienfaisant*, publiées par F. L. C. Marin. — Paris, 1763. 4 vol. in-12.

STILLINGFLEET (Benjamin) [pseud. Irenaeus KRANTZOVIUS], *Traité mathématique sur le bonheur* : voir BOULANGER, nº 112.

265. TERRASSON (Abbé Jean), *La Philosophie applicable à tous les objets de l'esprit et de la raison*, ouvrage en réflexions détachées, par feu M. l'abbé Terrasson... — Paris, Prault et fils, 1754. In-8º, LXXII-239 p.

266. THIROUX d'ARCONVILLE (Mᵐᵉ), *De l'Amitié*. — Amsterdam et Paris, Desaint, 1761. In-8º.

267. THIROUX d'ARCONVILLE (Mᵐᵉ), *Des Passions*, par l'auteur du traité de l'amitié. — Londres, 1764. In-8º.

268. TIPHAINE (Charles-François) [déformation probable, malgré la distinction faite par Barbier, pour TIPHAIGNE de LA ROCHE (Charles-François)], *L'Amour dévoilé, ou le Système des sympathistes, où l'on explique l'origine de l'amour, des inclinations, des sympathies, des aversions, des antipathies*, etc... — (S. l.), 1749. In-12.

269. TOUSSAINT (François-Vincent), *Les Mœurs* (signé : Panage). — (S. l.), 1748. In-8º.

270. TRUBLET (Abbé Charles-Joseph), *Essais sur divers sujets de littérature et de morale*. — Première (seconde) édition, Paris, chez Briasson, 1735. 2 vol. in-12. — Sixième édition, 1768. 4 vol. in-12.

271. VAUVENARGUES (Luc de Clapiers, marquis de), *Œuvres de Vauvenargues*, publiées avec une introduction et des notices par Pierre Varillon. — Paris, à la Cité des Livres, 1929. 3 vol. in-8º.

272. VERDIER, médecin, *Recueil de mémoires et d'observations sur la perfectibilité de l'homme par les agents physiques et moraux*, par M. Verdier. — Paris, chez l'Auteur, 1772. In-12.

273. VOLTAIRE (François-Marie Arouet de), *Œuvres complètes*, publiées par Louis Moland. — Paris, Garnier frères, 1883-1885. 52 vol.

273 *bis*. Anonyme, *Dialogues des animaux, ou le Bonheur*. — (S. l.), 1762. In-12.

274. Anonyme, *Discours sur la question suivante : Si l'on peut détruire les penchants qui viennent de la nature*... — Paris, Grangé, 1769. In-8º.

275. Anonyme, *Éloge de la maçonnerie et des maçons*, prononcé par un frère dans une loge qui se tint à Paris le 25 novembre 1744. — Paris, 1744.

276. Anonyme, *Lettres philosophiques sur l'âge d'or et le bonheur.* — Londres, 1738. In-12. [Ne figure ni dans Barbier, ni dans le catalogue de la Bibliothèque Nationale].

277. Anonyme, *La Recherche du bonheur en quatre divisions, tendantes au même but,* par M.T.D.M., avocat au Parlement. — Amsterdam et Paris, Demonville, 1776. In-12.

278. Anonyme, *Réflexions diverses propres à former l'esprit et le cœur.* — Paris, Prault, 1749. In-8°.

C) *Théologie et morale chrétienne. Traités de vie spirituelle.*

279. AMBROISE de LOMBEZ (Le P.), *Lettres spirituelles sur la paix intérieure et autres sujets de piété,* par l'auteur du « Traité de la paix intérieure ». — Paris, Hérissant, 1766. In-12.

280. AMBROISE de LOMBEZ (Le P.), *Traité de la paix intérieure.* — Paris, Hérissant, 1757. In-12.

281. AUBERT (Mme), *Les Charmes de la société du chrétien.* — Paris, J. Estienne, 1730. In-12.

282. AVRILLON (Le P. Jean-Baptiste-Élie), *Traité de l'amour de Dieu à l'égard des hommes et de l'amour du prochain.* — Paris, D. A. Pierres, 1740. In-12.

283. BELINGAN (Le P. Jean-Baptiste Pinguet de), *Retraite spirituelle pour tous les états à l'usage des personnes du monde et des personnes religieuses...* (publié par le P. de Beauvais). — Paris, Gissey, 1746. In-8°, XII-541 p.

284. BÉTHUNE d'ORVAL (Anne-Léonore-Marie de), *Idée de la perfection chrétienne et religieuse pour une retraite de dix jours.* — Paris, J. de Nully, 1719. In-12, 190 p.

285. BONCERF (Abbé Claude-Joseph), *Le Vrai philosophe, ou l'Usage de la philosophie, relativement à la société civile, à la vérité et à la vertu, avec l'histoire, l'exposition exacte et la réfutation du pyrrhonisme ancien et moderne.* — Paris, Babuty fils et Brocas l'aîné, 1762. In-12, XIII-418 p.

286. CALMEL (Le P. Jean-Jacques-Joseph), *Méthode facile pour être heureux en cette vie et assurer son bonheur éternel.* — Paris, Vve Mazières et J. B. Garnier, 1727. In-12, VIII-339 p.

287. CARACCIOLI (Louis-Antoine de), *De la Gaieté...* par le Marquis Caraccioli. — Francfort ; et Paris, Nyon, 1762. In-12, XVI-342 p.

288. CARACCIOLI (Louis-Antoine de), *La Jouissance de soi-même.* — Utrecht, H. Sprint, 1759. In-12, XX-444 p.

289. CARACCIOLI (Louis-Antoine de), *La Religion de l'honnête homme,* par le Marquis de Caraccioli. — Paris, Nyon, 1766. In-8°, 338 p.

290. CARACCIOLI (Louis-Antoine de), *Le Tableau de la mort,* par l'auteur de la « Jouissance de soi-même ». — A Francfort, en foire ; chez J. F. Bassompierre, libraire à Liège, 1761. In-12, XVIII-364 p.

291. CHAPPELL (William), évêque de Cork, *L'Art de vivre content,* par l'auteur de la « Pratique des vertus chrétiennes », traduit de l'anglais. Nouvelle édition. — Amsterdam, P. Mortier, 1708. In-12, VI-251 p.

292. COLLET (Abbé Pierre), *Traité des devoirs des gens du monde et surtout des chefs de famille.* — Paris, J. Debure l'aîné, 1763. In-12, XXXVI-444 p.

293. CROISET (Le P. Jean), S. J., *Des Illusions du cœur dans toutes sortes d'états et de conditions.* — Lyon, frères Bruyset, 1736. 2 vol. in-12.

294. Croiset (Le P. Jean), S. J., *Parallèle des mœurs de ce siècle et de la morale de Jésus-Christ.* — Lyon, frères Bruyset, 1743, 2e éd., 2 vol. in-12.

295. Croiset (Le P. Jean), S. J., *Réflexions chrétiennes sur divers sujets de morale.* Nouvelle édition augmentée de diverses prières et instructions et d'un abrégé de la créance. — Paris, A. Boudet, 1752. 2 vol. in-12.

296. Cuppé (Pierre), curé de Boin, *Le Ciel ouvert à tous les hommes ou traité théologique.* [Existait sous forme de manuscrit clandestin depuis le début du siècle]. — (S. l.), 1768. In-8°, 115 p.

297. Develles (Le P. Claude-Jules), *Traité de la simplicité de la foi.* — Paris, J.-B. Lamesle, 1733. In-12, xxxvi-248 p.

298. Duguet (Abbé Jacques-Joseph), *Conduite d'une dame chrétienne pour vivre saintement dans le monde.* — Paris, J. Vincent, 1725. In-8°, viii-424 p.

299. Duguet (Abbé Jacques-Joseph), *Traité des principes de la foi chrétienne.* — Paris, G. Cavelier, 1736. 3 vol. in-12.

300. Duguet (Abbé Jacques-Joseph), *Traité des scrupules, de leurs causes, de leurs espèces, de leurs suites dangereuses, de leurs remèdes généraux et particuliers,* par l'auteur du « Traité de la prière publique ». — Paris, J. Estienne, 1717. In-12, xii-264 p.

301. Du Préaux (Abbé), *Le Chrétien parfait honnête homme, ou l'Art d'allier la piété avec la politesse et les autres devoirs de la vie civile.* — Paris, Valleyre, 1750. 2 vol. in-12.

302. Floris (Abbé), *Les Droits de la vraie religion, soutenus contre les maximes de la nouvelle philosophie.* — Paris, C. P. Berton, 1774. 2 vol. in-12.

303. Frain du Tremblay (Jean), *Traité de la conscience où l'on découvre les véritables marques auxquelles tous les chrétiens qui sont séparés de l'Église peuvent connaître que ce n'est pas par les mouvements de leur conscience qu'ils tiennent à leurs erreurs et qu'ils s'opiniâtrent dans leurs schismes.* — Paris, F. Fournier, 1724. In-12, 371 p.

304. Franc (Le Père Antoine), S. J., *Méthode pratique pour converser avec Dieu,* par un Père de la Compagnie de Jésus. — Nancy, N. Baltazard, 1738. In-8°, 315 p.

305. Galien (Le P. Joseph), *Lettres théologiques touchant l'état de pure nature, la distinction du naturel et du surnaturel, et les autres matières qui en sont conséquences.* — Avignon, F. Girard, 1745. In-12, 232 p.

306. Gamaches (Le P. Étienne-Simon de), *Système du philosophe chrétien.* — Paris, C. A. Jombert, 1746. In-8°, 40 p.

307. Gin (Pierre-Louis-Claude), *De la Religion, par un homme du monde, où l'on examine les différens systèmes des sages de notre siècle, et l'on démontre la liaison des principes du christianisme.* — Paris, Moutard, 1778-1779. 4 vol. in-8°.

308. Grisel (Abbé Joseph), *Le Chemin de l'Amour divin, description de son palais et des beautés qui y sont renfermées.* — Paris, Chardon, 1746. In-12, xii-227 p.

309. Hervieux de La Boissière (Abbé), *Traité des miracles, dans lequel on examine : 1° leur nature et les moyens de les discerner d'avec les prodiges de l'enfer ; 2° leurs fins ; 3° leur usage.* — Paris, Despilly, 1763-1764. 2 vol. in-12.

310. Houtteville (Abbé Claude-François), *Essai philosophique sur la Providence.* — Paris, G. Dupuis, 1728. In-12, xix-340 p.

311. Huber (Mlle Marie), *Lettres sur la religion essentielle à l'homme, distinguée de ce qui n'en est que l'accessoire.* — Londres, 1739. 4 parties en 2 vol. in-8o.

312. Lattaignant (Le P. Jean-Charles), S. J., *Manière de réciter l'oraison dominicale dans les divers états et selon les différentes situations de la vie.* — Paris, A. Cailleau, 1721. In-12, 346 p.

313. Le Bret (Alexis-Jean), *Élise, ou l'Idée d'une honnête femme.* — Amsterdam ; Paris, Rozet, 1766. In-12, viii-246 p.

314. Le Bret (Alexis-Jean), *L'Emploi du temps dans la solitude,* par l'auteur des « Entretiens d'une âme pénitente avec son Créateur ». — Paris, Humblot, 1774. In-12, xii-356 p.

315. Lelarge de Lignac (Abbé Joseph-Adrien), *Le Témoignage du sens intime et de l'expérience opposé à la foi profane et ridicule des fatalistes modernes.* — Auxerre, F. Fournier, 1760. 3 vol. in-12.

316. Le Pelletier (Abbé Claude), *Traité de la mort et de sa préparation, tiré des Livres saints.* — Paris, Huart, 1741. In-12, xxvi-344 p.

317. Le Pelletier (Abbé Claude), *Traités des récompenses et des peines éternelles, tirés des Livres saints.* — Paris, Huart, 1738. In-12, 404 p.

318. Louis (Dom), O. S. B., *Le Ciel ouvert à tout l'univers,* par J. J... — (S. l.), 1782. In-8o, viii-168 p.

319. Massillon (Jean-Baptiste), évêque de Clermont, *Sermons de M. Massillon... Petit carême* (Préface du P. Janard). — Paris, Vve Estienne et fils, 1758. In-12, xxxvi-341 p.

320. Mésenguy (Abbé François-Philippe), *Exposition de la doctrine chrétienne, ou Instructions sur les principales vérités de la religion.* — Utrecht, aux dépens de la Compagnie, 1744. 6 vol. in-12.

321. Morel (Dom Robert), O. S. B., *Du Bonheur d'un simple religieux qui aime son état et ses devoirs,* par un religieux bénédictin de la congrégation de Saint-Maur. — Paris, J. Vincent, 1736. In-12, 442 p.

322. Morel (Dom Robert), O. S. B., *Effusion de cœur, ou Entretien spirituel et affectif d'une âme avec Dieu, sur chaque verset des psaumes et des cantiques de l'Église,* par un religieux bénédictin de la congrégation de Saint-Maur. — Paris, J. Vincent, 1716. 4 vol. in-12.

323. Mouhy (Charles de Fieux, chevalier de), *Nouveaux motifs de conversion à l'usage des gens du monde, ou Entretiens sur la nécessité et sur les moyens de se convertir, avec des stances pour le Vendredy Saint.* — Paris, G. Valleyre, 1736. In-12, 79 p.

324. Paccori (Abbé Ambroise), *Journée chrétienne où l'on trouvera des règles pour vivre saintement dans tous les états et dans toutes les conditions.* — Paris, G. Desprez, 1735. In-12, 567 p.

325. Pallu (Le P. Martin), S. J., *Du Salut, sa nécessité, ses obstacles, ses moyens.* — Paris, Chardon, Lambert, Durand, 1740. In-8o, 336 p.

326. Réguis, curé successivement dans les diocèses d'Auxerre, de Gap et de Lisieux, *La Voix du pasteur, discours familiers d'un curé à ses paroissiens, pour tous les dimanches de l'année.* — Paris, G. Bleuet, 1766. 2 vol. in-8o.

327. Richard (Le P. Charles-Louis), O. P., *La Défense de la religion, de la morale, de la vertu, de la politique et de la société dans la réfutation des ouvrages qui ont pour titre, l'un « Système social », l'autre « La Politique naturelle ».* — Paris, Moutard, 1775. In-8o, xlvii-355 p.

328. ROUAULT (Abbé Laurent), curé de Saint-Pair-sur-Mer, *Les Quatre fins de l'homme, avec des réflexions capables de toucher les pécheurs les plus endurcis et de les ramener dans la voye du salut.* — Paris, impr. de Montalant, 1734. In-12, XVI-343 p.

329. SIGORGNE (Abbé Pierre), *Le Philosophe chrétien, ou Lettres à un jeune homme entrant dans le monde, sur la vérité et la nécessité de la religion.* — Avignon, chez les libraires associés, 1765. In-8°, VIII-480 p.

330. TOURON (Le R. P. A.), *De la Providence, Traité historique, dogmatique et moral, avec un discours préliminaire contre l'incrédulité et l'irréligion...* Nouvelle édition revue et augmentée. — Paris, Babuty père, 1754. In-12.

331. Anonyme, *Les Devoirs de l'homme, ou Abrégé de la science du salut et de celle de l'économie politique*, par un curé du diocèse de Soissons. — Paris, Knapen et Delaguette, 1771. In-12.

D) *Magie.*

332. ANDROL (Le P. Antoine), *Les Génies assistants et gnomes irréconciliables, ou Suite au « Comte de Gabalis ».* — La Haye, 1718. In-12, 176 p.

333. CALMET (Dom Augustin), *Dissertations sur les apparitions des anges, des démons et des esprits, et sur les revenants et vampires de Hongrie, de Bohême, de Moravie et de Silésie.* — Paris, de Bure l'aîné, 1746. In-12, XXXVI-500 p.

334. COLONNA (Francesco Maria Pompeo), *dit* Crosset de la Haumerie, *Abrégé de la doctrine de Paracelse et de ses archidoxes, avec une explication de la nature des principes de chimie... suivi d'un traité pratique des différentes manières d'opérer.* — Paris, d'Houry fils, 1724. In-12, LXV-442 p.

335. COLONNA (Francesco Maria Pompeo), *dit* Crosset de la Haumerie, *Les Secrets les plus cachés de la philosophie des anciens, découverts et expliqués à la suite d'une histoire des plus curieuses.* — Paris, d'Houry fils, 1722. In-12, XVI-336 p.

336. DAUGIS (Antoine-Louis), *Traité sur la magie, les sortilèges, les possessions, obsessions et maléfices.* — Paris, P. Prault, 1732. In-12, XXIV-304-18 p.

337. DEFOE (Daniel), *Histoire du diable*, traduite de l'anglais. — Amsterdam, aux dépens de la Compagnie, 1729. 2 t. en 1 vol. in-12.

338. LA MÉNARDAYE (Abbé P.-J.-Baptiste de), *Examen et discussion critique de l'histoire des diables de Loudun, de la possession des religieuses ursulines et de la condamnation d'Urbain Grandier.* — Paris, Debure l'aîné, 1747. In-8°, XXXII-522 p.

339. LENGLET du FRESNOY (Abbé Nicolas), *Histoire de la philosophie hermétique, accompagnée d'un catalogue raisonné des écrivains de cette science.* — Paris, Coustelier, 1742. 3 vol. in-12.

340. LONGEVILLE (Harcouet de), *Histoire des personnes qui ont vécu plusieurs siècles et qui ont rajeuni avec le secret du rajeunissement tiré d'Arnauld de Villeneuve.* — Paris, Vve Charpentier, 1715. In-12, 348 p.

E) *Médecine et Hygiène.*

341. ALEXANDRE (Dom Nicolas), *La Médecine et la chirurgie des pauvres.* — Paris, L. Le Conte, 1714. In-12.

341 *bis*. AUDRY (Charles-Louis), *Recherches sur la mélancolie.* — Paris, imprimerie de Monsieur, 1784. In-4°.

342. BAGARD (Charles), *Recherches et observations sur la durée de la vie de l'homme.* — 1754. In-8°. [Ne figure pas au catalogue de la Bibliothèque Nationale].

343. BESSE (Jean), médecin, *Traité des passions de l'homme, où, suivant les règles de l'analyse, l'on recherche leur nature, leur cause et leurs effets.* — (S. l.), 1799. In-8°, 192 p.

344. BRESSY (F.), *Recherches sur les vapeurs.* — Londres; et Paris, Planche, 1789. In-8°, IV-143 p.

345. CASTEL de SAINT-PIERRE (Abbé Charles-Irénée), *Observation sur la sobriété.* — Paris, Gonichon, 1735. In-12, 58 p.

346. CHEYNE (George), *Essai sur la santé et sur les moyens de prolonger la vie,* traduit de l'anglais. — Paris, Rollin, 1725. In-12, 32-373 p.

347. GUYOT (Edme), *Nouveau système du microcosme, ou Traité de la nature de l'homme...* par le Sr de Tymogue (Edme Guyot). — La Haye, M. G. de Merville, 1727. In-8°, XXVIII-323 p.

348. HECQUET (Philippe), *La Médecine théologique, ou la Médecine créée, telle qu'elle se fait voir ici, sortie des mains de Dieu, créateur de la nature, et régie par ses lois.* — Paris, G. Cavelier, 1733. 2 vol. in-12.

349. JACQUIN (Abbé Armand-Pierre), *De la Santé, ouvrage utile à tout le monde.* — Paris, Durand, 1762. In-12, 428 p.

350. LA METTRIE (Julien Offray de), *Lettres de M. de L. M., docteur en médecine, sur l'art de conserver la santé et de prolonger la vie.* — 1738. In-12. [Ne figure pas au catalogue de la Bibliothèque Nationale].

351. LA SABLONNIÈRE-MOREL, *Le Livre de longue vie, pour se multiplier les jours par un catéchisme de la philosophie naturelle, qui est la clé de la médecine universelle pour rétablir les forces perdues par la vieillesse et se maintenir en santé.* — 1737. In-12. [Ne figure pas au catalogue de la Bibliothèque Nationale].

352. LE BÈGUE de PRESLE, *Le Conservateur de la santé, ou Avis sur les dangers qu'il importe à chacun d'éviter.* — Paris, P. F. Didot le Jeune, 1763. In-12, XXXV-525 p.

353. LE CAMUS (Antoine), *Abdeker, ou l'Art de conserver la beauté.* — (S. l.), l'an de l'hégyre 1168 (1754). 2 tomes en 1 vol. in-12.

354. LE CAMUS (Antoine), *Médecine de l'esprit, où l'on traite des dispositions et des causes physiques qui... influent sur les opérations de l'esprit et des moyens de maintenir ces opérations dans un bon état.* — Paris, Ganeau, 1753. 2 vol. in-12.

355. LE CAT (Claude-Nicolas), chirurgien, *Traité des sensations et des passions en général et des sens en particulier.* — Paris, Vallat-la-Chapelle, 1767. In-8°, XCV-264 p.

356. MAUBEC (Dr), de la Faculté de Médecine de Montpellier, *Principes phisiques de la raison et des passions des hommes.* — Paris, B. Girin, 1709. In-12, 205 p.

357. MOREAU de SAINT-ÉLIER (Abbé Louis-Malo), *Traité de la communication des maladies et des passions, avec un Essai pour servir à l'histoire naturelle de l'homme.* — La Haye, J. Van Duren, 1738. In-12, 224 p.

358. POMME (Dr Pierre), *Essai sur les affections vaporeuses des deux sexes, contenant une nouvelle méthode de traiter ces maladies, fondée sur des observations,* par M. Pomme, le fils. — Paris, Desaint et Saillant, 1760. In-12, 180 p.

359. Préville (Lavache de), trad. *Méthode aisée pour conserver sa santé jusqu'à une extrême vieillesse.* — Paris, 1752. In-12.

360. Quesnay (François), *Essai phisique sur l'œconomie animale.* — Paris, G. Cavelier, 1736. In-12, xxvi-311 p. — 1747, 2e éd., 3 vol. in-12.

361. Raulin (Joseph), *Traité des affections vaporeuses du sexe, avec l'exposition de leurs symptômes, de leurs différentes causes et de la méthode de les guérir.* — Paris, J. F. Hérissant, 1758. In-12, xlviii-418 p.

362. Tissot (Simon-André), *Avis au peuple sur sa santé.* — Lausanne, 1761. In-12.

F) *Éducation. Vie intellectuelle. Vie mondaine. Vie pratique.*

363. Algarotti (Comte Francesco), *Essai sur l'opéra,* traduit de l'italien (par le marquis Fr.-Jean de Chastellux). — A Pise ; et se trouve à Paris, chez Ruault, 1773. In-8°.

364. Alletz (Pons-Augustin), *Manuel de l'homme du monde, ou Connaissance générale des principaux états de la société et de toutes les matières qui sont le sujet des conversations ordinaires.* — Paris, Guillyn, 1761. In-8°.

365. Barbeyrac (Jean), *Traité du Jeu, où l'on examine les principales questions du droit naturel et de morale qui ont du rapport à cette matière.* Seconde édition. — Amsterdam, P. Humbert, 1737. 3 vol. in-8°.

366. Baudoin (Abbé Nicolas), *De l'Éducation d'un jeune seigneur.* — Paris, J. Estienne, 1728. In-12, xlvi-371 p.

367. Blondel (Jacques-François), *De la Distribution des maisons de plaisance et de la décoration des édifices en général.* — Paris, C. A. Jombert, 1737-1738. 2 vol. in-4°.

368. Blondel (Jacques-François), *L'Homme du monde éclairé par les arts...,* publié par M. de Bastide. — A Amsterdam ; et se trouve à Paris, chez Monory, 1774. 2 vol. in-8°.

369. Bolingbroke (Henry St. John, lord viscount), *Lettre de mylord Bolingbroke à mylord Bathurst, sur le véritable usage de la retraite et de l'étude,* traduite de l'anglais (par J. Barbeu du Bourg). — (S. l.), 1752. In-8°, 52 p.

370. Bonneval (René de), *Les Éléments de l'éducation.* — Paris, Prault père, 1743. In-8°, 104 p.

371. Bouyer de Saint-Gervais (Jacques), *Conseils d'un gouverneur à un jeune seigneur.* — Paris, A. Mesnier, 1727. In-12, 251 p.

372. Brosses (Le président Charles de), *Histoire des navigations aux Terres Australes, contenant ce que l'on sait des mœurs et des productions des contrées découvertes jusqu'à ce jour.* — Paris, Durand, 1756. 2 vol. in-4°.

373. Brucourt (Charles-François Rosette, chevalier de), *Essai sur l'éducation de la noblesse.* — Paris, Durand, 1747. 2 vol. in-12.

374. Buy de Mornas (Claude), *Dissertation sur l'éducation.* — Paris, Vve David, 1747. In-12, 28 p.

375. Callières (François de), *De la Science du monde et des connaissances utiles à la conduite de la vie.* — Paris, E. Ganeau, 1717. In-12, xx-315 p.

376. Castel de Saint-Pierre (Abbé Charles-Irénée), *Avantages de l'éducasion des collèges sur l'éducasion domestique.* — Amsterdam ; et Paris, Briasson, 1740. 4 parties en 1 vol. in-12.

377. CASTEL de SAINT-PIERRE (Abbé Charles-Irénée), *Exercices du Lundi pour faire dezirer aux anfans la vertu comme cause du bonheur. (Pour perfectionner les exercices du colège).* — Amsterdam ; et Paris, Briasson, 1740. 2 parties en 1 vol. in-12.

378. CASTEL de SAINT-PIERRE (Abbé Charles-Irénée), *Projet pour perfectionner l'éducation, avec un discours sur la grandeur et la sainteté des hommes.* — Paris, Briasson, 1728. In-12, 317 p.

379. CHEVIGNY (de), *La Science des personnes de la cour, de l'épée et de la robe, par demandes et par réponses.* — Paris, J. de Nully, 1706. 2 vol. in-8°.

380. CROUSAZ (Jean-Pierre de), *Traité de l'éducation des enfants.* — La Haye, V. Vaillant et Prévost, 1722. 2 vol. in-12.

381. CROUSAZ (Jean-Pierre de), *Traité du beau.* — Amsterdam, F. L'Honoré, 1715. In-8°, XVI-304 p.

382. DOPPET (Général Amédée), *Traité du fouet et de ses effets sur le physique de l'amour, ou aphrodisiaque externe, ouvrage médico-philosophique, suivi d'une dissertation sur tous les moyens capables d'exciter aux plaisirs de l'amour.* — (S. l.), 1788. In-18, 108 p.

383. DUBOS (Abbé Jean-Baptiste), *Réflexions critiques sur la poésie et sur la peinture.* — Paris, J. Mariette, 1719. 2 vol. in-12 ; 1733, 3 vol. in-12.

384. DUCHESNE (Le P. Jean-Baptiste Philippoteau), S. J., *La Science de la jeune noblesse.* — Paris, C. Moette, 1729-1730. 3 vol.

385. DUSAULX ou DUSSAULX (Jean), *Lettre et réflexions sur la fureur du jeu.* — Paris, Lacombe, 1775. In-8°, 172 p.

386. DUSAULX ou DUSSAULX (Jean), *De la Passion du jeu, depuis les temps anciens jusqu'à nos jours.* — Paris, impr. de Monsieur, 1779. 2 parties en 1 vol. in-8°.

387. ÉPINAY (Louise-Florence Tardieu d'Esclavelles, marquise d'), *Les Conversations d'Émilie.* — Leipzig, S. L. Crussius, 1774. In-8°, VI-430 p.

388. FORMEY (Jean-Henri-Samuel), *Anti-Émile.* — Berlin, J. Pauli, 1763. In-8°, 253 p.

389. FRAIN DU TREMBLAY (Jean), *Conversations morales sur les jeux et les divertissements.* — Paris, A. Pralard, 1685. In-12, 432 p.

390. GAYOT de PITAVAL (François), *L'Art d'orner l'esprit en l'amusant, ou Nouveau choix de traits vifs, saillans et légers.* — Paris, Briasson, 1728. In-12.

391. GAYOT de PITAVAL (François), *Esprit des conversations agréables, ou Nouveau mélange de pensées choisies, en vers et en prose... et de plusieurs traits d'histoire... d'anecdotes... et de remarques critiques.* — Paris, T. Legras, 1731. 3 vol. in-12.

392. GÉDOYN (Abbé Nicolas), *Discours sur l'éducation des enfants*, dans les *Œuvres diverses.* — Paris, de Bure l'aîné, 1745. In-12, XXXII-476 p.

393. GERDIL (Giacinto Sigismondo, cardinal), *Réflexions sur la théorie et la pratique de l'éducation contre les principes de Mr. Rousseau.* — Turin, les frères Reycends et Guibert, 1763. In-8°, 192 p.

394. GIRARDIN (René-Louis, marquis de), *De la Composition des paysages, ou des Moyens d'embellir la nature autour des habitations...* — Genève ; et Paris, P. M. Delaguette, 1777. In-8°, XV-160 p.

395. HIRZEL (Hans Caspar), *Le Socrate rustique, ou Description de la conduite économique et morale d'un paysan philosophe*, traduit de l'allemand de M. H... par un officier suisse (Frey Des Landres). — Zurich, Heidegguer, 1762. In-8°, 208 p.

396. La Chapelle (Abbé de), censeur royal, *L'Art de communiquer ses idées*. — Londres, D. Wilson ; et Paris, Debure père, 1763. In-12, 308 p.

397. La Porte (Abbé Joseph de), *Ressource contre l'ennui, ou l'Art de briller dans les conversations*. — La Haye et Paris, Vve Duchesne, 1766. 2 tomes en 1 vol. in-12.

398. Le Bret (Alexis-Jean), *La Nouvelle école du monde, ouvrage nécessaire à tous les états, et principalement à ceux qui veulent s'avancer dans le monde*. — Lille, J. B. Henry, 1764. 2 vol. in-12.

399. Lenglet du Fresnoy (Abbé Nicolas), *De l'Usage des romans, où l'on fait voir leur utilité et leurs différents caractères*. — Amsterdam, Vve de Poilras, 1734. 2 vol. in-8°.

400. Liger (Louis), d'Auxerre, *Dictionaire* (sic) *pratique du bon ménager de campagne et de ville*. — Paris, P. Ribou, 1715. 2 vol. in-4°.

401. Liger (Louis), d'Auxerre, *La Nouvelle maison rustique, ou Économie générale de tous les biens de campagne*. 3e édition revue, corrigée et augmentée. — Paris, C. Prudhomme, 1721. 2 vol. in-4°.

402. Mistelet, *De la Sensibilité, par rapport aux drames, aux romans et à l'éducation*. — Amsterdam ; Paris, Mérigot jeune, 1777. In-8°, 51 p.

403. Morel (Jean-Marie), ancien architecte, *Théorie des jardins*. — Paris, Pissot, 1776. In-8°, IV-400 p.

404. Pithoud, *Idée de l'éducation du cœur, ou Manuel de la jeunesse*, par un père de famille. — La Haye ; Paris, Cailleau, 1777-1778. 2 vol. in-12.

405. Regnault (Le P. Noël), S. J., *Les Entretiens physiques d'Ariste et d'Eudoxe, ou Physique nouvelle en dialogues*... Nouvelle édition, revue et augmentée d'un volume. — Paris, J. Clouzier, 1732. 4 vol. in-12.

406. Steele (Sir Richard), *Bibliothèque des dames, contenant des règles générales pour leur conduite dans toutes les circonstances de la vie*..., traduite de l'anglais par M. Janiçon. 2e édition. — Amsterdam, Du Villard et Changnion, 1719. 2 vol. in-12.

407. Turben, *Idées d'un citoyen sur l'institution de la jeunesse, ou Projet d'éducation générale et particulière*. — (S. l.), 1762. In-8°.

408. Vicaire, *Discours sur l'éducation*, par M. Vicaire. — Paris, J. Barbou, 1763. In-8°.

409. Watelet (Claude-Henri), *Essai sur les jardins*, par M. Watelet. — Paris, Prault, 1774. In-8°.

410. Anonyme, *Avis pour la conduite d'un jeune homme*, par M. le M. D***. — Vitri, J. F. Jobart, 1748. In-12.

411. Anonyme, *Principes philosophiques pour servir d'introduction à la connaissance du cœur humain, ouvrage propre à former les jeunes gens qui entrent dans le monde*. — Amsterdam, B. Vlam, 1769. In-12.

412. Anonyme, *Tablettes de l'homme du monde, ou Analyse des sept caractères essentiels à former le beau caractère d'homme du monde accompli*. — Cosmopoli, A. Le Catholique, 1715. In-12.

G) *Mémoires et Correspondances*.

413. Aguesseau (Henri-François d'), chancelier de France, *Lettres inédites du chancelier d'A*..., publiées par D. B. Rives. — Paris, Imprimerie royale, 1823. 2 vol. in-8°.

414. AÏSSÉ (Mlle), *Lettres portugaises (de Marianna Alcoforado), avec les réponses. Lettres de Mlle Aissé, suivies de celles de Montesquieu et de Mme Du Deffand au chevalier d'Aydie, etc.*, éditées par Eugène Asse. — Paris, Charpentier, 1873. In-12.

415. ARGENS (Jean-Baptiste de Boyer, marquis d'), *Correspondance entre Frédéric II, roi de Prusse, et le marquis d'Argens, avec les Épitres du roi au marquis.* — Koenisberg, F. Nicolovius ; Paris, J. J. Fuchs, 1798. In-8o.

416. ARGENS (Jean-Baptiste de Boyer, marquis d'), *Mémoires de M. le marquis d'Argens, avec quelques lettres sur divers sujets.* — Londres, aux dépens de la Compagnie, 1735. In-8o.

417. ARGENSON (René de Voyer, comte d'), lieutenant de police, *Notes de René d'Argenson, lieutenant général de police, intéressantes pour l'histoire des mœurs et de la police de Paris à la fin du règne de Louis XIV.* — Paris, F. Henry, 1866. In-12.

418. ARGENSON (René de Voyer, comte d'), *Rapports inédits du lieutenant de police René d'Argenson (1697-1715), publiés d'après les manuscrits conservés à la Bibliothèque nationale.* Introduction, notes et index par Paul Cottin. — Paris, E. Plon, Nourrit et Cie. 1891. In-16.

419. ARGENSON (René-Louis de Voyer, marquis d'), secrétaire d'État aux affaires étrangères, *Journal et mémoires du marquis d'Argenson publiés... pour la Société de l'Histoire de France*, par E. J. B. Rathery. — Paris, Mme Vve J. Renouard, 1859-1867. 9 vol. in-8o.

420. BARBIER (Edmond-Jean-François), *Chronique de la Régence et du règne de Louis XV (1718-1763), ou Journal de Barbier...* — Paris, Charpentier, 1857. 8 vol. in-18.

BARTHÉLEMY (Abbé Jean-Jacques) : voir DU DEFFAND (Mme), no 441.

421. BERNIS (François-Joachim de Pierres, cardinal de), *Mémoires et lettres de Fr.-J. de Pierre, cardinal de B. (1715-1758)*, publiés d'après les manuscrits inédits, par Frédéric Masson. — Paris, E. Plon, 1878. 2 vol. in-8o.

422. BESENVAL (Baron Pierre-Victor de), *Mémoires de M. le Baron de Besenval...* publiés par A. J. de Ségur. — Paris, F. Buisson, an XIII-1805. 3 vol. in-8o.

423. BROSSES (Le président Charles de), *Lettres familières écrites d'Italie à quelques amis, en 1739 et 1740, par Charles de Brosses*, avec une étude littéraire et des notes par Hippolyte Babou. — Paris, Poulet-Malassis et de Broise, 1858. 2 vol. in-12.

424. BUFFON (Georges-Louis Leclerc, comte de), *Correspondance inédite de Buffon,...* recueillie et annotée par M. Henri Nadault de Buffon. — Paris, L. Hachette, 1860. 2 vol. in-8o.

425. BUVAT (Jean), *Journal de la Régence (1715-1723)...* publié... par Émile Campardon... — Paris, H. Plon, 1865. 2 vol. in-8o.

426. CAMPAN (Jeanne-L.-H. Genest, dame), *Mémoires de Mme Campan sur la vie privée de Marie-Antoinette.* Introduction de Fr. Funck-Brentano. — Paris, A la Cité des livres, 1928. 2 vol. in-8o.

427. CASANOVA di SEINGALT (Giacomo Girolamo), *Mémoires de J. Casanova de Seingalt...* Nouvelle édition collationnée sur l'édition originale de Leipsick. — Paris, Garnier frères, 1880. 8 vol. in-8o.

428. CASANOVA di SEINGALT (Giacomo Girolamo), *Mémoires.* Texte présenté et annoté par Robert Abichared. — Paris, Bibliothèque de la Pléiade, 1958-1959. 2 vol. parus.

428 *bis*. CAVILLIER (J. F.), *Le Journal de J. F. Cavillier (1755-1796)*. — Bull. Soc. Ac. Boulogne, 1864-1872.

429. CAYLUS (Marthe-Marguerite Le Valois de Vilette de Marcay, comtesse de), *Souvenirs et correspondance de Mme de C.*, 1re édition complète, publiée... par Émile Raunié. — Paris, Charpentier, 1881. In-18, XLI-344 p.

430. CHASTELAIN (Dom Pierre), *Journal de Dom Pierre Chastelain, bénédictin rémois (1709-1782)*... publié... par Henri Jadart... — Reims, F. Michaud, 1902. In-8°, 414 p.

CHOISEUL (Louise-Honorine Crozat du Châtel, duchesse de) : voir DU DEFFAND (Mme), n° 441.

431. CHOISY (François-T., abbé de), *Aventures de l'abbé de Choisy habillé en femme*... par M. P. L. (Paul Lacroix). — Paris, J. Gay, 1862. In-12, XXI-112 p.

432. DESFRICHES (Aignan-Thomas), *Un amateur orléanais au XVIIIe siècle, Aignan-Thomas Desfriches (1715-1800), sa vie, son œuvre, ses collections, sa correspondance*... par Paul Ratouis de Limay. — Paris, H. Champion, 1907. Gr. in-8°.

433. DIDEROT (Denis), *Correspondance*, établie, annotée et préfacée par Georges Roth. — Paris, Éditions de Minuit, 1955-... 5 volumes parus.

434. DIDEROT (Denis), *Correspondance inédite*, publiée d'après les manuscrits originaux, avec des introductions et des notes, par André Babelon. — Paris, Gallimard, 1931. 2 vol. in-8°.

435. DIDEROT (Denis), *Lettres à Sophie Volland*. Texte en grande partie inédit publié pour la première fois d'après les manuscrits originaux, avec une introduction, des variantes et des notes, par André Babelon. — Paris, Gallimard, 1930. 2 vol. in-8°.

436. DU CHÂTELET (Gabrielle-Émilie Le Tonnelier de Breteuil, marquise), *Lettres de la marquise D. C.*, réunies pour la première fois... par Eugène Asse. — Paris, Charpentier, 1878. In-18, XLIV-500 p.

437. DU CHÂTELET (Gabrielle-Émilie Le Tonnelier de Breteuil, marquise), *Les lettres de la marquise du Châtelet*, publiées par Théodore Besterman. — Publications de l'Institut et Musée Voltaire, série d'études, III, Genève, 1958.

438. DUCIS (Jean-François), *Œuvres de J. F. Ducis* [le tome III contient une partie de la correspondance]. — Paris, A. Nepveu, 1826. 3 vol. in-8°.

439. DUCIS (Jean-François), *Lettres de Jean-François Ducis*. Édition nouvelle... par M. Paul Albert. — Paris, G. Jousset, 1879. In-8°, LXXXII-390 p.

440. DU DEFFAND (Marie de Vichy-Chamrond, marquise), *Correspondance complète de la Mise Du Deffand avec ses amis le président Hénault, Montesquieu, d'Alembert, Voltaire, Horace Walpole*... [éditée] par M. de Lescure. — Paris, H. Plon, 1865. 2 vol. in-8°.

441. DU DEFFAND (Marie de Vichy-Chamrond, marquise), *Correspondance complète de Mme Du Deffand avec la duchesse de Choiseul, l'abbé Barthélemy et M. Craufurt*, publiée avec une introduction par M. le Mis de Saint-Aulaire. — Paris, Michel Lévy frères, 1866. 3 vol. in-8°.

442. DU HAUSSET (Mme), *Mémoires de Mme Du Hausset, femme de chambre de Mme de Pompadour*, avec des notes et des éclaircissements historiques (par Quentin Craufurd). — Paris, Baudoin frères, 1824. In-8°, XL-313 p.

443. ÉPINAY (Louise Tardieu d'Esclavelles, marquise d'), *Histoire de Mme de Montbrillant*. Texte intégral publié pour la première fois avec une introduction, des variantes, des notes et des compléments, par Georges Roth. — Paris, Gallimard, 1951. 3 vol. in-8°.

444. ÉPINAY (Louise Tardieu d'Esclavelles, marquise d'), *Lettres à mon fils.* — Genève, de mon imprimerie (Gauffecourt), 1759. In-8°, 195 p.

445. ÉPINAY (Louise Tardieu d'Esclavelles, marquise d'), *Mes Moments heureux.* — Genève, de mon imprimerie (Gauffecourt), 1759. In-8°, VIII-224 p. (1re éd., ibid., 1758).

446. GALIANI (Abbé Ferdinando), *Correspondance...* nouvelle édition... augmentée, avec une étude... par Lucien Perey et Gaston Maugras. — Paris, C. Lévy, 1881. 2 vol. in-8°.

447. GAUTHIER de BRÉCY (Charles-Edme, vicomte), *Mémoires véridiques et ingénus de la vie privée, morale et politique d'un homme de bien, écrits par lui-même dans la 81e année de son âge.* — Paris, impr. de Guiraudet, 1834. In-8°, 476 p.

448. GENLIS (S.-F., comtesse de), *Mémoires inédits... sur le XVIIIe siècle et la Révolution française, depuis 1756 jusqu'à nos jours.* — Paris, Ladvocat, 1825. 10 vol. in-8°.

449. GEOFFRIN (M.-Th. Rodet, Mme), *Correspondance inédite du roi Stanislas-Auguste Poniatowski et de Mme Geoffrin* (1764-1777), accompagnée de... notes par M. Charles de Mouÿ. — Paris, E. Plon, 1875. In-8°, IV-599 p.

450. GHAISNE de CLASSÉ, *Livre-journal de P. H. de Ghaisne de Classé, conseiller au présidial* (1708-1732). — Rev. Hist. Arch. du Maine, 1883.

451. GILBERT (F. et F.-J.), *Livre-journal de Fr. Gilbert et Fr.-J. Gilbert,* publié par P. Legrand. — Bull. Soc. Hist. Arch. Charente, 1901.

452. HÉNAULT (Le président Charles-J.-F.), *Mémoires du président Hénault...* recueillis et mis en ordre par son arrière-neveu, M. le Baron de Vigan. — Paris, E. Dentu, 1855. 2 vol. in-8°.

452 *bis.* LAMARRE (Philippe), *Mémorial de Philippe Lamarre (1774-1788), secrétaire de Dom Goujet, bénédictin de l'abbaye de Fontenay,* publié d'après le manuscrit inédit par G. Vanel. — Caen, 1905.

453. LAMBERT (Anne-T., marquise de), *Lettres de Mlle de Montpensier, de Mmes de Motteville et de Montmorenci, de Mlle Du Pré et de Mme la Mise de Lambert...* — Paris, L. Collin, 1806. In-8°, XXXVI-280 p.

LASSAY (marquis de), *Recueil de différentes choses...* : voir n° 192 *bis.*

454. LA TOUR-DU-PIN GOUVERNET (H. L. Dillon, marquise de), *Journal d'une femme de cinquante ans (1778-1815),* publié par son arrière-petit-fils, le colonel comte Aymar de Liedekerke-Beaufort. — Paris, impr. de R. Chapelot, 1907-1911. 4 vol. gr. in-4°.

455. LAUZUN (Armand-Louis de Gontaut, duc de), *Mémoires du duc de Lauzun et du comte de Tilly,* avec avant-propos et notes, par M. F. Barrière. — Paris, Firmin-Didot, 1862. In-18, 435 p.

456. LESPINASSE (Julie de), *Lettres de Mlle de L., écrites depuis l'année 1773 jusqu'à l'année 1776...* — Paris, Longchamps, 1811. 2 vol. in-12.

456 *bis.* LESPINASSE (Julie de), *Lettres de Mlle de Lespinasse, suivies de ses autres œuvres...* [éditées] par Eugène Asse. — Paris, Charpentier, 1876. In-12, LXXIX-411 p.

457. LESPINASSE (Julie de), *Correspondance entre Mlle de Lespinasse et le Comte de Guibert,* publiée pour la première fois d'après le texte original, par le Comte de Villeneuve-Guibert. — Paris, C. Lévy, 1906. In-8°, VI-53 p.

458. Ligne (Charles-Joseph, prince de), *La Douceur de vivre*. Avec une introduction de Raymond Recouly. — Paris, Éditions de France, 1927. In-16, XVIII-299 p.

Ligne (Charles-Joseph, prince de), *Mélanges militaires, littéraires et sentimentaires* : voir n° 197.

459. Ligne (Charles-Joseph, prince de), *Mes écarts, ou Ma tête en liberté*, réflexions choisies, ordonnées... par Fernand Caussy. — Paris, E. Sansot, 1906. In-12, 197 p.

460. Ligne (Charles-Joseph, prince de), *Pages intimes*. Préface et choix de Raymond Dumay. — Paris, La Trière, 1952. In-16, 235 p.

461. Lordat (Marie-Joseph de), *Un page de Louis XV ; lettres de M. J. de Lordat à son oncle, Comte de Lordat, Baron de Bram, brigadier des armées du roi (1740-1747)*, recueillies et publiées par le Mis de Lordat et le chanoine Charpentier. — Paris, Plon-Nourrit et Cie, 1908. In-8°, VII-422 p.

462. Luynes (Charles-Philippe d'Albert, duc de), *Mémoires du duc de Luynes sur la cour de Louis XV (1735-1738)* publiés... par MM. L. Dussieux et Eud. Soulié. — Paris, Firmin-Didot, 1860-1865. 17 vol. in-8°.

463. Marais (Mathieu), *Journal et mémoires de Mathieu Marais,... sur la Régence et le règne de Louis XV* (1715-1737), publiés par M. de Lescure. — Paris, Firmin-Didot frères, 1863-1864. 4 vol. in-8°.

464. Marmontel (Jean-François), *Mémoires d'un père*... — Paris, E. Ledoux, 1827. 2 vol. in-8°.

465. Marmontel (Jean-François), *Mémoires de Marmontel*, publiés avec préface, notes et tables, par Maurice Tourneux. — Paris, Librairie des bibliophiles, 1891. 3 vol. in-16.

Mercier (Louis-Sébastien), *Mon bonnet de nuit, Tableau de Paris* : voir nos 213-214.

465 *bis*. Montesquieu (Charles-Louis de Secondat, baron de la Brède et de), *Correspondance de M.*, publiée par François Gébelin, avec la collaboration de M. André Morize. — Paris, E. Champion, 1914. 2 vol. in-8°.

Montesquieu (Charles-Louis de Secondat, baron de la Brède et de), *Mes Pensées* : voir *Œuvres complètes*.

466. Mulot (François-Valentin), *Journal intime de l'abbé Mulot, bibliothécaire et grand prieur de Saint-Victor (1777-1782)*, publié par Maurice Tourneux. — Paris ; Nogent-le-Rotrou, impr. de Daupeley-Gouverneur, 1902. In-8°, 112 p.

467. Nepveu de La Manouillère, *Mémoires de Nepveu de la Manouillère, chanoine du Mans*. — 1877, 3 vol.

468. Ramond de Carbonnières (Baron Louis-F.-E.), *Voyage dans les Pyrénées*, précédé de la *Jeunesse de Ramond*, par André Monglond. — Lyon, H. Lardanchet, 1927. In-8°, 211 p.

469. Rétif de La Bretonne (Nicolas-Edme), *Monsieur Nicolas, ou le Cœur humain dévoilé*. Édition nouvelle revue sur les textes originaux et pour la première fois complète... — Paris, chez Jean-Jacques Pauvert, 1959. 6 vol. in-8°.

470. Richelieu (Louis-François-Armand, duc de), *Vie privée du Maréchal de Richelieu, contenant ses amours et intrigues et tout ce qui a rapport aux divers rôles qu'a joués cet homme célèbre pendant plus de 80 ans* (par L. F. Faur). — Paris, Buisson, 1791. 3 vol. in-8°.

471. ROUSSEAU (Jean-Jacques), *Correspondance générale de J.-J. R.*, collationnée sur les originaux, annotée et commentée par Théophile Dufour... Ouvrage publié avec le concours de l'Institut de France... (par P. P. Plan). — Paris, A. Colin, 1924-1934. 20 vol. in-8°.

472. ROUSSEAU (Jean-Jacques), *Œuvres autobiographiques*, tome I des *Œuvres complètes*, édition publiée sous la direction de Bernard Gagnebin et Marcel Raymond. — Paris, Bibliothèque de la Pléiade, 1959.

473. SARTINE (Antoine de), comte d'Albi, *Journal des inspecteurs de M. de Sartine*, 1re partie, 1761-1764 (publié par Lorédan Larchey). — Bruxelles, E. Parent, 1863. In-8°, XII-339 p.

THOMAS (Antoine), *Lettres* : voir DUCIS, n° 438.

474. TILLY (Comte Pierre-Alexandre de), *Souvenirs d'un page de Marie-Antoinette*. — Paris, Émile-Paul frères, 1913. In-18, XXXIII-282 p. (Voir aussi LAUZUN).

475. TRISTAN (Abbé), *Un curé béarnais au dix-huitième siècle : correspondance de l'abbé Tristan*, publiée par V. Lespy. — Paris, L. Ribaut, 1879. In-16, VIII-239 p.

476. VOLTAIRE (François-Marie Arouet de), *Voltaire's Correspondence*, edited by Theodore Besterman. — Institut et Musée Voltaire, Les Délices, Genève, 1953-...

477. VOLTAIRE (François-Marie Arouet de), *Voltaire's Notebooks*, éd. Th. Besterman. — Institut et Musée Voltaire, Les Délices, Genève, 1952. 2 vol.

478. *Journal d'un bourgeois de Moulins, dans la deuxième moitié du XVIIIe siècle*, publié par Ferdinand Chaudon. — 1899. In-8°.

479. *Journal d'un professeur de l'Université de Dijon (1742-1774)*. — Mém. Ac. Dijon, 1885-1886.

480. *Mémorial d'un procureur au baillage de Chinon*, publié par H. Tourlet. — Rev. Poit., 1899.

481. *Recueil de journaux caennois* publiés par G. Vanel, 1904.

H) *Romans*.

482. ARGENS (Jean-Baptiste de Boyer, marquis d'), *Mémoires de la Comtesse de Mirol, ou les Funestes effets de l'amour et de la jalousie*, histoire piémontaise. — La Haye, A. Moetjens, 1736. In-12.

483. ARNAUD (François-Thomas-Marie de BACULARD d'), *Les Époux malheureux, ou Histoire de Monsieur et Madame de La Bédoyère*. — Avignon, 1746. 2 tomes en 1 vol. in-12.

484. ARNAUD (François-Thomas-Marie de BACULARD d'), *Les Épreuves du sentiment*. — Neufchâtel, Impr. de la Société typographique, 1773. 4 vol. in-8°.

485. ARNAUD (François-Thomas-Marie de BACULARD d'), *Liebman* (suite des *Épreuves du sentiment*, t. III, 4e anecdote). — Paris, Delalain, 1775. In-8°.

486. ARTAIZE (Chevalier de Feucher d'), *Réflexions d'un jeune homme*. — A Londres ; et se vend à Paris, chez Royez, 1786. 2 tomes en 1 vol. in-12.

487. AULNOY (Marie-Cath. Le Jumel de Barneville, baronne d'), *Le Comte de Warwick*. — Paris, par la Compagnie des libraires associés, 1703. 2 vol. in-12.

488. AUVIGNY (Jean du Castre d'), *Mémoires du Comte de Comminville*. — Paris, J. F. Fosse, 1735. In-12.

489. Barthélemy (Abbé Jean-Jacques), *Voyage du jeune Anacharsis en Grèce, dans le milieu du quatrième siècle avant l'ère vulgaire.* — Paris, de Bure aîné, 1788. 4 vol. in-4°.

490. Bastide (Jean-François de), *Les Mémoires de Madame la Baronne de Saint-Clair.* — La Haye, 1753. 2 parties en 1 vol. in-12.

491. Beckford (William), *Vathek*, conte arabe. — Paris, Poinçot, 1787. In-8°, IV-190 p.

492. Bernard (Pierre-Joseph), *dit* Gentil Bernard, *Les Heureux malheurs, ou Adelaïde de Wolver.* — Cologne ; Paris, Valade, 1773. — In-12. XXXV-259 p.

493. Besenval (Baron Pierre-Victor de), *Le Spleen* (1757), dans Besenval, *Le spleen. Les amants soldats. Alonzo.* — Paris, E. Flammarion. 1899. In-16, XII-169 p.

494. Bissy (Claude de Thyard, comte de), *Histoire d'Ema* (publiée par J. P. Moet). Première partie. *Considérations philosophiques sur l'histoire d'Ema.* Seconde partie par Julien Busson. — (S. l.), 1752. 2 parties en 1 vol. in-12.

495. Bricaire de La Dixmerie (Nicolas), *Contes philosophiques et moraux.* — A Londres ; et se trouvent à Paris chez Duchesne, 1765. 2 vol. in-12.

496. Cazotte (Jacques), *Le Diable amoureux.* — Paris, B. Renault, 1844. In-16, 106 p.

497. Challes (Robert), *Les Illustres françaises.* Histoires véritables. — La Haye, P. Gosse et J. Néaulme, 1731. 2 vol. in-12.

498. Charrière (Isabelle..., dame de), *Lettres de Mistriss* (sic) *Henley*, publiées par son amie. — Genève, 1784. In-12, 78 p.

499. Charrière (Isabelle..., dame de), *Lettres écrites de Lausanne.* — Toulouse, 1785. In-8°, 116 p.

500. Charrière (Isabelle..., dame de), *Caliste, ou Continuation des Lettres écrites de Lausanne.* — Genève, Paris, de Prault, 1787. In-8°.

501. Chassaignon (Jean-Marie), *Cataractes de l'imagination, déluge de la scribomanie, vomissement littéraire, hémorrhagie encyclopédique, monstre des monstres*, par Épiménide l'inspiré. — Dans l'antre de Trophonius, au pays des visions, 1779. 4 vol. in-12.

502. Chayer (Abbé Christophe), *L'Amour décent et délicat, ou le Beau de la galanterie.* — A la tendresse (Paris), chez les amants, 1760. In-12, VI-176 p.

503. Chayer (Abbé Christophe), *Les Doux et paisibles délassements de l'amour.* — (S. l.), au temple de Vénus, chez les galants, 1730. In-12, 117 p.

504. Choderlos de Laclos, *Œuvres complètes*, éditées par Maurice Allem. — Paris, Bibliothèque de la Pléiade, 2e éd., 1943.

505. Choisy (François-Timoléon, abbé de), *Histoires de piété et de morale*, par M. L. D. C. Tome I, Paris, J. Estienne, 1710 ; in-12, VIII-474 p. Tome II, Paris, J. B. Coignard, 1718 ; in-12, VI-342 p.

506. Court (Abbé Louis de), *L'Heureux infortuné*, histoire arabe, avec un recueil de diverses pièces fugitives en prose et en vers par M. D*** académicien. — Paris, Vve Lefebvre, 1722. In-16, 129 p.

507. Crébillon (Claude-Prosper Jolyot de) fils, *Les Égarements du cœur et de l'esprit, ou Mémoires de M. de Meilcour* [1re édition, 1736]. Préface d'Étiemble. — Paris, Le Club français du livre, 1953. In-8°, XX-220 p.

508. Crébillon (Claude-Prosper Jolyot de) fils, *Le Hazard du coin du feu*, dialogue moral. — La Haye, 1763. In-12, 263 p.

509. CRÉBILLON (Claude-Prosper Jolyot de) fils, *La Nuit et le moment, ou les Matines de Cythère*, dialogue. — Londres, 1755. In-12, 291 p.

510. CRÉBILLON (Claude-Prosper Jolyot de) fils, *Le Sopha*, conte moral. — A Gaznah, de l'imprimerie du très-pieux, très-clément et très-auguste sultan des Indes, an de l'hégire 1120 (1740). 2 vol. in-12.

511. DAMIENS de GOMICOURT (Auguste-Pierre), *Dorval, ou Mémoires pour servir à l'histoire des mœurs du dix-huitième siècle.* — Amsterdam ; et Paris, Mérigot jeune, 1769. 2 vol. in-8o.

512. DELACROIX (Jacques-Vincent), *Mémoires de Victoire.* — Amsterdam ; Paris, Durand, 1769. 2 tomes en 1 vol. in-12.

513. DELACROIX (Jacques-Vincent), *Mémoires du Chevalier de Gonthieu.* — Amsterdam ; Paris, Durand, 1766. 2 tomes en 1 vol. in-12.

514. DIDEROT (Denis), *Le Neveu de Rameau*, édition critique, avec notes et lexique, par Jean Fabre. — Textes littéraires français, Genève, Droz, 1950.

515. DIDEROT (Denis), *Œuvres romanesques.* Texte établi, avec une présentation et des notes, par Henri Bénac. — Paris, Garnier frères, 1951 (Classiques Garnier).

516. DIGARD de KERGUETTE (Jean), *Mémoires et aventures d'un bourgeois qui s'est avancé dans le monde.* — La Haye, J. Néaulme, 1750. 2 vol. in-12.

518. DORAT (Claude-Joseph), *Les Malheurs de l'inconstance, ou Lettres de la Marquise de Circé et du comte de Mirbelle.* — Amsterdam ; et Paris, Delalain, 1772. 2 vol. in-8o.

519. DUCLOS (Charles Pinot), *Les Confessions du Comte de* ***, écrites par lui-même à un ami. — Amsterdam, 1741. 2 tomes en 1 vol. in-12.

520. DUCLOS (Charles Pinot), *Histoire de Madame de Luz*, anecdote du règne de Henri IV. — La Haye, P. de Hondt, 1741. 2 vol. in-12, 426 p.

521. DUCLOS (Charles Pinot), *Mémoires pour servir à l'histoire des mœurs du XVIIIe siècle.* — (S. l.), 1751. 2 tomes en 1 vol. in-12.

522. ÉMERY, *Les Mémoires et aventures de M. de P****, écrits par lui-même et mis au jour par M. E. — Paris, G.-A. Dupuis, 1736. In-12, 262 p.

523. ESTÈVE (Pierre), *La Toilette du philosophe, ou Ziri et Ziria.* — Londres, 1751. In-12, 111 p.

FEUCHER : voir ARTAIZE, no 486.

524. FLORIAN (Jean-Pierre Claris de), *Galatée*, roman pastoral imité de Cervantès... 2e éd. — Paris, impr. de Didot l'aîné, 1784. In-18, 198 p.

525. FORCEVILLE (Chevalier de), *Mémoires du Comte de Baneston*, écrits par le... — La Haye et Paris, Duchesne, 1755. 2 tomes en 1 vol. in-12.

526. FOUGERET de MONBRON (Louis-Charles), *Margot la ravaudeuse.* Postface de Maurice Saillet. — Paris, J. J. Pauvert, 1958.

527. GANIFEY, *Mémoires du chevalier d'Erban.* — Londres, Paris, Duchesne, 1755. 2 tomes en 1 vol. in-12.

528. GÉRARD (Abbé Philippe-Louis), *Le Comte de Valmont, ou les Egaremens de la raison.* 11e éd... *La Théorie du bonheur, ou l'Art de se rendre heureux mis à la portée de tous les hommes*, faisant suite au « Comte de Valmont » et à laquelle on a joint deux lettres, l'une sur l'éducation des demoiselles, l'autre sur un choix de lectures. Tome VI. — Paris, Bossange, Masson et Besson, an IX (1801). 6 vol. in-12.

529. GIMAT de BONNEVAL (Jean-Baptiste), *Fanfiche ou les Mémoires de Mademoiselle de ****. — Peine, 1748. 2 parties en 1 vol. in-12.

530. GRAFIGNY ou GRAFFIGNY (Françoise d'Issembourg d'Happoncourt, Mme de), *Lettres d'une Péruvienne*. Nouvelle édition augmentée de plusieurs lettres et d'une introduction à l'histoire... — Paris, Duchesne, 1752. 2 vol. in-12.

531. GRANDVOINET de VERRIÈRE, *Mémoires et aventures de Monsieur de ****, traduits de l'italien par lui-même. — Paris, Prault, 1735-1736. 4 tomes en 2 vol. in-12.

532. GUICHARD (Mlle Éléonore), *Mémoires de Cécile*, écrits par elle-même. Revus par M. de la Place. — Paris, Rollin fils, 1751. 4 tomes en 2 vol. in-12.

533. GUILLOT de LA CHASSAGNE, *Mémoires d'une fille de qualité*, par M. L.-P. — (S. l.), 1742. In-12, 340 p.

534. JACQUIN (Abbé Armand-Pierre), *Lettres parisiennes sur le désir d'être heureux*. — Paris, Duchesne, 1758. 2 vol. in-12.

535. JONVAL, *Les Erreurs instructives, ou Mémoires du Comte de ****. — Londres ; et Paris, Cuissart, 1765. 3 parties en 1 vol. in-12.

536. LABARRE de BEAUMARCHAIS (Antoine de), *La Retraite de la marquise de Gozanne*, contenant diverses histoires galantes et véritables. — Paris, E. Ganeau, 1734. 2 vol. in-12.

537. LACROIX (Pierre-Firmin de), *Lettres d'un philosophe sensible*, publiées par... — La Haye ; Paris, Durand neveu, 1769. In-8°, 276 p.

538. LAMBERT (Abbé Claude-François), *Mémoires et aventures d'une dame de qualité qui s'est retirée du monde*. — La Haye, aux dépens de la Compagnie, 1741. 2 vol. in-12.

539. LAMBERT (Abbé Claude-François), *Mémoires et aventures de Dom Inigo de Pascarilla*, par l'auteur de la « Nouvelle Marie-Anne ». — Paris, Duchesne, 1764. 2 tomes en 1 vol. in-12.

540. LA MORLIÈRE (Chevalier Charles... Rochette de), *Angola*, histoire indienne, ouvrage sans vraisemblance. — Agra, 1746. 2 tomes en 1 vol. in-12.

541. LA MORLIÈRE (Chevalier Charles... Rochette de), *Le Fatalisme, ou Collection d'anecdotes pour prouver l'influence du sort sur l'histoire du cœur humain*. I. *Motifs de retraite, ou Histoire de la Mise de Verville écrite par elle-même*. II. *Les deux étoiles*, histoires écossaises. — Londres ; Paris, Pissot, 1769. 2 tomes en 1 vol. in-12.

542. LANDON (Joseph), *Réflexions de Mademoiselle *** comédienne française*. — Paris, Delaguette, 1750. In-12, 11-88 pp.

543. LA SOLLE (Henri-Fr. de), *Mémoires de Versorand*. — Amsterdam, aux dépens de la Compagnie, 1751. 6 tomes en 2 vol. in-18.

544. LEBLANC de GUILLET (Antoine Blanc *dit*), *Mémoires du Comte de Guine*, par M***. — Amsterdam, 1761. In-12, 272 p.

545. LECH, *Mémoires du chevalier Berville, ou les Deux amis retirés du monde*. — Cologne ; et Paris, Charpentier, 1763. 2 tomes en 1 vol. in-12.

546. LÉONARD (Nicolas-Germain), *Lettres de deux amans, habitans de Lyon*, publiées par... — Londres ; et Paris, Desenne, 1783. In-12.

547. LE PRÉVOST d'EXMES (François), *Rosel, ou l'Homme heureux*. — Genève ; et Paris, Mérigot le jeune, 1776. In-8°, VI-47 p.

548. LESAGE (Alain-René), *Les Avantures de M. Robert Chevalier, dit de Beauchêne, capitaine de flibustiers dans la Nouvelle France*, rédigées par... — Paris, E. Ganeau, 1732. 2 vol. in-12.

549. LESAGE (Alain-René), *Le Bachelier de Salamanque, ou les Mémoires de D. Chérubin de la Ronda*, tirés d'un manuscrit espagnol par... — Paris, Valleyre, 1736. 2 vol. in-12.

550. LESAGE (Alain-René), *Histoire de Gil Blas de Santillane*. — Paris, P. Ribou (Vve P. Ribou), 1715-1735. 4 vol. in-12.

551. LESUIRE (Robert-Martin), *Le Secret d'être heureux, ou Mémoires d'un philosophe qui cherche le bonheur*, par l'auteur de l' « Aventurier François ». — Paris, Louis, 1797. In-16, 187 p.

552. LEZAY-MARNEZIA (Claude-Fr.-Ad., marquis de), *L'Heureuse famille*, conte moral. — Genève ; et Nancy, Leclerc, 1766. In-8°, II-60 p.

553. LOAISEL de TRÉOGATE (Joseph-Marie), *La Comtesse d'Alibre, ou le Cri du sentiment*, anecdote française. — La Haye ; Paris, Belin, 1779. In-8°, XII-146 p.

554. LOAISEL de TRÉOGATE (Joseph-Marie), *Dolbreuse, ou l'Homme du siècle ramené à la vérité par le sentiment et par la raison*, histoire philosophique, par... — Amsterdam ; Paris, Belin, 1783. 2 tomes en 1 vol. in-8°.

555. LOAISEL de TRÉOGATE (Joseph-Marie), *Soirées de mélancolie*, 1777. [Arsenal, 8° B. L. 2259].

556. LOUVET de COUVRAY (Jean-Baptiste), *Les Amours du Chevalier de Faublas*, par J. B. Louvet. 3e éd. revue par l'auteur. — Paris, l'auteur, an VI. 4 vol. in-8°.

557. LUSSAN (Marguerite de), *Annales galantes de la cour de Henri second*. — Amsterdam, J. Desbordes, 1749. 2 vol. in-12.

558. LUSSAN (Marguerite de), *Histoire de la comtesse de Gondez*, écrite par elle-même. — Paris, M. Pepie, 1725. 2 vol. in-12.

559. LUSSAN (Marguerite de), *Les Veillées de Thessalie*, 3e éd., revues, corrigées et augmentées de 3 veillées par... — Paris, Vve Pissot, 1751. 8 t. en 4 vol. in-12.

560. MAGNY (Jean-Baptiste-Michel), *Mémoires de Justine, ou les Confessions d'une fille du monde qui s'est retirée en province*. — Londres, J. Nourse, 1754. 2 tomes en 1 vol. in-12.

561. MAIMIEUX (Joseph de), *L'Heureux jeune homme*, histoire orientale. — Londres ; Paris, Vve Duchesne, 1786. In-12.

562. MARIVAUX (Pierre Carlet de Chamblain de), *Les Aventures de ***, ou les Effets surprenants de la sympathie*. — Paris, P. Prault, 1713-1714. 5 vol. in-12.

563. MARIVAUX (Pierre Carlet de Chamblain de), *Le Paysan parvenu*. Texte établi, avec introduction, bibliographie, chronologie, notes et glossaire, par Frédéric Deloffre. — Paris, Classiques Garnier, 1959.

564. MARIVAUX (Pierre Carlet de Chamblain de), *La Vie de Marianne, ou les Aventures de Madame la Comtesse de ****. Texte établi, avec introduction, chronologie, bibliographie, notes et glossaire, par Frédéric Deloffre. — Paris, Classiques Garnier, 1957.

565. MARMONTEL (Jean-François), *Bélisaire*. Nouvelle édition augmentée... — Paris, Merlin, 1770. In-12, XII-343 p.

566. MARMONTEL (Jean-François), *Contes moraux*, suivis d'une *Apologie du théâtre*, nouvelle édition augmentée. — La Haye, 1777. 4 vol. in-12.

567. MÉHEUST (Mme), *Histoire d'Émilie, ou les Amours de Mademoiselle de ****. — Paris, C. J. B. Delespine, 1732. In-12, 417 p.

568. MÉHEUST (Mme), *Les Mémoires du chevalier de ****. — Paris, Dupuis, 1734. In-12, 287 p.

569. MELON (Jean-François), *Mahmoud le Gasnévide*, histoire orientale, fragment traduit de l'arabe avec des notes. — Rotterdam, chez G. Hofhoudt, 1729. In-8°, VI-168 p.

570. MERCIER (Louis-Sébastien), *Contes moraux, ou les Hommes comme il y en a peu*. — Paris, Panckoucke, 1768. In-8°, VIII-246 p.

571. MONCRIF (François-Augustin PARADIS de), *Les Ames rivales*, histoire fabuleuse. — Londres, 1738. In-12, III-75 p.

572. MOUHY (Charles de Fieux, chevalier de), *Les Délices du sentiment*. — Paris, Jorry, 1753-1754. 6 vol. in-12.

573. MOUHY (Charles de Fieux, chevalier de), *Mémoires de Monsieur le Marquis de Fieux*, par M. le chevalier D. M. — Paris, Prault fils (A. G. Dupuis), 1735-1736. 4 parties en 2 vol. in-12.

574. MOUHY (Charles de Fieux, chevalier de), *Mémoires du Marquis de Bénaridès*... — Paris, Jorry, 1754-1755. 7 parties en 3 vol. in-12.

575. MOUHY (Charles de Fieux, chevalier de), *La Paysanne parvenue, ou les Mémoires de Mme la Marquise de L. V.*, par le chevalier de M. — Paris, Prault fils, 1735-1736. 7 parties en 3 vol. in-12.

576. NOUGARET (Pierre-Jean-Baptiste), *Lucette, ou les Progrès du libertinage*, par M. N***. — Londres, J. Nourse, 1765-1766. 3 parties en 1 vol. in-12.

577. NOUGARET (Pierre-Jean-Baptiste), *Les Méprises, ou les Illusions du plaisir, lettres du comte d'Orabel pour servir à l'histoire de sa vie*, rédigées par M. Nougaret. — Paris, Bastien, 1780. 2 vol. in-12.

578. NOUGARET (Pierre-Jean-Baptiste), *Les Mille et une folies*, contes français, par M. N***. — Amsterdam ; Paris, Vve Duchesne, 1771. 4 vol. in-12.

579. ORMOY (Charlotte Chaumet, Mme d'), *Les Malheurs de la jeune Emelie, pour servir d'instruction aux âmes vertueuses et sensibles*, par Mme la présidente d'Ormoy. — Paris, Dufour, Vve Duchesne ; Nyon, Ruault, 1777. 2 vol. in-12.

580. POTOCKI (Jan), *Manuscrit trouvé à Saragosse*, texte établi et présenté par Roger Caillois. — Paris, Gallimard, 1958.

581. PRÉVOST (Abbé Antoine-François), *Le Doyen de Killerine*, histoire morale composée sur les Mémoires d'une illustre famille d'Irlande... par l'auteur des « Mémoires d'un homme de qualité ». [1re éd. 1735]. — La Haye, P. Poppy, 1771. 6 vol. in-12.

582. PRÉVOST (Abbé Antoine-François), *Histoire d'une grecque moderne*. — Amsterdam, F. Desbordes, 1740. 2 vol. in-12.

582 *bis*. PRÉVOST (Abbé Antoine-François), *Histoire du Chevalier des Grieux et de Manon Lescaut*, texte de 1753, suivi des variantes de 1731, avec une introduction et des notes, par Maurice Allem. — Paris, Garnier frères, 1952 (Classiques Garnier).

583. PRÉVOST (Abbé Antoine-François), *Mémoires et avantures d'un homme de qualité qui s'est retiré du monde*. [1re éd., Paris, Vve Delaulne, 1728, in-12]. Nouvelle éd. revue et considérablement augmentée sur quelques manuscrits trouvés après sa mort. — Amsterdam ; et Paris, Martin, Desaint et Saillant, 1756. 6 vol. in-12.

584. Prévost (Abbé Antoine-François), *Le Philosophe anglais, ou Histoire de M. Cleveland, fils naturel de Cromwell*, écrite par lui-même et traduite de l'anglais par l'auteur des « Mémoires d'un homme de qualité ». — Utrecht, E. Neaulme, 1732. 4 vol. in-12. Tome VI, Utrecht, E. Neaulme, 1738, in-12, 383 p. Tome VII, Utrecht, E. Neaulme, 1739. In-12.

585. Puisieux (Madeleine d'Arsant, Mme de), *Alzarac, ou la Nécessité d'être inconstant*. — Cologne ; Paris, Charpentier, 1762. In-16, 250 p.

586. Puisieux (Madeleine d'Arsant, Mme de), *L'Éducation du Marquis de ***, ou Mémoires de la Comtesse de Zurlac*, par Mme de P***. — Berlin et Paris, Fouché, 1753. 2 tomes en 1 vol. in-12.

587. Puisieux (Madeleine d'Arsant, Mme de), *Histoire de Mlle de Terville*. — Amsterdam ; et Paris, Vve Duchesne, 1768. 6 tomes en 2 vol. in-12.

588. Puisieux (Madeleine d'Arsant, Mme de), *Le Plaisir et la volupté*, conte allégorique. — Paphos, 1752. In-12, 120 p.

589. Puységur (François-Jacques de Chastenet, marquis de), *Histoire de Mme de Bellerive, ou Principes sur l'amour et sur l'amitié*. Nouvelle édition, par M. le chevalier D***. — Paris, Le Jay, 1780. In-12, 232 p.

590. Ramsay (Andrew Michael Ramsay, *dit* le chevalier de), *Les Voyages de Cyrus*, avec un discours sur la mythologie, par M. Ramsay (avec une lettre de N. Freret). — Paris, G. F. Quillau fils, 1727. 3 parties et 2 tomes en 2 vol. in-8o.

Rétif de La Bretonne (Nicolas-Edme) : voir no 241.

591. Rétif de La Bretonne (Nicolas-Edme), *La Fille naturelle*. — La Haye ; Paris, Humblot, 1769. 5 tomes en 1 vol. in-12.

592. Rétif de La Bretonne (Nicolas-Edme), *Lucile, ou les Progrès de la vertu*. — Paris, 1768. Pet. in-12.

593. Rétif de La Bretonne (Nicolas-Edme), *Le Paysan perverti, ou les Dangers de la ville*, histoire récente mise au jour d'après les véritables lettres des personnages par... — La Haye ; Paris, Vve Duchesne, Dorez, 1776. 2 vol. in-12.

594. Rétif de La Bretonne (Nicolas-Edme), *Sara, ou la dernière aventure d'un homme de quarante-cinq ans*. Préface de Maurice Blanchot. — Paris, Éditions Stock, 1949.

595. Revéroni Saint-Cyr (Baron Jacques-Antoine de), *Pauliska, ou la Perversité moderne*, mémoires récents d'une Polonaise. — Paris, Lemierre, an VI, 2 tomes en 1 vol. in-12.

596. Revéroni Saint-Cyr (Baron Jacques-Antoine de), *Sabina d'Herfeld, ou les Dangers de l'imagination*, lettres prussiennes, recueillies par R. Saint-Cyr, 4e éd., augmentées d'une lettre omise dans les précédentes... — Paris, Barba, 1814. 2 vol. in-12.

597. Riccoboni (Marie-Jeanne Laboras de Mézières, Mme). *Lettres de Milady Juliette Catesby à Milady Henriette Campley, son amie*. — Amsterdam (Paris), 1759. In-8o, 250 p.

598. Richardson (Samuel), *Lettres anglaises, ou Histoire de Miss Clarisse Harlove* (traduction par l'abbé A. F. Prévost). — Londres, Nourse, 1751. 12 tomes en 6 vol. in-12.

599. Robinet (Jean-Baptiste-René), *Le Favori de la fortune*. — Amsterdam ; et Paris, Vve Duchesne, 1779. 2 tomes en 1 vol. in-12.

600. ROUSSEAU (Jean-Jacques), *La Nouvelle Héloïse*. Nouvelle édition, publiée d'après les manuscrits et les éditions originales, avec des variantes, une introduction, des notices et des notes, par Daniel Mornet. — Paris, Hachette, 1925. 4 vol. in-8°.

601. SADE (Donatien-Alphonse-François, marquis de), *Les Cent-vingt journées de Sodome, ou l'École du libertinage*. — Sceaux, Jean-Jacques Pauvert, 1953. 3 vol. in-16.

602. SADE (Donatien-Alphonse-François, marquis de), *Histoire de Juliette, ou les Prospérités du vice*. — Sceaux, Jean-Jacques Pauvert, 1954. 6 vol. in-16.

603. SADE (Donatien-Alphonse-François, marquis de), *La Nouvelle Justine, ou les Malheurs de la vertu*. — Sceaux, J. J. Pauvert, 1953. 4 vol. in-8°.

604. SADE (Donatien-Alphonse-François, marquis de), *La Philosophie dans le boudoir*. — Sceaux, J. J. Pauvert, 1953. In-16, 309 p.

605. SAINTE-COLOMBE (Étienne-Guillaume Colombe, *dit* de), *Les Plaisirs d'un jour, ou la Journée d'une provinciale à Paris*. — Bruxelles, 1764. In-12, XII, 299 p.

606. SAINT-PIERRE (Bernardin de), *Paul et Virginie*. Texte établi avec une introduction, des notes et des variantes par Pierre Trahard. — Paris, Classiques Garnier, 1958.

607. SÉGUIER de SAINT-BRISSON, *Ariste, ou les Charmes de l'honnêteté*. — Paris, Panckoucke, 1764. In-12, XXIV-135 p.

608. SENANCOUR (Étienne Pivert de), *Aldomen, ou le Bonheur dans l'obscurité* [1re éd., an III]. Précédé d'une étude sur ce premier *Obermann* inconnu, par André Monglond. — Paris, les Presses françaises, 1925. In-16, XXXIX-92 p.

609. SIMON (Claude-François), *Mémoires de la Comtesse d'Horneville, ou Réflexions sur l'inconstance des choses humaines*, par M. Simon. — Amsterdam, 1739. 2 vol. in-12.

610. TENCIN (Claude-Alexandrine Guérin, marquise de), *Les Malheurs de l'amour*. — Amsterdam, 1747. 2 vol. in-12.

611. TENCIN (Claude-Alexandrine Guérin, marquise de), *Mémoires du comte de Comminges*. — La Haye, J. Néaulme, 1735. In-12, II-184 p.

612. TERRASSON (Abbé Jean), *Séthos, histoire, ou vie tirée des monumens anecdotes de l'ancienne Égypte*, traduite d'un manuscrit grec. — Paris, J. Guérin, 1731. 3 vol. in-12.

613. VIVANT DENON, *Point de lendemain*. — Paris, le Livre du bibliophile, 1957.

614. VOISENON (Abbé), *Histoire de la Félicité*. — Amsterdam, 1751. In-12.

615. VOLTAIRE (François-Marie Arouet de), *Candide ou l'Optimisme*, édition critique avec une introduction et un commentaire par René Pomeau. — Paris, Nizet, 1959.

616. VOLTAIRE (François-Marie Arouet de), *Romans et contes*, texte établi et annoté par René Groos. — Paris, Bibliothèque de la Pléiade, 1940.

I) *Poésie*.

617. AKENSIDE (Mark), *Les Plaisirs de l'imagination*, poème en trois chants, par M. Akenside, traduit de l'anglais (par le baron d'Holbach). — Amsterdam, Arkstée et Merkus ; Paris, Pissot, 1759. In-8°.

618. BEFFROY de REIGNY (Louis-Abel), *dit* le Cousin Jacques, *Turlututu, ou la Science du bonheur*, poème héroï-comique en vers et en huit chants, par le cousin Jacques. — Londres ; et à Paris chez les libraires qui vendent des nouveautés, 1783. In-8°, 62 p.

619. BERNARD (Pierre-Joseph), *dit* Gentil-Bernard, *L'Art d'aimer et poésies diverses*. — Paris, Lacombe, 1775. In-8°, 135 p.

620. BERNIS (François-Joachim de Pierres, cardinal de), *Œuvres du cardinal de Bernis*. — Paris, impr. A. Belin, 1812. 2 vol. in-16. — Paris, J. B. Fournier père et fils (Bibliothèque portative du voyageur), an XI-1802. In-32, 184 p.

621. BERQUIN (Arnaud), *Idylles*. — Paris, Ruault, 1775. In-12, IV-119 p.

622. BERTIN (Chevalier Antoine de), *Œuvres complètes de Bertin*, avec notes et variantes, précédées d'une étude historique sur sa vie (par J. F. Boissonnade). — Paris, Roux-Dufort, 1824. In-8°, XIV-366 p.

623. CHÉNIER (André-Marie), *Œuvres complètes de André Chénier*, publiées d'après les manuscrits par Paul Dimoff. (T. I : *Bucoliques*. T. II : *Poèmes, hymnes, théâtre*. T. III : *Élégies, épîtres, odes, iambes, poésies diverses*). — Paris, Delagrave, 1917-1919. 3 vol. in-12.

624. CHÉNIER (André-Marie), *Œuvres complètes*, texte établi et annoté par Gérald Walter. — Paris, Bibliothèque de la Pléiade, 1940.

625. COLARDEAU (Charles-Pierre), *Œuvres de Colardeau*... (avec sa vie par Jabineau de La Voute et son Éloge par La Harpe et Marmontel). — Paris, Ballard et Le Jay, 1779. 2 vol. in-8°.

626. DELILLE (Abbé Jacques), *Les Jardins, ou l'Art d'embellir les paysages*, poème par M. l'abbé de Lille. — Paris, impr. de F. A. Didot l'aîné, 1782. In-4°, 144 p.

627. DORAT (Claude-Joseph), *Collection complète des œuvres de M. Dorat*. — Neufchâtel, Impr. de la société typographique, 1776. 6 vol. in-8°.

628. DORAT (Claude-Joseph). *Ma philosophie. Réponse badine à de graves observations*. — La Haye, Paris, Delalain, 1771. In-8°, 47 p.

629. DU COUDRAY (Alex.-Jacques Chevalier, *dit* le chevalier), *Le Luxe*, poème en six chants... avec des notes historiques et critiques, suivi de poésies diverses. — Paris, Monory, 1773. In-8°, IV-260 p.

630. ESTAING (Charles-Hector, comte d'), *Le Plaisir*, rêve, poème. — A Otiopolis, chez Daniel Songe-creux, à l'Apocalypse, 1755. In-12, 101 p.

631. FEUTRY (Aimé-Ambroise-Joseph), *Les Ruines*, poème. — Londres, E. Kermarneck, 1767. In-8°, 15 p.

632. FEUTRY (Aimé-Ambroise-Joseph), *Le Temple de la mort*, poème. — Londres ; et Paris, Durand, 1753. In-8°, 24 p.

633. GAILLARD (Gabriel-Henri), *La Nécessité d'aimer*, poème. — Paris, Regnard, 1764. In-8°, 11 p.

634. GILBERT (Nicolas-Joseph-Laurent), *Œuvres complètes de Gilbert*. — Paris, Le Jay, 1788. In-8°, XVI-IV-232 p.

635. GRESSET (Jean-Baptiste-Louis), *Œuvres de Gresset*. — Paris, A. A. Renouard, 1811. 2 vol. in-8°.

636. GUÉRINEAU de SAINT-PÉRAVI (Jean-Nic.-Marc), *Épître sur la consomption*. — Londres, 1761. In-8°, 25 p.

637. HELVÉTIUS (Claude-Adrien), *Le Bonheur*, poème en 6 chants, avec des fragments de quelques épîtres, ouvrages posthumes de M. H. (Précédé de l'histoire de sa vie et de ses ouvrages, par Saint-Lambert). — Londres, 1772. In-8°, CXX-116 p.

638. La Harpe (Jean-François), *Des Talens dans leurs rapports avec la société et le bonheur*, pièce qui a remporté le prix de l'Académie française en 1771. — Paris, Vve Regnard, 1871 (1771). In-8°, 11 p.

639. Lefranc de Pompignan (Jean-Jacques), *Œuvres de M. le marquis de Pompignan*... — Paris, Nyon l'aîné, 1784. 4 vol. in-8°.

640. Léonard (Nicolas-Germain), *Œuvres de Léonard*, recueillies et publiées par Vincent Campenon. — Paris, impr. de Didot le jeune, an VII-1798. 3 vol. in-8°.

641. Le Prieur, avocat, *La Nécessité d'être utile*, poème qui a concouru au prix de l'Académie française en 1768. — Paris, impr. de la Vve Regnard, 1768. In-8°, 14 p.

641 *bis*. Lisle de La Drevetière (Louis-François de), *Essai sur l'amour-propre, poème où l'on démontre que l'amour-propre est, en nous, le mobile des vertus ou des vices, selon qu'il est bien ou mal entendu ; et que les vrais intérêts de la vie et tout notre bonheur consistent à savoir le rectifier.* — Paris, Prault père, 1738. In-8°, 52 p.

642. Malespine (Abbé de), *Les Plaisirs de l'esprit*, ode qui a remporté le prix au jugement de l'Académie royale des sciences et beaux-arts de Pau en l'année 1768. — Paris, Lesclapart, 1768. In-4°, 23 p.

643. Marchangy (Louis-Antoine-François), *Le Bonheur*, poème en quatre chants. — Paris, Ragonneau, an XII-1804. In-8°, 291 p.

644. Marmontel (Jean-François), *Les Charmes de l'étude*, épître aux poètes, ouvrage qui a remporté le prix de l'Académie française en 1760. — Paris, Vve Brunet, 1761. In-8°, 23 p.

645. Parny (Vicomte Evariste-Désiré de Forges de), *Œuvres d'Evariste Parny*. — Paris, Debray, 1808. 4 vol. in-12.

646. Ramond de Carbonnières (Baron Louis-F.-E.), *Élégies*. — Yverdon, impr. de la Société littéraire et typographique, 1778. In-12, 90 p.

647. Rousseau (Jean-Baptiste), *Œuvres de J.-B. Rousseau*. Nouv. éd. avec un commentaire historique et littéraire, précédé d'un nouvel essai sur la vie et les écrits de l'auteur. — Paris, Lefèvre, 1820. 5 vol. in-8°.

648. Saint-Lambert (Jean-François, marquis de), *Les Saisons*, poème. — Amsterdam, 1769. In-8°, xxviii-369 p.

649. Anonyme, *Les Charmes de la vie privée*, épître, 1762. [Ne figure pas au catalogue de la Bibliothèque Nationale].

650. Anonyme, *Dialogue sur le bonheur de la vie champêtre*, poème, 1771. [Ne figure pas au catalogue de la Bibliothèque Nationale].

651. Anonyme, *Épître à un ami sur la recherche du bonheur*, par M. D... Cette pièce a concouru au prix de l'Académie Françoise, le 25 août 1766. — Paris, Cuissart, 1766. In-8°.

652. Anonyme, *Épître aux humains sur le vrai bonheur*, poème, 1767. [Ne figure pas au catalogue de la Bibliothèque Nationale].

J) *Théâtre.*

653. Allainval (Abbé Léonor-Jean-Christine Soulas d'), *L'Embarras des richesses*, comédie représentée pour la première fois sur le théâtre de l'hôtel de Bourgogne, par les comédiens italiens ordinaires du Roi, le 9 juillet 1725. — Paris, N. Pissot, 1726. [Le Nouveau Théâtre Italien, t. 5]. In-12.

653 *bis*. ARNAUD (François-Thomas-Marie de BACULARD d'), *Œuvres dramatiques de M. d'Arnaud*. — Amsterdam, D. J. Changuion, B. Vlam, 1782. 2 vol. in-12.

654. BARTHE (Nicolas-Thomas), *L'Homme personnel*, comédie en 5 actes et en vers... représentée pour la première fois sur le théâtre de la Comédie française, le 21 janvier 1778. — Paris, P. F. Gueffier, 1778. In-8°, V-114 p.

655. BEAUMARCHAIS (Pierre-Auguste Caron de), *Œuvres complètes de B...*, nouvelle édition, augmentée de quatre pièces de théâtre... avec une introduction, par M. Édouard Fournier. — Paris, Laplace, Sanchez et Cie, 1876. In-4°, VII-784 p.

656. BEAUMARCHAIS (Pierre-Auguste Caron de), *Théâtre complet*, édité par Maurice Allem. — Paris, Bibliothèque de la Pléiade, 1934.

657. CARMONTELLE (Louis Carrogis, *dit*), *Proverbes dramatiques*. — Paris, Merlin, 1768. 4 parties en 2 vol. in-8°.

DIDEROT : voir *Œuvres complètes*, n° 138.

658. DORAT (Claude-Joseph), *Le Malheureux imaginaire*. Comédie en 5 actes, en vers. (Paris, Comédiens français, 7 décembre 1776). — Paris, Delalain, 1777. In-8°, XVI-110 p.

659. FENOUILLOT de FALBAIRE de QUINGEY (Charles-Georges), *L'Honnête criminel*, drame en 5 actes et en vers. — Amsterdam et Paris, Merlin, 1767. In-8°, VII-109 p.

660. LA CHAUSSÉE (Pierre-Claude NIVELLE de), *Œuvres de M. Nivelle de La Chaussée*... Nouvelle édition... augmentée... — Paris, Prault petit-fils, 1762. 5 vol. in-12.

661. MARCHADIER (Abbé), *Le Plaisir*. Comédie en 1 acte, en vers, avec un divertissement. (Paris, les Comédiens français, 3 août 1747). — Paris, Cailleau, 1749. In-8°, 36 p.

MARIVAUX : voir *Œuvres complètes*, n° 205.

661 *bis*. MARIVAUX (Pierre Carlet de Chamblain de), *Théâtre complet*... Théâtre établi et annoté par Jean Fournier et Maurice Bastide... Présentation par Jean Giraudoux. — Paris, Les Classiques verts, 1946. 2 vol. in-8°.

661 *ter*. MARIVAUX (Pierre Carlet de Chamblain de), *Théâtre complet*... Texte préfacé et annoté par Marcel Arland. — Paris, Bibliothèque de la Pléiade, 1949.

662. PASSOT de SAINT-AIME, *Le Triomphe de la bienfaisance, ou l'Ami de l'humanité*. Comédie en 1 acte, en prose, représentée pour la première fois à Paris, sur le théâtre du Palais-Royal, aux Variétés, le 25 avril 1785. — Paris, Cailleau, 1785. In-8°, 40 p.

663. PIRON (Alexis), *Œuvres complètes illustrées de Alexis Piron*, publiées avec introduction et index analytique, par Pierre Dufay... — Paris, F. Guillot, 1928-1941. 10 vol. in-8°.

664. PIRON (Alexis), *La Métromanie, ou le Poète*. Comédie en vers et en 5 actes. (Théâtre français, 10 janvier 1738). — Paris, Le Breton, 1738. In-8°, VI-132 p.

665. POINSINET (Antoine-Alexandre-Henri), *Le Cercle, ou la Soirée à la mode*, comédie épisodique en 1 acte et en prose. (Paris, les Comédiens français, 7 septembre 1764). — Paris, Duchesne, 1764. In-8°, 71 p.

666. SAVÉRIEN (Alexandre), *L'Heureux*, pièce philosophique, 1754. [Arsenal, fonds Rondel, Rf. 13.577].

667. SEDAINE (Michel-Jean), *Le Philosophe sans le savoir.* Comédie en prose et en 5 actes. (Paris, les Comédiens français, 2 novembre 1765). — Paris, C. Hérissant, 1766. In-8°, II-96-16 p.

K) *Bonheur social. Luxe. Doctrines économiques. Utopies. Voyages.*

668. ANDREZEL (marquis d'), *Essais politiques* par M. le marquis de ***. — Amsterdam, Arkstée et Merkus, 1757. 2 vol. in-12.

669. BAUDEAU (Abbé Nicolas), *Avis au peuple sur son premier besoin, ou Petits traités économiques*, par l'auteur des « Éphémérides du citoyen ». — Amsterdam ; et Paris, Hochereau jeune, 1678. 3 parties en 1 vol. in-12.

670. BAUDEAU (Abbé Nicolas), *Avis aux honnêtes gens qui veulent bien faire.* — Amsterdam ; Paris, Desaint, 1768. In-12, 122 p.

671. BAUDEAU (Abbé Nicolas), *Idées d'un citoyen sur les besoins, les droits et les devoirs des vrais pauvres.* — Amsterdam ; et Paris, B. Hochereau le jeune, 1765. 2 parties en 1 vol. in-8°.

672. BAUDEAU (Abbé Nicolas), *Première introduction à la philosophie économique, ou Analyses des états policés*, par un disciple de l'Ami des hommes. — Paris, Didot l'aîné, 1771. In-8°, 497 p.

673. BEAUSOBRE (Louis de), *Introduction générale à l'étude de la politique, des finances et du commerce.* Nouvelle édition. — Amsterdam, J. H. Schneider, 1765. 2 vol. in-8°.

674. BÉTHUNE (Chevalier de), *Relation du monde de Mercure...* — Genève, Barillot et fils, 1750. 2 tomes en 1 vol. in-12.

675. BOUREAU-DESLANDES (André-François), *Lettre sur le luxe.* — Francfort, J. A. Vaneblen, 1745. In-8°, IV-96 p.

676. BRODIN de LA JUTAIS (Pierre), *L'Abondance, ou Véritable pierre philosophale, qui consiste seulement à la multiplication de toutes sortes de grains, de fruits, de fleurs et généralement de tous les végétatifs.* — Paris, Delaguette, 1752. In-12, 71 p.

677. BUTEL-DUMONT (Georges-Marie), *Théorie du luxe, ou Traité dans lequel on entreprend d'établir que le luxe est un ressort, non seulement utile, mais même indispensablement nécessaire à la prospérité des états.* — (S. l.), 1771. 2 parties en 1 vol. in-8°.

678. CANTILLON (Philippe de), *Essai sur la nature du commerce en général*, traduit de l'anglais. — Londres, Fletcher Gyles, 1755. In-12, 436 p.

679. CASTEL de SAINT-PIERRE (Abbé Charles-Irénée), *Ouvrajes de politique... par M. l'abbé de St. Pierre.* 2e éd. (à partir du tome XII le titre devient : *Ouvrajes de morale et de politique*). — Rotterdam, J. D. Beman ; Paris, Briasson, 1738-1740. 14 vol. in-12.

680. CASTEL de SAINT-PIERRE (Abbé Charles-Irénée), *Les Rêves d'un homme de bien qui peuvent être réalisés, ou les Vues utiles et praticables de M. l'abbé de St. Pierre...* (recueillis par P. A. Alletz). — Paris, Vve Duchesne, 1775. In-12, XII-502 p.

681. CHANSIERGES, *L'Idée d'un roy parfait, dans laquelle on découvre la véritable grandeur avec les moyens de l'acquérir, suivis du système de l'esprit.* — Paris, G. Saugrain, 1723. In-12, XII-372 p.

682. CHASTELLUX (Marquis François-Jean de), *De la Félicité publique, ou Considérations sur le sort des hommes dans les différentes époques de l'histoire.* — Amsterdam, M. M. Rey, 1772. 2 tomes en 1 vol. in-8°.

682 *bis*. CHASTELLUX (Marquis François-Jean de), *Voyages de M. le Mis de Chastellux dans l'Amérique septentrionale, dans les années 1780, 1781 et 1782...* — Paris, Prault, 1786. 2 vol. in-8o

683. CLICQUOT de BLERVACHE (Simon), *Mémoire sur les moyens d'améliorer en France la condition des laboureurs...* — Paris, Delalain l'aîné, 1789. In-8o, XII-254 p.

684. CLICQUOT de BLERVACHE (Simon), *Le Réformateur...* — Amsterdam, Arkstée et Merkus, 1756. 2 vol. in-12.

685. CONDORCET (Jean-Antoine-Nicolas de Caritat, marquis de), *Esquisse d'un tableau historique des progrès de l'esprit humain*, ouvrage posthume de Condorcet (publié par P. C. F. Daunou et Mme M. L. S. de Condorcet). — Paris, Agasse, An III. In-8o, VIII-389 p.

686. CONDORCET (Jean-Antoine-Nicolas de Caritat, marquis de), *Réflexions sur l'esclavage des nègres*, par M. Schwartz, pasteur... à Bienne. — Neufchâtel, Société typographique, 1781. In-8o, XII-99 p.

687. CONDORCET (Jean-Antoine-Nicolas de Caritat, marquis de), *Réflexions sur le commerce des bleds.* — Londres, avril 1776. In-8o, XV-221 p.

688. COYER (Abbé Gabriel-François), *Dissertations pour être lues : la première sur le vieux mot de patrie ; la seconde sur la nature du peuple.* — La Haye, P. Gosse junior, 1755. In-12, 70 p.

689. COYER (Abbé Gabriel-François), *La Noblesse commerçante.* — Londres ; et Paris, Duchesne, 1756. In-12, 216 p.

690. DUDEVANT (L. Hte), *L'Apologie du commerce, essai philosophique et politique...* par un jeune négociant. — Genève, 1777. In-12, XI-71 p.

691. DU HALDE (Le P. Jean-Baptiste), S. J., *Description géographique, historique, chronologique, politique et physique de l'Empire de la Chine et de la Tartarie chinoise...* — Paris, P. G. Le Mercier, 1735. 4 vol. in-fol.

692. DUPONT de NEMOURS (Pierre-Samuel), *Idées sur les secours à donner aux pauvres malades dans une grande ville...* — Philadelphie ; et Paris, Moutard, 1786. In-8o, 64 p.

693. DUPONT de NEMOURS (Pierre-Samuel), *De l'Origine et des progrès d'une science nouvelle.* — Londres ; et Paris, Desaint, 1768. In-8o, 84 p.

694. DUTOT, *Réflexions politiques sur les finances et le commerce...* — La Haye, frères Vaillant et N. Prevost, 1738. 2 vol. in-12.

695. FAIGUET de VILLENEUVE (Joachim), *Discours d'un bon citoyen sur les moyens de multiplier les forces de l'État et d'augmenter la population.* — Bruxelles, 1760. In-16, 196 p.

696. FAIGUET de VILLENEUVE (Joachim), *L'Économe politique, projet pour enrichir et pour perfectionner l'espèce humaine.* — Londres ; et Paris, Moreau, 1763. In-12, XII-212 p.

697. FROGER, curé de Mayet, diocèse du Mans, *Instructions de morale, d'agriculture et d'économie pour les habitans de la campagne, ou l'Avis d'un homme de la campagne à son fils*, par M. Froger. — Paris, Lacombe, 1769. In-8o, VIII-304 p.

698. GALIANI (Abbé Ferdinando), *Dialogues sur le commerce des blés...* [revus par Diderot et Grimm]. — Londres, 1770. In-8o, 315 p.

699. GILBERT (Claude), *Histoire de Calejava, ou de l'isle des hommes raisonnables, avec le parallèle de leur morale et du christianisme.* — (S. l.), 1700. In-12, 329 p.

700. Goudar (Ange), *Les Intérêts de la France mal entendus dans les branches de l'agriculture, de la population, des finances, du commerce, de la marine et de l'industrie*, par un citoyen (le chevalier A. Goudar). — Amsterdam, J. Cœur, 1756. 3 vol. in-12.

701. Goudar (Ange), *Relation historique du tremblement de terre survenu à Lisbonne, le 1er novembre 1755... précédée d'un discours sur les avantages que le Portugal pourrait retirer de son malheur.* — La Haye, Philantrope, 1756. In-12, x-216 p.

702. Goyon de La Plombanie (Henri de), *L'Homme en société, ou Nouvelles vues politiques et économiques pour porter la population au plus haut degré en France.* — Amsterdam, M. M. Rey, 1763. 2 tomes en 1 vol. in-8°.

703. Goyon de La Plombanie (Henri de), *L'Unique moyen de soulager le peuple et d'enrichir la nation française...* — Paris, A. Boudet, 1775. In-8°, 103 p.

704. Gros de Besplas (Abbé Joseph-Marie), *Des Causes du bonheur public...* — Paris, impr. de S. Jorry, 1768. In-8°, xxxvi-588 p.

705. Holbach (Paul-Henri-Dietrich, baron d'), *La Politique naturelle, ou Discours sur les vrais principes du gouvernement*, par un ancien magistrat. — Londres, 1773. 2 tomes en 1 vol. in-8°.

706. La Condamine (Charles-Marie de), *Relation abrégée d'un voyage fait dans l'intérieur de l'Amérique méridionale depuis la côte de la mer du Sud jusqu'aux côtes du Brésil et de Guyane, en descendant la rivière des Amazones*, lue à l'assemblée publique de l'Académie des sciences, le 28 avril 1745, par... — Paris, Vve Pissot, 1745. In-8°, xvi-216 p.

707. Lafitau (Le P. Joseph-François), S. J., *Mœurs des sauvages américains comparées aux mœurs des premiers temps*, par le P. Lafitau. — Paris, Saugrain l'aîné, 1724. 2 vol. in-4°.

708. Lahontan (Louis-Armand de Lom d'Arce, baron de), *Dialogues de M. le baron de Lahontan et d'un sauvage d'Amérique, contenant une description exacte des mœurs et des coutumes de ces peuples sauvages. Avec les voyages du même en Portugal et en Danemarc...* — Amsterdam, Vve de Boeteman, 1704. In-12, 222 p.

709. Lalande, prêtre de la Gironde, *Entretiens de Périclès et de Sully aux Champs-Élysées sur leur administration, ou Balance entre les avantages du luxe et ceux de l'économie.* — Londres ; et Paris, P. T. Barrois le jeune, 1776. In-8°, xvi-81 p.

710. Lassay (Armand-Léon de Madaillan de Lesparre, marquis de), *Recueil de différentes choses*, par M. le Marquis de Lassay (publié par l'abbé Perau). Tome IV : *Relation du royaume des Féliciens, peuples qui habitent dans les Terres Australes.* — Lausanne, M. M. Bousquet, 1756. 4 vol. in-8°.

711. Le Mercier de La Rivière (P. P. F. J. H.), *L'Heureuse nation, ou Relations du gouvernement des Féliciens, peuple souverainement libre sous l'empire absolu de ses loix...* — Paris, Buisson, 1792. 2 vol. in-8°.

712. Le Mercier de La Rivière (P. P. F. J. H.), *L'Ordre naturel et essentiel des sociétés politiques.* — Londres, J. Nourse ; et Paris, Desaint, 1767. 2 vol. in-12.

713. Lesconvel (Pierre de), *Relation du voyage de Montberand dans l'île de Naudely.* — Merinde, J. Democrite, 1706. In-12, 388 p.

714. Le Trosne (Guillaume-François), *Mémoire sur les vagabonds et sur les mendiants.* — Soissons ; et Paris, P. S. Simon, 1764. In-8°, 76 p.

715. LE TROSNE (Guillaume-François), *De l'Ordre social, ouvrage suivi d'un traité élémentaire sur la valeur, l'argent, la circulation, l'industrie et le commerce intérieur et extérieur.* — Paris, Debure, 1777. In-8°, XXXI-728 p.

716. MABLY (Gabriel Bonnot, abbé de), *Œuvres complètes de l'abbé de Mably.* — Londres, 1789. 12 vol. in-8°. (T. IX : *De la Législation, ou Principes des lois.* T. X : *Entretiens de Phocion. Principes de morale*).

717. MANDEVILLE (Bernard de), *La Fable des Abeilles, ou les Fripons devenus honnêtes gens, avec le commentaire où l'on prouve que les vices des particuliers tendent à l'avantage du public,* traduit de l'anglais sur la 6e éd. (par Jean Bertrand). — Londres ; aux dépens de la Compagnie, 1740. 4 vol. in-12.

718. MAUPIN, écrivain agronome, *La Seule richesse du peuple, en forme de lettre à Messieurs les journalistes de la capitale...* — Paris, Musier, 1785. In-8°, 44 p.

719. MELON (Jean-François), *Essai politique sur le commerce par M. M***.* (S. l.), 1734. In-12, 264 p. — Amsterdam, chez P. Changuion. In-12, 251 p.

720. MERCIER (Louis-Sébastien), *L'An deux mille quatre cent quarante, rêve s'il en fut jamais.* — Londres, 1771. In-8°, VIII-416 p.

721. MÉRY de LA CANORGUE (Abbé Joseph), *L'Ami de ceux qui n'en ont point, ou Système économique, politique et moral, pour le régime des pauvres et des mendiants dans tout le royaume.* — Paris, P. Prault, 1767. In-12, 272 p.

722. MIRABEAU (Victor Riqueti, marquis de), *L'Ami des hommes, ou Traité de la population.* — (S. l.), 1758-1760. 8 tomes en 6 vol. in-12.

723. MOHEAU, *Recherches et considérations sur la population de la France.* — Paris, Moutard, 1778. 2 parties en 1 vol. in-8°.

724. MORELLY, *Code de la nature, ou le Véritable esprit de ses lois de tout temps négligé ou méconnu.* — Partout chez le vrai sage, 1755. In-8°, 240 p.

725. MORELLY, *Le Prince, les délices des cœurs, ou Traité des qualités d'un grand roi et sistème général d'un sage gouvernement* par M. M***. — Amsterdam, 1751. 2 vol. in-8°.

726. MORELLY, *Naufrage des Isles flottantes, ou Basiliade du célèbre Pilpai,* poème héroïque, traduit de l'italien par M. M***. — Messine (Paris), par une société de libraires, 1753. 2 tomes en 1 vol. in-12.

727. MOUTONNET de CLAIRFONS (Julien-Jacques), *Les Iles fortunées, ou les Aventures de Bathylle et de Cléobule,* par M. M. D. C. A. S. — Canarie ; et Paris, le Boucher, 1778. In-12, XII-224 p.

728. MURATORI (Lodovico Antonio), *Traité sur le bonheur public...* traduit de l'italien... — Lyon, Vve Reguilliat, 1772. 2 vol. in-12.

729. NAVEAU (Jean-Baptiste), *Le Financier citoyen.* — (Paris), 1757. 2 vol. in-12.

730. PATERSON (Lieutenant William), *Quatre voyages chez les Hottentots et chez les Cafres,* par le lieut. William Paterson, depuis mai 1777 jusqu'en décembre 1779, traduit de l'anglais (par J. B. de La Borde). — Paris, Didot l'aîné, 1790. In-8°, II-329 p.

731. PIARRON de CHAMOUSSET (Claude-Humbert), *Œuvres complettes de M. de Chamousset, contenant ses projets d'humanité, de bienfaisance et de patriotisme,* précédées de son éloge, dans lequel on trouve une analyse suivie de ses ouvrages par M. l'abbé Cotton Des Houssayes... — Paris, Vve Duchesne, 1783. 2 vol. in-8°.

732. Pluquet (Abbé François-André-Adrien), *Traité philosophique et politique sur le luxe.* — Paris, Barrois, 1786. 2 vol. in-12.

733. Quesnay (François), *Physiocratie, ou Constitution naturelle du gouvernement le plus avantageux au genre humain,* recueil publié par Du Pont (de Nemours). — Leyde ; Paris, Merlin, 1768-1769. 2 vol. in-8°.

734. Raynal (Abbé Guillaume-Thomas-François), *Histoire philosophique et politique des établissements et du commerce des Européens dans les deux Indes.* — Amsterdam, 1770. 6 vol. in-8°.

735. Réal de Curban (Gaspard de), *La Science du gouvernement,* ouvrage de morale, de droit et de politique... par M. de Réal... — Aix-la-Chapelle (Paris-Amsterdam), 8 vol. in-4°.

736. Rétif de La Bretonne (Nicolas-Edme), *La Découverte australe par un homme volant, ou le Dédale français,* nouvelle très philosophique, suivie de la lettre d'un singe. — Imprimé à Leipsick ; et se trouve à Paris, 1781. 4 vol. in-12.

737. Rouillé d'Orfeuil (Augustin), *L'Alambic des lois, ou Observations de l'ami des François sur l'homme et sur les lois.* — Hispaan, 1773. In-8°, 477 p.

738. Rouillé d'Orfeuil (Augustin), *L'Ami des François.* — Constantinople, 1771. In-8°, 793 p.

739. Saint-Lambert (Jean-François, marquis de), *Essai sur le Luxe.* — (S. l.), 1764. In-12, 77 p.

740. Sapt (Abbé de), *L'Ami du prince et de la patrie, ou le Bon citoyen,* par M. Desapt. — Paris, J. P. Costard, 1769. In-8°, XLVIII-191 p.

741. Sénac de Meilhan (Gabriel), *Considérations sur les richesses et le luxe.* — Amsterdam ; Paris, Vve Valade, 1787. In-8°, VIII-503 p.

742. Silhouette (Étienne de), *Idée générale du gouvernement et de la morale des Chinois, tirée particulièrement des ouvrages de Confucius,* par M. D. S. — Paris, impr. de G. F. Quillau, 1729. In-4°, 54 p.

743. Smith (Adam), *Recherches sur la nature et les causes de la richesse des nations* (1776). Traduit de l'anglais de M. Adam Smith, par M***. — La Haye, 1778-1779. 4 vol. in-12.

744. Thélis (Claude-Antoine, comte de), *Idées proposées au gouvernement par le comte de Thélis, sur l'administration des chemins.* — (S. l.), 1777-1778. 2 vol. in-12.

745. Thélis (Claude-Antoine, comte de), *Moyens proposés pour le bonheur des peuples qui vivent sous le gouvernement monarchique.* — (S. l.), 1778. In-4°, 29 p.

746. Turgot, *Œuvres complètes,* éd. Eugène Daire. — Paris, 1844.

747. Vattel (de), *Le Droit des gens, ou Principes de la loi naturelle appliqués à la conduite et aux affaires de la nation et des souverains.* — Londres, 1758. 2 vol. in-4°.

748. Veron de Forbonnais, *Éléments du commerce.* — Leyde ; Paris, Briasson, David l'aîné, Le Breton, Durand, 1754. 2 vol. in-12.

749. Vollant, *Mémoire sur les moyens de détruire la mendicité en France.* — Paris, l'auteur, 1790. In-4°, pièce.

III. — ÉTUDES

A) *Études sur l'histoire des mœurs, des faits sociaux, des idées, et des thèmes littéraires au XVIIIe siècle.*

750. AGHION (Max), *Le Théâtre à Paris au XVIIIe siècle.* — Bruges, Paris, 1926. In-4°, 442 p.

751. ANDRÉ (R. G.), *Le Château de Chanteloup d'après des documents inédits.* — Revue Parisienne, 1936.

752. ARIÈS (Philippe), *Histoire des populations françaises et de leurs attitudes devant la vie depuis le XVIIIe siècle.* — Paris, Éditions Self, 1948. In-8°, 573 p.

753. ATKINSON (Geoffroy), *The Extraordinary Voyage in French Literature from 1700 to 1720.* — Paris, Édouard Champion, 1922. In-8°, 147 p.

754. ATKINSON (Geoffroy), *Les Relations de voyages du XVIIe siècle et l'évolution des idées. Contribution à l'étude de la formation de l'esprit du XVIIIe siècle.* — Paris, Édouard Champion, 1927. In-16, 220 p.

755. AUBERTIN (Charles), *L'Esprit public au XVIIIe siècle. Étude sur les mémoires et les correspondances politiques des contemporains, 1715 à 1789.* — Paris, Didier, 1873. In-8°.

756. BALDENSPERGER (Fernand), *Le jardin « à la française » signe et symbole d'une civilisation.* — French Review, 1936-1937.

757. BALDENSPERGER (Fernand), *Young et ses « Nuits » en France,* dans *Études d'histoire littéraire.* — Paris, Hachette, 1907. In-16, 222 p.

758. BARTH (Karl), *Images du XVIIIe siècle.* — Neufchâtel, Paris, 1949. In-8°, 158 p.

759. BECKER (Carl-Ludwig), *The Heavenly City of the 18 th. Century Philosophers.* — New Haven, Yale University Press, 1935.

760. BELIN (J. P.), *Le Mouvement philosophique de 1748 à 1789, étude sur la diffusion des études des philosophes à Paris, d'après les documents concernant l'histoire de la librairie.* — Paris, Belin frères, 1913. In-8°, 383 p.

761. BILA (Constantin), *La Croyance à la magie au XVIIIe siècle en France, dans les contes, romans et traités.* — Paris, J. Gamber, 1925. In-8°, 159 p.

762. BORD (Gustave), *La Franc-maçonnerie en France des origines à 1815.* Tome Ier : *Les ouvriers de l'idée révolutionnaire (1688-1771).* — Paris, Nouvelle Librairie nationale, 1909. In-8°.

763. BRUNSCHVICG (Léon), *Le Progrès de la conscience dans la philosophie occidentale.* — Paris, Félix Alcan, 1928. 2 vol. in-8°.

764. BUFFENOIR (Maximilien), *Sur les pas de la comtesse d'Egmont, ou les beaux jours de Braine au XVIIIe siècle.* — Soissons, 1930. In-8°, 277 p.

765. CAHEN (L.), *L'idée de lutte de classe au XVIIIe siècle.* — Revue de Synthèse Historique, 1906.

766. CARNUS (J.), *La conception de la nature humaine au XVIIIe siècle chez les écrivains français.* — French Review, 1945.

767. CARNUS (J.), *L'évolution de la notion d'évidence au XVIIIe siècle chez les écrivains français.* — French Review, 1941-1942.

768. CARRÉ (Henri), *La Noblesse de France et l'opinion publique au XVIIIe siècle.* — Paris, E. Champion, 1920. In-8°, 650 p.

769. CASSIRER (Ernst), *Die Philosophie der Aufklärung.* — Tübingen, J. C. B. Mohr, 1932. In-8°, 491 p. ; *The Philosophy of the Enlightenment.* — Princeton, Princeton University Press, 1951. In-8°, 366 p.

770. CHÉREL (Albert), *Fénelon au XVIIIe siècle en France. Son prestige. Son influence.* — Paris, 1917. In-8°, 694 p.

771. CHÉREL (Albert), *Histoire de l'idée de tolérance.* — Revue d'Histoire de l'Église de France, 1941-1942.

772. CHINARD (Gilbert), *L'Amérique et le rêve exotique dans la littérature française au XVIIe et au XVIIIe siècle.* — Paris, Hachette, 1913. In-16, 448 p.

773. CLÉMENT (Pierre) et LEMOINE (Alfred), *M. de Silhouette, Bouret, les derniers fermiers généraux, études sur les financiers du XVIIIe siècle.* — Paris, Didier, 1872. In-18, 328 p.

774. DAMIRON (Jean-Philibert), *Mémoires pour servir à l'histoire de la philosophie au XVIIIe siècle.* — Paris, Ladrange, 1858-1864. 3 vol. in-8°.

775. DEDIEU (Abbé Joseph), *L'agonie du Jansénisme (1715-1790).* — Revue de l'Histoire de l'Église de France, 1928.

776. DELVAILLE (Jules), *Essai sur l'histoire de l'idée du progrès jusqu'à la fin du XVIIIe siècle.* — Paris, F. Alcan, 1910. In-8°, 761 p.

777. DESNOIRETERRES (Gustave), *Épicuriens et lettrés, XVIIe et XVIIIe siècles.* — Paris, G. Charpentier, 1879. In-18, 459 p.

778. DESNOIRETERRES (Gustave), *Grimod de la Reynière et son groupe,* d'après des documents inédits. — Paris, Didier, 1877. In-18, 399 p.

779. DESNOIRETERRES (Gustave), *Voltaire et la société française au XVIIIe siècle.* — Paris, Didier, 1867-1876. 8 vol. in-8°.

780. DIECKMANN (Herbert), *Le Philosophe.* Text and interpretation. — Washington University Studies. New Series. Language and Literature, n° 18. Saint-Louis, 1948. 108 p.

DIECKMANN (Herbert), Introduction à l'édition du *Supplément au Voyage de Bougainville :* voir n° 138 *ter.*

781. DUCROS (Louis), *La Société française au XVIIIe siècle d'après les mémoires et les correspondances du temps.* — Paris, A. Hatier, 1922. In-16, 392 p.

782. DUFAY (P.), *Les Mœurs du XVIIIe siècle d'après les mémoires du temps.* — Paris, Crès, 1937.

783. DUFRÉNOY (Marie-Louise), *L'Orient romanesque en France (1704-1789).* — Montréal, Beauchemin, 1946. In-4°, 383 p.

783 *bis.* FABRE (Jean), *Deux définitions du philosophe : Voltaire et Diderot.* — La Table Ronde, février 1958.

784. FABRE (Jean), *Stanislas-Auguste Poniatowski et l'Europe des lumières,* étude de cosmopolitisme. — Paris, Les Belles Lettres, 1952. Gr. in-8°, 748 p.

785. FAY (Bernard), *L'Esprit révolutionnaire en France et aux États-Unis à la fin du XVIIIe siècle.* — Paris, E. Champion, 1924. In-8°, 378 p.

786. FAY (Bernard), *La Franc-maçonnerie et la révolution intellectuelle du XVIIIe siècle.* — Paris, Éditions de Cluny, 1935. In-16, 287 p.

787. FOLKIERSKI (Wladyslaw), *Entre le classicisme et le romantisme. Étude sur l'esthétique et les esthéticiens du XVIIIe siècle.* — Paris, E. Champion, 1925. In-8°, 604 p.

788. Gallier (Anatole de), *La Vie de province au XVIIIe siècle. Les femmes, les mœurs, les usages.* — Paris, P. Rouquette, 1877. In-8°, 128 p.

789. Goncourt (Edmond et Jules de), *La Femme au XVIIIe siècle.* — Paris, Firmin-Didot, 1862. In-8°, 461 p.

790. Green (Frederick Charles), *Minuet ; a critical survey of French and English literary ideas in the eighteenth century.* — London, Dent and sons, 1935. In-8°, 491 p.

791. Green (Frederick Charles), *La Peinture des mœurs de la bonne société dans le roman français de 1715 à 1761.* — Paris, Presses Universitaires de France, 1924. In-8°, 260 p.

792. Groethuysen (Bernard), *Origines de l'esprit bourgeois en France. I. L'Église et la bourgeoisie.* — Paris, Gallimard, Bibliothèque des Idées, 1927. In-8°, 299 p.

793. Groethuysen (Bernard), *Philosophie de la Révolution française.* — Paris, Gallimard, Bibliothèque des Idées, 1956. In-8°, 306 p.

794. Hastings (H.), *Man and beast in French thought of the eighteenth century.* — Baltimore, Johns Hopkins University Press, 1936. In-8°, 297 p.

795. Havens (George R.), *From reaction to revolution. The age of ideas in 18th century France.* — New York, H. Holt, 1955. In-8°, 474 p.

796. Hazard (Paul), *La Crise de la conscience européenne (1680-1715).* — Paris, Boivin, 1934-1935. 3 vol. in-8°.

797. Hazard (Paul), *Esquisse d'une histoire tragique du Portugal devant l'opinion publique du XVIIIe siècle.* — R.L.C., 1938.

798. Hazard (Paul), *Note sur la connaissance de Locke en France.* — R.L.C., 1937.

799. Hazard (Paul), *Les origines philosophiques de l'homme de sentiment.* — — Romanic Review, 1937.

800. Hazard (Paul), *La Pensée européenne au XVIIIe siècle.* — Paris, Boivin et Cie, 1946. 3 vol. in-8°.

801. Hazard (Paul), *Le problème du mal dans la conscience européenne du XVIIIe siècle.* — Romanic Review, 1941.

802. Hermand (Pierre), *Les Idées morales de Diderot.* [1er chapitre : *État de la conscience française vers 1740*]. — Paris, Presses Universitaires de France, 1923. In-8°, 303 p.

803. Hoog (Armand), *Un cas d'angoisse préromantique.* — Revue des Sciences Humaines, 1952.

804. Hoog (Armand), *Esquisse d'une mythologie française du cœur.* — Études carmélitaines, *Le Cœur*, Desclée de Brouwer, 1950.

805. Hubert (René), *Essai sur l'histoire de l'idée de progrès.* — Revue d'Histoire de la Philosophie, 1934-1935.

806. Labrousse (Ernest), *Origines et aspects économiques et sociaux de la Révolution française.* — Paris, Les Cours de Sorbonne, 1952. 2 fascicules.

807. Lannes (Xavier), *Le XVIIIe siècle : l'évolution des idées*, dans *Renouveau des idées sur la famille.* — I.R.N.D., Travaux et Documents, XVIII, 1953.

808. Lanson (Gustave), *Le XVIIIe siècle et ses principaux aspects.* — R.C.C., 1922-1923.

809. Lanson (Gustave), *Questions diverses sur l'histoire de l'esprit philosophique en France.* — R.H.L.F., 1912.

810. Lanson (Gustave), *Le rôle de l'expérience dans la formation de la philosophie du XVIIIe siècle.* — Revue du Mois, 1910.

811. Lecocq (André), *La Question sociale au XVIIIe siècle.* — Paris, Bloud, 1908. In-16, 126 p.

812. Lefebvre (Georges), *La Révolution française*, tome XIII de la collection *Peuples et Civilisations*, nouvelle édition. — Paris, Presses Universitaires de France, 1957. In-8°, 687 p.

813. Leroy (Maxime), *Histoire des idées sociales en France. I. De Montesquieu à Robespierre.* — Paris, Gallimard, Bibliothèque des Idées, 1946. In-8°, 387 p.

814. Lichtenberger (André), *Le Socialisme au XVIIIe siècle, étude sur les idées socialistes dans les écrivains français du XVIIIe siècle avant la Révolution.* — Paris, F. Alcan, 1895. Gr. in-8°, 473 p.

815. Luppé (Comte Albert de), *Les Jeunes filles dans l'aristocratie et la bourgeoisie à la fin du XVIIIe siècle.* — Paris, E. Champion, 1924. In-8°, 257 p.

816. Martin (Kingsley), *French Liberal Thought in the 18th Century, a study of political ideas from Bayle to Condorcet*, edited by J. P. Mayer (2e éd.). — London, Turnstile Press, 1954. In-8°, 316 p.

817. Martino (Pierre), *L'Orient dans la littérature française au XVIIe et au XVIIIe siècle.* — Paris, Hachette, 1906. In-8°, 378 p.

818. Mathiez (Albert), *Les Philosophes et le pouvoir au milieu du XVIIIe siècle.* — Annales Historiques de la Révolution, 1935.

819. Maugras (Gaston), *La Cour de Lunéville au XVIIIe siècle : les marquises de Boufflers et Du Châtelet, Voltaire, Devau, Saint-Lambert* etc... — Paris, Plon-Nourrit et Cie, 1904. In-8°, 473 p.

820. Maugras (Gaston), *La Disgrâce du duc et de la duchesse de Choiseul, la vie à Chanteloup, le retour à Paris, la mort.* — Paris, Plon-Nourrit et Cie, 1903. In-8°, 527 p.

821. Maugras (Gaston), *Le Duc et la duchesse de Choiseul, leur vie intime, leurs amis et leur temps.* — Paris, Plon-Nourrit et Cie, 1902. In-8°, 473 p.

822. Maugras (Gaston), *La Fin d'une société : le duc de Lauzun et la cour intime de Louis XV.* — Paris, Plon-Nourrit et Cie, 1893. In-8°, 471 p.

823. Maugras (Gaston), *La Fin d'une société : le duc de Lauzun et la cour de Marie-Antoinette.* — Paris, Plon-Nourrit et Cie, 1893. In-8°, 551 p.

824. Maugras (Gaston) et Perey (Lucien), *Une femme du monde au XVIIIe siècle : la jeunesse de Mme d'Epinay*, d'après des lettres et des documents inédits. — Paris, C. Lévy, 1882. In-8°, 544 p.

825. Maugras (Gaston) et Perey (Lucien), *Une femme du monde au XVIIIe siècle : dernières années de Mme d'Epinay, son salon et ses amis*, d'après des lettres et des documents inédits. — Paris, C. Lévy, 1883. In-8°, 607 p.

826. Mauzi (Robert), *Écrivains et moralistes du XVIIIe siècle devant les jeux de hasard.* — Revue des Sciences Humaines, 1958.

Monglond (André), *Histoire intérieure du préromantisme français* : voir n° 9.

827. Morazé (Charles), *La France bourgeoise, XVIIIe-XXe siècles.* Préface de Lucien Febvre. — Paris, A. Colin, 1946. In-8°, 220 p.

828. Moreau (Pierre), *Les stendhaliens avant Stendhal. (L'esprit de la Régence. De Valville à Valmont. La chasse au bonheur).* — R.C.C., 1926-1927.

829. Morize (André), *L'Apologie du luxe au XVIIIe siècle. Le « Mondain » et ses sources.* — Paris, 1909, in-8°.

830. MORNET (Daniel), *L'éveil de la curiosité intellectuelle en province au XVIIIe siècle.* — Revue Parisienne, 1932.

831. MORNET (Daniel), *Les Origines intellectuelles de la Révolution française (1715-1787).* — Paris, Armand Colin, 1933. In-4°, 552 p.

832. MORNET (Daniel), *La Pensée française au XVIIIe siècle.* — Paris, A. Colin, 1926. In-12, 220 p.

833. MORNET (Daniel), *Le Romantisme en France au XVIIIe siècle.* — Paris, Hachette, 1912. In-8°, 288 p.

834. MORNET (Daniel), *Les Sciences de la nature en France au XVIIIe siècle.* — Paris, A. Colin, 1911. In-16, 291 p.

835. MORNET (Daniel), *Le Sentiment de la nature en France de J.-J. Rousseau à Bernardin de Saint-Pierre.* — Paris, Hachette, 1907. In-8°, 573 p.

836. PALMER (Robert Roswell), *Catholics and unbelievers in 18th century France.* — Princeton, Princeton University Press, 1939. In-8°, 236 p.

837. PARODI (Dominique), *L'honnête homme et l'idéal moral du XVIIe et du XVIIIe siècle.* — Revue Pédagogique, 1921.

838. PELLISSON (Maurice), *Les Hommes de lettres au XVIIIe siècle.* — Paris, A. Colin, 1911. In-16, 311 p.

839. PELLISSON (Maurice), *La question du bonheur au XVIIIe siècle.* — Grande Revue, 1906.

840. PELLISSON (Maurice), *La sécularisation de la morale au XVIIIe siècle.* — Revue Française, 1903.

841. PILON (Edmond), *La Vie de famille au XVIIIe siècle*, édition revue et augmentée. — Paris, H. Jonquières, 1928. In-8°, 249 p.

842. PITSCH (Marguerite), *La Vie populaire à Paris au XVIIIe siècle*, d'après les textes contemporains et les estampes. — Paris, A. et J. Picard, 1949. In-4°, 109 p.

843. RÉAU (Louis), *L'Europe française au siècle des lumières.* — Paris, A. Michel, 1938. In-8°, 455 p.

844. REINHARD (Marcel), *Élite et noblesse dans la seconde moitié du XVIIIe siècle.* — Revue d'Histoire Moderne et Contemporaine, janvier 1956.

845. ROSENFIELD (L. C.), *From beast-machine to man-machine. The theme of animal soul in French letters from Descartes to La Mettrie.* — New York and Oxford, Oxford University Press, 1941. In-8°, 353 p.

846. ROSSO (Corrado), *Moralisti del « bonheur ».* — Torino, 1954.

847. ROUSTAN (Mario), *Les Philosophes et la société française au XVIIIe siècle.* — Lyon, A. Rey, 1906. In-8°, 455 p.

848. RUYER (Raymond), *L'Utopie et les utopies.* — Paris, Presses Universitaires de France, 1950. In-8°, 295 p.

849. SCHMIDT (Albert-Marie), *Duclos, Sade et la littérature féroce.* — Revue des Sciences Humaines, 1951.

850. SÉE (Henri), *La France économique et sociale au XVIIIe siècle.* — Paris, A. Colin, 1925. In-16, 194 p.

851. SÉE (Henri), *Les idées philosophiques du XVIIIe siècle et la littérature prérévolutionnaire.* — Revue de Synthèse, 1903.

852. SÉE (Henri), *La Vie économique et les classes sociales en France au XVIIIe siècle.* — Paris, F. Alcan, 1924. In-8°, 231 p.

853. SOMBART (Werner), *Le Bourgeois, contribution à l'histoire morale et intellectuelle de l'homme économique moderne.* Traduit de l'allemand par S. Jankélévitch. — Paris, Payot, 1926. In-8°. 586 p.

854. Souleyman (E. V.), *The vision of world peace in seventeenth and eighteenth century France.* — New York, G. P. Putnam's sons, 1941. In-8°, 232 p.

855. Spink (John Stephenson), *La diffusion des idées matérialistes et antireligieuses au début du XVIIIe siècle : le « Theophrastus redivivus ».* — R.H.L.F., 1937.

856. Teissier (Octave), *La Maison d'un bourgeois au XVIIIe siècle.* — Paris Hachette, 1866. In-16, 160 p.

857. Thirion (H.), *La Vie privée des financiers au XVIIIe siècle.* — Paris, E. Plon, Nourrit et Cie, 1895. In-8°.

858. Trahard (Pierre), *Les Maîtres de la sensibilité française au XVIIIe siècle.* — Paris, Boivin et Cie, 1931-1933. 4 vol. in-8°.

859. Van Tieghem (Paul), *Les idylles de Gessner et le rêve pastoral dans le préromantisme européen.* — R.L.C., 1924.

860. Van Tieghem (Paul), *La Poésie de la nuit et des tombeaux en Europe au XVIIIe siècle.* — Paris, F. Rieder, 1921. In-8°, 177 p.

861. Van Tieghem (Paul), *Le Préromantisme, études d'histoire littéraire européenne.* — Paris, F. Rieder, 1924-1930. 2 vol. in-8°.

862. Van Wijngaarden (Nicolas), *Les Odyssées philosophiques en France entre 1616 et 1789.* — Haarlem, 1932. In-8°, 257 p.

863. Vernière (Paul), *Spinoza et la pensée française avant la Révolution.* [T. II : *XVIIIe siècle*]. — Paris, Presses Universitaires de France, 1954. 2 vol. in-8°, 775 p.

864. Viatte (Auguste), *Les Sources occultes du romantisme. Illuminisme. Théosophie 1770-1820.* — Paris, H. Champion, 1928. 2 vol. in-8°.

Wade (Ira O.) : voir n° 19.

865. Weulersse (Georges), *Le Mouvement physiocratique en France (de 1756 à 1770).* — Paris, F. Alcan, 1910. 2 vol. in-8°.

866. Weulersse (Georges), *Les Physiocrates.* — Paris, G. Doin et Cie, 1931. In-16, 328 p.

867. Weulersse (Georges), *La Physiocratie sous les ministères de Turgot et de Necker (1774-1781).* — Paris, Presses Universitaires de France, 1950. In-8°, 375 p.

868. Wilding (P.), *Les grands aventuriers du XVIIIe siècle* [traduit de l'anglais, *Adventurers in the 18th century*]. — Paris, Corréa, 1938, 312 p.

869. Willey (Basil), *The 18th century background. Studies on the idea of nature in the thought of the period.* — London, Chatto and Windus, 1940. In-8°, 302 p.

B) *Études sur les auteurs.*

870. Belaval (Yvon), *L'Esthétique sans paradoxe de Diderot.* — Paris, Gallimard, Bibliothèque des Idées, 1950. In-8°, 307 p.

871. Bénichou (Paul), *Jean-Jacques Rousseau : de la personne à la doctrine.* — R.M.M., 1954.

872. Billy (André), *Vie de Diderot.* Édition revue et augmentée. — Paris, Flammarion, 1943. In-8°, 405 p.

873. Blanchot (Maurice), *Lautrémont et Sade.* — Paris, les Éditions de Minuit, 1949. In-16, 271 p.

Blanchot (Maurice), Introduction à *Sara* de Rétif de la Bretonne : voir n° 594.

874. BOUISSOUNOUSE (J.), *Julie de Lespinasse ; ses amitiés, sa passion.* — Paris, Hachette, 1958. In-16, 320 p.

875. BRUNET (Pierre), *Maupertuis. Étude biographique.* — Paris, Librairie scientifique Albert Blanchard, 1929. In-8°, 199 p.

876. BRUNET (Pierre), *Maupertuis. L'œuvre et sa place dans la pensée scientifique et philosophique du XVIIIe siècle.* — Paris, Librairie scientifique Albert Blanchard, 1929. In-8°, 488 p.

877. BURGELIN (Pierre), *La Philosophie de l'existence de Jean-Jacques Rousseau.* — Paris, Presses Universitaires de France, 1952. In-8°, 599 p.

878. CARRÉ (J. R.), *La Philosophie de Fontenelle ou le Sourire de la Raison.* — Paris, Félix Alcan, 1932. In-8°, 796 p.

879. CARRÉ (J. R.), *Réflexions sur l'Anti-Pascal de Voltaire.* — Paris, Félix Alcan, 1935. In-16, 121 p.

880. CHADOURNE (Marc), *Rétif de la Bretonne ou le Siècle prophétique.* — Paris, Hachette, 1959. In-8°, 363 p.

881. DELATTRE (André), *Voltaire l'impétueux*, essai présenté par René Pomeau. — Paris, Mercure de France, 1957. In-16, 109 p.

882. DELOFFRE (Frédéric), *Marivaux et le marivaudage.* — Paris, Société d'édition « Les Belles Lettres », 1955. In-8°, 603 p.

883. DERATHÉ (Robert), *La dialectique du bonheur chez Rousseau.* — Revue de Théologie et de Philosophie, 1952, II.

884. DERATHÉ (Robert), *Jean-Jacques Rousseau et la science politique de son temps.* — Paris, Presses Universitaires de France, 1950. In-8°, 464 p.

885. DERATHÉ (Robert), *Jean-Jacques Rousseau et le Christianisme.* — R.M.M., 1948.

886. DERATHÉ (Robert), *Les rapports de la morale et de la religion chez J.-J. Rousseau.* — Revue Philosophique, 1949.

887. DERATHÉ (Robert), *Le Rationalisme de J.-J. Rousseau.* — Paris, Presses Universitaires de France, 1948. In-8°, 203 p.

888. DURRY (Marie-Jeanne), *Quelques nouveautés sur Marivaux.* — Paris, Boivin, 1938. In-8°, 46 p.

889. ESTÈVE (Edmond), *Le sens de la vie chez André Chénier*, dans *Études de littérature préromantique.* — Paris, H. Champion, 1923. In-8°, 225 p.

890. FABRE (Jean), *André Chénier, l'homme et l'œuvre.* — Paris, Hatier-Boivin, 1955. In-16, 240 p.

891. FABRE (Jean), *Une question de terminologie littéraire : « Paul et Virginie », pastorale.* — Annales publiées par la Faculté des Lettres de Toulouse, Littératures, II, novembre 1953.

892. FELLOWS (Otis E.) and TORREY (Norman L.), *Diderot studies.* — Syracuse, Syracuse University Press (s. d.), 2 vol. in-8°.

893. GREEN (F. C.), *Rousseau, a study of his life and writings.* — Cambridge, Cambridge University Press, 1955. In-8°, 376 p.

GROETHUYSEN (Bernard), *Montesquieu*, dans *Philosophie de la Révolution française* : voir n° 793.

894. GROETHUYSEN (Bernard), *La pensée de Diderot.* — Grande Revue, 1913.

895. GROETHUYSEN (Bernard), *Jean-Jacques Rousseau.* — Paris, Gallimard, 1949. In-16, 340 p.

896. HAENDEL (Ch. W.), *J.-J. Rousseau moralist.* — London and New York, 1934. 2 vol. in-8°.

897. HAUSER (Henri), *Le Parfait Négociant de Jacques Savary.* — Paris, Librairie des sciences économiques et sociales, 1925. In-8°, 28 p.

898. HAVENS (G. R.), *La théorie de la bonté naturelle de l'homme chez J.-J. Rousseau.* — R.H.L.F., 1924-1925.

899. HEINE (Maurice), *Le Marquis de Sade.* Texte établi et préfacé par Gilbert Lély. — Paris, Gallimard, 1950. In-8°, 383 p.

900. HENRY (M.), *Le bonheur chez Spinoza.* — Revue des Sciences Humaines, 1945-1946.

HERMAND (Pierre), *Les Idées morales de Diderot* : voir n° 802.

902. HUBERT (René), *D'Holbach et ses amis.* — Paris, André Delpeuch, 1928. In-8°, 225 p.

903. HUBERT (René), *Rousseau et l'Encyclopédie. Essai sur la formation des idées politiques de Rousseau.* — Paris, J. Gamber, 1928. In-8°, 139 p.

904. HUBERT (René), *Les Sciences sociales dans l'Encyclopédie.* — Lille, au siège de l'Université, 1923. In-8°, 368 p.

905. KEIM (Albert), *Helvétius, sa vie et son œuvre,* d'après ses ouvrages, des écrits divers et des documents inédits. — Paris, F. Alcan, 1907. In-8, 720 p.

906. KLOSSOWSKI (Pierre), *Sade, mon prochain.* — Paris, Éditions du Seuil, 1947. In-16, 208 p.

907. LELY (Gilbert), *Vie du marquis de Sade.* — Paris, Gallimard, 1952-1957. 2 vol. in-8°.

908. LEROY (André-Louis), *David Hume.* — Paris, Presses Universitaires de France, 1953. In-8°, 343 p.

909. LE ROY (Georges), *La Psychologie de Condillac.* — Paris, Boivin, 1937. In-8°, 240 p.

910. LUPPOL (I. K.), *Diderot.* Ses idées philosophiques. Traduit du russe par V. et Y. Feldman. — Paris, Éditions sociales internationales, 1936. In-16, 405 p.

911. MANGEOT (Georges), *Les « Réflexions sur le bonheur » de la Marquise du Châtelet,* dans les *Mélanges Lanson.* — Paris, Hachette, 1922.

912. MARANDE (M. de), *Un Don Juan du Grand Siècle et de la Régence : le marquis de Lassay.* — Revue de France, 1936.

913. MARCEAU (Félicien), *Casanova ou l'Anti-Don Juan.* — Paris, Gallimard, 1948. In-16, 195 p.

914. MASSON (Pierre-Maurice), *La Religion de J.-J. Rousseau.* — Paris, Hachette, 1916. 3 vol. in-16.

915. MESNARD (Pierre), *Le cas Diderot,* étude de caractérologie littéraire. — Paris, Presses Universitaires de France, 1952. In-16, 247 p.

916. MOHRT (Michel), Introduction aux *Œuvres choisies* de Vauvenargues. — Paris, le Club Français du Livre, 1957. In-8°, XXVI-591 p.

917. MORNET (Daniel), *Un pré-romantique : les « Soirées de mélancolie » de Loaisel de Tréogate.* — R.H.L.F., 1909.

918. MORNET (Daniel), *La véritable signification du « Neveu de Rameau ».* — R.D.M., août 1927.

919. MULLER (Maurice), *Essai sur la philosophie de Jean d'Alembert.* — Paris, Payot, 1926. In-8°, 313 p.

920. MUNTEANO (Basil), *La solitude de Rousseau.* — Annales J.-J. Rousseau, t. XXXI, 1946-1949.

921. NAVILLE (Pierre), *Paul Thiry d'Holbach et la philosophie scientifique au XVIIIe siècle.* — Paris, Gallimard, 1943. In-8°, 473 p.

922. OSMONT (Robert), *Contribution à l'étude psychologique des « Rêveries du promeneur solitaire ».* — Annales J.-J. Rousseau, 1934.

923. POMEAU (René), *La Religion de Voltaire.* — Paris, Nizet, 1956. Gr. in-8°, 516 p.

924. POMEAU (René), *Voltaire par lui-même.* — Paris, Éditions du Seuil, 1955. In-16, 192 p.

925. POULET (Georges), *Études sur le temps humain.* [Études sur Fontenelle, Prévost, Rousseau]. — Paris, Plon, 1950. In-16, 411 p.

926. POULET (Georges), *Études sur le temps humain.* II. *La Distance intérieure.* [Études sur Marivaux, Vauvenargues]. — Paris, Plon, 1952. In-16, 359 p.

927. RAYMOND (Marcel), *L'humanisme de Montesquieu*, dans *Génies de France.* — Neuchâtel, Éditions de la Baconnière, 1942. In-16, 252 p.

928. RAYMOND (Marcel), *J.-J. Rousseau : deux aspects de sa vie intérieure ; permanence et intermittence du moi.* — Annales J.-J. Rousseau, t. XXIX, 1941-1942.

929. RAYMOND (Marcel), Introduction à l'édition critique des *Rêveries du promeneur solitaire.* — Genève, Droz, 1948. In-16, LXII-227 p.

930. ROMBOUT (M. W.), *La conception stoïcienne du bonheur chez Montesquieu et chez quelques-uns de ses contemporains.* — Leiden Universitaire Pers, 1958.

931. ROSSO (Corrado), *Lévesque de Pouilly : teorico del « bonheur ».* — Filosophia, Caglio, 1952.

932. SARRAILH (Jean), *Notes sur Gracian en France.* [A propos du *Traité du vrai mérite* de Le Maître de Claville]. — Bulletin hispanique, XXXIX, p. 246-252.

933. SCHINZ (Albert), *La Pensée de J.-J. Rousseau*, essai d'interprétation nouvelle. — Paris, F. Alcan, 1929. In-8°, 523 p.

934. SPITZER (Léo), *A propos de « La Vie de Marianne »* (Lettre à M. Georges Poulet). — Romanic Review, 1953, pp. 102-126.

935. SPITZER (Léo), *Linguistics and literary history, essays in stylistics.* — Princeton, Princeton University Press, 1948. In-8°, 236 p.

936. STAROBINSKI (Jean), *Jean-Jacques Rousseau, la transparence et l'obstacle.* — Paris, Plon, 1958. In-8°, 343 p.

937. STAROBINSKI (Jean), *Montesquieu par lui-même.* — Paris, Éditions du Seuil, 1953. In-16, 192 p.

938. THOMAS (Jean), *L'Humanisme de Diderot.* 2e éd. — Paris, Société d'édition « Les Belles Lettres », 1938. In-16, 182 p.

939. TORREY (Norman L.), *The Spirit of Voltaire.* — New York, Columbia University Press, 1938. In-8°, 314 p.

940. TORREY (Norman L.), *Voltaire and the English deists.* — New Haven, Yale University Press, 1930. In-8°, 224 p.

941. TOURNEUX (Maurice), *Diderot et Catherine II.* — Paris, Calmann-Lévy, 1899. In-8°, III-601 p. [Contient d'importants inédits de Diderot. A placer parmi les œuvres de ce Philosophe.]

942. VAILLAND (Roger), *Éloge du Cardinal de Bernis.* — Paris, Fasquelle, 1956. In-16, 125 p.

943. VAILLAND (Roger), *Laclos par lui-même.* — Paris, Éditions du Seuil, 1953. In-16, 192 p.

944. VENTURI (Franco), *Jeunesse de Diderot (1713-1753).* Traduit de l'italien par Juliette Bertrand. — Paris, A. Skira, 1939. In-8°, 418 p.

945. VIAL (F.), *Une philosophie et une morale du sentiment. Luc de Clapiers, marquis de Vauvenargues.* — Paris, E. Droz, 1938. Gr. in-8°, 304 p.

946. WADE (Ira O.), *Voltaire and Madame du Châtelet*, an essay on the intellectual activity at Cirey. — Princeton, Princeton University Press, 1941. In-8°, 241 p.

947. ZIMMERMANN (J. P.), *La morale laïque au commencement du XVIIIe siècle : Madame de Lambert.* — R.H.L.F., 1937.

INDEX DES AUTEURS CITÉS

TABLE DES MATIÈRES

PREMIÈRE PARTIE

LE BONHEUR ET SES CONDITIONS

DEUXIÈME PARTIE

LE BONHEUR ET LES FORMES DE L'EXISTENCE

Imprimé en France
par LES PROCEDES DOREL - PARIS
Dépôt légal : 2ème Trimestre 1969
N° d'ordre ARMAND COLIN : 4806